LA QUÊTE DU SAINT-GRAAL

Collection « *Lettres gothiques* »

LETTRES GOTHIQUES
Collection dirigée par Michel Zink

La Quête du Saint-Graal

ROMAN EN PROSE DU XIIIe SIÈCLE

Texte établi et présenté par Fanni BOGDANOW,
traduit par Anne BERRIE

Ouvrage publié avec le concours du Centre National du Livre

LE LIVRE DE POCHE

REMERCIEMENTS

Nous tenons à remercier ici M. Anthony S. Bliss, conservateur des livres rares et des manuscrits à la Bancroft Library, Berkeley, Californie, de nous avoir donné la permission de publier ici la rédaction de la *Queste del Saint Graal* conservée dans le manuscrit UCB 73 et de nous avoir fourni la description de ce beau manuscrit.

Nous adressons aussi nos plus vifs remerciements à M. le Professeur Michel Zink qui non seulement nous a invitées à entreprendre cette édition pour la collection « Lettres gothiques », mais qui nous a fait bénéficier de ses précieux conseils et a bien voulu relire le texte et l'Introduction.

Nos remerciements vont également à Mme Hélène Vanmalle, dont le travail attentif a permis de maintenir le volume dans des dimensions raisonnables sans sacrifice trop grave pour l'appareil scientifique.

Manchester, le 4 février 2006.

Fanni Bogdanow et Anne Berrie.

Fanni Bogdanow, née en 1927, professeur émérite de l'université de Manchester où elle a enseigné la langue et la littérature médiévales françaises de 1957 à 1994. Elle a publié de nombreuses études sur la littérature arthurienne, y compris les romans du Graal. Elle a édité la *Folie Lancelot* (1965) et les versions post-Vulgate de la *Queste* et de la *Mort Artu* (5 tomes, 1991-2001).

Anne Berrie, née en 1927. De 1952 à 1994 elle a enseigné la langue et la littérature françaises à l'université de Manchester. Ses recherches ont porté sur l'œuvre de certains poètes du siècle dernier, plus particulièrement sur celle de Saint-John Perse.

ISBN : 978-2-253-06681-1 – 1re publication – LGF

INTRODUCTION

L'un des mythes les plus énigmatiques de la littérature médiévale est sans aucun doute celui du « Graal », objet de la quête dans la *Queste del Saint Graal*. Ce roman en prose rédigé entre 1215 et 1230 fait partie d'un ensemble plus large, le cycle *Lancelot-Graal* dont les trois dernières branches sont le *Lancelot* en prose, la *Queste* et la *Mort le roi Artu*, et les deux premières, ajoutées par la suite, l'*Estoire del Saint Graal* et la mise en prose du *Merlin* de Robert de Boron suivie d'une continuation, la *Suite du Merlin Vulgate*[1]. Mais l'auteur anonyme de la *Queste*

---

1. Le cycle entier a été publié par H. O. Sommer : *The Vulgate Version of the Arthurian Romances edited from manuscripts in the British Museum*, 7 vol. Carnegie Institute of Washington, I (1909 : *L'Estoire del Saint Graal*; II (1908) : *L'Estoire de Merlin*; III (1910), IV (1911), V (1912). *Le Livre de Lancelot del Lac*; VI (1913) : *Les Aventures ou la Queste del Saint Graal*; *La Mort le Roi Artus*; VII Supplément : Washington, 1906-1916, réimpr. Ams Press, New York 1969, 1979. – De nouvelles éditions de certaines des sections sont parues depuis, notamment *Lancelot, Roman en prose du XIIIᵉ siècle*, éd. Alexandre Micha, 9 tomes, Genève, Droz, 1978-1983 ; *Lancelot do Lac, The Non-cyclic Old French Prose Romance*, Elspeth Kennedy, Oxford, 1980 ; *L'Estoire del Saint Graal*, éd. Jean-Paul Ponceau, « CFMA », Champion, Paris, 2 tomes, 1997. – Des traductions du *Lancelot* sont parues dans la collection « Lettres gothiques », *Lancelot du Lac*, t. I, traduit par François Mosès d'après l'édition de E. Kennedy, 1991 ; t. II, traduit par Marie-Luce Chênerie d'après l'édition de E. Kennedy, 1993 ; *Lancelot du Lac*, t. III, texte établi et traduit par François Mosès ; *Lancelot du Lac*, t. IV et V, texte établi par Yvan G. Lepage, traduit et présenté par Marie-Louise Ollier, 1999, 2002 – Pour les éditions et traductions de la *Queste*, voir la Bibliographie.

et les rédacteurs du _Lancelot_ en prose et de la _Mort Artu_
– qui s'attribuent le nom de _Mestres Gautier Map_[1] et qui
présentent le héros du _Graal_ comme Galaad, le fils illé-
gitime de la fille du roi Pellés et de Lancelot[2] – n'ont in-
venté ni le thème d'une quête du Graal ni le mot _Graal_.
Ce terme, dans le sens ordinaire de «plat», «écuelle», se
trouve pour la première fois dans le manuscrit de Venise
(Museo civico, VI, 665) du _Roman d'Alexandre_, roman
antique rédigé vers 1160 : _Ersoir mangai o toi a ton graal_
«Hier soir j'ai mangé avec toi au même plat» (v. 618)[3].

C'est Chrétien de Troyes qui le premier a entouré le mot
Graal d'un certain mystère. Dans son dernier roman, le
Conte du Graal, intitulé aussi le _Roman de Perceval_[4], rédigé entre 1181 et 1190, le _Graal_ n'est plus un plat ordinaire, mais un plat précieux sur lequel une _oiste_ (hostie)
est portée au père du Roi Pêcheur, ce qui suffit à soutenir
sa vie depuis douze ans[5]. Chrétien dans ce roman confie

1. Le nom _Mestres Gautier Map_ se trouve au ch. XV, § 333.14-15 ainsi
que dans le _Lancelot_ propre (éd. Micha, VI, ch. CVIII, § 16 ; éd. Sommer,
V, p. 404 n. 4), _La Mort le Roi Artu_, éd. Sommer, VI, p. 203.1 ; éd. Frappier,
§ 1.1. Voir la note 1 de notre § 333.

2. Pour la conception de Galaad, voir Ch. I, § 5, n. 2.

3. _The Medieval French Roman d'Alexandre_, t. I : Text of the Arsenal and
Venice Versions, éd. M. S. La Du, Princeton, 1937, Elliott Monographs 36,
rééd. New York, Kraus Reprints, 1965. Le passage qui mentionne le _graal_
ne figure pas dans le _Roman d'Alexandre_ attribué à Alexandre de Paris et
publié par Laurence Harf-Lancner et E. C. Armstrong dans les «Lettres
gothiques», 1994.

4. Chrétien de Troyes, _Le Roman de Perceval ou le Conte del Graal_,
éd. W. Roach, Genève et Paris, «TLF», 1956 ; réimpr. 1959 ; _Le Conte du
Graal (Perceval)_, éd. F. Lecoy, Paris, «CFMA», vol. I, 1975, II, 1981 ; _Le
Conte du Graal_, éd. Charles Méla, Paris, «Lettres gothiques», 1990. – De
nombreuses études ont été publiées sur l'origine de la légende du Graal. Voir
entre autres J. Frappier, _Chrétien de Troyes et le mythe du Graal_, Paris, 1972,
p. 5-12, 164-212 ; J. Frappier, «La légende du Graal : origine et évolution»,
dans _Grundriss der Romanischen Literaturen des Mittelalters_, éd. Reinhold
R. Grimm, Heidelberg 1984, IV/1, p. 292-331 ; J. Frappier, «Les romans en
vers du Graal», dans _Grundriss,_ IV/1, p. 332-361.

5. _Conte du Graal_, éd. Méla, p. 450, v. 6346-6355 ; éd. Roach, p. 189,
v. 6420-6429. _Ne me cuide pas que il ait/Luz ne lamproies ne salmon,/D'une
sole hoiste li sainz hom/Que l'an en cel graal li porte/Sa vie sostient…
C'autre chose ne li covient/Que l'oiste qui el graal vient. /.XII. anz i a esté
ainsi…_ (Ne va pas t'imaginer qu'il ait brochet, lamproie ou saumon ! Le
saint homme, d'une simple hostie qu'on lui apporte dans ce graal, soutient

à son héros, qui est Perceval[1], le seul fils survivant d'une veuve, la tâche d'apporter la guérison au Roi Pêcheur, seigneur du Château du Graal, blessé aux hanches par un javelot au cours d'une bataille[2]. Pour y parvenir, Perceval aurait dû lors de son arrivée au Château du Graal poser deux questions en voyant le cortège du Graal : «pourquoi la lance qu'un valet portait saignait-elle?»[3] et «qui est celui que l'on servait du Graal?»[4]. Mais, parce qu'il est souillé du péché d'avoir à son insu causé la mort de sa mère, Perceval, se souvenant mal à propos des conseils de Gornemant de Gorhaut de ne pas trop parler[5], a gardé le silence[6].

---

et fortifie sa vie… Il ne lui faut pas autre chose que l'hostie qui vient dans le Graal. Il est resté ainsi douze ans…). Voir aussi éd. Méla, p. 238, v. 3158-3167, 3170-3177; éd. Roach, p. 94, v. 3220-3229, 3232-3238. – Le mot *graal* a conservé son acception originale de plat ordinaire aux côtés du nouveau sens introduit par Chrétien. Prenons, par exemple, la *Première Continuation* du *Conte du Graal* : *Graaus i voit de fin argent/Sor une table tresc'a cent* [...]/*Une grant teste de sengler/Desor cascun graal avoit* (version courte, éd. Roach, III, ms. *L*, p. 268, v. 4047-4051). Ou encore : *An unes loiges* [salle] *maintenant/Vit an graax par tot ester/Plus de cent testes de sangler.* (version courte, éd. Roach, III, mss *ASPU*, p. 269, v. 4258-4260); *En une loges par devant/Vit sor graals d'argent ester/Plus de cent testes de sangler* (version mixte, éd. Roach, I, p. 262-263, v. 9648-9650 et version longue, II, p. 404, v. 13431-13433).

1. Sur le rôle de Perceval dans les divers romans du Graal, voir F. Bogdanow, «The transformation of the role of Perceval...»

2. Sur la blessure du Roi Pêcheur, voir éd. Méla, p. 256, v. 3445-3453; éd. Roach, p. 102-103, v. 3507-3515).

3. *Conte du Graal*, éd. Méla, p. 236, v. 3128-3143, p. 260, v. 3490-3491; éd. Roach, 1956, p. 93, v. 3190-3201, p. 104, v. 3548-3555. Pour la description de la lance qui saigne, voir éd. Méla, p. 236, v. 3130-3139; éd. Roach, p. 93, v. 3191-3201.

4. *Conte du Graal*, éd. Méla, p. 238, v. 3158-3181, p. 260, v. 3494-3508, p. 262, v. 3540-3543; éd. Roach, p. 94-95, v. 3220-3245, p. 104, v. 3556-3570, p. 105, v. 3602-3605.

5. *Conte du Graal*, éd. Méla, p. 132, v. 1590-1612; éd. Roach, p. 48-49, v. 1632-1656; éd. Méla, p. 448, v. 6319-6327; éd. Roach, p. 188, v. 6393-6401.

6. *Conte du Graal*, éd. Méla, p. 236, v. 3141-3150, p. 238, v. 3181-3185; éd. Roach, 1956, p. 93-94, v. 3201-3212, p. 95, v. 3243-3247. – Par conséquent non seulement le Roi Mehaigné restera infirme, ce que révèle la cousine de Perceval, mais comme la Demoiselle Laide l'annoncera lors du séjour de Perceval à la cour d'Arthur, le pays deviendra stérile, *Terres en seront essilliees* (éd. Méla, p. 262, v. 3520-3530 et p. 334, v. 4601-4613;

Le *Conte du Graal*, à l'encontre de la *Queste*, ne fait pas partie d'un cycle étendu. D'autre part, Chrétien n'a pas terminé son *Conte du Graal* : après l'échec de Perceval lors de sa première visite au Château du Graal et nombre d'autres aventures, le récit s'arrête brusquement à l'endroit où le roi Arthur regrette l'absence de son neveu Gauvain parmi les chevaliers réunis à sa cour (éd. Méla, v. 9054 ; éd. Roach, v. 9234). Plusieurs continuateurs, qui tous comme Chrétien rédigeaient leurs ouvrages en vers, et dont les deux premiers sont restés anonymes[1], ont cherché à prolonger le récit incomplet de Chrétien. La *Première Continuation*, dont la rédaction courte fut composée avant le cycle *Vulgate*[2], met Gauvain au premier plan. Celui-ci, au contraire de Perceval, n'ayant pas oublié de confesser ses péchés[3], formule lors de son séjour au Château du Graal les questions que Perceval s'était retenu de poser[4]. Mais il s'avère que Gauvain n'est pas le parfait

---

éd. Roach, p. 105. v. 3582-3592 et p. 137-138, v. 4671-4683). – Notons au passage que Chrétien de Troyes ne nomme pas le père de Perceval, mais identifie le Roi Pêcheur (identique au Roi Mehaignié) comme l'oncle de Perceval du côté maternel.

1. *The Continuations of the Old French Perceval of Chrétien de Troyes*, éd. W. Roach, Philadelphia : vol. I, *The First Continuation : Redaction of MSS TVD* (1949, réimpr. 1965) (rédaction mixte) ; II, *The First Continuation : Redaction of MSS EMQU* (1950, réimpr. 1965) (rédaction longue) ; III, première partie, *The First Continuation : Redaction of MSS ALPRS* (1952) (rédaction courte) ; III, deuxième partie, *Glossary of the First Continuation* par L. Foulet (1955) ; IV, *The Second Continuation* (1971) ; V, *The Third Continuation by Manessier* (1983). – Gerbert de Montreuil, *Les Continuations de Perceval*, éd. Mary William, Paris, «CFMA», vol. I, 1922, II, 1925, III, éd. Marguerite Oswald, 1975.

2. Les versions courtes des deux premières continuations furent rédigées avant la *Queste Vulgate* ; les versions plus longues de ces deux continuations, ainsi que celles de Manessier et de Gerbert furent composées après la *Queste Vulgate*

3. W. Roach, *The Continuations...*, *The First Continuation*, version courte : III, p. 32-33, ms. *L*, v. 480-492 ; mss. *ASP*, v. 514-526 ; version mixte : III, p. 14-15, v. 509-526 ; version longue : II, p. 31, v. 980-996.

4. Par suite le pays recouvre sa fertilité. *Tot ce lor a Dex restoré/Por ce qu'il avoit demandé/Par quel raison sainnait la lance* (W. Roach, *The Continuations...*, *The First Continuation* (rédaction courte), III, p. 494-495, ms. *L*, v. 7759-7765 ; mss *ASP*, v. 7722-7730). Et, bien que Gauvain ne réussisse pas à joindre les deux morceaux d'une épée brisée (III, p. 472, ms. L, v. 7359-7376 ; p. 473, mss ASP, v. 7311-7331), le roi consent à

chevalier attendu, car il s'endormira au milieu du récit que lui fait le Roi Pêcheur de l'histoire de la lance qui saigne et du Graal[1]. Quant à Perceval, il échouera de nouveau lors de sa visite au château du Graal dans la *Seconde Continuation*. Car bien qu'à cette occasion il pose les questions obligatoires, lui non plus n'a pas encore atteint la perfection ni sur le plan chevaleresque ni sur le plan spirituel[2].

Dans le *Perlesvaus*[3], roman en prose rédigé après le cycle *Lancelot-Graal*, mais avant le *Roman du Graal Post-Vulgate*[4], Perceval, qui s'appelle Perlesvaus, omettra, lors d'une première visite au Château du Graal à laquelle l'auteur renvoie plusieurs fois sans la relater, de poser la question libératrice[5], ainsi que Gauvain, à son tour[6]. Le Roi Pêcheur meurt[7], mais Perlesvaus restaurera néanmoins la joie en reconquérant son château, symbo-

lui raconter l'histoire de la lance qui saigne et du Graal. – Le récit de la rédaction courte de la visite de Gauvain au château du Graal sera repris par les rédactions mixte et longue (I, p. 353-369, v. 13003-13590 et II, p. 515-532, v. 17227-17848).

1. Éd. Roach, III, p. 474-491 : ms. *L*, v. 7411-7716, ms. *ASP*, v. 7379-7680 (version courte).

2. Comme Gauvain, Perceval échouera à ressouder l'épée brisée. W. Roach, *The Continuations… IV, The Second Continuation*, p. 505-512, v. 32394-32594. Cf. F. Bogdanow, «La trilogie de Robert de Boron…», dans *Grundriss*, IV/1, p. 513-535 (p. 518-519, n. 18).

3. *Le Haut Livre du Graal, Perlesvaus*, éd. W. A. Nitze et T. Atkinson Jenkins, 2 vols., Chicago 1932-1937, réimpr. New York 1972.

4. Sur la date du *Perlesvaus*, voir F. Bogdanow, «*Le Perlesvaus*», dans *Grundriss*, IV/2, p. 44-67, 177-184. Sur la date de la *Post-Vulgate*, voir *La Version Post-Vulgate de la Queste…*, éd. F. Bogdanow, I, 1991, p. 59.

5. Ce qui eut des conséquences néfastes à la fois pour le Roi Pêcheur et le pays entier. Car *les terres sont cheües en doleur et li buens Rois Peschieres languist* (*Perlesvaus*, éd. Nitze, I, p. 88, l. 1612-1624 ; I, p. 23-24, l. 17-21 ; p. 38, l. 350-356 ; p. 80, l. 1407-1411 ; p. 88, l. 1611-1614 ; p. 92, l. 1725-1726 ; p. 110, l. 2189-2191 ; p. 113, l. 2272-2273 ; p. 117, l. 2383-2386 ; p. 170, l. 3735-3776). Cf. F. Bogdanow, «*Le Perlesvaus*», dans *Grundriss*, IV/2, p. 52-53.

6. *Perlesvaus*, I, p. 118-121, l. 2407-2483 ; p. 118, l. 2409-2410 et 2418-2420 ; p. 119, l. 2434-2442 ; p. 119-129, l. 2450-2454 ; p. 120, l. 2473-2474 ; p. 121, l. 2479-2482 ; p. 122, l. 2522-2525). Cf. F. Bogdanow, «*Le Perlesvaus*», dans *Grundriss*, IV/2, p. 56-58.

7. Une voix divine annonce à la sœur de Perlesvaus que le Roi Pêcheur : est mort et que le Roi du Chastel Mortel a saisi le Château du Graal (*Perlesvaus*, I,

le dans ce roman de la Jérusalem terrestre (la ville menacée par les païens au XIIIe siècle comme au temps de saint Bernard), et qui, d'après le seul *Perlesvaus*, était entre-temps tombé aux mains d'un usurpateur, le Roi du Chastel Mortel, troisième frère de la mère de Perlesvaus, devenu infidèle et traître[1]. Cependant, pas plus que Chrétien de Troyes ni aucun de ses continuateurs, l'auteur du *Perlesvaus* ne s'est donné pour tâche d'intégrer l'histoire du Graal dans un ensemble plus vaste.

C'est à Robert de Boron, dont l'œuvre se situe probablement entre 1191 et 1212[2], que revient le mérite d'avoir le premier identifié le Graal comme le vaisseau de la Cène, qui remplit de grâce ceux qui ne sont pas entachés de péché[3], et c'est à lui qu'il faut semble-t-il, attribuer l'idée de joindre le thème du Graal à celui de Merlin et de l'histoire arthurienne. Mais de son ouvrage original, seul le *Joseph d'Arimathie*, intitulé aussi le *Roman de l'Estoire dou Graal*, et les 502 premiers vers du *Merlin* nous sont parvenus. Toutefois, par bonheur, peu de temps après sa composition, l'ensemble *Joseph-Merlin* rédigé originellement en vers, fut translaté en prose par un écrivain anonyme. Dans deux des manuscrits subsistants, B. N. n. acq. fr. 4166 et E39 de la Bibliotheca Estense de Modène, une version en prose d'une quête du Graal dont Perceval est le héros et un récit de la mort du roi Arthur font suite à la mise en prose du *Joseph-Merlin*. Mais puisque cette ré-

p. 225, l. 5141-5149). Cf. *Perlesvaus,* I, p. 115, l. 2324-2325; p. 169, l. 3699-3701. Cf. F. Bogdanow, «*Le Perlevaus*», dans *Grundriss*, IV/2, p. 52.

1. *Perlesvaus*, I, p. 121, l. 2485-2487; p. 177-178, l. 3925-3932; p. 225, l. 5148-5150; p. 260-262, l. 6055-6094. Pour l'épisode où Perlesvaus réussit à reconquérir le Château du Graal, voir *Perlesvaus*, I, p. 265-269, l. 6164-6251. Ajoutons que l'auteur du *Perlesvaus*, soucieux de ne pas rendre son héros responsable de la mort de son oncle, le Roi du Chastel Mortel, présente ce dernier comme s'étant tué lui-même de sa propre épée (I, p. 267, l. 6212-6216).

2. Cf. F. Bogdanow, «La trilogie de Robert de Boron» : *Le Perceval en prose*, dans *Grundriss*, IV/1, p. 513-535.

3. Robert de Boron, *Le Roman de l'Estoire dou Graal*, éd. W. A. Nitze, Paris, «CFMA», 1927: *Leenz eut un veissel mout gent/Ou Criz feisoit son sacrement* (p. 14, v. 395-396); *Qui a droit le vourra nummer/Par droit Graal l'apelera* (p. 91, v. 2658-2659).

daction, intitulée par les critiques le *Perceval en prose* ou
le *Didot Perceval*[1], a utilisé la *Seconde Continuation* du
Conte du Graal, elle ne saurait être, à tout le moins dans
la forme sous laquelle elle nous est parvenue, de la main
de Robert de Boron[2].

En ce qui concerne la *Queste*, l'auteur a repris de ces
prédécesseurs divers thèmes associés à celui du Graal, à
l'exception de celui de la question libératrice qu'il a reje-
tée. Le Roi Mehaignié, qui y figure, est présenté comme
ayant été blessé aux deux cuisses lorsque, en dépit d'une
interdiction, il voulut autrefois prendre l'épée réservée à
Galaad, qu'il trouva dans la nef de Salomon[3]. Notre rédacteur a également adopté à ses propres fins le motif de
la sainte lance dont coulent des gouttes de sang, celui de
l'épée brisée dont seul le héros du Graal saura réunir les
fragments, et celui de la *Terre Gaste*, pays qui selon sa
version avait été dévasté par le coup dont le roi Varlan
avait tué le roi Lambar[4].

Mais surtout, comme Chrétien de Troyes, Robert de Boron et l'auteur du *Perlesvaus*, le rédacteur de la *Queste
Vulgate* a subi l'influence de la théologie mystique de
saint Bernard de Clairvaux. Toutefois, chacun de ces écrivains a mis l'accent sur des aspects différents de l'enseignement de saint Bernard. Alors que Chrétien cherchait
avant tout à illustrer ce qui, comme Étienne Gilson l'a

---

1. *The Didot Perceval according to the Manuscripts of Modena and
Paris*, éd. W. Roach, Philadelphia, 1941, réimpr. 1977. D'après le *Didot
Perceval*, le père de Perceval est Alain, un des fils de Bron qui, ainsi qu'il
est prédit dans le *Joseph*, est destiné à engendrer le troisième gardien du
Graal. Quant au Roi Pecheor, il est identifié comme Bron, le grand-père de
Perceval. Lors d'une première arrivée chez le roi infirme, Perceval négligera
comme dans le *Conte du Graal* de poser la question libératrice (p. 208-209,
l. 1221-1242 ; p. 210-211, l. 1277-1299), mais lors de sa deuxième visite au
Château du Graal il accomplira sa destinée et guérira le Roi Pecheor (p. 238-
239, l. 1825-1840).

2. Cf. F. Bogdanow, « La trilogie de Robert de Boron… », dans *Grundriss*,
IV/1, p. 515-517.

3. *Queste*, ch. X, § 251.

4. *Queste*, ch. X, § 247. L'auteur de la *Queste* assigne aussi le nom de *Terre
Gaste* au pays dont autrefois la tante de Perceval était la reine (chapitre VI,
§ 86.42-43).

relevé, était pour saint Bernard « le premier précepte » à observer, c'est-à-dire « de se connaître soi-même » (*nosce te ipsum*) [1], et que Robert de Boron souligne entre autres choses l'importance du repentir et de la pénitence, l'auteur du *Perlesvaus* qui rédigeait son ouvrage après 1225 « fait l'apologie de la propagation et de la défense de la Nouvelle Loi à la pointe de l'épée » [2]. L'auteur de la *Queste*, pour sa part, s'il n'ignore ni le précepte de se connaître soi-même ni l'importance du repentir et de la pénitence, met davantage en valeur la récompense spirituelle qui attend ceux qui, doués de la grâce, évitent tout péché et restent purs de corps et d'esprit. Bien que la *Queste* et le *Perlesvaus* paraissent à première vue être « comme les deux faces de la pensée religieuse de saint Bernard » [3], la *Queste* ne condamne nullement les guerres contre les infidèles. Au contraire, à en juger par l'épisode du Château Carcelois, la *Queste* paraît même les justifier. Car, lorsque Galaad regrette d'avoir tué tant de chrétiens, un *preudome* le rassure en lui disant que ceux qu'il avait mis à mort n'étaient pas chrétiens, mais « pires que des Sarrasins » [4].

Toutefois, si l'auteur de la *Queste*, tout autant que celui du *Perlesvaus*, accepte ce qui était pour saint Bernard une inévitable justification des guerres saintes, néanmoins, à la différence du *Perlesvaus* qui est fondamentalement optimiste, la *Queste* est une œuvre pessimiste. L'auteur

---

1. Étienne Gilson, *La Théologie mystique de Saint Bernard,* Paris, Librairie Philosophique J. Vrin, 1947, p. 220. Cf. *ibid.*, p. 50-51 et F. Bogdanow, « The mystical theology of Bernard de Clairvaux... », p. 249-282.

2. F. Bogdanow, « Le *Perlesvaus* », dans Grundriss, IV/2, p. 45, p. 180-181. Non seulement saint Bernard de Clairvaux avait prêché la deuxième croisade sur l'ordre d'un pape cistercien, Eugène III, mais dans son *De laude novae militiae* (III, 4), éd. Pierre-Yves Emery, *SCh.* XXXI, 1990, p. 58-61, § 4, il fait la distinction entre la guerre juste et la guerre inique, justifiant ainsi l'usage du glaive pour la défense de l'Église et de la terre du Seigneur. Cf. E. Delaruelle, « L'idée de croisade chez saint Bernard », dans *Mélanges Saint Bernard*, Dijon, 1953, p. 53-67 ; P. Dérumeaux, « Saint Bernard et les infidèles », dans *Mélanges Saint Bernard*, Dijon, 1953, p. 68-79 ; J. Leclercq, « L'attitude spirituelle de saint Bernard devant la guerre », dans *Collectanea cisterciensia* 36, 1974, p. 195-225.

3. F. Bogdanow « Le Perlesvaus », dans *Grundriss*, IV/2, p. 52.

4. *Queste*, ch. XII, § 277.28-29.

du *Perlesvaus* donne pour des exemples les chevaliers du roi Arthur et souligne le bonheur qui règne sur le monde arthurien depuis l'accomplissement de la plus haute aventure[1], la reconquête du Château du Graal[2]. Le rédacteur de la *Queste*, tout en présentant comme but principal de la quête du Graal « la recherche des grands secrets et des grands mystères de Notre-Seigneur »[3], conçoit néanmoins son récit comme le prélude à la destruction du royaume de Logres. En dépit de la présentation idéalisée de Galaad et de la réussite des deux autres chevaliers « élus », Perceval et Bohort, l'objet de la *Queste* n'est nullement de glorifier la chevalerie arthurienne. Bien qu'il n'y ait aucune raison de croire que la *Mort Artu* avait déjà été composée lorsque l'auteur de la *Queste* entreprit de rédiger son ouvrage, il y a dans le *Lancelot* propre de nombreuses allusions non seulement à la quête imminente du Graal, mais aussi à l'anéantissement éventuel du royaume d'Arthur. Or la *Queste*, semble-t-il, a été conçue en premier lieu comme une préparation sur le plan spirituel à l'effondrement du monde arthurien et, par conséquent, comme un avertissement pour le monde en général, car la Table Ronde a non seulement une signification dans le contexte du cycle arthurien, mais symbolise l'univers dans son entier :

> Elle fut appelée Table Ronde parce qu'elle signifiait la rotondité du monde [...] On peut donc dire à juste titre que la Table Ronde représentait le monde (*Queste,* ch. VI, § 90.11-17).

Depuis Gildas, un moine du VIe siècle, les « historiens » médiévaux ont interprété les calamités qui ont frappé la Grande-Bretagne comme un châtiment divin[4]. Gildas, bien entendu, ne mentionne pas Arthur bien que la période dont il traite recouvre celle où Arthur aurait vécu s'il avait réellement existé. Geoffroi de Monmouth, qui

---

1. Cf. F. Bogdanow « *Le Perlesvaus* », dans *Grundriss*, IV/2, p. 64-65.
2. F. Bogdanow « *Le Perlesvaus* », dans *Grundriss*, IV/2, p. 64.
3. *Queste,* ch. I, § 22.32-33.
4. Cf. E. Gilson, *La Philosophie au Moyen Âge*, Paris, 1976, p. 168-172.

dans son *Historia Regum Brittaniae*[1] idéalise Arthur, et pour qui le règne de ce roi est la période la plus glorieuse de la Grande-Bretagne, reporte à l'époque qui suit la disparition d'Arthur le thème de la déchéance morale du peuple breton. Pour expliquer la tragédie qui met fin au règne d'Arthur, Geoffroi, sans utiliser l'image de la roue de Fortune, invoque la doctrine de Fortune, d'après laquelle les empires s'écroulent « sans qu'intervienne la notion de mérite ou de démérite »[2]. L'auteur anonyme du *Perceval en prose*, ouvrage destiné à parfaire l'arthuriade commencée par Robert de Boron, idéalisera le monde arthurien. Robert, qui voulait produire une œuvre d'édification, une sorte d'évangile apocryphe, avait envisagé le règne d'Arthur comme l'époque glorieuse où le héros prédestiné, en accomplissant l'aventure du Graal, rachèterait le monde arthurien. L'auteur du *Perceval en prose* qui a largement respecté les intentions de Robert, a compris que dans une telle optique il fallait éviter de présenter l'écroulement de Logres comme un châtiment divin. Aussi, afin de souligner que le roi Arthur ne mérite nullement le malheur qui va bientôt le frapper, le rédacteur du *Perceval en prose* noircit-il l'empereur de Rome et transforme-t-il l'équipée contre l'empereur – cause initiale de la catastrophe finale –, en une guerre sainte. Car l'empereur de Rome, non content de s'allier à des infidèles, épouse une païenne. Le roi Arthur et ses chevaliers, par contre, sont présentés comme des croyants qui se battent non seulement pour des raisons d'ordre politique, mais de surcroît pour défendre la chrétienté que l'empereur de Rome voulait *mestre en servitude*[3].

1. Pour les éditions de l'*Historia* de Geoffroi, voir E. Faral, *La Légende Arthurienne : Étude et Documents*, 3 vols., Paris, 1910, III, 63-303 ; N. Wright, *Historia regum Britanniae*, I, *Bern Burgerbibliothek MS 568* (Cambridge, 1984) ; II, *The first Variant Version* (Cambridge, 1988).

2. Cf. Jean Frappier, *Étude sur la Mort le Roi Artu*, Paris, 1936, p. 256.

3. *Didot-Perceval*, éd. Roach, ms. *D*, 1879. Cf. F. Bogdanow, « *La trilogie de Robert de Boron*... », dans *Grundriss*, IV/1, p. 527-532 ; F. Bogdanow, « La chute du royaume d'Arthur », *Romania* 107, p. 506-507.

L'auteur du *Lancelot propre*, pour qui la *fin amor* est un bien à chérir [1], « une source d'exaltation et d'ennoblissement » [2], s'est également abstenu d'interpréter la destinée tragique du monde arthurien comme la suite de leur attachement aux valeurs d'ici-bas. Mais l'auteur de la *Queste*, soucieux sans doute d'encourager ses contemporains à abandonner leurs mauvaises coutumes, leur fait miroiter d'une part les récompenses spirituelles auxquelles ils peuvent s'attendre s'ils se repentent de leurs péchés, et d'autre part montre la destinée tragique qui sera la leur s'ils s'obstinent dans leur vie dissolue. Pour cette raison il transfère le thème de l'iniquité du peuple breton à la période arthurienne et l'interprète comme la cause directe des malheurs qui frapperont le pays. L'auteur de la *Queste* aurait bien pu prendre Gildas pour point de départ ; toutefois, pour le développement général du récit et l'interprétation du Graal qui s'ensuit, il semblerait qu'il se soit inspiré non seulement de l'Écriture Sainte, mais aussi de certains thèmes majeurs de la pensée morale et mystique de saint Bernard de Clairvaux.

S'appuyant lui-même sur l'enseignement de l'Ancien et du Nouveau Testament, ainsi que sur des ouvrages de certains Pères de l'Église, saint Bernard développe dans quelques-uns de ses sermons le double thème selon lequel, alors que les humbles et ceux qui ont « le cœur pur verront Dieu » [3], les orgueilleux, ceux qui succombent au

---

1. Cf. F. Bogdanow, « The *double esprit* of the Prose *Lancelot* », p. 1-22.

2. Jean Frappier, *Étude sur la Mort le Roi Artu*, Paris, Droz 1936 ; éd. revue, Genève, Droz et Paris, Minard, 1961, p. 404.

3. *Sermones in Cantica* 57, § 5, SCh XIII, p. 162.25 : *Mundi corde Deum videbunt* (Matthieu 5 v. 8). – Les citations des *Sermons sur le Cantique* (sermons 1-68) sont prises dans l'édition des *Œuvres complètes* de Saint Bernard publiées dans la collection Sources Chrétiennes [SCh] ; Bernard de Clairvaux, *Sermons sur le Cantique*, Texte latin de J. Leclercq, H. Rochais et Ch. H. Talbot, Introduction, Traduction et Notes par Paul Verdeyen et Raffaele Fassetta, Les Éditions du Cerf, 4 tomes, t. I (sermons 1-15) 1996, t. II (sermons 16-32) 1998, t. III (sermons 33-50) 2000, t. IV (sermons 51-68) 2003. Pour les sermons suivants (69-86), nous renvoyons à l'édition latine de J. Leclercq, C. H. Talbot et H. M. Rochais : *Sermones super Cantica Canticorum*, publiée dans la série *Sancti Bernardi Opera*, Rome, Editiones Cisterciensis, II, 1958 ; la traduction est prise dans Saint Bernard,

péché, « s'amassent un trésor de colère pour le jour de la colère »[1]. « Je tremble lorsque je pense à la colère du Puissant, "à son visage courroucé", au fracas du monde qui s'écroule, à la conflagration des éléments »[2]. Et pourtant, « toute âme, dis-je, en dépit de sa damnation et de son désespoir, peut encore trouver en elle-même des raisons, non seulement d'espérer le pardon, et la miséricorde, mais même d'aspirer aux noces du Verbe, pourvu qu'elle ne craigne de conclure un traité d'alliance avec Dieu et de se placer avec le Roi des anges sous le joug de l'amour »[3]. Car le Seigneur « ne veut pas la mort du pécheur, mais qu'il se convertisse et qu'il vive »[4]. « Voilà pourquoi Il ajourne longtemps la sentence de condamnation prononcée contre l'homme qui le méprise, pour manifester un jour la grâce du pardon à l'homme qui se repent »[5].

C'est ainsi que notre auteur a conçu la situation au début de la *Queste*. Pour saint Bernard, les pécheurs, les orgueilleux, sont ceux qui au lieu d'honorer et de servir Notre-Seigneur préfèrent les valeurs d'ici-bas aux valeurs célestes : « *Les méchants aiment les choses temporelles*[6] [...] *La piété est la vertu de ceux qui croient en Dieu et le servent* [...] *Or, les impies, les hommes qui ne servent point Dieu, ceux qui sont dans la pensée de préférer les choses visibles aux invisibles, les terrestres aux*

_____

Œuvres Mystiques, Préface et traduction d'Albert Béguin. – Nos références aux *SCh.* sont aux numéros des tomes des *Œuvres complètes* de Saint Bernard.

1. *Sermones in Cantica* 69, § 3, Béguin, p. 711 ; Leclercq, II, p. 204.3 cf. Romains 2, 5.

2. *Ibid.* sermon 16, § 7, *SCh* XI, p. 54-55 [p. 54.15-16].

3. *Ibid.* sermon 83, § 1, Béguin, p. 846 ; Leclercq, II, p. 298.13-23.

4. *Ibid.* sermon 9, § 5, *SCh* X, p. 206-207 [p. 206.14-15].

5. *Ibid.* sermon 9, § 5, *SCh* X, p. 206-207 [p. 206.11-14].

6. *Sermones de Diversis* 72, § 4, Charpentier, 4, p. 36 ; Leclercq, VI, 1, p. 310.17. (Version latine des *Sermones de Diversis* dans l'édition de J. Leclercq, *S. Bernardi Opera*, vol. VI, 1, *Editiones Cisterciensis,* 1970 ; la traduction française de ces sermons qui ne figurent pas dans M. M. Davy, Saint Bernard, *Œuvres traduites,* Aubier, 1945, est prise dans les *Œuvres complètes de Saint Bernard, traduction nouvelle* par M. l'Abbé Charpentier, Paris, 1867.)

célestes, manquent de ces vertus. À leur tête est le diable, leur chef, le premier qui se soit éloigné de la piété et qui devint impie »[1]. Ils habitent ce que saint Bernard appelle la « région de la dissemblance »[2], c'est-à-dire le siècle présent, où les habitants ne recherchent que la vaine gloire. Le roi Arthur et le plus grand nombre de ses chevaliers, y compris son propre neveu Gauvain et Lancelot, « la fleur de la chevalerie », tout comme les barons de Logres et du pays de Galles, dont Perceval était originaire, sont parmi les gens qui passent « à travers les marchés de ce monde du lever du soleil à son coucher, les uns recherchant les richesses, les autres convoitant les honneurs ou se laissant emporter par le vent de la renommée »[3]. Leurs cœurs sont tellement remplis de *pensees terrienes* (pensées terrestres) et des *deliz del monde*[4] (les plaisirs de ce monde) qu'ils sont souillés de tous les vices associés aux « désirs mondains » (*saeculari desideria*), et avant tout des péchés mortels de luxure et d'orgueil : « la concupiscence de la chair, la concupiscence des yeux et l'orgueil de la vie, qui nous portent et nous inclinent à l'amour du siècle »[5]. Même les *chevalier proisié* (les chevaliers hautement estimés), tous « de vils et misérables pécheurs [...] tout enveloppés de luxure et d'iniquité » étaient reconnus comme tels par leur maître le diable (*li enemis*)[6]. Oubliant de se rappeler que seul est « un serviteur fidèle » celui qui ne s'attribue rien à soi-même, mais reconnaît ses « mérites comme des dons de Dieu »[7], ils sont devenus intolérablement arrogants. Ils

---

1. *Sermones de Diversis* 72, § 1, Charpentier, 4, p. 33-34 ; Leclercq, VI, 1, p. 307.10-15.

2. *Sermones de Diversis* 42, § 2 ; Davy, II, p. 417 ; Leclercq, VI, 1, p. 256.14-16.

3. *Sermones de Diversis* 42, § 3, Davy, II, p. 418 (cf. Charpentier, 3, p. 727) ; Leclercq, VI, 1, p. 257.6-9.

4. *Queste*, ch. VII, § 140.7.

5. *Sermones de Diversis* 54, § 1 ; Charpentier, 4, p. 14 ; Leclercq, VI, 1, p. 279.8-10.

6. *Queste*, ch. II, § 44.14-15.

7. *Sermones in Cantica* 13, § 2, 3 ; *SCh* X, p. 284-289 [p. 288.21 et 284.18-20]. – Cf. *De Diligendo Deo*, ch. II, § 4 ; Leclercq, S. Bernardi, *Tractus et Opuscula*, Editiones Cistercienses, 1963, III, p. 122.20-22 ; *L'Amour de*

n'ont pas seulement manqué à être reconnaissants pour les dons dont ils avaient été dotés[1], offensant ainsi le Seigneur («rien ne déplaît à Dieu autant que l'ingratitude»[2]), mais encore ils méprisent Celui qui leur a donné ces dons, s'ils négligent de s'en servir aux fins projetées[3]. Au lieu de servir les intérêts de l'Église, ils se sont comportés envers elle comme «les chrétiens pécheurs, fils dénaturés qui, au lieu de veiller sur elle comme sur leur mère, l'affligent nuit et jour»[4] par leurs combats continuels insensés qu'ils prennent pour des actes de véritable chevalerie :

> À cette époque les habitants du royaume de Galles étaient si dépourvus de bon sens et de mesure que si le fils trouvait son père couché dans son lit parce qu'il était malade, il le tirait du lit par la tête ou par les bras et le tuait sur-le-champ, car il aurait encouru reproches et déshonneur si son père était mort dans son lit. Mais s'il arrivait que le père tuait le fils ou le fils le père, et que toute la famille trouvait la mort par les armes, alors on disait d'eux qu'ils étaient de haut lignage (ch. VI, § 116.22-30).

Dieu, La Grâce et le Libre Arbitre, Introductions, Traductions, Notes et Index par F. Callerot, Jean Christophe, Marie-Imelda Huille, P. Verdeyen, *SCh*, XXIX, 1993, p. 70-71 [p. 70.17-20] : «Mais il faut se méfier tout autant, et même plus encore, de l'ignorance par laquelle nous nous surestimons. Cela arrive quand nous tombons dans l'illusion et pensons que tout bien en nous provient aussi de nous». Cf. Leclercq, S. Bernardi, *Tractus et Opuscula*, Editiones Cistercienses, 1963, III, p. 122.20-22.

1. Ainsi la *Queste* mentionne plusieurs fois l'ingratitude de Lancelot envers le Seigneur qui lui avait accordé de nombreux dons et le compare pour cette raison au *mauvés serjant* dont parle l'Évangile. Loin de reconnaître la vraie source de ses réussites, Lancelot attribue son *boneur* à la reine Guenièvre (voir *Queste*, ch. V, § 76-79, ch. VII, § 152-154).

2. *Pro Dominica VI Post Pentecosten*, sermo 2, § 1; J. P. Migne, *Patrologiae Latinae* (P.L.) 183, p. 339 (manque dans Leclercq, *S. Bernardi Opera*, t. V, 1968, p. 209.6). Cf. *De Diligendo Deo*, ch. II, 4; *SCh*, XXIX, 1993, p. 70-71 [p. 70.29-32] : «Car c'est l'orgueil, c'est le péché le plus grave, que d'utiliser des dons comme s'ils étaient des avantages innés et, pour les bienfaits reçus, de s'arroger la gloire du bienfaiteur».

3. *Sermones in Cantica* 54, § 9; *SCh* XIII, p. 120-121 : «Cet homme qui connaissait la pensée de Dieu savait que *négliger un don ou l'employer à d'autres fins*, c'est mépriser le donateur et il y voyait un inadmissible orgueil».

4. *Queste*, ch. IX, § 226.19-21.

Et, bien que « la foi soit en même temps la vie, et l'ombre de la vie, tandis que la vie qui s'écoule dans les plaisirs, ne provenant pas de la foi, est en même temps la mort, et l'ombre de la mort »[1], néanmoins très peu de gens seulement avaient la foi. Croire *parfitement en son Criator* [...] *c'estoit contre la costume* (la coutume) *de son païs*[2]. Et en effet les peuples du royaume d'Arthur étaient tellement endurcis dans leurs péchés et manquaient tellement de foi que l'auteur de la *Queste* compare leur dureté de cœur à celle du monde avant la venue du Christ. Ils étaient « si endurcis dans le péché qu'il eut été plus facile d'attendrir une pierre que leurs cœurs »[3], condamnation qui fait écho au sentiment exprimé par saint Bernard dans un de ses sermons où, parlant des orgueilleux, il dit : « Le cœur qui s'enfle est dur, sans pitié, sans componction »[4].

Toutefois, de même qu'après l'Ascension de Jésus-Christ, le jour de la Pentecôte, l'Esprit-Saint descendit sur les Apôtres et leur apporta « des dons de sa grâce »[5], de même 454 ans plus tard, le jour de la Pentecôte, alors que les chevaliers d'Arthur étaient assis à la Table Ronde[6], le Seigneur qui ne veut pas que l'âme reste « dans l'habitude du péché [...] ni dans la tiédeur et dans la torpeur de l'ingratitude »[7], offre aux chevaliers du monde arthurien une deuxième occasion de se racheter, d'abandonner leur « vain amour du monde »[8], « la quête des choses terrestres »[9]. Les justes ainsi que les pécheurs sont invités à

---

1. *Sermones in Cantica* 48, § 7 ; *SCh* XII, p. 322-323 [p. 322.1-3] ; cf. Charpentier, 4, p. 422.

2. *Queste*, ch. VI, § 116.21-22.

3. *Queste*, ch. II, § 43.26-28.

4. *Sermones de Diversis* 1, § 2 ; Charpentier 3, p. 569 ; Leclercq, VI, 1, p. 74.10.

5. Actes des Apôtres 2, 1-4 ; *In Die Pentecostes*, sermo II, § 1 ; sermo III, § 2 ; Charpentier 3, p. 316 et 308 ; Leclercq, V, p. 172.16-18 et p. 165. 7-9.

6. *Queste*, ch. I, § 19.5-37.

7. *In Annuntiatione Beatae Mariae*, sermo 3, § 10 ; Charpentier 3, p. 400 ; Leclercq, V, p. 42. 5-7.

8. *Sermones in Cantica*, I, § 2 ; *SCh* X, p. 62-63 [p. 62.9-10].

9. *Queste*, ch. I, § 22.31.

s'asseoir à la table du Seigneur, à goûter «la douce nourriture», «la nourriture céleste que le Saint-Esprit dispense à ceux qui prennent place à la table du Saint-Vase»[1],
*«goûter et voir combien le Seigneur est doux» (gustare et
videre quoniam suavis est Dominus)*[2]. Car, comme saint
Bernard, notre auteur, en faisant allusion à la parabole du
festin nuptial[3], compare l'appel de Dieu au pécheur de
revenir à Lui comme une invitation à Le rejoindre à Son
banquet : «Car par le repas de noces que fit annoncer le
seigneur, nous devons entendre la table de Jésus-Christ,
où mangeront les justes, les vrais chevaliers»[4]. «Courez
donc, mes frères, courez vite, non seulement les anges
vous attendent, mais le Créateur même des anges vous
désire. Le *festin des noces* est prêt, mais il s'en faut bien
que la salle soit remplie; on attend encore des convives
pour occuper toutes les places. Dieu le Père nous attend
donc et nous désire»[5].

Ce n'est nullement par hasard qu'afin d'initier la quête
du Saint-Graal par les chevaliers d'Arthur, l'auteur de
la *Queste* a présenté *tous* les chevaliers, les indignes pas
moins que les dignes, comme ayant été repus lors de cette
Pentecôte par la grâce de Dieu[6], *la grace del Saint Vessel*[7], et que ç'aurait été le plaisir que leur avait donné cette
«nourriture délicieuse» qui aurait poussé les chevaliers à
entreprendre la quête qui les mènerait à prendre place à
«la haute table où est chaque jour apprêtée une nourriture
aussi douce que celle qu'ils avaient reçue»[8]. C'est une
traduction de la conception que saint Bernard se faisait
des deux étapes dans la quête de Dieu. S'inspirant du

---

1. *Queste*, ch. I, § 20.29, ch. VIII, § 192.18-20.
2. *Sermones in Cantica,* 85, § 9; Leclercq, II, p. 313.21-22.
3. Matthieu 22, 2-14; 25, 10-13.
4. *Queste*, ch. VII, § 155.41-43.
5. *In Vigilia Nativitatis Domini,* sermo 2, § 7; Charpentier 3, p. 9;
Leclercq, IV, p. 209.18-20.
6. *Queste*, ch. I, § 20.9-10.
7. *Queste*, ch. I, § 19.33-34.
8. *Queste*, ch. I, § 20.29-30.

Psaume XXI, 4 («car tu l'as prévenu par les bénédictions de ta grâce») ainsi que de Matthieu, saint Bernard souligne constamment que tout comme «du Verbe ne sortira jamais le mal, ni du cœur le bien, sinon celui qu'il aura d'abord conçu grâce au Verbe»[1]. Par conséquent, nul homme ne peut jamais commencer à faire du bien s'il n'a pas reçu d'abord la grâce que Dieu dans sa miséricorde donne librement à tous, même à ceux qui ne l'ont pas méritée, ceux «qui au lieu de l'invoquer, l'ont repoussé» :

> Car nous ne saurions ni commencer le bien tant que nous ne sommes point prévenus par la grâce, ni le faire, si nous ne sommes aidés de la grâce, ni être consommés dans le bien aussi longtemps que nous ne sommes pas remplis par la grâce. Mais, de ces trois grâces, ce n'est pas sans raison que nous trouvons plus douce celle qui nous prévient, *non seulement sans aucun mérite de notre part, mais malgré tant de démérites*, et qui fait que tandis que nous sommes enfants de colère et artisans d'œuvres de mort, Dieu a sur nous des pensées de paix, alors surtout quand au lieu de lui demander qu'il ait de ces pensées sur nous, nous le détournons par nos attaques ; au lieu de l'invoquer, nous le provoquons ; au lieu d'appeler, nous repoussons l'esprit bon, l'esprit de vie, l'esprit d'adoption[2].

Pour cette raison, nulle âme, même celle des plus purs (l'Épouse, d'après l'expression de saint Bernard) ne peut chercher Dieu si Dieu ne la cherche d'abord : «L'amour de Dieu pour l'âme engendre l'amour de l'âme pour Dieu…»[3]. «Il vous aime plus que vous ne l'aimez, et avant que vous l'aimiez»[4]. «Mais voici la merveille : personne n'est capable de te chercher s'il ne t'a d'abord trou-

---

1. *Sermones in Cantica* 32, § 7 ; SCh XI, p. 460-461 [p. 460.5-6] ; cf. Matthieu 7, 18.

2. *Sermones de Diversis* 76, § 1 ; Charpentier 4, p. 39 ; Leclercq, VI, 1, p. 315.7-14.

3. *Sermones in Cantica* 69, § 7 ; Charpentier 4, p. 543 ; Leclercq, II, p. 206.21-22.

4. *Sermones in Cantica* 69, § 8 ; Charpentier 4, p. 543 ; Leclercq, II, p. 207.4-5.

vé »[1]. Il faut que l'âme ait été visitée par le Verbe pour que naisse en elle le désir de Le chercher : « Car d'où lui vient cette volonté ? C'est sans doute de ce que le Verbe l'a déjà visitée et cherchée, et cette recherche n'a pas été inutile, puisqu'elle a opéré la volonté, sans laquelle le retour était impossible... »[2]. « L'âme cherche le Verbe, mais c'est le Verbe qui d'abord l'a cherchée. Sinon, une fois éloignée ou bannie de la vue du Verbe, elle ne redeviendrait pas capable de voir le bien ; il faut que le Verbe la cherche. Laissée à elle-même, notre âme ne serait plus guère qu'un souffle qui s'en va au hasard et ne revient plus »[3].

Or l'homme ressent la recherche de l'âme par Dieu comme une infusion de grâce[4], une expérience semblable à celle que l'on connaît lorsqu'on reçoit le saint sacrement[5], une sensation comme si, voulant se désaltérer, on se trouvait tout près d'une fontaine inépuisable. C'est ce qui, d'après saint Bernard et l'auteur de la *Queste*, attire l'âme à Dieu : « Alors nous courrons, nous courrons à l'odeur »[6]. « Entraîne-moi sur tes pas, nous courrons à l'odeur de tes parfums »[7]. « C'est réellement une manne cachée, *et celui-là seul qui en mange aura encore faim.* C'est une manne cachée, une source scellée où l'étranger n'a point d'accès ; *mais celui-là seul qui en boit aura encore soif* »[8] :

---

1. *De Diligendo Deo* § 22 ; *SCh* XXIX, p. 116-117 [p. 116.12-13].

2. *Sermones in Cantica* 84, § 3 ; Charpentier 4, p. 623 (cf. Béguin, p. 855) ; Leclercq, II, p. 304.17-19.

3. *Sermones in Cantica* 84, § 3 ; Charpentier 4, p. 623 ; Leclercq, II, p. 304.7-11.

4. *Sermones in Cantica* 22, § 8 ; *SCh* XI p. 184-185 [p. 184.10 et 186.11]. La *Queste* parle souvent aussi des parfums agréables qui accompagnent la venue du Saint-Esprit, comme par exemple dans la scène initiale (ch. I, § 19.21-23).

5. « Enfin, ne peut-on voir *un aliment* pour l'âme dans la grâce de Dieu. C'en est un des plus doux, car il a toute sorte de douceur et possède tout ce qu'il y a de plus agréable au goût » (*In Annuntiatione Beatae Mariae*, sermo 3, § 1 ; Charpentier 3, p. 394) ; Leclercq V, p. 35.10-11.

6. *Sermones in Cantica* 21, § 4 ; *SCh* XI, p. 154-155 [p. 154.10-11].

7. *Sermones in Cantica* 21, § 4 ; *SCh* XI, p. 154-155 [p. 154.1-2].

8. *Sermones in Cantica* 3, § 1 ; *SCh* X, p. 103-105 [p. 100.9-11, 102.12].

Cette source où l'on peut boire autant qu'on le veut sans jamais l'épuiser, c'est le Saint-Graal, c'est la grâce de Notre-Seigneur. C'est la douce pluie [...] où le cœur de celui qui s'est vraiment repenti trouve la plus grande douceur, *et plus il la savoure, plus il en est assoiffé. C'est la grâce du Saint-Graal*[1].

Il s'ensuit que l'un des sens du mot *Graal* est «la grâce de Notre-Seigneur», leçon de la famille β des manuscrits de la *Queste*, ou «la grâce du Saint-Esprit», leçon de la famille α[2]. Mais ce que les chevaliers désirent ce n'est pas seulement de jouir de nouveau de l'expérience eucharistique dont ils ont reçu la bénédiction lors de leur réunion à Camaalot le jour de la Pentecôte; c'est de se sentir tout près de Notre-Seigneur, la véritable source de cette douceur, *les granz merveilles del Saint Graal*[3], qui sont en effet *les secrees choses* [les secrets] *Nostre Seigneur*»[4]. Car l'âme «à laquelle il a déjà accordé une fois la douceur de sa présence»[5] toujours désire la présence du Verbe, d'être assis à sa table et de connaître ses secrets: «Il est vrai que par un bienfait de ta miséricorde je reçois quelques mets de ta table [...] Je connais ces pâturages [...]; mais je t'en prie, indique-moi aussi ceux que je ne connais pas»[6]. Puisque «Dieu nous apparaît admirable, Il éveille notre curiosité à le scruter avec ardeur»[7]– conception exprimée

---

1. *Queste*, ch. VIII, § 193.39-42.

2. Cf. notre texte, ch. VIII, § 193.41-42. L'édition Pauphilet, p. 159.2, est basée sur la famille α.

3. *Queste*, ch. I, § 22.36.

4. *Queste*, ch. VIII, § 193.14-15.

5. *Sermones in Cantica* 74, § 2; Béguin, p. 763; Leclercq, II, p. 241.1-3.

6. *Sermones in Cantica* 33, § 7; *SCh* XII, p. 52-53 [p. 52.27-33]; cf. Charpentier 4, p. 351. – En effet, comme saint Bernard l'explique, Dieu visite l'âme afin que l'âme cherche Dieu: «Et que requiert de ti Cil qui per si grant cusenceon te quist, si ceu non ke tu cusencenosement alles avoc tun Deu?» *In Die Pentecostes*, sermo 2, § 8: cité d'après *Predigten des hl. Bernhard in altfranzösischer Übertragung*, éd. Alfred Schulze, Tübingen, 1894, réimpr. 1980, p. 231; éd. Leclercq, V, p. 170.17-18: «Et que demande de toi Celui qui te cherche avec telle une sollicitude, si ce n'est que tu ailles ardemment avec ton Dieu».

7. *Sermones in Cantica* 23, § 16; *SCh* XI, p. 234-235 [p. 234.27-28]. Cf. Charpentier 4, p. 278.

d'une manière vivante dans la scène finale à Corbenic où
le Christ, sortant du Graal même, dit aux chevaliers élus :

> Mes chevaliers, leur dit-il, mes soldats et mes fils pleins de
> loyauté qui, dans cette vie mortelle êtes devenus des êtres
> spirituels, qui m'avez tant cherché que je ne veux plus vous
> demeurer caché, il convient que vous voyiez une partie de mes
> mystères et de mes secrets. Votre mérite est tel, et vous avez
> accompli tant d'exploits, que vous voilà assis à la table où
> nul chevalier ne mangea depuis le temps de Joseph d'Ari-
> mathie [1].

Il s'ensuit que le deuxième sens du mot *Graal* dans la
Queste est bien *Nostre Seignor*.

D'après Gilson il serait impossible que le Graal soit un
symbole à la fois de *la grace del Saint Esperit* et de Dieu :
« Car le Graal est la grâce et la grâce n'est pas Dieu » [2].
Mais c'est de propos délibéré que l'auteur de la *Queste*
emploie le même symbole pour l'un et pour l'autre. Comme saint Bernard (qui fait écho ici à la théologie ortho-
doxe) le souligne, le Saint-Esprit est le maillon indissoluble entre le Père et le Fils, puisqu'il est à la fois la bonté
de Dieu, son don, et Dieu lui-même : « Une très douce
chose est en Dieu, le Saint-Esprit : la bénignité de Dieu
est le Saint-Esprit, *et lui même est Dieu* » [3].). « L'Esprit
Saint [...] est la paix inaltérable du Père et du Fils, leur

---

1. *Queste*, ch. XV, § 322.8-13.

2. E. Gilson, « La Mystique de la grâce... », dans *Romania*, 51, 1925, 324,
note. – Ajoutons, que dans la *Queste* le Graal n'a pas seulement un sens
symbolique, mais est présenté comme un objet matériel : « l'écuelle dans
laquelle Jésus-Christ mangea l'agneau le jour de Pâques avec ses disciples
(ch. XV, § 322.33-34) ». D'après Chrétien de Troyes, pour qui le Roi Pêcheur
est à la fois le roi Mehaignié et l'oncle de Perceval, le Graal était un plat sur
lequel on apportait au père du Roi Pêcheur la sainte hostie dont il vivait
(éd. Méla, p. 450-452, v. 6343-6357 ; éd. Roach p. 189, v. 6417-6431). C'est
Robert de Boron qui le premier identifia le Graal comme une relique de la
Passion : « le veissel de la Cène, donné par Pilate à Joseph d'Arimathie qui
y recueillit le sang de Jésus jaillissant de ses blessures quand il fut descendu
de la croix » E. Hoepffner, « Robert de Boron et Chrétien de Troyes » (p. 96) ;
Robert de Boron, *Le Roman de l'Estoire dou Graal*, éd. William A. Nitze,
Paris, « CFMA », 1927, v. 707-724.

3. *In Die Pentecostes*, sermo I, § 1, éd. cit., p. 214 ; Leclercq, V, p. 160.7-
8.

lien solide, leur amour indivis, leur indissoluble unité »[1].
« Quant au Saint-Esprit, il semble avoir reçu le nom d'esprit par excellence, parce qu'il procède du Père et du Fils, et se trouve être le lien le plus ferme et le plus indissoluble de la Trinité, et celui de saint également en propre, parce qu'il *est un don* du Père et du Fils et qu'il sanctifie toute créature »[2]. Il s'ensuit qu'il est tout à fait naturel de la part de l'auteur de la *Queste* de présenter le Graal comme un symbole à la fois de Dieu et du don transmis par Dieu à l'homme. En se servant du même symbole pour l'un et pour l'autre, notre auteur en souligne l'unité.

De son côté, W. E. M. C. Hamilton rejette l'idée selon laquelle le Graal symboliserait la grâce du Saint-Esprit. S'appuyant sur la scène initiale de la *Queste*, il constate qu'il y a un intervalle entre la venue de l'Esprit et celle du Graal[3]. Mais en séparant ces deux événements, la *Queste* souligne, comme le fait saint Bernard, que le Saint-Esprit « ne revient jamais les mains vides de cette table céleste, garnie de délices abondantes »[4], mais apporte avec lui, à chaque chevalier, les « mets que celui-ci désirait »[5]. Toutefois, afin de profiter de ces visites du Saint-Esprit, il est nécessaire que l'homme soit prêt et l'attende : « Que jamais sa venue ne nous prenne au dépourvu, mais qu'elle nous trouve toujours aux aguets, le visage impatient et le cœur grand ouvert pour recevoir la généreuse bénédiction du Seigneur. Quelles dispositions l'Esprit exige-t-il de nous ? Il nous demande d'être semblables aux hommes qui attendent leur maître à son retour de noces, lui qui ne revient jamais les mains vides »[6]. La plupart des compagnons de la Table Ronde évidemment

---

1. *Sermones in Cantica* 8, § 2 ; SCh X, p. 178-179 [p. 178.22-23].

2. *In Die Pentecostes*, sermo 3, § 2 ; Charpentier 3, p. 314 ; Leclercq, V, p. 172.16-19.

3. « L'interprétation mystique de *La Queste del Saint Graal* », p. 99.

4. *Sermones in Cantica* 17, § 2 ; SCh XI, p. 72-73 [p. 72.15-16].

5. *Queste*, ch. I, § 19.26-27.

6. *Sermones in Cantica* 17, § 2 ; SCh XI, p. 72-73 [p. 72.11-16] ; cf. Luc 12, 86.

n'étaient pas prêts pour cette venue. Alors que les apôtres à la venue de l'Esprit «ont parlé en langues», les cheva-liers d'Arthur n'ont pas proféré un seul mot, mais se sont regardés *ausi come bestes mues* (muettes)[1] : «L'homme est créé dans la dignité, mais quand il ne comprend pas la dignité de sa condition, une telle ignorance de sa part *lui vaut d'être assimilé aux bêtes*, comme à des êtres partici-pant à sa corruption»[2].

D'après le plan divin pour le salut du monde arthurien, Galaad était destiné à devenir le «maître et pasteur»[3]. Il n'est pas seulement le libérateur attendu depuis longtemps qui devait affranchir le royaume de Logres des aventures que les autres chevaliers à cause de leur vie immorale ne pouvaient achever, mais sa fonction était d'indiquer la voie dans la quête d'un siège à la table du Seigneur. Car comme saint Bernard l'observe, ceux «qui n'hésitent pas à s'engager sans guide ni directeur dans les voies de la vie [...] se sont très dangereusement égarés du droit che-min»[4]. «Comme la voie qui conduit à la vie est étroite et difficile, il vous faut, mes petits enfants, un précepteur et un père nourricier qui institue et conduise votre enfance en Jésus-Christ»[5].

Mais déjà vers le début de son ouvrage, l'auteur de la *Queste* fait entendre que la mission de Galaad, comme celle du Christ, restera inachevée et «qu'il y a beaucoup d'appelés et peu d'élus»[6]. En comparant la venue de Ga-laad à celle du Christ, notre écrivain présente le Christ comme ayant annoncé par la bouche de David le prophète : «Je suis seul jusqu'à ma mort»[7], ce qui signifie qu'il n'y aura qu'une petite partie du peuple convertie avant

---

1. *Queste*, ch. I, § 19.18.
2. *De diligendo Deo*, ch. II, § 4 ; *SCh* XXIX, p. 68-69 [p. 68.5-8].
3. *Queste*, ch. VI, § 92.20.
4. *Sermones in Cantica* 77, § 6 ; Béguin, p. 798-799 (cf. Charpentier 4, p. 591) ; Leclercq, II, p. 265.6-10.
5. *Sermones de Diversis* 8, § 7 ; Charpentier, 3, p. 602 ; Leclercq, VI, p. 116.12-14.
6. *Queste*, ch. VII, § 155.38-39.
7. *Queste*, ch. II, § 43.28-29.

sa mort[1]. Ce qu'il en faut en déduire est évident. Galaad
lui aussi n'arrivera à convertir par son exemple que très
peu des compagnons de la Table Ronde. Le roi Arthur
lui-même, en tant que chef de la Table Ronde, aurait dû
encourager ses chevaliers, mais il reste sourd à l'appel de
Dieu. Au lieu d'accompagner les chevaliers et de se réjouir
qu'ils désirent participer à la quête du Graal, il se lamente,
car il a peur que la réputation de sa cour ne soit diminuée
par le départ des chevaliers. Au roi Arthur en effet s'appliquent les mots suivants de saint Bernard : «Celui donc
qui ne sent pas cet effluve vivifiant partout répandu, et dès
lors ne court pas, est mort ou en putréfaction»[2]. «Quelle
vertu assigner à qui ne cherche pas Dieu»[3]? Et au plus
grand nombre des chevaliers d'Arthur qui entreprennent
la quête du Graal s'applique cette autre observation de
saint Bernard : «*Combien rares, Seigneur, sont ceux qui
veulent marcher sur tes pas! Et pourtant, il n'est personne qui ne veuille parvenir jusqu'à toi*, puisque tout le
monde sait qu'à ta droite sont les délices éternelles. C'est
pourquoi, tous veulent jouir de toi, *mais non pas t'imiter*;
ils désirent partager ton règne, mais non pas ta Passion
[…] Ils ne se soucient pas de chercher celui que pourtant
ils désirent trouver; *ils aspirent à l'atteindre, mais non
à le suivre*»[4]. Symboliquement tous les chevaliers désirent être auprès de Galaad, mais il y en a peu parmi eux
qui l'imitent ou écoutent ses conseils[5]. Avant l'arrivée

---

1. *Queste*, ch. II, § 43.30-31.

2. *Sermones in Cantica* 22, § 8; *SCh* XI, p. 184-187 [p. 184.10 et
p. 186.11-12].

3. *Sermones in Cantica* 84, § 1; Béguin, p. 853; Leclercq II, p. 303.9-10.
Pour la scène où Arthur regrette le départ de ses chevaliers, voir *Queste*,
ch. I, § 20.30-33-21.21-23.

4. *Sermones in Cantica* 21, § 2; *SCh* XI, p. 150-153 [p. 150.15-18,
152.19-30].

5. Ainsi Meliant et Baudemagu de leur propre accord quittent Galaad bien
que d'abord ils aient désiré rester auprès de lui. Quant à Gauvain qui aurait
voulu accompagner Galaad, il s'entend dire par un ermite : «En vérité,
seigneur, il ne serait pas convenable que vous alliez de compagnie, car vous
êtes un soldat mauvais et déloyal et lui est un chevalier accompli» (*Queste*,
ch. IV, § 60.21-23).

de Galaad ils étaient exactement comme «les impies qui cherchent, par un mouvement naturel, à satisfaire leur appétit et négligent, comme des insensés, les moyens d'arriver à leurs fins ; je veux dire, à être consommés et non pas consumés»[1]. «Et les compagnons de la Table Ronde continueront en vain à chercher le Saint-Graal»[2]. Après l'arrivée de Galaad, quelques-uns des chevaliers, comme Perceval, prieront afin de ne pas être semblables à «la centième brebis, la folle, la malheureuse qui […] s'égara dans le désert»[3], mais le plus grand nombre continua à errer sans but dans de lointains pays[4]. Ils ne se rendront pas compte que celui qui «refuse la main d'un guide, s'abandonne au Séducteur»[5], et «qu'il y a beaucoup de voies différentes : d'où il arrive qu'il y a bien des périls pour le voyageur. Combien est-il facile de s'égarer lorsqu'il se rencontre plusieurs chemins différents, si on n'a point la science de les discerner»[6].

Ainsi Meliant, qui vient d'être adoubé par Galaad et qui désire avidement sa compagnie, refuse toutefois d'accepter ses conseils lorsqu'ils arrivent à un carrefour. Par conséquent, au lieu d'entrer dans *la voie Jesucrist*, il a suivi la voie «des pécheurs où de graves dangers menacent ceux qui s'y engagent»[7]. «La voie des pécheurs est le monde, où leur volonté propre, qui n'est autre que l'orgueil, est la source de tous les maux»[8]. «Les voies des démons ne sont autre chose que *la présomption et l'obstination*»[9].

---

1. *De diligendo Deo*, ch. VII, § 19 ; Charpentier 2, p. 475 ; *SCh* XXIX, p. 108-109 [p. 108.1-4].

2. *Queste*, ch. VI, § 91.10-11.

3. *Queste*, ch. VI, § 117.26-28.

4. *Queste*, ch. VII, § 155.13-14.

5. *Sermones in Cantica* 77, § 6 ; Béguin, p. 799 (cf. Charpentier 4, p. 592) ; Leclercq, II, p. 265.16.

6. *In Psal. Qui habitat*, sermo 11, 2 ; Charpentier 3, p. 177 ; Leclercq, IV, p. 449.21-23.

7. *Queste*, ch. III, § 52.16-17 et 52.19-20.

8. *Sermones de Diversis* 72, § 3, Charpentier, 4, p. 35 ; Leclercq, VI, 1, p. 309.8-9.

9. *In Psal. Qui habitat*, sermo 11, 4 ; Charpentier 3, 178 ; Leclercq, IV, p. 451.3-4.

En suivant obstinément ses propres inclinations au lieu d'accepter les conseils de Galaad, Meliant est tombé de péché en péché, d'abord l'orgueil et puis la *covoitise*[1]. De même Baudemagu, Gauvain, Hector, Lionel et tous les autres chevaliers qu'ils représentent. Gauvain avait été le premier à proposer la quête du Graal : il avait déjà atteint ce que saint Bernard appelle le septième degré du péché d'orgueil, *praesumptio* (la présomption) : « Comment celui qui pense surpasser les autres, ne présumerait-il pas davantage de lui que des autres ? Il s'assied au premier rang dans les assemblées, *répond le premier dans les conseils* »[2]. Mais lui aussi, comme les autres, n'apprend rien de l'exemple de Galaad. Il refuse à plusieurs reprises de suivre les conseils que lui donnent des hommes de bien, la première fois sous le prétexte « qu'il ne pourrait supporter les austérités de la pénitence »[3], la deuxième fois en alléguant qu'il n'avait pas le temps de s'entretenir davantage avec l'ermite[4]. C'est ainsi que finalement Gauvain atteint le douzième degré de l'orgueil, l'habitude de pécher : « Le malheureux est entraîné dans l'abîme du péché et livré à la tyrannie de ses vices [...] Alors on le voit [...] ne plus interdire à son esprit, à ses mains et à ses pieds les pensées, les actions ou les démarches mauvaises [...] Aussi, peut-on appeler le douzième degré, l'habitude de pécher qui fait perdre la crainte de Dieu et nous le fait mépriser lui-même »[5].

Ce qui manque à Gauvain, Hector, Meliant et aux autres qui, comme eux, sont imbus d'orgueil, c'est non seulement la *charitez* et l'*abstinence*, mais aussi la *verité*[6], le fait d'accepter le Christ et son enseignement, et par suite

---

1. *Queste*, ch. III, § 52.26-39.

2. *De Gradibus Humilitatis et Superbiae*, ch. XVI, § 44 ; Davy 1, p. 206 ; Leclercq, III, p. 50.8-10.

3. *Queste*, ch. IV, § 65.25-26.

4. *Queste*, ch. VIII, § 196.21-24.

5. *De Gradibus...*, ch. XXI, § 51 ; Charpentier 2, 452 (cf. Davy 1, p. 210-211) ; Leclercq, III, p. 54.14-55.10.

6. *Queste*, ch. VIII, § 195.25. Cf. De Gradibus..., ch. II, § 3, Leclercq III, p. 19-20.

la connaissance de soi : « Le premier degré de la vérité consiste d'abord à se connaître soi-même et à voir sa propre misère » [1]. Comme Lucifer, ils « ne sont point demeurés debout et fermes dans la vérité », car, comme Lucifer, « ils ne se sont pas appuyés sur le Verbe », mais « se sont confiés à leurs propres forces » [2]. Pour cette raison le don initial de la grâce ne leur servait à rien, car « la grâce nuit plutôt qu'elle ne sert, lorsqu'elle n'est point accompagnée de la vérité » [3]. « *Combien y en a-t-il à qui il n'a servi de rien d'avoir reçu la grâce, parce qu'ils n'ont pas accepté en même temps le tempérament que la vérité apporte*? Ils ont eu trop de complaisance en la grâce ; ils n'ont point appréhendé les regards de la vérité […] Aussi ont-ils perdu cette grâce dont ils voulaient se réjouir en particulier » [4].

Dépourvus ainsi de « la vérité », Gauvain et ses semblables ont ignoré la nature spirituelle de leur quête. Car il est impossible de chercher Dieu sans la connaissance de soi : « Criez sans cesse, et faites retentir votre voix comme une trompette » (Isaïe 58, 1). « Comme une trompette, dit-il, parce que ceux qui prient avec un excès de confiance, doivent être repris avec une grande véhémence. En effet, il n'y a que ceux qui ne se sont point encore trouvés eux-mêmes, qui me cherchent » [5]. L'homme qui ne se connaît pas lui-même ne se rend pas compte que « l'âme cherche le Verbe afin d'acquiescer aux reproches qu'il lui fera, d'en tirer des lumières et de nouvelles connaissances, de s'appuyer sur lui pour être vertueuse, d'être réformée par lui en vue de la sagesse, de lui devenir conforme pour acquérir la beauté, de l'épouser pour être féconde, de

---

1. *De Gradibus…*, ch. IV : titre, Davy 1, p. 187 ; Migne 182, 948 (ce titre manque dans l'édition de Leclercq III, p. 26).

2. *Sermones in Cantica* 85, § 6 ; Davy, II, p. 169 (cf. Charpentier 4, p. 629) ; Leclercq II, p. 311.9-10.

3. *Sermones in Cantica* 74, § 11 ; Charpentier 4, p. 575 (cf. Davy, II, p. 130) ; Leclercq II, p. 246.16-17.

4. *Sermones in Cantica* 74, § 8 ; Charpentier 4, p. 574 (cf. Davy, II, p. 128 ; Beguin, p. 768) ; Leclercq II, p. 244.19-24.

5. *In quadragesima*, sermo IV, § 4 ; Charpentier 3, p. 112 ; Leclercq, IV, p. 370.23-371.2.

jouir de lui pour être heureuse »[1]. Et cet homme ne comprend pas non plus que «cela est impossible [s'il n'est] pas en désaccord avec [lui-même], [s'il ne s'oppose] pas à [lui-même], [s'il ne se combat] pas infatigablement [lui-même], enfin *[s'il ne dit] pas adieu à [ses] habitudes invétérées et à [ses] affections innées* »[2]. Par conséquent, nos chevaliers n'ayant pas prêté attention à l'ermite Nascien lorsqu'il leur fit savoir que *ceste Queste n'est mie queste de terrienes ovres* (choses terrestres)[3] croyaient qu'il était possible de chercher à la fois les honneurs de ce monde et *la viande celestiel* : «Partons pour la Quête du Saint-Graal et nous aurons part aux honneurs de ce monde et seront rassasiés de la nourriture céleste que le Saint-Esprit dispense à ceux qui sont assis à la table du Saint-Vase»[4]. Mais la quête des honneurs d'ici-bas est incompatible avec celle des honneurs divins : «Car, celui qui veut être ami de ce monde se constitue ennemi de Dieu, et il n'y a pas de chute plus grave»[5].

Quant à Lancelot qui, à la différence de son propre frère Hector et des chevaliers semblables à Gauvain, parvient à un certain degré de la vertu de *verité*, et qui ayant accepté les conseils des ermites se repent de son péché de *luxure* – son amour pour la reine Guenièvre – il suit Galaad une partie du chemin, mais non le chemin entier. Pendant son voyage à Corbenic il sera à la fois récompensé et encouragé : il aura un avant-goût de la joie dont jouiront ceux qui comprennent que «la perfection de l'humilité est la connaissance de la vérité»[6]. Mais puisque lui aussi est

---

1. *Sermones in Cantica* 85, § 1 ; Davy, II, p. 156 ; Leclercq, II, p. 307.14-18 ; Migne 183, 1187.

2. *Sermones in Cantica* 85, § 1 ; Davy, II, p. 157 (nous avons légèrement modifié la traduction de Davy afin de l'accorder au début de notre phrase); Leclercq, II, p. 308.6-8.

3. *Queste*, ch. I, § 22.31.

4. *Queste*, ch. VIII, § 192.17-20.

5. *Sermones in Cantica* 85, § 4 ; Davy, II, p. 159 ; Leclercq, II, p. 310.4-5.

6. *De Gradibus*…, ch. II, § 5 ; Charpentier 2, p. 419 (manque dans Davy); Leclercq, III, p. 20.4 – Ainsi après que Lancelot, à l'*eve de Marcoise*, se fut remis à l'aide de Dieu plutôt qu'à sa propre prouesse, il est récompensé

trop attaché aux *honors terrianes* (les honneurs d'ici-bas), non seulement il ne renoncera pas à la chevalerie, mais il oubliera que «c'est une bonne voie que la voie de l'humilité par laquelle on marche à la recherche de la vérité»[1]. Par conséquent, bien que Lancelot se comporte à *l'eve* (la rivière) *de Marcoise* comme celui qui a atteint un certain degré d'humilité, en arrivant devant la porte de Corbenic il s'écartera de la voie de l'humilité et succombera au péché d'orgueil. Car lorsqu'il voit les lions qui gardent le portail, il se fiera plus à son épée qu'à Dieu, ne se rendant pas compte que «mettre la confiance en soi, ce n'est pas de la confiance, c'est de la trahison, avoir foi en soi, c'est se défier, non se confier»[2]. C'est que Lancelot est semblable à ceux dont saint Bernard dit : «On suit le Seigneur sans l'atteindre quand on agit avec nonchalance et relâchement, ou, quand fatigué de le suivre, *on retourne à mi-chemin*»[3]. La foi de Lancelot est une foi instable qui l'abandonne en face de la moindre tentation : «Ah! homme de peu de foi et de faible croyance, pourquoi as-tu plus confiance en ton épée qu'en ton Créateur?»[4]. «La foi feinte est celle qui ne croit que pour un temps et qui s'évanouit à l'approche de la tentation»[5]. «Autant l'effronterie du pécheur déplaît à Dieu, autant lui plaît le respect de l'homme qui se repent [...] Il y a un grand saut difficile à faire du pied à la bouche, et l'accès n'est pas aisé non plus. Eh quoi! Couvert de ta poussière encore toute récente, tu voudrais toucher la bouche sacrée? Tiré hier de la boue, tu

---

pendant son voyage à Corbenic. «Il se trouvait aussitôt si rempli, si rassasié par la grâce du Saint-Esprit qu'il lui semblait avoir goûté aux meilleures nourritures de ce monde.» (*Queste*, ch. XIV, § 298.41-44).

1. *De Gradibus...*, ch. II, § 5; Charpentier 2, p. 419 (manque dans Davy); Leclercq, III, p. 20.2-3.

2. *In Vigilia Nativitatis Domini*, sermo 5, § 5; Charpentier 3, p. 27; Leclercq, IV, p. 232.21-22.

3. *Sermones de Diversis* 62, § 1; Charpentier 4, p. 25; Leclercq, VI, 1, p. 295.10-12.

4. *Queste*, ch. XIV, § 303.10-11.

5. *Sermones de Diversis* 45, § 5; Charpentier 4, p. 3; Leclercq, VI, 1, p. 265.11.

te présenterais aujourd'hui au visage de gloire ? »[1] « Enfin, comment cherches-tu à me voir dans mon éclat, toi qui t'ignores encore toi-même ? »[2]. C'est pour cette raison que Lancelot, voulant entrer dans la chambre du Graal en dépit de la défense divine, est frappé de paralysie et jeté hors de la chambre : « Il sent alors plusieurs mains qui le tiennent par les bras et les jambes, l'emportent hors de la chambre et le laissent devant la porte »[3].

À vrai dire, parmi les 149 chevaliers qui sont partis avec Galaad en quête du Graal, seuls deux d'entre eux, Perceval et Bohort, apprendront finalement à suivre l'exemple de Galaad jusqu'à la fin. Eux aussi avaient commencé leur carrière comme des pécheurs. Bohort avait autrefois perdu sa virginité[4], et il s'en était fallu de peu que Perceval, succombant parfois au péché d'orgueil, perdît la sienne, lorsque le diable, sous la forme d'une demoiselle en détresse, faisait appel à son ambition mondaine d'être comblé d'honneur chevaleresque[5]. Mais bien que Perceval et

---

1. *Sermones in Cantica* 3, § 4 ; *SCh*. X, p. 106-107 [p. 106.3-9].

2. *Sermones in Cantica* 38, § 5 ; *SCh*. XII, p. 150-151 [p. 150.19-20]

3. *Queste*, ch. VIII, § 194.4-7 ; ch. XIV, § 305-306.10 (§ 306.8-10). Lancelot ayant pu voir par la porte ouverte le miracle de la transsubstantiation, voulait entrer dans la chambre du Graal. – L'expérience de Lancelot lorsqu'il est jeté hors de la chambre du Graal par des mains invisibles est une punition divine plutôt qu'une vision extatique. Car ce dont il se souvient en se réveillant n'est pas ce qu'il a vu pendant son état inconscient, mais la vision dont il avait bénéficié avant qu'il perdît *la veue des euz* (*Queste*, ch. VIII, § 194.7-8 ; cf. Gilson, *Romania* 51, p. 323-347, p. 338-342)

4. Bien qu'il soit un des trois chevaliers élus, Bohort est présenté comme ayant une fois dérogé à sa chasteté, car suivant la pensée de saint Bernard notre auteur voulait indiquer que bien que la virginité soit désirable, toutefois « *Tu peux être sauvé sans la virginité, tu ne le peux pas sans l'humilité* » (*De laudibus virginis matris* [*À la louange de la Vierge Mère*], Homélie 1, § 5 ; *SCh*. XX, p. 118-119 [p. 118.16-17].

5. Voir *Queste*, ch. VI, § 131.25-32 « Vous devez me l'accorder puisque vous êtes compagnon de la Table Ronde… le premier serment que vous avez prêté fut de venir en aide à toute demoiselle qui vous en prierait. » – Que Perceval, tout en ayant été averti, ne se rende pas compte à plusieurs reprises des ruses du diable, c'est une indication de son orgueil, car, comme saint Bernard le souligne, c'est la volonté propre (qui n'est rien d'autre que la vanité) qui empêche l'homme de discerner la vérité : « Quant à l'esprit de discernement, nous savons qu'il n'y a rien qui l'éloigne comme la volonté propre, car elle met la confusion dans le cœur de l'homme, et place un voile épais devant les yeux de la

Bohort s'engagent finalement dans la voie d'humilité[1], faisant ainsi leur propre salut, leurs efforts, pas plus que ceux de Galaad, n'influenceront les habitants de Logres. Bohort fera son devoir de chevalier céleste : il se battra dans l'intérêt de la Nouvelle Loi, mais les ennemis de celle-ci continueront à attaquer l'Église[2].

C'est en effet la plupart des chevaliers d'Arthur qui poursuivront la quête «sans amender leur vie»[3] et n'apprendront pas que : «Ce n'est pas se repentir de sa faute comme il faut, que de demeurer encore sur la voie glissante du péché; ni de ses égarements, que de ne point chercher un guide»[4]. La chevalerie arthurienne sera si peu nombreuse à suivre la route de l'humilité qui mène à la Vérité que parmi les douze chevaliers qui prendront place à la table du Seigneur, il n'y en aura que trois du royaume d'Arthur[5].

Les visions prophétiques de Gauvain et d'Hector[6] sont centrales du point de vue de la structure et du sens de la *Queste* : elles servent à faire prévoir les suites tragiques du refus de la grande majorité des chevaliers d'Arthur de se repentir et de s'amender. Ayant oublié de se revêtir des robes de noces «c'est-à-dire des vertus et des grâces que Dieu prête à ceux qui Le servent»[7], les habitants du royaume de Logres trouveront les portes fermées lorsqu'ils arri-

---

raison». (*In Resurrectione Domini, In die Sancto Paschae*, sermon 2, § 8; Charpentier 3, p. 257; Leclercq V, p. 99.5-7. – Seule la Vérité peut sauver l'homme du péché de la vanité : «Qu'ils aient un soin extrême de ne quitter jamais le bouclier invincible de la vérité; car qu'y a-t-il de plus contraire à la vanité?» (*In Psal. Qui Habitat*, sermo 6, § 3; Charpentier 3, p. 139; Migne 183, 198; Leclercq, IV, p. 406.5-7.

1. Les mots suivants de saint Bernard s'appliquent à ces deux chevaliers : «On suit le Seigneur et on l'atteint quand on s'engage de tout son cœur et avec persévérance dans la voie de l'humilité» (*Sermons de Diversis* 62, § 1; Charpentier 4, p. 25; Leclercq, VI, 1, p. 295.14-15.

2. *Queste*, ch. IX, § 213.21-25.

3. *Queste*, ch. IX, § 197.24-25.

4. *In Die Sancto Paschae*, sermo 1, 17; Charpentier 3, p. 253; Leclercq, V, p. 93.25-26.

5. *Queste*, ch. XV, § 319.25-27 et § 324.8-12.

6. *Queste*, ch. VIII, § 181-4, 196-6.

7. *Queste*, ch. VII, § 155.44-46.

veront à la maison du Seigneur et recevront « autant d'humiliation et de honte que le reste recevra d'honneur »[1]. « Ils reviendront à la cour sans avoir rien trouvé sinon ce que l'Ennemi donne à ceux qui le servent : la honte et le déshonneur qui ne leur seront pas ménagés avant même qu'ils ne reviennent »[2]). « Celui qui n'a point épargné les anges tombés dans l'orgueil, n'épargnera pas non plus les hommes coupables du même péché... En vain les vierges folles viendront-elles frapper et crier à la porte de la salle des noces, une fois qu'elle sera remplie de convives, elle ne s'ouvrira plus pour elles. *Ô malheur à l'âme pour qui cette porte sera fermée* »[3]. Non seulement les habitants de Logres « ne verront pas la gloire de Dieu », mais leur refus de s'humilier aura des répercussions sur le destin du royaume entier. À l'exemple des personnes qui, en recevant l'invitation du roi à son festin de noces, ou bien n'y prêtèrent pas attention, ou bien « se saisirent des serviteurs, les outragèrent *et les tuèrent* »[4], les chevaliers au cours de la quête non seulement tueront les serviteurs de Dieu (comme le fit Lionel en tuant l'ermite ainsi que Calogrenant[5]), mais, s'obstinant à penser à tort que leur succès consiste à tuer d'autres chevaliers plutôt qu'à aspirer aux *choses esperitex*[6], ils tueront beaucoup de leurs compagnons : ils « seront si aveuglés par le péché qu'ils se seront tués les uns les autres »[7]. Puis, après leur retour à la cour, une dissension s'élèvera parmi les chevaliers d'Arthur qui n'avaient pas été abattus par les épées de leurs compagnons :

---

1. *Queste*, ch. VII, § 155.49-50. Notre auteur traduit cet avertissement d'une manière symbolique : lorsque Hector arrive devant Corbenic il trouve les portes fermées (Queste, ch. XIV, § 310.25-311.1).

2. *Queste*, ch. IX, § 198.16-18.

3. *Pro Dominica 1 Novembris*, sermo 2, § 3, 5 ; Charpentier 3, p. 334, 336 ; Leclercq, V, p. 309.10-11.

4. Matthieu 22, 5-6.

5. *Queste*, ch. IX, § 232.42-44 et § 235.3-21.

6. *Queste*, ch. VIII, § 195.37-40.

7. *Queste*, ch. VIII, § 192.33-34 ; cf. Queste, ch. IX, § 198.14.

[Les taureaux étaient] très orgueilleux et très fiers. Tous avaient la robe tachetée à l'exception de trois d'entre eux [...] Au retour, il en manquait beaucoup et ceux qui revenaient étaient si maigres et si las qu'ils pouvaient à peine se tenir debout [...] Et une fois qu'ils étaient tous de retour près du râtelier, *une si grande famine* [mss *KZ* un tel *estrif* (dispute)] *se déclarait* que, manquant de nourriture, il leur fallait se disperser dans le pays, les uns par ci, les autres par là[1].

En établissant un rapport entre le refus des chevaliers de s'améliorer et l'*estrif* (la dissension) qui déchirera le royaume, notre auteur une fois de plus suit saint Bernard pour qui existe un rapport semblable entre l'orgueil et la dissension, et l'humilité et l'harmonie : « Il est vrai que la nature a fait tous les hommes égaux. Mais [...] *l'orgueil* a perverti la bonté de la nature. Aussi, les hommes se sont mis à mal supporter leur égalité ; ils se sont battus pour avoir chacun la prééminence, désireux de s'élever les uns au-dessus des autres. Avides de vaine gloire, ils sont pleins d'envie et de rivalité réciproques »[2]. C'est pourquoi nous devons tout d'abord dompter notre orgueil « jusqu'à ce que la volonté entêtée [...] soit humiliée et guérie », que « la bonté naturelle qu'elle avait perdue par l'orgueil » soit recouvrée et que les hommes aient appris « à se montrer aimables [...] et paisibles avec tous ceux qui partagent leur nature, c'est-à-dire avec tous les hommes »[3]. De même nous devons préférer « la volonté des autres à la nôtre, en sorte que nous vivions avec tous nos frères non seulement sans divisions, mais encore en bonne intelligence »[4]. « D'ailleurs, comme nous péchons tous en bien des choses, [...] il est impossible, dis-je, que nous réussissions à conserver ici-bas une paix inaltérable entre nous [...] Étudions-nous donc, mes frères, à nous montrer aussi humbles pour donner satisfaction à ceux qui ont

---

1. *Queste*, ch. VIII, § 181.9-10, 20-23, 24-27.

2. *Sermones in Cantica* 23 § 6 ; *SCh*. XI, p. 210-211 [p. 210.8-13].

3. *Sermones in Cantica* 23 § 6 ; *SCh*. XI, p. 210-211 [p. 210.14-22].

4. *De Vigilia Nativitatis Domini*, sermo 3, § 6 ; Charpentier 3, p. 14 ; Leclercq, IV, p. 216.12-15.

quelque chose à nous reprocher, […] attendu que […] la conservation de la paix entre nous est à ce prix […]»[1]. C'est seulement alors qu'ils découvriront «comme il est bon et agréable d'habiter en frères tous ensemble»[2].

D'après A. Pauphilet et E. Gilson, les visions extatiques des chevaliers élus à Corbenic seraient le point culminant de la *Queste*[3]. Mais ce qu'ils ignorent c'est que dans cette scène l'auteur juxtapose de propos délibéré les récompenses des justes et le salaire des pécheurs. Tout comme le Christ donna lui-même à chacun des «élus» *son Sauveor*[4] (son Sauveur), le Christ lui-même fit savoir aux habitants de Logres qu'il désapprouvait leur refus d'abandonner les valeurs d'ici-bas. Il souligne que non seulement ils n'ont pas servi le Seigneur, mais qu'ils ne l'ont pas remercié de les avoir repus à plusieurs reprises de la grâce du Saint-Vase, et que pour cette raison le Graal quittera Logres cette nuit même pour toujours :

> ce Saint-Vase […] cette nuit même quittera le royaume de Logres où on ne le reverra jamais et où, désormais, il n'adviendra plus aucune aventure. Sais-tu pourquoi il s'en va d'ici? Parce qu'il n'est pas servi et honoré comme il convient par les gens de cette terre. *Ils sont retombés dans les bassesses de ce monde bien qu'ils aient été nourris de*

1. *Sermones de Diversis*, 18, § 4-5; Charpentier 3, p. 634; Leclercq VI, 1, p. 159.25-160.10.

2. *Sermones in Cantica* 23 § 6; SCh. XI, p. 210-213 [p. 210.22, 212.23]. – Que d'après saint Bernard il y ait un rapport étroit entre la vertu de l'humilité et l'accord entre les hommes tient évidemment à sa conception de l'humilité. Ce n'est que lorsque l'homme s'humilie et se juge pécheur qu'il saura comprendre les besoins des autres : «Or nous recherchons la vérité en nous d'abord, puis dans les autres et enfin en elle-même» (*De Gradibus...* § 6; Leclercq, III, p. 20.12-14; Charpentier 2, p. 419 [manque Davy]). Car quiconque n'aime que soi-même ne saurait être miséricordieux ni compatir au sort de ses semblables : «Or la volonté commune, c'est la charité... Mais comment compatir au sort de notre frère, qui ne sait compatir lui-même qu'à ses propres malheurs, dans sa volonté propre? Et comment celui qui n'aime que soi-même aimera-t-il la justice, et haïra-t-il l'iniquité?» (*In Resurrectione Domini, In Die Sancto Paschae*, sermo 2, § 8; Leclercq, V, p. 98.21-99.1; Charpentier 3, p. 257).

3. E. Gilson, «La Mystique de la grâce...», dans *Romania*, 51, p. 342; A. Pauphilet, *Études sur la Queste del Saint Graal*, p. 168-169.

4. *Queste*, ch. XV, § 322.21.

la grâce du Saint-Vase. Et puisqu'ils lui en ont été si peu reconnaissants, je les dépouille du grand honneur que je leur avais accordé[1].

«*Ils jouissaient des bienfaits du Seigneur*, mais ne connaissaient pas le Seigneur Sabaoth, parce qu'il régissait tout paisiblement. De lui ils tenaient leur être, mais sans être avec lui; par lui ils vivaient, mais non pour lui; de lui venait leur sagesse, qui n'allait pourtant jusqu'à lui, *aliénés, ingrats, insensés*»[2].

Dieu a jugé le monde arthurien. Il l'a trouvé aussi corrompu et aussi ingrat qu'il l'était avant la venue de Galaad. «Je vous ai appelé et vous n'avez pas répondu à ma voix, [...] je vous ai tendu les mains et vous n'avez point voulu me regarder»[3]. «Et nous ne devons pas penser que là où il n'y aura plus aucun espoir de corrections pour les méchants, il n'y ait plus encore place pour eux à quelque sentiment de compassion»[4]. Ainsi, de même que le Christ quitta Jérusalem lorsqu'il n'y trouva que la dureté[5], de même il s'éloigne maintenant du royaume de Logres «avec indifférence» et en retire sa grâce:

> Et comme je vous l'ai expliqué, les habitants du royaume de Logres perdirent par leur péché le Saint-Graal qui tant de fois les avait nourris et rassasiés. De même que Notre-Seigneur l'avait envoyé à Joseph, à Galaad et à leurs descendants en raison de la bonté et de la vertu qu'Il trouvait en eux, de même Il en dépouilla leurs mauvais héritiers à cause de leur méchanceté. On peut voir ainsi manifestement que les mauvais héritiers perdirent par leur péché ce que les bons avaient conservé par leur vertu[6].

---

1. *Queste*, ch. XV, § 322.42-50.

2. *Sermones in Cantica* 6, § 2; *SCh.* X, p. 140-141 [p. 140.5-9].

3. *In Psal. Qui habitat*, sermo 8, § 10; Charpentier 3, p. 162; Leclercq, IV, p. 432.24-25.

4. *In Psal. Qui habitat*, sermo 8, § 11; Charpentier 3, p. 162-163; Leclercq, IV, p. 433.19-21.

5. La *Queste* renvoie de propos délibéré à cet événement au chapitre V, § 83.15-20.

6. *Queste*, ch. XV, § 327.3-11.

Voilà, dis-je, pourquoi quiconque est sage se saisit de la discipline, *de peur que le Seigneur ne se mette en colère, et que,* au lieu de scruter sa vie selon toute l'étendue de son courroux, *il ne s'éloigne de lui avec indifférence*[1].

Cette «indifférence» que désormais le Seigneur témoigne envers le royaume de Logres explique les événements racontés dans la dernière partie de la *Queste*. Comme saint Bernard le souligne, il faut toujours que la contemplation donne naissance à de bonnes œuvres qui bénéficieront à l'humanité : «Selon son habitude, l'Époux, lorsqu'il remarque que l'épouse s'est quelque peu reposée sur son sein, n'hésite pas à l'entraîner de nouveau à des tâches qui ont paru plus utiles. Pourtant, il ne l'entraîne pas comme contre son gré [...] Mais pour l'épouse, être entraînée par l'Époux, c'est recevoir de lui-même le désir d'être entraînée, le désir des bonnes œuvres, le désir de porter du fruit pour l'Époux»[2].

La contemplation dont ont joui Galaad et les quelques compagnons qui en avaient été dignes ne sera certainement pas stérile. Après qu'ils ont reçu de la main même du Christ *la grace de cest Vessel*[3], «la sainte nourriture que vous avez si longtemps désirée et pour laquelle vous avez enduré tant de souffrances»[4], et que Galaad a guéri le Roi Mehaignié[5] en touchant ses plaies du sang gouttant de la lance sacrée, Galaad et ses compagnons sont encouragés à s'en aller à travers le monde «pour prêcher la vraie Loi»[6]. Mais on leur conseille de ne plus peiner au royaume de Logres, car leurs travaux n'y aboutiront à rien. Le Seigneur indiquera «par quel travail il faut commencer, en disant : "Le temps de la taille est venu." L'épouse est donc amenée à travailler les vignes. Pour que celles-ci puissent

---

1. *Sermones de Diversis* 5, § 4, Charpentier, 3, p. 591 ; Leclercq, VI, 1. p. 102.3-5.

2. *Sermones in Cantica* 58, § 1 ; *SCh*. XIII, p. 178-179 [p. 178.19-25].

3. *Queste*, ch. XV, § 322.16.

4. *Queste*, ch. XV, § 322.18-19.

5. *Queste*, ch. XV, § 322.53-58, § 323.15-19.

6. *Queste*, ch. XV, § 323.9-10.

répondre à l'attente des vignerons par des fruits plus co-
pieux, il faut avant tout enlever les sarments stériles, couper les sarments nuisibles et tailler les superflus»[1]. On
n'essayera plus de réformer les pécheurs du royaume de
Logres : le Christ lui-même commande à Galaad, Perceval
et Bohort de quitter le pays et de se rendre à Sarras. Le
roi Arthur et son royaume ont eu l'occasion de se réformer, mais ils ont manqué à en profiter : «Malheur à toi,
génération mauvaise et perverse! Malheur à toi, peuple
stupide et insensé»[2]. «Si tout temps est propre pour le
chercher, pourquoi le Prophète dit-il : "Cherchez le Seigneur, pendant qu'on peut le trouver" (*Isaïe 4,7*)? Il faut
donc qu'il y ait un temps où on ne puisse pas le trouver. Et
c'est pourquoi il a dit encore : "Invoquez-le pendant qu'il
est proche"; c'est parce qu'il arrivera un temps où il ne
le sera pas»[3]. «Certainement ce ne sera plus le moment
de l'invoquer, alors qu'il ne sera plus près de personne, et
que pour les uns il sera présent, *et pour les autres, infiniment éloigné*»[4].

Lorsque, après la mort et l'enterrement de Galaad et de
Perceval à Sarras, Bohort revient à Camaalot, ce ne sera
pas pour annoncer de bonnes nouvelles, rapporter «pour
la *Joie de la cort*, le secret dérobé à la source de vie et le
livre du Graal»[5], mais pour révéler ce qu'ont perdu ceux
qui n'ont pas abandonné leur vie pécheresse : «*mais pour
annoncer la bonne pâture qu'ont perdue ceux qui étaient
en état de péché mortel*»[6]. Et ce n'est pas qu'ils puissent
encore apprendre à améliorer leur vie et à trouver enfin le

---

1. *Sermones in Cantica* 58, § 2, *SCh.* XIII, p. 180-181 [p. 180.20-25];
Charpentier 4, p. 470; Migne 183, 1056.

2. *De Diligendo Deo*, ch. IV, § 11, *SCh.* XXIX, p. 86-87 [p. 86.19-20];
Charpentier 2, 468; Migne 182, 980.

3. *Sermones in Cantica* 75, § 3; Charpentier 4, p. 470; Migne 183, 1145-
1146 : Leclercq, II, p. 249.3-7.

4. *In Quadragesimo*, sermo 3, § 3; Charpentier 3, p. 109; Leclercq, IV,
p. 366.14-16.

5. E. Baumgartner, *L'Arbre et le Pain...*, p. 154.

6. *Queste*, ch. VIII, § 192.40-42.

Seigneur, car le temps convenable est passé[1] : « Quel est
ce pardon chimérique que vous espérez au milieu des feux
éternels, lorsque le temps de faire grâce sera passé ? »[2].
C'est pourquoi on annonce aux chevaliers de la cour d'Arthur ce qu'ils ont perdu, afin que tout comme Hector était
vergogneux lorsqu'il apprit que Lancelot avait pu entrer
dans le château de Corbenic, tandis que lui avait dû rester
dehors[3], eux aussi seraient remplis de rage et d'envie. Un
même développement se trouve chez saint Bernard : « Il
est néanmoins certain [...] que les pécheurs, voyant que
Dieu appellera les justes à la participation de sa gloire,
en sécheront d'envie, et en frémiront de dépit et de rage
[...] Car Dieu appellera les élus à son royaume, avant de
précipiter les réprouvés dans les flammes éternelles, *afin
que ces malheureux sentent une plus grande douleur en
regardant ce qu'ils auront perdu* »[4].

L'esprit sombre de la *Queste*, bien que rendu nécessaire
par l'interprétation que l'auteur voulait donner de la tragédie imminente du royaume d'Arthur, tient sans doute
aussi à la conception pessimiste que saint Bernard se faisait de la nature des hommes. Lui-même, sous l'influence
de la théologie de saint Augustin, croyait que le péché
triomphe dans ce monde et par conséquent qu'il est difficile pour l'homme de sauver son âme[5] : « Ce monde-ci a
ses nuits, et elles sont nombreuses. Que dis-je ? Non seulement il a des nuits, mais il n'est presque qu'une nuit, et

---

1. Les ermites avaient déjà fait savoir à Gauvain, Hector et Lancelot
que leur quête était terminée (voir *Queste*, ch. VIII, § 196.1-12 ; XIV,
§ 309.19-22).

2. *Sermones in Cantica* 75, § 5 ; Charpentier 4, p. 578 ; Leclercq, II,
p. 249.26-28.

3. *Queste*, ch. XIV, § 311.12-312.8.

4. *In Psal. Qui habitat*, sermo 8, § 7 ; Charpentier 3, p. 160 ; Leclercq,
IV, p. 431.12-16.

5. Cf. Étienne Delaruelle, « L'idée de croisade chez saint Bernard »,
dans *Mélanges Saint Bernard*, Dijon, 1953, p. 53-67 : « La théologie de
saint Bernard, sous l'influence de celle de saint Augustin, est entachée
d'un profond pessimisme ; le péché triomphe et donc le salut est difficile :
combien seront sauvés ? C'est la nuit qui règne ici-bas, à peine trouée par
quelques lueurs d'espérance » (p. 61).

il est toujours plongé dans les ténèbres [...] N'est-ce pas une nuit lorsqu'on ne goûte point les choses de l'esprit de Dieu?»[1]. «Tant que l'âme est dans la chair, elle se trouve assurément entre les épines, et elle doit souffrir les assauts des tentations et les piquants des tribulations [...] L'épine, c'est la faute, c'est le châtiment, l'épine, c'est le faux frère, l'épine, c'est le mauvais voisin»[2]. Ceci est manifestement la conception de l'auteur de la *Queste*, et non seulement en ce qui concerne le monde arthurien, mais le monde entier : «La tente, qui était ronde à l'image du monde, représente manifestement ce monde qui ne sera jamais sans péché»[3].

Le message transmis par la *Queste* ne concerne pas seulement les affaires du royaume d'Arthur : il sert aussi d'avertissement pour le monde entier. Cela est souligné par le fait qu'après la mort de Galaad le Graal est emporté au Ciel[4], ce qui signifie que désormais le monde impénitent, comme le royaume d'Arthur, sera privé de la grâce du Seigneur. L'auteur de la *Mort Artu* ne s'accordera pas avec cette condamnation par la *Queste* de toutes les valeurs du monde arthurien proposées par le *Lancelot* propre[5]. Comme le rédacteur de cette branche du cycle, il concevra la *fin amor* comme un bien à chérir. Bien que la cause première de la chute du royaume d'Arthur soit le fait que Lancelot dès son retour de la quête du Graal a repris ses relations adultères avec la reine Guenièvre, toutefois la tragédie arthurienne n'est pas interprétée comme une punition divine. L'auteur de la *Mort Artu* ne cherche nullement à condamner la chevalerie terrienne au profit d'un idéal religieux ni à présenter la catastrophe finale comme

---

1. *Sermones in Cantica* 75, § 10; Charpentier 4, p. 581 (manque dans Davy); Leclercq, II, p. 253.2-6.
2. *Sermones in Cantica* 48, § 1; *SCh.* XII, p. 310-313 [p. 310.4-7, 312.24-25].
3. *Queste*, ch. VI, § 138.7-9.
4. *Queste*, ch. § XV, § 332.9-15.
5. Cf. F. Bogdanow, «Les scènes du Château du Graal dans l'*Agravain*...».

le salaire des pêcheurs. À l'instar de Geoffroi de Monmouth, mais en utilisant l'image de la roue de Fortune, il expliquera la catastrophe finale qui frappera le royaume d'Arthur comme la conséquence des caprices de la déesse Fortune[1]. Il y a une rupture complète non seulement entre l'idéologie du *Lancelot* et de la *Queste*, mais aussi entre celle de la *Queste* et de la *Mort Artu*. Seule la *Queste* interprète l'écroulement du monde arthurien comme la suite de la déchéance morale et religieuse de la chevalerie de la Bretagne.

Comme on le sait, un des problèmes les plus épineux soulevés par le cycle *Lancelot-Graal* est d'établir si le cycle est de la main d'un ou de plusieurs écrivains. Si la plupart des critiques de nos jours s'accordent à penser que les deux premières branches, l'*Estoire del Saint Graal* et le *Merlin* et sa suite, furent ajoutées par deux écrivains distincts après la composition des trois dernières branches – le *Lancelot*, la *Queste* et la *Mort Artu* –, ils sont en désaccord sur la genèse de ces trois sections. D'après Ferdinand Lot, et à sa suite Myrrha Lot-Borodine, le cycle entier aurait été exécuté par un seul écrivain[2], alors que, d'après Jean Frappier[3], un «architecte» aurait conçu la forme générale du cycle, mais des rédacteurs individuels auraient été responsables des diverses branches du cycle. Une chose est dorénavant certaine : la rupture totale entre l'idéologie de la *Queste* et celle des autres branches du cycle rend inacceptable la théorie de F. Lot et justifie celle de J. Frappier à condition que l'on admette que le prétendu «architecte» aurait laissé aux écrivains individuels la liberté de traiter les sections qui leur ont été confiées

---

1. Cf. F. Bogdanow, «La chute du royaume d'Arthur...».

2. F. Lot, *Étude sur le Lancelot en prose*. p. 65-107 ; M. Lot-Borodine, «Le double esprit et l'unité du *Lancelot en prose*» et «Compte rendu de J. Frappier, *Étude sur la Mort le Roi Artu*».

3. J. Frappier, *Étude sur la Mort le Roi Artu*, Paris, 1936, p. 27-146 et 440-455, ainsi que «Le cycle de la *Vulgate*» (*Lancelot en prose* et *Lancelot-Graal*), dans *Grundriss der Romanischen Literaturen des Mittelalters*, éd. Reinhold R. Grimm, Heidelberg, 1984, IV/1, p. 44-67, 536-589 (584-589).

selon leur propre conception. L'auteur de la *Queste*, qui était peut-être un moine cistercien, en a profité pour promouvoir les idées principales de la théologie mystique de saint Bernard.

LA PRÉSENTE ÉDITION

Comme on le sait depuis les études d'A. Pauphilet, les manuscrits de la **Queste** Vulgate, dont on connaît plus de cinquante témoins, se divisent en deux familles principales, α et β, dont aucune ne représente fidèlement l'original, chaque version contenant des erreurs de copie[1]. La plupart des manuscrits appartiennent à la famille α dont les manuscrits Lyon, Palais des Arts 77 [*K*], BNF, fr. 344 [*R*] et BNF, nouvelles acquisitions 1119 [*Z*] forment la base de l'édition de Pauphilet [*P*]. Jusqu'à ces dernières années les érudits n'avaient à leur disposition que cinq manuscrits de la famille β dont trois datent du XIIIe siècle (BNF, fr. 339 [*V⁵*], 342 [*V⁶*] et les deux premiers tiers de BNF, fr. 12581 [*V¹*])[2], l'un du XIVe (BNF, fr. 120 [*V*]) et l'un du XVe (Arsenal 3480 [*Vᵃ*]), les deux autres manuscrits du XIVe siècle, BNF, fr. 343 [*N*] et Oxford, Bodleian Library, Rawlinson D 874 [*O*], ne reproduisant du texte Vulgate que ce qui correspond aux paragraphes 1-294 de notre texte[3]. Mais récemment, en plus de trois courts fragments conservés à la Bodleian, Add. A 268

---

1. A. Pauphilet, *Études sur la Queste del Saint Graal,* p. XVI-XXX.

2. À partir de l'épisode de «l'équipement de l'épée» (§ 271 de notre texte ; p. 226.8 de l'édition Pauphilet), *V¹* reproduit la version de la famille α.

3. À partir de la section correspondant au § 295 de la *Vulgate*, les mss *ON* donnent la rédaction de la *Queste Post-Vulgate*. Pour une édition de la Post-Vulgate, voir F. Bogdanow, *La Version Post-Vulgate de la Queste...*

[*O¹*], Douce 379¹ et Douce 199², quatre autres manuscrits de la famille β ont été identifiés, trois du XIVᵉ siècle, copiés en Italie, Florence, bibl. laurentienne, Ashburnham ms. 121 [*V¹¹*], Ravenna, bibl. Classense ms. 454 [*V³*], Udine, bibl. Arcivescovile ms. 117 [*V⁴*]³, et l'un, l'ancien Phillipps 4377, de la fin du XIIIᵉ siècle, provenant du nord de la France. Ce codex, qui en plus de la **Queste** (f. 1r-79v)⁴ a conservé la **Mort Artu** Vulgate (f. 80r-163v) et qui était inaccessible aux érudits jusqu'à ce qu'il fût acquis par la Bancroft Library de Californie en décembre 1965, porte maintenant le sigle UCB 073 [*Bᵃ*]⁵. De plus, certaines sections de la **Queste** ont été

---

1. Cf. F. Bogdanow, « Deux manuscrits arthuriens et leur importance pour l'histoire textuelle de la *Queste del Saint Graal* : Oxford Bodleian Library, mss Add A 268 et Douce 379 ». Le fragment du ms. Douce Add A 268 se rapproche textuellement de BNF, fr. 343 (cf. art. cit. p. 147-157. Quant à Douce 379, ce fragment se rapproche textuellement de la *Queste* incorporée dans la deuxième version du *Tristan* en prose : « De deux choses l'une : ou bien Douce 379 est en réalité un morceau de la *Queste* du *Tristan* ou bien la *Queste* du *Tristan* remonte en dernière analyse à un manuscrit semblable à Douce 379 » (p. 297).

2. Cf. F. Bogdanow, « La recherche des antécédents littéraires : un remaniement méconnu de la *Queste del Saint Graal Vulgate*, nouvelle source de la *Post-Vulgate* ».

3. Cf. F. Bogdanow, « La tradition manuscrite de la *Queste del Saint Graal*, versions *Vulgate* et *Post-Vulgate*, en Italie ».

4. Le feuillet à la suite du f. 23 n'a pas été numéroté.

5. Cf. F. Bogdanow, « A litte known codex, Bancroft ms. 73… ». L'ancien Phillipps 4377 fut vendu par Sotheby, lors de la vente du 30 novembre 1965, à la maison H.B. Kraus. Par la suite il fut acquis en décembre 1965 par la Bancroft Library. Une note en latin écrite sur le premier feuillet de garde indique que le volume avait été acheté le 8 juin 1479, mais le nom de l'acquéreur n'est plus lisible. Plus tard au dix-huitième siècle, à en juger par la reliure, le volume fut acheté par le comte MacCarthy-Reagh de Toulouse : la reliure est typique de celles que le comte avait commandées vers 1774 à Richard Wier, un relieur anglais qu'il avait invité à Toulouse (voir le catalogue de vente de Sotheby, 30 novembre 1965, p. 37 et Charles Ramsden, *The Book Collector*, décembre 1953). En effet la reliure actuelle est en maroquin rouge marbré du 18ᵉ siècle. Au dos est inscrit *Histoire de la Table Ronde, MSS. sur vélin*. L'ancienne étiquette de la bibliothèque Phillips portant le numéro 4377 est toujours collée au bas du dos. Sur la formation de la bibliothèque Phillips, voir A. N. L. Munby, *The Formation of the Phillipps Library up to the year 1840*, Cambridge University Press, Phillipps Studies no. 3), 1954. Phillipps 4377, qui ne figure pas dans le catalogue de vente de MacCarthy-Reagh de 1815, fut acquis par la bibliothèque Phillips entre 1822 et 1823 auprès d'un libraire parisien nommé Royez (voir Munby, *op. cit.*, p. 21).

incorporées dans la deuxième version du *Tristan* en prose[1].
Et finalement, une section importante de la *Queste*, « la lé-
gende de l'Arbre de Vie » a été incorporée dans l'*Estoire del
Saint Graal*, la première branche du cycle Vulgate[2].

Bien que le manuscrit de Bancroft [*B*^{a}], ne soit pas exempt
d'erreurs de la part du copiste et que celui-ci supprime parfois, probablement de propos délibéré, certains membres de
phrases, ce manuscrit mérite toutefois de servir de base pour
cette nouvelle édition de la *Queste*[3]. Puisque nous avons in-
diqué ailleurs la place de *B*^{a} dans la tradition manuscrite de
la *Queste*, nous ne donnerons ici qu'un bref résumé des rap-
ports de ce codex avec les autres témoins de la *Queste*.

Que *B*^{a} appartient à la famille ß, on ne saurait en douter.
Ce témoin partage avec les autres manuscrits de cette famille
certaines de leurs caractéristiques textuelles. Ainsi, partout
où les manuscrits de la famille α ont omis par inattention certaines sections du texte, *B*^{a} donne la bonne leçon comme les
autres témoins de la famille ß. Par exemple, dans l'épisode
du « Château Carcelois » la famille α a laissé tomber à la
suite d'un saut du même au même (*lors… lors*) plusieurs lignes du texte conservées par *B*^{a} et par les autres manuscrits
de ß ; elles sont restituées dans le texte par Pauphilet (*P*)[4] :

---

1. Cf. F. Bogdanow, *La Version Post-Vulgate de la Queste…*, p. 61-68.

2. Voir ci-dessus p. 5, n. 1.

3. Le manuscrit comprend 164 feuillets sur vélin (287 sur 188 mm.), dont
163 sont numérotés ; le feuillet qui suit le f. 23 ne porte pas de numéro. En
outre il y a 6 feuillets de garde en papier, au début et à la fin du volume. Le
texte est disposé sur deux colonnes de 40 lignes chacune. Le début de la
Queste et le début de la *Mort Artu* sont illustrés par des initiales historiées
sur fond d'or, sur 7 et 10 lignes respectivement. En plus, les débuts des
chapitres – correspondant à ceux de notre édition –, sont ornés d'initiales
rouges et bleues, sur 5-8 lignes ; les alinéas sont marqués par des initiales,
normalement sur 2 lignes, mais parfois sur 3, alternativement rouges et
bleues. Toutes les initiales colorées sont décorées par des prolongements
dans les marges. Le manuscrit a été transcrit par un seul copiste. Ecriture
gothique très régulière.

4. Les références à *P* renvoient à l'édition de la *Queste* de Pauphilet ; les
références aux chapitres et aux paragraphes, à notre édition de la *Queste*.

α [*P*, p. 233.5-19] *R*, f. 513d; *K*, f. 215c; *Z*, f. 182b; V^1, f. 69a : «Et vos an verrez (*Z* verroiz) ancor hui (*K aj.* plus apert) signe (V^1 ancui signe) plus apert (*K om.* plus a.) que nos n'avons (*K* vos n'avez) veu». ***Lors […] commance*** (*Z* comença) li preudons a plorer…

ß B^a, ch. XII, § 278.37-279.16; *V*, f. 558c; V^a, f. 574a-b; V^4, f. 90b; V^5, f. 257d; V^6, f. 134b; *O*, f. 129a-b; *N*, f. 57c; [V^3 *lacune*][1] : «Et vos en verrez encor encui ($V^a V$ anuit; *ON* aucuns; V^4 verois avenir) signe plus apert que vos n'avez encore veu.» ***Lors apele Galaaz*** ($V^a VV^4 V^5 V^6 ON$ *aj.* autres) ***ses compaignons et lor conte*** ($V^a VV^4 V^5 V^6 ON$ dist) ***les noveles que li preudons li*** (VV^a leur) ***avoit dites que*** (V^4 comant) ***les genz de leenz estoient li plus desloial*** (VV^a *aj.* hommes; $V^5 V^4$ la plus desloial gent) ***del siecle*** ($V^4 ON$ monde)***; et lor fet*** (V^6 fist a) ***savoir la novele*** ($V^6 O$ les noveiles) ***de lor pere*** (V^5 lor dist la desloialté de lor pere) ***qu'il tenoient*** (V^6 pere ki gisoit) ***en prison.*** (V^6 *aj.* et) ***Quant Boorz l'entent, si dit a*** ($V^a VV^4 V^5 V^6 ON$ Boors ot [*O* entent] ceste parole, si [*ON aj.* leur] respont) ***mon seignor Galaaz*** (*ON om.* mon s. G.) : «***Sire*** (VV^a *om.* Sire; $V^4 ON$ biaus sire Galaaz), ***fet il, je vos disoie*** (V^4 di; *ON* ne le vos di ge) ***bien*** (V^6 Certes, sire je savoie bien) ***que Nostre Sires nos i avoit*** ($V^a V^4$ vous avoit) ***envoié*** (V^4 *aj.* en cest païs; *ON aj.* el païs) ***por prendre sa*** (V^4 la) ***venjance*** ($V^4 ON$ d'aus). ***Certes, se*** (V^6 prendre venjance d'iaus, car se; $V^a V$ prandre d'eulx la vengence. Certes, se a) ***Deu*** (VV^a Damdieu; $V^6 V^4 ON$ Nostre Seigneur) ***ne pleust*** (V^6 plesoit), ***ja tant d'omes n'eussons ocis*** (V^5 *aj.* entre nos .iii.; $V^6 V^4$ ja n'eussiemes ocis tant d'ommes [$V^4 ON$ tant d'omes ocis]) ***en si po*** (V^6 petit) ***d'ore.»*** ***Lors firent le conte Ernol*** (V^6 Oria) ***metre hors de la prison; et quant il fu amont en la grant sale, si le troverent el point*** ($V^a VV^4 V^5 ON$ font oster le conte Ernoul [V^5 Hernol] de la prison, et quant il orent apporté amont [$V^5 V^4 ON$ eu paleis/*ON om.* amont/eu. paleis] et il l'orent mis en la grant/*ON* haute/sale], si trouverent qu'il estoit ou point) ***de la mort. Et neporquant, si tost com il vit Galaaz, le conut il***

---

1. Le fragment *Douce 199* n'a pas conservé cette partie de la *Queste* : il s'arrête à l'endroit qui correspond au ch. IV, § 64.6 de notre texte.

bien (*V^a VV^4 V^5 V^6 ON om.* bien), ***non mie por ce qu'il l'eust
autre foiz veu, mes por ce que*** (*V^6* mais ce fu) ***par la vertu***
(*V^a VV^4 V^5 ON* eust onques [*VV^5 V^4 ON aj.* mais] veu, mais par
la vertu de) ***Nostre Seignor li avint. Lors*** commença (*V^6 aj.* li
quens) a plorer…

De même, partout où les deux familles ont des leçons
différentes mais également acceptables, *B^a* normalement
donne la même version que les autres manuscrits de la
famille ß. En voici deux exemples :

1. *B^a*, ch. X, § 241.25-26 : ***Quant vint a hore*** de coucher, *si
se coucha* sor .i. fes d'erbe qui leenz estoit.

α [*P*, p. 198.8-9] *Z*, f. 175c : **Et quant il ot mengié**, si *s'en-
dorment* sus.i. fes d'erbe qui laienz estoit.

ß *V^a*, f. 562b ; *V*, f. 553c ; *V^1*, f. 61a ; *V^3*, f. 71d ; *V^4*, f. 75b ;
V^5, f. 253c-d ; *V^6*, f. 123b ; *O*, f. 111a ; *N*, f. 49c : *Quant* (*ONV^4
aj.* il) ***vint a heure*** (*V^3* Quant il fu hore) de couchier, *si se* (*ON
om.* se ; *V^3* il se) *coucha* sur un fes d'erbe qui laiens estoit.

B^a comme les autres témoins de ß donne la leçon ***Quant
vint a hore… si se coucha.***

2. *B^a*, ch. X, § 244.1-4 : Lors osta ***Galaaz son hiaume*** et s'espee, mes son hauberc ne volt il pas oster. Et com il voit la nef *si
bele et si riche* par dehors, si demande a ses compaignons dont
si bele nef vint.

α [*P*, p. 200.5-8] *K*, 207d ; *Z*, f. 176a ; *R*, f. 508b : Lors osta
Boort son hiaume et Galaad le suen et s'espee, mes son hauberc
ne volt il pas oster. Et quant il voit la nef *si bele* et par defors
et par dedenz, si demande as .ii. conpaignons s'il sevent dont si
bele nef vint.

ß *V^a*, f. 563a ; *V*, f. 553d ; *V^1*, f. 61c ; *V^3*, f. 72c-d ; *V^4*, f. 76a ;
V^6, f. 124a : Lors osta ***Galaad son heaume*** et son espee, mais
son haubert ne voult il pas oster (*V^3* remuer). Et quant il voit la
nef *si belle et si riche* et par dedens et par dehors, si demande
aux deux (*ONV^4 V^3 om.* deux ; *V^6* a ses deus) compaignons s'il
sevent (*V^6 om.* s'il s.) dont si belle nef vient (*ONV^1 V^3 V^4 V^6*
vint).

Alors que d'après B^a et les autres témoins de ß, seul Galaad ôte son heaume, d'après les mss de α non seulement Galaad mais aussi Bohort ôte le sien. De plus, B^a comme la famille ß, a conservé les mots *et si riche* absents de la famille α.

Bien entendu les divers manuscrits de la famille ß, pas plus que ceux de la famille α, ne sont homogènes, mais ils se répartissent en plusieurs groupes. Pauphilet n'a reconnu que deux groupes, l'un comprenant les mss BNF fr. 120 (V) et Arsenal 3480 (V^a), et l'autre composé des mss BNF fr. 339 (V^5), 343 (N), 342 (V^6) et 12581 (V^1). Mais l'étude des manuscrits qui n'étaient pas à la disposition de Pauphilet, nous permet de distinguer quatre groupes principaux :

Groupe I : les mss $VV^aV^4V^{11}OO^1N$ qui se divisent en trois sous-groupes :

a. VV^a qui présentent certaines erreurs de copiste et des variantes qui leur sont propres.

b. V^4V^{11} qui partagent avec VV^a certaines de leurs variantes, et de plus ont un nombre de leçons particulières qui ne se retrouvent ni dans VV^a ni dans les autres manuscrits à l'exception de ceux du sous-groupe *c*.

c. OO^1N qui ont certaines variantes en commun avec V^4V^{11}, mais de plus présentent des variantes qui leurs sont propres.

Groupe II : composé de trois sous-groupes, *Douce 199*, V^3 et V^1 qui, pour les sections qu'ils ont en commun, y compris pour celles où V^1 appartient à la famille ß, présentent certaines leçons propres à eux et à la *Queste* Post-Vulgate.

Groupe III : composé d'un seul manuscrit, V^5, lequel, tout en étant parfois plus proche de la famille α que des manuscrits de la famille ß, présente nombre de variantes dont certaines se retrouvent dans les sections de la *Queste* Vulgate incorporées dans la deuxième version du *Tristan* en prose.

Groupe IV : le ms. V^6 qui présente certaines leçons individuelles absentes des mss des groupes *I-III*.

En ce qui concerne B^a, on ne saurait douter que ce témoin n'appartient à aucun des sous-groupes des sections *I-III*, mais remonte à un manuscrit étroitement apparenté à V^6, jusqu'ici le seul représentant du groupe *IV*. Car, d'une part, chaque fois que certains des témoins des groupes *I-III* ont des variantes qui leur sont propres, B^a présente ce que l'on pourrait appeler la leçon « originale » ou « commune ». Et d'autre part, B^a partage avec V^6 certaines variantes.

Ainsi, les leçons propres aux témoins du groupe *I* (VV^a-$V^4V^{11}OO^1N$) sont absentes de B^a. Par exemple, dans l'incident du « Châtiment divin », à l'endroit où Galaad et Perceval se rendent compte que l'orage qui a détruit le château ne saurait s'expliquer que comme la vengeance divine du Seigneur qui voulait apaiser sa colère, les manuscrits de ce groupe ont omis le mot *apaier* conservé par B^a et les autres témoins de la famille **ß** ainsi que ceux de la famille α :

B^a, ch. XIII, § 293.17-20 ; V^6, f. 138a ; V^5, f. 259a ; V^3 lacune : Et quant li compaignon voient ceste chose, si dient que voirement (V^5V^6 *om.* v.) est ce esperitel venjance ; et dient (V^5 *om.* d.) que ceste chose ne fust ja avenue, se ne fust por *apaier l'ire et le corrot* au Sauveor (V^5 Criateur) del (V^6 de tot le) monde.

α [*P*, p. 244.26-29] V^1, f. 72b-c ; *K*, f. 218a ; *Z*. f. 184c-d ; *R*. f. 515c : Quant li compaignon voient ceste chose, si dient que c'est esperitel venjance. « Et si ne fust ja, font il, avenu se ne fust por *apaier le courrouz* au Creator del monde. »

ß V^a, f. 578b ; *V*, f. 560b ; V^4, f. 94d ; V^{11}, f. 77a ; *O*, f. 135b ; *N*, f. 60d : Et quant les compaignons voient ceste chose, si dient que ce est espirituelle vengence, car ceste chose ne fust ja avenue se ne fust pour ($V^4V^{11}ON$ *om.* pour) *l'ire et pour* ($V^4V^{11}ON$ *om.* pour) *le courroux* au Creatour du monde.

Et B^a ne partage pas non plus les variantes qui sont caractéristiques des divers sous-groupes du groupe *I*. Partout où les manuscrits de *Ib* et *Ic* ont des leçons qui leur sont propres, B^a présente la leçon attestée par les autres témoins de ß et ceux de α. Par exemple, dans le passage où Meliant et Galaad arrivent à un carrefour marqué par une croix de bois, d'après les manuscrits de Ib et Ic l'inscription était gravée *el fust de la crois*. Mais B^a ne répète pas, comme le font V^4V^{11} et ON, les mots *de la crois* qui sont superflus dans ce contexte :

B^a, ch. II, § 46.3-7 : Et chevauchent tot le jor et tote la semaine. Lors lor avint a .i. lundi matin qu'il vindrent *a une croiz* qui departoit .ii. chemins; et truevent letres *el fust* entailliés qui disoient...

V^5, f. 235b : Et chevauchent tot le jor et tote la semaine. Et lors lor vint a un lundi matin qu'il vindrent *a une croiz* qui departoit .ii. chemins, si retrovierent letres qui estoient entaillies *eu fust* et disoient...

V^6, f. 70d-71a : Et chevauchent tout le jour et toute la semaine. Lors avint a .i. lundi matin que il vinrent *a une croiz* ki partoit .ii. chemins, *et regardent la crois* et truevent letres ki estoient entaillies *el fust* et disoient...

V^a, f. 505b ; V, f. 528d : Et chevauchent tout le jour et toute la sepamaine. Et leur avint a un lundi matin qu'il vindrent *a une croix* qui departoit .ii. chemins *et viennent a la croix* et treuvent lectres qui estoient entailliees *ou fust* et disoient...

V^1, f. 10c : Et chevauchent une semaine antiere sanz aventure trover. Et lors lor avint a .i. lundi matin *si com il furent parti d'une abaie* qu'i[l] vindrent *a une croiz* et retroverent letres qui estoient entaillies *eu fust* et disoient...

V^3, f. 16b : Si chevalchent tot le jor et toute la semaine entiere et plus. Et lors lor avint a un lundi matin *qu'il se furent parti d'une abeie* qu'il vindrent *a une croiç* qui departoit deus chemins. Il vienent a la croiç, et troevent letres qui estoient entaillies *el fust* et disoient

I. b-c (V^{11}, f. 14c-d; V^4, f. 102c-d; O, f. 22d; N, f. 13c) : Et chevauchent tot le jor et tote la semaine. Si lor avint a .i. lundi matin q'il vindrent *a une crois* qui partoit (ON departoit) .ii. chemins, et trovent letres qui estoient entaillies *eu fust de la crois* et disoient.

α ([*P*, p. 40.33-41.3] *Z*, f. 145c; *K*, f. 169c; *R*, f. 482b) : Si chevalchent (*KR* chevauchierent) tot (*R om.* tot) le jor et tote la semeine. Si lor avint a .i. mardi matin que il vindrent *a .i. croiz* qui partoit le chemin en .ii.; et il vienent a la croiz (*KR om.* qui partoit... croiz), et trovent (*R* troverent) letres qui i (*KR om.* i) estoient entaillies *eu* (*K* au) *fust* et disoient...

De même lorsque *VV*ᵃ ont des leçons qui leur sont propres, *B*ᵃ s'accorde avec les autres témoins de la famille ß. En voici trois exemples :

1. Dans le passage que nous venons de citer, les mots *et viennent a la croix* particuliers à *VV*ᵃ ne figurent ni dans *B*ᵃ ni dans aucun des autres manuscrits de la **Queste**.

2. [*P*, p. 8.9-11]

*B*ᵃ, ch. I, § 11.15-18 : Quant il l'a vestu et *apareillié*, si li dit : «Sivez moi, *sire chevalier.*» Et il si *fet*. Et il *le* moine [tout droit] au Siege Perillox...

V, f. 523d; *V*ᵃ, f. 493a : Et quant il ot vestu et *areé*, il dit : «Suivés moy, *sires roy et vous chevaillier.*» Et il si *font*. Et il *lez* maine tout droit au Siege Perilleux...

*V*¹¹, f. 3c; *N*, f.3a; *O*, f. 5a : Quant il l'a vestu et bien *aparellié*, se li dist (*ON* se dit) : «*Venés aprés* moi, *sire chevalier.*» Et il si *fet*. Et il *le* maine tot droit au Siege Perillox...

*V*¹, f. 2d : Et quant il fu vestuz et *aparilliez*, *li preudom* li dist : «Sivez moi, *sire chevaliers.*» Et il *le* mainne tantost au Siege Perillex...

*V*⁶, f. 60c : Quant il l'a vestu et bien *apareillié*, se li dist : «Sivez moi, *sire chevaliers.*» Et il *le* maine tout droit al Siege Perilleus...

K, f. 161c; *R*. f. 477a; *V*⁵, f. 231d; *V*³, f. 3d; *Douce* 199, f. 303v : Quant il l'a (*V*⁵ il fu) vestu et *apareillié*, si li dist (*Z Douce* dit) : «Sivez moi, *sire chevaliers.*» Et il (*V*³*V*⁵ *Douce* cil) si *fet* (*V*³ *aj.* maintenant). Et il *le* moine tot (*V*³*V*⁵ *om.* tot) droit au Siege Perilleus...

Le sous-groupe *VV*ᵃ n'a pas seulement remplacé *apareillié* par *arreé*, mais présente aussi quelques autres va-

riantes. Il n'y a de trace ni de celles-ci ni des leçons individuelles présentées par $V^{11}ON$ ou V^1, dans B^a qui, à part
l'omission de *tout droit*, a conservé la leçon originale.

3. [*P*, p. 26.29]
B^a, ch. II, § 30.7 : com *cil* qui bien conurent qu'il estoit
chevaliers *erranz*.

V, f. 526d ; V^a, f. 599b : comme *celui* qui congnurent bien
qu'il estoit chevaillier *estrange*.

K, f. 166a ; *R*, f. 480b ; *Z*, f. 143a ; V^1, f. 6d ; V^3, f. 11a ; V^5, f.
233d ; V^6, f. 66b ; V^{11}, f. 10a ; *N*, f. 9c ; *O*, f. 15c ; *Douce 199*,
f. 310bis r : come *cil* qui bien conurent (*Douce* conurent bien)
qu'il estoit chevaliers *erranz*.

Alors que le groupe VV^a a les leçons *celui* et *estrange*,
B^a donne comme les autres manuscrits les leçons *cil* et
erranz.

Le cas est le même en ce qui concerne les groupes *II* et
III : les leçons individuelles de chacun de ces groupes ne
se retrouvent pas dans B^a. En voici quelques exemples :
A. Leçons propres au groupe *II* ($V^1 V^3$ *Douce 199*)
qui ne figurent pas dans B^a :

1. [*P*, p. 4.17-18]
B^a, ch. I, § 6.18-20 ; V^6, f. 59c ; V^{11}, f. 10b ; *N*, f. 2b ; *O*,
f. 3a ; V^4 lacune : «Et ge vodroie bien que nus ne veist mes hui
(V^6 hui mais ; V^{11} *om*. mes hui ; *NO* nuls meust [*sic*] hui) cez
lctres (V^{11} *aj*. hui) devant (V^6 *aj*. çou) que cil sera venuz qui
ceste aventure doit achever…»

Douce 199, f. 301v ; V^1, f. 1d ; V^3, f. 2b : «Et ge voudroie
bien, *se il pooit estre*, que nus ne veist hui mes ces letres…»

V, f. 523b ; V^a, f. 491b : «Et je vouldroie bien *tant faire* que
nuls ne veist mes huy ces letres…»

R, f. 476c ; *Z*, f. 138c : «Et je voldroie bien que nus ne veist
mes hui cez letres devant que cil sera venuz…»

V^5, f. 231b : «Et ge voudroie bien que nus ne veist cez letres
mes hui devant que cil sera venuz…»

Ni la leçon *se il pooit estre* propre à *Douce-V[1]-V[3]* ni celle propre à *VV[a]* (*tant faire*) ne figure dans la version de *B[a]*.

2. [*P*, p. 15.13-15]

B[a], ch. I, § 19.12-14; *V[6]*, f. 62d : et se commencierent a entresgarder li .i. l'autre, qu'il (*V[6]* car il) ne savoient dont ce lor pooit estre venu. Et neporquant…

V[1], f. 4b : il comencierent a regarder li uns l'autre, *et se voient assez plus biau a leur avis qu'il n'avoient esté devant*. Et neporquant…

V[3], f. 6c; *Douce 199*, f. 306v : et s'entrecommencierent a regarder (*Douce* se comencerent a entresgarder) li un les autres, *si se veoient* (*Douce* voient) *asseç plus beaux a lor avis qu'il ne souloient estre, dom il se merveillent* (*Douce* merveilloient) *molt durement*, quar il ne savoient dont ce lor pooit estre venu. (*Douce* avenu). Et neporquant il n'i avoit laienç home qui poïst parler…

K, f. 163b; *V*, f. 525a; *V[a]*, f. 496a; *V[5]*, f. 323c; *V[11]*, f. 6a; *N*, f. 5b; *O*, f. 8d : et (*VV[a] aj.* se) comencierent (*ON* s'entrecommencerent) a resgarder (*ON* esgarder) les uns les autres, car il ne savoient dont ce lor pooit estre venu (*VV[a]* pouoit venir). Et neporquant…

La variante *il se veoient asseç plus beaux… moult durement* présentée par le groupe *Douce-V[1]-V[3]* ne se retrouve pas dans *B[a]*.

B. Leçons propres au groupe *III* : *V[5]* et les sections de la *Queste* Vulgate incorporées dans la deuxième version du *Tristan* en prose (BNF fr. 772 [*T*]).

1. [*P*, p. 35.25]

B[a], ch. II, § 39.21; *V[6]*, f. 69b; *V[11]*, f. 12d; *V[3]*, f. 14b; *V*, f. 528a; *V[a]*, f. 503b; *N*, f. 11d; *O*, f. 20a; (*V[4] lacune*) : … *et por ce li otroie*.

V[5], f. 234c; *T*, f. 204a : … et por ce li otroie *sa volenté*.

K, f. 168b; *R*, f. 481c; *Z*, f. 144c : … et por ce li otroie il.

V[1], f. 8d : … si li otroie *que il le fera chevalier*.

Douce 199, f. 313v : … si li otroie.

Les leçons propres à V^5-T (*sa volenté*) et V^1 (*que... chevalier*) ne figurent pas en B^a.

2. [*P*, p. 38.32-33]

B^a, ch. II, § 43.49-50 : Li cors senefie le pueple qui *soz durté* avoit tant demoré.

V^5, f. 235a; *T*, f. 204d : Li cors senefie le pueple qui *es ordures* dou monde (*T om.* dou monde) avoit tant demoré.

K, f. 169a; *R*, f. 482a; *Z*, f. 145b; V^1, f. 9d; V^3, f. 14b; *V*, f. 528c; V^a, f. 505a; V^6, f. 70b; V^{11}, f. 14a; *N*, f. 12d; *O*, f. 21c; *Douce 199*, f. 314v (V^4 *lacune*) : ... le pueple qui *desoz* (*Douce aj.* la) *durté* avoit tant demoré.

La variante *es ordures* du groupe V^5-T est absente de B^a.

Mais s'il est évident que B^a n'appartient pas aux groupes *I-III*, il est également manifeste que le texte de ce manuscrit est étroitement apparenté à la version du groupe *IV*, comme il ressort des variantes qui leur sont propres. En voici trois exemples :

1. [*P*, p. 231.7-8]

B^a, ch. XII, § 277.1-2; V^6, f. 133c : En ce que il parloient einsi *vint* .i. prodons des chambres (V^6 de la cambre) de leenz...

α et ß : (*K*, f. 215a; *R*, f. 513b; *Z*, f. 182a; V^1, f. 68c; *V*, f. 558b; V^a, f. 573b; V^3, f. 83d; V^4, f. 895c; V^5, f. 257c; V^{11}, f. 71b; *O*, f. 128a; *N*, f. 57a) : En ce qu'il parloient einsi *issi* uns preudons d'unc des chambres de leenz...

Alors que le plus grand nombre des manuscrits des deux familles ont la leçon *issi*, le groupe B^a-V^6 donne *vint*.

2. [*P*, p. 233.24-25]

B^a, ch. XII, § 280.1-3; V^6, f. 134b : Et quant il li a mis *son chief* sor son piz, *si clot li quens les euz et s'acline* si com cil qui la mort traveilloit (V^6 ki a la mort traveille)...

α (*K*, f. 215c; *R*, f. 513d; *Z*, f. 182c; V^1, f. 69a) : Et quant il l'ot mis sor son piz, *si s'aclina li quens* com cil qui a la mort traveilloit et dist...

ß (*V*, f. 558d; *V^a*, f. 574b; *V^4*, f. 90c; *V^5*, f. 257d; *V^11*, f. 72b; *O*, f. 129b; *N*, f. 57c; *V^3 lacune*) : Et quant il li a mis *son chief* sur son pis, *si s'acline li quens et clot ses yeulz* comme cil qui a la mort traveilloit et dist…

Tous les manuscrits de la famille ß présentent la leçon *son chief*, mais seul le groupe *B^a-V^6* donne la variante *si clot… et s'acline*.

3. [*P*, p. 244.21-22]

B^a, ch. XIII, § 293.12-13 ; *V^6*, f. 137d : Et dient que molt a ci grant perte de gent.

α et ß : (*K*, f. 218a ; *R*, f. 515c ; *Z*, f. 184c ; *V^1*, f. 72b ; *V*, f. 560b ; *V^a*, f. 578a ; *V^4*, f. 95b ; *V^5*, f. 259a ; *V^11*, f. 77a ; *O*, f. 135b ; *N*, f. 60c-d ; *V^3 lacune*) : Et dient que mout a ci (*V^5* ci eu) *grant domage et* grant perte de gens.

Le groupe *B^a-V^6* a omis les mots *grant domage et* attestés par les autres témoins de la famille ß ainsi que par la famille α.

Mais bien que les manuscrits *B^a* et *V^6* soient étroitement apparentés, ils ne sont nullement identiques. Chacun de ces deux témoins présente parfois des leçons individuelles. Dans l'exemple suivant auquel on pourrait en ajouter beaucoup d'autres, *V^6* a modifié le texte alors que *B^a* offre la version commune :

B^a, ch. II, § 31.14-16 : «Je ne vos lo mie, fet li preudons, que vos l'e[m]portez hors de ceenz, car *je ne quit qu'il vos en avenist ja se honte non*.»

V^6, f. 66c : «Je ne vos lo pas, fait li prodom, que vos l'enportés hors de chaiens, car *je quit que vos en ariés a soufrir.*»

α ([*P*, p. 28.5-7] *K*, f. 166c ; *R*, f. 480b ; *Z*, f. 143a) : «Je nel vos lo mie, fet soi li preudans, que vos ja l'emportez hors de çaienz, car *je* (*RZ aj.* ne) *quit qu'i[l]l vous en avenist se honte non.*»

ß (*V*, f. 526d-527a ; *V^a*, f. 501a) : « Je ne vos lo mie, fet l'un d'eulx, que vous l'emportés hors de ceans. *Je ne quide mie qu'i[l] vous en venist bien, se honte non.* »

V^{11}, f. 10b ; *V^4 lacune* : « Je ne vos lo mie, fet li prodom. que vos ja l'enportés hors de ceens. Car *ge ne croi qu'il ne vos en avenist ja* [se] *honte non.*»

O, f. 16a ; *N*, f. 9d : « Ge ne vos lou mie, fet li preudoms, que (*N om.* lou… que) l'enportoiz ja hors de ceenz. Car *ge croi qu'il ne vos en viegne ja* [se] *honte non.*»

V^3, f. 11b ; *V^1*, f. 7a : «Ge nel vos lo mie, fet li freres, que vos l'enportoiç ja hors de çaienç (*V^1 om.* que… çaienç). Quar *je cuit qu'il* (*V^1 om.* je cuit qu') *ne vos en avendroit* (*V^1* vanroit) *se* pires (*V^1* honte) *non*».

V^5, f. 233d : «Ge neu vos lo mie, fet il, que vos ja l'emportez de ceienz, que *ge ne cuit que il vos avenist se honte non.*»

Alors que *B^a* comme *K* et la plupart des manuscrits de la famille ß donne *je cuit… se honte non*, *V^6* a réécrit la deuxième partie de la phrase.

Ailleurs, cependant, c'est *B^a* qui présente une leçon modifiée ou, parfois, en l'espace d'une phrase, c'est chacun de ces deux manuscrits qui en partie s'écarte de l'original comme dans l'exemple suivant :

B^a, ch. XII, § 272.12-14 : «B[i]au seignor, *fet ele*, vez ci les renges *que g'i doi metre, et si vos di* que ge les fis de la chose *desor moi* que j'avoie plus chiere, c'est de mes chevels. »

V^6, f. 132b : «Biau signor, *fait la demoislele*, vés chi les renges *qui i doivent estre, et saciés bien vraiement* ke je les fis de la cose *el siecle* que j'avoie plus ciere *sor moi*, ce est de mes caviaus.»

α ([*P*, p. 227.9-12] *K*, f. 214a ; *R*, f. 512d ; *Z*, f. 181a) : «Bel seignor, *fet ele*, veez ci les renges *qui i doivent estre. Sachiez*, fet ele, que je les fis de la chose *de sus moi* que je avoie plus chiere, ce fu de mes cheveux. »

ß (*V*, f. 557d ; *V^a*, f. 572a-b ; *V^3*, f. 82b ; *V^4*, f. 87c ; *V^5*, f. 257a ; *V^{11}*, f. 70a ; *O*, f. 126a ; *N*, f. 56a) : «Biaux seigneurs, *fait elle*, veés cy lez renges *qui y doivent* (*V^4* devoient ; *V^3* covient) *estre. Sachiés* (*V⁵* estre si riches) que je lez fis de la chose *sur moy* (*V³V¹¹* desus moi ; *V⁴V⁵ON* deseur moi) que je avoie plus chiere, ce est de mes cheveux (*V⁵ om.* ce… cheveux). »

Alors que *Bᵃ* donne la variante *qui i doivent estre, et si vos di* à la place de *qui i doivent estre, et saciés* commune à *V⁶* et aux autres manuscrits des deux familles, *V⁶* a *fait la demoisiele* tandis que *Bᵃ* a conservé la leçon *fet ele* attestée par les autres témoins.

Il n'est pas possible de dire si le copiste de *Bᵃ* est personnellement responsable de toutes les divergences entre son texte et la version commune à *V⁶* et aux autres manuscrits de la famille ß, mais il est fort probable qu'un certain nombre au moins des « variantes » est attribuable au scribe du manuscrit à sa disposition, car, alors que pour la plus grande partie du manuscrit le copiste de *Bᵃ* semble être fidèle à son modèle, pour certains passages il présente un texte quelque peu abrégé.

Dans l'établissement du texte de notre édition de la *Queste* nous gardons les graphies de *Bᵃ*. De même, autant que possible nous respectons la version de *Bᵃ*. Mais là où il est évident que le copiste a omis, soit par inattention, soit peut-être de propos délibéré, certains membres de phrase ou même des phrases entières, nous les avons restituées au texte. Toutes les corrections apportées au texte sont basées normalement sur les manuscrits textuellement les plus proches de la version de *Bᵃ*, y compris, le cas échéant, non seulement certains manuscrits de la famille ß, mais aussi de la famille α. Nous avons mis entre crochets droits [ ] toutes les corrections jugées essentielles. À la suite du texte, nous donnons les leçons des manuscrits sur lesquelles ces corrections sont basées. Ajoutons que parfois nous avons aussi eu recours à l'un des manuscrits de l'*Estoire del Saint Graal*, le ms. 255 de la Bibliothèque Municipale de Rennes, pour corriger notre texte. Car le rédacteur de l'*Estoire*, qui a emprunté à la *Queste* l'épisode de « la légende de l'Arbre de Vie », comme nous l'avons déjà signalé, paraît avoir eu à sa disposition un meilleur témoin de la *Queste* qu'aucun des manuscrits subsistants.

Fanni BOGDANOW.

LA TRADUCTION

Traduire le texte le plus fidèlement possible a été notre souci majeur. Certains traits caractéristiques de l'original, comme les nombreuses répétitions de phrases relevant bien souvent d'une intention didactique, ont été respectés. Ou encore, le mélange des temps, l'alternance du passé et du présent qui permet de varier le ton et le rythme du récit. Pour ce qui est de la langue, nous avons maintenu un certain nombre d'archaïsmes et donné leur sens dans les notes. En revanche, nous avons écarté des termes dont le sens n'est plus le même aujourd'hui *(preudome, serjant, vallet, disner)*.

Je tiens à remercier toutes les personnes qui ont bien voulu m'aider de leurs conseils et de leurs suggestions, en particulier F. Bogdanow, D. Burrows et A. Armstrong.

Anne BERRIE.

INDICATIONS
BIBLIOGRAPHIQUES

I. Éditions

Furnivall, Frederick J., *La Queste del Saint Graal*, printed for the Roxburghe Club, London, 1864 (édition d'après le ms. Brit. Mus. Royal 14. E. III).

Gousset, Marie-Thérèse et Michel Pastoureau, *Lancelot du Lac et la Quête du Graal*, Paris, Anthèse (Diffusion Sodis, 17 rue de Tournon, 75 006), 2002.

Pauphilet, Albert, *La Queste del Saint Graal, roman du XIIIe siècle*, Paris, 1923, réimpr. 1984 [«CFMA», 33] (édition d'après les mss Lyon, Palais des Arts, 77 [*K*], Bibl. nat. fr. 344 [*R*], Bibl. nat., nouv. acq. fr. 1119 [*Z*]).

Sommer, H. Oskar, *The Vulgate Version of the Arthurian Romances, edited from manuscripts in the British Museum*, 7 vol. et un *Index of names and places*, The Carnegie Institution of Washington 1906-1916. Réimprimé, Ams Press, Inc. New York, 1969, 1979. Vol. VI, 1-199 : *Les Aventures ou la Queste del Saint Graal* (édition d'après le ms. Brit. Mus. Add. 10294).

La Grant Queste del Saint Graal. La grande Ricerca del Santo Graal. Versione inedita della fine del XIII secolo del ms. Udine, Biblioteca Arcivescovile, 177, Roberto Vattori, Editore, Udine, 1990, présentation par Antonia Comelli, p. 11. (Reproduction photographique du ms. d'Udine suivie d'une transcription et traduction en italien de ce codex par Aldo Rosselini (p. 323-441) précédée par quatre études : Gianfranco D'Aronco «Un romanzo per l'Europa»; p. 13-30; Roberto Benedetti, «Qua fa' un santo e un cavaliere. Aspetti codicologicie note per il miniatore»; p. 31-47; Marco Infurna, «La *Queste del Saint Graal* in Italia e il manoscritto Udinese»; p. 49-57; Fulvia Sforza Vattovani, «Leggere per diletto e guardare le figure. Nascita del libro illustrato par una nuova società di lettori e lettrici», p. 59-87.

Bogdanow Fanni, *La Version Post-Vulgate de la Queste del*

Saint Graal et de la Mort Artu, Paris, « SATF », t. I, II, IV/1, 1991 ; t. III, 2000 ; t. IV/2, 2001.

II. TRADUCTIONS

BAUMGARTNER, Emmanuèle, *La Quête du Saint-Graal, traduite en français moderne*, Paris, Champion, 1979.

BÉGUIN, Albert, *La Quête du Graal*, mise en langage moderne, Fribourg, Egloff, Paris, LUF, 1945 (Collection « Le Cri de la France », 1re série, t. 26).

BÉGUIN, Albert et BONNEFOY, Yves, *La Quête du Graal, Édition présentée et établie*, Paris, Éditions du Seuil, 1965.

MATARASSO, P. M., *The Quest of the Holy Grail. Translated with an Introduction*, London, Penguin Books, 1969.

PAUPHILET, Albert, *La Queste du Saint Graal, translatée des manuscrits du XIIIe siècle*, Melun, Librairie d'Argences, 1949.

III. ÉTUDES SUR LES MANUSCRITS

PAUPHILET, Albert, *Études sur la Queste del Saint Graal*, Paris, Champion, 1921 [réimpr. 1980]. Étude préliminaire : « La tradition manuscrite et l'établissement du texte de la *Queste del Saint Graal* », p. V-XXV.

BOGDANOW, Fanni, « An Arthurian Manuscript : Arsenal 3350 » *Bulletin Bibliographique de la Société Internationale Arthurienne* 7, 1955, p. 105-108.

– « La tradition manuscrite de la *Queste del Saint Graal*, versions Vulgate et Post-Vulgate en Italie », dans *Die Kulturallen Beziehungen zwischen Italien und den anderen Ländern Europas im Mittelalter*, éd. D. Buschinger et W. Spiewok, Wodan, Greifswälder Beiträge zum Mittelalter, t. 28, Serie 4, Reineke-Verlag, 1993, p. 25-45.

– « The Italian Fragment of the *Queste del Saint Graal* preserved in the Biblioteca Nazionale Centrale, Florence, and its French source », *Medium Aevum* 69, 2000, p. 92-95.

- «Un nouveau manuscrit de la *Queste du Saint Graal* du Cycle de la Vulgate», *Romania* 91, 1970, p. 554-556.
- «Deux manuscrits arthuriens et leur importance pour l'histoire textuelle de la *Queste del Saint Graal* : Oxford, Bodleian Library, mss. Add. A 268 et Douce 379», Première partie, *Romania* 98, 1977, p. 145-167, 289-305.
- «La recherche des antécédents littéraires : un remaniement méconnu de la *Queste del Saint Graal Vulgate,* nouvelle source de la *Post Vulgate*», dans *Perceval-Parzival. Hier et aujourd'hui, pour fêter les 95 ans de Jean Fourquet*, éd. D. Buschinger et W. Spiewok, Wodan, Greifswälder Beiträge zum Mittelalter, vol. 48, série 3, vol. 28, Reineke Verlag, 1994, p. 25-37.
- «A little known Codex, Bancroft ms. 73 and its place in the manuscript tradition of the Vulgate *Queste del Saint Graal*», dans *Arthuriana* 6.1, 1996, p. 1-21.
- «The Manchester-Oxford, Bonn and Yale Codices and their place in the mss. tradition of the *Queste del Saint Graal*», dans *Bulletin of the John Rylands University Library of Manchester* 79, 1997, p. 81-107.

HEINZEL, Richard, *Über die französischen Gralromane* (Denkschriften der kaiserlichen Akademie der Wissenschaften, Philos. Hist. Klasse, XL, Vienne, 1891, p. V-XXXV.

IV. ÉTUDES LITTÉRAIRES

ANDRIEUX-REIX, Nelly et E. BAUMGARTNER, «De semblance en veraie semblance ; exemple d'un parcours du *Merlin* à la *Queste*», dans *Mélanges offerts à Michèle Perret, LINX*, 2002, numéro spécial, sous la direction de Dominique Lagorgette et Marielle Lignereux, Université de Paris X-Nanterre, p. 19-43.

ANITCHKOF, Eugène, «Le Galaad du *Lancelot-Graal* et les Galaads de la Bible», *Romania* 53, 1927, p. 388-391.
- «Le Saint-Graal et les rites eucharistiques», *Romania* 55, 1929, p. 174-194.

ARMSTRONG, Grace M., *Narrative Technique in the Queste del Saint Graal*, Ann Arbor, Michigan, 1973.

– « Rescuing the lion : From *Le Chevalier au Lion* to *La Queste del Saint Graal* », *Medium Aevum* 61, 1992, p. 17-34.

BARB, A. A., « "Mensa sacra" : the Round Table and the Holy Grail », *Journal of the Warburg and Courtauld Institute* 19, 1956, p. 40-67.

BARBER Richard, « Chivalry, Cistercianism and the Grail », dans *A Companion to the Lancelot-Grail Cycle,* éd. Carol Dover, Cambridge, D. S. Brewer, 2003, p. 3-12.

BARTOLI, R.A., « Bipartition et tripartition dans la *Queste del Saint Graal* », *Cultura Neolatina* 50, 1990, p. 195-208.

– « Galaad Figura Militis Christiani ("Senefiances" implicite nella *Queste del Saint Graal*)», dans *Museum Patavinum, Rivista senestrale della Faccoltà di Lettere e Filosofia*, Casa Editrice Leo S. Olschki, Firenze, Anno IV, n. 2, 1987, p. 341-361.

– « Trinità celeste c Trinità diabolica nella *Queste del Saint Graal* », dans *Medioevo Romanzo*, 12, 1987, p. 89-102.

BAUDRY, Robert, « La Vertu nourricière du Graal », dans *Banquets et manières de table au Moyen Âge, Senefiance* 38 (Publications de l'Université de Provence, Aix-en-Provence, *CUER MA*), 1995, p. 433-450.

BAUMGARTNER, Emmanuèle, « Les aventures du Graal », *Mélanges de Langue et de Littérature française du Moyen Âge et de la Renaissance offerts à Charles Foulon*, Institut de Français, Université de Haute-Bretagne, Rennes, 1980, I, p. 23-28.

– *L'Arbre et le Pain, essai sur la Queste del Saint Graal,* Paris, Sedes, 1981.

– « Masques de l'Écrivain et masque de l'écriture dans les proses du Graal », dans *Masques et déguisements dans la littérature médiévale,* éd. Marie-Louise Ollier, Études médiévales, Montréal, Presses de l'Université de Montréal, Paris, Vrin, 1988, p. 167-175.

– « From Lancelot to Galaad : The Stakes of Filiation », dans *The Lancelot-Grail Cycle : Text and Transformations*, éd. William Kibler, Austin, University of Texas, 1994, p. 14-30.

– « L'écriture romanesque et son modèle scriptuaire : écriture et réécriture du Graal », dans *L'Imitation, aliénation ou source de liberté ?* Rencontres de l'École du Louvre, La Documentatiom française, Paris, 1984, p. 129-143.

– « The *Queste del saint Graal* : from semblance to *veraie semblance* », dans *A Companion to the Lancelot-Grail Cycle,* éd. Carol Dover, Cambridge, D. S. Brewer, 2003, p. 107-114.

BERTHELOT, Anne, « Le Graal nourricier », dans *Banquets et manières de table au Moyen Âge*, Senefiance 38, 1995, p. 451-466.

– « Sang et Lèpre. Sang et Feu », dans *Le Sang au moyen âge*, Cahiers du C.R.I.S.M.A., 4, 1999, p. 25-37.

BERTIN, Georges, *La Quête du Graal et l'imaginaire*, Condé-sur-Noireau, Éditions Charles Corlet, 1997.

BLAESS, M., « Predestination in some Thirteenth-century Prose Romances », dans *Currents of Thought in French Literature : Essays in Memory of G. T. Clapton*, Oxford, Blackwell, 1965, p. 3-19.

BOGDANOW, Fanni, « The character of Gauvain in the thirteenth-century prose romances », *Medium Aevum* 27, 1958, p. 145-161.

– « The treatment of the Lancelot-Guenevere theme in the prose *Lancelot* », *Medium Aevum* 41, 1972, p. 110-120.

– « The transformation of the role of Perceval in some thirteenth century prose romances », dans *Studies in Medieval Literature and Languages in memory of Frederick Whitehead*, éd. W. Rothwell, W. R. J. Barron, D. Blamires, L. Thorpe, Manchester University Press, Barnes & Noble, New York, 1973, p. 47-65.

– « The *double esprit* of the Prose *Lancelot* », dans *Courtly Romance : A Collection of Essays*, éd. Guy R. Mermier et E. Du Bruck (Fifteenth-Century Symposium), Detroit, 1984, p. 1-22.

– « The mystical theology of Bernard de Clairvaux and the meaning of Chrétien de Troyes' *Conte du Graal* », dans *Chrétien de Troyes and the Troubadours, Essays in memory of the late Leslie Topsfield*, éd. Peter S. Noble and Linda

M. Paterson, St. Catharine's College, Cambridge, 1984, p. 249-282.

- «An Interpretation of the Meaning and Purpose of the Vulgate *Queste del Saint Graal* in the Light of the Mystical Theology of St. Bernard», dans *The Changing Face of Arthurian Romance, Essays on Arthurian Prose Romances in memory of Cedrick E. Pickford*, éd. A. Adams, A. H. Diverres, K. Stern et K. Varty, *Arthurian Studies* 16, Cambridge, D. S. Brewer, 1986, p. 23-46.

- «La chute du royaume d'Arthur : évolution du thème», *Romania* 107, 1986, p. 504-519.

- «Les scènes du Château du Graal dans l'*Agravain* et le problème d'unité d'auteur du cycle *Lancelot-Graal*», dans *König Artus und der Heilige Graal. Studien zum Spätarturischen Roman und zum Graal-Roman im Europäischen Mittelalter,* éd. D. Buschinger et W. Spiewok, Wodan, Greifswälder Beiträge zum Mittelalter, vol. 32, Serie 3 *Tagungsbände und Sammelschriften* 17, 1994, p. 39-49.

- «Robert de Boron's vision of Arthurian History», dans *Arthurian Literature* 19, 1996, p. 19-52.

- «The Grail Romances and the Old Law», dans *Arthurian Studies in Honour of P. J. C. Field*, éd. B. Wheeler, Cambridge, D. S. Brewer, 2004, p. 1-13.

BOLETTA, William L., «Earthly and Spiritual Sustenance in *La Queste del Saint Graal*», *Romance Notes* 10, 1968-1969, p. 384-388.

BOUTET, D., «Royauté et transcendance dans la fiction littéraire au temps de Philippe Auguste», dans *Personne, personnage et transcendance aux XIIe et XIIIe siècles,* éd. M. E. Bély et J. R. Valette, Presses universitaires de Lyon, 1999, p. 35-59.

BOZÓKY, Edina, «Les masques de l'"ennemi" et les faux chemins du graal», dans *Masques et déguisements dans la littérature médiévale*, éd. M.-L. Ollier, Montréal et Paris, Vrin, 1988, p. 85-95.

BREILLAT, Pierre, «La *Quête du Saint Graal* en Italie», *Mélanges d'archéologie et d'histoire*, École française de Rome, LIV, 1937, p. 262-300.

BROWN, A. C. L., «The Bleeding Lance», *Publications of the Modern Language Association of America*, XXV, 1920, p. 1-59.

BURNS, E. J., «Feigned Allegory : Intertextuality in the *Queste del Saint Graal*», *Kentucky Romance Quarterly,* University of Kentucky, Lexington, Kentucky, XXIX, 1982, p. 165-176.

– «*Arthurian Fiction : Rereading the Vulgate Cycle*», Columbia Ohio, 1985.

CARMAN, J. Neale, «The Symbolism of the *Perlesvaus*», *Publications of the Modern Language Association of America* 61, 1946, p. 42-83.

CERQUIGLINI, Bernard, «Écrire le Graal», dans *Critique* 34, 1978, p. 298-302.

CHASE, Carol J., « Sur la théorie de l'entrelacement : ordre et désordre dans le *Lancelot en prose*», *Modern Philology* 80, 1982-1983, p. 227-241.

– «Multiple quests and the art of interlacing in the thirteenth century *Lancelot*», dans *Kentucky Romance Quarterly* 33, 1986, p. 407-420.

– «The Gateway to the *Lancelot-Grail* Cycle : *L'Estoire del Saint Graal*», dans *A Companion to the Lancelot-Grail Cycle,* éd. Carol Dover, Cambridge, D. S. Brewer, 2003, p. 65-74.

CHAURAND, Jacques, «La vieille loi et la nouvelle loi dans la *Queste del Saint Graal*», dans *Annales du C.E.S.E.R.E.*, t. 1, 1978, p. 25-37 (réimpr. dans *Les Parlers et les hommes*, Paris, SPM, 1992, p. 407-420.

COCITO, Luciano, «*La Queste del Saint Graal*», dans *Convivium* 19, Torino, 1950, p. 335-362.

COLLOMP, Denis, «Trouver cheval à son pied (À propos de l'expression "Monter sur ses grands chevaux")» dans *Le Cheval dans le Monde médiéval. Senéfiance* 22, 1992, p. 115-133.

COMBARIEU DU GRÈS, Micheline de, «Un Cœur gros comme ça». Le Cœur dans le *Lancelot-Graal*», dans *Le «Cœur» au Moyen Âge. Réalité et Sénéfiance, Senefiance* 30, 1991, p. 77-195.

– «Temps humain, temps romanesque, temps eschatologique, dans la Pentecôte du Graal : étude sur la *Queste del*

Saint Graal», dans *L'Hostellerie de Pensée : Études sur l'art littéraire au Moyen Âge offertes à Daniel Poirion par ses anciens élèves. Textes réunis* par Michel Zink et D. Bohler, éd. Eric Hicks et M. Python (Cultures et Civilisations Médiévales XII), Paris, Presses de l'Université de Paris-Sorbonne, 1995, p. 119-128.

– «Voie Dieu ou l'Apocalypsxe du Graal». *PRIS-MA*, C.E.S.C.M. de l'Université de Poitiers, XI, 1, (janvier-juin 1995), II, p. 55-74.

– «Les Quêteurs de Merveilles. Étude sur la *Queste del saint Graal*», *Revue des Langes Romanes* 100, 1996, p. 63-90.

COMBES, Annie, *Les Voies de l'aventure, Récriture et composition romanesque dans le Lancelot en prose* («Nouvelle bibliothèque du Moyen Âge», 59), Paris, Champion, 2001.

– «From Quest to Quest : Perceval and Galahad in the Prose *Lancelot*», dans *Arthuriana* 12.3, 2002, p. 7-30.

CORNET, Luc, «Trois épisodes de la *Queste del Saint Graal*», dans *Mélanges offerts à Rita Lejeune*, Gembloux, Éditions J. Duculot, S. A., 1969, t. 2, p. 983-998.

D'ARCY, A.M., «*Li Anemis Meismes* : Satan and Synagogue in *La Queste del Saint Graal*», *Medium Aevum* 66, 1997, p. 207-235.

– *Wisdom and the Grail in the «Queste del Saint Graal» and Malory's «Tale of the Sankgreal»*, Dublin : Four Courts Press, 2000.

DELBOUILLE, Maurice, «Genèse du *Conte del Graal*», dans *Les Romans du Graal aux XIIe et XIIIe siècles* (Colloques Internationaux du Centre National de la Recherche Scientifique, III), Paris, Éditions du CNRS, 1956, p. 83-91.

DE LOOZE, Lawrence N., «A Story of Interpretations : The *Queste del Saint Graal* as Metaliterature», dans *The Grail : A Casebook*, éd. D. B. Mahoney, New York, Garland, 2000, p. 237-260 (réimp. de *Romanic Review* 76, 1985, p. 129-147).

DESCHAUX, Robert, «Le diable dans *La Queste del Saint Graal* : masques et méfaits», dans *Perspectives médiévales* 2, 1976, p. 54-60.

– «Le personnage de l'ermite dans la *Queste del saint Graal* et dans le *Haut livre du Graal : Perlesvaus*», dans *Actes du*

XIVe Congrès International Arthurien, Rennes, 1985, t. I, p. 172-183.

DUBOST, Francis, «De quelques chevaux extraordinaires dans le récit médiéval : esquisse d'une configuration imaginaire», dans *Le Cheval dans le Monde médiéval, Senefiance* 32, 1992, p. 187-208.

ERRECADE, Olivier, «L'autre armure ou le vêtement de foi dans *La Queste del saint Graal*», dans *Le Nu et le vêtu au Moyen Age (XIIe-XIIIe siècles), Senefiance* 47, p. 115-126.

FARAL, E., «Note sur la nature du Graal», dans *Les Romans du Graal aux XIIe-XIIIe siècles*, Éditions du CNRS, 1956, p. 59-62.

FRAPPIER, Jean, «Le Graal et l'hostie (*Conte del Graal*, v. 6413-6431)», dans *Les Romans du Graal aux XIIe-XIIIe siècles*, Éditions du CNRS, 1956, p. 63-81.

– «Le Graal et la Chevalerie», *Romania* 75, 1954, p. 165-210.

– *Autour du Graal*, Genève, Droz, Paris, Champion, 1977.

– «*La Queste del Saint Graal*», dans *Grundriss der Romanischen Literaturen des Mittelalters*, éd. Jean Frappier et Reinhold R. Grimm, Heidelberg, 1978, IV/1, p. 554-568.

FREEMAN-REGALADO, Nancy, «La chevalerie celestiel : Spiritual Transformations of Secular Romance in *La Queste del Saint Graal*», dans *Romance : Generic Transformation from Chrétien de Troyes to Cervantes*, éd. K. Brownlee et M. Scordilis, London, University Press of New England, 1985, p. 91-113.

FROMM, Hans, «Lancelot und die Einsiedler», dans *Geistliche Denkformen in der Literatur des Mittelalters*, éd. Klaus Grubmüller, Ruth Schmidt-Wiegand, Klaus Speckenbach (= Münstersche, Mittelalter-Schriften, 51), München, Fink, 1984, p. 198-209.

GEARY, Patrick J., «Liturgical Perspectives in *La Queste del Saint Graal*», dans *Reflexions Historiques*, t. 12, n° 2, 1985, p. 205-217.

GILSON, Étienne, «La mystique de la grâce dans la *Queste del Saint Graal*», *Romania*, 51, 1925, p. 321-347 (réimpr. dans E. Gilson, *Les Idées et les Lettres*, Paris, Librairie Philosophique J. Vrin, 1955, p. 59-91).

– *La Théologie mystique de saint Bernard,* Paris, Librairie Philosophique J. Vrin, 1947.

GINGRAS, Francis, « Le Sang de l'amour dans le récit médiéval (XIIe-XIIIe siècle) », dans *Le Sang au moyen âge,* Cahiers du C.R.I.S.M.A., n° 4, 1999, p. 207-215.

GREENE, Virginie, « Gauvain et le temps », dans *Soi-même et l'autre (actes du colloque de mars 2002 à Amiens) Varia. Études médiévales,* revue publiée par D. Buschinger. 4e année n° 4, 2002, p. 229-237.

GRIFFIN, Justin E., *The Holy Grail : The Legend, the History, the Evidence.* Jefferson, NC, McFarland, 2001.

GRIGSBY, Richard R., « Les diables d'aventures dans Manessier et *La Queste del saint graal* », dans *Contemporary Readings of Medieval Literature,* éd. Guy Mermier, *Michigan Romance Studies,* 8 (Ann Arbor, Dept. of Romance Languages, Université de Michigan), 1989, p. 1-20.

GRISWARD, Joël H., « L'arbre blanc, vert, rouge de la *Quête du Graal* et le symbolisme coloré des Indo-Européens », dans *Actes du XIVe Congrès International Arthurien,* Rennes, 1984, t. I, p. 273-283.

GROS, Gérard, « La *semblance* de la verrine. Description et interprétation d'une image mariale », *Moyen Âge* 97, 1991, p. 217-257.

HALÁSK, Katalin, « L'Ange, Josephes, Merlin, Robert, Gautiers et les autres, approche narratologique de quelques romans en prose », dans *Le Forme e la Storia,* n. s. II, 1990, p. 303-314.

– « Monuments du temps », *Temps et histoire dans le roman arthurien,* études recueillies par Jean-Claude Faucon, (Éditions universitaires du Sud [diffusion : Champion]), Toulouse, 1999, p. 103-112.

HAMILTON, W. E. M. C, « L'interprétation mystique de *La Queste del Saint Graal* », *Neophilologus* 27, 1942, p. 94-110.

HARTMAN, R., « Les éléments hétérodoxes de la *Queste del Saint Graal* », dans *Mélanges de Philologie et de Litteratures romanes offerts à Jeanne Wathelet-Willem,* Liège, *Marche Romane,* 1978, p. 219-237.

HEINZEL, Richard, *Über die französischen Gralromane*, 1891, p. 1-206.

HENNESSY, Helen, «The uniting of Romance and Allegory in *La Queste del Saint Graal*», dans *Boston University Studies in English* 4, 1960, p. 198-201.

HOEPFFNER, M. E., «Robert de Boron et Chrétien de Troyes», dans *Les Romans du Graal aux XIIe et XIIIe siècles*, Éditions du CNRS, 1956, p. 93-106.

HOROWITZ, Jeannine, «*La Queste del Saint Graal*, œuvre de sacrifice absolu», *Athanor* 2, 1991, p. 36-43.

– «La diabolisation de la sexualité dans la littérature du Graal, au XIIIe siècle, le cas de la *Queste del Saint Graal*», dans *Arthurian Romance and Gender : Selected Proceedings of the XVIIth International Arthurian Congress*, éd. Friedrich Wolfzettel, Amsterdam, Rodopi, 1995, p. 238-250.

HYATTE, R., «Praise and Subversion of Romance Ethos in the Prose *Lancelot*», *Neophilologus* 82, 1998, p. 11-18.

IMBS, M. Paul, «La journée dans *La Queste del Saint Graal* et dans *La Mort le Roi Artu*», dans *Mélanges Ernest Hoepffner*, Paris, 1949, p. 279-293.

– «L'élément religieux dans le *Conte del Graal* de Chrétien de Troyes», dans *Les Romans du Graal aux XIIe et XIIIe siècles*, Éditions du CNRS, 1956, p. 31-58.

INFURNA, Marco, «Genealogia graaliana», dans *Tradizione letteraria, iniziazione, genealogia*, a cura di Carlo Donà e Mario Mancini, Milano, Trento, Luni, (Biblioteca medievale, Saggi) 1998, p. 46-62.

JONIN, P., «Des premiers ermites à ceux de *La Queste del Saint Graal*», dans *Annales de la Faculté des Lettres et Sciences humaines d'Aix*, 44, 1968, p. 293-350.

– «Un songe de Lancelot dans *La Queste del Saint Graal*», dans *Mélanges Rita Lejeune*, Gembloux, Duculot, 1969, II, p. 1053-1061.

KARCZEWESKA, Kathryn, *Prophecy and the Quest for the Holy Grail : Critiquing Knowledge in the Vulgate Cycle*, (Studies in the Humanities 37), New York, Peter Lang, 1998.

KENNEDY, Angus J., «The hermit's role in French Arthurian Romance c. 1170-1530», *Romania* 95, 1974, p. 54-83.

KENNEDY, Elspeth, «Variations in the Patterns of Interlace in the Lancelot-Grail», dans *The Lancelot-Grail Cycle : Text and Transformations*, éd. William Kibler, Austin, University of Texas, 1994, p. 31-50.

– «The making of the *Lancelot-Grail* Cycle», dans *A Companion to the Lancelot-Grail Cycle,* éd. Carol Dover, Cambridge, D. S. Brewer, 2003, p. 13-22.

KNIGHT, Stephen, «From Jerusalem to Camelot : King Arthur and the Crusades,» dans *Medieval Codicology, Iconography, Literature, and Translation* : *Studies for Keith Val Sinclair*, Leiden/New York/Cologne : Brill. 1994, p. 223-232.

LARMAT, M. Jean, «Le personnage de Gauvain dans quelques romans arthuriens du XIIe et du XIIIe siècle», dans *Études de Langue et de littérature française offertes à André Lanly,* Nancy (Publications de l'Université de Nancy II), 1980, p. 185-202.

LAZAR, Moshé, «La légende de "l'Arbre de Paradis" ou "bois de la croix"», *Zeitschrift für Romanische Philologie* 76, 1960, p. 34-63.

LEBSANFT, Franz, «Adverbe de temps, style indirect et point de vue dans la *Queste del Saint Graal*», *Travaux de linguistique et de littérature,* Strasbourg XIX, 1, 1981, p. 53-61.

LE HIR, Y., «L'élément biblique dans la *Quête du Saint-Graal*», dans *Lumière du Graal*, Paris, Cahiers du Sud, 1951, p. 101-110.

LEUPIN, Alexandre, *Le Graal et la littérature : étude sur la Vulgate arthurienne en prose*, Lausanne, 1982.

LOCKE, F. W., «A new approach to the study of *La Queste del Saint Graal*», *Romanic Review* 45, 1954, p. 241-250.

– *The quest for the holy Grail : A literary study of the thirteenth-century French romance*, Stanford, California, (*Stanford Studies in Language and Literature* 21), 1960.

LOOPER, Jennifer E., «Gender, Genealogy, and the "Story of the Three Spindles" in the *Queste del Saint Graal*», *Arthuriana* 8.1, 1998, p. 49-66.

LOT, Ferdinand, *Étude sur le Lancelot en prose*, Bibl. de l'École des Hautes Études, fasc. 226, Paris, Champion, 1918 ; réimpr. avec un supplément, 1954.

LOT-BORODINE, Myrrha, «L'Ève Pécheresse et la rédemption de la femme dans la *Queste du Graal*». dans *Trois Essais sur le «Roman de Lancelot du Lac» et «La Quête du Saint Graal»*, Paris, 1919, p. 40-64.

– «Les deux conquérants du Graal, Perceval et Galaad», *Romania* 67, 1921, p. 41-97.

– «Autour du Saint Graal», *Romania* 56, 1930, p. 526-557 et 57, 1931, p. 147-205.

– «Les grands secrets du Saint Graal dans la *Queste* du Pseudo-Map», dans *Lumière du Graal : Études et textes présentés sous la direction de René Nelli*, Paris, Les Cahiers du Sud, 1951, p. 151-174.

– «Les apparitions du Christ aux messes de *L'Estoire* et de *La Queste del Saint Graal*», *Romania* 72, 1951, p. 203-223.

– *De l'amour profane à l'amour sacré. Étude de psychologie sentimentale au Moyen Âge*. Préface d'Étienne Gilson, Paris, Nizet, 1961 (cahiers VI, VII et VIII).

– «Le double esprit et l'unité du *Lancelot en prose*», dans F. Lot, *Étude sur le Lancelot en prose*, 1954, p. 443-456.

– «Compte rendu de J. Frappier, *Étude sur la Mort le Roi Artu*», dans F. Lot, *Étude sur le Lancelot en prose*, 1954, p. 457-464.

LYONS, M. Faith, «Huon de Méry's *Tournoiement d'Antéchrist* and the *Queste del Saint Graal*», *French Studies* 6, 1952, p. 213-218.

MAHONEY, Dhira B., éd., *The Grail : A Casebook*, New York, Garland, 2000.

MARCHELLO-NIZIA, C., «Les "voix" dans *La Queste del Saint Graal* : grammaire du surnaturel ou grammaire d'intériorité ?», dans *Histoire et société, Mélanges offerts à Georges Duby*, t. IV, Aix-en-Provence, 1992, p. 77-85.

MARKALE, Jean, *Le Graal*. Collection «Question de», Éditions Retz, 1982, p. 119-149.

MARTINS, Mário, «A prioridade ermítica em la *Queste del Saint Graal*», dans *Itinerarium* 20, 1974, p. 3-25.

– «A beleza e a força em la *Queste del Saint Graal*», dans *Itinerarium* 24, 1978, p. 3-13.

MARX, Jean, «Le problème des questions du Château du

Graal », dans *Les Romans du Graal aux XII* et XIII* siècles,* Éditions du CNRS, 1956, p. 249-277.

– *Nouvelles recherches sur la littérature arthurienne*, Paris, 1965, p. 68-72, 228-259.

MARY, Sister Isabel SLG, « The Knights of God, Cîteaux and the Quest of the Holy Grail », dans *The Influence of Saint Bernard, Anglican Essays with an Introduction by Jean Leclercq*, Oxford, SLG Press, Fairacres Publications, n° 60, 1976, p. 53-88.

MATARASSO, *The Redemption of Chivalry, A study of the Queste del Saint Graal*, Genève, Droz, 1979 (*Histoire des idées et critique littéraire,* 180).

MICHA, Alexandre, « L'épreuve de l'épée dans la littérature française du Moyen Âge », *Romania* 70, 1948, p. 37-50.

– « Sur trois vers du *Joseph* de Robert de Boron », *Romania* 75, 1954, p. 240-243.

– « Études sur le *Lancelot en prose, II.* L'esprit du *Lancelot-Graal* », *Romania* 82, 1961, p. 357-378.

– « La Table Ronde chez Robert de Boron et dans la *Queste del Saint Graal* » dans *Les Romans du Graal aux XII* et XIII* siècles,* Éditions du CNRS, 1956, p. 119-136 (réimpr. dans Micha, *De la Chanson de geste au roman*, Droz, Genève, 1976, p. 183-200).

– *Essais sur le cycle Lancelot-Graal*, Droz, Genève, 1987.

– « La géographie de la *Queste* et de la *Mort Artu* », dans *Farai chansoneta novele. Hommage à Jean-Charles Payen*, Centre de Publication de l'Université de Caen, 1989, p. 267-273.

MIKHAILOVA, Miléna, « Le clerc : Personnage de la fiction/personnage-fiction. Le clerc écrivant dans la littérature arthurienne », dans *Le Clerc au Moyen Âge*, Publications de l'Université de Provence, Aix-en-Provence, *CUER MA*, 1995, p. 416-433.

MOIGNET, Gérard, « La grammaire des songes dans *La Queste del Saint Graal* », dans *Langue française* 40, 1978, *Grammaires du texte*, p. 113-119.

MOISAN, André, « Le chevalier chrétien à la lumière de la mystique de saint Bernard », dans *Si a parlé par moult ruiste vertu. Mélanges de littérature médiévale offerts à*

Jean Subrenat, textes publiés sous la direction de Jean Du-
fournet, Paris, Champion, 2000, p. 393-408.

NELLI, René, *Lumière du Graal. Études et Textes présentés*
sous la direction de R. Nelli, Paris, *Cahiers du Sud*, 1951.

NITZE, William A., «The significance of *le riche Graal*», *Romance Philology* 10, 1956-1957, p. 201-204.

O'SHARKEY, Eithney M., «The Character of Lancelot in *La
Queste del Saint Graal*», dans *An Arthurian Tapestry, es-
says in memory of Lewis Thorpe*, éd. Kenneth Varty, French
Department, University of Glasgow, 1981, p. 328-341.

– «Punishments and Rewards of the Questing Knights in *La
Queste del Saint Graal*», dans *Rewards and Punishments
in the Arthurian Romances and Lyric Poetry of Mediaeval
France*, éd. Peter V. Davies et Angus J. Kennedy, *Arthurian
Studies* 17, Cambridge, D. S. Brewer, 1987, p. 101-117.

PAUPHILET, Albert, *Études sur la Queste del Saint Graal at-
tribuée à Gautier Map*, Paris, Champion, 1921, réimpr. 1980.

– «Au sujet du Graal», *Romania* 66, 1941, p. 289-321, 481-
504.

– *Le Legs du Moyen Âge. Études de littérature médiévale*,
Melun, Librarie d'Argences, 1950, ch. VI, p. 169-209 ; Ap-
pendice, II, p. 212-217.

PAYEN, J.-Ch., «Y a-t-il un repentir cistercien dans la littérature française médiévale ?», dans *Cîteaux, Commentarii
Cistercienses*, 12, 1961, p. 120-132.

– «Pour en finir avec le Diable médiéval, ou Pourquoi poètes et théologiens du Moyen Âge ont-ils scrupule à croire
au Diable ?», dans *Le Diable au Moyen Âge*, *Senefiance* 6,
1979, p. 401-425.

POIRION, Daniel, «Semblance du graal dans la *Queste*», dans
*Mélanges de Linguistique, de Littérature et de Philologie
Médiévales, offerts à J. R. Smeets*, (comité de rédaction :
Q. I. M. Mok, I. Spiele, P. E. R. Verhuyck), Leyden, 1982,
p. 227-241.

PRANGSMA, Angélique, «La légende du bois de la croix dans
la littérature française médiévale : une première esquisse»,
dans *Mélanges de Linguistique, de Littérature et de Philologie Médiévales, offerts à J. R. Smeets*, (comité de rédac-

tion : Q. I. M. Mok, I Spiele, P. E. R. Verhuyck), Leyden, 1982, p. 243-258.

PRATT, K., «The Cistercians and the *Queste del Saint Graal*», dans *Reading Medieval Studies* 21, 1995, p. 69-96.

QUINN, Ester C., «The Quest of Seth, Solomon's Ship and the Grail», dans *Traditio* 21, 1965, p. 185-222.

– «Beyond courtly love : Religious Elements in *Tristan* and *La Queste del Saint Graal*», dans *In pursuit of Perfection : Courtly love in medieval literature*, éd. J. M. Ferrante et G. D. Economou, Port Washington, 1975, p. 179-219.

RIBARD, Jacques, «L'aventure dans *La Queste del Saint Graal*», dans *Mélanges Alice Planche*, Nice, Faculté des Lettres et Sciences Humaines de Nice, 1984, p. 415-423.

– «Figure de la femme dans la *Queste du saint Graal*», dans *Figures féminines et roman*, Université de Picardie, Paris, P.U.F., 1982, p. 33-48 (réimprimé dans J. Ribard, *Du mythe au mystique, La littérature médiévale et ses symboles, Recueil d'articles offerts par ses amis, collègues et disciples*, Paris, Champion, 1995, p. 327-346.

– «Le Graal : symbole chrétien dès l'origine ? », dans *Graal et Modernité, Cahiers de l'Hermétisme*, Paris, Éditions Dervy, 1996, p. 53-63.

RIDOUX, Charles, «Lancelot et Galaad : de l'apprentissage chevaleresque à l'initiation aux mystères du Graal», dans *Éducation, apprentissages, initiation au moyen âge*, Cahiers du C.R.I.S.M.A., n° 1, 1993, t. 1, p. 469-479.

ROACH, M. William, «Les continuations du *Conte del Graal*», dans *Les Romans du Graal aux XIIe et XIIIe siècles*, Éditions du CNRS, 1956, p. 107-118.

ROQUES, Mario, *Le Graal de Chrétien et la demoiselle au Graal*, Genève, Droz, 1955.

– «Le nom du Graal», dans *Les Romans du Graal aux XIIe et XIIIe siècles*, Éditions du CNRS, 1956, p. 5-14.

ROUBAUD, Jacques, «Généalogie morale des Rois-Pêcheurs et Enfance de la prose», dans *Change*, 16-17 septembre 1973, p. 228-247 et 348-365.

RUH, Kurt «Der Gralsheld in der *Queste del Saint Graal*», dans *Wolfram-Studien*, éd. W. Schröder, Berlin, 1970, p. 240-263.

RUGGIERI, Jole M., «Versioni italiane della *Queste del Saint Graal*», *Archivum Romanicum* XXI, 1937, p. 471-486.

SALY, Antoinette, «Les dénouements du *Didot-Perceval* et de la *Queste del Saint Graal*», *PRIS-MA,* C.E.S.C.M. de l'Université de Poitiers, XVI, 2, 28 (juillet-décembre 1998), p. 193-203.

SASAKI, Shigemi, «L'homme semblable à l'arbre... (I) Légende des arbres, légende du graal», dans *Recueil de Travaux*, Tokyo : Faculté de Culture Japonaise et Comparée de l'Université Meisei, 1999, t. II (Expressions - But et Moyen), p. 144-173.

SAVAGE, G. A., «Father and Son in *La Queste del Saint Graal*», *Romance Philology* 31, 1977-1978, p. 1-16.

SCHLAUCH, M., «The Allegory of the Church and Synagogue», *Speculum* 14, 1939, p. 448-464.

SEGUY, M., *Les Romans du Graal ou le signe imaginé*, Paris, Champion («Nouvelle bibliothèque du Moyen Âge», 58), 2001.

SERPER, A., «Le débat entre Synagogue et Église au XIIIe siècle», *Revue des études juives* 123, 1964, p. 307-333.

SIMES, G. R., «La *Queste del Saint Graal* as Chivalric Anti-Romance», dans *Parergon* (Bulletin of the Australian and New Zealand Association for Medieval and Renaissance studies, University of Sydney), New Series, 5, 1987, p. 54-70.

SOMMER, H. Oskar, «Galahad and Perceval», *Modern Philology,* 5, 1907-1908, p. 295-322.

STANESCO, Michel, «Parole autoritaire et *accord des semblances* dans la *Queste del Saint Graal*», dans *Miscellanea Mediaevalia, Mélanges offerts à Philippe Ménard*, éd. Jean-Claude Faucon, Alain Labbé et Danielle Quéruel, Paris, Champion, 1998, II, p. 1267-1279.

STRUBEL, Armand, *La Rose, Renart et le Graal, La littérature allégorique en France au XIIIe siècle* («Nouvelle Bibliothèque du Moyen Âge»), Slatkine, Genève-Paris, 1989, p. 269-290.

STURM-MADDOX, Sara, «"Letres escrites i a" : The Marvelous Inscribed», dans *Conjunctures : Medieval Studies in*

Honor of Douglas Kelly, Amsterdam, Rodopy, 1994 (*Faux Titre* 83), p. 515-528.

TALARICO, K. M., « Romancing the Grail : Fiction and Theology in the *Queste del Saint Graal* », dans *Arthurian Literature and Christianity,* Notes from the Twentieth Century, éd. Peter Meister, New York, Garland, 1999, p. 29-60.

TODOROV, Tzvetan, « La quête du récit » dans *Poétique de la prose*, Paris, Édition du Seuil, 1971, p. 129-150.

VALETTE, Jean-René, « Lumière et transcendances dans les scènes du graal », dans *Clarté : Essais sur la lumière,* III/IV, *PRIS-MA*, XVIII/1 et 2, n °35-36, Poitiers, 2002, p. 169-196.

– « Personnage, signe et transcendance dans les scènes du Graal de Chrétien de Troyes à la *Queste del Saint Graal* », dans *Personne, personnage et transcendance aux XIIe et XIIIe siècles*, éd. M. E. Bély et J.-R. Valette. Lyon, Presses Universitaires de Lyon, 1999, p. 187-214.

– « Illusion diabolique et littérarité dans la *Queste del Saint Graal* et dans le *Dialogus Miraculorum* de Césaire de Heisterbach », dans *Magie et Illusion au Moyen Âge*, Senefiance 42, 1999, p. 549-567.

VALLERY-RADOT, M. Irénée, « Les sources d'un roman cistercien : *La Queste del Saint Graal* », dans *Collectanea Ordinis Cisterciensium Reformatorum* (abbaye de Westmalle), 17, 1955, p. 201-213.

– « *La Queste del Saint Graal. roman cistercien* », dans *Collectanea Ordinis Cisterciensium Reformatorum* 18, 1956, p. 3-20, 199-213 et 321-332.

VANCE, E., « Le temps sans nombre : futurité et prédestination dans la *Queste del Saint Graal* », dans *Le Nombre du temps*, en hommage à Paul Zumthor, Paris, Champion (« Nouvelle Bibliothèque du Moyen Âge », 12), 1988, p. 273-283.

VISCARDI, Antonio, « La *Quête du Saint Graal* dans les romans du Moyen Âge italien », dans *Lumière du Graal, Études et Textes présentés sous la direction de* René Nelli, Cahiers du Sud, Paris, 1951, p. 263-281.

VOICU, Michaela, « Modèle et fiction : *L'Éloge de la nouvelle Chevalerie* de saint Bernard de Clairvaux et *La Queste del Saint Graal* », dans *Verbum*, juillet-décembre 1991, p. 73-84.

– « L'un et l'autre. Représentation du mal dans *La Queste del Saint Graal* et *La Mort le Roi Artu* », dans *Caietele Institutului catolic*, 1, 2001, p. 41-62.

WALTER, Philippe, *La Mémoire du Temps. Fêtes et calendriers de Chrétien de Troyes à La Mort Artu*, Paris, Champion, 1989.

WALTERS, Lori J., « Wonders and Illuminations : Pierart dou Tielt and the *Queste del saint Graal* », dans *Word and Image in Arthurian Literature*, éd. Keith Busby, New York, Garland, 1996, p. 339-380.

WHITEHEAD, F., « Lancelot's Redemption », dans *Mélanges Maurice Delbouille*, Gembloux, Duculot, 1964, t. 2, p. 729-739.

WHITAKER, Muriel, « Christian Iconography in the *Queste del Saint Graal* », dans *Mosaïc* 12, 1978, p. 1-29.

WHITMAN, Jon, « The Body and the Struggle for the Soul of Romance : *La Queste del Saint Graal* », dans *The Body and the Soul in Medieval Literature* (The J. A. W. Bennett Memorial Lectures, Tenth Series, Perugia, 1998), éd. Piero Boitani et Ann Torti, Cambridge, D. S. Brewer, 1999, p. 31-61.

WILLIAMS, A. M. L., « The Enchanted Swords and the Quest for the Holy Grail : metaphoric structure in *La Queste del Saint Graal* », dans *French Studies* 48, 1994, p. 385-401.

– « Perspectives on the Grail : Subjectivity of Experience in *La Queste del Saint Graal* », dans *Reading Medieval Studies* 26, 2000, p. 141-153.

– *The Adventures of the Holy Grail : A Study of La Queste del Saint Graal*, Oxford, Berne, Bruxelles, Frankfurt am Main, New York, Vienne, Peter Lang, 2001.

WOLFZETTEL, F., « La Fortune, le Moi et l'Œuvre : Remarques sur la Fonction Poétologique de Fortune au Moyen Âge Tardif », dans *The Medieval Opus : Imitation, Rewriting, and Transmission in the French Tradition, Proceedings of the Symposium held at the Institute for Research in Humanities, October 5-7. 1995,* The University of Wisconsin-Madison, éd. D. Kelly, Amsterdam, Rodopi, 1996, p. 197-210.

– « Ein Evangelium für Ritter : *La Queste del Saint Graal* und die *Estoire dou Graal* von Robert de Boron », *Speculum, Medii Aevi* 3, 1997, p. 53-64.

– « Temps et histoire dans la littérature arthurienne », dans *Bulletin Bibliographique de la Société International Arthurienne* 54, 2002, p. 362-384.

YVON, H., « Les expressions négatives dans la *Queste del Saint Graal* », *Romania* 80, 1959, p. 63-78.

ZAMBON, Francesco, « La "cavalleria celeste" e il luogo del racconto nella *Queste del Saint Graal* », dans *L'Immagine riflessa*, XII, 1, 1989, p. 217-220.

ZINK, Michel, *La Prédication en langue romane avant 1300*, Paris, Champion, 1982, p. 365-388.

– *La Subjectivité littéraire, Autour du siècle de saint Louis*, Paris, *PUF*, 1985.

– « Vieillesse de Perceval : l'ombre du temps », dans *Le Nombre du temps*, en hommage à Paul Zumthor, Paris, Champion (« Nouvelle Bibliothèque du Moyen Âge », 12), 1988, p. 285-294.

– « Traduire saint Bernard : Quand la Parabole devient Roman », dans *The Medieval Opus…*, éd. D. Kelly, Amsterdam, Rodopi, 1996, p. 29-42.

V. QUELQUES OUVRAGES SUR LE THÈME DU CONFLIT
ENTRE LA « VIEILLE LOI » ET LA « NOUVELLE LOI ».

ASSIS, Y., « Juifs de France réfugiés en Aragon (XIIIᵉ-XIVᵉ siècle) », *Revue des études juives* 142, 1983, p. 284-322.

BLUMENKRANZ, Bernard, « Vie et survie de la polémique anti-juive », dans *Studia Patristica*, éd. Kurt Aland et F. L. Cross, Berlin, 1957, p. 450-476.

– *Les Auteurs chrétiens latins du moyen âge sur les juifs et le judaïsme*, École Pratique des Hautes Études, Sorbonne, *Études Juives*, 4 (Mouton & Co.), Paris et La Haye, 1963.

– « Anti-Jewish Polemics and Legislation in the Middle Ages : Literary Fiction or Reality », *Journal of Jewish Studies* 15, 1964, 125-140.

– *Histoire des Juifs en France*, Toulouse. 1972.

– « Louis IX ou saint Louis et les juifs », *Archives juives* 10, 1973-1974, 18-21.

– *Juifs et Chrétiens dans le Monde Occidental* 430-1096, École Pratique des Hautes Études, Sorbonne, *Études Juives*, 2 (Mouton & Co.), Paris et La Haye, 1960.

– *Juifs et chrétiens : Patristique et moyen âge*, Londres, 1977.

– «Synagogues en France du haut moyen âge», *Archives juives* 14, 1978, p. 37-42.

COHEN, Jeremy, «"Witnesses of Our Redemption" : The Jews in the Crusading Theology of Bernard of Clairvaux», dans *Medieval Studies in Honour of Avrom Saltman*, éd. Bat-Sheva Albert, Yvonne Friedman et Simon Schwarzfuchs, Ramat-Gan, Israel, 1995, p. 75-81.

DAHAN, Gilbert, *Les Intellectuels chrétiens et les Juifs au Moyen Âge*, Les Éditions du Cerf, Paris, 1999.

DELARUELLE, E., «L'idée de croisade chez saint Bernard», dans *Mélanges saint Bernard*, Dijon, 1953, p. 53-67.

DÉRUMEAUX, P., «Saint Bernard et les infidèles», dans *Mélanges saint Bernard*, Dijon, 1953, p. 68-79.

HERMAN, G., «A Note on Medieval Anti-Judaism, as Reflected in the *Chansons de Geste*», *Annuale medievale* 14, 1973, p. 63-73.

LECLERCQ, J. «L'attitude spirituelle de S. Bernard devant la guerre», dans *Collectanea cisterciensia* 36, 1974, p. 195-225.

PFLAUM, H., «Der allegorische Streit zwischen Synagoge und Kirche in der europäischen Dichtung des Mittelalters», *Archivum Romanicum* 18, 1934, p. 243-340.

GRAYZEL, S., *The Church and the Jews in the XIIIth Century, A Study of their Relations during the years 1198-1234, based on the papal letters and the Conciliar Decrees of the period*, Philadelphia, The Dropsie College for Hebrew and cognate learning, 1933.

ROUSSET, Paul, *Histoire des Croisades,* Paris, Payot, 1978, p. 51-53, 173-175.

SCHWARZFUCHS, S., «De la condition des juifs de France aux XIIe et XIIIe siècles», *Revue des études juives* 125, 1966, p. 221-232.

SERPER, A., «Le débat entre Synagogue et Église au XIIIe siècle», *Revue des études juives* 123, 1964, p. 307-333.

LA *QUESTE DEL SAINT GRAAL*

1. [B^a, f. 1a] A la veille de la Pentecoste, quant li compaignon de la Table Roonde furent venu a Kamaalot et il orent oï le servise et l'en voloit metre les tables a hore de none, lors entra en la sale tot a cheval une molt bele damoisele ; si fu venue si grant oirre que bien le pooit en vooir, car ses chevax [en] estoit encore toz tressuanz. Ele descent et vient devant lo roi ; si le salue, et il dit que Dex la beneie.

– Sire, fet ele, por Deu, dites moi se Lanceloz est ceenz.

– Oïl [voir], fet li rois, veez le la.

Si li mostre. Cele va maintenant la ou il est, si li dist :

– Lancelot, ge vos di de par lo roi Pelles que vos veigniez auvec moi jusq'en cele forest.

Et il li demande a cui ele est.

– Ge sui, fet ele, a celui dont je vos paroil.

– Quel besoig, fet il, avez vos de moi ?

– Ce verrez vos bien, fet ele.

– De par Deu, fet il, g'irai volentiers.

Lors dit a .i. de ses escuiers qu'il mete la sele sor son cheval et li aport ses armes. Et cil si fist [tout] maintenant. Et quant li rois Artus et tuit li autre qui el palés estoient virent ce, si lor en pesa molt. Neporquant, puisqu'il voient qu'il ne remaindroit pas, si l'en lessent aler. Et la roine li dit :

– Que est ce, Lancelot, nos lerez vos a cest jor qui si est hauz ?

– Dame, fet la pucele, sachiez que vos l'avrez demain ceenz ainz hore de disner.

CHAPITRE PREMIER

Départ pour la Quête

1. La veille de la Pentecôte, à l'heure de none[1], les compagnons de la Table Ronde, réunis à Camaalot, allaient se mettre à table après avoir assisté à l'office, lorsqu'une demoiselle d'une grande beauté entra à cheval dans la salle. On voyait qu'elle avait chevauché très vite, car sa monture était encore toute couverte de sueur. Mettant pied à terre, elle va devant le roi ; elle le salue, et lui la recommande à Dieu.

– Seigneur, dit-elle, au nom de Dieu, dites-moi si Lancelot est ici.

– Oui, certes, le voici, répond-il en le lui désignant.

Elle se dirige aussitôt vers le chevalier et lui dit :

– Lancelot, je vous prie, au nom du roi Pelles, de m'accompagner jusqu'à la forêt.

Il lui demande à qui elle appartient.

– J'appartiens à celui que j'ai nommé.

– Et que puis-je faire pour vous ?

– Vous le verrez bien.

– Par Dieu, je vous suivrai bien volontiers.

Il ordonne alors à un de ses écuyers de seller son cheval et de lui apporter ses armes, ce qui est fait sans tarder. Quand le roi Arthur et tous ceux qui étaient dans la salle[2] voient cela, ils en sont très peinés, mais comprenant que Lancelot est bien décidé à partir, ils ne le retiennent pas. La reine lui dit :

– Comment, Lancelot, nous quitterez-vous en ce jour si solennel ?

– Ma dame, dit la demoiselle, sachez qu'il vous reviendra demain avant l'heure du déjeuner.

– Or [i] voist donc, fet la roine, que s'il demain ne deust
30   revenir, il n'i alast hui par ma volenté.

2. Il monte et la damoisele ausi, si se partent de leenz
sanz autre compaignie, fors seulement d'un escuier qui
auvec la pucele estoit venuz. Quant il sont oissu [B^a,
f. 1b] de Kamaalot, si chevauchent tant qu'il sont venu
5   en la forest. Si se metent el grant chemin et oirrent bien
la montance d'une liue, tant qu'il vindrent en une valee.
Lors voient devant els au travers [du chemin] une abeie de
nonains. La damoisele torne cele part [si tost come il sont
pres. Et] quant il vienent a la porte, si apele li escuiers et
10   l'en lor ovre, si descendent et entrent enz. Quant cil de
leenz sorent que Lanceloz fu venuz, si li vindrent [tuit]
encontre et li firent [molt] grant joie. Et quant il l'orent
mené en une chambre et il l'orent desarmé, si voit gesir
ses .ii. cosins Boorz et Lyonel en .ii. liz. [Lors] est molt
15   liez et les esveille ; [et] quant il le voient, si l'acolent et
besent. Et lors comence la joie que li troi cosin firent li .i.
de l'autre.

– Biax sire, fet Boorz [a Lancelot], quele aventure vos a
ça amené ? Ja vos quidion nos trover a Kamaalot.
20   Et il lor conte coment une damoisele l'a leenz amené,
mes il ne set [onques] por quoi.

3. Endementres q'il parloient einsi, [si] entrerent leenz
trois noneins qui amenoient [devant eles] Galaaz, [si bel
enfant et] si bien taillié de toz menbres que [a painne] trovast [l'en] son pareil el monde. Et la plus dame le menoit
5   par la main qui ploroit molt tendrement. Et quant ele vient
devant Lancelot, si li dit :

– Sire, je vos amoin nostre norriçon, tant de joie com
nos avon, [nostre confort et nostre espoir, si vos prion],
que vos en façoiz chevalier. Car de [nul] plus prodome
10   [de vos], a nostre quidier, ne porroit il recevoir l'ordre de
chevalerie.

– Alors, qu'il aille ! dit la reine, mais s'il ne devait pas revenir demain, je ne l'aurais pas laissé partir aujourd'hui de mon plein gré.

2. Lancelot monte à cheval, la demoiselle fait de même, et ils quittent le château sans autre compagnie que celle d'un écuyer venu avec la demoiselle. Une fois sortis de Camaalot, ils chevauchent jusqu'à la forêt. Là, ils prennent le grand chemin et parcourent une bonne lieue avant d'arriver dans une vallée où ils aperçoivent devant eux, en travers du chemin, une abbaye de religieuses. Dès qu'ils s'en sont approchés, la demoiselle se dirige vers la porte. L'écuyer appelle, on leur ouvre, et ayant mis pied à terre, ils entrent. Quand les gens de l'abbaye apprennent la venue de Lancelot, tous vont à sa rencontre et l'accueillent avec une très grande joie. Ils le mènent dans une chambre pour le désarmer, et là il aperçoit, couchés dans deux lits, ses cousins Bohort et Lionel. Tout heureux, il les réveille, et quand eux le reconnaissent, ils le serrent dans leurs bras. Grande est la joie qu'éprouvent les trois cousins à se retrouver.

– Beau[1] seigneur, dit Bohort à Lancelot, quelle aventure vous a conduit ici ? Nous pensions vous trouver à Camaalot.

Il leur raconte alors comment une demoiselle l'a mené à l'abbaye sans qu'il sache pourquoi.

3. Tandis qu'ils parlaient ainsi arrivèrent trois religieuses qui accompagnaient Galaad, un enfant[1] si beau, si bien fait, qu'il eût été difficile de trouver son pareil au monde. Celle qui occupait le plus haut rang le tenait par la main et versait de douces larmes. Arrivée devant Lancelot, elle lui dit :

– Seigneur, je vous amène cet enfant que nous avons élevé, qui est notre joie, notre réconfort et notre espérance, pour que vous le fassiez chevalier. Car nous ne pensons pas qu'il puisse recevoir l'ordre de chevalerie d'un homme de plus grand mérite que vous.

Il regarde l'enfant et le voit si bien garni de tote biauté qu'il ne quide mie qu'il veist onques mes de son aage si bele forme d'ome [et pour la simplece et la biauté que il
15 i voit i espoire il tant de bien qu'il li plaist moult qu'il le face chevalier]. Si dist as dames que de ceste requeste ne lor faudra il ja, que volentiers [B^a, f. 1c] le fera chevalier, puis qu'eles le vuelent.

— Sire, fet cele qui le tenoit, nos volons que ce soit anuit
20 ou demain.

— De par Deu, fet il, einsi sera com vos volez.

4. Cele nuit demora leenz Lanceloz et fist tote la nuit veillier le vallet au mostier. L'endemain a hore de prime le fist chevalier, et li chauça l'un des esperons et Boorz l'autre. Aprés li ceint Lanceloz l'espee, si li dona la colee,
5 et dist que Dex le feist prodome, car a biauté n'avoit il pas failli. Quant il li avoit fet tot ce que a novel chevalier covenoit, si li dist :

— Biau sire, vendrez vos a la cort lo roi Artur auvec moi ?
10 — Sire, fait il, auvec vos n'irai je pas.

Lors dist Lanceloz a l'abesse :

— Dame, sofrez que [n]ostre novel chevalier viegne auvec nos a la cort mon seignor lo roi Artur, car il amendera plus assez d'estre la que de demorer ci o vos.
15 — Sire, fet ele, il n'ira pas orendroit ; mes si tost com nos quiderons qu'il en soit lex et mestiers, nos l'i envoierons.

5. Lors s'en part Lanceloz de leenz entre lui et ses compaignons, si chevauchierent tant ensemble que il vindrent a Kamaalot la cité a hore de tierce, et li rois estoit alez au mostier [por oïr la messe] o tot grant compaignie de hauz
5 homes. Et quant li troi cosin furent venu, si descendirent en la cort, puis monterent en la sale [en] haut. Et lors comencierent a parler de l'enfant que Lanceloz avoit fet cheva-

Lancelot regarde le jeune homme. Il voit en lui une telle beauté virile qu'il pense n'en avoir jamais vu de comparable chez un être de cet âge. De plus, l'innocence qu'il fait paraître permet d'espérer tant de bien que Lancelot se réjouit de le faire chevalier. Il répond aux dames qu'il accédera à leur requête et sera heureux de le faire chevalier puisque tel est leur désir.

— Seigneur, dit celle qui tenait le jeune homme par la main, nous aimerions que ce soit ce soir ou demain.

— Par Dieu, il en sera comme vous voudrez.

4. Lancelot demeura donc à l'abbaye et fit veiller le jeune homme toute la nuit dans la chapelle. Le lendemain, à l'heure de prime[1], il le fit chevalier. Il lui chaussa l'un des éperons et Bohort l'autre. Ensuite, il lui ceignit l'épée et lui donna la colée[2], souhaitant que Dieu fasse de lui un chevalier de grande prouesse puisque la beauté ne lui faisait pas défaut[3]. Quand il eut fait tout ce qu'il convient de faire à un nouveau chevalier, il lui dit :

— Beau seigneur, m'accompagnerez-vous à la cour du roi Arthur ?

— Non, seigneur, je n'irai pas avec vous.

Lancelot dit alors à l'abbesse :

— Ma dame, souffrez que notre nouveau chevalier vienne avec nous à la cour de mon seigneur le roi Arthur ; il s'y amendera mieux qu'en demeurant ici avec vous.

— Seigneur, répond-elle, il n'ira pas maintenant, mais dès que nous jugerons cela nécessaire et opportun, nous l'y enverrons.

5. Lancelot quitta donc l'abbaye avec ses compagnons. Ils chevauchèrent ensemble jusqu'à la cité de Camaalot où ils arrivèrent à l'heure de tierce[1] alors que le roi était allé à l'église pour assister à la messe avec nombre de grands seigneurs. Les trois cousins descendirent dans la cour, puis se rendirent dans la salle du haut. Ils commencèrent à parler du jeune homme que Lancelot avait fait

lier ; si dist Boorz que il n'avoit onques mes veu home qui
si bien resenblast Lancelot com cil le resembloit.

10   – Certes, fet il, ge ne querrai ja mes rien se ce n'est
Galaaz, qui fu engendrez en la fille au roi Pellés, qu'il
retret a cel lignage et au nostre trop [*B^a*, f. 1d] merveilleusement.

– Par foi, fet Lyoniax, ge croi [bien] que ce soit il, qu'il
15 resenble molt bien mon seigneur.

6. Grant piece parlerent de ceste chose por savoir s'il li
treisissent rien de la boche ; mes a parole que il deissent
de ceste chose ne respondi il onques a cele foiz. Et endementres qu'il avoient lessi[é] le parler, si regarderent par
5 les sieges de la Table Roonde et troverent en chascun leu
[escrit] : *Ci doit sooir cil*. Einsi alerent regardant tant qu'il
vindrent au grant siege que l'en apeloit le Siege Perillex,
si truevent letres qui avoient esté novelement escrites, ce
lor estoit avis. Si regardent les letres qui dient : *.iiii.^C. anz*
10 *et .liiii. a aconpliz aprés la Passion Jesucrist. Au jor de*
Pentecoste doit ciz sieges trover son mestre.

Quant il voient cez letres, si dit li .i. a l'autre :

– Par foi, ci a merveilleuse aventure !

– [En non Deu], fet Lanceloz, qui a droit [vodroit]
15 conter le terme de cest brief del resucitement Nostre Seignor jusqu'a ore, il troveroit, ce m'est avis, par droit conte
que au jor d'ui doit estre ciz sieges empliz, que c'est la
Pentecoste apres les .iiii.^C. anz et les .liiii. Et ge vodroie
bien que nus ne veïst mes hui cez letres devant que cil sera
20 venuz qui ceste aventure doit achever.

Et il dient que le vooir destorneront il bien : si font aporter .i. drap de soie, si [le] metent el siege por covrir les
letres.

7. Quant li rois Artus fu revenuz del mostier et il vit que
Lanceloz et Boorz et Lyonel furent venu, si lor fet [molt]
grant joie, et dit que bien soient il venu. La feste comence
par leenz grant et merveilleuse, que molt sont lié li com-

chevalier, et Bohort dit qu'il n'avait jamais vu quelqu'un qui ressemblât autant à Lancelot.

– Certes, ajouta-t-il, je ne croirai jamais que ce n'est pas là Galaad qui fut engendré en la fille du roi Pellés[2], car sa ressemblance avec ce lignage et le nôtre est tout à fait remarquable.

– Par ma foi, dit Lionel, je le pense aussi, car il ressemble beaucoup à mon seigneur.

6. Ils parlèrent longtemps ainsi espérant obtenir quelque renseignement de Lancelot, mais il ne prit aucune part à leur conversation. Abandonnant le sujet, ils allèrent examiner les sièges de la Table Ronde et trouvèrent écrit sur chacun d'eux : *Ici doit s'asseoir un tel*. Mais lorsqu'ils arrivèrent au grand siège que l'on appelait le Siège Périlleux, ils virent une inscription qui leur parut toute récente et qui disait : *Quatre cent cinquante-quatre ans se sont écoulés depuis la Passion de Jésus-Christ. Au jour de la Pentecôte, ce siège doit trouver son maître.*

Ayant lu l'inscription, ils se dirent l'un à l'autre :

– En vérité, voilà une merveilleuse aventure[1].

– Par Dieu, ajouta Lancelot, celui qui calculerait correctement le temps écoulé depuis la Résurrection de Notre-Seigneur jusqu'à maintenant, trouverait que c'est aujourd'hui même que le siège doit être occupé ; car nous sommes le jour de la Pentecôte et quatre cent cinquante-quatre ans ont passé. Mais je voudrais que personne ne puisse voir cette inscription avant l'arrivée de celui qui doit achever cette aventure.

Les autres répondent qu'ils empêcheraient bien qu'on la voie ; ils font apporter une étoffe de soie dont ils recouvrent le siège pour cacher l'inscription.

7. Quand le roi Arthur fut revenu de l'église et vit que Lancelot, Bohort et Lionel étaient de retour, il les accueillit chaleureusement et leur souhaita la bienvenue. De grandes réjouissances commencent alors, car les compa-

5 paignon de la Table Roonde de la [B^a, f. 2a] revenue as .ii.
freres. Et messires Gauvain lor demande coment il l'ont
puis fet qu'il se partirent de cort. Et il dient :

— Bien, Deu merci », qu'il ont toz jorz esté sain et hes-
tié.

10 — Certes, fet messires Gauvain, ce me plest molt.

Granz est la joie que cil de la cort font a Boorz et a
Lyonel, que pieç'a [mes] qu'il nes avoient veuz. Et li rois
comande que les napes soient mises, qu'il est tans de
mangier, ce li est avis.

15 — Sire, fet Kex li seneschax, se vos asseez ja a disner, il
m'est avis que vos enfreindroiz la costume de vostre ostel,
que nos avons veu toz jorz que vos a haute feste n'asseiez
a table devant que aucune aventure fust avenue en vostre
cort voiant les barons de vostre ostel.

20 — Certes, fet li rois, Kex, vos dites voir. Ceste costume
ai je toz jorz tenue et la tendrai tant com je porrai. Mes si
grant joie avoie de Lancelot et de ses cosins qui estoient
venu a cort sain et hetié qu'il ne me sovenoit de la costume.

25 — Or vos en soviegne, fet Kex.

8. Endementres qu'il parloient einsi, [si] entra leenz .i.
vallet qui dit au roi :

— Sire, noveles vos aport [molt] merveilleuses.

— Queles ? fet li rois. [Di les moi tost].

5 — Sire, la [aval] soz vostre palés a arrivé .i. perron grant
que j'ai veu floter desus l'eve. Venez le vooir, car je sai
bien que c'est aventure merveilleuse.

Li rois descent et tuit li autre por ceste merveille vooir.
[Et] quant il sont venu a la rive, si trovent le perron qui
10 estoit oissu de l'eve, si estoit de marbre vermeil. El perron
avoit une espee fichié, [qui molt estoit] bele et riche [par
semblant], si estoit li ponz d'une pierre precieuse ovree a
letres d'or [molt richement]. Li baron regardent [B^a, f. 2b]
les letres qui disoient : *Ja nus ne m'ostera de ci, fors cil a*

gnons de la Table Ronde sont très heureux de revoir les
deux frères. Monseigneur Gauvain leur demande si tout
s'est bien passé pour eux depuis leur départ de la cour.

– Oui, Dieu merci, nous nous sommes toujours bien
portés.

– J'en suis très heureux, répond Gauvain.

Tout le monde fait fête à Bohort et à Lionel, car il y avait
longtemps qu'on ne les avait pas vus. Le roi donna l'ordre
de mettre les nappes pensant qu'il était temps de manger.

– Seigneur, lui dit Keu le sénéchal, si vous vous mettez
à table maintenant, vous allez, je crois, enfreindre la coutume de votre maison. Nous avons toujours remarqué, en
effet, que les jours de grandes fêtes vous ne preniez jamais
place à table avant que quelque aventure ne se fût produite
à votre cour devant tous vos barons.

– Vous dites vrai, Keu, répond le roi. J'ai toujours ob-
servé cette coutume et je continuerai à le faire aussi longtemps que je pourrai. Mais dans ma joie de voir Lancelot
et ses cousins revenir à la cour sains et saufs, je l'avais
oubliée.

– Qu'il vous en souvienne donc, dit Keu.

8. Tandis qu'ils parlaient ainsi, un jeune homme[1] entra
dans la salle, et dit au roi :

– Seigneur, je vous apporte d'étonnantes nouvelles.

– Lesquelles ? dit le roi. Parle vite.

– Seigneur, là-bas, au pied de votre château est arrivé un
gros bloc de pierre que j'ai vu flotter sur l'eau. Venez le
voir, car c'est là, j'en suis certain, une merveilleuse aventure.

Le roi, suivi de tous ses barons, descend pour voir le
prodige. Une fois sur la rive, ils trouvent le bloc qui était
sorti de l'eau. Il était de marbre rouge et une épée de belle
et riche apparence y était fichée. Le pommeau était fait
d'une pierre précieuse sur laquelle étaient gravées de très
belles lettres d'or. Les barons regardent ces lettres qui disaient : *Nul jamais ne m'ôtera d'ici, sinon celui au côté*

15 *cui costé je doi pendre. Et cil sera li meudres chevaliers
del monde.* Quant li rois voit cez letres, si dit a Lancelot :

– Biax sire, ceste espee est vostre par reson, que [je sai
bien] que vos estes li meudres chevaliers do monde.

Et il dist [toz] corocié :

20 – Certes, sire, n'ele n'est moie ne je n'avroie pas le cuer
de ceindre la [ne le hardement], car je ne sui dignes ne
sofisanz que ge la doie prendre, si n'i tendrai ja la main,
[car ce seroit folie se je tendoie a l'avoir].

– Totes voies, fet li rois, i essaierez vos se vos la porriez
25 oster.

– Sire, fet il, no feré, car je sai bien que nus n'i essaiera
por qu'il i faille qu'il n'en recoive plaie.

– [Et] que savez vos ? fet li rois.

– Sire, fet il, je le sai bien. Et si vos di [autre chose ; car
30 je voil que vos sachiez] que en cest jor d'ui comenceront
les aventures et les granz merveilles del Saint Graal.

9. Quant li rois ot qu'il n'en fera plus, si dit a mon seignor Gauvain :

– Biax niés, essaiez i.

– Sire, fet il, save vostre grace, no ferai, puis que mes-
5 sires Lanceloz n'i velt essaier. G'i metroie la main por
neent, car ce savons nos bien qu'il est meudres chevaliers
que je ne sui.

– Tote voies, fet soi li rois, i essaierez vos por ce que je
le voil, [ne mie por l'espee avoir].

10 Et il jete la main et prent l'espee [par le heut], si sache,
mes il ne la puet trere hors. Et li rois li dit [maintenant] :

– Biax niés, lessiez ester, que bien avez fet mon comandement.

– Messire Gauvain, fet Lanceloz, or sachiez bien que
15 ceste espee vos tochera encor de si pres que vos ne la
vod[r]iez avoir baillié por .i. chastel.

– Sire, [fait messires Gauvain], je n'en puis mes, que se
g'en deusse [orendroit] morir, si le feisse ge por la volenté
lo roi acomplir.

duquel je dois pendre. Et il sera le meilleur chevalier du monde. Le roi lit l'inscription, puis dit à Lancelot :

— Beau seigneur, cette épée vous revient de droit, car je sais bien que vous êtes le meilleur chevalier du monde.

— Non, seigneur, répond Lancelot avec amertume, elle n'est pas pour moi, et je n'aurais ni le courage ni l'audace d'y porter la main. Je n'en suis pas digne et ne la mérite pas. Je m'abstiendrai donc de la toucher ; ce serait folie que d'y prétendre.

— Essayez quand même, dit le roi, pour voir si vous pourriez l'enlever.

— Non, seigneur, je ne le ferai pas, car je sais bien que nul ne tentera l'épreuve sans être blessé s'il échoue.

— Comment le savez-vous ?

— Seigneur, je le sais bien. Et je vous dis autre chose encore : sachez que c'est aujourd'hui que commenceront les aventures et les grandes merveilles du Saint-Graal.

9. Voyant que Lancelot s'en tiendra là, le roi dit à monseigneur Gauvain :

— Beau neveu, essayez.

— Seigneur, répond-il, permettez que je ne le fasse pas puisque monseigneur Lancelot s'y est refusé. C'est en vain que j'y mettrais la main, car nous savons bien qu'il est meilleur chevalier que moi.

— Et pourtant vous essaierez, non pour avoir l'épée, mais parce que je le veux.

Gauvain tend la main, prend l'épée par la poignée et tire, mais il ne peut la dégager. Le roi lui dit alors :

— Beau neveu, laissez cela ; vous m'avez fidèlement obéi.

— Monseigneur Gauvain, dit Lancelot, sachez que cette épée vous touchera un jour de si près que vous ne voudriez alors y avoir porté la main pour un château.

— Seigneur, répond Gauvain, je n'en peux mais. Je l'aurais fait, même si j'avais dû mourir sur-le-champ pour accomplir la volonté du roi.

20   Quant li rois ot ceste parole, si se repent [B^a, f. 2c] de
ce que messires Gauvain a fet. Lors dit a Perceval qu'il
essait a l'espee. Et il dit que si fera il volentiers por fere
[a mon seignor Gauvain] compaignie. Il met main a [l']es-
pee et tret, mes il ne la puet avoir. [Et] lors croient bien
25 tuit cil de la place que Lanceloz die voir, et que les letres
del pont soient veraies. Si n'i a mes si hardi qui main i
ose metre. Et [messires] Kex dist au roi :

– Sire, or poez vos bien sooir au mangier quant vos
plera, car a aventure n'avez vos pas failli devant mangier,
30 ce me senble.

– Alons donc, fet li rois, car ausi en est il bien tens.

10. Lors s'en vont li chevalier et lessent le perron a la
rive. Et li rois fet l'eve corner ; si assiet a son haut dois, et
li compaignon de la Table Roonde si sistrent chascun en
son leu. Celui jor servirent leenz .iiii. roi coroné, et auvec
5 els tant de hauz homes que a merveilles granz le poist en
tenir. Cel jor fu assis li rois a son haut dois el palés et ot a
lui servir grant compaignie de hauz barons. Si avint einsi
que il se furent tuit assis par leenz, si troverent que tuit li
compaignon de la haute Table Roonde furent venu et li
10 siege enpli, fors solement celui que l'en apeloit le Siege
Perillox. Quant il orent eu le premier mes, si lor avint
si merveilleuse aventure que tuit li huis del palés ou il
manjoient et les fenestres clostrent par eles en tel maniere
que nus n'i mist la main, [et] neporquant la sale ne fu pas
15 granment anublé. De ceste chose furent esbahi li fol et li
sage. Et li rois Artus, [qui premiers parla] dist :

– Par Deu, seignor, nos avons hui ve[u] merveilles [et]
ci et a la rive. Mes je quit que nos verrons encor [anuit]
greignors que cestes [B^a, f. 2d] ne sont.

20   Endementres que li rois parloit einsi, si entra leenz .i.
prodom a une blanche robe, vielz hom et anciens, mes il
n'ot chevalier leenz qui seust par ou il fu entrez. Li pro-

Quand le roi entend ces paroles, il se repent d'avoir insisté auprès de Gauvain. Il dit ensuite à Perceval d'essayer à son tour. Le chevalier répond qu'il le fera volontiers pour tenir compagnie à monseigneur Gauvain. Il saisit l'épée, tire, mais en vain. Tous alors sont convaincus que Lancelot a dit vrai et que l'inscription est véridique, et plus personne n'est assez hardi pour oser toucher l'épée. Monseigneur Keu dit au roi :

— Seigneur, vous pouvez maintenant vous mettre à table quand il vous plaira, car il me semble que l'aventure ne vous a pas fait défaut.

— Allons donc déjeuner, dit le roi, aussi bien il en est grand temps.

10. Les chevaliers s'en vont, laissant le bloc de pierre sur la rive. Le roi fait corner l'eau[1] ; il s'assied à la haute table et les compagnons de la Table Ronde prennent chacun leur place. Ce jour-là, le repas fut servi par quatre rois couronnés, aidés de tant de grands seigneurs que c'était merveille. Ce jour-là, le roi occupait le haut bout de la table et avait pour le servir un grand nombre de nobles barons. Quand tout le monde fut assis, on s'aperçut que tous les compagnons de la noble Table Ronde étaient présents et les sièges occupés, sauf celui que l'on appelait le Siège Périlleux. On avait servi le premier mets lorsqu'il advint une merveilleuse aventure : toutes les portes et les fenêtres de la salle où ils mangeaient se fermèrent d'elles-mêmes, sans que personne y mît la main ; mais la salle ne fut pas vraiment obscurcie. Tous, les sages comme les sots, furent frappés de stupeur. Le roi Arthur fut le premier à prendre la parole :

— Par Dieu, seigneurs, nous avons vu aujourd'hui d'étranges choses, ici et sur la rive, mais je pense qu'avant la nuit nous en verrons de plus étonnantes encore.

Tandis que le roi parlait, un homme très âgé, d'aspect vénérable, et vêtu d'une robe blanche, entra dans la salle, sans qu'aucun des chevaliers sût par où il était entré. Le

dom venoit a pié, si amenoit par la main .i. chevalier a
unes armes vermeilles, sanz espee et sanz escu. Si dit tan-
25 tost com il fu en mi le palés :

— Pes soit a vos.

Li prodom qui menoit le chevalier dist au roi la ou il le
vit :

— Rois Artus, ge t'amain le Chevalier Desirré, celui qui
30 est estrez del lignaje lo Roi David et [del parenté] Joseph
d'Arimacie, celui par cui les merveilles de cest païs et des
estranges terres remaindront. Vez le ci.

11. Et li rois est molt liez de ceste novele ; si dist au
prodome :

— Sire, bien soiez vos venuz se ceste parole est veraie,
et bien soit li chevaliers venuz ! Car se c'est cil que nos
5 atendons a achever les aventures del [Saint] Graal, onques
si grant joie ne fu fete d'ome come nos ferons de lui. Et
qui que il soit, ou cil que vos dites ou autre, je vodroie
que bien li venist, puis qu'il est si jentils hom et de si haut
lignaje com vos dites.

10 — Par foi, fet li prodom, vos en verroiz par tens bel
comencement.

Lors fet le chevalier tot desarmer ; si remaint en une
cote de cendal vermeil ; et il li baille [maintenant] a afu-
bler .i. mantel vermeil de samit qu'il portoit sor s'espaulle
15 qui par dedenz estoit forrez d[e blanc] ermine. Quant il l'a
vestu et apareillié, si li dist :

— Sivez moi, sire chevalier.

Et il si fet. Et il le moine [tot droit] au Siege Perillox
[dalés quoi Lanceloz seoit], et lieve le drap de soie que cil
20 i orent mis, si trove les letres qui disoient : *Ci est li sieges
Galaaz.* Li prodons regarde les letres, si les trueve fetes
novelement [*B*[a], f. 3a], ce li est avis, si conoist le non ; si
lor dist si haut que tuit cil de leenz l'oent :

— Sire chevalier, asseez vos ci, que ciz lex est vostres.

25 Et cil s'assiet tot seurement et dit au prodome :

— Sire, or vos en poez aler, que bien avez fet ce que l'en
vos comanda. Et saluez moi toz cels del saint ostel et mon

vieillard était à pied et tenait par la main un chevalier revêtu d'une armure vermeille[2], mais sans épée ni écu. Arrivé au milieu de la salle, il dit :

– Que la paix soit avec vous.

Puis, se tournant vers le roi :

– Roi Arthur, dit-il, je t'amène le Chevalier Désiré, celui qui descend de la maison du roi David et du lignage de Joseph d'Arimathie, celui grâce à qui prendront fin les merveilles de ce pays et des terres étrangères. Le voici.

11. Tout heureux de cette nouvelle, le roi dit au vieillard :

– Seigneur, soyez le bienvenu si vos paroles sont vraies. Et que le chevalier lui aussi soit le bienvenu, car si c'est celui que nous attendons pour achever les aventures du Saint-Graal, il sera accueilli avec plus de joie que personne ici ne l'a jamais été. Mais quel qu'il soit, celui que vous dites ou un autre, je lui souhaite grand bien puisqu'il est, dites-vous, si noble et d'un si haut lignage.

– Par ma foi, dit le vieillard, vous verrez bientôt le commencement de grandes choses.

Il fait alors désarmer le chevalier qui reste en cotte de cendal[1] rouge, puis lui donne à revêtir un manteau de samit[2] rouge doublé d'hermine blanche qu'il portait sur l'épaule. Quand il l'a ainsi vêtu, il lui dit :

– Suivez-moi, seigneur chevalier.

Il le mène tout droit au Siège Périlleux à côté duquel était assis Lancelot, soulève l'étoffe de soie que les trois cousins y avaient mise et voit l'inscription qui disait : *Ce siège est celui de Galaad.* Le vieillard examine l'inscription qui lui paraît récemment gravée, et reconnaît le nom. Il dit alors d'une voix si haute que tous l'entendent :

– Seigneur chevalier, asseyez-vous ici ; cette place est la vôtre.

Le chevalier s'assied sans la moindre hésitation et dit au vieillard :

– Seigneur, vous pouvez vous en retourner, car vous vous êtes bien acquitté de ce qu'on vous avait ordonné.

oncle lo roi Pellés et mon aiol le Riche Pescheor, si li dites
[de] par moi que je l'iré vooir au plus tost que je porrai [et
30 que j'en aurai loisir]

12. Li prodons se part de leenz et comande lo roi Artur
a Deu et toz les autres ausi. [Et] quant il li vodrent demander qui il fu, il n'en tint onques plet a els, ainz respondi
tot pleinement qu'il ne lor diroit or pas, qu'il le savroient
5 bien a tens s'il l'osoient demander. Et vient au mestre
huis del palés, qui clos estoit, si l'uevre, si descent aval
et trueve en la cort chevaliers et escuiers [jusqu'a .xv. qui
tous l'atendoient et] estoient venu auvec lui. Et il monte,
si s'en va de la cort en tel maniere qu'il ne sorent plus de
10 son estre a cele foiz. Quant cil de la Table [Ronde] virent
sooir le chevalier el siege que tant prodome avoient redouté, et tantes granz aventures en estoient avenues, si en
ont grant merveille, qu'il voient celui si juene home qu'il
ne sevent dont [ceste] grace li poisse venir, fors [solemen
15 non] de la volenté Nostre Seigneur. La feste comence
granz par leenz, si font honor au chevalier li .i. et li autre,
car il pensent bien que ce soit cil par cui les merveilles del
roiaume de Logres doivent faillir, et bien le conoissent par
l'esprueve del Siege, ou onques hom n'estoit assis a cui il
20 n'en fust mesch[eu] [en aucune maniere], fors a cestui. Si
le servent et henorent de tant com il puent, com celui qu'il
tienent [*B^a*, f. 3b] a mestre et a seigneur par desus toz cels
de la Table Roonde. Et Lanceloz, qui molt volentiers le regardoit por la merveille qu'il en avoit, si conoist bien que
25 ce est cil qu'il avoit hui fet novel chevalier. Si en a molt
grant joie a[n] son cuer, et por ce li fet il la greignor henor
qu'il puet, [et le met en parole de maintes choses], et si li
demande de son estre que il l'en die aucune chose. Et cil,
qui auques le conoissoit et ne li osoit refuser, li respont
30 mainte foiz a ce qu'il li demandoit. Mes Boorz, qui tant
est liez que nus plus et qui bien conoissoit que ce estoit
Galaaz, le fil Lancelot, cil qui doit les aventures del Graal
mener a chief, parole a Lyonel son frere, et si li dit :

Saluez de ma part tous ceux de la sainte demeure, ainsi
que mon oncle le roi Pellés et mon aïeul le Riche Roi Pêcheur. Dites-leur que j'irai les voir dès que j'en aurai le
temps et le loisir.

12. Le vieillard se retire alors en recommandant à Dieu
le roi Arthur et tous ses barons. Quand ils voulurent savoir
qui il était, il passa outre à leurs questions et répondit tout
net qu'il ne le leur dirait pas, mais qu'ils l'apprendraient
en temps voulu s'ils osaient le demander. Il se dirige vers
la porte principale de la salle, qui était fermée, l'ouvre, et
descend dans la cour où l'attendaient quinze chevaliers
qui étaient venus avec lui. Il monte en selle et quitte la
cour sans que personne puisse, cette fois-là, en apprendre
davantage sur lui. Quand ceux de la Table Ronde voient
le chevalier assis au siège que tant de vaillants chevaliers
avaient redouté et qui avait occasionné tant de prodiges,
ils ne peuvent en croire leurs yeux : le chevalier est si
jeune qu'ils se demandent comment il a pu mériter une
telle grâce, si ce n'est par la volonté de Notre-Seigneur.
De grandes réjouissances commencent dans la salle ;
tous font honneur au chevalier, car ils pensent bien que
c'est lui qui doit achever les aventures du royaume de Logres : l'épreuve du Siège, où jamais personne avant lui ne
s'était assis sans qu'il lui arrive quelque malheur, les en a
convaincus. Ils le servent et l'honorent de leur mieux, le
tenant pour leur maître et seigneur entre tous les compagnons de la Table Ronde. Et Lancelot, que l'admiration
poussait à le regarder attentivement, reconnaît, avec une
joie profonde, celui qu'il avait fait chevalier le jour même.
Il le traite avec un grand respect, l'engage à parler sur
maints sujets, l'invite à dire quelque chose de lui-même.
Le jeune homme qui n'est pas sans le reconnaître et n'ose
refuser, répond plus d'une fois à ses questions. Bohort cependant, plus heureux que tout autre et qui sait bien que
c'est là Galaad, le fils de Lancelot, celui qui doit achever
les aventures du Graal, dit à son frère Lionel :

– Biau frere, savez vos qui cil chevaliers est qui siet el
35 Siege Perillex ?

– Je nel sai mie tres bien, fet Lioneax, fors tant que c'est
cil qui a hui esté noviax chevaliers, que messires Lanceloz
fist chevalier de sa main. Et c'est cil dont entre moi et vos
avons tote jor parlé, que messires Lanceloz engendra en la
40 fille au Riche Pescheor.

– Veraiement le sachiez vos, fet Boorz, que c'est il, [et]
qu'il est nostre cosins prochains. Et de ceste aventure devons nos estre molt lié, car ce n'est mie dote qu'il ne viegne encore a molt greigneur chose que chevalier que l'en
45 conoisse, si en a [ja] bel comencement.

13. Einsi parloient li .ii. frere de Galaaz, et ausi font tuit
li autre par leenz. Si en cort tant la novele amont et aval
que la roine, qui en ses chambres manjoit, en oï parler par
.i. vallet qui li dist :

5 – Dame [*B^a*, f. 3c], merveilles sont avenues leenz.

– Coment, fet ele ? Di le moi.

– Par foi, dame, [fet cil], .i. chevaliers est venuz a cort
qui a aconpli[e] l'aventure del Siege Perillex, si est li chevaliers si juenes [hom] que toz li mondes se merveille
10 dont cele grace li puet estre venue.

– Voire, fet ele, puet [ce] estre voirs ?

– Oïl, fet il, veraiement le sachoiz.

– A non Deu, fet ele, dont li est il molt bien avenu, que
cele aventure ne pot onques mes nus hom achever qu'il
15 n'en fust morz ou mehaigniez ainz qu'il l'eust mené a
fin.

– Ha ! Dex, font soi les autres dames qui iluec estoient,
tant est ore de buene ore nez cil chevaliers ! Onques mes
hom, tant fust de grant proece, ne pot avenir a ce qu'il est
20 avenu. Et par ceste aventure puet en bien conoistre que
c'est cil qui metra a chief les aventures de la Grant Bretaigne, et par cui li Rois Mehaigniez recevra garison.

– Biax amis, fet la roine au vallet, se Dex t'aït, or me di
de quel façon il est.

25 – Dame, fet il, se Dex m'aït, c'est .i. des plus biax che-

– Cher frère, savez-vous qui est ce chevalier qui est assis sur le Siège Périlleux ?

– Je n'en suis pas très sûr, répond Lionel. Je sais seulement que c'est le nouveau chevalier, celui que monseigneur Lancelot a adoubé ce matin, celui dont vous et moi avons parlé toute la journée, le fils que Lancelot a engendré en la fille du Riche Roi Pêcheur[1].

– Vous ne vous trompez pas, c'est bien lui, et il est notre proche parent. Nous avons lieu de nous réjouir de cette aventure, car il est certain qu'il accomplira encore de plus grandes choses qu'aucun chevalier que l'on connaisse n'en a jamais accompli ; et il a déjà bien commencé.

13. Ainsi les deux frères et tous ceux qui étaient présents parlaient de Galaad. La nouvelle se répandit si bien dans tout le château que la reine, qui mangeait dans ses appartements, l'apprit par un jeune homme qui lui dit :

– Ma dame, il s'est passé ici de surprenantes choses.

– Que veux-tu dire ? Parle.

– Ma dame, un chevalier est venu à la cour, qui a accompli l'aventure du Siège Périlleux, et il est si jeune que tout le monde se demande comment il a pu mériter une telle grâce.

– Vraiment ? dit-elle. Est-ce possible ?

– Oui, ma dame, il en est bien ainsi.

– Par Dieu, dit-elle, c'est là une grande faveur, car tous ceux qui ont tenté cette aventure ont été tués ou blessés avant de pouvoir l'achever[1].

– Ah ! Dieu, s'écrient les dames, ce chevalier est né sous d'heureux auspices. Jamais chevalier, si grande que fût sa prouesse, n'a pu accomplir ce qu'il a accompli. Cet exploit prouve bien que c'est lui qui mettra fin aux aventures de la Grande-Bretagne et qui guérira le roi Mehaignié.

– Bel ami, dit la reine au jeune homme, dis-moi comment il est.

– C'est, ma dame, – j'en prends Dieu à témoin – un des

valiers do monde, mes il est juenes a merveilles, si resemble a Lancelot et au parenté lo roi Ban si merveilleusement que tuit cil de leenz vont disant por voir qu'il en
est estrez.

30   Et lors le desirre la roine a vooir assez plus q'ele ne
fesoit devant, car maintenant qu'elle a oï parler de la senblance pense ele bien que ce soit Galaaz que Lanceloz
avoit engendré en la fille au Riche Pescheor, einsi com
l'en li ot ja conté par mainte foiz ; et par mainte foiz li
35   avoit l'en dit en quel maniere [*B^a*, f. 3d] Lanceloz avoit
esté deceuz ; et ce avoit esté une chose par quoi la roine
avoit esté molt corrocié vers Lancelot, mes les coupes
n'en estoient pas soes.

14. Quant li rois ot mangié et li conpaignon de la Table
Roonde, si se leverent de lor sieges. Et li rois meismes
vient au Siege Perillex et leva le drap de soie, si trova le
non Galaaz, qu'il desirroit molt a savoir, si le mostre a
5   mon seignor Gauvain et li dist :
— Biax niés, or avez Galaaz, le buen chevalier parfet que
vos et cil de la Table Roonde avez tant desirré a vooir. Or
pensez de lui enorer et servir tant com il sera auvec nos,
car ceenz ne demorra il pas longuement, ce sai je bien, por
10   la grant Queste del Graal, qui prochienement comencera,
si com je crois. Et Lanceloz le nos fist por voir entendant
hui, qui nel deist pas s'il n'en seust aucune chose.
— Par foi, fet messires Gauvain, [et] nos [et vos] le devons bien servir come celui que Dex nos a envoié por
15   delivrer nostre païs des granz merveilles et des estranges
aventures qui tant sovent i sont avenues lonc tens a.
Lors vient li rois Artus a Galaaz et [li] dist :
— Sire, bien soiez vos venuz. Molt vos avons desirré a
vooir. Or vos avons ceenz, Deu merci et la vostre, qui [i]
20   deignastes venir.
— Sire, fet il, je [i] sui venuz, que je le devoie fere, por ce
que de ceenz doivent movoir tuit [cil] qui compaignon seront de la Queste del Saint Graal, qui par tens sera comencié.

plus beaux chevaliers du monde. Mais il est d'une très grande jeunesse, et il ressemble tant à Lancelot et au lignage du roi Ban que tous disent qu'il en est issu.

Le désir que la reine éprouve de le voir grandit encore. Ce qu'elle vient d'entendre sur cette ressemblance la convainc qu'il s'agit de Galaad, le fils de Lancelot et de la fille du Riche Roi Pêcheur, car on lui avait maintes fois raconté l'histoire et comment Lancelot avait été abusé. Elle en avait été très irritée contre lui, mais il n'était pas coupable[2].

14. Quand le roi et les compagnons de la Table Ronde eurent mangé, ils se levèrent de table. Le roi en personne se dirigea vers le Siège Périlleux et, soulevant l'étoffe de soie, vit le nom de Galaad qu'il désirait beaucoup connaître. Il le montre à monseigneur Gauvain et lui dit :

— Beau neveu, vous avez parmi vous Galaad, le bon, le parfait chevalier, celui que les compagnons de la Table Ronde et vous-même avez tant désiré voir. Ayez soin de l'honorer et de le servir tant qu'il sera avec nous, car ce ne sera pas pour longtemps, je le sais, à cause de la grande Quête du Graal qui commencera bientôt, je pense. Lancelot nous l'a laissé entendre aujourd'hui, ce qu'il n'aurait pas fait s'il n'en avait su quelque chose.

— Par ma foi, dit monseigneur Gauvain, nous devons tous le servir de notre mieux, comme celui que Dieu nous a envoyé pour délivrer notre pays des grandes merveilles et des étranges aventures qui si souvent et depuis si longtemps y adviennent

Le roi Arthur s'approche alors de Galaad et lui dit :

— Seigneur, soyez le bienvenu ; nous avons tant désiré vous voir, et vous voici parmi nous. Grâces en soient rendues à Dieu, et à vous même qui avez daigné venir.

— Seigneur, répond Galaad, je suis venu parce que je devais le faire. C'est d'ici en effet que doivent partir tous ceux qui prendront part à la Quête du Saint-Graal, laquelle va bientôt commencer.

25 – Sire, fet li rois, de vostre venue avions nos molt grant
mestier [por maintes choses, et] por les granz merveilles
de ceste terre [*Bª*, f. 4a] mener a fin, et por une aventure
mener a chief qui hui m'est avenue, a qoi cil de ceenz ont
failli. Et je sai bien que vos n'i faudrez pas, come cil qui
30 doit achever les aventures a quoi li autre avront failli, car
por ce vos a Dex envoié entre nos, que vos parfaçoiz ce
que li autre ne porent mener a fin.

– Sire, fet Galaaz, ou est cele aventure dont vos me parlez ? Je la verroie molt volentiers.

35 – [Et] je la vos mosterré, fet li rois.

15. Atant le prent par la main et descent del palés, et tuit
li baron de leenz vont aprés, por vooir coment l'aventure
del perron sera menee a fin. Si acorent li .i. et li autre [en
tel maniere] qu'il ne remest chevalier en tot le palés qui la
5 ne venist. Et la novele vint maintenant a la roine, et si tost
com ele l'ot dire, si fet oster les tables et dit a .iiii. des plus
hautes dames qui estoient auvec lui :

– Beles dames, venez auvec moi jusqu'a la rive, car je
ne leroie en nule maniere que je ne voie ceste aventure
10 mener a fin, se je i puis venir a tens.

Lors descendent del palés et orent auvec eles grant compaignie de dames et de damoiseles. Et quant eles vindrent
a la rive et li chevalier les virent venir, si comencierent a
dire :

15 – Tornez vos, vez ci la roine !

Si li firent maintenant voie tuit li plus prisié. Et li rois
dit a Galaaz :

– Sire, vez ci l'aventure dont je vos paroil. A ceste espee
trere hors de cest perron ont hui essaié li plus prodome de
20 mon ostel qui onques ne l'en porent oster.

– Sire, fet Galaaz, ce n'est mie merveille [*Bª*, f. 4b], car
l'aventure n'est pas leur, ainz est moie. Et por la seürté
que je avoie de ceste espee [avoir] n'en aportai je point a
cort, si com vos poistes vooir.

25 Lors met la main a l'espee, si la tret hors del perron

– Seigneur, dit le roi, nous avions grand besoin de vous, et pour maintes raisons : pour mettre fin aux merveilles de ce pays, et pour achever une aventure qui s'est produite aujourd'hui et où ceux d'ici ont échoué. Vous, je le sais, en viendrez à bout, car vous êtes celui qui doit réussir là où les autres ont échoué. C'est à cette fin que Dieu vous a envoyé parmi nous, pour accomplir ce que les autres n'ont pu mener à terme.

– Seigneur, dit Galaad, où est l'aventure dont vous me parlez ? Je la verrais volontiers.

– Je vais vous la montrer, dit le roi.

15. Il le prend par la main et ils quittent la salle suivis de tous les barons, qui veulent voir comment l'aventure du bloc de pierre sera achevée. Tous se précipitent, si bien qu'il ne reste pas un seul chevalier dans la salle. La nouvelle parvient à la reine. Elle fait immédiatement enlever les tables et dit à quatre des plus nobles dames de sa suite :

– Belles dames, venez avec moi jusqu'à la rive, car je ne voudrais à aucun prix manquer de voir achever cette aventure, si je peux arriver à temps.

Elles descendent donc, suivies d'un grand nombre de dames et de demoiselles. Comme elles approchent de la rive, les chevaliers, les voyant venir, s'écrient :

– Tournez-vous, voici la reine.

Et aussitôt les plus renommés d'entre eux s'écartent pour la laisser passer. Le roi dit à Galaad :

– Seigneur, voici l'aventure dont je vous ai parlé. Les plus illustres chevaliers de ma maison ont essayé aujourd'hui de tirer cette épée du bloc de pierre, mais ils n'ont pu y parvenir.

– Seigneur, répond Galaad, il n'y a là rien d'étonnant, car c'est à moi, et non à eux, que l'aventure est destinée. J'étais si sûr d'avoir cette épée que je n'en ai pas apporté avec moi comme vous pouvez le voir.

Il porte alors la main à l'épée et la retire de la pierre

ausi legierement come s'ele n'i tenist point ; puis prent le
fuerre, si la met dedenz. Et maintenant la ceint entor lui.
Lors dist au roi :

30 – Sire, or valt melz que devant. Or ne me faut mes fors
escu, dont je n'ai point.

– Sire, fet li rois, escu vos envoiera Dex d'aucune part,
ausi com il a fet espee.

16. Lors regarde[nt] tot contreval la rive, si voient venir
ausi com a besoig une damoisele montee sor .i. palefroi tot
blanc, qui venoit [vers] els molt grant aleure. [Et] quant
ele fu pres venue, si salua lo roi et [toute] sa compaignie,
5 si demanda se Lanceloz estoit iluec. Et il estoit tres devant
lui, si li respondi :

– Damoisele, veez moi ci.

Et ele le regarde, si le conoist. [Lors] li dit tot en plorant :

10 – Ha, Lanceloz, tant est vostre aferes changié puis ier
matin !

Et quant il ot ceste parole, si li dist :

– Damoisele coment ? Dites le moi.

– Par foi, fet ele, je le vos dirai oiant toz cels de ceste
15 place. Vos estiez ier matin li mieldres chevaliers del monde,
et qui lors vos apelast Lancelot li mieudre chevalier de
toz, il deist voir, car lors n'i avoit il pas ausi buen. Mes qui
or le diroit, l'en le devroit tenir a mençongier, car meillor
i a de vos, et bien est esprovee chose par l'aventure de
20 ceste espee a quoi vos n'osastes metre la main. Et c'est li
changemenz [B^a, f. 4c] et li muemenz de vostre non, dont
je vos ai fet remenbrance por ce que vos ne quidiez des or
mes que vos soiez li meudres chevaliers del monde.

Et il dit qu'il nel quidera ja mes, car ceste aventure de
25 ceste espee l'en a mis tot hors del quidier. Et lors s'en
torne la damoisele devers lo roi, si li dit :

– Rois Artus, ce te mande par moi Nasciens li hermites
que hui en cest jor t'avendra la greindre henor qui onques avenist a roi de Bretaigne. Et ce ne sera mie por toi
30 mes por autrui. Et sez tu de quoi ? Del Saint Graal qui

aussi aisément que si elle n'y avait pas été fichée ; puis il prend le fourreau, y glisse l'épée, la ceint, et dit au roi :

– Seigneur, me voici mieux équipé. Maintenant il ne me manque plus qu'un écu.

– Seigneur, dit le roi, Dieu saura vous en envoyer un comme il l'a fait de l'épée.

16. Regardant le long de la rive, ils voient venir à bride abattue, une demoiselle montée sur un palefroi[1] blanc. Une fois près d'eux, elle salue le roi et toute la compagnie, puis demande si Lancelot est là. Il se trouvait juste devant elle et lui dit :

– Ma demoiselle, me voici.

Elle le regarde, le reconnaît, et lui dit en pleurant :

– Ah ! Lancelot, votre condition a bien changé depuis hier matin.

– Et comment cela, ma demoiselle ? Dites-le moi.

– Par ma foi, je vous le dirai en présence de tous. Vous étiez hier matin le meilleur chevalier du monde, et quiconque vous aurait appelé ainsi aurait dit vrai ; car vous l'étiez. Mais qui le dirait maintenant devrait être tenu pour un menteur, car il y a meilleur chevalier que vous. La preuve en est cette épée à laquelle vous n'avez pas osé toucher. C'est là le changement qu'a subi votre nom. Je vous l'ai fait savoir afin que désormais vous ne pensiez plus être le meilleur chevalier du monde.

Lancelot répond qu'il ne pensera plus jamais ainsi, car cette aventure lui en a ôté l'idée. La demoiselle se tourne alors vers le roi et lui dit :

– Roi Arthur, Nascien l'ermite m'a chargée de te dire qu'il te sera fait aujourd'hui le plus grand honneur qui ait jamais été fait à un roi de Bretagne. Toutefois cet honneur ne sera pas pour toi, mais pour un autre. Sais-tu de quoi

aparra en ton ostel et repestra les compaignons de la Table
Roonde.

Et maintenant qu'ele ot dite ceste parole, si s'en torna
et se remist en la voie qu'ele estoit venue. Si ot il assez
35 en la place barons et chevaliers qui la voldrent retenir por
savoir qui ele fu et dont ele estoit venue, mes ele ne volt
onques remanoir por home qui l'en proiast. Et lors dist li
rois Artus as barons [de son ostel] :

– Biau seigneur, il est einsi que de la Queste del [Saint]
40 Graal ai je veraie demostrance que vos i enterrez prochainement. Et por ce que je sai bien que ge ne vos reverré
[ja] mes toz ausi ensenble com vos estes orendroit, voil
je que en la praierie de Kamaalot soit orendroit comencié
.i. bohordeiz si envoisiez que aprés noz morz en facent
45 remenbrance li oir qui aprés nos vendront.

Et il s'acordent tuit a ceste parole, si entrent en la cité,
et pristrent lor armes de tex i ot por joster plus aseur, et
de tex i ot [B^a, f. 4d] qui ne pristrent fors covertures et
escuz, que molt se fioient en lor proeces li plus d'els. Et
50 li rois, qui tot ce avoit esmeu, ne l'avoit fet fors por vooir
partie de la chevalerie Galaaz, car bien pensoit qu'il ne
revendroit ja mes a cort de grant piece, puis que il s'en
partiroit.

17. Quant il furent es prez de Kamaalot assemblé li
grant et li petit, Galaaz, par la proiere del roi Artur et de
la roine, mist son hauberc en son dos et son hiaume en sa
teste, mes onques escu ne volt prendre por chose qu'en
5 li deist. Et messires Gauvain, qui trop [en] estoit liez,
dist qu'il li porteroit lances et ausi dist messire Yvains
et Boorz de Gaunes. Et la roine fu montee sor les murs o
grant compaignie de dames et de damoiseles. Et Galaaz fu
venuz en la praerie auvec les autres chevaliers et comence
10 lances a brisier si durement que nus nel veist qui a merveilles nel tenist. Si en fist tant en pou d'eure qu'il n'ot
home ne feme en la place qui sa chevalerie veist qui au
meillor de toz nel tenist. Et distrent cil qui onques mes ne

je parle ? Du Saint-Graal, qui apparaîtra à ta cour et rassasiera les compagnons de la Table Ronde.

Dès qu'elle eut prononcé ces paroles, la damoiselle tourna bride et reprit le chemin par lequel elle était venue. Beaucoup de barons et de chevaliers présents auraient voulu la retenir pour savoir qui elle était et d'où elle venait, mais elle ne voulut pas rester malgré toutes leurs prières. Le roi Arthur dit alors à ses barons :

– Beaux seigneurs, j'ai maintenant la ferme assurance que vous entrerez prochainement dans la Quête du Saint-Graal. Comme je sais que je ne vous reverrai jamais plus tous ensemble comme vous l'êtes aujourd'hui, je veux que se tienne dans la prairie de Camaalot un tournoi si brillant, que nos descendants, après notre mort, en gardent mémoire.

Tous approuvent ces paroles et reviennent dans la ville. Certains prennent leurs armes pour jouter avec plus de sécurité, tandis que d'autres se contentent de prendre des housses de cheval et des écus, car ils avaient beaucoup de confiance en leur prouesse. Le roi n'avait pris cette initiative que pour avoir une idée de la chevalerie[2] de Galaad. Il pensait bien qu'une fois parti de la cour, il ne reviendrait pas de longtemps.

17. Quand tous, grands et petits, furent réunis dans la prairie de Camaalot, Galaad, à la demande du roi Arthur et de la reine, mit son haubert sur son dos et son heaume sur sa tête ; mais il refusa de prendre un écu, quoi qu'on pût lui dire. Monseigneur Gauvain, tout joyeux, offrit de porter ses lances, et monseigneur Yvain et Bohort de Gaunes firent de même. La reine était montée sur les murs, accompagnée d'un grand nombre de dames et de demoiselles. Galaad, qui était venu dans la prairie avec les autres, commença à briser des lances avec une vigueur telle que personne n'aurait pu le voir sans être frappé d'étonnement. En peu de temps, il accomplit tant de prouesses que tous, hommes et femmes, étaient émerveillés par ses exploits et le tenaient pour le meilleur des chevaliers. Et

l'avoient veu que hautement avoit comencié chevalerie, et
15 bien paroit a ce qu'il avoit le jor fet, que d'iluec en avant
porroit [legierement] de proece sormonter toz les autres
chevaliers. Car quant li bohordeiz fu remés, il troverent
que de toz les compaignons de la Table Roonde qui armes
portassent n'i avoit remés fors .ii. qu'il n'eust abatu, et ce
20 estoit Lanceloz et Percevax.

18. Si dura en tel maniere li bohordeiz de ci a none.
[Et] lors remeist atant, car li rois meismes [B^a, f. 5a], qui
avoit dotance qu'il ne tornast a corroz [au darrain], les fist
departir, et fist a Galaaz deslacier son hiaume, si le bailla
5 [a] porter a Boorz de Gaunes. Si l'en amena des prez en la
cité de Kamaalot par mi la mestre rue le visage descovert,
por ce que tuit le veissent apertement. Et quant la roine
l'ot bien avisé, si dist que voirement l'avoit Lanceloz engendré, car onques mes ne se resenblerent dui home si
10 merveilleusement com cil dui fesoient. Et por ce si n'estoit il pas merveille se cil estoit de grant chevalerie garniz,
car autrement forligneroit il trop durement. Et une dame,
qui oï une partie de ceste parole, si respondi maintenant :
— Dame, por Deu, doit cil donc estre si buens chevaliers
15 par droit com vos dites ?
— Oïl voir, fet la roine, car il est de totes parz estrez des
meilleurs chevaliers del monde et do plus haut lignage.

19. Atant descendirent les dames, si alerent oïr vespres
por la hautece del jor. Et quant ce fu chose que li rois fu
oissuz del mostier et li autre vindrent el palés en haut, [il
comanda] que les tables fussent mises, et l'en les mist. Et
5 il s'alerent assooir chascun en son leu ausi com il avoient
esté a[u] matin. Et quant il se furent tuit assis par leenz
et il furent acoisié, lors oïrent venir .i. escrois de tonoir-
re si grant et si merveilleus qu'il lor fu avis que li palés
deust fondre. [Et] maintenant entra leenz .i. rai de soleil
10 qui fist le palés plus cler a .vii. dobles qu'il n'estoit devant. Si furent tantost par leenz ausi com s'il fussent tuit

ceux qui ne l'avaient encore jamais vu déclaraient qu'il avait brillamment commencé sa chevalerie[1] et qu'il était évident, à voir ce qu'il venait de faire, qu'il n'aurait à l'avenir aucune peine à surpasser tous les autres chevaliers. En effet, quand le tournoi prit fin, on s'aperçut que, de tous les compagnons de la Table Ronde qui y avaient participé, il n'en restait que deux qu'il n'avait pas abattus : Lancelot et Perceval.

18. Le tournoi dura ainsi jusqu'à l'heure de none. Il cessa alors car le roi, craignant qu'il ne vînt à mal, ordonna aux combattants de se séparer. Il fit délacer le heaume de Galaad et le donna à porter à Bohort de Gaunes, puis il conduisit Galaad de la prairie jusqu'à la cité de Camaalot où il le fit passer par la rue principale, le visage découvert, afin que tous puissent bien le voir. La reine, après l'avoir regardé attentivement, dit qu'il était sans aucun doute le fils de Lancelot, car jamais deux hommes ne s'étaient ressemblés à ce point. Il ne fallait donc pas s'étonner s'il faisait preuve d'une telle prouesse; autrement il aurait gravement manqué à son lignage. Une dame qui avait entendu partie de ces paroles demanda aussitôt :

– Ma dame, est-ce donc par droit de naissance qu'il est aussi bon chevalier que vous dites ?

– Oui, certes, répond la reine, car il est issu par son père et par sa mère des meilleurs chevaliers du monde et du plus haut lignage.

19. Les dames descendirent alors pour aller entendre les vêpres en ce jour solennel. À son retour de l'église, le roi, accompagné de ses barons, monta dans la grande salle et ordonna de mettre les tables. Chaque chevalier alla s'asseoir à la place qu'il avait occupée le matin. Ils étaient tous assis et le bruit s'était apaisé lorsqu'un coup de tonnerre parvint jusqu'à eux, si violent, si terrible, qu'ils crurent que le château allait s'écrouler. Et aussitôt entra un rayon de soleil qui rendit la salle sept fois plus claire qu'elle n'était auparavant. Tous ceux qui étaient là furent comme

enluminé de la grace del Saint Esperit, et se comencierent
a entresgarder li .i. l'autre, qu'il ne savoient dont ce lor
pooit estre venu. Et neporquant il n'avoit leenz home qui
15 poist parler ne dire mot de la boche, ainz furent amui tuit
grant piece de tens. Quant il orent [*B^a*, f. 5b] grant piece
demoré en tel maniere qe nus d'els n'avoit pooir de parler,
ainz s'entresgardoient ausi come bestes mues, adonc entra
leenz li Sainz Graal covert d'un blanc samit. Mes il n'i ot
20 onques nus qui poist vooir qui le portoit, si entra par mi
le grant huis del palés. Et maintenant qu'il i fu entrez fu
li palés empliz de si bones odors come se totes les especes terrienes i fussent espandues. Et il ala par mi le palés
d'une part et d'autre tot entor les dois. Et tout einsi com
25 il trespassoit par devant les tables, estoient maintenant les
tables raenplies endroit chascun siege de tel viande com
chascuns chevaliers pensa. Et quant ce fu avenu que tuit
furent servi li un et li autre, li Sainz Vessiax s'e[n] parti
tantost, si qu'il ne sorent qu'il estoit devenu, ne ne virent
30 quel part il torna. [Et] maintenant orent pooir de parler cil
qui devant ne pooient parler. Si rendirent graces a Nostre
Seigneur li pluseur [d'els] de ce que si grant henor lor
avoit [envoié] qu'il les avoit repeuz de la grace del Saint
Vessel. Mes sor toz cels qui leenz estoient en fu li rois
35 Artus joianz et li[és] de ce que greignor debuenereté
[li avoit Nostre Sires mostré q'a nul roi qui devant] lui
eust esté.

20. De ceste chose furent molt lié li privé et li estrange,
car bien [lor] resenbloit que Nostre Sires nes av[oit] pas
oblié quant il lor mostroit tel debuenereté. Si en parlerent
assez tant com li mangiers dura. Et li rois meismes en
5 commença a parler a cels qui plus pres de lui sooient, et
dist :
— Certes, seigneur, nos devons molt avoir grant joie de
[ce que] Nostre Sires nos a mostré si grant [signe] d'amor
que il de sa grace nos [vint] [*B^a*, f. 5c] repestre a si haut
10 jor come le jor de Pentecoste.
— Sire, fet messires Gauvain, encore i a il autre chose

illuminés par la grâce du Saint-Esprit. Ils commencèrent à
se regarder les uns les autres, ne comprenant pas ce qui venait de se passer. Mais aucun d'eux ne pouvait prononcer
une parole ; tous étaient frappés d'un profond mutisme. Ils
demeurèrent longtemps ainsi sans pouvoir dire un mot, à
se regarder comme bêtes muettes. Le Saint-Graal apparut
alors, recouvert d'une étoffe de samit blanc. Personne ne
put voir qui le portait. Il entra par la grande porte, et aussitôt la salle se remplit d'odeurs suaves, comme si toutes
les épices de la terre y avaient été répandues. Il traversa
la salle en faisant le tour des tables, et lorsqu'il passait
devant elles, elles se trouvaient immédiatement garnies,
à la place de chaque chevalier, des mets que celui-ci désirait[1]. Quand tous furent servis, le Saint-Vase disparut
sans qu'on sût ce qu'il était devenu ni par où il était sorti.
Et aussitôt ceux qui n'avaient pu dire un mot retrouvèrent
l'usage de la parole. Ils remercièrent Notre-Seigneur du
très grand honneur qu'il leur avait fait en les rassasiant de
la grâce du Saint-Vase[2]. Mais le plus heureux de tous fut
le roi Arthur, parce que Notre-Seigneur lui avait témoigné
plus de bonté qu'à tout autre roi avant lui.

20. Les familiers du roi et ses invités étaient remplis de
joie, jugeant que Notre-Seigneur ne les avait pas oubliés
puisqu'Il leur montrait une telle bienveillance. Ils en parlèrent tant que dura le repas. Le roi lui-même, s'adressant
à ceux qui étaient assis près de lui, leur dit :

– Certes, seigneurs, nous devons nous réjouir, car Notre-
Seigneur nous a donné une bien grande preuve d'amour
en venant nous rassasier de sa grâce en un jour aussi solennel que celui de la Pentecôte.

– Seigneur, dit monseigneur Gauvain, vous ne savez pas

que vos ne savez mie, qu'il n'a ceenz home qui n'ait esté
serviz de tot ce qu'il demandoit et pensoit. Et ce n'avint
onques mes en nule cort, se ne fu chiés lo Roi Pescheor
15 que l'en apele lo Roi Mehaignié. Mes de tant sont il en-
gignié qu'il ne le porent vooir apertement, ainçois lor en
fu coverte la veraie senblance, por quoi je endroit moi faz
orendroit .i. veu que le matin, sanz plus atendre, enterré
en la Queste del Graal en tel maniere que je la maintendrai
20 .i. an et .i. jor et plus encor se mestiers est ; ne ne revendré
ja mes a cort por chose qui aviegne devant que je l'aie veu
plus apertement que il ne m'a [ci] esté mostré, s'il puet
estre en nule maniere que je le poisse vooir, ne ne doie. Et
ce se ne puet estre autrement, ge m'en [re]torneré.

25   Quant cil de la Table Roonde oïrent ceste parole, si se
leverent tuit de lor sieges ensemble et firent tot autretel
veu come messires Gauvain avoit fet, et distrent qu'il ne
[fin]eroient ja mes d'errer devant qu'il [seroie]nt assis a
la haute table ou si [dou]ce viande estoit toz jorz aprestee
30 [co]me cele qu'il avoi[en]t toz jorz mangié. [Et] quant li
rois voit ce qu'il orent fet cest veu, si en fu molt a malese,
car il voit bien qu'il nes porroit pas retorner de ceste
emprise. Si dist a mon seignor Gauvain :

    — Ha, Gauvain, vos m'avez mort par le veu que vos avez
35 ci fet, [ca]r vos [m'avés] tolue la plus douce com[paignie]
et la plus loial que je onques [*B^a*, f. 5d] trovasse :
c'est la chevalerie de la Table Roonde. Car quant il de
partiront d'ici, de qele ore que ce soit, je sai bien qu'il ne
revendront ja mes tuit arriere, ainz morront li plusor en
40 ceste [Queste], qui ne faudra pas si tost com vos quidiez.
Si ne m'en poise pas petit, car ge les ai escreuz et alevez
de tot mon pooir, si les ai toz jorz amez et encor les aim
ausi com s'il fussent tuit mi fil ou mi frere. Et por ce si me
sera molt griés leur departie, car je avoie acostumé a vooir
45 les sovent et a [avoir] leur compaignie ; car je ne puis pas
en moi vooir coment ge m'en poisse soffrir graument.

    21. Aprés ceste parole comença li rois a penser molt
durement, et en cel penser li vindrent les lermes corant as

tout encore : il n'y a personne ici qui n'ait été servi de ce qu'il demandait et désirait, et ceci n'est jamais arrivé en aucune cour, sauf chez le Roi Pêcheur qu'on appelle -Méhaignié. Mais ces gens-là sont dans un tel aveuglement qu'ils n'ont pu voir distinctement le Saint-Graal et que sa véritable apparence leur est demeurée cachée. C'est pourquoi je fais pour ma part le serment d'entrer dès demain matin dans la Quête et de la maintenir un an et un jour, et davantage si besoin est. Je ne reviendrai pas à la cour, quoi qu'il puisse advenir, avant d'avoir vu le Saint-Graal plus distinctement qu'il ne s'est montré ici, si toutefois il m'est permis et donné de le voir. Si cela ne peut être, je reviendrai.

Quand les compagnons de la Table Ronde entendirent ces paroles, ils se levèrent tous de leur siège et prononcèrent le même serment. Ils jurèrent qu'ils poursuivraient leur quête jusqu'au jour où ils prendraient place à la haute table où est chaque jour apprêtée une nourriture aussi douce que celle qu'ils avaient reçue. En les entendant prêter ce serment, le roi ressentit une grande douleur, car il savait qu'il ne pourrait pas les détourner de l'entreprise. Il dit à monseigneur Gauvain :

– Ah ! Gauvain, vous m'avez tué en faisant ce vœu, car vous m'avez enlevé la plus douce et la plus loyale compagnie que j'aie jamais trouvée, celle des chevaliers de la Table Ronde. Une fois qu'ils m'auront quitté, et quelle qu'en soit l'heure, je sais qu'ils ne reviendront pas tous, mais que beaucoup périront en cette quête qui ne finira pas aussi tôt que vous le pensez. J'en ai le cœur bien lourd, car j'ai fait tout ce qui était en mon pouvoir pour les enrichir et les élever en dignité. Je les ai toujours aimés et je les aime encore comme s'ils étaient mes fils ou mes frères ; leur départ m'affligera donc beaucoup, car je m'étais accoutumé à les voir souvent et à goûter leur compagnie. Je ne sais comment je pourrai me passer de leur présence.

21. Le roi se tut alors et s'absorba dans ses pensées tandis que les larmes coulaient de ses yeux comme tout le

euz, si que tuit cil de la cort s'en porent bien apercevoir. Et
quant il parla, si dist si haut que tuit cil de leenz le porent
5 bien oïr :

– Gauvain, [Gauvain], mis m'avez le grant corroz el
cuer, dont ja mes ne me porrai esbatre devant que ge sache veraiement a quoi ceste Queste porra venir, car trop ai
grant dote que mi ami charnel n'en reviegnent ja.

10 – Ha ! sire, fet Lanceloz, por Deu merci, que est ce que
vos dites ? Car tex hom com vos estes ne doit pas concevoir poor dedenz son cuer, mes seurté et hardement et
avoir bone esperance. Si vos devez reconforter, car certes,
se nos morion tuit en ceste Queste, ce nos seroit graindre
15 henor que de morir aillors en autre leu.

– Lancelot, fet li rois, la granz amor que j'ai toz jorz eue
vers els, si me fet dire tex paroles, et ce n'est mie de merveille [B^a, f. 6a] se je sui corrociez de lor departement.
Car onques rois crestiens n'ot autant de buens chevaliers
20 [ne de preudommes] a sa table com j'ai eu hui cest jor,
ne ja mes n'avra quant il de ci se partiront, car ja mes ne
seront a une table rassenblé ausi com il ont or ci esté ; et
ce est la chose del monde qui plus me desconforte.

De ceste parole ne sot messires Gauvain que respondre,
25 car il conoissoit bien que li rois disoit voir. Si se repentist
volentiers, s'il osast, de la parole qu'il avoit dite ; mes ce
ne pooit estre, car trop estoit ja poploié. Si fu maintenant
den[on]cié par totes les chambres de leenz coment la
Queste del [Saint] Graal estoit emprise, si se partiront
30 demain de cort cil qui compaignon en doivent estre. Si
en ot assez par leenz de tels qui plus en estoient corrocié
que joiant, car par la proece de[s] conpaignons de la Table Roonde estoit li ostex lo roi Artus redoutez seur toz
autres.

35 Quant les dames et les damoiseles qui auvec la roine
estoient assises es chambres au souper oïrent ceste novele,
assez en i ot de dolentes et de corrociés, meesmement celes qui estoient esposes ou amies as conpaignons de la
Table Roonde. Ne ce ne fu mie grant merveille, car eles
40 estoient henorees et chier tenues par cels de cui eles do-

monde put le voir. Quand il reprit la parole, il dit à voix si haute qu'elle fut entendue de tous :

– Gauvain, Gauvain, vous m'avez causé une immense peine dont rien ne pourra me soulager tant que je ne connaîtrai pas l'aboutissement de cette Quête, car ma crainte est grande que mes proches n'en reviennent jamais.

– Ah ! seigneur, au nom de Dieu, que dites-vous là ? dit Lancelot. Un homme tel que vous ne doit pas concevoir la crainte en son cœur, mais garder toujours assurance, courage et espérance. Rassurez vous : si nous devions tous mourir en cette Quête, ce serait un plus grand honneur pour nous que de mourir ailleurs dans quelque autre entreprise.

– Lancelot, dit le roi, le grand amour que j'ai toujours eu pour eux me fait parler ainsi, et il ne faut pas s'étonner si leur départ m'afflige. Jamais aucun roi chrétien n'eut ni n'aura à sa table, comme moi aujourd'hui, autant de bons chevaliers et d'hommes de haut mérite. Jamais non plus ils ne seront réunis autour d'une table comme ils l'ont été ici. Voilà ce qui me cause le plus de peine.

Monseigneur Gauvain ne sut que répondre. Il savait bien que le roi disait vrai. S'il avait osé, il aurait volontiers repris sa parole, mais ce n'était plus possible, car elle était connue d'un grand nombre. On annonça aussitôt par tout le palais que la Quête du Saint-Graal était commencée et que ceux qui devaient y prendre part quitteraient la cour le lendemain. Beaucoup en furent plus chagrins que joyeux, car c'était par la prouesse des compagnons de la Table Ronde que la maison du roi Arthur était plus redoutée que toute autre.

Quand les dames et les demoiselles qui dînaient avec la reine dans ses appartements apprirent la nouvelle, plus d'une en fut très affligée, surtout celles qui étaient l'épouse ou l'amie d'un chevalier de la Table Ronde. Ce qui ne saurait surprendre, car elles craignaient que ne meurent en

toient qu'il ne moreussent en la Queste. Si en comencierent a fere .i. duel trop grant. Et la roine demanda au vallet
qui devant lui estoit :

45 — Di moi, fet la roine, vallet, fus tu la ou ceste Queste
[*B^a*, f. 6b] fu acreantee ?

— Dame, oïl, fet cil.

— Or me di donc, messires Gauvains et Lanceloz [del
Lac en] sont il compaignon ?

— Dame, oïl, certes, messires Gauvains la [creanta] pre-
50 mierement et messire Lanceloz aprés, et ausi firent tuit li
autre, qu'il n'en i a nul remés qui de la Table Roonde fust
conpaignon.

22. Et quant la roine oï ceste parole, si est tant dolente
por Lancelot qu'il li est bien avis qu'ele doie morir de duel,
ne ne se puet tenir que les lermes ne li viegnent as euz. Si
respont a chief de piece, tant dolente que nule plus :

5 — Certes, c'est granz domages, car sanz la mort de maint
prodome ne sera pas a fin menee ceste Queste, puis que
tant prodome l'ont enprise. Si me merveil molt coment
mes sires li rois, qui tant par est sages, l'a sofert. Car la
meudre partie de ses barons s'en departira a cest point si
10 merveilleusement que li remananz en vaudra petit.

[Et] lors comença la roine a plorer molt tendrement et
autressi font totes les dames et les damoiseles qui auvec
li estoient. Einsi fu tote la cort troblee par la novele de
cels qui partir s'en devoient. Et quant les tables furent le-
15 vees el palés et es chanbres et les dames furent assemblees
auvec les chevaliers, lors comença li dels toz noviax, car
chascune dame ou damoisele, fust esposee ou fust amie,
dist a son chevalier q'ele iroit auvec lui en la Queste. Si
ot leenz de cels qui volentiers s'i acordassent et qui tost
20 le vosissent, se ne fust .i. preudons vielz, vestu de robe de
[*B^a*, f. 6c] religion, qui leenz entra aprés souper. Et quant
il vint devant lo roi, il parla si haut que tuit le porent bien
oïr :

— Oez, seigneur chevalier de la Table Roonde qui avez
25 juree la Queste del Saint Graal ! Ce vos mande par moi

cette Quête ceux dont elles étaient honorées et aimées. Elles commencèrent à mener grand deuil. La reine s'adressa au jeune homme qui se tenait devant elle :

– Dis-moi, étais-tu là quand la Quête fut jurée ?

– Oui, ma dame.

– Monseigneur Gauvain et Lancelot du Lac en sont-ils compagnons ?

– Oui, certes, ma dame. Monseigneur Gauvain a juré le premier, puis monseigneur Lancelot et ensuite tous les autres, si bien qu'il n'est pas resté un seul chevalier de la Table Ronde qui n'en soit compagnon.

22. Quand la reine entend cela, elle éprouve une telle inquiétude pour Lancelot qu'elle pense mourir de douleur et ne peut empêcher les larmes de lui venir aux yeux. Au bout d'un moment elle dit, tout abattue :

– En vérité, c'est un bien grand malheur, car cette Quête ne s'achèvera pas sans que meurent maints vaillants chevaliers, puisqu'ils sont si nombreux à l'entreprendre. Je m'étonne que monseigneur le roi, qui est si sage, l'ait permis. Les meilleurs de ses chevaliers vont partir en si grand nombre que ceux qui resteront seront de peu de poids.

La reine se met alors à pleurer tendrement et les dames et les demoiselles qui étaient avec elle firent de même. Ainsi toute la cour fut bouleversée par la nouvelle du départ imminent des chevaliers. Quand on eut enlevé les tables dans la salle et dans les appartements privés, et que les dames eurent rejoint les chevaliers, les lamentations recommencèrent de plus belle. Chaque dame ou demoiselle, qu'elle fût épouse ou amie, disait à son chevalier qu'elle l'accompagnerait. Certains auraient accepté volontiers et l'auraient même souhaité, si un vieillard, vêtu d'une robe de religion, n'était entré dans la salle après le dîner. Il se dirigea vers le roi et dit d'une voix si haute que tous l'entendirent :

– Écoutez, seigneurs chevaliers de la Table Ronde qui avez juré la Quête du Saint-Graal : Nascien l'ermite, m'a

Nasciens li hermites que nus en ceste Queste n'en moint
dame ne damoisele qu'il ne chie en pechié mortel, ne nus
n'i entre qui ne soit confés ou qui n'aille a confesse, que
nus en si haut servise ne doit entrer devant qu'il soit ne-
30 toiez et espurgiez de totes vilanies et de toz pechiez mortex. Car ceste Queste n'est mie queste de terrienes ovres,
ainz doit estre li encerchemenz des granz segrez et dez
grans repostailles Nostre Seignor que li Hauz Mestres
mosterra apertement au beneuré chevalier qu'il a esleu a
35 son serjant entre toz les autres chevaliers terriens, a cui
il mosterra les granz merveilles del Saint Graal, et fera
vooir ce que cuers [morteus] ne porroit penser ne langue
d'ome terrien deviser.

23. Par ceste parole remeist que nus ne mena auvec lui
ne sa fame ne s'amie. Et li rois fist le preudome herbergier
bien et richement et li demanda grant partie de son estre,
mes cil l'en responoit petit, car il pensoit assez a autre
5 chose que au roi. Et la roine vient a Galaaz, si s'assiet
dejoste lui, si li comence a demander dom il estoit et de
quel païs et de quel jent. Et il l'en dit grant partie com cil
qui assez en savoit, mes de ce que il fust filz Lancelot n'i
ot il onques parlé. Et neporquant as paroles que la reine i
10 aprist conut ele tot [*B^a*, f. 6d] veraiement qu'il estoit filz
Lancelot, cil qui avoit esté engendré en la fille au roi Pellés, dom ele avoit oï parler mainte foiz. Et por ce qu'ele le
velt savoir de sa boche s'il onques puet estre, li demande
la verité de son pere. Et il li respont qu'il ne set pas bien
15 qui filz il fu.
— Ha ! sire, fet ele, vos le me celez. Et por quoi fetes vos
ce ? Que, si m'aït Dex, ja de vostre pere nomer n'avroiz
honte. Car il est li plus biax chevaliers del monde, si est
estrez de totes parz de rois et de roines et del plus haut
20 lignaje que l'en sache, et si en a eu le los jusque ci d'estre
li meudres chevaliers del monde, por quoi vos devriez par
droit passer de chevalerie toz cels del siecle. Et certes vos
li ressemblez si merveilleusement qu'il n'a ceenz home si
nice qui bien ne vos coneust, s'il s'en prenoit garde.

chargé de vous dire que quiconque emmènera en cette
Quête dame ou demoiselle commettra un péché mortel, et
que nul ne doit y entrer sans être absous ou sans aller se
confesser ; car nul ne peut entreprendre un si haut service
s'il ne s'est tout d'abord lavé et purifié de toutes souillures
et de tous péchés mortels. Cette Quête en effet n'est point
quête des choses terrestres, mais doit être la recherche des
grands secrets et des grands mystères de Notre-Seigneur
que le Haut Maître révélera au bienheureux chevalier
qu'il a élu entre tous pour son serviteur. Il lui montrera les
grandes merveilles du Saint-Graal et lui fera voir ce que
le cœur[1] de l'homme ne pourrait concevoir ni la parole
humaine exprimer.

23. Après ces paroles, nul ne songea plus à emmener
avec lui sa femme ou son amie. Le roi offrit au vieillard
une généreuse hospitalité et l'interrogea sur sa personne,
mais lui, dont les pensées étaient ailleurs, répondit à
peine. La reine s'approche de Galaad, s'assied à ses côtés
et commence à lui demander d'où il vient, de quel pays
il est et de quel lignage. Il répond de façon précise à la
plupart de ses questions, mais de ce qu'il est le fils de
Lancelot il ne souffle mot. Néanmoins, d'après ce qu'il a
dit, la reine est certaine qu'il est bien le fils de Lancelot et
de la fille du roi Pellés comme elle l'avait souvent entendu
dire. Mais parce qu'elle voudrait l'entendre de sa bouche,
elle lui demande la vérité sur son père. Il répond qu'il ne
sait pas très bien de qui il est le fils.

– Ah ! seigneur, dit-elle, vous me le cachez. Et pourquoi ? Par Dieu, vous n'aurez jamais à rougir de nommer
votre père. Car il est le plus beau chevalier du monde et
descend par son père et par sa mère de rois et de reines et
du plus haut lignage qui soit. Il a été considéré jusqu'ici
comme le meilleur des chevaliers et c'est pourquoi vous
devriez vous aussi surpasser tous ceux du monde. Du
reste, vous lui ressemblez tellement qu'il n'y a personne
ici, si naïf soit-il, qui ne puisse le remarquer.

24. Quant il ot ceste parole, si en devint toz hontox de la vergoigne qu'il en a. Si respont maintenant :

— Dame, fet il, puis que vos le conoissiez si certeinement, vos le me poez bien dire. Et se c'est celui que je
5 croi que soit mes peres, je vos en tendrai a voir disant, et se ce n'est il, je ne m'i porroie pas acorder por chose que vos en deissiez.

— A non Deu fet ele, puis que vos nel me volez dire, je le vos dirai. Cil qui vos engendra a non mon seignor Lan-
10 celot do Lac, li plus biax chevaliers et li meudres et li plus gracieus, et li plus desirrez a vooir de totes jenz et li meuz amez qui onques nasquist a nostre tens. Por quoi il me senble que vos nel devez [*B^a*, f. 7a] celer a moi n'a autre, car de plus prodome ne de meillor chevalier ne poissiez
15 vos estre engendrez.

— Dame, fet il, puis que vos le savez si bien, a quoi le vos deisse ge ? Car assez le savra l'en a tens.

Longuement parlerent entre la reine et Galaaz, tant qu'il fu auques anuitié. [Et] quant il fu hore de dormir, li rois
20 prist Galaaz, si l'en mena en sa chanbre [et] le fist couchier en son lit meismes ou il selt jesir, por l'enor et por la hautece de lui ; et aprés ala li rois couchier et Lancelot et tuit li autre [baron de leenz]. Cele nuit fu li rois molt a malese et pensis por l'amor des prodomes de leenz qu'il amoit
25 molt durement, qui l'endemain se devoient de lui departir et aler en tel leu ou il quidoit bien qu'il reperassent longuement, ne por la demoree, s'il la feissent, ne s'esmaiast il pas molt. Mes ce li met le grant duel el cuer qu'il pense bien qu'il en morra grant partie en ceste Queste, et ce est
30 la chose dont il fu plus a malese. En tel duel et en tele ire furent tote la nuit li haut baron de la cort lo roi Artur et del roiaume de Logres. Et quant il plot a Nostre Seignor qe les tenebres de la nuit furent apesiés par ce que la venue del jor estoit aparue, li chevalier se leverent tantost, cil qui
35 estoient en cure et en pensee de ceste chose, si se [vestirent] et atornerent. Au matin se leva li rois de son lit. Et quant il fu vestuz et apareilliez, si vint en la chambre ou messires Gauvain et Lanceloz estoient, qui avoient la nuit

24. Ces paroles causent à Galaad un profond embarras.

— Ma dame, répond-il, puisque vous êtes si sûre de le connaître, vous pouvez bien me dire son nom. Si c'est celui que je tiens pour mon père, je vous l'accorderai ; si c'est un autre, je ne pourrai vous croire quoi que vous puissiez me dire.

— Par Dieu, dit-elle, puisque vous ne voulez pas le dire, je vous le dirai : votre père est monseigneur Lancelot du Lac, le plus beau, le meilleur et le plus gracieux des chevaliers, celui que tous désirent voir et qui est l'homme le plus aimé de notre temps. Il me semble donc que vous ne devez pas cacher votre naissance ni à moi ni à qui que ce soit, car vous n'auriez pu être le fils d'un être plus noble, d'un meilleur chevalier.

— Ma dame, dit-il, puisque vous le savez si bien, à quoi bon vous le dire ? On le saura quand il sera temps.

La reine et Galaad parlèrent longuement ensemble, jusqu'à la tombée de la nuit. Quand il fut temps de dormir, le roi conduisit Galaad dans sa chambre et le fit coucher dans le lit où il avait coutume de dormir lui-même pour rendre hommage à sa naissance et à sa haute dignité. Puis le roi, Lancelot et tous les autres barons allèrent se coucher. Le roi passa la nuit dans l'inquiétude et le tourment, sachant que ces vaillants chevaliers qu'il aimait tant allaient le quitter le lendemain pour se rendre en un lieu où, pensait-il, ils demeureraient longtemps. Que leur absence fût longue ne l'aurait pas trop affligé. Mais ce qui lui serre le cœur, c'est de penser que beaucoup mourront en cette Quête. C'est bien là ce qui l'afflige le plus. Les hauts barons de la cour du roi Arthur et du royaume de Logres passèrent eux aussi la nuit dans la douleur et la tristesse. Enfin, lorsqu'il plut à Notre-Seigneur que les ténèbres se dissipent pour laisser place à la clarté du jour, les chevaliers que ces pensées rendaient soucieux se levèrent et se vêtirent. Au petit matin, le roi quitta son lit, s'apprêta, puis se rendit dans la chambre où monseigneur Gauvain et

jeu en une chanbre [*B^a*, f. 7b]. Et quant il vint la, si trova
40 qu'il estoient ja vestu et apresté come d'aler oïr messe. Et
li rois Artus qui tant les amoit come s'il les eust de sa char
engendrez, les salua quant il se fu sor els enbatuz ; et il se
drecierent [en]contre lui et distrent que bien fust il venuz.
45 [Et] il les fist [r]assooir, si s'assist auvec els, [et] lors
comença a regarder mon seigneur Gauvain et dist :

– Gauvain, vos m'avez traï ! Onques ma cort tant
n'amenda de vos com ele en est empirié a ceste foiz, que
ja mes ne sera henoree de si haute compaignie ne de si
vaillant com vos en avez osté par vostre esmuete. Ne encor
50 ne sui je mie tant corrocié por els toz come ge sui por vos
.ii., car de tote l'amor dont home porroit amer autre vos
ai je amé, non mie ore premierement, mes des lors que
je conui primes les granz bontez qui dedenz vos s'estoient
herbergiés.

25. Quant li rois ot ceste parole dite, si se tut ; et lors fu
il molt pensis durement et en cel penser li comencent les
lermes a coler tot contreval la face. Et cil qui voient ceste
chose, et qui tant en sont dolent que nus nel porroit dire,
5 n'osent respondre por lo roi qu'il voient si corrocié. [Et]
il demore grant piece en cel corroz, et quant il comence a
parler, si dit trop dolent :

– Ha ! Dex, je ne [me] quidai ja mes dessevrer de ceste
conpaignie que fortune m'avoit envoié !

10 Aprés [*B^a*, f. 7c] redit a Lancelot :

– Lancelot, je vos requier sor la foi et sor le serement
qui est entre moi et vos que vos m'aidiez a conseillier de
ceste chose.

– Sire, fet il, dites moi coment.

15 – Ge feroie, fet li rois, trop volentiers remanoir ceste
Queste s'il pooit estre.

– Sire, fet Lanceloz, je l'ai veu jurer a tant de prodomes
que je ne croi pas qu'il le vueillent lessier en nule maniere, qu'il n'i a nul qui ne fust parjures, et ce seroit trop
20 grant desloiauté qui de ce les vodroit requerre.

– Par foi, fet li rois, jel sai bien que vos dites voir. Mes

Lancelot avaient dormi. Il les trouva déjà habillés et prêts
à aller entendre la messe. Le roi Arthur, qui les aimait
comme s'ils étaient nés de sa chair, les salua dès qu'il
se trouva devant eux. Ils se levèrent et lui souhaitèrent la
bienvenue. Le roi les fit rasseoir et prit place à côté d'eux.
Puis, se tournant vers monseigneur Gauvain, il lui dit :

– Gauvain, vous m'avez trahi. Tout le bien que vous
avez fait à ma cour ne peut égaler le mal que vous lui faites aujourd'hui, car jamais plus elle ne sera honorée par la
présence de chevaliers aussi nobles et aussi vaillants que
ceux que vous m'enlevez par votre initiative. Encore suis-
je moins affligé par leur départ que par le vôtre et celui
de Lancelot, car je vous ai aimés de tout l'amour qu'un
homme peut porter à un autre, et cet amour n'est pas tout
récent, mais date de l'instant même où j'ai connu les hautes vertus qui étaient en vous.

25. Le roi se tut alors et s'absorba dans ses pensées tandis que les larmes lui coulaient tout le long du visage. Devant cette détresse qui les afflige profondément, Gauvain
et Lancelot n'osent répondre. Le roi demeure longtemps
ainsi, puis il dit, avec une grande tristesse :

– Ah ! Dieu ! je pensais ne jamais me séparer de ces
compagnons que la fortune m'avait envoyés !

Puis il dit à Lancelot :

– Lancelot, par la foi et le serment qui nous lient, je vous
demande de m'aider de vos conseils en cette affaire.

– Seigneur, dites-moi comment.

– J'empêcherais volontiers cette Quête, si c'était possible.

– Seigneur, dit Lancelot, j'ai vu tant de nobles chevaliers
jurer de l'entreprendre que je ne pense pas qu'ils accepteraient d'y renoncer. Ils seraient tous parjures, et celui qui
le leur demanderait commettrait une grande déloyauté.

– Je sais bien, répond le roi, que vous dites vrai, mais

la grant amor que j'avoie a vos et as autres le me rueve
dire. Encor ne soit il covenable chose ne seant, [je le voulsisse bien, car], trop me grevera lor departement.

26. Tant parolent entr'els que li jorz fu biax et esclarciz
et li soleuz ot ja auques abatu la rousee et li palés comença
a enplir des barons del roiaume. Et la roine qui se fu levee
vint la ou li rois estoit et [li] dist :

5　　– Sire, cil chevalier vos atendent leenz por aler oïr messe.

Il se lieve et [essuie] ses euz por ce que cil qui le verront
ne sachent le duel qu'il ot mené. Et messires Gauvain comande que l'en li aport ses armes, et l'en si fet ; et ausi fet
10　Lanceloz. Et quant il sont armé de lor armes, fors de lor
escuz, il vienent el palés et truevent les compaignons qui
ausi estoient apareillié por aler a l'yglise. Quant il furent
venu au mostier et il orent oï le servise, si armé com il
estoient, et il furent revenu el palés, si alerent sooir li .i.
15　delez l'autre, cil [B^a, f. 7d], qui compaignon estoient de
la Queste.

– Sire, fet li rois Baudemaguz, puis que ciz aferes est
enpris si fierement qu'il ne puet mes estre lessiez, je loeroie que li saint fussent aporté, si jureroient li compai-
20　gnon le serement tel com cil [font] qui en queste doivent
entrer.

– Gel vueil bien, fet li rois, se il vos plest, puis qu'il ne
puet estre autrement.

Lors firent li clerc de leenz aporter les sainz sor quoi
25　l'en fesoit les seremenz de la cort. Et quant il furent aporté
devant lo mestre d[oi]s, li rois apele mon seignor Gauvain,
si li dist :

– Vos esmeustes premierement ceste Queste. Venez ore
avant et si fetes premier le serement que cil [doivent faire]
30　qui en la Queste del Saint Graal se metent.

– Sire, fet li rois Baudemagu, sauve vostre grace, il nel
fera mie premerain, mes cil le fera devant nos toz que nos
devons tenir a seignor et a mestre de la Table Roonde,
c'est messires Galaaz. Et quant il avra juré tel serement

le grand amour que j'ai pour vous et pour les autres, me force à parler ainsi. Toutefois, si c'était chose juste et convenable, je le souhaiterais de tout mon cœur, tant leur départ me causera de peine.

26. Lorsque leur conversation prit fin, le jour s'était levé, beau et clair, le soleil avait déjà un peu séché la rosée, et la salle commençait à s'emplir des barons du royaume. La reine, qui s'était levée, vint trouver le roi et lui dit :

– Seigneur, vos chevaliers vous attendent pour aller à la messe.

Il se lève et essuie ses yeux pour que ceux qui le verront ne remarquent pas sa douleur. Monseigneur Gauvain demande qu'on lui apporte ses armes, et Lancelot fait de même. Une fois armés, sauf de leurs écus, ils vont dans la salle où ils trouvent leurs compagnons prêts eux aussi à aller à l'église. Ils s'y rendent, assistent à la messe, armés comme ils l'étaient, puis retournent dans la salle. Tous ceux qui devaient prendre part à la quête vont s'asseoir les uns à côté des autres.

– Seigneur, dit le roi Baudemagu, puisque la Quête est définitivement engagée, il conviendrait, je pense, de faire apporter les reliques. Les compagnons prêteraient alors serment comme il est d'usage dans une telle occasion.

– Je le veux bien, dit le roi, puisque tel est votre désir et qu'il ne peut en être autrement.

Les clercs firent donc apporter les reliques sur lesquelles on prêtait serment à la cour et les placèrent devant la table d'honneur. Le roi appela monseigneur Gauvain et lui dit :

– C'est vous qui avez proposé cette Quête : approchez-vous et soyez le premier à prêter le serment que doivent faire ceux qui entrent dans la Quête du Saint-Graal.

– Seigneur, dit le roi Baudemagu, soit dit sans vous offenser, ce n'est pas lui qui prêtera serment le premier, mais celui que nous devons tenir pour seigneur et maître de la Table Ronde, monseigneur Galaad. Quand il aura

35 com il fera, nos feron tuit sanz contredit, car ainsi doit il
estre.

27. Lors fu apelé Galaaz, et il vint avant, si s'ajenoilla
devant les seinz et jura come loiax chevaliers que il ceste
Queste maintendroit .i. an et .i. jor et plus encor s'il li
covenoit a fere, ne ja mes a cort ne [re]vendroit devant
5 qu'il eust seue la verité del Saint Graal, se il la pooit onques savoir en nule maniere. Aprés jura Lanceloz tot autel
serement com il avoit fet, et puis jura messires Gauvain et
puis Percevax [*Bᵃ*, f. 8a], [et puis Boorz] et puis Lyonel,
et puis Helains li Blans. Aprés jurerent tuit li compaignon
10 de la Table Roonde. Et quant il orent fet le serement [cil
qui mis s'i estoient], cil qui mis les avoient en escrit troverent qu'il estoient .c. et .l., et si preudome tuit que l'en
n'i savoit .i. coart. Si se desjeunerent .i. petit por lo roi
qui les en requist, et quant il orent mangié, il mistrent lor
15 hiaumes en lor testes. [Et] lors fu certeine chose qu'il ne
remaindroient plus, si comandent la roine a Deu [a plors
et a lermes].

Et quant ele vit qu'il estoient au movoir et qu'il ne
pooient plus delaier, ele comença a fere si grant duel com
20 s'ele veist mort toz ses amis, et por ce que l'en ne s'aperceust coment ele en estoit corrocié, entra ele en sa chambre, si se lessa chooir en [son] lit. [Et] lors comença a fere
si grant duel qu'il ne fust si durs hom el monde, por qu'il
la veist, qui tote pitié n'en eust. Et quant Lanceloz fu toz
25 apareilliez come del monter, il qui tant avoit grant duel
del corroz sa dame la roine que nus n'en poïst estre plus
corrociez, si s'en torne vers la chanbre [ou il l'avoit veue
entrer] et entre dedenz. Et quant la roine le voit venir tot
armé, si li comence a crier :

30   – Ha ! Lanceloz, traïe m'avez et mise a la mort, qui lessiez l'ostel mon seignor lo roi por aler en estranges terres,
dont vos ja ne revendrez se Dex ne vos en ramoine.

– Dame, fet il, si feré, se Deu plest. Je revendrai plus
procheinement que vos ne quidiez.

35   – Ha ! Dex, fet ele, mes cuers ne le me dit pas, qui me

juré, nous prêterons, d'un commun accord, le même serment que lui, car il doit en être ainsi.

27. On appela donc Galaad ; il s'avança, s'agenouilla devant les reliques et jura, en loyal chevalier, qu'il maintiendrait la Quête un an et un jour et plus encore s'il le fallait, et qu'il ne reviendrait pas à la cour avant d'avoir appris la vérité du Saint-Graal, si toutefois il lui était donné de l'apprendre. Ensuite, Lancelot prêta exactement le même serment, suivi par monseigneur Gauvain, Perceval, Bohort, Lionel et Helain le Blanc, puis par tous les compagnons de la Table Ronde. Lorsque tous les participants eurent juré, ceux qui avaient mis leurs noms par écrit, trouvèrent qu'ils étaient cent cinquante, tous hommes de grande vaillance, sans un seul couard parmi eux. À la demande du roi, les compagnons prirent un peu de nourriture. Puis ils lacèrent leurs heaumes, et on comprit alors qu'ils ne s'attarderaient pas davantage. Tout en pleurant, ils recommandèrent la reine à Dieu.

Quand elle vit qu'ils étaient sur le point de partir et que rien ne les retiendrait, la reine commença à mener grand deuil comme si elle avait vu morts tous ses parents. Pour ne pas trop montrer son chagrin, elle entra dans sa chambre et se laissa choir sur son lit, en proie à une telle affliction que l'homme le plus endurci aurait été pris de pitié à la voir. Lorsqu'il fut prêt à monter en selle, Lancelot, qui souffrait plus que personne de la douleur de sa dame la reine, se dirigea vers la chambre où il l'avait vue entrer. En le voyant arriver tout armé, elle lui cria :

— Ah ! Lancelot, vous m'avez trahie et donné la mort, vous qui allez quitter la maison de mon seigneur le roi pour des contrées étrangères d'où vous ne reviendrez jamais si Dieu ne vous en ramène.

— Ma dame, dit-il, si Dieu le veut, je reviendrai et plus tôt que vous ne le pensez.

— Ah ! Dieu ! ce n'est pas ce que me dit mon cœur qui

met en totes les poors que onques jentil feme fust por chevalier.

— Dame [B^a, f. 8b], fet il, je m'en irai a vostre congié,
quant vos plera.

40   — Vos n'i alissiez ja mes, fet ele, par ma volenté. Mes
puis qu'il est einsi que aler vos en convient, alez en la
garde de Celui qui se lessa traveillier en la sainte Croiz
por delivrer l'umain lignage de la pardurable mort, qui
vos conduie a sauveté en toz les leus ou vos iroiz.

45   — Dame, fet il, Dex le m'otroit par la Soe douce pitié !

28. A tant se part Lanceloz de la roine, si vient en la
cort aval et trueve que si compaignon furent ja monté [ne]
n'atendoient [a movoir] fors lui. [Et] il vient a son cheval
et monte. Et li rois, qui vit Galaaz sanz escu et voloit mo-
5   voir en la Queste ausi come li autre, vient a lui et li dist :

— Sire, il me semble que vos ne fetes mie assez, qui partez de ceenz sanz escu.

— Sire, fet il, je [me] mefferoie se je ceenz le prenoie. Ja
nul n'en prendrai devant que aventure le m'ameint.

10   — Or vos en conselt Dex, fet li rois, que je m'en teré a
tant, puis que autrement ne puet estre.

Atant furent monté li baron et li chevalier. Si s'en issent
de la cort li .i. et li autre, si s'en vont tot contreval la vile.
Si ne veistes onques si grant duel ne tel ploreiz com cil de
15   la cité fesoient comunement quant il virent les compaignons qui s'en aloient en la Queste del Saint Graal. Ne il
n'avoit iluec baron povre ne riche, de toz cels qui devoient
remanoir, qui n'en plorast a chaudes lermes, que trop [B^a,
f. 8c] avoient grant duel de lor departement. Mes cil qui
20   aler s'en devoient n'en fesoient nul senblant qu'il lor en
fust a rien, ainz vos fust avis, se vos les veissiez, qu'il en
fussent trop lié, et si estoient il sanz faille. Quant il furent
venu en la forest [par devers le chastel] Vagan, si s'arresterent tuit a une croiz.

25   Lors dist messires Gauvain au roi :

me cause toutes les craintes qu'une dame ait jamais éprouvées pour un chevalier.

— Ma dame, je ne partirai qu'avec votre permission, et quand il vous plaira.

— S'il ne tenait qu'à moi, vous ne partiriez jamais. Mais puisqu'il le faut, je vous confie à la garde de Celui qui se laissa supplicier sur la sainte Croix pour délivrer la race humaine de la mort éternelle. Qu'Il vous guide et vous protège en tous lieux où vous irez.

— Ma dame, puisse Dieu, dans sa grande miséricorde, vous entendre.

28. Lancelot quitta alors la reine et descendit dans la cour où ses compagnons, déjà à cheval, n'attendaient que lui pour partir. Il monta en selle à son tour. Le roi, voyant que Galaad allait partir à la Quête sans écu, s'approcha de lui et lui dit :

— Seigneur, il me semble que vous avez tort de partir sans emporter d'écu.

— Seigneur, répondit-il, je commettrais une faute si j'en prenais un. Je n'en prendrai pas tant qu'une aventure ne me l'aura procuré.

— Que Dieu vous protège, dit le roi. Je ne dirai rien de plus puisqu'il ne peut en être autrement.

Barons[1] et chevaliers montèrent en selle, puis quittèrent le château et descendirent vers la ville. Jamais on ne vit chagrin et douleur pareils à ceux de tous les gens de la cité quand ils virent les compagnons partir pour la Quête du Saint-Graal. Parmi ceux qui restaient, il n'y avait aucun baron, riche ou pauvre, qui ne pleurât à chaudes larmes et ne se désolât de ce départ. Mais ceux qui partaient ne laissaient paraître aucun signe de tristesse, bien au contraire : on aurait cru, à les voir, qu'ils étaient tout joyeux. Et ils l'étaient, en effet. Une fois arrivés dans la forêt, non loin du château de Vagan, ils s'arrêtèrent tous au pied d'une croix.

Monseigneur Gauvain dit alors au roi :

– Sire, vos avez assez alé ; retornez, il le covient, car vos
estes cil qui plus ne nos convoiera.

– Li retorners, fet li rois, me grevera assez plus que li
venirs, car trop a enviz me depart de vos. Mes puis que je
30 voi que fere le covient, je m'en retorneré.

29. Lors oste messires Gauvain son hiaume de sa teste,
et ausi font tuit li autre [compaignon] ; si les cort li rois
besier [et li autre baron aprés]. Et quant il ont lor hiaume
laciez, si s'entrecomandent a Deu molt tendrement plo-
5 rant. Et maintenant s'en departent en tel maniere que li
rois s'en retorne a Kamaalot, et li conpaignon entrent en
la forest. Si chevauche[n]t tant qu'il sont venu au chastel
Vagan.

Cil Vagans estoit .i. preudons et de bone vie, si avoit
10 esté .i. des buens chevaliers do monde tant com il fu en
sa juenece. Et quant il vit les conpaignons qui passoient
par mi son chastel, si fist maintenant les portes [clore] de
totes parz et dist puis que Dex li avoit tele heneur fete
qu'il estoient venu en son pooir, il ne s'en istroient devant
15 qu'il les avroit serviz de tot son pooir. Si les retint en tel
maniere ausi com a force et les fist desarmer, si les servi
la nuit si bel et si richement qu'il se merveilloient ou il
pooit cel avoir avoir trové. Cele nuit pristrent conseil qu'il
porroient fere. A l'endemain si [B^a, f. 8d] s'acorderent
20 [a ce] qu'il se departiroient les uns des autres, si tendroit
chascun son chemin, por ce que a honte lor seroit torné
s'il aloient ensenble.

Au matin, si tost com li jorz parut, se leverent li conpaignon, si pristrent lor armes et alerent oïr messe a une cha-
25 pele qui leenz estoit. Et quant il orent ce fet, si monterent
en lor chevax et comanderent a Deu le seignor de leenz
et molt le mercierent de l[a grant] enor qu'il lor [avoit]
fete. Si oissirent del chastel, si se departirent maintenant
li .i. des autres einsi com il avoient porparlé, si se mistrent
30 en la forest li .i. ça et li autres la, la ou il la voient plus
espesse, [en tos les leus ou il trovoient voie ne sentier].
Si plorent assez au departir [cil qui quidoient avoir les

– Seigneur, vous êtes venu assez loin. Il faut vous en retourner ; ce n'est plus à vous de nous accompagner.

– Le retour, dit le roi, me sera bien plus dur que l'aller, car c'est bien à contrecœur que je vous quitte. Mais puisqu'il le faut, je m'en retournerai.

29. Monseigneur Gauvain et tous les autres compagnons enlèvent alors leurs heaumes. Le roi court les embrasser, et les autres barons font de même, puis les compagnons relacent leurs heaumes et ils se recommandent mutuellement à Dieu en versant de douces larmes. Ils se séparent alors sans plus tarder : le roi retourne à Camaalot et les compagnons pénètrent dans la forêt et chevauchent jusqu'au château de Vagan.

Ce Vagan était un homme probe et sage, qui avait été dans sa jeunesse un des meilleurs chevaliers de son temps. Quand il vit les compagnons traverser son château[1], il fit immédiatement fermer toutes les portes et dit que, puisque Dieu lui avait fait l'honneur de les placer sous sa protection, il ne les laisserait pas repartir avant de les avoir reçus du mieux qu'il pouvait. Il les retint presque de vive force, les fit désarmer, et leur offrit ce soir-là une hospitalité d'une telle magnificence qu'ils se demandèrent d'où il pouvait tenir toutes ces richesses. Cette nuit-là, les compagnons se consultèrent sur ce qu'ils devaient faire, et décidèrent qu'ils se sépareraient le lendemain et que chacun partirait de son côté, car ils risqueraient d'encourir la honte s'ils allaient tous ensemble.

Au matin, dès que le jour parut, ils prirent leurs armes et allèrent entendre la messe dans une chapelle du château. Puis ils montèrent à cheval, recommandèrent à Dieu leur hôte en le remerciant vivement de l'honneur qu'il leur avait fait. Ils quittèrent le château, se séparèrent comme ils l'avaient décidé, et chacun de son côté pénétra dans la forêt là où elle lui semblait la plus épaisse, sans chemin ni sentier. Même ceux qui croyaient avoir le cœur dur et

cuers plus durs et plus orgueilleus]. Mes atant se test ore
li contes d'els toz et parole de Galaaz, por ce que comen-
35 cemenz devoit estre de la Queste.

30. Or dit li contes que quant Galaaz se fu partiz de ses
compaignons, il chevaucha sanz escu trois jorz ou .iiii.
sanz aventure trover qui a conter face. Au [quint] jor, aprés
hore de vespres, li avint que sa voie l'amena a une blanche
5 abeie. Et quant il fu la venuz, si hurte a la porte et li frere
de leenz saillirent hors qui le descendirent a grant joie,
com cil qui bien conurent qu'il estoit chevaliers erranz. Si
prist li .i. son cheval et li autre le menerent en une chambre par terre por lui desarmer. Et quant il l'orent alegié
10 de ses armes, il regarda .ii. des compaignons de la Table
Roonde, dont li .i. estoit li rois Baudemaguz [B^a, f. 9a] et
li autres Yvains li Avoutres. Et si tost com il l'orent avisé
et coneu, si li corent les braz tenduz por lui fere feste [et]
joie, que molt estoient lié de ce qu'il l'avoient leenz trové.
15 Si se firent a lui conoistre ; et com il les reconut, si lor
refist [molt] grant joie et molt les henora come cels qu'il
devoit tenir a freres et a compaignons. Ce soir, quant il
orent mangié [et il furent aler esbatre] en .i. vergier qui
estoit leenz, qui molt estoit biax, si s'asistrent soz .i. arbre,
20 et lors [lor] demanda Galaaz quele aventure les avoit leenz
aportez.
– Par foi, sire, font il, nos i venismes [por] vooir une
aventure qui est trop merveilleuse, car l'en nos a fet entendant qu'il a ceenz .i. escu que nus nel puet pendre a son
25 col, por quoi il l'en vueille porter, a cui il n'en meschie si
qu'il est el premier jor [ou el secont] morz ou veincuz ou

orgueilleux pleurèrent au moment de se séparer. Mais ici le conte ne s'occupe plus d'eux et parle de Galaad parce que c'est lui qui devait ouvrir la Quête.

CHAPITRE II

Aventure de l'écu

30. Le conte dit que lorsque Galaad eut quitté ses compagnons, il chevaucha sans écu trois ou quatre jours et ne rencontra aucune aventure digne d'être rapportée. Le cinquième jour, passé l'heure de vêpres, son chemin le conduisit à une abbaye de moines blancs[1]. Il frappa à la porte. Les moines sortirent et s'empressèrent de l'aider à descendre de cheval, voyant bien que c'était un chevalier errant. L'un prit son cheval, et les autres le menèrent dans une salle basse[2] pour le désarmer. Une fois débarrassé de ses armes, il aperçut deux des compagnons de la Table Ronde, dont l'un était le roi Baudemagu et l'autre Yvain l'Avoutre[3]. Dès qu'ils eurent reconnu Galaad, ils se précipitèrent vers lui, les bras tendus, pour lui faire fête, tout heureux de le retrouver. Ils se firent connaître, et lui à son tour manifesta une grande joie, honorant en eux ses frères et ses compagnons. Le soir, après le dîner, ils allèrent se reposer dans un verger attenant, qui était très beau, et s'assirent sous un arbre. Galaad leur demanda alors quelle aventure les avait amenés en ce lieu.

– Eh bien, dirent-ils, nous sommes venus pour voir une aventure tout à fait merveilleuse. On nous a dit qu'il y avait dans cette abbaye un écu que nul ne peut pendre à son cou et emporter sans qu'il lui arrive quelque malheur : dès le premier ou le second jour, il est tué, vaincu

mehaigniez. Si somes venu [por] savoir se c'est voir que
l'en nos dit.

— Car ge l'en vueil le matin porter, fet li rois Baudema-
30 guz. Lors si savrai se l'aventure est tele com l'en dit.

— Par foi, fet Galaaz, vos me contez merveilles. Et se cil
escuz est tex com vos dites et vos [ne] l'en poez porter, je
sui cil qui l'en portera, car ausi n'ai je point d'escu.

— Sire, font il, dont le vos lerons nos, car autresi savons
35 nos bien que vos ne faudroiz pas a l'aventure.

— Ge vueil, fet il, que vos i essaiez por savoir se c'est
voirs ou non que l'en vos a dit.

31. Et il s'i acordent bien andui. Cele nuit furent servi
et aaisié de tot ce que cil de leenz porent avoir, et molt
henorerent li frere Galaa[d] quant il oïrent le haut tesmoig
que [li chevalier] li porterent ; [si] le couchierent molt ri-
5 chement et si hautement com l'en devoit fere tel home
com il estoit. Et pres de lui jut li rois Baudemaguz et ses
compainz ausi. Et l'endemain, com il orent oï messe, si
demanda li rois Baudemaguz a .i. des freres de [*B^a*, f. 9b]
leenz ou li escuz estoit dont l'en fesoit tel parole par le
10 païs.

— Sire, fet li preudons, por quoi le demandez vos ?

— Por ce, fet il, que je l'en porteré auvec moi [por] savoir
s'il a tel vertu com l'en dit.

— Je ne vos lo mie, fet li preudons, que vos l'e[m]portez
15 hors de ceenz, car je ne quit qu'il vos en avenist ja se
honte non

— Tote voies, fet il, vueil je savoir [ou] il est et de quel
façon.

Et cil le moine maintenant derriere le mestre autel de
20 leenz et trueve iluec .i. escu blanc a une croiz vermeille.

— Sire, fet li preudons, vez ci l'escu que vos demandez.

Et il [l']esgardent, si dient a lor avis qu'il est li plus
biax et li plus riches qu'il eussent onques mes veu ; et fle-
roit ausi soef com se totes les especes del monde i fussent
25 espandues. Quant Yvains li Avotres le vit, si dit :

— Si m'aït Dex, vez ci l'escu qui ne doit pendre a col

ou mutilé. Nous sommes venus pour savoir si cela est vrai.

— Et j'ai l'intention, ajouta le roi Baudemagu, de l'emporter demain matin. Je saurai alors si l'aventure est telle qu'on le dit.

— Par ma foi, dit Galaad, c'est là une bien grande merveille. Si l'écu est tel que vous dites et que vous ne pouvez pas l'emporter, c'est moi qui l'emporterai, car je n'en ai pas.

— Seigneur, dirent-ils, nous vous le laisserons donc, car nous savons bien que vous n'échouerez pas.

— Néanmoins, dit Galaad, je veux que vous essayiez pour savoir si ce qu'on vous a dit est vrai.

31. Les deux compagnons acceptèrent. Cette nuit-là, les moines leur offrirent leur plus généreuse hospitalité et traitèrent Galaad avec beaucoup d'honneur quand ils entendirent les deux chevaliers témoigner de son mérite. Ils lui donnèrent une couche somptueuse digne d'un homme tel que lui. Le roi Baudemagu et son compagnon dormirent à ses côtés. Le lendemain, après la messe, le roi demanda à un des moines où était l'écu dont on parlait tant dans le pays.

— Seigneur, dit le moine, pourquoi le demandez-vous ?

— Parce que je veux l'emporter avec moi pour savoir s'il possède la vertu que l'on dit.

— Je ne vous conseille pas de l'emporter, dit le moine, car vous n'y gagneriez que de la honte.

— Néanmoins, je veux savoir où il est, et comment il est.

Le moine le conduit alors derrière le maître-autel, et là il voit un écu blanc à croix vermeille.

— Seigneur, dit le moine, voici l'écu que vous désirez voir.

Les chevaliers le regardent et déclarent que c'est le plus beau et le plus riche qu'ils aient jamais vu. De plus, il sentait aussi bon que si toutes les épices du monde avaient été répandues sur lui.

— Par Dieu, dit Yvain l'Avoutre, voici l'écu que nul ne

de chevalier s'il n'est plus prodons que autres. Et ce est
cil qui ja a mon col ne pendra, car certes je ne sui mie si
vaillanz ne si preudons que je le doie pendre a mon col.
30   – Par foi, fet li rois Baudemagus, coment qu'il m'en
doie avenir, ge l'enporteré de ceenz.

32. Lors le prent par la guige et l'e[m]porte do mostier
hors, et com il est venuz a son cheval, si dit a Galaaz :
    – Sire, s'il vos plesoit, je vodroie bien que vos m'aten-
dissiez ceenz tant que vos seussié[s] coment il m'avendra
5 de ceste aventure. Car, s'il me meschooit, il me plairoit
molt que vos l'eussiez ; et je sai bien que l'aventure acheverez vos legierement.
    – Ge vos atendrai volentiers, fet Galaaz.
    Et cil monte maintenant et li frere de leenz li baillierent
10 .i. escuier por fere li compaignie, qui raportera arriere [B^a,
f. 9c] l'escu s'il [le] covenoit a fere. Einsi est remés Galaaz entre lui et [Yvain qui li fera] compaignie tant qu'il
sache [la] verité de ceste chose. Et li rois Baudemagus,
[qui] s'est mis en son chemin, si chevauche entre lui et
15 son escuier bien .ii. liues ou plus, tant que il vint en une
valee par devant .i. hermitaje qui estoit el fonz d'un val.
Il regarde vers l'ermitaje et voit venir .i. chevalier armé
d'unes armes blanches, et venoit si grant oirre com li chevax sor quoi il sooit pooit aler. Il tint le glaive aloignié, si
20 vint encontre lui poignant. Et cil li adrece si tost com il
le voit venir, et brise son glaive sor lui [et le fet voler en
pieces]. Et li blans chevaliers, [qui l'avoit pris a descovert],
le fiert si durement qu'il li ront les mailles del hauberc, si
li met par mi l'espaulle senestre le fer trenchant a tot le
25 fust. Il l'enpoint bien com cil qui assez avoit cuer et force,
si le porte del cheval a terre. Et au parchooir qu'il fist, li
chevaliers li oste l'escu del col, et li dit si haut que bien le
puet oïr, si que li escuiers l'entendi bien :
    – Sire chevalier, trop fustes fox et musarz qui cest escu
30 pendistes a vostre col, qui n'est otroiez a porter a nul chevalier a son col, s'il n'est li meudres chevaliers del monde.

doit pendre à son cou s'il n'est le meilleur des chevaliers. Aussi ne pendra-t-il jamais au mien, car je n'ai ni assez de vaillance ni assez de mérite.

– Par ma foi, dit le roi Baudemagu, je l'emporterai d'ici, quoi qu'il puisse m'advenir.

32. Il le prend par la courroie et l'emporte hors de l'église. Ayant rejoint son cheval, il dit à Galaad :

– Seigneur, si vous le voulez bien, je vous demanderais de m'attendre ici jusqu'à ce que je puisse vous raconter ce qui me sera advenu. S'il m'arrivait malheur, j'aimerais que l'écu vous soit remis, car je suis sûr que vous réussirez sans peine l'aventure.

– Je vous attendrai volontiers, répond Galaad.

Baudemagu monte en selle ; un écuyer que lui donnèrent les moines lui tiendra compagnie et, si besoin est, rapportera l'écu. Ainsi Galaad demeura avec Yvain qui ne voulait pas le quitter avant de connaître le dénouement de l'aventure. Le roi Baudemagu qui s'était mis en route avec l'écuyer, chevaucha un peu plus de deux lieues avant d'arriver dans une vallée au fond de laquelle se trouvait un ermitage. Comme il regardait dans cette direction, il vit arriver aussi vite que pouvait aller son cheval un chevalier à l'armure blanche qui, la lance en arrêt, fonçait droit sur lui. Baudemagu aussitôt fait face et brise sur lui sa lance qui vole en éclats. Le chevalier blanc, qui avait pris le roi à découvert[1], lui porte un coup si rude qu'il lui rompt les mailles du haubert et lui enfonce le fer et le bois de sa lance dans l'épaule gauche. Il appuie avec tant de force et d'assurance que Baudemagu est porté à terre. Le chevalier lui ôte alors l'écu et lui dit d'une voix si forte que non seulement le roi mais aussi l'écuyer l'entendirent distinctement :

– Seigneur chevalier, vous avez été bien sot et bien fou de pendre à votre cou cet écu que nul n'a le droit de porter s'il n'est le meilleur chevalier du monde. Aussi Notre-

Et por le mefet que vos en avez fet m'envoia ça Nostre
Sires, [por] prendre la venjance selonc le meffet.

33. Et quant il a ce fet, si vient a l'escuier et li dit :

— Tien, [va t'en et enporte] cest escu [au serjant Jhe-
sucrist], au buen chevalier que l'en apele Galaaz, que tu
lessas ore en l'abeie, et li di que li Hauz Mestres li mande
5 qu'il le port, qu'il le trovera toz jorz ausi fres et ausi [B^a,
f. 9d] buens com il est orendroit, et por ce le doit molt
amer. Et le salue de par moi, si tost com tu le verras.

Li vallez demande au chevalier :

— Sire, coment avez vos non, que je le sache dire au che-
10 valier quant je vendrai a lui ?

— [De] mon nom, fet il, ne puez tu mie savoir, car ce
n'est mie chose que l'en doie dire a toi n'a home terrien,
[et] por ce t'en covient il atant soffrir. Mes totes icez
choses que je te comanderai fai.

15 — Sire, fet li vallez, puis que vos vostre non ne me direz,
je vos pri [et conjur] par la rien del monde que vos plus
amez que vos me dioiz la verité de cest escu, et coment il
fu aporté en ceste terre et por qoi tantes merveilles en sont
avenues, que onques home a nostre tens nel pot pendre a
20 son col a cui il n'en meschaïst.

— Tant m'en as conjuré, fet il, que je le te dirai, mes ce
ne sera pas a toi sol, ainz voil que tu i amoines le chevalier
[a] qui tu porteras l'escu.

Et cil dit que ce fera il bien.

25 — Mes or me dites ou nos vos porrons trover quant nos
vendrons ceste part ?

— En ceste place meismes, fet il, me troverez.

Lors vient li vallez au roi Baudemagu, si li demande s'il
est molt navrez.

30 — Oïl, certes, fet il, si durement que je n'en quit ja eschaper sanz mort.

— Biau sire, fet soi li vallez, porroiz vos chevauchier ?

34. Et il dit qu'il i essaiera. Si s'adrece einsi navrez com
il estoit, et li vallez li aide tant qu'il sont venu au cheval

Seigneur m'a-t-il envoyé ici pour prendre une juste vengeance de l'offense que vous avez commise.

33. Puis il se dirige vers l'écuyer et lui dit :

– Prends cet écu et porte-le au soldat[1] de Jésus-Christ, au bon chevalier que l'on nomme Galaad, celui que tu viens de laisser à l'abbaye. Dis-lui que le Haut Maître lui ordonne de le porter. Il le trouvera toujours aussi neuf et aussi bon qu'il l'est maintenant, et c'est pourquoi il doit le chérir. Et salue-le de ma part dès que tu le verras.

– Seigneur, lui demande l'écuyer, quel est votre nom, que je puisse le dire au chevalier quand je le verrai ?

– De mon nom tu ne peux rien savoir, car il ne doit être révélé ni à toi ni à aucun être humain. N'en demande pas davantage, mais fais tout ce que je te commanderai.

– Seigneur, dit l'écuyer, puisque vous ne voulez pas me dire votre nom, je vous prie et je vous conjure par ce que vous avez de plus cher au monde de me dire la vérité sur cet écu, comment il a été apporté en ce pays, et pourquoi il a été la cause de tant de prodiges. Car aucun homme de notre temps n'a pu le pendre à son cou sans qu'il lui arrive malheur.

– Tu me le demandes si instamment que je te le dirai, répond le chevalier, mais pas à toi seul. Je veux que tu amènes ici le chevalier à qui tu porteras l'écu.

L'écuyer promet de le faire.

– Mais où, ajoute-t-il, pourrons-nous vous trouver quand nous reviendrons ?

– Ici même, répond-il.

L'écuyer s'approche alors du roi Baudemagu et lui demande s'il est gravement blessé.

– Oui, certes, et si grièvement que je ne pense pas en réchapper.

– Beau seigneur, pourrez-vous monter à cheval ?

34. Le roi dit qu'il essaiera. Il se redresse, tout blessé qu'il est, et avec l'aide de l'écuyer parvient jusqu'au che-

dont li rois estoit chaüz. Si monte li rois devant et li vallez
derrieres, por [B^a, f. 10a] tenir le par mi les flans, car il
5 quide bien [qu'il chaïst] autrement, et si feist il sanz faille.
En tel maniere se partirent de la place ou li rois ot esté
navré, et chevauchent tant qu'il sont venu a l'abeie dom il
estoient parti. Et quant cil de leenz sorent qu'il revenoient,
si lor saillent a l'encontre et descendent lo roi Baudemagu,
10 si le moinent en une chambre et se font prendre garde de
sa plaie, qui molt estoit granz et merveilleuse. Et Galaaz
demande a .i. des freres, qui s'en entremetoit :
   — Sire, quidiez vos qu'il poisse garir ? [Car il me sem-
ble] qu'il seroit domages [trop granz], s'il por ceste aven-
15 ture moroit.
   — Sire, fet li freres, il [en] eschapera bien, se Deu plest.
Mes [je vos di qu']il est molt durement navrez ; si ne l'en
doit l'en mie plaindre, que nos li avions bien dit que s'il
l'escu enportoit, il en morroit ou il li mescharroit, et il
20 l'enporta sor nostre deffens, dom il se puet tenir por fol.
   Quant cil de leenz li orent fet tot ce qu'il sorent de bien,
li vallez dit a Galaaz, oiant toz cels de la place :
   — Sire, saluz vos mande li chevaliers as blanches armes,
cil par cui li rois Baudemaguz fu navrez, et vos envoie cest
25 escu. Si vos mande que vos le portez des or mes, de par
le Haut Mestre, qu'il n'est ore nul fors vos, si com il dit,
qui le doie porter. Et por ce le vos a il par moi envoié. Et
se vos volez savoir dont cez aventures sont par tantes foiz
avenues, alons a lui entre moi et vos et il le nos contera,
30 car ausi le m'a il promis.

35. Et quant li frere oent ceste novele, si s'umilient molt
vers Galaaz, et dient [B^a, f. 10b] que benooiz soit Dex
qui cele part l'a amené, car ce sevent il bien que les granz
aventures perilleuses seront par lui menees a fin. Et Yvains
5 li Avoutres dist :
   — Messire Galaaz, metez a vostre col cel escu, qui onques ne fu fez se por vos non. Si sera auques ma volenté acomplie, car certes je ne desirrai onques mes autant

val dont il avait été jeté à bas. Il monte devant, et l'écuyer, derrière lui, le tient à mi-corps sachant bien qu'autrement il tomberait, ce qu'il ferait à coup sûr. Ils quittent ainsi l'endroit où Baudemagu avait été blessé et chevauchent jusqu'à l'abbaye. Quand les moines apprennent leur retour, ils courent les accueillir, aident le roi à descendre de cheval, le conduisent dans une chambre et soignent sa plaie qui était remarquablement profonde. Galaad demande à un des frères qui s'occupaient du blessé :

– Seigneur, pensez-vous qu'il puisse guérir ? Ce serait un bien grand malheur, me semble-t-il, si cette aventure devait causer sa mort.

– Seigneur, dit le moine, il en réchappera s'il plaît à Dieu. Mais je dois vous dire qu'il est très grièvement blessé. Toutefois, il ne faut pas trop le plaindre, car nous lui avions bien dit que s'il emportait l'écu, il en mourrait ou subirait quelque malheur. Il ne nous a pas écoutés et ne peut donc que blâmer sa folie.

Quand les moines eurent donné au roi tous leurs meilleurs soins, l'écuyer dit à Galaad en présence de tous :

– Seigneur, le chevalier à l'armure blanche, celui qui a blessé le roi Baudemagu, vous salue et vous envoie cet écu. Au nom du Haut Maître, il vous demande de le porter désormais, car nul autre que vous, dit-il, ne doit le porter, et c'est pour cela qu'il m'a chargé de vous le remettre. Et si vous désirez savoir la raison des aventures qui se sont si souvent produites, rendons-nous tous deux auprès de lui et il nous l'expliquera ; il me l'a promis.

35. En entendant ces paroles, les moines s'inclinent très humblement devant Galaad et rendent grâce à Dieu de l'avoir conduit en ce lieu, car ils savent bien que c'est lui qui achèvera les grandes et périlleuses aventures.

– Monseigneur Galaad, dit Yvain l'Avoutre, pendez à votre cou cet écu qui n'a été fait que pour vous. Ainsi mon désir sera comblé, car je n'ai jamais rien tant souhaité que

chose que je veisse com je fesoie a conoistre le Beneuré
10 Chevalier qui de cest escu avroit la seignorie.

Galaaz respont qu'il le metra a son col puis qu'envoiez
li est, mes ainz velt que ses armes soient aportees, et l'en
li aporte. [Et] quant il est armez et montez en son cheval, si pent son escu a son col [et] si se part de leenz et
15 comande les freres a Deu. Et Yvains li Avoutres se refu
armez et monté en son cheval et dit qu'il feroit compaignie
a Galaaz. Mes il li respondi que ce ne pooit estre, qu'il
iroit toz sol fors del vallet, si se parti einsi li .i. de l'autre
[et] tint chascun sa voie. Si s'enbati Yvain en une forest.
20 Et Galaaz et li vallez s'en vont tant qu'il troverent le
chevalier que li escuiers qui auvec Galaad estoit avoit autre
foiz veu. Quant il voit venir Galaaz, si li va a l'encontre et
le salue, et cil li rent son salu au plus cortoisement qu'il
puet. Si s'entr'acointent et parole li .i. a l'autre, tant que
25 Galaaz dit au chevalier :

– Sire, de cest escu que je port sont maintes aventures
merveilleuses avenues en cest païs, si com j'ai oï dire. Si
vos vodroie prier par amor [B^a, f. 10c] [et par franchise]
que vos m'en deissiez la verité [et] coment et por quoi
30 c'est avenu, car je croi bien que vos le sachiez.

– [Certes, sire], gel vos dirai [volentiers], fet li chevaliers, que bien en sai la verité.

« Or escoutez, [se il vos plest]. Galaaz, fet li chevaliers,
il avint aprés la Passion Jesucrist .xii. anz que Joseph
35 d'Arimathie, li buens chevaliers qui despendi Nostre Seignor de la Croiz, se parti de la cité de Jerusalem entre
lui et [grant partie de son parenté]. Et tant errerent, par le
comandement Nostre Seignor, qu'il vindrent a la cité
de Sarraz, que li rois Evalac, qui lors estoit sarrazins et
40 mescreanz, tenoit. A celui tens que Josep vint a Sarraz
avoit Evalach guerre encontre .i. suen voisin, riche roi
[et] poissant, qui marchissoit a sa terre, si estoit cil rois
apelé Tolomé. Quant Evalach se fu apresté por aler sor
Tolomé, qui sa terre li demandoit, Josephés li fiz Josep
45 li dist que, s'il aloit en la bataille si desconseilliez com il
estoit, il seroit veincuz et honiz par son enemi.

de connaître le Bienheureux Chevalier à qui reviendrait le droit de posséder cet écu.

Galaad répond qu'il le prendra puisqu'il lui est envoyé, mais il veut d'abord qu'on lui apporte ses armes. Une fois armé et à cheval, il suspend l'écu à son cou et s'en va en recommandant les moines à Dieu. Yvain l'Avoutre, qui lui aussi s'était armé et était monté en selle, dit qu'il voulait accompagner Galaad. Mais celui-ci répondit que c'était impossible et qu'il irait seul avec l'écuyer. Ils se séparent donc et chacun part de son côté. Yvain pénètre dans une forêt tandis que Galaad et l'écuyer chevauchent jusqu'à ce qu'ils retrouvent le chevalier que l'écuyer avait déjà vu. Quand il voit venir Galaad, le chevalier va à sa rencontre et le salue. Galaad fait de même le plus courtoisement qu'il le peut. Ils s'abordent et échangent quelques propos jusqu'à ce que Galaad dise au chevalier :

– Seigneur, cet écu que je porte a été la cause, m'a-t-on dit, de maintes aventures surprenantes en ce pays. Au nom de votre générosité et de votre noblesse, j'aimerais que vous me disiez la vérité sur cet écu, et comment et pourquoi tout ceci est arrivé ; car je suis sûr que vous le savez.

– En effet, seigneur, je le sais et vous le dirai volontiers. Écoutez-moi donc, Galaad, si vous le voulez bien.

« Douze ans après la Passion de Jésus-Christ, il advint que Joseph d'Arimathie, le bon chevalier qui descendit Notre-Seigneur de la Croix, quitta la cité de Jérusalem avec de nombreux membres de sa famille. Ils voyagèrent longtemps sur l'ordre de Notre-Seigneur, et finirent par arriver à la cité de Sarras que tenait le roi Evalach, un païen et un mécréant. Lorsque Joseph arriva à Sarras, Evalach faisait la guerre à un de ses voisins, un roi riche et puissant dont la terre touchait la sienne et qui se nommait Tholomer. Comme Evalach s'apprêtait à marcher sur Tholomer qui voulait s'emparer de son royaume, Josephé[1], le fils de Joseph, lui dit que s'il allait au combat dépourvu comme il l'était de la vraie foi, il serait honteusement vaincu par son ennemi.

"Et que me loez vos, fist Evalac, que g'en face ?
– Ce vos dirai je bien", fist il.

36. « Lors li comence a trere les poinz de la novele loi
avant et [la verité] de l'Evangile et [del] crucefiement
Jesucrist, et [del] resucitement [li dist il la verité], si li fist
aporter .i. escu ou il fist une croiz et [li] dist :

5 "Rois Evalach, or te mosterrai [apertement] coment tu
porras conoistre la force et la vertu del verai Crucefiz. Il
est voir que Tholomé li fuitis avra seignorie .iii. jorz et
.iii. nuiz sor toi et tant fera qu'il te me[n]ra a poor de mort,
si que tu ne quideras pas [que tu en puisses] eschaper, lors

10 descuevre la croiz et dit : 'Biau sire Dex, de qui mort je
port le signe, jetez moi de cest peril et conduisiez sain et
[*B^a*, f. 10d] sauf a recevoir vostre foi et vostre creance'."

« Atant s'en parti li rois et ala a ost sor Tolomer, si li
avint tot einsi com Josephés li dist. Et quant il se vit en tel

15 peril qu'il quidoit veraiement morir, si descovri son escu
et vit el mi leu la senblance d'un home crucefié qui estoit
sanglenz. Si dist les paroles que cil li ot enseigniés, dont
il ot vitoire et henor et fu jeté des mains a ses enemis et
vint au desus de Tolome et de toz ses homes. Quant il vint

20 a sa cité de Sarraz, si dist a tot le pueple la verité qu'il
avoit trovee en Josephé et tant manifesta l'estre des crestiens que Nasciens reçut batesme. Et en ce qu'il le bauti-
zoient avint que .i. hom passoit par devant els, qui avoit le
poig coupé et portoit le po[i]g en l'autre main. Joseph[és]

25 l'apela [a lui] et cil i vint. Et si tost com il ot la croiz qui
en l'escu estoit, si se trova gariz del poig qu'il avoit perdu.
Et encor en avint une autre merveille, que la croiz qui en
l'escu estoit se parti de l'escu et s'aert au braz de celui
en tel maniere que onques puis ne fu veue en l'escu. Lors

30 reçut Evalac bautesme et devint serjant Jesucrist, et tint
puis toz jorz l'escu [en grant honor et] en grant reverence
et le fist garder molt chierement.

37. « Aprés avint que Josephés se fu parti de Sarraz entre lui et son pere et furent venu en la Grant Bretaigne et

"Que me conseillez-vous ? demanda Evalach

– Je vais vous le dire", répondit Josephé.

36. « Il se mit alors à lui exposer les articles de la Nouvelle Loi, la vérité de l'Évangile, de la Crucifixion de Jésus-Christ et de sa Résurrection ; puis il fit apporter un écu où il traça une croix et dit :

"Roi Evalach, je vais t'expliquer clairement comment tu pourras connaître la puissance et la vertu du vrai Crucifié. Il est vrai que Tholomer le fugitif[1] l'emportera sur toi pendant trois jours et trois nuits et te fera craindre pour ta vie. Mais quand tu penseras que tout est perdu pour toi, découvre la croix et dis : 'Beau Seigneur Dieu, de la mort de qui je porte le signe, sauvez-moi de ce péril et menez-moi sain et sauf recevoir votre foi et votre loi'."

« Le roi partit alors combattre Tholomer et tout se passa comme Josephé l'avait dit. Quand Evalach se vit en péril de mort, il découvrit son écu et vit au milieu l'image d'un homme crucifié, tout sanglant. Il prononça les paroles que Josephé lui avait apprises, lesquelles lui assurèrent honneur et victoire : il échappa aux mains de ses ennemis et triompha de Tholomer et de toute son armée. De retour dans sa cité de Sarras, il annonça devant son peuple la vérité que Josephé lui avait révélée et proclama si hautement le caractère des chrétiens que Nascien se fit baptiser. Pendant le baptême, un homme vint à passer qui tenait dans une de ses mains son autre main coupée. Josephé l'appela, l'homme s'approcha, et dès qu'il eut touché la croix qui était sur l'écu, sa main lui fut rendue. Et ce ne fut pas là le seul prodige : la croix se détacha de l'écu pour aller se graver sur le bras de l'homme ; et jamais on ne la revit sur l'écu. Alors Evalach reçut le baptême et devint le soldat de Jésus-Christ. Depuis ce jour-là, il ne cessa jamais d'honorer l'écu et le fit garder très précieusement.

37. « Ensuite Josephé et son père quittèrent Sarras pour se rendre en Grande-Bretagne où un roi cruel et perfide

troverent .i. roi cruel et felon qui les prist andeus et avec
els grant partie des crestiens. Quant Joseph[és] fu enpri-
5 sonez, tost en ala [*B^a*, f. 11a] la novele loig et pres, car au
jor ne savoit en el monde home de greignor reverence, [et]
tant que li rois Mordrain en oï parler. Si semonst ses jenz
entre lui et Nascien son serorge, si vindrent en la Grant
Bretaigne sor celui qui Joseph[é] tenoit en prison, si le de-
10 seriterent tot et confondirent cels del païs, si qe en la terre
fu espandue sainte crestienté. Il amoient tant Joseph[é] de
grant amor qu'il n'alerent puis en lor pais, ainz remeistrent auvec lui, si le sivoient en toz les leus ou il aloit. Et
quant ce fu chose que Josephé vint au lit mortel et Evalach
15 conut qu'il le covenoit partir de cest siecle, si vint devant
lui, si plora molt tendrement et dist :

"Sire, puis que vos me lessiez, or remaindrai je tot sol
en cest païs, [qui por vostre amor avoie ma terre lessiee
et la douçor de mon païs et] de ma nacion. Et por Dieu,
20 puis qu'il vos covient partir de cest siecle, lessiez moi [de
vos] aucunes enseignes qui me soient aprés vostre mort
remenbrance.

– Sire, fet Josephé, ce vos dirai je bien."

« Lors comença a penser qu'il [li] porroit lessier. Et
25 quant il ot grant piece pensé, si li dist :

"Rois Evalach, fetes moi ci aporter celui escu que ge
vos baillai quant vos alastes en la bataille sor Tholomer."

38. « Et li rois dit que si feroit il volentiers, car il estoit
pres d'iluec come celui qu'il fesoit porter auvec lui ou
qu'il alast. Si fist devant Josephé aporter l'escu. A celui
point que li escuz fu aportez avint que Josephés seino[i]t
5 [mout] durement par le nes, si qu'il ne pooit estre estan-
chiez. Et il prist tantost l'escu, si fist de son sanc meismes
cele croiz que vos [*B^a*, f. 11b] veez ici, car bien sachiez
que ce est ciz escuz dont je vos cont. Et quant il ot fete la
croiz tele com vos poez vooir, si dist :

10 "Vez ci l'escu que je vos les en remenbrance de moi.
Ne ja cest escu ne verrez qu'il ne vos en doie sovenir, car
vos savez bien que ceste croiz est fete de mon sanc, si sera

les emprisonna ainsi qu'un grand nombre de chrétiens. La nouvelle de l'emprisonnement de Josephé se répandit très vite aux alentours et au loin, car aucun homme alors n'était tenu en plus grand respect. Le roi Mordrain l'apprit et, avec Nascien son beau-frère, il convoqua ses troupes et se porta contre le roi de Grande-Bretagne qui tenait Josephé prisonnier. Ils le dépouillèrent de tous ses biens et se soumirent les habitants du pays, si bien que tout le royaume fut converti au christianisme. Evalach et Nascien aimaient tant Josephé qu'ils ne retournèrent pas chez eux, mais demeurèrent avec lui, l'accompagnant partout où il allait. Quand Josephé fut sur son lit de mort, Evalach, comprenant qu'il allait quitter ce monde, vint auprès de lui en pleurant tendrement et lui dit :

"Seigneur, vous allez me laisser et je vais rester tout seul dans ce pays, moi qui, pour l'amour de vous, ai abandonné mon royaume et la douceur de ma patrie. Par Dieu, puisqu'il vous faut quitter ce monde, laissez-moi quelque chose qui me sera un souvenir de vous lorsque vous serez mort.

– Seigneur, dit Josephé, je veux bien."

«Il se mit à réfléchir à ce qu'il pourrait lui laisser et au bout d'un long moment dit au roi :

"Roi Evalach, faites apporter ici l'écu que je vous ai donné quand vous êtes allé combattre Tholomer."

38. «Le roi dit qu'il le ferait volontiers, l'écu se trouvant tout près, car il l'emportait avec lui où qu'il allât. Lorsqu'on apporta l'écu devant Josephé, il se trouva que celui-ci saignait du nez, et si fort qu'on ne pouvait étancher le sang. Il prit l'écu et y traça de son sang même cette croix que vous pouvez voir, car cet écu, sachez-le, est celui dont je vous parle. Et quand il eut tracé cette croix, il dit à Evalach :

"Je vous laisse cet écu en souvenir de moi. Vous ne le verrez jamais, sans penser à moi, puisque cette croix, vous le savez, est faite de mon sang. Elle sera toujours

toz jorz mes ausi fresche et si vermeille com [vos la veez]
orendroit, tant com li escuz durra. Ne il ne faudra mie tost
15 por ce que ja mes nus nel pendra a son col, por qu'il soit
chevaliers, qu'il ne s'en repente, jusq'a tant que Galaaz,
li Buens Chevaliers, li derreeins del lignaje Nascien, le
pendra a son col. Et por ce ne soit nus si hardiz qui a son
col le pende se cil non a cui Dex l'a destiné. Si [i] a tele
20 acheson que, tot einsi com en cest escu ont esté veues
merveilles gregnors qu'en autres, tot ausi verra l'en plus
merveilleuse proece [et] plus haute vie en lui qu'en autre
chevalier.

— Puis qu'il est einsi, fet li rois, que vos si bone re-
25 menbrance de vos me leroiz, tant me dites s'il vos plest ou
ge leré cest escu. Car ge vodroie molt qu'il fust [mis] en
tel leu ou li Buens Chevalier le trovast.

— Dont vos dirai je, fet soi Josephés, que vos ferez. La
ou vos verrez que Nasciens se fera metre aprés sa mort,
30 si metez l'escu, car iluec vendra li Buens Chevaliers au
cinquiesme jor qu'il avra receu l'ordre de chevalerie."

39. « Si est tot einsi avenu com il le dist, car au cinquiesme jor aprés ce que vos fustes chevaliers venistes
vos en cele abeie ou Nasciens gist [*B^a*, f. 11c]. Si vos ai
ore conté por quoi les [grans aventures sont avenues as]
5   chevaliers plains de fol hardement qui [sor cestui devee-
ment] en voloient porter l'escu qui a nului n'estoit otroié
fors a vos.

Quant il ot ce conté, si s'esvanoï en tele maniere que
onques Galaaz ne sot qu'il estoit devenuz ne quel part il
10 estoit alez. Et quant li vallez qui iluec estoit ot oïe ceste
aventure, si descendi de son roncin et se lesse chooir as
piez Galaaz et li pria tot en plorant, por amor de Celui de
cui il porte le signe en son escu, qu'il li otroit d'aler auvec
lui com escuier et le face chevalier.

15 — Certes, fet Galaaz, se je compaignie vossisse avoir, je
ne refuseroie pas la vostre.

— Sire, fet li vallez, por Deu, dont vos reqier je que vos

aussi fraîche et aussi rouge qu'aujourd'hui tant que durera
cet écu ; et il durera longtemps, car nul homme, même s'il
est chevalier, ne pourra le mettre à son cou sans qu'il le
regrette, jusqu'au jour où viendra Galaad, le Bon Chevalier, le dernier descendant du lignage de Nascien. Que nul
n'ait donc l'audace de le pendre à son cou, sinon celui à
qui Dieu l'a destiné. Et voici pourquoi : de même que cet
écu a surpassé tout autre par son pouvoir merveilleux, de
même ce chevalier surpassera tous les autres chevaliers
par sa très grande prouesse et la noblesse de sa vie.

– Puisqu'il en est ainsi, dit le roi, que vous me laissez
de vous un souvenir si précieux, indiquez-moi, s'il vous
plaît, où je devrai laisser cet écu, car j'aimerais beaucoup
qu'il soit mis en un lieu où le Bon Chevalier puisse le
trouver.

– Voici donc ce que vous ferez, dit Josephé. Là où vous
verrez que sera enterré Nascien, placez l'écu. C'est là que
viendra le Bon Chevalier cinq jours après avoir reçu l'ordre de chevalerie."

39. «Or tout s'est accompli comme il l'avait annoncé
puisque cinq jours après votre adoubement vous êtes venu
dans cette abbaye où Nascien est enterré. Voilà donc l'explication des étonnantes aventures qui sont advenues aux
chevaliers tellement présomptueux qu'en dépit de cette
défense ils voulaient emporter l'écu destiné à vous seul.

Son récit achevé, il disparut sans que Galaad puisse savoir où il était allé et ce qu'il était devenu. L'écuyer qui
avait tout entendu, descendit de son roncin[1], se jeta en
pleurant aux pieds de Galaad et le supplia pour l'amour de
Celui dont il portait le signe sur son écu de lui permettre
d'être son écuyer et de le faire chevalier.

– Certes, dit Galaad, si j'avais besoin de compagnie, je
ne refuserais pas la vôtre.

– Par Dieu, seigneur, dit l'écuyer, je vous demande donc

me façoiz chevalier et ge vos di que chevalerie sera bien
en moi emploié, se Deu plest.

20   Galaaz regarde le vallet qui si [durement] plore, si l'en
prent grant pitié, et por ce li otroie.

– Sire, fet li vallez, retornons la dont nos venons, car
iluec avrai je armes et cheval. Et vos le devez fere, non
mie por moi solement, mes por une aventure qui i est, que
25   nus ne puet mener a chief, et je sai bien que vos l'ache-
veroiz.

Et il dit qu'il ira volentiers, si retorne tantost a l'abeie.
Quant cil de leenz virent qu'il revenoient, si lor firent joie
grant, si demanderent [a l'escuier] por quoi li chevaliers
30   estoit retornez :

– Por fere moi chevalier, fet il.

40. Et il en [on]t grant joie. Et li Bons Chevaliers demande ou l'aventure est.

– Sire, font li frere a Galaaz, savez vos quele aventure
ce est ?
5   – Nenil, fet il.

– Or sachiez, font il, que c'est une voiz qui ist d'une des
tonbes de nostre cimetiere. Si est de tel [*B^a*, f. 11d] maniere que nus ne l'ot qui ne perde la force del cors grant
tens aprés.
10   – Et savez vos, fet [Galaaz], dont cele voiz vient ?

– Nenil, f[on]t il, se ce n'est de l'enemi.

– Or m'i menez, fet il, que molt le desire a savoir dont
ce vient.

Lors le moinent au chief del mostier tot armé fors de
15   son hiaume, si [li] dist .i. des freres :

– Sire, veez vos cel grant arbre et cele tombe desoz ?

– Sire, [fet il], oïl.

– Or vos dirai donc, fet li preudons, que vos feroiz. Alez
a cele tombe, si la levez, et je vos di que vos troveroiz
20   desoz aucune grant merveille.

Lors s'en vet Galaaz cele part, si ot une voiz qui jeta .i.

de m'adouber, et je vous assure que je servirai bien l'ordre
de chevalerie, s'il plaît à Dieu.

Galaad regarde le jeune homme qui est tout en larmes
et, pris de pitié, il consent.

– Seigneur, dit l'écuyer, retournons à l'abbaye, car je
trouverai là une armure et un cheval. Et vous devez y retourner, moins pour moi que pour une aventure que personne n'a pu achever, mais que vous, j'en suis sûr, saurez
mener à bien.

Galaad accepte volontiers et retourne aussitôt à l'abbaye avec l'écuyer. Les moines les accueillent chaleureusement, puis demandent à l'écuyer pourquoi le chevalier
est de retour.

– Pour me faire chevalier, répond-il.

40. Tous s'en réjouissent. Le Bon Chevalier demande
alors où se trouve l'aventure.

– Seigneur, lui disent les moines, savez-vous de quoi il
s'agit ?

– Non, répond-il.

– Eh bien, voici : il s'agit d'une voix qui sort d'une des
tombes de notre cimetière. Elle a ceci de particulier que
nul ne peut l'entendre sans perdre pour longtemps toutes
ses forces.

– Savez-vous d'où vient cette voix ?

– Non, disent-ils, si ce n'est de l'Ennemi.

– Alors, menez-moi à la tombe, car je désire fort le savoir.

Ils le conduisent, tout armé sauf de son heaume, jusque
derrière l'église, et l'un des moines lui dit :

– Seigneur, voyez-vous ce grand arbre et cette tombe
dessous ?

– Oui, seigneur.

– Eh bien, voici ce que vous devez faire. Approchez-
vous de la tombe, soulevez la pierre, et vous trouverez
dessous, je vous l'assure, une grande merveille.

Galaad s'avance vers la tombe. Un cri d'une déchirante

cri si dolereus que ce fu merveille, et dist si [haut] que tuit
l'oïrent :

– Ha ! Galaaz, serjant Jesucrist, ne t'aprochier plus de
25 moi, car tu me feroies ja remuer del leu ou j'ai tant esté.

41. Et quant Galaaz oï ce, si n'est pas esbaïz, ainz vet
a la tombe. Et quant il la volt prendre au gros chief, si en
vit oissir une fumee et une flambe, et aprés en vit oissir
une figure la plus hisdeuse qu'il onques eust veue en sen-
5 blance d'ome. Et il se seigne, qui bien set que ce est li
enemis. Lors ot une voiz qui dit :

– Ha ! Galaaz, sainte chose, je te voi si avironé d'anges
que mes pooirs ne puet durer contre ta force : [ge te les
le leu].

10 Quant il ot ce, si se seigne et mercie Nostre Seignor.
Si lieve la tonbe contremont et voit desoz .i. cors jesir tot
armé ; si voit lez lui heaume et espee et tot ce qu'il covenoit a [home] fere chevalier sanz cheval et sanz glaive. Et
quant il voit ce, si apele les freres et dit :

15 – Venez vooir ce qe j'ai trové, si me dites que g'en feré,
car [*B^a*, f. 12a] ge sui pres que plus en face se plus en doi
fere. Et cil i v[o]nt. Et quant il voient le cors jesir en la
fosse, si dient :

– Sire, il ne covient que vos en façoiz plus que fet en
20 avez, car ja ciz cors qui ci est ne sera remuez de son leu,
si com nos quidons.

– Si sera, fet li velz hom qui ot l'aventure contee a Galaad. Il covient qu'il soit jeté hors de cest cemetire, car
la terre est benooite [et saintefiee] ; por quoi le cors d'un
25 crestien mauvés, [et faux] et desloiax n'i doit remanoir.

42. Lors comande as serjanz de leenz qu'il l'ostent de la
fosse, si le getent hors del cimetiere, et il si font. Et Galaaz
demande au prodome :

– Sire, ai je de ceste aventure fet ce que g'e[n] dui
5 fere ?

détresse retentit alors, et une voix dit avec une force telle
que tous l'entendirent :

– Ah ! Galaad, soldat de Jésus-Christ, ne t'approche pas
davantage, car tu m'obligerais à sortir de ce lieu où je suis
depuis si longtemps.

41. Galaad n'est nullement déconcerté par ces paroles.
Il s'approche de la tombe et s'apprête à saisir la pierre par
le haut quand il voit sortir une fumée, une flamme, puis un
être d'apparence humaine, le plus hideux qu'il ait jamais
vu. Il se signe, sachant bien que c'est l'Ennemi. Une voix
lui dit alors :

– Ah ! Galaad, sainte créature, je te vois si entouré d'anges que ma force ne peut rien contre la tienne ; je t'abandonne la place.

En entendant ces mots, Galaad se signe et remercie Notre-Seigneur. Il redresse la pierre tombale et voit dessous
un corps étendu tout armé avec, à côté de lui, un heaume,
une épée et tout ce qui convient à un chevalier, à l'exception d'un cheval et d'une lance. Il appelle les moines et
leur dit :

– Venez voir ce que j'ai trouvé, et dites-moi ce que je
dois faire, car je suis prêt à faire davantage s'il le faut.

Les moines s'approchent et quand ils voient le corps
dans la fosse, ils disent à Galaad :

– Seigneur, vous en avez assez fait, car ce corps ne sera
jamais retiré d'ici, pensons-nous.

– Il le sera, dit le vieillard qui avait raconté l'aventure
à Galaad. Il faut qu'il soit jeté hors de ce cimetière dont
la terre, étant bénite et consacrée, ne doit pas abriter le
cadavre d'un mauvais chrétien, faux et déloyal.

42. Il ordonne alors aux serviteurs de l'abbaye d'enlever
le corps et de le jeter hors du cimetière ; ce qui est fait.

– Seigneur, dit Galaad au vieillard, ai-je fait tout ce que
je devais faire ?

– Sire, oïl, que ja mes la voiz dont tant mal sont avenu
ne sera oïe.

– Et savez vos, fet Galaaz, por quoi tantes aventures
sont avenues ?

10 – Sire, fet li freres, oïl bien, je le vos dirai volentiers, car
vos le devez bien saien savoir come la chose ou il a grant
senefiance.

43. Atant se partent del cimetiere et revien[en]t en
l'abeie. Et Galaaz dit au vallet qu'il le covendra la nuit
veillier a l'yglise et demain le fera chevalier si com droiz
est. Et cil dit qu'il ne demande meuz. Si s'apareille einsi
5 com l'en li enseigne de recevoir le haut ordre [de chevale-
rie] qu'il a tant desirré. Et li preudons [en moine] Galaaz
en une chambre, si le fet desarmer [et desgarnir de totes
ses armes]. Aprés le fet assoir en .i. lit, si li dist :

– Sire, vos m'avez demandé la senefiance de ceste aven-
10 ture que vos avez mené a chief, et je la vos dirai molt
volentiers. En ceste aventure avoit trois choses qui molt
fesoient a douter : la tombe qui n'estoit pas legiere a lever, le [*B^a*, f. 12b] cors del chevalier qu'il covenoit jeter
de son leu, la voiz que chascuns ooit, par quoi il perdoit la
15 force del cors et le sen et le memoire. De cez trois choses
vos dirai je la senefiance. La tonbe qui covroit le mort
senefie la durté del monde que Nostre Sires trova si grant
quant il vint en terre, qu'il n'i avoit se durté non. Car li
filz n'a[m]oit le pere ne li peres le fil, por quoi li enemis
20 les enportoit [tot plainement] en enfer. Quant li Peres des
Cels vit qu'il i avoit si grant durté que li .i. ne conoissoit
l'autre [ne li uns ne creoit l'autre] ne parole que prophete
lor deist, [ainz] establissoient sovent noviax dex, il envoia
son Fil en terre por lor durté amoloier [et] por fere les
25 cuers des pecheors tendres et noveax. Et quant il fu descenduz en terre, si les trova toz adurciz en pechiez mortex,
car ausi bien poissiez vos amoloier une roche dure come
lor cuers. Dom il dist par la boche Daviz le prophete : "Je

– Oui, seigneur, répond-il, car jamais plus l'on n'entendra la voix qui a causé tant de maux.

– Et savez-vous, demande Galaad, la raison de toutes ces aventures?

– Oui, certes, et je vous la dirai volontiers. C'est une chose qu'il vous faut connaître car elle a un sens profond.

43. Ils quittent le cimetière et reviennent à l'abbaye. Galaad dit à l'écuyer qu'il devra veiller toute la nuit dans la chapelle, et que le lendemain matin il le fera chevalier comme il convient. Le jeune homme répond qu'il ne demande rien d'autre et se prépare, selon les instructions qu'on lui donne, à recevoir le haut ordre de chevalerie qu'il a tant désiré. Le vieillard conduit Galaad dans une chambre où on le désarme, puis il le fait asseoir sur un lit et lui dit :

– Seigneur, vous m'avez demandé le sens de cette aventure que vous avez menée à bien. Je vous le dirai très volontiers. L'aventure comportait trois épreuves redoutables : la pierre qui était très lourde à soulever, le corps du chevalier qu'il fallait jeter hors de la fosse, et la voix qui faisait perdre à qui l'entendait la force physique, la raison et la mémoire. La signification de ces trois épreuves est la suivante. La pierre qui recouvrait le mort signifie la dureté de ce monde qui était si grande que Notre-Seigneur à sa venue sur terre ne trouva rien d'autre qu'elle. Car le fils n'aimait pas son père ni le père son fils, si bien que l'Ennemi les emportait tout droit en enfer. Lorsque le Père des Cieux vit chez les hommes une dureté telle qu'ils s'ignoraient entre eux, n'accordaient aucun crédit aux paroles des autres non plus qu'à celles du Prophète, et ne cessaient de créer de nouveaux dieux, il envoya son Fils sur la terre pour amollir cette dureté et pour régénérer et adoucir le cœur des pécheurs. Mais lorsque le Fils vint sur la terre, il trouva les hommes si endurcis dans le péché qu'il eut été plus facile d'attendrir une pierre que leurs cœurs. C'est pouquoi il dit par la bouche de David le

sui senglement jusq'a tant que je trespas[serai]" ; ce fu a
30 dire : "Pere, molt avras converti petite partie de cest pueple devant ma mort." Ceste senblance que li Peres envoia
en terre son Fil por delivrer le pueple est ore renovelee.
Car tot einsi com l'error et la folie s'en foï par la venue
de lui et la verité fu adonc [aparanz et] manifeste, ausi
35 vos a Nostre Sires esleu sor toz chevaliers por envoier par
les estranges terres por abatre les greveuses aventures et
a fere conoistre coment eles sont avenues. [Por quoi l'en
doit vostre venue comparer pres a la venue Jhesucrist, de
semblance et non pas de hautece]. Car tot ausi com [B^a,
40 f. 12c] li prophete estoient venu [grant tens] devant [la ve-
nue] Jesucrist et avoient anoncié la venue de lui [et distrent
que il delivreroit le peuple des liens d'enfer, tout] ausi ont
anoncié li saint hermite vostre venue plus a de .xx. anz.
Et disoient bien tuit que ja les aventures del roiaume de
45 Logres ne faudroient devant que vos fussiez venuz. Si vos
avons tant atendu, Deu merci, que [ore] nos vos avons.

– Or me dites, fet Galaaz, que li cors senefie, que de la
tombe m'avez vos fet certein.

– [Je le vos dirai] volentiers, fet cil. Li cors senefie le
50 pueple qui soz durté avoit tant demoré qu'il estoient tuit
mort et auvegle por le grant fes des pechiez mortex qu'il
avoient fez de jor en jor. Et bien i parut qu'il estoient
auvegle a l'avenement Jesucrist. Car quant il orent auvec
els lo Roi des Rois et le Sauveor del monde, il le tenoient
55 a pecheor, car il quidoient qu'il fust autex com il estoient.
Si crurent plus l'enemi qe lui et livrerent sa char a mort,
par l'amonestement del deable, qui toz jorz lor chantoit
es orilles et lor estoit es cuers entrez. Et par ce firent il tel
ovre dont Vaspasiens les deserita et destruist, si tost com il
60 sot la verité del prophete vers cui il furent si desloial. Einsi
furent il honi par l'enemi [et par son amonestement].

44. « Or devons vooir coment ceste senblance [et cele de

Prophète : "Je suis seul jusqu'à ma mort", ce qui signifie : "Père, tu n'auras converti qu'une petite partie de ce peuple avant ma mort[1]" Or voici qu'est renouvelé le geste rédempteur que fit le Père lorsqu'il envoya son Fils pour délivrer son peuple. Car de même que l'erreur et la folie se sont enfuies devant lui et que la vérité s'est révélée et manifestée, de même Notre-Seigneur vous a choisi entre tous les chevaliers pour que vous alliez dans les terres étrangères mettre fin aux pénibles aventures et en expliquer la raison. Aussi doit-on comparer votre venue à celle de Jésus-Christ, par la semblance, sinon par la grandeur. Et de même que les Prophètes qui ont vécu longtemps avant Jésus-Christ avaient annoncé sa venue et dit qu'il délivrerait les hommes des chaînes de l'enfer, de même les saints ermites ont annoncé votre venue depuis plus de vingt ans. Tous disaient que les aventures du royaume de Logres ne cesseraient qu'à votre venue. Nous vous avons longtemps attendu, et maintenant, Dieu soit loué, vous voici parmi nous.

— Expliquez-moi donc, dit Galaad, ce que le corps signifie, car le sens de la tombe est maintenant clair pour moi.

— Bien volontiers. Le corps représente les hommes qui avaient tant vécu dans la dureté qu'ils étaient comme morts et aveuglés par le fardeau écrasant des péchés mortels qu'ils avaient commis jour après jour. Cet aveuglement fut manifeste à l'avènement de Jésus-Christ. En effet, quand ils eurent parmi eux le Roi des Rois et le Sauveur du monde, ils le prirent pour un pécheur, pensant qu'il était semblable à eux. Ils se fièrent à l'Ennemi plus qu'à Lui et livrèrent son corps au supplice sur les conseils du diable qui toujours leur chuchotait aux oreilles et s'était insinué dans leur cœur. Ainsi commirent-ils cet acte qui mena Vespasien[2] à les dépouiller et à les anéantir dès qu'il sut qu'il était le prophète qu'ils avaient trahi. C'est ainsi qu'ils furent maudits pour avoir suivi l'Ennemi et ses conseils.

44. «Voyons maintenant comment s'accordent les faits

lors s'entracordent]. Ceste tombe qui ci est senefie la grant
durté qu'il trove es Juis. Li cors mort si senefie els et lor
oirs qui tuit estoient mort par leur pechiez mortex, dom il
5 ne se pooient mie oster de legier. La voiz qui de la tombe
issoit senefie la dolerose parole qu'il distrent a Pilate le
prevost : "Li sans de lui soit sor nos et sor noz enfanz !"
Par ceste parole furent il honi [*B[a]*, f. 12d] et perdirent [els
et] ce qu'il avoient. Einsi poez vos vooir [en ceste aven-
10 ture] la senefiance de la Passion Jesucrist et la senblance
de son avenement. Et encor autre chose en est avenu[e]
autrefoiz, que si tost com li chevalier errant venoient ça
et il aloient vers la tombe, li enemis, qui les [conoiss]oit
a pecheors [vilz et orz] et vooit qu'il estoient envolepé es
15 [grans] luxures et es iniquitez, lor fesoit [si grant] poor
[de sa voiz horrible et espoantable] qu'il en perdoient le
pooir del cors. Ne ja mes ne faussist l'aventure que li pecheor n'i fussent toz jors entrepris, se Dex ne vos i eust
envoié [por mener a chief]. Mes si tost com vos venistes,
20 li deables, [qui vos savoit a vierge et a net de toz pechiez si
come homs terriens puet estre, n'osa atendre vostre compaignie, ainz] s'en ala et perdi tot son pooir [par vostre
venue. Et] lors failli l'aventure ou maint chevalier prisié
d'armes s'estoient essaié. Si vos ai ore dite [la verité de]
25 l'aventure [de ceste chose].

45. Et Galaaz dit que molt i a greignor senefiance qu'il
ne quidoit. Cele nuit fu Galaaz serviz au melz que li frere
porent. Et au matin fist le vallet chevalier si com a cel tens
estoit costume. Et quant il ot fet tot ce qu'il devoit, si [li]
5 demanda coment il avoit non. Et il dist que l'en l'apeloit
Meliant, si estoit filz lo roi de Danemarche.

— Biax amis, fet Galaaz, puis que vos estes chevaliers et
estraiz de si haut lignaje com de roi [et de reine], gardez
que chevalerie soit bien enploié en vos, si que l'enor de
10 vostre lignaje i soit sauvee. Car puis que filz de roi a receu

présents et passés. La tombe signifie la grande dureté que Jésus-Christ a trouvée chez les Juifs, et le corps, c'est eux-mêmes et leurs descendants, tous condamnés à mort par leurs péchés mortels dont ils ne pouvaient guère espérer se libérer. La voix qui sortait de la tombe signifie les malheureuses paroles qu'ils dirent devant le gouverneur Ponce-Pilate : "Que son sang retombe sur nous et sur nos enfants[1]", paroles pour lesquelles ils furent honnis et perdirent tout ce qu'ils possédaient. Vous pouvez donc voir dans cette aventure la signification de la Passion de Jésus-Christ et l'image de son avènement. Mais autre chose encore s'est produit autrefois, car dès que les chevaliers errants[2] venaient par ici et s'approchaient de la tombe, l'Ennemi, qui savait qu'ils étaient de vils et misérables pécheurs, tout enveloppés de luxure et d'iniquité, leur faisait une telle peur de sa voix horrible et épouvantable qu'ils perdaient toute leur force physique. Et cette aventure n'aurait jamais pris fin et les pécheurs s'y seraient toujours laissé prendre si Dieu ne vous avait envoyé ici pour l'achever. Mais dès que vous êtes venu, le diable, qui vous savait vierge et aussi pur de tout péché que peut l'être l'homme mortel, n'a pas osé vous attendre. Il s'est enfui, perdant du même coup tout son pouvoir. Ainsi a pris fin l'aventure où s'étaient essayés maints chevaliers de très grande prouesse. Et maintenant, vous en connaissez la signification.

45. Galaad déclara que cette aventure avait beaucoup plus de sens qu'il ne l'avait pensé. Cette nuit-là, les moines servirent Galaad du mieux qu'ils purent. Au matin, il adouba le jeune homme selon l'usage du temps, puis, la cérémonie accomplie, il lui demanda quel était son nom. Le jeune homme répondit qu'il s'appelait Meliant et qu'il était fils du roi de Danemark.

— Bel ami, dit Galaad, puisque vous voilà chevalier et que vous êtes de sang royal, veillez, pour l'honneur de votre lignage, à ne jamais démériter de l'ordre de chevalerie. Car dès qu'un fils de roi a été fait chevalier, il doit

ordre de cevalerie, si doit aparoir sor toz autres chevaliers
en bonté, ausi com li rais del soleil apert seur les estoiles.

Et cil respont [que], se Deu plest, l'enor de chevalerie
sera [bien] en lui sauvee ; car por poine qu'il li coviegne
15 sofrir [B^a, f. 13a] ne remaindra il mie. Lors demande Galaaz ses armes, qu'il ne velt plus demorer, et l'en li aporte,
et Melianz dit a Galaaz :

– Sire, Deu merci [et la vostre], vos m'avez fet chevalier, [dont j'ai si grant joie qu'a peine le porroie je dire ; et
20 vos savez bien qu']il est costume [que], qui fet chevalier,
il ne le doit pas escondire par droit del premier don qu'il
li demande, por qu'il soit [chose] resnable.

– Vos dites voir, fet Galaaz, mes por quoi l'avez vos
dit ?

25 – Por ce, fet il, que je vos vueil demander .i. don ; si vos
pri que vos le me donez, que [ce est une chose dont] ja
max ne vos vendra.

– Et je la vos doi[n]g, fet Galaaz, [neïs se ce estoit chose
dont je bien deusse estre grevez].

30 – Granz merciz, fet Melianz. Or vos requier je que vos
me lessiez aler auvec vos en ceste Queste tant qu'aventure
nos departe, et se nos rassenblon, ne me tolez pas vostre
compaignie [por autrui donner].

46. Lors comande cil que l'en li amoint son cheval, [car
il velt aler] auvec Galaad ; et l'en si fet. Il s'arme et monte
el cheval et se part de leenz entre lui et Galaad, et chevauchent tot le jor et tote la semaine. Lors lor avint a .i. lundi
5 matin qu'il vindrent a une croiz qui departoit .ii. chemins ;
[et viennent a la croiz] et truevent letres el fust entailliés
qui disoient : *O tu, chevalier qui vas aventures querant,
vez ci .ii. voies, [l']une a destre, et [l']autre a senestre.
Cele a senestre te defent je que tu n'i entres, car trop co-
10 vient estre prodome celui qui i entre s'il en peut oissir ; et
se tu en [cele] a destre te mez, tu i porras [tost] perir.*

par sa valeur éclipser tous les autres chevaliers comme la lumière du soleil éclipse celle des étoiles.

Le jeune homme répondit que, s'il plaisait à Dieu, il saurait sauvegarder l'honneur de la chevalerie et que rien ne pourrait l'en empêcher, quelque peine qu'il lui faille endurer. Galaad cependant, qui ne souhaite pas s'attarder, demande qu'on lui apporte ses armes ; ce qui est fait. Meliant lui dit alors :

– Seigneur, me voilà chevalier, ce dont je remercie Dieu et vous-même, et ma joie est si grande que je ne pourrais l'exprimer. Mais vous savez que, selon la coutume, celui qui a conféré l'ordre de chevalerie ne peut légitimement refuser au nouveau chevalier la première chose qu'il lui demande, à condition qu'elle soit raisonnable.

– C'est vrai, dit Galaad, mais pourquoi me dites-vous cela ?

– Parce que je veux vous demander quelque chose et je vous prie de me l'accorder, car vous n'aurez jamais à en souffrir.

– Je vous l'accorde, dit Galaad, même s'il devait m'en coûter.

– Grand merci, dit Meliant. Je vous demande donc de me laisser vous accompagner dans cette Quête jusqu'à ce qu'une aventure nous sépare et, si nous nous retrouvons, de ne pas me priver de votre compagnie pour la donner à un autre.

46. Il demande alors qu'on lui amène un cheval, car il veut partir avec Galaad. Puis il s'arme, monte en selle, et les deux chevaliers s'en vont. Ils chevauchèrent toute la journée et toute la semaine. Un lundi matin, ils arrivèrent devant une croix où la route se divisait en deux. S'étant approchés, ils virent, gravée dans le bois, l'inscription suivante : *Chevalier qui vas en quête d'aventures, écoute : voici deux routes, l'une à droite, l'autre à gauche. Je t'interdis celle de gauche, car celui qui y entre doit être d'un très grand mérite s'il veut pouvoir en sortir. Et si tu prends celle de droite, ta mort ne tardera pas.*

Quant Melianz voit cez letres, si dit a Galaad :

– Sire, por Deu, lessiez moi [entrer en] ceste [a] senestre, car ici porrai je esprover ma force et conoistre s'il avra
15 ja en moi proece par quoi je doie avoir los de chevalerie.

– S'il vos pleust, fet Galaaz, g'i entrasse, car si com je
quit je [*B^a*, f. 13b] m'en jetasse mielz que vos.

Et cil dit qu'il n'i enterra ja se il non. Si se part li .i. de
l'autre et entre chascun en sa voie. Mes atant lesse or li
20 contes de Galaad et parole de Meliant coment il li avint.

47. Quant Melianz, ce dit li contes, se fu partiz de Galaad, il chevaucha jusq'a une forest anciene qui duroit
[bien] .ii. jornees, [et] tant qu'il vint l'endemain a midi en
une praerie. Si voit en mi lo chemin une chaiere sooir bele
5 et riche ou il avoit une corone d'or trop bele, et devant la
chaiere avoit pluseurs tables par terre qui totes estoient
replenies de biax mangiers. Il regarde cele aventure, si
ne li prent faim de chose qu'il voie fors de la corone qui
si est bele, [et dist] que bue[r] seroit nez qui la porteroit
10 en son chief voiant le pueple. Lors la prent et dit qu'il
l'a[m]portera auvec soi ; si met son braz destre par mi et
s'en vait [atout], si se remet en la forest. Si n'ot gaires alé
quant il voit venir .i. chevalier armé sor .i. [grant] destrier
aprés lui, qui li dit :

15 – Dant chevaliers, metez jus la corone : ele n'est pas
vostre. [Et sachiez que] mal la preistes.

Ayant lu l'inscription, Meliant dit à Galaad :

– Seigneur au nom de Dieu, laissez-moi prendre la route de gauche, car là je pourrai éprouver ma force et savoir si j'ai assez de prouesse pour gagner une réputation de bon chevalier.

– Si vous le permettez, dit Galaad, j'y entrerai moi-même, car je pense que je m'en tirerai mieux que vous.

Mais Meliant répond que lui seul y entrera. Ils se séparent donc et chacun s'en va de son côté. Mais ici le conte ne s'occupe plus de Galaad et rapporte ce qui arriva à Meliant.

CHAPITRE III

Châtiment de Meliant et le Château des Pucelles

47. Le conte nous dit qu'après avoir quitté Galaad, Meliant chevaucha jusqu'à une forêt très ancienne dont la traversée demandait bien deux jours. Le lendemain, à midi, il arriva dans une prairie. Là, au milieu du chemin, il vit un très beau siège sur lequel était posée une magnifique couronne d'or. Devant le siège, sur le sol, il y avait plusieurs tables couvertes de mets choisis. Meliant regarde tout cela, mais seule la couronne, qui est si belle, excite sa convoitise, et il se dit que bien fortuné serait celui qui pourrait la porter devant le peuple. Il la prend et, décidant de l'emporter, la passe à son bras droit. Puis il rentre dans la forêt. Il n'était pas allé bien loin quand il vit arriver derrière lui, monté sur un grand destrier[1], un chevalier qui lui dit :

– Seigneur chevalier, posez cette couronne, elle ne vous appartient pas et c'est pour votre malheur que vous l'avez prise.

Qant cil l'entent, si torne arriere, car il voit que joster li covient. Si se seigne et dist :

– Biau sire Dex, aidiez a vostre novel chevalier !

20 Et cil [li vient quanqu'il peut, si] le fiert si [durement] que par mi l'escu et par mi le hauberc li mist le glaive [el] costé, et [l'empeint si bien qu'il] le porte a terre tel atorné que li fers [li] est remés el costé atot grant partie del fust. Et li chevaliers s'aproche de lui, si li oste la corone del

25 braz et li dit :

– Dant chevaliers, lessiez ceste corone, que vos n'i avez droit.

48. Si s'en torne la dom il ert venuz. Et Melianz [*B*ᵃ, f. 13c] remaint, qui n'a pooir de soi relever, com cil qui bien quide estre a mort navré. Si se blasme de ce qu'il ne creï Galaad, qar il l'en est mescheu.

5 Endementres qu'il estoit en tel dolor avint que Galaaz vint cele part si com ses chemins le menoit. Et com il vit Melianz qui jut a terre navrez, si en fu molt dolenz, car il quidoit [bien] qu'il fust navré a mort. Il vient a lui, si li demande :

10 – [Ha !] Melyant, qui vos a ce fet ? [Cuidiés vos en garir ?]

Quant cil l'oï, si [le conoist et li] dist :

– [Ha !] sire, ne me lessiez morir en ceste forest, mes portez m'en en une abeie, ou j'aie mes droitures et muire

15 iluec come buens crestiens !

– Coment, fet [mesire Galaaz], Meliant, estes vos donc si navrez que vos en quidiez morir ?

– Sire, oïl, voir.

Et il en est trop dolenz, si demande o sont cil qui ce li

20 ont fet.

49. A cez paroles vint hors des foillies li chevaliers qui avoit Meliant navré, si dit a Galaad :

– Sire chevalier, gardez vos de moi, car je vos feré tot le mal que je porrai.

À ces mots, Meliant se retourne comprenant qu'il lui faudra jouter. Il se signe et dit :

– Beau seigneur Dieu, secourez votre nouveau chevalier.

L'autre se précipite sur lui et lui assène un coup si rude que sa lance transperce l'écu et le haubert et l'atteint au côté. Appuyant avec force, il le porte à terre si brutalement que le fer de la lance et une grande partie du bois restent enfoncés dans son flanc. Le chevalier s'approche de Meliant, lui enlève la couronne et lui dit :

– Seigneur chevalier, laissez cette couronne, car vous n'y avez aucun droit.

48. Puis il repart par où il était venu. Meliant reste étendu à terre, trop faible pour se relever et se croyant blessé à mort. Il se reproche de n'avoir pas écouté Galaad, car il lui en a coûté cher.

Pendant qu'il gisait là, en proie à de grandes souffrances, le hasard voulut que Galaad arrivât dans ces parages. Quand il vit Meliant étendu à terre et blessé, il en fut très peiné, convaincu qu'il était blessé à mort.

– Ah ! Meliant, lui dit-il, qui vous a fait cela ? Pensez-vous que vous guérirez ?

Meliant, qui le reconnut à sa voix, répondit :

– Ah ! seigneur, ne me laissez pas mourir dans cette forêt, mais portez-moi dans une abbaye où je puisse recevoir les sacrements et mourir en bon chrétien.

– Comment, dit Galaad, êtes-vous donc si gravement blessé que vous craignez pour votre vie ?

– Oui, dit-il.

Galaad, profondément attristé, lui demande où sont ceux qui l'ont attaqué.

49. À ce moment sort de la feuillée le chevalier qui avait blessé Meliant. Il dit à Galaad :

– Seigneur chevalier, gardez-vous de moi, car je vous ferai tout le mal que je pourrai.

5   – [Ha !] sire, fet Melianz, c'est cil qui m'a ocis. [Mes
por Deu] gardez vos de lui.

Galaaz ne respont mot, ainz s'adrece au chevalier qui
venoit grant aleure, [et por ce que il venoit si grant oirre
failli il a lui encontrer]. Et Galaaz le fiert si [durement]
10   qu'il li met lo glaive parmi l'espaulle, si abat lui et le cheval tot en .i. mont et li glaives brise. [Et Galaaz fet outre
son poindre, et en ce qu'il revenoit, si] se regarde et vit
oissir des loges .i. chevalier [armé] qui li crie :

– Dant chevalier, vos me leroiz cel cheval !
15   Si aloigne son glaive et li vient, si li brise sor l'escu,
mes il nel remue de sele. Et Galaaz li cope de l'espee le
poig senestre. Et quant cil se sent mehaignié, si s'en torne
fuiant, [car molt a grant paour de morir ou qu'il n'ait pis
qu'il n'a eu]. Et Galaaz ne l'enchauce plus, [come cil qui
20   n'a talent de fere lui plus de mal que il a eu], ainz retorne a
Meliant [ne onques ne regarde le chevalier qu'il ot abatu.
Et Galaad demande a Meliant, qu'il veut qu'il face de lui,
car il li fera ce que il porra].

[*B^a*, f. 13d] – Sire, fet il, [se je pooie soffrir le chevau-
25   chier], je vodroie [que vos me meissiés par devant vos, et
me portissiez jusques] a une abeie pres de ci, que [je sai
bien], se g'i estoie, l'en metroit [toutes les] poine[s que
on porroit] en moi garir.

Et il dit qu'il l'i portera volentiers, « mes je quit qu'il
30   seroit melz, que l'en vos ostast avant ce fer. »

– [Ha !] sire, fet il, [je ne me metroie mie en aventure en
cest point] devant que je soie confés, que je dot morir au
traire. Mes portez m'en.

50. Lors le prent au plus soef qu'il puet, si le met devant
lui et l'enbrace qu'il ne chie, que molt le voit foible. Et cil
moine le cheval tot le chemin, si ont tant alé qu'il vindrent
a l'abeie. Quant il vindrent a la porte, si huchierent. Et li
5   frere, [qui mout estoient preudome], lor ouvrirent [et] reçurent le chevalier molt docement et l'enporterent en une

– Ah! seigneur, dit Meliant, c'est lui qui m'a tué. Au nom de Dieu, gardez-vous de lui.

Galaad ne répond pas, mais se tourne vers le chevalier qui arrivait à si vive allure qu'il manque son adversaire. Galaad le frappe avec tant de force que la lance lui transperce l'épaule, puis se brise, tandis que le chevalier et sa monture roulent à terre. Galaad poursuit sur son élan, puis fait demi-tour, et à ce moment voit sortir d'un abri de feuillage un chevalier armé qui lui crie :

– Seigneur chevalier, vous allez me laisser votre cheval !

Il fonce sur lui, tenant couchée sa lance qu'il brise sur l'écu de Galaad, mais il ne parvient pas à le désarçonner. Galaad d'un coup d'épée lui tranche la main gauche. Quand il se voit ainsi estropié, le chevalier s'enfuit, craignant d'être tué ou de subir pire qu'il n'a déjà subi. Galaad ne le poursuit pas, n'ayant aucun désir de lui faire plus de mal. Il retourne auprès de Meliant sans un regard pour le chevalier qu'il a abattu. Il demande à Meliant ce qu'il peut faire pour lui, car il est prêt à faire tout ce qu'il pourra.

– Seigneur, répond Meliant, si je peux supporter d'aller à cheval, je voudrais que vous me preniez en selle devant vous et me portiez jusqu'à une abbaye qui est près d'ici. Je suis sûr qu'une fois là, on ferait tout le nécessaire pour me guérir.

– Volontiers, dit Galaad, mais je pense qu'il vaudrait mieux qu'on vous enlève d'abord ce fer.

– Ah! seigneur, je ne m'exposerai pas à un tel risque avant de m'être confessé, car j'ai peur de mourir lorsqu'on me l'enlèvera. Mais emmenez-moi d'ici.

50. Galaad le soulève aussi doucement qu'il le peut, le place devant lui, et voyant à quel point il est faible l'enserre de ses bras pour qu'il ne tombe pas. Ils chevauchent ainsi jusqu'à l'abbaye. Une fois à la porte, ils appellent. Les moines, qui étaient très charitables, leur ouvrent, reçoivent le chevalier avec une grande bienveillance et le

chambre quoie. Et quant il ot osté son hiaume, si demande
son Sauveor et l'en li aporte. Et quant il fu confés et il ot
crié merci come buens crestiens, [si reçut son Sauveor, et
10 quant il l'ot receu], si dit a Galaad :

– Sire, [or viegne la mors, quant ele veut, car je me sui
bien garnis encontre li]. Or poez vos bien essaier a oster
le fer de mon cors.

Et il [met la main au fer et] le tret [hors] atot le fust.
15 Et cil se pasme d'angoisse. Galaaz demande s'il a leenz
home qui des plaies au chevalier seust se entremetre.

– Sire, oïl, [font il].

Et il [mandent] .i. moine ancien, qui chevalier avoit esté,
et li mostrent la plaie. Et il la regarde, si dit qu'il le rendra
20 tot sain a l'aide de Deu dedenz .ii. mois.

51. De ceste novele ot Galaaz [molt] grant joie, si se
fet desarmer et dit qu'il demorra leenz [tout le jor et l'en-
demaim por] savoir s'il porra garir. Einsi demora Galaaz
leenz trois jorz. Lors demanda a Meliant coment il li es-
5 toit, et il dit qu'il estoit torné a garison.

– Donc m'en porrai [*B^a*, f. 14a] je bien aler demain, fet
il.

Et il li respont [touz doulanz] :

– Ha ! [me]sire [Galaaz], me lerez vos donc einsi ? Ja
10 sui je li hom del siecle qui plus ai desirré vostre compaignie se je la poisse maintenir.

– Sire, fet Galaad, je ne vos serf ici de riens. Et j'ai plus
grant mestier d'autre chose fere que de reposer, et d'entrer
en la queste del Graal qui por moi est comencié.

15 – Coment, fet .i. des freres de leenz, est ele donc comencié ?

– Oïl, fet Galaad, [et en sommes andui compaignon].

– Par foi, fet li freres, donc vos di ge, sire chevalier
malade, que ceste meschaance vos est avenue par vostre

portent dans une chambre tranquille. Dès qu'il a ôté son heaume, il demande son Sauveur. On le lui apporte, et après s'être confessé et avoir demandé son pardon comme doit le faire un bon chrétien, il reçoit son Sauveur. Puis il dit à Galaad :

– Seigneur, la mort peut venir quand elle veut, car je me suis bien prémuni contre elle. Vous pouvez maintenant essayer d'ôter le fer de mon corps.

Galaad prend le fer et le retire avec tout le bois tandis que Meliant s'évanouit de douleur. Il demande aux moines s'il y a là quelqu'un qui sache soigner les plaies du chevalier.

– Oui, seigneur, répondent-ils.

Ils envoyent chercher un vieux moine qui avait été chevalier, et lui montrent la plaie. Il l'examine, et déclare qu'avec l'aide de Dieu il aura guéri le blessé d'ici deux mois.

51. Galaad se réjouit fort de cette nouvelle. Il se fait désarmer et annonce qu'il restera à l'abbaye tout ce jour et le lendemain pour savoir si Meliant pourra vraiment guérir. Il resta ainsi trois jours, puis il demanda à Meliant comment il se sentait. Celui-ci répondit qu'il était en voie de guérison.

– Dans ce cas, dit Galaad, je pourrai partir demain.

– Ah ! monseigneur Galaad, répond Meliant avec tristesse, me laisserez-vous donc ainsi, moi qui plus que tout homme au monde désire être avec vous si cela est possible ?

– Seigneur, dit Galaad, je ne vous sers de rien ici et j'ai mieux à faire que de me reposer ; je dois entrer dans la Quête du Saint-Graal que j'ai moi-même commencée.

– Comment, dit un des moines, la Quête est donc commencée ?

– Oui, répond Galaad, et nous en sommes tous deux compagnons.

– Par ma foi, dit le moine, sachez donc, seigneur chevalier malade, que votre péché est la cause de votre mésa-

20 pechié. Et se vos me disiez vostre errement puis que la
Queste fu comencié, je vos mosterroie par quel pechié ce
vos avint.

– Sire, fet Melianz, jel vos dirai.

Lors li conte coment Galaaz le fist chevalier, et des le-
25 tres qu'il troverent en la croiz, qui deffendoi[en]t la voie
a senestre, et coment il i entra, et tot ce qui li estoit avenu.
Et li prodons [estoit de haute vie et de sainte, et] quant [il]
ot oï ce que Melianz li dit, si respont :

52. – Certes, sire [chevalier], voirement sont ce des
aventures del [Saint] Graal, que vos [ne] m'avez dit chose
ou il n'ait [grant] senefiance, [et] si la vos dirai. Quant
vos deustes estre chevalier, si alastes a confession, si que
5 vos entrastes en l'ordre de chevalerie net et espurgié de
[totes les choses dont vos vos saviés entechié par] pechié
mortel. Einsi entrastes en la Queste del Saint Graal [tel
come vos deviés estre. Mais] quant li deables vit ce, si
en fu molt dolenz et pensa qu'il vos corroit sus, si tost
10 com il verroit son point. Et il si fist, si vos dirai quant
ce fu. Quant vos partistes de l'abeie ou vos fustes [fait]
chevalier, [li] premier encontre [que vos trovastes] ce fu
li signe de la [vraie] Croiz ; ce fu li signes ou chevalier se
doit plus fier [B^a, f. 14b]. Et encor i avoit plus. Il i avoit
15 .i. brief qui vos devisoit .ii. voies, une a destre, l'autre a
senestre. Par cel[e] a destre devez vos entemdre la voie
Jesucrist, [la voie de pitié], ou li chevalier Nostre Seignor
vont nuit et jor, de jor selonc l'ame et de nuit selonc le
cors. Et par celi a senestre devons nos entendre la voie as
20 pecheors, ou li grant peril avienent a cels qui s'i metent.
Et por ce qu'ele n'estoit mie [si] seure [come l'autre],
defendoit li briés que nus ne s'i meist, s'il n'estoit plus
prodons que autres, c'est a dire s'il n'estoit si fondez en
l'amor Jesucrist qu[e por aventure] ne peust chaoir en
25 pechié. Quant tu veis cest brief, si te merveillas que ce
pooit estre ; [et] maintenant te feri li enemis d'un de ses

venture. Si vous me racontiez ce que vous avez fait depuis
que la Quête est commencée, je vous dirais de quel péché
il s'agit.

– Seigneur, dit Meliant, je vais vous le dire.

Il lui raconta alors comment Galaad l'avait fait chevalier, comment ils avaient trouvé sur la croix une inscription qui interdisait la route de gauche, comment il avait
pris cette route, et tout ce qui lui était arrivé. Quand le
moine, qui était de noble et sainte vie, eut entendu tout le
récit de Meliant, il lui dit :

52. – Certes, seigneur chevalier, ce sont là, à n'en pas
douter, des aventures du Saint-Graal, car vous ne m'avez
rien dit qui n'ait un sens profond. Je vais vous l'expliquer. Avant d'être fait chevalier, vous vous êtes confessé,
si bien que vous êtes entré dans l'ordre de chevalerie lavé
et purifié de toutes les souillures dont vous vous saviez
marqué par le péché mortel. Vous êtes donc entré dans
la Quête du Saint-Graal, tel qu'il vous fallait être. Mais
quand le diable vit cela, il en fut fort contrarié et décida
de vous attaquer dès qu'il en trouverait l'occasion. C'est
ce qu'il fit, et je vais vous dire à quel moment. Quand
vous avez quitté l'abbaye où l'on vous avait adoubé, votre
première rencontre fut le signe de la vraie Croix, signe
dans lequel le chevalier doit mettre toute sa confiance. Qui
plus est, il y avait une inscription qui vous indiquait deux
voies, l'une à droite et l'autre à gauche. Celle de droite,
sachez-le, signifie la voie de Jésus-Christ, la voie de piété,
que parcourent de nuit et de jour les chevaliers de Notre-
Seigneur, de jour selon l'âme, de nuit selon le corps. La
voie de gauche est celle des pécheurs où de graves dangers
menacent ceux qui s'y engagent. Et comme elle est moins
sûre que l'autre, l'inscription n'en permettait l'accès qu'à
celui qui serait plus vaillant et plus vertueux que tout autre,
c'est-à-dire à celui qui serait si bien affermi dans l'amour
de Jésus-Christ qu'il ne risquerait pas, quoi qu'il arrive,
de tomber dans le péché. Lorsque tu as vu[1] l'inscription,
tu t'es demandé ce qu'elle pouvait bien signifier ; et c'est

darz. Et ses tu de quel ? D'orgoil, car tu pensas que tu t'en
istroies par ta proesce. Melianz, fet li prodons, einsi fus tu
deceuz par entendement, car li brief parloit de chevalerie
30 celestiel, et tu entendoies de la seculer, par qoi tu entras
en orgoil ; et par ce chaïs tu en pechié mortel. Et quant tu
fus partiz de Galaad, li enemis, qui t'avoit trové foible, se
mist auvec toi et pensa que po avoit fet, s'il ne te fesoit
encor chooir en autre pechié, si que de pechié en pechié
35 te meist en enfer. Lors mist devant toi une corone d'or, si
te fist chooir en covoitise si tost com tu la veis. Et si tost
com tu la preis chaïs tu en .ii. pechiez mortex, en orgoil
et en covoitise. Et quant il vit que tu avoies covoitise mise
a ovre et [*B^a*, f. 14c] [que] tu la corone enportoies, il se
40 mist tantost en guise de chevalier pecheor et l'entiça tant
a mal faire, come cil qui suens estoit, qu'il ot talent de toi
ocirre ; et t'acorut sus lance levee, si t'eust ocis, mes la
croiz que tu feis te garandi. Mes totes voies por venjance
de ce que tu estoies oissu de son servise [t]e mena Nostre
45 Sires jusqu'a poor de mort, por ce que tu te fiasses plus
des or mes en s'aide qu'en ta force. Et por ce que tu eusses prochain secors t'envoia il Galaaz, cel saint chevalier
a cui li .ii. chevaliers, qui senefient les .ii. pechiez qui en
toi estoient herbergié, ne porent durer por ce qu'il est sanz
50 pechié mortel. Or vos ai ore devisé par quel senefiance cez
aventures vos sont avenues.

53. Et il dient que ceste senefiance est bele et molt merveilleuse. Assez parlerent des aventures del Graal entre le
prodome et les .ii. chevaliers. Cele nuit pria tant Galaaz
[a] Meliant qu'il li dona congié d'aler s'en de quele ore
5 qu'il vodroit. Et il dist, puis qu'il li otroioit, [que] il s'en
iroit. A l'endemain, si tost com Galaaz ot oï messe, si
s'arma et comanda Meliant a Deu et chevaucha mainte
jornee sanz aventure trover qui a conter face. Un jor li
avint qu'il se parti de chiés .i. vavassor, si n'ot pas oï

alors que l'Ennemi t'a frappé d'une de ses flèches. Sais-tu
de laquelle ? De la flèche d'orgueil, car tu as pensé que tu
en sortirais par ta prouesse. Ainsi, Meliant, dit le moine,
tu t'es trompé d'interprétation ; car l'inscription parlait de
la chevalerie céleste, et toi tu as cru qu'il s'agissait de la
chevalerie terrestre, si bien que tu as succombé à l'orgueil
et que tu es tombé en péché mortel. Et après que tu te fus
séparé de Galaad, l'Ennemi, qui t'avait trouvé faible, ne
te quitta plus, s'estimant peu satisfait tant qu'il ne t'aurait
pas fait commettre un autre péché et mené, de péché en
péché, jusqu'en enfer. Il plaça donc devant toi une couronne d'or qu'il te fit convoiter dès que tu l'aperçus. En
la prenant, tu commis deux péchés mortels, l'orgueil et la
convoitise. Puis quand il vit que la convoitise avait fait son
œuvre et que tu emportais la couronne, il s'insinua dans
l'esprit d'un chevalier pécheur qu'il tenait en son pouvoir
et l'incita si bien à mal faire que l'envie lui prit de te tuer.
Il se précipita sur toi, lance en arrêt, et t'aurait tué, si le
signe de croix que tu fis ne t'avait sauvé. Néanmoins, pour
te punir d'avoir abandonné son service, Notre-Seigneur
te mena à deux doigts de la mort afin que, désormais, tu
te fies à son aide plus qu'à ta vaillance[2]. Pour te secourir
dans cette extrémité, il t'envoya Galaad, le saint chevalier,
et les deux chevaliers, qui représentaient les deux péchés
logés en toi, ne purent lui résister parce que lui est pur de
tout péché mortel. Telle est la signification des aventures
qui vous sont advenues

53. Ils dirent que cette signification était d'une éton-
nante richesse. Cette nuit-là, le moine et les deux chevaliers parlèrent longuement des aventures du Saint-Graal.
Galaad pria tant Meliant que celui-ci consentit à ce qu'il
parte quand il le voudrait. Et Galaad dit que dans ce cas il
s'en irait. Le lendemain, aussitôt après la messe, il s'arma
et partit en recommandant Meliant à Dieu. Il chevaucha
bien des jours sans rencontrer d'aventures dignes d'être
racontées. Mais il se trouva qu'un jour où il avait quitté
la demeure d'un vavasseur[1] sans avoir entendu la messe,

10 messe, et erra tant qu'il vint en une haute montaigne,
si [i] trova une chapele anciene. Il torne cele part por
oïr messe, car molt li ennoioit le jor que il n'avoit oï le
servise Deu. Et quant il vint la, si n'i trova ame, ainçois
estoit tot gaste. Il s'ajenoilla tote voies et pria Nostre
15 Seignor qu'il le [*B^a*, f. 14d] conseillast. Et quant il ot fet
sa priere, si li dist une voiz :

– O tu, chevalier aventurex, va t'en droit au Chastel as
Puceles et oste les mauveses costumes qui i sont.

54. Quant il ot ce, si mercie Nostre Seignor de ce qu'il
li a envoié son message. Il est tantost monté et s'en vait.
Lors voit auques loig en une valee .i. chastel fort et bien
seant ; et par dedenz coroit une eve grant et merveilleuse
5 que l'en apeloit Saverne. Il va cele part, et quant il est auques pres, si encontre .i. home molt povrement vestu qui
estoit de grant aage. Il le salue molt docement, ct Galaaz li
rent son salu, si li demande coment li chastiax a non.

– Sire, fet cil, il a non le Chastel as Puceles. [Ce est li
10 chastiax maleois], et tuit cil sont malooit qui i conversent,
car tote pitiez en est hors et tote durtez i est.

– Por quoi le dites vos ? fet Galaaz.

– Por ce, fet cil, que l'en i fet honte a toz les preudomes
qui i trespassent. Et por ce vos loeroie ge, sire chevalier,
15 que vos en retornissiez, car certes d'aler en avant ne vos
puet venir se honte non.

– Or vos conselt Dex, sire preudons, fet Galaaz, car le
retorners feroie ge [molt a] enviz.

55. Lors regarde a ses armes que il n'i faille riens, et
quant il voit qu'il est bien, si va grant oirre vers lo chastel.
Lors encontre .vii. puceles montees molt richement, qui
li dient :
5 – Sire chevalier, vos avez les bonnes passees !

Et il lor dit que ja por bonne ne remaindra qu'il n'aille el
chastel. Si va tote voies avant, tant qu'il encontre .i. vallet

il arriva sur une haute montagne où il aperçut une vieille chapelle. Il se dirigea vers elle pour entendre la messe, car il était très contrarié de n'avoir pu le faire ce jour-là. Mais en arrivant, il n'y trouva personne, la chapelle étant tout abandonnée. Il s'agenouilla pourtant et pria Notre-Seigneur de le conseiller. Sa prière faite, il entendit une voix qui lui dit :

– Chevalier en quête d'aventures, écoute ! Rends-toi tout droit au Château des Pucelles, et mets fin aux mauvaises coutumes qui y règnent.

54. Galaad remercie Notre-Seigneur de ce message. Il monte aussitôt en selle et repart. Il aperçoit alors à une certaine distance, un château fortifié très bien situé dans une vallée et que traversait une rivière large et imposante, la Saverne[1]. Il se dirige vers le château et quand il en est près, il rencontre un homme très âgé et pauvrement vêtu qui le salue très courtoisement. Galaad lui rend son salut et lui demande le nom du château.

– Seigneur, lui dit-il, c'est le Château des Pucelles, un château maudit comme sont maudits tous ceux qui l'habitent, car toute pitié en est bannie et seule la dureté y règne.

– Pourquoi dites-vous cela ? demande Galaad.

– Parce qu'on y déshonore tous les hommes de mérite qui y passent. Je vous conseillerais donc, seigneur chevalier, de vous en retourner, car si vous alliez plus avant vous n'y gagneriez que de la honte.

– Que Dieu vous garde, noble vieillard, mais c'est bien à contrecœur que je rebrousserais chemin.

55. Il s'assure qu'il a bien toutes ses armes, puis galope vers le château. Il rencontre alors sept jeunes filles très richement montées qui lui disent :

– Seigneur chevalier, vous n'avez pas respecté les bornes !

À quoi il répond qu'aucune borne ne l'empêchera d'aller jusqu'au château. Il poursuit sa route et rencontre un

qui li dist que [B^a, f. 15a] cil del chastel li deffendent qu'il
n'aille en avant, devant que l'en sache qu'il velt.

10   — Ge ne vueil, fet il, fors l'aventure del chastel.

— Certes, fet cil, c'est une chose que vos mal desirrastes
onques ; et vos l'avrez tele que onques chevaliers ne pot
achever. Or m'atendez .i. pou ici, car vos avrez ja tot ce
que vos querez.

15   — Or va donc tost, fet Galaaz, [et] si me haste ma besoigne.

Li vallez si s'en entre tantost el chastel ; si ne demora
gueres que Galaaz en voit oissir .vii. chevaliers qui estoient frere, si crient a Galaaz :

20   — Sire chevalier, gardez vos de nos, car nos ne vos as-
seurons fors de la mort !

— Coment, fet il, volez vos donc tuit ensemble combatre
a moi ?

— Oïl, font cil, que tex est la costume.

56. Quant il ot ce, si lor lesse corre le glaive abessié et
fiert durement le premier qu'il encontre, si qu'il le porte a
terre, et a po qu'il n'a le col brisié. Et li autre le fierent tuit
ensemble sor l'escu, mes de la sele nel porent il onques
5   remuer. Et neporquant de la force des lances arresterent il
son cheval en son plain cors, si que par .i. petit que il ne
l'abatirent. A cel encontre furent totes lor lances brisiés,
si en ot Galaaz abatu .iii. de son glaive. Il met maintenant
la main a l'espee, si cort sus a cels qui devant lui estoient,
10   et cil refont ausi a lui. Si comence la mellee entr'els grant
et merveilleuse, et tant que cil qui abatu estoient furent
remonté. Et lors comença la mellee graindre que devant.
Mes cil qui de toz les chevaliers del monde [B^a, f. 15b]
estoit li meudres s'efforce tant qu'il lor fet guerpir place ;
15   si les atorne tels a l'espee trenchant en petit d'ore que
armeure ne les pot garantir que il ne lor face le sanc saillir
des cors. Si le trovent de tel force et de tel vistece qu'il ne
quident mie que ce soit hom terriens, car il n'a home el
monde qui la moitié poïst sofrir que il a soffert. Si s'es-
20   maient molt, car il voient qu'il nel puent remuer de place,

écuyer qui lui annonce que les gens du château lui défendent d'approcher davantage avant qu'ils sachent ce qu'il veut.

— Je ne demande que l'aventure du château.

— En vérité, vous regretterez fort d'avoir fait une telle demande, car jamais chevalier n'a pu accomplir l'aventure. Mais attendez-moi ici un instant et vous aurez tout ce que vous demandez.

— Alors, fais vite, car il me presse d'en finir.

L'écuyer retourne immédiatement au château, et peu après Galaad en voit sortir sept chevaliers, tous frères, qui lui crient :

— Seigneur chevalier, en garde ! Et attendez-vous à mourir !

— Comment ? Vous voulez m'attaquer tous ensemble ?

— Oui, disent-ils, car telle est la coutume.

56. À ces mots, Galaad se précipite sur eux, lance baissée, et frappe le premier chevalier si rudement qu'il le porte à terre et peu s'en faut qu'il ne lui brise le cou. Les autres le frappent tous ensemble sur l'écu sans réussir à le désarçonner. Néanmoins, par la force de leurs lances ils arrêtent l'élan de son cheval et manquent de peu de le renverser. Sous le choc de cette première rencontre, toutes les lances sont brisées, mais Galaad a abattu trois chevaliers avec la sienne. Il tire son épée et court sus à ceux qui lui font front. La mêlée s'engage, âpre et terrible. Ceux qui avaient été abattus parviennent à remonter en selle, et la bataille reprend avec une violence accrue. Mais Galaad, le meilleur chevalier du monde, se bat avec tant d'acharnement qu'il les oblige à céder du terrain. De son épée tranchante il les malmène tant et si bien que très vite leur armure ne peut plus les protéger, et le sang jaillit de leur corps. Ils trouvent en lui une telle force et une telle agilité qu'ils ne pensent pas avoir affaire à un simple mortel, car aucun être humain n'aurait pu endurer la moitié de ce qu'il a enduré. La peur les saisit en voyant qu'ils ne peuvent le

ainz le trovent toz jorz de greignor force qu'il ne fesoient
au comencement. Car ce fu veritez de lui, si com l'*Estoire
del Saint Graal* le tesmoigne, que por travail de chevalerie
ne fu il onques nus qui lassé le veist.

25   En tel maniere dura la bataille jusqu'a hore de midi, car
li .vii. frere estoient de trop grant proece. Mes quant ce
vint a cele hore, si se troverent si las et si mal mené que il
n'avoient pooir de lor cors deffendre. Et cil qui onques ne
recroit les va abatant des chevax. Et quant il voient que il
30   ne porront durer, si s'en tornent fuiant ; et quant Galaaz
voit ce, si nes enchauce point, ainz vient au pont par ou
l'en entroit el chastel. Lors encontre .i. vieil home chanu
vestu de robe de religion, qui li aporte les cles de leenz et
li dist :

35   – Sire, tenez cez cles, car des or mes poez vos fere del
chastel et de cels qui i sont la vostre volenté, car vos avez
tant fet que li chastiax est vostres.

57. Galaaz prent les cles, si entre dedenz le chastel. Et
si tost com il est dedenz, il [*B^a*, f. 15c] voit parmi les rues
tant de puceles qu'il n'en set le nonbre. Et totes li dient :

– Sire, bien soiez vos venuz ! Tant avons atendu nostre
5   delivrance ! Et benooiz soit Dex qui ça vos amena, car
autrement ne fussons nos ja mes delivrés de cest dolereus
chastel.

Et il lor respont que Dex les beneie. Et eles le prenent
au frain si le moinent en la mestre forterece, si le font
10   descendre ausi com a force, car il disoit qu'il n'estoit pas
tans de herbergier. Et une pucele, si li dist :

– Ha ! sire, que est ce que vos dites ? Certes se vos einsi
vos en alez, cil qui par vostre proece s'en sont alé revendront encor anuit, si recomenceront la mauvese costume
15   qu'il ont tant maintenue en cest chastel. Et einsi seriez vos
traveillié por neent.

– Que volez, dit il, que g'en face ? Car je sui prez de
fere ce que vos me comanderez, por quoi ge voie que ce
soit bien a fere.

20   – Sire, fet la pucele, nos volons que vos mandez les che-

faire reculer et que sa force n'a fait que croître depuis le début. Il est bien vrai, comme l'*Histoire du Saint-Graal*[1] en fait foi, que jamais personne ne le vit fatigué par l'effort soutenu que demande le combat.

La bataille dura ainsi jusqu'à midi. Les sept frères étaient très vaillants mais, quand arriva midi, ils se trouvèrent si fatigués et en si piteux état qu'ils n'avaient plus la force de se défendre. Et celui qui jamais n'abandonna un combat les jette à bas de leurs chevaux. Voyant qu'ils ne pourront plus tenir, ils s'enfuient. Galaad ne les poursuit pas, mais se dirige vers le pont-levis par où l'on entrait dans le château. Là il rencontre un vieillard aux cheveux blancs, vêtu d'une robe de religion, qui lui dit :

– Seigneur, prenez ces clefs. Vous pouvez disposer comme vous l'entendez de ce château et de ses habitants. Vous avez tant fait qu'il est vôtre.

57. Galaad prend les clés et pénètre dans le château. À peine entré, il voit les rues remplies de tant de jeunes filles qu'il ne saurait en dire le nombre.

– Seigneur, soyez le bienvenu, lui crient-elles. Nous avons tant attendu notre délivrance ! Béni soit Dieu qui vous a conduit ici, car autrement nous n'aurions jamais été délivrées de ce château malheureux.

– Que Dieu vous bénisse, leur répond-il.

Elles prennent le cheval par le mors et conduisent Galaad jusqu'au donjon où elles le font descendre presque de force, car il disait qu'il n'était pas encore l'heure de s'arrêter pour la nuit.

– Ah ! seigneur, que dites-vous là ? lui dit une demoiselle. Si vous vous en allez maintenant, ceux que votre vaillance a fait fuir reviendront ce soir même et rétabliront la mauvaise coutume qu'ils ont si longtemps maintenue dans ce château. Ainsi, vous vous seriez dépensé en vain.

– Que dois-je donc faire ? Je suis prêt à accomplir votre volonté, à condition qu'elle me paraisse raisonnable.

– Seigneur, dit la jeune fille, nous voulons que vous

valiers et les vavassors de cest païs qui tiennent lor fiez de
cest chastel, si lor fetes jurer, a els et a toz cels de ceenz,
que ja mes ne tendront ceste costume.

58. Et il lor otroie. Et quant eles l'orent mené jusques a
la mestre meson, si descent et oste son hiaume et monte el
palés. Et maintenant oissi une pucele d'une chambre, qui
aportoit .i. cor d'yvoire bendé d'or molt richement. Si le
5 baille a Galaaz et li dit :
– Sire, se vos volez que cil viegnent qui des ore mes
tendront de vos [ceste terre], si sonez cest cor, que l'en
puet bien oïr [*B^a*, f. 15d] de totes parz.
Et il dit que c'est biens a fere. Lors le baille a .i. cheva-
10 lier que il vit devant lui ester. Et cil le prent, [si] le sone
si haut que l'en le puet bien oïr de tot le païs environ. Et
quant il a ce fet, si s'assient tot entor Galaaz. Et il demande a celui qui les cles li avoit bailliés s'il estoit prestres,
et il dit [que] oïl.
15 – Or me dites donc, fet Galaaz, les costumes de ceenz et
ou toutes cez puceles furent prises.
– Sire, fet cil, ge le vos dirai volentiers. Voirs qu'il a [.x.]
anz passez que li .vii. chevalier que vos avez hui conquis
vindrent en cest chastel par aventure, si se herbergierent
20 auvec le duc Linor, qui estoit sire de tot cest païs, et estoit
li plus preudom del monde. Et la nuit, com il orent mangié, si monta .i. estrif entre le duc et les .vii. freres por
une soe fille que li .vii. frere voloient avoir a force, et tant
que li dus i fu ocis et .i. suens filz et cele retenue por qui
25 la mellee estoit comencié. Et quant li frere orent ce fet,
si pristrent le tresor de ceenz et manderent chevaliers et
serjanz, si comencierent la guerre vers cels de cest païs.
Et tant firent qu'il les mistrent au desoz et reçurent lor fiez
d'els. Quant la fille le duc vit ce, si en fu molt corrocié et
30 dist ausi come par devinaille : "Certes, fist ele as freres,
se vos estes or seignor de cest chastel, ne nos puet chaloir,
car ausi com vos l'eustes par acheson de pucele, ausi le

convoquiez les chevaliers et les vavasseurs de ce pays qui tiennent leurs fiefs de ce château et que vous leur fassiez jurer, à eux et à tous ceux d'ici, de ne jamais rétablir cette coutume.

58. Galaad accepte. Les demoiselles le conduisent alors à la demeure principale. Il met pied à terre, ôte son heaume et monte dans la grande salle. À ce moment-là sort d'une chambre une demoiselle qui apportait un cor d'ivoire orné de précieux cercles d'or. Elle le remet à Galaad et lui dit :

– Seigneur, si vous voulez que viennent ici ceux qui désormais tiendront de vous cette terre, sonnez de ce cor que l'on entend de tous côtés.

Il accepte volontiers et le donne à un chevalier qui se trouvait près de lui. Celui-ci en sonne, si fort qu'on peut l'entendre dans tout le pays environnant. Après quoi, tous s'asseyent autour de Galaad. Il demande à celui qui lui avait remis les clefs s'il est prêtre.

– Oui, dit-il.

– Dites-moi alors ce qu'étaient les coutumes de ce château et où toutes ces jeunes filles ont été prises.

– Volontiers, dit le prêtre. Il y a bien dix ans, les sept chevaliers que vous avez vaincus aujourd'hui arrivèrent par hasard dans ce château et se logèrent chez le duc Linor qui était le seigneur de tout le pays et un homme éminemment respectable. Le soir, après le dîner, une querelle s'éleva entre les sept frères et le duc au sujet d'une de ses filles qu'ils voulaient prendre de force. Tant et si bien que le duc fut tué ainsi qu'un de ses fils, et la jeune fille, qui était à l'origine de la querelle, fut retenue prisonnière. Ensuite, les frères s'emparèrent du trésor du château, appelèrent des chevaliers et des soldats et attaquèrent les gens du pays. Ils les soumirent et prirent possession de leurs fiefs. Quand la fille du duc vit cela, elle en fut très affligée, et dit aux chevaliers d'un ton prophétique : "Seigneurs, que vous soyez maintenant les maîtres de ce château nous importe peu. Car de même que vous l'avez conquis à cause

perdroiz vos par pucele ; si en serez recreant tuit .vii. [B^a,
f. 16a] par .i. seul chevalier." Il tindrent tot ce a despit, si
35 distrent que por ce q'ele en avoit dit ne passeroit ja mes
pucele par devant le chastel qu'il ne detenissent jusqu'a
tant que li chevaliers vendroit par cui il seroient veincu.
Si l'ont einsi fet jusqu'a ore, et por ce si a l'en apelé cest
chastel le Chastel as Puceles.

40 — Et cele pucele, fet Galaaz, par cui la mellee fu comencié, est ele encore ceenz ?

— Sire, nenil, car ele est morte, mes une soe suer plus
juene de li i est

— Et coment i estoient cez puceles ? fet Galaaz.

45 — Sire, certes, eles [i] avoient molt [de] malese.

— Or [en] seront hors, fet Galaaz.

59. A hore [de] none comença li chastiax a emplir de
cels qui les noveles savoient del chastel qui estoit conquis.
Si firent molt grant feste de Galaaz, come de celui qu'il
tenoient a seignor. Si revesti maintenant la fille au duc
5 del chastel et de tot ce qui [i] apendoit. Si fist tant Galaaz
que tuit cil del païs devindrent home a la pucele, si lor fist
jurer a toz que ja mes ceste costume ne tendroient. Si s'en
alerent les puceles chascune en son païs.

Tot le jor demora Galaaz leenz, si li fist l'en [molt] grant
10 henor. A l'endemain vint la novele leenz que li .vii. frere
estoient ocis.

— Et qui les a ocis ? fet soi donc Galaaz.

— Sire, fet .i. vallez, ier, quant il furent parti de vos, si
encontrerent en cel tertre la amont monseignor Gauvain
15 et Gaheriet son frere et monseigneur Yvain. Si s'entrecorurent sus, les [B^a, f. 16b] uns as autres ; si en torna la
desconfiture sor les .vii. freres.

Et Galaaz si se merveille molt de ceste aventure, si demande ses armes, et l'en li aporte. Et quant il est armez, il
20 si se part del chastel, et cil del chastel le convoient grant
piece, tant qu'il les en fet retorner, si se remet en son chemin et chevauche toz sels. Mes atant se test ore li contes
de lui, et retorne a monseignor Gauvain.

d'une vierge, de même vous le perdrez par quelqu'un de vierge[1] ; et vous serez tous vaincus par un seul chevalier." Ils prirent ces paroles en très mauvaise part, et déclarèrent qu'en conséquence ils retiendraient prisonnières toutes les jeunes filles qui passeraient par ce château jusqu'à ce que vienne le chevalier qui les vaincrait. C'est ce qu'ils ont fait jusqu'à ce jour, et c'est pourquoi le château a reçu le nom de Château des Pucelles.

– Mais la demoiselle pour laquelle eut lieu la querelle est-elle toujours ici ? demanda Galaad.

– Non, seigneur, elle est morte, mais sa sœur cadette est ici.

– Et comment étaient traitées les demoiselles ?

– Fort mal, seigneur.

– Elles pourront maintenant quitter le château, dit Galaad.

59. À l'heure de none, le château commença à se remplir de tous ceux qui avaient appris qu'il était conquis. Ils firent grande fête à Galaad qu'ils considéraient comme leur seigneur. Il remit immédiatement à la fille du duc le château et tout ce qui en dépendait. Il persuada les habitants du pays de faire hommage à la demoiselle et leur fit jurer de ne jamais rétablir la coutume. Les jeunes filles retournèrent alors dans leur pays respectif.

Galaad, honoré de tous, demeura toute la journée dans le château. Le lendemain, on apprit que les sept frères étaient morts.

– Et qui les a tués ? demanda Galaad.

– Seigneur, dit un écuyer, hier, après qu'ils se furent enfuis devant vous, ils rencontrèrent là-haut sur cette colline monseigneur Gauvain, Gaheriet son frère, et monseigneur Yvain. Ils s'affrontèrent et les sept frères furent vaincus.

Galaad est très surpris de cette nouvelle. Il demande ses armes et une fois armé, il s'en va, longtemps accompagné par les gens du château. Il finit par leur dire de s'en retourner et poursuit seul son chemin. Mais ici le conte cesse de parler de Galaad et revient à monseigneur Gauvain.

60. Or dit li contes que, quant messires Gauvain se fu partiz de ses compaignons, si chevaucha mainte jornee sanz aventure trover qui a conter face, tant qu'il vint a l'abeie ou Galaaz avoit pris l'escu [blanc] a la croiz ver-
5 meille, si li conta l'en les aventures qu'il avoit leenz ache-vees. Et quant il oï ce, si demanda quel part il estoit alez, et l'en li dist. Et il se mist el chemin aprés lui, si chevaucha tant que aventure l'amena la ou Melianz estoit malade. Et quant il conut monseignor Gauvain, si li dist novele de
10 Galaaz teles com il les savoit et dist que Galaaz s'en estoit partiz au matin.

    – Ha ! Dex ! fet messires Gauvain, tant je sui mes-chaanz ! Certes, or sui je li plus malaventurex chevaliers del monde, qui vois sivant cest chevalier de si pres et si
15 ne le puis ateindre, car certes se Dex me donast que je le poïsse trover ja mes tant com ge fusse vis, por qu'il amast ma compaignie autant come je feroie la soe [*B^a*, f. 16c] de lui ne partiroie.

    Ceste parole oï .i. des freres de leenz, si respondi main-
20 tenant a monseignor Gauvain :

    – Certes, sire, la compaignie de vos .ii. ne seroit mie covenable, car vos estes mauvés serjanz et desloiax, et il est tex com il doit estre.

    – Sire, fet messires Gauvain, a ce que vos me dites me
25 senble il que vos me conoissiez bien.

    – Je vos conois, fet li preudon, molt melz que vos ne quidiez.

    – Sire, fet il, donc me poez vos bien dire, s'il vos plest, en quel chose je sui tex com vos me metez sus.

30   – Je nel vos diré or mie, fet il, mes vos troverez par tens qui le vos dira.

    61. Endementres qu'il parloient einsi entra leenz .i.

CHAPITRE IV

Erreurs de Gauvain

60. Le conte dit que lorsque monseigneur Gauvain eut
quitté ses compagnons, il chevaucha maintes journées
sans rencontrer d'aventures dignes d'être rapportées et finit par arriver à l'abbaye où Galaad avait pris l'écu blanc
à la croix vermeille. Là, on lui raconta les aventures qu'il
avait achevées. Il demanda quelle direction il avait prise
et, une fois renseigné, il partit à sa recherche et chevaucha
jusqu'à ce que le hasard l'amenât à l'abbaye où Meliant,
blessé, se trouvait. Dès que ce dernier eut reconnu Gauvain, il lui dit ce qu'il savait sur Galaad qui était parti le
matin même.

– Ah ! Dieu, quelle malchance, dit monseigneur Gauvain. Je suis vraiment le plus malheureux chevalier du
monde, moi qui suis Galaad de si près sans pouvoir l'atteindre. Si Dieu m'accordait de le retrouver, je ne le quitterais plus de ma vie, pour peu qu'il aimât ma compagnie
autant que j'aimerais la sienne.

Un des frères qui avait entendu ces paroles, répondit
aussitôt à monseigneur Gauvain :

– En vérité, seigneur, il ne serait pas convenable que
vous alliez de compagnie, car vous êtes un soldat mauvais
et déloyal et lui est un chevalier accompli.

– Seigneur, répondit Gauvain, il me semble d'après ce
que vous me dites, que vous me connaissez bien.

– Je vous connais beaucoup mieux que vous ne le pensez.

– Dans ce cas, seigneur, dites-moi, s'il vous plaît, en
quoi je suis tel que vous m'accusez d'être.

– Je ne vous le dirai pas maintenant, mais vous rencon-
trerez bientôt quelqu'un qui le fera.

61. Tandis qu'ils parlaient ainsi, un chevalier tout armé

chevalier armé de totes armes, et descendi en mi la cort.
Li frere corurent por lui desarmer et l'en moinent en la
chambre ou messire Gauvain estoit. Et quant il ot osté son
5 hiaume, messires Gauvain [qui le regarde], conoist que
c'est Gaheriet son frere. [Il li cort a l'encontre les bras
tendus], si li fet grant joie et [li] demande s'il est sains et
hetiez. Et il dit :

– Oïl, Deu merci.

10 Cele nuit furent bien servi des freres de leenz ; et au matin, si tost com il fu ajorné, oïrent messe tuit armé fors de
lor hiaumes. Et aprés, com il furent monté [et apareillié],
si se part[ir]ent de leenz [et] errerent jusq'a ore de prime.
Lors regardent devant els, si voient monseignor Yvain tot
15 sol chevauchant ; si le conoissent [bien as armes qu'il por-
toit] et li crient qu'il s'arrest. Et il [se regarde quant il s'oï
nomer, si s'arreste et] les conoist a la parole, si lor fet
grant joie. Cil li demandent coment il l'a puis fet, et il dist
[qu'il n'a riens fet], qu'il ne trova onques puis aventure
20 qui li pleust.

– Or chevauchons tuit ensemble, fet Gaheriez, tant que
Dex [*B^a*, f. 16d] nos envoit aventure.

62. [Et il li otroient, si acueillent lor chemin tuit troi
ensemble]. Si chevauchent tant que il vindrent au Chastel
as Puceles [et ce fu] entor none, cel jor meismes que
Galaaz ot conquis le chastel. Et quant li .vii. frere virent
5 les trois chevaliers, si distrent :

– Alons, si les ocions, que ce sont cil par cui nos somes
deserité, car ce sont des chevaliers aventureus.

Maintenant poignent as trois compaignons et lor crient
que il se gardent, car il sont venu a leur mort. Et quant
10 cil l'entendent, si leur adrecent les [testes des] chevax. Si
avint a la premiere joste que li troi des .vii. frere morurent, que messire Gauvain en ocist .i., et Gaheriez autre,
et messire Yvain le tierz. Il [traient les espees et] corent
sus as autres. [Cil se deffendent le mieux qu'il pueent,

arriva à l'abbaye et descendit de cheval dans la cour. Les moines se hâtèrent au-devant de lui pour le désarmer, puis le conduisirent dans la pièce où était monseigneur Gauvain. Dès que le chevalier eut ôté son heaume, Gauvain reconnut en lui son frère Gaheriet. Il court vers lui à bras ouverts, l'accueille avec joie et lui demande comment il va.

– Bien, Dieu merci, répond Gaheriet.

Ce soir-là, les moines servirent de leur mieux les chevaliers. Le lendemain, dès le point du jour, les deux frères assistèrent à la messe, tout armés sauf de leurs heaumes, puis une fois prêts et montés en selle, ils quittèrent l'abbaye et chevauchèrent jusqu'à l'heure de prime. Comme ils regardaient devant eux, ils aperçurent monseigneur Yvain qui chevauchait tout seul et qu'ils reconnurent à ses armes. Ils lui crient de s'arrêter. En s'entendant nommer, il se retourne, s'arrête, et les reconnaissant à leur voix, les accueille chaleureusement. Ils lui demandent ce qui lui est arrivé depuis son départ.

– Rien, répond-il, je n'ai trouvé aucune aventure qui m'ait tenté.

– Alors, chevauchons ensemble, dit Gaheriet, jusqu'à ce que Dieu nous envoie quelque aventure.

62. Ils acceptent, et tous trois poursuivent ensemble leur chemin. Ils finissent par arriver, vers l'heure de none, au Château des Pucelles, le jour même où Galaad l'avait conquis. Quand les sept frères virent les trois chevaliers, ils s'écrièrent :

– Allons ! et tuons-les, car ce sont des chevaliers errants, ceux-là mêmes qui nous ont dépossédés.

Ils lancent leurs chevaux contre les trois compagnons en leur criant qu'ils se gardent, car leur dernière heure est venue. En entendant ces mots, les compagnons font face. Dès la première joute, trois des sept frères succombent : monseigneur Gauvain en tue un, Gaheriet un autre, et monseigneur Yvain le troisième. Puis ils tirent leur épée et attaquent les survivants qui se défendent du mieux qu'ils

15 mes ce n'est mie mout bien, come cil] qui estoient las et
traveillié, que grant estor [et grant meslee] lor avoit [celui
jor] rendu Galaaz. [Et cil, qui molt estoient preudome et
bon chevalier, les meinent si mal] qu'il les ocient [en pou
d'ore, si qu'il les lessent en mi la place toz morz], puis
20 s'en vont si comme fortune les moine.

63. Puis tornent [en] .i. chemin a destre, [non mie celui
qui aloit au Chastel as Puceles, mais un autre, et por ce
perdirent il a trover Galaad]. A hore de vespres se departirent et entra chascuns en sa voie. [Et] messires Gauvain
5 chevaucha tant qu'il vint a .i. hermitage, et trova l'ermite
en sa chapele qui chantoit vespres de Nostre Dame. Il
descent de son cheval et les oï ; [et] puis demanda l'ostel
par charité, et cil li otroie [molt volentiers]. Au soir
li demanda li prodons qui il estoit, et il li [en] dist la
10 verité ; [et il dist en quel queste il s'estoit mis]. Et quant li
prodons oï que c'estoit messires Gauvain, si li dist :
– Certes, sire, s'il vos plesoit, je vodroie molt savoir de
vostre estre.
Lors li comence a parler de confession, et a traire [li
15 avant trop] biax essamples d'Evangiles, et [le semont]
qu'il se face confés a lui, et il le conseillera a son pooir.
– Sire, fet messires Gauvain, se vos me voliez espondre
une parole qui avant ier [*B^a*, f. 17a] me fu dite, je vos diroie [tot] mon estre, [car vos me semblez molt prodons ;
20 si sai bien que vos estes prestres].

64. Et li prodons [li] dit qu'il l'asenera de ce que il porra.
Mesires Gauvain [regarde l'ermite qu'il voit viel et ancien
et tant li semble prodom qu'il li prent talent qu'il se face a
lui confés. Lors] li conte ce dont il se sentoit copable vers
5 Deu, [et n'oblie pas a dire la parole que li autre prodons li
avoit dite]. Si trove li prodons qu'il avoit esté .x. anz sanz
confession et dist :
– Sire, a droit fustes apelé mauvés serjant et desloial,
que quant vos fustes mis en l'ordre de chevalerie, l'en ne

peuvent, mais sans grand succès, car ils étaient à bout de
forces après le rude combat que Galaad leur avait livré le
jour même. Les trois compagnons, qui étaient de bons et
vaillants chevaliers, les malmènent de telle sorte qu'ils les
ont bientôt abattus. Ils abandonnent les corps sur le lieu
du combat, puis s'en vont, là où la fortune[1] les mène.

63. Au lieu de se diriger vers le Château des Pucelles, ils
prirent un chemin à droite et, de ce fait, manquèrent Galaad. À l'heure de vêpres ils se séparèrent, et chacun partit
de son côté. Monseigneur Gauvain chevaucha jusqu'à un
ermitage où il trouva l'ermite, dans sa chapelle, en train
de chanter les vêpres de Notre-Dame. Il mit pied à terre
et assista à l'office, puis demanda l'hospitalité au nom de
la charité. L'ermite la lui accorda très volontiers. Le soir,
l'ermite demanda à Gauvain qui il était. Il se nomma et
lui dit dans quelle quête il s'était engagé. Quand l'ermite
apprend que le chevalier est monseigneur Gauvain, il lui
dit :

– Seigneur, si vous le voulez bien, j'aimerais vous
connaître davantage.

Il commence alors à lui parler de confession, rappelant
de belles leçons de l'Évangile et l'exhortant à se confesser
à lui, qui le conseillera du mieux qu'il pourra.

– Seigneur, dit monseigneur Gauvain, si vous vouliez
m'expliquer les paroles que l'on m'a dites avant-hier, je
m'ouvrirais à vous sans réserve, car vous me semblez très
sage et je sais bien que vous êtes prêtre.

64. L'ermite répond qu'il fera de son mieux pour le ren-
seigner. Monseigneur Gauvain le regarde et le voit d'un
âge et d'un maintien si vénérables qu'il a envie de se
confesser à lui. Il lui dit alors les péchés dont il se sentait
coupable envers Dieu, sans oublier de lui rapporter ce que
lui avait dit l'autre moine. L'ermite apprend ainsi qu'il ne
s'était pas confessé depuis dix ans.

– Seigneur, lui dit-il, c'est à bon droit qu'on vous a appelé soldat mauvais et déloyal, car lorsqu'on vous a admis

¹⁰ vos i mist pas por estre serjant a l'enemi, mes por servir
Nostre Criator et que vos [deffendissiés Sainte Eglise et
que vos] re[n]dissiez a Deu le tresor qu'il vos bailla a garder, ce est l'ame de vos. Por ce vos fist l'en chevalier, et
vos l'avez malement emploié, que vos avez [del tot esté
¹⁵ serjanz a l'ennemi, et] lessié Nostre Segnor et mené [la
plus] orde vie [et la plus mauvese que onques chevaliers
menast. Et por ce], poez vooir, que cil vos conoissoit bien,
qui vos apela mauvés serjant et desloial. Et [certes], se
vos ne fussiez si pechierres com vos estes, ja li .vii. frere
²⁰ ne fussent ocis par vos [ne par vostre aide], ainz feissent
[encore] lor penitance de la male costume qu'il avoient
maintenue el Chastel as Puceles, et s'acordassent a Deu.
Einsi nel fist mie Galaaz, [li Bons Chevaliers, cil que vos
alés querant], ainz les conquist sanz ocirre. Et ce ne fu mie
²⁵ sanz [grant] senefiance que li .vii. frere avoient alevee cele
costume el chastel, qu'il retenoient totes les puceles qui
en cest païs venoient, fust a droit ou a tort.

– Ha ! sire, fet messire Gauvain, dites [moi] la senefiance, que je la sache dire a cort quant g'i vendrai.
³⁰ – Volentiers, fet li prodom.

65. Par le Chastel as Puceles doiz tu entendre enfer, par
les puceles les ames qui a tort i estoient enserrees devant
la Passion Jesucrist. Par les .vii. chevaliers doiz tu entendre les .vii. pechiez mortels [*B^a*, f. 17b] qui lors regnoient
⁵ el monde, si que de droit n'i avoit point ; que si tost come
l'ame issoit del cors, [quele qu'ele fust, ou] de prodome
ou de mauvés, tantost aloit en enfer, si estoit iluec en-
serree si com ci estoient les puceles. Mes quant Dex vit
que ce qu'il avoit fet aloit si a mal, il envoia son Fil en
¹⁰ terre por delivrer les buenes puceles, ce sont les buenes
ames. Et tot einsi com il envoia son Fil [qu'il avoit devant
le comencement del monde, tot] aussi envoia il ça Galaaz

dans l'ordre de chevalerie, ce n'était pas pour que vous deveniez le serviteur de l'Ennemi, mais pour que vous serviez notre Créateur, défendiez la Sainte Église, et rendiez à Dieu le trésor qu'il vous avait confié, c'est-à-dire votre âme. C'est pour cela qu'on vous fit chevalier, mais vous avez bien mal exercé votre chevalerie ; vous êtes devenu le fidèle serviteur de l'Ennemi, vous avez abandonné Notre-Seigneur et mené la vie la plus honteuse et la plus mauvaise que chevalier ait jamais menée. Ainsi vous pouvez voir qu'il vous connaissait bien celui qui vous appela soldat méchant et déloyal. Et certes, si vous n'aviez pas été un aussi grand pécheur, les sept frères n'auraient pas été tués par vous ou avec votre aide. Ils auraient pu faire pénitence pour la mauvaise coutume qu'ils ont si longtemps maintenue au Château des Pucelles et se réconcilier avec Dieu. Galaad, le Bon Chevalier, celui que vous cherchiez, n'a pas agi comme vous : lui les a conquis sans les tuer. Et elle n'est pas sans signification, cette coutume établie au château par les sept frères et qui consistait à retenir, à tort ou à raison, toutes les jeunes filles qui venaient par ici.

– Ah ! seigneur, dit monseigneur Gauvain, dites-moi quelle est cette signification, pour que je puisse la faire connaître à la cour lorsque j'y reviendrai.

– Volontiers, répond l'ermite.

65. Par le Château des Pucelles, il faut entendre l'Enfer. Les pucelles sont les âmes qui y étaient retenues à tort avant la Passion de Jésus-Christ. Les sept chevaliers représentent les sept péchés capitaux qui régnaient alors sur le monde, ne laissant aucune place à la justice. En effet, dès qu'une âme quittait un corps, que ce fût l'âme d'un juste ou d'un méchant, elle allait immédiatement en enfer où elle était retenue prisonnière comme les jeunes filles. Mais quand Dieu vit que sa création devenait si mauvaise, il envoya son Fils sur la terre pour délivrer les bonnes jeunes filles, c'est-à-dire les âmes des justes. Et de même qu'il envoya son Fils qui était avec lui avant le commencement du monde, de même il envoya Galaad, son chevalier

[son esleu chevalier et son esleu serjant], por ce qu'il des-
poillast le chastel des buenes puceles, [qui sont ausi pures
15　et ausi netes come la flor de lis, qui onques ne senti la
chalor del tens].

Quant il ot ceste parole, si ne set que dire ; et li prodons
li dit :

– Gauvain [Gauvain], se tu voloies lessier ta male vie
20　[que tu as si longuement maintenue], encor te porroies tu
acorder a Deu, car l'Escriture dit que nus n'est si pechierres, por qu'il requiere de buen cuer misericorde a Deu,
qu'il ne l'ait. Por ce te loeroie je [en droit conseil] a fere
penitance [de ce que tu as fet].

25　Et il dit qu'il [de penitance fere] ne porroit la poine
sofrir. [Et] li prodons le lesse atant, [que plus ne li dit],
qu'i[l] voit que cest [amonestemens seroit] poine perdue.
Au matin se parti messire Gauvain de leenz et chevaucha
tant par aventure qu'il encontra Agloval et Giflet, [le filz
30　Do]. Si alerent ensemble .iiii. jorz sans aventure trover qui
a conter face. Au [quint jor avint qu'il] se departirent et
tint chascun sa voie. Si lesse atant li contes d'els et parole
de Galaaz.

66. Or dit li contes que quant Galaaz se [fu] parti del
Chastel as Puceles, si chevaucha tant par ses jornees qu'il
vint en la Forest Gaste. [Un jor] li avint qu'il encontra Lancelot et Perceval qui chevauchoient ensemble. Il nel conu-
5　rent pas [B^a, f. 17c], com cil qui tex armeures n'avoient
pas aprises a vooir. Si li adrece Lanceloz toz premiers, si
li brisa sa lance en mi le piz. Et Galaaz le fiert si qu'il abat
lui et le cheval tot en .i. mont, mes autre mal ne li fist. Puis
tret l'espee [quant il ot son glaive brisié] et fiert Perceval
10　si [durement] qu'il li trenche lo hiaume et la coiffe de fer ;

élu, son soldat, pour arracher du château les bonnes jeunes filles qui sont aussi nettes, aussi pures que le lis que n'altère jamais la chaleur du soleil.

Quand Gauvain entendit cela, il ne sut que dire.

– Gauvain, Gauvain, reprit l'ermite, si tu voulais renoncer à la vie mauvaise que tu as si longtemps menée, tu pourrais encore te réconcilier avec Dieu. Car l'Écriture dit qu'il n'est si grand pécheur qui n'obtienne la miséricorde divine s'il la demande du fond du cœur. Je te conseille donc, en toute bonne foi, de faire pénitence de tes péchés.

Gauvain dit qu'il ne pourrait supporter les austérités de la pénitence. L'ermite n'insiste pas, car il voit bien que ses exhortations seraient peine perdue. Au matin, monseigneur Gauvain s'en alla, chevauchant à l'aventure jusqu'au jour où il rencontra Agloval et Girflet, le fils de Do. Ils firent route ensemble durant quatre jours sans rencontrer d'aventure digne d'être racontée. Au cinquième jour, ils se séparèrent et chacun partit de son côté. Mais ici le conte ne s'occupe plus d'eux et parle de Galaad.

CHAPITRE V

Conversion de Lancelot

66. Le conte dit qu'après avoir quitté le Château des Pucelles, Galaad chevaucha tant par ses journées[1] qu'il arriva à la Forêt Gaste[2]. Un jour il rencontra Lancelot et Perceval qui faisaient route ensemble. Ils ne le reconnurent pas, car ses armes ne leur étaient pas familières. Lancelot le premier se dirige droit sur lui et lui brise sa lance sur la poitrine. Galaad lui porte un coup si rude qu'il l'abat avec son cheval, mais sans lui faire d'autre mal. Puis, comme sa lance s'était brisée, il tire son épée et frappe Perceval avec une force telle qu'il lui tranche son heaume et sa

et se l'espee ne li fust tornee en la main, ocis l'eust. [Et]
neporquant il n'a mie tant de pooir qu'il remaigne en sele,
ainz vole jus [tot] estordiz, [si vainz et si maz del grant
cop qu'il ot receu] qu'il ne set s'il est nuiz ou jorz. Cele
15 joste fu fete devant .i. hermitaje ou une recluse manoit. Et
quant ele en voit Galaaz aler, si dit :
— [Or] alez a Deu qui vos conduie ! [Certes], s'il vos
coneussent si bien com je faz, il n'eussent ja tant de hardement qu'il a vos se preissent.

67. Quant Galaaz ot ce, si a molt grant poor de conoissance. [Puis broche des esperons], si s'en vait [si grant
oirre come il puet del cheval trere]. Et quant cil [se sont
aperceu qu'il s'en vet], si montent en lor chevax [au plus
5 tost que il porent]. Et com il voient qu'il ne le puent ateindre, si sont [tant dolent et tant] corrocié [que il voldroient
bien morir sanz demorance, car or heent il trop lor vies
qui tant lor durent]. Lors s'adrecent en mi la Forest Gaste.
Einsi est Lanceloz remés en la Forest Gaste dolenz et cor-
10 rocié del chevalier qu'il a perdu. Si demande a Perceval
qu'il feront. Et il dit qu'il ne set [nul conseil metre sor
ceste chose] :
— Car li chevaliers en va si grant oirre que s'il estoit jorz
nel porrions nos ateindre, et [vos veés que] la nuit nos a
15 sorpris en tel leu dont ja mes ne saurons oissir se Dex ne
nos en jete [hors. Et por ce m'est il avis qu'il] nos vendroit
melz retorner vers le grant chemin, que se nos començon
ci a desvoier, [je ne cuit mie que nos reveignons] a piece a
droit chemin. Or en ferez ce que vos plera, que je voi plus
20 nostre preu el remaindre qu'en aler avant.

68. Et Lanceloz dit que au remanoir ne s'acordera il pas
volentiers, ainz ira aprés celui qui l'escu blanc [B^a, f. 17d]
en porte, car il ne sera ja mes a ese tant qu'il savra qui il
est.
5 — Tant poez vos bien sofrir, fet Percevax, qu'il soit jorz,
et lors irons [entre moi et vos] aprés le chevalier.
Et il dit que il n'en fera rien.

coiffe de fer. Il l'aurait tué si l'épée ne lui avait pas tourné dans la main. Mais Perceval ne peut se tenir en selle et tombe à terre, étourdi, assommé par la violence du coup au point qu'il ne sait plus s'il fait jour ou nuit. Ce combat s'était déroulé devant un ermitage où vivait une recluse. Quand elle vit Galaad s'éloigner, elle lui dit :

– Que Dieu vous ait en sa garde ! En vérité, si ces chevaliers avaient su aussi bien que moi qui vous êtes, ils n'auraient pas eu l'audace de vous attaquer.

67. En entendant cela, Galaad a grand-peur d'être reconnu. Il pique des deux, et s'éloigne aussi rapidement que peut aller son cheval. Quand Lancelot et Perceval le voient partir, ils montent en selle en toute hâte, mais comprenant qu'ils ne pourront le rejoindre, ils ressentent un tel dépit, une telle colère qu'ils voudraient mourir sur-le-champ tant ils haïssent leur vie qui leur semble trop durer. Puis ils pénètrent dans la Forêt Gaste. Voici donc Lancelot dans la Forêt Gaste, triste et courroucé d'avoir perdu le chevalier. Il demande à Perceval ce qu'ils devraient faire. Perceval répond qu'il ne sait quel conseil lui donner :

– Le chevalier, dit-il, est parti[1] à si vive allure que même s'il faisait jour nous ne pourrions pas le rejoindre. Et vous voyez bien que la nuit nous a surpris en un lieu dont nous ne sortirons pas sans l'aide de Dieu. Il me semble donc préférable de retourner au grand chemin, car si nous nous égarons, je pense que nous aurons bien du mal à retrouver notre route. Vous ferez ce qu'il vous plaira, mais personnellement je vois plus d'avantages à rester ici qu'à poursuivre.

68. Lancelot répond qu'il ne partage pas cet avis ; il poursuivra le chevalier qui emporte l'écu blanc, car il ne sera satisfait que lorsqu'il saura qui il est.

– Vous pouvez bien attendre que le jour vienne, dit Perceval, et nous partirons tous deux à sa recherche.

Mais Lancelot refuse.

— Or vos conselt Dex, fet Percevax, car je n'iré anuit
avant, ainz retornerai a la recluse qui dist q'ele le devoit
10 bien conoistre.

Einsi departent li dui compaignon, si en va Percevax a
la recluse. Et Lanceloz s'en va aprés le chevalier [tout]
le travers de la forest, [en tel maniere que il ne tient ne
voie ne sentier, ainz] s'en va si com aventure le moine.
15 [Et ce li fet mout mal que il ne voit ne loing ne pres ou il
puist] prendre sa voie, que trop estoit la nuiz oscure. Et
neporquant tant a alé qu'il vint a une croiz de pierre qui
departoit .ii. chemins en une [gaste] lande. Il regarde vers
la croiz, et com il fu pres, si voit par dejoste .i. perron
20 de marbre ou il avoit letres [escrites], ce li est avis. Et li
tens estoit si oscurs qu'il ne pooit conoistre que eles voloient dire. Il regarde pres de la croiz et voit une chapele
[mout] anciene. Il s'i adreça, qu'il i quidoit trover gent, et
com il est [auques] pres, si descent et atache son cheval
25 a .i. chesne, si oste son escu de son col, si le pent a l'arbre. Puis vient a la chapele, si la trove gaste et depecie.
Il entre dedenz, et trove a l'entree de la chapele bones
prones de fer qui estoient si jointes et si serrees que l'en
n'i poïst mie legierement entrer. Il regarde par [mi] les
30 prones et voit leenz .i. autel qui estoit [mout] richement
aornez de dras de soie et [d'autres choses, et] devant avoit
.i. chandelabre d'argent qui sostenoit [.vi.] cierges ardanz
qui jetoient leenz grant clarté. Quant il voit ce, si a talent
d'entrer enz por savoir qui i repere, qu'il ne quidoit mie
35 qu'en si estrange leu eust si beles choses com il voit ci. Il
va regardant les prones, et quant il voit [*B^a*, f. 18a] qu'il
n'enterra enz, si est tant dolenz qu'il se part de la chapele et vient a son cheval, si l'en moine a la croiz par le
frein ; puis li oste le frein et la sele, si le lesse pestre. Il
40 deslace son hiaume et [le] met devant lui, et desceint s'espee, si se couche sor son escu devant la croiz, si s'endort
[assez] legierement, a ce qu'il estoit las, se ne fust le Buen
Chevalier qu'il ne pooit oblier, qui l'escu blanc enporte.

69. Quant il s'est grant piece esperiz, si voit venir, en

– Alors, que Dieu vous garde, car moi je n'irai pas plus loin ce soir, mais je retournerai auprès de la recluse qui a dit qu'elle avait de bonnes raisons de le connaître.

Les deux compagnons se séparent donc, et Perceval retourne chez la recluse. Lancelot, lui, part à la recherche du chevalier dans l'épaisseur de la forêt, chevauchant à l'aventure, sans suivre chemin ni sentier. Il est très gêné, tant la nuit est obscure, de ne pouvoir distinguer, près ou loin, un chemin qu'il puisse prendre. Il finit pourtant par arriver près d'une croix de pierre à la croisée de deux chemins, dans une lande déserte. S'approchant de la croix, il voit à côté d'elle un bloc de marbre qui, lui semble-t-il, porte une inscription. Mais l'obscurité est si profonde qu'il ne peut la déchiffrer. Il se retourne vers la croix et aperçoit une très vieille chapelle vers laquelle il se dirige, pensant y trouver quelqu'un. Une fois là, il met pied à terre, attache son cheval à un chêne, ôte son écu et le suspend à l'arbre. Il découvre alors que la chapelle est toute délabrée. Il entre et trouve à l'entrée du chœur une solide grille de fer aux barreaux si serrés qu'il eût été bien difficile de la franchir. Regardant à travers les barreaux, il aperçoit un autel somptueusement paré d'étoffes de soie et d'autres ornements et, devant l'autel, un candélabre d'argent portant six cierges allumés qui jettent une vive clarté. Lancelot a très envie de pénétrer dans le chœur pour voir qui s'y trouve, car il ne s'attendait pas à découvrir de si belles choses dans un lieu aussi isolé. Il examine encore la grille et se rend compte qu'il ne pourra pas passer. Désolé, il retourne vers son cheval, le mène jusqu'à la croix, puis lui enlève la selle et le mors pour le laisser paître. Il délace alors son heaume et le pose devant lui, détache son épée, se couche sur son écu au pied de la croix et s'endort assez vite, car il était las. Mais il ne peut oublier le Bon Chevalier qui emporte l'écu blanc.

69. Il était réveillé depuis un bon moment quand il voit

une litiere [que .ii. palefroi portoient], .i. chevalier malade
qui [mout] se pleignoit durement. Et com il aproche de
la croiz, si s'arreste, si esgarde Lancelot, ne mot ne li dit,
5 [car il cuide bien que il se dorme]. Ne Lancelloz ne li dit
rien, com cil qui [estoit en tel point qu'il] ne dormoit ne
veilloit, ainz someilloit. Li chevaliers de la litiere, qui fu
arrestez a la croiz, se pleignoit durement et disoit :

– Sire Dex, faudra ja ceste dolor ? Dex, quant vendra li
10 Sainz Graax par cui vertu cest dolor doit remanoir ? Ha !
Dex, soffri onques mes hom autant [de] dolor com je faz
por petit de meffet ?

70. Grant piece se complaint issi li chevaliers [et se demente a Deu de ses maus et] de ses dolors. Mes Lanceloz
ne se remua ne mot ne dit, qu'il estoit ausi com endormiz, et neporquant il le voit assez bien et entent totes ses
5 paroles. Quant li chevaliers a grant piece atendu en tel
maniere, si regarde Lanceloz et voit venir de la chapele lc
chandelabre d'argent qu'il avoit veu devant l'autel atot les
cirges. Il regarde le chandelabre qui vient vers la croiz, si
ne voit mie que ame le porte, si s'en merveilla molt du-
10 rement. Et aprés voit venir sor une table d'argent le Saint
Vessel qu'il ot jadis veu chiés lo Riche Pescheor, [celui
vessel meismes que l'en apele le Saint Graal]. Si tost com
li chevaliers [malades] le voit venir, si se lesse chooir a
terre de si haut com la litiere estoit et joint les mains en-
15 contre et dit :

– Beau sire Dex [*B^a*, f. 18b], qui de cest Saint Vessel
que je voi ci venir avez fet tant bel miracle en cest païs et
en autres, Pere, gardez moi par vostre pitié, en tel maniere
que ciz max dont je travail me soit assoagiez [en] po de
20 terme, si que je poisse entrer en la Queste ou li autre prodome sont entré.

71. Lors se traine [a la force de ses bras] jusq'au perron
ou la table estoit et li Saint Vessel desus, et s'i prent a .ii.
mains [et se tire contremont] et fet tant qu'il bese la table
d'argent et touche a ses euz. Et quant il a ce fet, si se sent

venir, sur une litière portée par deux palefrois, un chevalier malade qui poussait de douloureuses plaintes. Arrivé
près de la croix, il s'arrête, regarde Lancelot, mais ne lui
adresse pas la parole, le croyant endormi. Lancelot ne dit
rien non plus, comme un homme qui n'est ni éveillé ni endormi, mais simplement assoupi. Le chevalier à la litière,
arrêté devant la croix, redouble ses plaintes :

– Ah ! Seigneur Dieu, cette souffrance ne prendra-t-elle
jamais fin ? Ah ! Dieu, quand viendra le Saint-Graal qui
doit apaiser cette douleur ? Ah ! Dieu, qui a jamais souf-
fert comme je souffre, et pour un si petit méfait ?

70. Le chevalier continue à se lamenter et à se plaindre
à Dieu de ses souffrances et de ses maux. Mais Lancelot,
lui, reste immobile et silencieux comme s'il était endormi, et pourtant il le voit bien et entend tout ce qu'il dit.
L'attente du chevalier se prolonge jusqu'au moment où
Lancelot, regardant autour de lui, voit sortir de la chapelle
le candélabre d'argent aux six cierges qu'il avait aperçu
devant l'autel. Il le regarde s'approcher de la croix, mais,
à son profond étonnement, il ne voit pas qui le porte. Puis
il voit venir, sur une table d'argent, le Saint-Vase qu'il
avait vu jadis chez le Riche Pêcheur et que l'on appelait le
Saint-Graal[1]. Dès que le chevalier malade l'aperçoit, il se
laisse tomber du haut de la litière, joint les mains et dit :

– Beau Seigneur Dieu, qui par ce Saint-Vase que je vois
approcher avez fait tant de beaux miracles en ce pays et en
d'autres, Père, secourez-moi dans votre miséricorde, afin
que s'apaise bientôt ce mal dont je souffre et que je puisse
entrer en la Quête où sont entrés les autres chevaliers.

71. Il se traîne alors à la force de ses bras jusqu'au bloc
de pierre où était la table sur laquelle se trouvait le Saint-
Vase. S'aidant de ses deux mains, il se soulève et parvient
à baiser la table d'argent et à la toucher de ses yeux. Aus-

5 ausi [come tout] alegié de ses max, si jete .i. grant pleint
et dist :

— Hé ! sire Dex, gariz sui !

Et ne demora gueres qu'il s'endort. Et quant li Sainz
Vesseax ot piece demoré iluec, si s'en rala li chandelabres
10 a la chapele et li Vesseax auvec, si que Lanceloz nel sot
ne a l'aler ne au venir par cui il poist estre aportez. Et
neporquant ice li avint, ou parce qu'il estoit trop pesanz
de[l] travail qu'il avoit eu, ou par pechié dom il estoit
sorpris, qu'il ne se remua contre la venue del Saint Graal,
15 ne ne fist semblant que rien l'en fust ; dom il trova puis en
la Queste qui mainte honte li dist et assez l'en mesavint
en maint lex.

Quant li Sainz Graax fu partiz de la croiz et entrez en la
chapele, si se drece li chevaliers de la litiere sains et hetiez
20 et bese la croiz. Maintenant vint iluec .i. escuiers qui aportoit unes armes molt beles et molt riches ; et la ou il voit le
chevalier, si li demande coment il li est avenu.

— Par foi, fet il, bien, Deu merci, car je [f]ui tantost gariz
com li Sainz Graax me vint visiter. Mes merveilles [B^a, f.
25 18c] me senble de cel chevalier qui la se dort, qui onques
ne s'esveilla contre sa venue.

— Certes, fet li escuiers, c'est aucun chevalier qui maint
en aucun grant pechié dom il onques ne se fist confés,
dom il est [par aventure] si copable vers Deu qu'il ne li
30 plest mie qu'il ait veu ceste bele aventure.

— Certes, fet li chevaliers, qui que il soit, il est meschaanz ; et si quit ge bien que ce soit aucun de cels de la
Table Roonde qui sont entré en la Queste del Saint Graal.

— Ge vos ai, fet li escuiers, aportees vos armes, si les
35 prendrez, s'il vos plest.

72. Et li chevaliers dist que d'autre chose n'avoit il mestier. Si s'arme et prent les chauces de fer et le hauberc. Et
li escuiers vient a l'espee Lancelot, si la prent et lo hiaume
ausi, si le baille a son seignor, puis revient au cheval et li
5 met la sele et le frein. Et quant il l'ot bien apareillié, si dist
a son seignor :

sitôt il se sent tout allégé de ses maux, jette un grand cri, et dit :

– Ah ! Seigneur Dieu, je suis guéri !

Puis il s'endort presque immédiatement. Le Saint-Vase demeura encore un peu, puis il rentra dans la chapelle avec le candélabre sans que Lancelot pût savoir qui l'avait porté à l'aller comme au retour. Il n'en reste pas moins que, soit parce qu'il était épuisé de fatigue, soit parce qu'il était accablé par quelque péché, il ne bougea pas à la venue du Saint-Graal et fit comme s'il n'avait rien remarqué ; ce qui, plus tard dans la Quête devait lui attirer de sévères reproches et maintes mésaventures.

Lorsque le Saint-Graal se fut éloigné de la croix et fut rentré dans la chapelle, le chevalier à la litière se releva, sain et sauf, et baisa la croix. À ce moment-là survint un écuyer qui apportait une magnifique armure. Quand il vit le chevalier, il lui demanda comment il allait.

– Par ma foi, dit-il, bien, Dieu merci ! J'ai été guéri dès que le Saint-Graal est venu me visiter. Mais je suis très étonné de voir ce chevalier qui dort là et qui ne s'est pas réveillé lors de sa venue.

– En vérité, dit l'écuyer, ce doit être quelque chevalier qu'habite un lourd péché dont il ne s'est jamais confessé, et qui est peut-être si coupable que Dieu n'a pas voulu qu'il voie cette belle aventure.

– Certes, dit le chevalier, quel qu'il soit, il est bien infortuné. Et je suis presque sûr que c'est un des compagnons de la Table Ronde qui ont entrepris la Quête du Saint-Graal.

– Je vous ai apporté votre armure, dit l'écuyer ; vous pourrez la revêtir quand il vous plaira.

72. Le chevalier répond qu'il n'a cure d'autre chose. Il s'arme et met ses chausses de fer et son haubert. L'écuyer va chercher l'épée et le heaume de Lancelot et les donne à son maître ; puis il va vers le cheval de Lancelot et lui met la selle et le mors. Après quoi, il dit au chevalier :

– Sire, montez, car a buen cheval et a buene espee
n'avez vos pas failli. Certes, je ne vos ai chose baillie qui
meuz ne soit enploié en vos qu'en cel mauvés chevalier
10 qui ci gist.

La lune estoit levee bele et clere, que ja estoit passé mie
nuit. [Et] li chevaliers demande a l'escuier coment il conoist l'espee ; et il dit qu'il la quide bien conoistre a la
beauté qu'il a veu en lui. [Et il l'avoit ja traite del fuerre, et
15 l'avoit veue si clere que il l'avoit trop couvoitiee]. Quant
li chevaliers fu apareilliez et montez el cheval Lancelot, si
tent la main a la chapele et jure que, se Dex li ait et li saint,
il ne finera ja mes d'errer tant qu'il sache veraies noveles
coment ce est que li [Sains] Graax apert en tant lex el
20 roiaume de Logres, et coment il fu en Engleterre aportez
[et par qui il i vint et par quel besoing, se aucuns autres
n'en set avant veraies noveles.

– Si m'aït Dex, fet li vallez, assez en avez dit]. Or vos
doinst Dex partir a henor de ceste Queste, et a sauveté del
25 cors et de l'ame, car certes sanz poor de mort ne l[a] poez
vos longuement sivre.

– Se g'i muir, fet li chevalier, ce sera plus m'enor que
ma honte, car a ceste Queste ne se doit refuser nus prodons [*B^a*, f. 18d] [ne] por mort ne por vie.

73. Lors s'en part de la croiz entre lui et son escuier, [et
enporte les armes Lancelot] et chevauche [si com aventure le maine], tant qu'il pot bien estre esloignié demie liue
ou plus. Si avint que Lanceloz s'esveilla [et se leva en son
5 seant come cil qui adonques primes s'estoit esveillié del
tout]. Si se porpense se ce qu'il a veu fu songe ou verité,
[car il ne set se il a veu le Saint Graal ou se il l'a songié].
Lors se drece et voit le chandelabre devant l'autel, [mais
de ce que il plus voldroit veoir ne voit il mie, ce sont les
10 ensaingnes del Saint Graal, dont il voldroit savoir vraies
nouveles se il peust estre]. Quant il a grant piece regardé

– Seigneur, montez. Vous voilà pourvu d'un bon cheval et d'une bonne épée. Et, à n'en pas douter, vous ferez
meilleur usage de tout ce que je vous ai donné que le mauvais chevalier qui est étendu là.

La lune s'était levée, belle et claire, car il était déjà minuit passé. Le chevalier demande à l'écuyer comment il a
pu juger de la valeur de l'épée. Sa beauté, répond-il, l'en
a convaincu. Il l'avait déjà tirée du fourreau et l'avait vue
si brillante qu'il en avait eu grande envie. Quand le chevalier fut armé et monté sur le cheval de Lancelot, il tendit
la main vers la chapelle et jura qu'avec l'aide de Dieu et
des saints, il ne cesserait de chevaucher jusqu'à ce qu'il
eût appris les raisons pour lesquelles le Saint-Graal se ma-
nifestait en tant de lieux au royaume de Logres, comment
il avait été apporté en Angleterre, par qui et pourquoi, à
moins que quelqu'un n'en ait découvert la vérité avant
lui.

– Par Dieu, dit l'écuyer, vous en avez assez dit. Que
Dieu vous accorde d'achever cette Quête en tout honneur
et pour le salut de votre corps et de votre âme, car vous ne
pourrez la poursuivre longtemps sans risquer votre vie.

– Si je meurs, répond le chevalier, j'y gagnerai plus
d'honneur que de honte, car aucun chevalier digne de ce
nom ne doit se refuser à cette Quête, qu'il y aille de sa vie
ou de sa mort.

73. Suivi de son écuyer, il s'éloigne alors de la croix,
emportant les armes de Lancelot, et va où l'aventure le
mène. Il avait dû faire une bonne demi-lieue lorsque Lancelot ouvrit les yeux et se dressa sur son séant comme
quelqu'un qui venait juste de se réveiller. Il se demande
si ce qu'il a vu est songe ou réalité, car il ne sait s'il a
vu le Saint-Graal ou s'il a rêvé. Une fois debout, il voit
le candélabre devant l'autel, mais non ce qu'il aurait le
plus voulu voir, les signes distinctifs du Saint-Graal dont
il voudrait savoir la vérité si cela était possible. Après être
resté longtemps devant la grille du chœur dans l'espoir

devant les prones [pour savoir se il verroit riens de ce que
il plus desiroit], si ot une voiz qui li dit :

15 – Lancelot, plus dur que pierre, plus amer que fust, plus
nuz [et plus despris] que fueille de fier, coment fus tu si
hardiz que tu en leu ou li Sainz Graax reperast osas entrer ? Va t'en d'ici, que li lex est toz enpullentez de ton
repere.

74. Quant il oï ceste parole, si [est tant dolant qu'il] ne
set qu'il doie fere ne dire. Si se part de leenz [mainte-
nant mout formant de cuer souspirant et de ses iex lar-
moiant], et maudit l'ore qu'il onques fu nez, car or set il
5 bien [que il est venus au point] qu'il n'avra ja mes henor,
com il a failli a savoir les noveles del Saint Graal. Mes les
trois paroles [dont il ot esté apelés] n'a il mie obliees, [ne
n'obliera ja mes tant com il vive], ne ja mes ne sera a ese
tant qu'il sache por quoi il a esté einsi apelez. Quant il fu
10 venuz a la croiz, si ne trueve son hiaume ne s'espee ne son
cheval, [si s'aperçoit maintenant que il avoit veu verité].
Lors comence .i. duel trop grant [et trop merveilleux], si
se claime las chetif et dit :

– Ha ! Dex, ore i pert mon pechié et ma mauvese vie.
15 [Or voi je bien que ma chetiveté m'a confondu plus que
nule autre chose], que quant ge plus me deusse amender,
lors me destruit plus li enemis, qui si m'a tolu la veue que
je ne puis vooir chose qui de par Deu soit. Ne ce n'est
mie merveille se je ne puis vooir cler, car puis que je fui
20 primes chevaliers ne fu il hore que je ne fusse coverz de
tenebres de pechié mortel, car tot adés ai esté en luxure et
en la vilté del monde [plus que nus autres hom].

Einsi se despit et blasme Lanceloz molt forment et fet
son duel tote la nuit. Et quant il vit le jor bel et cler et li
25 oiselet comencierent a chanter doucement parmi le bois et
li soleuz comença a luire par mi [*B*^a, f. 19a] les arbres, et
com il voit le beau tens [et il ot le chant des oisiaus] dom
il s'est tantes foiz esbaudiz, et se voit desgarni de totes
choses, [et de ses armes qu'il a perdues et de son cheval],

d'apercevoir la chose tant désirée, il entendit une voix qui lui dit :

– Lancelot, plus dur que pierre, plus amer que bois, plus nu et plus dépouillé que figuier[1], comment as-tu eu assez d'audace pour entrer dans un lieu où était le Saint-Graal ? Va-t'en d'ici, car cet endroit est tout empuanti de ta présence.

74. Ces paroles lui causent une telle douleur qu'il ne sait que faire ou que dire. Il s'en va, poussant de profonds soupirs, les yeux mouillés de larmes, et maudissant l'heure de sa naissance. Car il sait bien qu'il a perdu l'honneur à tout jamais puisqu'il a échoué à connaître la vérité du Saint-Graal. Mais il n'a pas oublié, et n'oubliera de sa vie, les trois appellations qui lui ont été appliquées et il n'aura pas de paix tant qu'il ne saura pourquoi il a été appelé ainsi. Revenu près de la croix, il ne trouve ni son heaume ni son épée ni son cheval et se rend compte aussitôt qu'il n'a pas rêvé. Il commence à mener grand deuil, se traitant de pauvre malheureux :

– Ah ! Dieu, dit-il, voici que se découvrent mon péché et ma mauvaise vie. C'est ma faiblesse surtout qui m'a perdu, je le vois bien, car au moment où il m'aurait été possible de beaucoup m'amender, l'Ennemi m'a réduit à l'impuissance en me privant de la vue, si bien que je n'ai pu voir les choses qui sont de Dieu. Mon aveuglement d'ailleurs ne doit pas me surprendre : depuis que j'ai été fait chevalier, il n'y a pas eu un seul instant où je n'ai été enveloppé par les ténèbres du péché mortel, car j'ai toujours vécu, et plus que tout autre, dans la luxure et la bassesse de ce monde.

Lancelot passa toute la nuit à se lamenter, s'adressant force blâmes et reproches. Puis le jour parut beau et clair, les oiseaux commencèrent à chanter doucement dans le bois et le soleil à luire à travers les arbres. Quand Lancelot voit le beau temps et entend le chant des oiseaux qui l'a tant de fois réjoui, et qu'en même temps, il se voit démuni de tout, de ses armes qu'il a perdues et de son cheval, il

30 si set veraiement que Dex s'est corrociez a lui ; si ne quide
ja mes avoir joie. Car la ou il quidoit joie trover [et toute
honor terriane], la a il failli, c'est as aventures del Saint
Graal ; et ce est une chose qui molt le desconforte.

75. Quant il ot grant piece sa male aventure regretee,
si se part de la croiz et s'en va parmi la forest [tot] a pié,
sanz heaume et sanz espee et sanz escu. Si ne retorne pas a
la chapele ou il ot oï les .iii. [merveilleuses] paroles, ainz
5 s'en va tot .i. petit sentier, tant qu'il vint [a eure de prime]
a .i. hermitaje et trueve l'ermite qui voloit comencier la
messe [et estoit ja garnis des armes de Sainte Eglise]. Il
entra en la chapele molt pensis et si corrociez que nus
plus. Si s'ajenoille en mi le chancel, si bat sa cope et crie
10 merci a Deu des males ovres qu'il a fetes [en cest siecle].
Si escouta la messe [que li prodons chanta entre lui et son
clerc]. Et quant il l'ot oïe et li prodons fu desvestuz [des
armes Nostre Seignor], Lanceloz l'apele [maintenant] et
le tret a une part et li prie por Deu qu'il le conselt. Li
15 prodons li demande [dont] il est ; et il dit qu'il est de la
meson lo roi Artur et compainz de la Table Roonde. Et li
preudons li demande :

– De quoi volez vos avoir conseil ? Est ce de confession ?
20 – Sire, oïl, [fait Lancelos].
– De par Deu, fet il.

76. Lors le moine devant l'autel, si s'assient [ensemble].
Lors l[i de]mande li preudons coment il a non et dom il
est. Et il dit qu'il a non Lancelot del Lac, filz lo roi Ban
de Benoÿc. Quant li preudons entent que ce estoit Lance-
5 loz del Lac, l'ome del monde dont chascun disoit plus de
biens, si est toz esbahiz de ce qu'il li voit tel duel demener.
Et il li dit :

– Sire, vos devez a Deu [molt] grant guerredon de ce
qu'il vos a fet si bel et si vaillant, car nos ne savons el

comprend bien que Dieu s'est irrité contre lui ; et il se dit qu'il ne trouvera jamais rien en ce monde qui puisse lui rendre la joie, car il a échoué là-même où il croyait trouver la joie et les honneurs terrestres, c'est-à-dire dans les aventures du Saint-Graal ; et c'est cela qui le désole.

75. Après avoir longtemps déploré sa malheureuse aventure, il s'éloigne de la croix et s'en va dans la forêt à pied, sans heaume, sans épée et sans écu. Il ne retourne pas à la chapelle où il a entendu les trois étonnantes paroles, mais suit un petit sentier et finit par arriver, à l'heure de prime, à un ermitage. L'ermite s'apprêtait à dire la messe et avait déjà revêtu les armes de Sainte-Église[1]. Lancelot entre dans la chapelle, sombre, pensif, et le plus malheureux des hommes. Il s'agenouille au milieu du chœur, bat sa coulpe et implore Dieu de lui pardonner les mauvaises actions qu'il a commises durant sa vie. Il suit la messe que l'ermite célèbre avec son clerc. Une fois qu'elle est terminée et que le prêtre a enlevé les armes de Notre-Seigneur, Lancelot l'appelle, et le tirant à part, le prie au nom de Dieu de le conseiller. L'ermite lui demande d'où il est. Il répond qu'il est de la maison du roi Arthur et compagnon de la Table Ronde.

— Et de quelle sorte de conseil avez-vous besoin ? demande l'ermite. Voulez-vous vous confesser ?

— Oui, seigneur, répond Lancelot.

— Qu'il en soit donc ainsi, au nom de Dieu, dit l'ermite.

76. Il le mène devant l'autel et tous deux s'assoient. L'ermite lui demande alors quel est son nom et son lignage. Il répond qu'il s'appelle Lancelot du Lac et qu'il est le fils du roi Ban de Benoïc. Apprenant qu'il a devant lui Lancelot du Lac, l'homme au monde dont chacun disait le plus de bien, l'ermite est très surpris de le voir si affligé. Il lui dit :

— Seigneur, vous devez être très reconnaissant envers Dieu qui vous a fait si beau et si vaillant que nous ne

10 monde de beauté ne de valor vostre per [*Bᵃ*, f. 19b]. Il
vos a presté le sen et le memoire que vos avez, si l'en
devez fere si grant henor [que s'amor soit sauve en vos en
tel maniere] que li deables n'ait preu el large don qu'il vos
a doné. Entendez a servir de tot vostre pooir vostre criator
15 et fere ses comandemenz ; ne servez pas del grant don
qu'il vos a fet [son anemi mortel, ce est] le deable. Car se
Nostre Sires, qui vos a esté plus large que [a nul] autre,
vos perdoit, molt vos [en] devroit l'en blasmer. [Si] ne re-
semblez mie le malvés serjant dom il parole en l'Evangile,
20 dont li .i. des evangelistes fet mencion qui dit que .i. riches
hom bailla a .iii. de ses serjanz grant partie de son or. Car
il bailla a l'un .v. besanz et a l'autre .ii., et au tierz .i. Cil
qui ot les .v. [les] monteploia en tel maniere que quant il
vint devant son seignor et il dut conter [et faire raison] de
25 son gaaig, si li dist : "Sire, tu me baillas .v. besanz, vez
les ici, et .v. autres auvec que j'ai gaaigniez." Et quant
ses sires oï ce, si respondi : "Vien avant, que tu es buens
serjanz et loiax, je t'acueil en la compaignie de mon ostel." Aprés revint li autres qui les .ii. besanz avoit receuz,
30 et dist a son seignor qu'il en avoit .ii. autres gaaigniez. Et
ses sires li respondi si com il avoit fet a l'autre serjant.
Mes il avint que li tierz qui n'en avoit fors .i. receu enfoï
le suen en terre et s'en foï loig de [la face] son seignor,
[ne n'osa venir avant]. Cil fu desloiax serjanz ; cil fu li
35 fax symoniax, li ypocrites [de cuer] en cui li fex del Saint
Esperit n'entra onques. Et por ce ne pot il eschaufer de
l'amor Nostre Seignor ne enbraser celui a cui l'en anonce
la sainte parole, car si com la devine Escriture dit : "Cil
qui [*Bᵃ*, f. 19c] n'art, ne brulle pas", c'est a dire : "Se li
40 feus del Saint Esperit n'eschaufe le cuer de celui qui [ra-
conte] la parole de l'Evangile, ja li hom qui l'oie [n'en
ardera ne] n'en eschaufera."

77. « Ceste parole vos avons nos trete por le large don
que Dex vos a doné, car je voi qu'il vos a fet plus bel que

connaissons personne au monde d'une beauté et d'une prouesse égales aux vôtres. Il vous a prêté la raison et la mémoire ; vous devez en faire si bon usage pour sa gloire que son amour soit sauvegardé en vous, et que le diable ne tire aucun avantage des riches dons qu'il vous a accordés. Veillez à tout mettre en œuvre pour le servir et à observer ses commandements ; ne mettez pas les dons qu'il vous a faits au service de son ennemi mortel, le diable. Car si Notre-Seigneur qui a été plus généreux envers vous qu'envers aucun autre vous perdait, vous mériteriez d'en être sévèrement blâmé. Ne ressemblez pas au mauvais serviteur, dont il est fait mention dans l'Évangile[1]. Un des évangélistes raconte qu'un homme riche confia à trois de ses serviteurs une grande partie de son or. À l'un il donna cinq besants[2], à l'autre deux, et au troisième un seul. Celui qui reçut les cinq besants les fit si bien fructifier que lorsqu'il se présenta devant son seigneur pour rendre compte de ses gains, il lui dit : "Seigneur, tu m'as confié cinq besants, les voici, avec cinq autres que j'ai gagnés." Le maître répondit : "Approche, bon et loyal serviteur, et prends place parmi ceux de ma maison." Puis vint celui qui avait reçu deux besants ; il dit à son maître qu'il en avait gagné deux autres. Et le maître lui fit la même réponse qu'au premier. Mais celui qui n'en avait reçu qu'un l'avait enfoui dans la terre et s'était éloigné de la face de son maître. Il n'osa se présenter devant lui. C'était le mauvais serviteur, le simoniaque sans scrupules, l'hypocrite en qui ne pénétra jamais le feu du Saint-Esprit. Aussi ne peut-il réchauffer ni embraser de l'amour de Notre-Seigneur celui à qui il annonce la sainte parole. Comme le dit la Sainte Écriture : "Celui que n'habite pas une flamme ardente, ne brûle pas[3]". Ce qui signifie : "Si le feu du Saint-Esprit n'embrase pas le cœur de celui qui proclame la parole de l'Évangile, jamais celui qui l'écoute n'en sera enflammé ni embrasé."

77. « Nous vous avons rappelé ces paroles à cause des dons que Dieu vous a généreusement accordés. Je vois,

nul home et meillor, ce nos est avis par les choses qui
dehors [en] aperent. Et se vos de cest don qu'il vos a fet
5 estes ses enemis mortex, sachiez qu'il vos tornera a neent
en assez petit de tens, se vos procheinement ne li criez
merci par confession et par veraie repentance de cuer et
par amendement de vie. Et [je vos di por voir que], se vos
einsi li criez merci, il est tant douz et deboneres et tant
10 aime la veraie repentance del pecheor plus que li dechie-
menz, il vos relevera plus fort et plus wiguereus que vos
ne fustes onques a nul jor.

– Sire, fet Lanceloz, ceste senblance que vos m'avez ci
mostree, de cez .iii. serjanz qui avoient receu les besanz,
15 me desconforte [assés] plus que [nule] autre chose. Car je
voi bien que Dex me garni en [m']enfance de totes les bones graces que [onques] hom poisse avoir ; et por ce qu'il
me fu si larges del prester et je li ai si mauvesement rendu
ce qu'il m'a baillié, sai je bien que je seré juchiez com li
20 serjanz qui le besan[t] repost en terre, que j'ai servi tote
ma vie son enemi et l'[a]i lessié par mon pechié. Et me sui
mis en la voie que l'en trove au comencement larje et en
mi estroite, c'est comencemenz de pechié. [Li deable m'a
mostré la] doçor [et le miel], mes il [ne] me mostr[a] [la]
25 pardurable poine ou cil sera mis qui en cele voie demore.

Quant li prodons ot ceste parole, si comence a plorer et
dit a Lancelot :

– Sire, de ceste voie que vos me contez [B^a, f. 19d] sai
ge bien que nus n'i remaint qui ne soit mort pardurable-
30 ment. Mes si com vos veez que .i. hom forvoie aucune
foiz en son chemin et il s'endort et revient arrieres si tost
qu'il est esveilliez, tot ausi est del pecheor qui dort el pechié mortel [et] torne hors de droite voie, puis retorne a
son criator et se radrece d'aler au Haut Seignor qui toz
35 jorz crie : "Je sui voie et veritez et vie."

en effet, qu'Il vous a créé plus beau et meilleur que tout autre, si j'en juge d'après les apparences. Si, malgré sa générosité, vous agissez envers Lui en ennemi mortel, sachez qu'Il vous anéantira en un rien de temps à moins que vous ne vous hâtiez d'implorer son pardon en vous confessant, en montrant un repentir sincère et en amendant votre vie. Croyez-moi, si vous implorez ainsi son pardon, Il est si bon et si miséricordieux, Il préfère tellement le vrai repentir du pécheur à sa chute, qu'Il vous relèvera et vous rendra plus fort et plus vigoureux que vous ne l'avez jamais été.

– Seigneur, dit Lancelot, cette parabole que vous m'avez racontée des trois serviteurs qui avaient reçu les besants, m'afflige plus que tout. Je sais bien que dans mon enfance Dieu m'a doué de toutes les qualités que peut posséder un homme ; mais parce qu'Il s'est montré si généreux envers moi et que je lui ai si mal rendu ce qu'Il m'avait prêté, je comprends que je serai jugé comme le serviteur qui a enfoui le besant. Toute ma vie j'ai servi l'Ennemi et, par mon péché, j'ai abandonné Dieu. Je me suis engagé dans la voie que l'on trouve large au début, puis étroite en son milieu : c'est la voie qui conduit au péché. Le diable m'en a montré la douceur et le miel, mais il m'a caché les peines éternelles auxquelles sera condamné celui qui persiste à suivre cette voie.

Quand l'ermite entendit ces mots, il se mit à pleurer et dit à Lancelot :

– Seigneur, je sais bien que personne ne demeure dans la voie dont vous parlez sans encourir la mort éternelle. Mais de même qu'il arrive parfois à un homme de s'égarer quand il s'endort et de revenir sur ses pas dès qu'il se réveille, de même le pécheur qui s'endort dans le péché mortel et abandonne le droit chemin peut revenir vers son Créateur, et se diriger vers le Haut Seigneur qui toujours nous dit : "Je suis la voie, la vérité et la vie[1]."

78. Et lors regarde li preudons, si voit une croiz ou li crucefiz iert peinz et dit a Lancelot :

– Sire, veez vos cele croiz ?

– Oïl, fet il.

5 – [Or] sachiez, fet li prodons, que cele figure a estendu les braz ausi com por recevoir chascun. [Tout] en tel maniere a Nostre Sires estendu les braz por recevoir les pecheors, [et vos et les autres qui a lui s'adrecent], et crie toz jorz : "Venez, [venez] !" Et puis qu'il est si deboneres 10 que toz jorz est prez de recevoir cels et celes qui a lui revienent, [sachiés qu'] il ne vos refusera ja, se vos a lui vos ofrez en tel maniere com je vos ai di, par veraie confession de boche et par repentance de cuer et par amendement de vie. Et dites ci endroit tot [vostre estre et] vostre afere a 15 Deu oiant moi, et je vos aiderai [qui vos doi secorre a mon pooir] et conseillerai au meuz que je saurai.

79. Lanceloz pense .i. petit, com cil qui onques mes ne reconut l'afere de lui et de la roine, [ne ne le dira ja tant come il vive, se trop granz amonestemenz ne le meine a ce]. Il jete .i. sospir de parfont cuer, si est tex atornez 5 qu'il ne pot mot dire de boche. Si le diroit il volentiers, mes il n'ose, [come cil qui plus est couart que hardis]. Et li prodons le semont [toutevoies] de regehir son pechié et de guerpir del tot, car autrement est il honiz [s'il ne fet ce qu'il li amoneste]. Il li promet [la] vie pardurable por le 10 geh[i]r et la poine d'enfer por le celer. Si le moine tant par bones paroles et par sermon et par buenes autoritez que Lanceloz li comence a dire :

– Sire, fet il, il est einsi que je sui morz de pechié d'une moie [B^a, f. 20a] dame que j'ai amee tote ma vie, c'est la 15 roine Guinievre, la feme mon seignor lo roi Artur. C'est cele qui a grant plenté m'a doné or et argent et riches dras que j'ai [aucune foiz] doné a[s] povres chevaliers. C'est cele qui m'a mis el [grant] bobant et en la [grant] hautece ou je sui. C'est cele por cui amor j'ai fetes les granz proe-20 ces dont toz li monz parole. C'est cele qui m'a fet venir

78. Regardant autour de lui, l'ermite voit une croix où était peinte l'image du Crucifié. Il la montre à Lancelot et lui dit :

– Seigneur, voyez-vous cette croix ?

– Oui, répond-il.

– Sachez donc que cette figure a les bras étendus comme pour accueillir chacun de nous. De même, Notre-Seigneur a étendu les bras pour accueillir tous les pécheurs, vous et les autres qui se tournent vers Lui et à qui Il crie : "Venez, venez !" Et puisque sa bonté est telle qu'Il est toujours prêt à accueillir ceux et celles qui reviennent à Lui, sachez qu'Il ne vous repoussera pas si vous vous offrez à Lui comme je vous l'ai dit, en faisant une vraie confession, en éprouvant un repentir sincère, en amendant votre conduite. Dites-Lui maintenant, devant moi, vos pensées et votre histoire, et je vous aiderai comme je le dois, et vous conseillerai du mieux que je pourrai.

79. Lancelot réfléchit un instant. Jamais il n'a avoué ses relations avec la reine et il ne le fera pas tant qu'il vivra, à moins d'y être amené par une exhortation pressante. Il pousse un profond soupir et, dans son désarroi, ne peut prononcer une parole. Pourtant, il serait prêt à avouer, mais il n'ose pas, comme un homme plus couard que hardi. L'ermite cependant le conjure d'avouer son péché et d'y renoncer totalement sans quoi il sera perdu. Il lui promet la vie éternelle s'il se confesse, les peines de l'enfer s'il se tait. À l'aide de bonnes paroles, d'exhortations, et de références à l'Écriture, il insiste tant auprès de lui que Lancelot finit par lui dire :

– Seigneur, il est vrai que je suis en état de péché mortel à cause d'une dame que j'ai aimée toute ma vie, la reine Guenièvre, l'épouse de mon seigneur le roi Arthur. C'est elle qui m'a donné en abondance de l'or, de l'argent et de riches vêtements que j'ai parfois distribués aux pauvres chevaliers. C'est à elle que je dois ma magnificence et le haut rang que j'occupe. C'est par amour pour elle que j'ai accompli les grandes prouesses dont tout le monde parle.

de povreté a richece et de mesese a tote beneurté terriene.
Mes je sai or bien que par cest pechié [de lui] est Nostre
Sires [si durement] corrociez a moi, si le m'a bien mostré
puis ersoir.

80. Lors li conte coment il avoit veu le Graal si que onques ne se remua encontre lui [ne] por henor de lui [ne
por l'amor de Nostre Seignor. Et] quant il a au prodome
conté tot son estre et tote sa vie, si li prie por Deu qu'il le
5 conselt. Et cil li respont :
– Certes, nul conseil n'i avroit mestier se vos ne crean-
tiez a Deu que ja mes en cest pechié n'enterriez. Mes se
vos en voliez del tot oster et crier merci a Deu et repentir
vos de buen cuer, je quit que Nostre Sires vos rapeleroit
10 o ses serjanz, si vos feroit ovrir la porte de son hostel ou
la joie pardurable est apareillie a cels qui leenz enterront.
Mes en cest point ou vos estes ne vos porroit avoir mestier
conseuz, car ce seroit ausi com cil qui fet drecier une tor
fort et haute sor mauvés fondement, si li avient que, com
15 il a tot maçoné, que tot [ce qu'il a fait] chiet en .i. mont.
Tot ausi seroit en vos perdue la poine Nostre Segnor, se
vos ne la receviez de buen cuer [et metiez en oevre]. Ce
seroit la semence que l'en jete sor la roche, que li oisel enportent et degastent qui ne [*B*ᵃ, f. 20b] vient a nul fruit.
20 – Sire, fet il, vos ne me direz chose que je ne face, se
Dex me velt preste[r] vie et santé.
– Dont vos requier je, fet li preudons, que vos me creantez que ja mes ne meferez a vostre Criator en fesant pechié mortel de la roine ne d'autre dame [ne d'autre chose
25 dont vos le doiez corrocier].
Et il li otroie [come loiaus chevaliers].
– Or me contez, fet li prodons, encores del Saint Graal
coment il vos en avint.

81. Si li conte et devise les trois paroles que la voiz li

C'est elle qui m'a fait passer de la pauvreté à la richesse
et de l'infortune au plus grand bonheur terrestre. Mais je
sais bien que c'est à cause d'elle, mon péché, que Notre-
Seigneur s'est tant courroucé contre moi comme Il me l'a
clairement montré depuis hier soir.

80. Il lui raconte alors comment il a vu le Saint-Graal
sans pouvoir bouger à son approche, que ce soit pour l'honorer ou par amour de Notre-Seigneur. Et quand il a tout
dit à l'ermite, sur lui-même et sur sa vie, il le prie, au nom
de Dieu, de le conseiller.

– En vérité, répond-il, tout conseil vous serait inutile si
vous ne promettiez à Dieu de ne jamais retomber dans
ce péché. Mais si vous vouliez y renoncer définitivement,
implorer le pardon divin et vous repentir sincèrement, je
pense que Notre-Seigneur vous rappellerait parmi ses serviteurs et vous ferait ouvrir la porte de sa demeure où la
joie éternelle attend ceux qui y entreront. Mais dans l'état
où vous êtes, aucun conseil ne pourrait vous aider. Il en
serait comme de celui qui bâtit une haute et forte tour sur
des fondations peu stables. Quand il a achevé son travail,
tout l'édifice s'effondre[1]. De même, tout ce que Notre-
Seigneur a fait pour vous serait vain, si vous ne l'acceptiez
de plein gré et ne le mettiez à profit. Il en serait comme
de la semence que l'on jette sur le roc, que les oiseaux
emportent et dispersent et qui ne produit rien[2].

– Seigneur, dit Lancelot, je ferai tout ce que vous me
direz, si Dieu veut bien me prêter vie et santé.

– Je vous demande alors, dit l'ermite, de me promettre
de ne plus jamais offenser votre Créateur en commettant
un péché mortel avec la reine ou avec quelque autre dame,
ou en faisant quoi que ce soit qui puisse le courroucer.

Lancelot le lui promet en loyal chevalier

– Mais dites-moi encore ce qui vous est arrivé lorsque
le Saint-Graal vous est apparu.

81. Lancelot le lui raconte et mentionne les trois paroles

ot dites en la chapele, [la] ou il fu apelez pierre [et] fust
et figuier.

— Et por Deu, sire, dites moi la senefiance de cez trois
5 choses, car onques n'oï chose que je desirrasse tant a savoir com ceste. Si vos pri que vos m'en fetes certein, [car
je sai bien que vos en savez la verité].

Lors comence li preudons a penser grant piece, et com
il parole, si dit :

10 — Certes, Lancelot, je ne [me] merveil mie se cez trois
paroles vos ont esté dites, que vos avez esté toz dis li plus
[merveilleus et li plus] aventureus hom del monde. Si
n'est mie merveille se l'en vos dit plus merveilleuses paroles qu'a autre. Et puis que vos en volez savoir la verité,
15 je la vos dirai volentiers. Or escoutez. Vos avez conté que
l'en vos dist : "Lancelot, plus dur que pierre, plus amer
que fust, plus nuz et plus despoillié que fier, va t'en d'ici."
En ce qu'il vos apela plus dur que pierre puet en une merveille entendre, que tote pierre est dure en sa nature [et
20 meesmement l'une plus que l'autre]. Par la pierre ou l'en
trueve durté puet en entendre le cuer del pecheor, qui tant
s'est endormiz [et demourés] en son pechié que ses cuers
en est si adurciz qu'il ne puet estre amoloiez par feu ne
par eve. Par feu ne puet il estre amoloiez, que l'ardor del
25 Saint Esperit n'i puet entrer ne trover leu, por le vessel qui
est orz et lez de viez pechiez que cil a amoncelez de [B^a,
f. 20c] jor en jor. Et p[a]r [eve] ne puet il estre amoloiez,
que la parole del Saint Esperit, qui est la [doce eve et la]
doce pluie, ne puet estre receue en son cuer, que Nostre
30 Sires ne se herberjera ja en leu ou ses enemis soit, ainz
velt que li ostex ou il vendra soit netoiez [et espurgiez]
de toz vices [et de totes ordures]. Par cele entencion est
li pechierres apelé pierre, por la [grant] durté que Nostre
Sires trueve en lui. Mes ce covient vooir par droit coment
35 tu es plus durs que pierre, c'est a dire coment tu soies plus
pechierres que autres [pechierres].

82. Quant il a ce dit, si comence a penser et lors respont :

que la voix avait prononcées dans la chapelle lorsqu'il fut appelé pierre, bois et figuier.

– Pour Dieu, seigneur, expliquez-moi ce que signifient ces paroles, car je n'en ai jamais entendu que j'aie autant désiré comprendre. Je vous prie donc de m'éclairer sur leur sens, que vous connaissez, j'en suis sûr.

L'ermite réfléchit un long moment, puis il dit :

– Certes, Lancelot, je ne suis pas surpris que ces trois paroles vous aient été adressées. Car vous avez toujours été le plus remarquable des hommes et le plus intrépide. Ce n'est donc pas étonnant que l'on vous dise des paroles plus merveilleuses qu'à tout autre. Et puisque vous voulez en savoir la vérité, je vous la dirai volontiers. Écoutez-moi. Vous m'avez conté qu'une voix vous a dit : "Lancelot, plus dur que pierre, plus amer que bois, plus nu et plus dépouillé que figuier, va-t'en d'ici !" Que l'on vous ait appelé plus dur que pierre est hautement significatif, car toute pierre est dure par sa nature même, et certaines plus que d'autres. Et la pierre, en raison de sa dureté, peut signifier le cœur du pécheur, de celui qui s'est endormi et établi dans son péché. Son cœur est si endurci qu'il ne peut être amolli ni par le feu ni par l'eau. Il ne peut être amolli par le feu, car le feu du Saint-Esprit ne peut entrer en lui et l'habiter : le vase est trop sali, souillé par tous les péchés qu'il a accumulés de jour en jour. Il ne peut être amolli par l'eau, car la parole du Saint-Eprit, qui est la douce eau et la douce pluie ne peut être reçue en son cœur. Jamais Notre-Seigneur n'habitera en un lieu où se trouve son ennemi ; Il veut que la demeure où Il logera soit nette et pure de tous vices et de toutes souillures. Voilà pourquoi le pécheur est appelé pierre, à cause de la grande dureté que Notre-Seigneur trouve en lui. Mais il nous faut maintenant examiner pourquoi tu es plus dur que pierre, c'est-à-dire plus pécheur que tout autre pécheur.

82. L'ermite se met à réfléchir, puis reprend :

– Je te dirai coment tu es plus pechierres d'autre[s pe-
chierres]. Tu as bien oï des trois serjanz a cui [li riches
5 hons] bailla les besanz [a acroistre et] a monteploier. Li
.ii. qui plus en avoient receu furent serjant bon et loial et
saje [et porvoiant]. Et li tierz, qui moins en ot [receu], fu
fax et desloiax. Or esgarde se tu porroies estre de ces serjanz a cui Nostre Sire bailla les .v. besanz a monteploier. Il
10 m'est avis qu'il te bailla assez plus, car qui or regarderoit
entre chevaliers terriens, l'en ne troveroit pas home a cui
Nostre Sire eust doné tant de grace com il t'avoit presté.
Il te dona beauté a comble ; il te dona sen et discrecion de
conoistre le bien del mal ; il te dona proece et hardement.
15 Aprés te dona buen eur si larjement que tu es toz jorz
venu a chief de ce que tu as comencié. Totes cez choses te
presta Nostre Sires por ce que tu en fusses ses chevaliers
et ses serjanz. Il ne te dona mie cez vertuz por ce qu'eles
fussent en toi peries, [mes escreues et amendees]. Et tu
20 l'en as esté si mauvés serjanz [et si desloiaus] que tu l'as
guerpi et servi son enemi, [que toz jorz as guerroié encontre lui. Tu as esté le mauvais soudoier qui se part de son
seignor si tost come il a eu ses soudees, si va aider son
enemi]. Einsi as tu fet a Nostre Seignor, que si tost com il
25 t'ot paié bel et richement, tu le lessas por aler servir celui
qui toz jorz le guerroie. Ce ne feist nus hom, au mien escient, qu'il eust si bien paié com il [B^a, f. 20d] t'a paié, et
por ce puez tu bien vooir que tu es plus dur que pierre, et
plus pechierres qe autres [pechierres]. Et encor, qui velt,
30 puet en [bien] entendre pierre en autre maniere, car de
pierre virent aucunes jenz oissir doçor es deserz outre la
Roge Mer. La ou li pueples Israel demora si lonc tens, vit
l'en [tot apertement] que li pueples avoit talent de boivre
et que li .i. s'en dementoit a l'autre. Et Moÿses vint a une
35 roche dure et anciene et dist ausi com s'il eust dotance
que ce ne poïst avenir : "Ne porrons nos jeter eve de ceste
roche ?" Tantost oissi eve de la roche a tel plenté que toz
li pueples en ot a boivre. Einsi fu aqoisié lor murmure et

– Je vais te dire pourquoi tu es plus pécheur que tout
autre. Tu as bien entendu l'histoire des trois serviteurs à
qui l'homme riche confia les besants pour les faire fructifier. Les deux qui en avaient reçu le plus furent de bons
serviteurs, loyaux, sages et prévoyants. Le troisième, qui
en avait moins reçu, fut fourbe et déloyal. Or, considère si
tu ne pourrais pas être un de ces serviteurs à qui Notre-
Seigneur confia les cinq besants pour les faire fructifier. Il
me semble qu'Il t'a donné bien davantage. En effet, si l'on
cherchait parmi tous les chevaliers de la terre, on n'en
trouverait aucun à qui Notre-Seigneur ait accordé autant
de grâces. Il t'a donné la plus grande beauté possible; Il
t'a donné l'intelligence et la faculté de discerner le bien
du mal; Il t'a donné la vaillance et l'audace. Ensuite, Il t'a
accordé le privilège de mener à bien tout ce que tu as entrepris. Toutes ces choses, Notre-Seigneur te les a prêtées
pour que tu sois son chevalier et son serviteur, non point
pour qu'elles périssent en toi, mais pour qu'elles croissent
et s'amendent. Or, tu as été un serviteur si mauvais et si
déloyal que tu L'as abandonné pour servir son ennemi et
que tu as persisté à Lui livrer bataille. Tu as été comme
le mauvais soldat qui abandonne son seigneur dès qu'il
a reçu sa solde et va aider son ennemi. Ainsi as-tu agi
envers Notre-Seigneur, car dès qu'Il t'eut richement payé
tu l'as abandonné pour aller servir celui qui ne cesse de
le combattre. Aucun homme, je pense, n'aurait agi ainsi
après avoir été aussi généreusement payé. Tu dois bien
voir maintenant que tu es plus dur que pierre et plus pécheur que tous les pécheurs. Mais on peut, si l'on veut,
entendre le mot "pierre" d'une autre manière encore. Car
de la pierre on vit sortir quelque douceur dans les déserts
au-delà de la Mer Rouge, là où le peuple d'Israël demeura
si longtemps. Les gens y connurent la soif, et ils commencèrent à se lamenter. Moïse s'approcha alors d'une roche
dure et ancienne et dit, comme s'il doutait que la chose
fût possible : "Ne pourrons-nous faire jaillir de l'eau de
ce rocher?" Et aussitôt l'eau jaillit du rocher, si abondante
que tout le peuple put boire. Leurs murmures s'apaisèrent

lor soif estanchié. Einsi puet en dire que de pierre oissi
40   aucune foiz doçor ; mes de toi n'oissi onques nule, et por
ce puez tu vooir tot apertement que tu es plus dur que
pierre.

– Sire, fet Lanceloz, or dites por quoi l'en me dist que
ge estoie trop plus amer que nus fust.

83. – [Ge le te dirai, fet li preudons. Or m'escoute]. Ge
t'ai mostré qu'en toi est tote durté, et la ou si grant durtez
abite ne puet nule doçor reperier, ne nos ne devons pas
quidier qu'il i remaigne riens fors amertume. Amertume
5   est donc en toi si grant com la doçor i deust estre. Donc
tu es senblable au fust mort et porri ou nule doçor n'est
remese, fors amertume. Or t'ai mostré coment tu es plus
dur que pierre et plus amers que fuz. Or est la tierce chose
a mostrer coment tu soies plus nuz et plus despoilliez que
10   fier. [De cel figuier], dont [on parole ci], il fet mencion en
l'Evangile [la ou il parole del jor] de Pasque florie, qant
Nostre Sires vint en Jerusalem sor l'asne, le jor que li enfant des Ebrex chantoient encontre sa venue le doz chant
dont Sainte Yglise fet chascun an memoire, a celui jor que
15   l'en apele le jor des Fleurs. [*B*ᵃ, f. 21a] Celui jor sermona
li Hauz Sires, li Hauz Prestres, li Hauz Prophetes en la cité
de Jerusalem, entre cels en cui tote durtez estoit herbergie.
Et com il ot sermoné tote jor et il fu partiz del sermon, il
ne trova en tote la vile qui en son ostel le herbenjast, si se
20   parti de leenz. Et com il fu hors de la cité, si trova enmi sa
voie .i. fier qui molt estoit biax et bien garniz de fueilles
et de branches, mes de fruit n'i avoit il point. Et Nostre
Sires [vint a l'arbre, et quant il le vit desgarni de fruit, il
en fu ausi comme corrociés, dont il] maudist l'arbre por
25   ce qu'il ne portoit fruit. Einsi avint del fier de Jerusalem.
Or esgarde se tu porroies estre autel [ou plus nus et plus
despoilliés que il ne fu]. Quant Jesucriz vint a l'arbre, il [i]
trova fueilles dom il poïst prendre s'il vossist et branches
sor quoi il se poïst reposer, s'il vossist. Mes quant li Sainz
30   Graax fu aportez devant toi, il te trova si desgarni qu'il ne

et leur soif fut étanchée[1]. Ainsi peut-on dire qu'une fois la douceur est sortie de la pierre, mais de toi il n'en est jamais venu, et c'est pourquoi tu peux bien voir que tu es plus dur que pierre.

– Seigneur, dit Lancelot, dites-moi maintenant pourquoi on m'a dit que j'étais plus amer qu'aucun bois.

83. – Je vais te l'expliquer, dit l'ermite. Écoute-moi. Je t'ai montré qu'en toi est toute dureté, et là où elle est nulle douceur ne peut trouver place, et nous aurions tort de penser qu'il y puisse demeurer autre chose que l'amertume. L'amertume est donc en toi aussi grande que devrait être la douceur. Ainsi, tu es semblable au bois mort et pourri où l'amertume a remplacé toute douceur. Je t'ai montré en quel sens tu es plus dur que pierre et plus amer que bois. La troisième chose reste à montrer : pourquoi tu es plus nu et plus dépouillé que figuier. Le figuier dont il est question ici, l'Évangile en fait mention lorsqu'il parle de Pâques fleuries[1], de ce jour où Notre-Seigneur vint à Jérusalem monté sur l'âne, le jour où les enfants des Hébreux chantaient le doux chant que Sainte Église rappelle chaque année à notre mémoire, ce jour enfin que l'on appelle le jour des Fleurs. Ce jour-là, le Haut Seigneur, le Haut Prêtre, le Haut Prophète prêcha dans la cité de Jérusalem au milieu de ces gens dont le cœur était plein de dureté. Et quand il quitta le lieu où il avait prêché tout le jour, il ne trouva personne, dans toute la ville, qui voulût bien lui donner l'hospitalité. Il s'en alla donc. Une fois sorti de la ville, il trouva sur son chemin un très beau figuier, tout garni de feuilles et de branches, mais sans fruits. Notre-Seigneur s'approcha de l'arbre, mais quand il vit qu'il ne portait pas de fruits, il en fut comme courroucé et maudit l'arbre stérile. Voilà ce qu'il advint du figuier de Jérusalem. Or considère si tu n'es pas tel que cet arbre et même plus nu et plus dépouillé encore. Quand Jésus s'approcha de l'arbre, il y trouva des feuilles qu'il aurait pu prendre s'il avait voulu, ainsi que des branches sur quoi il aurait pu se reposer. Mais quand le Saint-Graal fut apporté devant

trova en toi [ne] bone pensee ne bone volenté, mes vilain
et ort et conchié de luxure te trova il, [et tot desgarni de
fueilles et de fruit et de branches], ce est a dire de totes
bones ovres. Por ce te fu dite la parole [que tu m'as dite] :
35 "Lancelot, plus dur que pierre, plus amer que fust, plus
nuz et plus despoilliez que figuier, va t'en d'ici."

84. – Certes, sire, fet Lanceloz, tant m'avez dit et mostré
[apertement] que je sai bien que a droit sui apelez pierre
et fust et fier, car totes les choses que vos m'avez dites
sont herbergies dedenz moi. Mes por ce que vos me dites
5 que je n'ai mie encor tant alé que je n'o poïsse retorner, se
je me voil garder de renchooir en pechié mortel, creant
je premierement a Deu et a vos après que ja mes a la vie
que j'ai menee [si mortelment] ne retorneré, ainz [tendrai
chastee et] me garderai au plus netement que je porrai.
10 [Mes] de chevalerie suirre [et de fere d'armes] ne me porroie je tenir [tant come je fusse si sains et si haitiés come
je sui].

Quant li prodons [*B^a*, f. 21b] ot ceste parole, si est molt
liez et dit a Lancelot :
15 – Certes, sire, se vos le pechié de la roine volez lessier,
je vos di veraiement que Nostre Sires [vos ameroit encore
et] vos envoieroit conseil et vos regarderoit en pitié, et
vos dorroit pooir d'achever mainte chose ou vos ne poez
avenir par vostre pechié.
20 – Sire, fet il, je le les, en tel maniere que ja mes ne pe-
cheré en lui n'en autre.

Et quant li prodons l'ot, si li enjoint tele penitence com
il quide qu'il poïst fere, si l'assolt et beneist et li prie qu'il
demore hui mes o lui. Et il dit que fere li covient, qu'il
25 n'a cheval sor quoi il poïsse monter, ne escu ne lance ne
espee.

– De ce vos aideré je bien, fet li prodom, ainz demain a
soir, car ci pres maint .i. mien frere chevalier, qui m'en-

toi, il te trouva si dégarni qu'il n'y avait en toi ni bonne pensée ni bonne intention. Tu étais un être abject, tout sali, tout souillé de luxure et entièrement dégarni de feuilles, de fruits et de branches, c'est-à-dire de bonnes actions. C'est pour cette raison qu'on t'a adressé les paroles que tu m'as rapportées : "Lancelot, plus dur que pierre, plus amer que bois, plus nu et plus dépouillé que figuier, va-t'en d'ici"[3].

84. – Seigneur, dit Lancelot, votre explication m'a clairement démontré que c'est à juste titre que je suis appelé pierre, bois et figuier, car tous les défauts dont vous m'avez parlé sont en moi. Mais puisque vous m'avez dit que je ne suis pas encore allé si loin que je ne puisse revenir sur mes pas, si du moins je veille à ne pas retomber en péché mortel, je promets à Dieu d'abord et à vous ensuite de ne jamais reprendre la vie coupable que j'ai menée, mais d'observer la chasteté et de garder mon corps aussi pur que je pourrai. Mais abandonner la chevalerie et le métier des armes, me serait impossible tant que je jouirai de ma présente vigueur.

L'ermite, tout heureux d'entendre ces paroles, lui répondit :

– En vérité, seigneur, si vous renonciez à vos relations coupables avec la reine, je puis vous assurer que Notre-Seigneur vous aimerait encore, vous enverrait son aide, vous ferait miséricorde et vous donnerait le pouvoir d'achever maintes choses que vous ne pouvez réussir à cause de votre péché.

– Seigneur, dit Lancelot, j'y renonce. Jamais plus je ne commettrai ce péché, ni avec elle ni avec une autre.

L'ermite lui impose alors une pénitence qu'il pense qu'il pourra accomplir. Il l'absout, le bénit, puis lui demande de rester avec lui ce jour-là. Lancelot répond qu'il ne peut qu'accepter, car il n'a ni cheval, ni écu, ni lance, ni épée.

– Il me sera possible de vous aider, dit l'ermite, avant demain soir. Un de mes frères, qui est chevalier, demeure

voiera cheval et armes et tot ce que mestier vos sera, si
30 tost com je li manderai.

Et Lanceloz dit que donc remaindra il volentiers et demorra tant com lui plera. Et li prodons en est molt durement liez et molt joianz. Einsi demora Lanceloz leenz
auvec le preudome et il sermone et li amoneste de bien
35 fere. Et tant li dist li hermites de bones paroles que Lanceloz se repent molt de la mauvese vie qu'il a [si lonc
tans] menee. Car il set bien veraiement que, s'il moreust
en tel point, que il perdist l'ame et le cors tot ensenble, et
par aventure il en fust trop malbailliz se il poïst estre de
40 ceste chose ateinz. Et por ce s[e] repent il molt durement
de ce que il ot onques fole amor envers sa dame, la roine
Guinievre, la feme lo roi Artur, car il i a usé son tens. Et
s'en blasme molt durement et si s'en honist soi meismes,
et creante [*B^a*, f. 21c] [bien] en son cuer que ja mes n'i
45 encharra. Mes atant lesse ore li contes a parler de lui et
retorne a Perceval.

85. Or dit li contes que quant [Perceval] se fu partiz de
[Lancelot], si retorna a la recluse, car la quidoit il bien oïr
noveles del chevalier qui eschapez lor estoit. Quant il fu
retornez, si [li avint que il] ne pot trover nul droit sentier
5 qui cele part le menast. Et neporquant il s'i adreça, [la u
il quidoit que ce fust] au melz qu'il pot. Com il vint a la
chapele, si hurta a la [petite] fenestre [a] la recluse, et ele
li ovri [maintenant come cele qui ne dormoit mie. Si mist
la teste au plus avant que ele pot], si li demande qui il est.
10 Et il dit qu'il est de la meson lo roi Artur, si a non Perceval de Gales. Quant ele ot son non, si ot molt grant joie,
que molt l'amoit, [et ele le devoit bien faire] com cil qui
ses niés estoit. Et ele [apele] sa mesnié [de laiens et com-

près d'ici ; il m'enverra un cheval, des armes et tout ce dont vous aurez besoin dès que je le lui demanderai.

Lancelot dit qu'il restera volontiers avec lui et aussi longtemps qu'il lui plaira, ce qui rend l'ermite très heureux. Lancelot resta donc avec l'ermite qui lui adressait des recommandations et l'exhortait à se bien conduire. Il lui dit tant de sages paroles que Lancelot se repentit profondément de la mauvaise vie qu'il avait si longtemps menée. Il voyait bien que, s'il était mort dans cet état, il aurait perdu son âme et son corps, et peut-être aurait il été très durement traité s'il avait été inculpé de ce crime. Aussi se repent-il très sincèrement d'avoir éprouvé un amour coupable pour sa dame, la reine Guenièvre, la femme du roi Arthur, et d'avoir ainsi gaspillé sa vie. Il se le reproche, et se blâme, et promet en son cœur de ne jamais retomber dans ce péché. Mais ici le conte cesse de parler de lui et retourne à Perceval.

CHAPITRE VI
Aventures de Perceval

85. Le conte dit que lorsque Perceval eut quitté Lancelot, il retourna auprès de la recluse espérant bien avoir des nouvelles du chevalier qui leur avait échappé. Mais en s'y rendant, il eut du mal à trouver un chemin qui l'aurait mené directement chez elle. Néanmoins, il prit la direction qu'il jugea la meilleure. Quand il arriva à la chapelle, il frappa à la petite fenêtre de la recluse et elle lui ouvrit aussitôt, car elle ne dormait pas. Avançant la tête autant que possible, elle lui demanda qui il était. Il répondit qu'il était de la maison du roi Arthur, et s'appelait Perceval le Gallois. Cette réponse lui causa une grande joie, car elle l'aimait beaucoup, et à juste titre, puisqu'il était son neveu. Elle appelle ses gens et leur ordonne d'ouvrir au che-

mande] qu'il ovrent l'uis au chevalier qui [la] hors estoit
15 et li doignent a ma[n]gier s'il en a mestier [et le servent
au mieus qu'il pueent], « que c'est l'ome del monde qe
je plus aim ». Et cil de leenz [font son commandement et
vienent a l'uis et le] deferment, si reçoivent [le chevalier]
a grant joie [et le desarment], si li donent a mangier. Et il
20 demande s'il porra mes hui parler a la recluse.

— Sire, font il, nenil, mes demain aprés la messe quidons
nos bien que vos [l]i poissiez parler.

86. Il s'en sofre atant, si se couche en .i. lit que li frere
li firent ; et se reposa tote la nuit com cil qui molt lassez
estoit [et travailliez]. L'endemain, [quant li jorz fu clers],
se leva [Perceval], si oï messe que li chapelains de leenz li
5 chanta. Et com il fu armez, si vint a la recluse et [li] dit :

— Dame, por Deu dites moi noveles del chevalier qui
par ci passa ier, a cui vos deistes que vos le deviez bien
conoistre. [Car il m'est molt tart que je sache qui il est.
Et] quant la dame ot ce, si li demande por quoi il le
10 quiert.

— Por ce, fet il, [*B*ª, f. 21d] [que] je ne seré ja mes a ese
tant que je sache qui il est et que je l'aie trové et combatu
moi a lui. Car il m'a tant mefet que je nel porroie pas lessier [sans honte avoir].

15 — Ha ! Perceval, fet ele, qu'est ce que vos dites ? [Volez
vos combatre a lui ?] Avez vos donc talent de morir ausi
com vos freres, qui [morurent d'armes et] furent ocis par
lor otraje ? [Et certes], se vos morez en tel maniere, ce
sera domages granz [et vostre parenté en abessera molt].
20 Et savez vos que vos i perdrez, se vos a cel chevalier vos
combatez ? Je le vos dirai. Voirs est que la [grant] Queste
del [Saint] Graal est comencie, dont vos estes compainz,
[ce m'est avis], si sera menee a chief procheinement [se
Deu plaist]. Et il est einsi que vos querez greignor henor
25 que vos ne quidiez, se vos [seulement vos] sofrez de combatre a cel chevalier, que ce savons nos bien, en cest païs
[et en maint autre leu], que au parasomer avra trois pre-

valier qui attend dehors, de lui donner à manger s'il le désire et de le servir de leur mieux, «car c'est l'homme que
j'aime le plus au monde». Ils exécutent ses ordres, vont
ouvrir la porte, reçoivent le chevalier avec empressement,
le désarment, et lui donnent à manger. Perceval demande
s'il pourra parler à la recluse ce jour même.

– Non, seigneur, répondent-ils, pas aujourd'hui, mais
nous pensons bien que vous le pourrez demain après la
messe.

86. Perceval n'insista pas; il se coucha dans le lit que
les moines lui avaient préparé et dormit toute la nuit, car
il était recru de fatigue. Le lendemain, dès qu'il fit jour, il
se leva et entendit la messe que chanta le chapelain. Puis,
une fois armé, il se rendit auprès de la recluse et lui dit :

– Ma dame, au nom de Dieu, donnez-moi des nouvelles
du chevalier qui est passé ici hier et à qui vous avez dit
que vous aviez de bonnes raisons de le connaître, car il me
tarde fort de savoir qui il est.

Quand la dame entend cela, elle lui demande pourquoi
il le cherche.

– Parce que je ne serai jamais content avant de savoir
son nom, de l'avoir retrouvé et combattu. Il m'a fait tant
de mal que je ne pourrais renoncer à le chercher sans me
couvrir de honte.

– Ah! Perceval, que dites-vous là? Vous voulez vous
battre avec lui? Avez-vous donc envie de mourir comme
vos frères[1] qui furent tués dans un combat, victimes de
leur démesure? Si vous mourez ainsi, ce sera un grand
malheur et votre famille en sera affaiblie. Et savez-vous
ce que vous perdrez si vous combattez ce chevalier? Je
vais vous le dire. Il est vrai que la grande Quête du Saint-
Graal, dont vous êtes compagnon, je crois, est commencée et qu'elle sera bientôt achevée, s'il plaît à Dieu. Et
c'est un fait que vous gagnerez un plus grand honneur que
vous ne pensez si seulement vous renoncez à combattre ce
chevalier. Car nous savons bien, en ce pays et en beaucoup
d'autres, qu'à la fin trois chevaliers de mérite exceptionnel

ciax chevaliers qui avront le pris et le los de la Queste [sor
toz les autres] : si [en] seront li .ii. virge et li tierz chastes.
30 Des .ii. virges est li chevaliers que vos querez li .i. et vos
l'autre, et li tierz Boorz de Gaunes. Par cez trois sera la
Queste achevee. Et puis que Dex vos a tele enor apareillie
a avoir, il seroit [granz] domages se vos entretant queriez
vostre mort. Et vos la hastez bien, se vos a celui que vos
35 querez vos combatez, qu'il est meudres chevaliers que vos
n'estes, ne que home que l'en conoisse.

— Dame, fet Percevax, il me senble, [a ce que vos me
dites de mes freres], que vos savez bien cui je sui.

— Ge le sai bien, fet ele, [et bien le doi savoir], que [je
40 sui vostre ante et] vos estes mes niés. Et [nel doutez mie
por ce se je sui ci en povre habit ; ainz sachiez vraiement
que] je sui cele que l'en apeloit jadis la roine de la Terre
Gaste, et vos veistes ja que ge estoie une des plus riches
dames del monde. Neporquant onques cele richece ne
45 m[e] plot tant [ne embeli] come [fait] ceste poverté ou je
sui [orendroit].

87. Com il ot ceste parole, si comence a plorer de la pitié qu'il a ; [si li sovient tant qu'il la connoist a s'antain].
Lors s'assiet devant li et li demande noveles de sa mere
[et de ses parens].
5   — Coment, biax niés, fet ele, ne savez [*B^a*, f. 22a] vos
mie noveles de vostre mere ?

— Dame, fet il, nenil. [Je ne sai se ele est morte ou
vive]. Mes mainte foiz l'ai puis veue en mon dormant et
me disoit qu'ele se devoit de moi plus plaindre que loer,
10 que je l'avoie presque malbaillie.

Quant la dame ot ceste parole, si li respont [morne et
pensive] :

— Certes, biax niés, a vostre mere vooir, avez vos failli,
se ce n'est en songe, [car ele est morte] des lors que vos
15 alastes a la cort lo roi Artur.

— Dame, fet il, coment fu ce donc ?

remporteront, sur tous les autres, l'honneur et la gloire de
la Quête : deux seront vierges, et le troisième chaste. Des
deux chevaliers vierges, l'un est celui que vous cherchez,
et vous l'autre ; et le troisième est Bohort de Gaunes. Ces
trois chevaliers achèveront la Quête. Puisque Dieu vous a
réservé un tel honneur, ce serait grand dommage si auparavant vous mettiez vos jours en danger. Et vous hâterez
certainement votre mort en combattant celui que vous
cherchez, car il est meilleur chevalier que vous et que tout
autre homme au monde.

– Ma dame, dit Perceval, il me semble, d'après ce que
vous me dites de mes frères, que vous savez bien qui je
suis.

– Je le sais en effet, et dois bien le savoir, puisque je
suis votre tante, et vous mon neveu. N'en doutez pas en
me voyant ici pauvrement vêtue. Sachez que je suis bien
celle que l'on appelait jadis la reine de la Terre Gaste[2],
et vous m'avez vue autrefois lorsque j'étais une des
plus puissantes dames du monde. Pourtant, jamais cette
richesse ne m'a plu ni ne m'a agréé autant que la pauvreté
où je suis maintenant.

87. À ces mots, Perceval, touché de pitié, se met à pleurer, puis, faisant appel à ses souvenirs, il reconnaît sa
tante. Il s'assied alors en face d'elle et lui demande des
nouvelles de sa mère et de sa famille.

– Comment, beau neveu, dit-elle, n'avez-vous donc
aucune nouvelle de votre mère ?

– Non, aucune, ma dame, et je ne sais si elle est morte ou vivante. Mais depuis notre séparation je l'ai vue
maintes fois dans mon sommeil et elle me disait qu'elle
avait plus à se plaindre qu'à se louer de moi, car je l'avais
très cruellement traitée.

– Beau neveu, répond la dame d'un air triste et pensif,
vous n'avez pas pu voir votre mère, si ce n'est en songe,
car elle est morte dès que vous êtes parti pour la cour du
roi Arthur.

– Ma dame, comment cela est-il arrivé ?

– Par foi, fet ele, vostre mere ot tel duel de vostre departement que le jor meismes, si tost com ele fu confesse,
morut ele.

20   – Or ait Dex, fet il, merci de s'ame, que certes ce poise
moi [mout] ; mes puis que einsi est avenu, a sofrir le nos
covient, car a ce repererons nos tuit. Mes certes je n'en oï
onques [mes] noveles. Mes de cel chevalier que je quier,
por Deu, savez en vos noveles nules, qui il est ne dont il
25   est, et se c'est cil qui [vint as] armes vermeilles a cort ?

– Oïl, voir, fet [ele], par mon chief ; donc i vint il a droit,
car autrement n'i devoit il mie venir, si vos diré [par quele
senefiance ce fu]. Vos savez bien que puis l'avenement
Jesucrist a eu trois principax tables el monde. La premiere
30   fu la Table Jesucrist ou li apostre mangierent par plusors
foiz. Cele [fu] la table [qui] sostenoit les cors et les ames
de la viande del Ciel. A cele table sistrent li frere qui estoient une meismes chose [en cuer et en ame] ; dont Daviz [li prophetes] dist [en son livre une molt merveilleuse
35   parole] : "Molt est, fet il, bone chose quant frere abitent
ensenble en une volenté et en une ovre." Par les freres
qui a cele table sistrent puet l'en [bien] vooir pes et
concorde et pacience, et totes bones vertuz. Cele table
establi li Agneax sanz tache qui fu sacrefiez por nostre
40   redencion.

88. « Aprés cele table fu establie une autre table [en
semblance et] en remembrance de li. [*B^a*, f. 22b] Ce fu la
Table del Saint Graal, dont si grant miracle fu[re]nt jadis
veu en cestui païs au tens Joseph d'Arimacie, el comen-
5   cement que crestientez fu establie en ceste terre, que tuit
crestien [et tuit preudome] doivent toz jorz avoir en remenbrance cel miracle. Il avint au tens Joseph d'Arimacie com il vint en cest païs que molt grant pueple aloit
auvec lui, et qu'il pooient bien estre [par conte] .iiii.^M.,
10   tuit povre home. Et quant il furent venu en cest païs, si se
desconforterent molt por ce qu'il orent pou viande. Un jor
errerent par mi une forest ou il ne troverent nule jent ne
que mangier. Si en fu[re]nt molt esmaié, [car il n'avoient

– Votre mère a été si affligée par votre départ qu'elle est morte le jour même, aussitôt après s'être confessée.

– Que Dieu ait pitié de son âme, dit Perceval. Cette mort me cause une grande peine ; mais puisqu'il en est ainsi, il me faut l'accepter, car c'est là notre lot commun. Mais je n'en avais rien su. Pour ce qui est du chevalier que je recherche, pouvez-vous me dire, au nom de Dieu, qui il est, d'où il vient, et si c'est celui qui s'est présenté à la cour avec une armure vermeille ?

– Sur ma propre tête, répond-elle, c'est bien lui ; et il y est venu à bon droit – autrement il n'aurait pu le faire –, comme je vais vous l'expliquer. Vous savez bien que depuis l'avènement de Jésus-Christ il y a eu en ce monde trois tables principales[1]. La première fut la Table de Jésus-Christ où les apôtres mangèrent plusieurs fois, celle qui soutenait les corps et les âmes de la nourriture du ciel. À cette table prirent place les frères qui n'étaient qu'un de cœur et d'âme, ceux à propos desquels David le prophète dit dans son livre une merveilleuse parole[2] : "C'est une chose très bonne quand des frères vivent ensemble unis en une volonté et une œuvre." Par les frères qui s'assirent à cette table nous est donné l'exemple de la paix, de la concorde, de la patience et de toutes les bonnes vertus. Et cette table fut instituée par l'Agneau sans tache qui fut sacrifié pour notre rédemption.

88. «Après cette table, il y en eut une autre qui fut faite à la ressemblance et en souvenir de la première. Ce fut la Table du Saint-Graal où, au temps de Joseph d'Arimathie, lorsque le christianisme fut établi pour la première fois en ce pays, on vit se produire un si grand miracle que tous les chrétiens et tous les hommes de bien ne doivent jamais l'oublier. Lorsque Joseph d'Arimathie vint dans ce pays, il était accompagné d'un grand nombre de gens, au moins quatre mille, et tous pauvres. À leur arrivée, ils devinrent très inquiets parce qu'ils avaient peu de vivres. Un jour, ils traversèrent une forêt sans rien trouver à manger et sans rencontrer personne, ce qui leur causa une grande détresse,

pas ce apris]. Si sofrirent cel jor einsi. L'endemain cer-
15 chierent amont et aval, si troverent une vielle feme qui
aportoit .xii. pains del for. Il les acheterent, et com il les
vodrent departir, si monta ire et corroz entr'els, que li .i.
ne se voloit acorder a ce que li autres voloit [faire]. Ceste
aventure fu nonciee a Joseph, dont il fu molt dolenz com
20 il le sout. Si comanda que li pain fussent aporté devant lui,
et l'en li aporta. Si vindrent cil qui acheté les avoient. Lors
sot il par la boche de cels que li .i. ne se voloit acorder a
l'autre. Lors comanda [a tout le pueple] qu'il s'asseissent
ausi com [s']il fussent a la Ceine. Il depeça les pains et
25 [les] mist ça et la. Lors mist el chief des tables le Saint
Graal, por qui venue li .xii. pain foisonerent a cels en tel
maniere que toz li pueples, dom il i ot bien .iiii.^{M}. homes,
[en] furent repeu [et rasasié trop merveilleusement. Et]
com il virent cel miracle, si rendirent graces [et mercis] a
30 Nostre Seignor de ce qu'il les ot secoru si apertement.

89. « En cele table avoit .i. siege ou Josephés, li fiz Joseph [B^a, f. 22c] [d'Arimacie], devoit sooir. Cil sieges estoit establiz a ce que li mestres d'els et li pastors s'i seist,
ne a [nul] autre n'estoit [otroiez] ; et fu sacrez et benooiz
5 de la main Nostre Seignor meismes, si com l'estoire le
devise. Si avoit elleu que Josephés devoit avoir la cure
sor crestiens. Et en cel siege l'avoit Nostre Sires assis ;
ne il n'i avoit si hardi qui el siege s'osast assooir, fors
Josephé. Cil sieges avoit esté fez par essample de celui
10 siege ou Nostre Sires ot sis a la Ceine, quant il fu entre
ses apostres come pastors et come freres. Tot ausi com
il estoit sires et mestres sor ses apostres, tot ausi devoit
Josephés conduire et ensegnier toz cels qui a la Table del
Saint Graal sooient : il en devoit estre mestres et freres.
15 Mes il avint, com il furent venu en cest païs et il orent
erré grant tens par les estranges terres, que dui frere, qui
estoient parent Joseph[é], en or[ent] envie de ce que plus
haut d'els l'avoit Nostre Sires levé et de ce qu'il l'avoit
elleu au meillor de la conpaignie. Si en parlerent celee-
20 ment et distrent qu'il ne le sofferroient plus a lor mestre,

car ils n'étaient pas habitués à cela. Ils se résignèrent donc ce jour-là à cette situation. Le lendemain, ils parcoururent le pays en tous sens et finirent par trouver une vieille femme qui apportait douze pains sortant du four. Ils les achetèrent, mais quand ils voulurent les partager, une dispute amère s'éleva entre eux, les uns s'opposant à ce que voulaient faire les autres. On rapporta l'incident à Joseph qui en fut très peiné, et ordonna qu'on apporte les pains devant lui. Ceux qui les avaient achetés vinrent aussi et ils lui expliquèrent les raisons de leur désaccord. Il ordonna alors à tous de s'asseoir comme s'ils étaient à la Cène. Il rompit les pains et en répartit les morceaux. Puis il plaça au haut bout de la table le Saint-Graal dont la présence fit se multiplier les pains de façon si miraculeuse que tout le peuple – les quatre mille personnes – fut nourri et rassasié. Tous alors rendirent grâce à Notre-Seigneur de les avoir si manifestement secourus.

89. « À cette table, il y avait un siège où devait s'asseoir Josephé, le fils de Joseph d'Arimathie. Ce siège était destiné à lui seul, leur maître et leur pasteur. L'histoire raconte qu'il avait été sacré et béni de la main même de Notre-Seigneur qui avait confié à Josephé la charge de tous les chrétiens. Notre-Seigneur lui-même l'y avait placé, et personne n'avait assez d'audace pour s'y asseoir. Ce siège avait été fait à l'image de celui où, le jour de la Cène, Notre-Seigneur s'assit, au milieu de ses apôtres, comme leur pasteur et leur frère. Et de même qu'il était le seigneur et le maître de ses apôtres, de même Josephé devait guider et instruire tous ceux qui prenaient place à la table du Saint-Graal : il devait être leur maître et leur frère. Mais quand ils furent arrivés dans ce pays et qu'ils eurent erré longtemps en terre étrangère, il advint que deux frères, qui étaient parents de Josephé, furent pris de jalousie parce que Notre-Seigneur l'avait élevé au-dessus d'eux et l'avait désigné comme le meilleur d'entre eux. Ils en parlèrent en secret et déclarèrent qu'ils ne l'accepteraient plus pour maître, car leur lignage était aussi noble

que d'autressi haut lignaje estoient il com il estoit, et por
ce ne se tendroient il plus a ses deciples ne lor mestre ne
l'apeleroient.

90. « A l'endemain avint que li pueples fu montez en .i.
haut tertre et quant les tables furent mises et il voldrent
assooir Josephé el [plus haut] siege, si le contredistrent
li [dui] frere, et s'i assist li .i. voiant toz. Mes [mainte-
5 nant] il avint que celui qui el siege estoit assis que la terre
le sorbi. Et cest miracle fu tantost seuz par tot cest païs,
dont li sieges fu puis apelez toz dis li Sieges Redoutez.
Ne ne fu puis nus tant hardiz qui s'i asseist, fors celui que
Nostre [*Bᵃ*, f. 22d] Sires i avoit elleu. Aprés cele table fu
10 la Table Roonde par le conseil Merlin, qui ne fu pas establie sanz grant senefiance. Car en ce qu'ele estoit apelee
Table Roonde estoit entendue la roondece del monde [et
la circonstance des planetes et des elemenz el firmament,
tout] ausi com l'en voit par la circonstance des planetes et
15 del firmament les estoiles et les autres choses ; dont l'en
poït vooir que par la Table Roonde estoit li monz senefiez [a droit]. Car vos poez bien savoir que de totes terres
ou chevalerie repere, [soit crestienté ou paiennie], vienent
li chevalier a la Table Roonde. Et quant Dex lor [en] done
20 [tel grace] qu'il en sont compaignon, il s'en tienent plus a
beneuré que s'il avoient une roiauté [gaignié], si [voit l'en
bien qu'il] en lessent lor peres et lor meres [et lor femes
et] lor enfanz. De vos meismes avez vos ce veu avenir.
Car puis que vos partistes de vostre mere et l'en vos ot fet
25 compaignon de la Table Roonde, n'eustes vos talent de
revenir ça, ainz fustes tantost sorpris de la doçor et de la
fraternité qui doit estre en els.

91. « Quant Merlins ot la Table Roonde establie, si dist
que par cels qui seroient compaignon de la Table Roonde
savroient la verité del [Saint] Graal, dont l'en ne pot
onques vooir nul signe au tens Merlin. L'en li demanda
5 coment l'en porroit conoistre cels qui meuz vaudroient.
Et il dist : "Troi seront qui l'acheveront : li .ii. virge et li

que le sien ; ils refuseraient donc d'être ses disciples et de le reconnaître pour leur maître.

90. « Le lendemain, le peuple monta sur une haute colline où l'on installa les tables. Quand on voulut faire asseoir Josephé à la place d'honneur, les deux frères s'y opposèrent et l'un d'eux y prit place au vu de tous. Mais aussitôt la terre l'engloutit. Ce miracle fut très vite connu dans tout le pays. Dès lors, le siège fut toujours appelé le Siège Redouté et depuis nul n'osa s'y asseoir sauf celui que Notre-Seigneur avait élu. Après cette table, il y eut la Table Ronde établie selon le conseil de Merlin et pourvue d'une haute signification. Elle fut appelée Table Ronde parce qu'elle signifiait la rotondité du monde et le cours des planètes et des éléments du firmament dans lequel on peut aussi voir les étoiles et autres choses. On peut donc dire à juste titre que la Table Ronde représentait le monde. Vous savez en effet que de toutes terres, chrétiennes ou païennes, où la chevalerie existe, les chevaliers viennent à la Table Ronde. Et quand Dieu leur accorde la grâce d'en être compagnons, ils s'estiment plus fortunés que s'ils avaient conquis un royaume, et ils quittent leur père et leur mère, leur femme et leurs enfants. Vous l'avez bien vu par vous-même : du jour où vous avez quitté votre mère et que vous êtes devenu compagnon de la Table Ronde, vous n'avez plus eu aucun désir de revenir par ici, mais vous avez été aussitôt captivé par la douceur et la fraternité qui doivent régner entre les compagnons.

91. « Quand Merlin eut institué la Table Ronde, il déclara que grâce à ceux qui en seraient compagnons on saurait la vérité du Saint-Graal qui, de son temps, ne s'était pas encore manifesté. On lui demanda comment on pourrait reconnaître les meilleurs d'entre les compagnons. Il répondit : "Ils seront trois à achever la Quête : deux seront

tierz chaste. Li .i. des trois passera son pere autant com
lions passe liepart de force et de hardement. Et cil devra
estre tenuz com mestre [et a] pastor desor toz les autres ;
10 et toz dis foloieront cil de la Table Roonde a querre le
[Saint] Graal, jusqu'a tant que Nostre Sires l'envoiera
entr'els si sodeinement que ce sera merveille." Quant cil
oïrent ceste parole, si distrent : "Ore, Merlin, puis que cil
sera si prodom com tu diz, tu devroies fere .i. propre siege
15 ou nus autres ne [B^a, f. 23a] seist [fors lui solement], et
fust si granz par desus toz les autres que chascun le poïst
conoistre. – Si feré je", fet Mellin. Lors fist .i. siege grant
et merveillex entr'es. Et com il l'ot fet, si le comença a
besier et dist que ce fesoit il por amor del Buen Chevalier
20 qui s'i reposereoit. Cil li demandent tantost : "Mellin, que
porra il de cel siege avenir ? – Certes, fet il, encor [en
avendra il] mainte merveille, que ja mes nus ne s'i asserra
qui ne soit morz ou mehaigniez jusqu'a tant que li Verais
Chevaliers, li beneurez, s'i reposera. – Enon Deu, firent il,
25 donc se metroit en trop grant aventure qui s'i asserroit ?
– Voire, dit Mellin, et por le peril qu'il i avra sera il apelé
le Siege Perillex."

92. « Biax niés, fet la dame, or vos ai dit par quel reson
la Table Roonde fu fete, et por quoi li Sieges Perillex fu
fez ou maint chevalier ont esté mort, qui n'estoient mie
digne qu'il s'i asseissent. Or vos dirai par quel maniere li
5 Chevaliers vint a cort en armes vermeilles. Vos savez bien
que Jesucriz fu corporelement entre ses apostres pastor et
mestres a la table de la Ceine ; aprés fu senefié par Josephé la Table del Saint Graal, et la Table Roonde par cest
chevalier. Et Dame Dex promist a ses apostres devant sa
10 Passion que il les vendroit conforter [et veoir]. Il s'atendirent a ceste promesse tristre et esmaié. Dom il avint,
le jor de [la] Pentecoste, com il estoient tuit ensemble
en une meson et li huis estoient clos, li Sainz Esperiz
descendi entr'els en guise de feu, si les conforta et asseura

vierges et le troisième chaste. L'un des trois surpassera
son père comme le lion surpasse le léopard en force et
en hardiesse. Celui-là devra être tenu pour le maître et le
pasteur de tous les autres ; et les compagnons de la Table
Ronde continueront en vain à chercher le Saint-Graal jusqu'au jour où Notre-Seigneur enverra ce chevalier parmi
eux si soudainement que ce sera merveille". En entendant
ces mots, ils lui dirent : "Merlin, puisque ce chevalier sera
parfait comme tu le dis, tu devrais faire un siège spécial
où lui seul pourrait s'asseoir, et plus grand que tous les
autres afin qu'on le reconnaisse facilement. – Je le ferai",
dit Merlin. Il fit donc un grand et magnifique siège, puis
il le baisa disant qu'il l'avait fait pour l'amour du Bon
Chevalier qui s'y reposerait. Ils dirent alors : "Merlin,
qu'adviendra-t-il de ce siège ? – Certes, répondit-il, il en
adviendra maints prodiges, car personne ne pourra s'y
asseoir sans être tué ou blessé jusqu'au jour où le Vrai,
le Bienheureux Chevalier y prendra place. – Au nom de
Dieu, dirent-ils, celui qui voudrait s'y asseoir, courrait-il
donc un grand danger ? – Oui, certes, répondit Merlin, et
à cause des dangers qu'il présente, il sera appelé le Siège
Périlleux."

92. « Beau neveu, dit la dame, je vous ai dit pour quelle
raison furent faits la Table Ronde, ainsi que le Siège Périlleux où moururent bien des chevaliers qui n'étaient pas
dignes de s'y asseoir. Je vais vous expliquer maintenant
pourquoi le Chevalier vint à la cour en armure vermeille.
Vous savez que Jésus-Christ fut physiquement présent à
la table de la Cène, comme le pasteur et le maître de ses
apôtres ; ensuite la table du Saint-Graal reçut sa signification de Josephé, et la Table Ronde du chevalier dont nous
parlons. Avant sa Passion, Notre-Seigneur promit à ses
apôtres qu'il viendrait les voir et les réconforter, et ils at-
tendirent dans la tristesse et l'anxiété l'accomplissement
de cette promesse. Or, le jour de la Pentecôte, alors qu'ils
se trouvaient tous dans une maison dont les portes étaient
closes, le Saint-Esprit descendit sur eux sous forme de

15 de ce dom il estoient en dotance. Lors les departi, si les
envoia par mi les terres preechier la Sainte Evangile au
pueple. Einsi avint as apostres, le jor de [la] Pentecoste
que Nostre Sires les vint conforter. Et [il m'est avis que]
en ceste senblance vos vint conforter [*B^a*, f. 23b] le Che-
20 valier que vos devez tenir a mestre et a pastor, que tot
einsi com Nostre Sires vint en semblance de feu, aussi vint
li Chevaliers en armes vermeilles, [qui a color de feu sont
semblables]. Et aussi com li huis [de la maison] ou li apostre estoient furent clos a la venue de Nostre Seignor, aussi
25 furent les portes de vostre palés fermees [devant ce que li
Chevaliers venist. Dont il avint qu'il vint si soudainement
entre vos qu'il n'i ot si sage qui seust dont il venist]. Et
cel jor fu emprise la Queste del Saint Graal, qui ne sera ja
mes lessié tant que l'en sache la verité de la lance et por
30 quoi c'est que les merveilles en sont tantes foiz avenues
en cest païs. Or vos ai dite la verité del Chevalier por ce
que vos ne combatoiz ja contre lui, car [bien sachiez que
vos nel devez mie fere et por ce que vos estes ses freres
par la compaignie de la Table Roonde et por ce que vos]
35 n'avriez ja duree contre lui, que trop est meudre chevalier
que vos.

93. – Dame, fet il, tant m'avez dit que ja mes ne comba-
trai a lui. Mes dites moi [que je porrai fere et] coment je
le porrai trover. [Car, se je a compaignon l'avoie, je ne me
partiroie ja mes de lui tant come le poïsse sivre].
5 – De ce, fet ele, vos conseilleré je au meuz que je porrai.
[Car orendroit ne vos porroie je mie dire ou il est ; mes
les enseignes par quoi vos le porroiz plus tost trover vos
dirai je bien ; et lors, quant vos l'avroiz trové, si tenez
sa compaignie au plus que vos porrez]. Vos [en] irez tot
10 droit a .i. chastel que l'en apele Got, ou il a une soe cosine
germaine por qui amor je quit [bien] qu'il s'i herberja ersoir. Et s'il vos sevent enseignier ou il va, si le sivez [au

feu, les réconforta et apaisa leurs craintes. Puis il les fit
se séparer et les envoya par le monde prêcher le Saint
Évangile aux peuples. Ainsi donc le jour de la Pentecôte
Notre-Seigneur vint réconforter ses apôtres. De la même
manière, me semble-t-il, le chevalier que vous devez tenir pour maître et pasteur est venu vous réconforter. Tout
comme Notre-Seigneur vint sous les apparences du feu, le
chevalier se présenta en armure vermeille, dont la couleur
est semblable à celle du feu. Et de même encore que les
portes de la maison où se trouvaient les apôtres étaient
closes lors de la venue de Notre-Seigneur, de même les
portes de votre salle étaient fermées avant l'arrivée du
chevalier, laquelle fut si soudaine qu'aucun d'entre vous,
si sage fût-il, ne put dire d'où il venait. Ce même jour
fut entreprise la Quête du Saint-Graal qui ne cessera pas
avant que l'on ne sache la vérité de la Lance[1], et la raison
pour laquelle des merveilles en sont tant de fois advenues
en ce pays. Je vous ai dit la vérité sur le chevalier pour que
vous ne le combattiez jamais. Vous ne devez pas le faire
parce que vous êtes son frère – du fait que vous êtes tous
deux compagnons de la Table Ronde – et parce que vous
ne pourriez lui résister longtemps, étant donné qu'il est
bien meilleur chevalier que vous.

93. – Ma dame, dit Perceval, vous m'en avez tant dit que
jamais je ne me battrai contre lui. Mais dites-moi ce que
je dois faire et comment je pourrai le retrouver. Car si je
l'avais pour compagnon, je ne le quitterais plus tant que je
pourrais le suivre.

– Je vous conseillerai de mon mieux, dit-elle. Pour
l'instant, je ne saurais vous dire où il est ; mais je vais vous
donner des indications qui vous permettront de le retrouver au plus vite. Quand vous l'aurez rejoint, restez avec lui
aussi longtemps que vous le pourrez. Une fois parti d'ici,
vous vous rendrez directement à un château nommé Got
où habite une de ses cousines germaines et où il a dû loger
hier soir par affection pour elle. Si on peut vous indiquer
où il est allé, suivez-le aussi vite que possible. Si on ne

plus tost que vos porroiz]. Et s'il ne vos en dient rien, si
alez droit au chastel de Corbenyc, [ou li Rois Mahaigniez
15   maint]. La sai je bien que vos [en] orrez veraies noveles,
se vos entrera et la nel trovez.

Einsi parlerent del Chevalier entre la recluse et Perceval, tant qu'il fu hore de midi. Lors dist la dame :

– Biax niés, vos remaindroiz hui mes ceenz, si en seré
20   plus a ese, car il a si lonc tens que je ne vos vi mes que
molt me sera grief vostre departie.

– Dame, fet il, j'ai tant a fere que je ne porroie hui mes
demorer. Si vos pri [por Dieu] que vos m'en lessiez aler.

– Certes, fet ele, par mon congié ne movrez hui mes.
25   Mes demain, si tost com vos avrez oï messe, vos dorrai je
volentiers congié.

94. Et il dit que donques remaindra il, [si se fist tantost
desarmer]. Et cil de leenz metent la table, si mangierent
de tel bien come leenz avoit. [*B*^{a}, f. 23c] Cele nuit demora
leenz Perceval, si parlerent assez [ensemble entre lui et
5   s'antain] del Chevalier et d'autres choses.

– Biax niés, fet la recluse, il est einsi que vos [vos] estes
gardé jusqu'a cest terme en tel maniere que vostre virginité ne fu corrompue, ne onques ne seustes [veraiement]
qu'est assemblement de char. Et il vos [en] est bien mes-
10   tier, que se [tant vos fust avenu que] vostre char fust violee [par corruption de virginité], a estre principal compaignon de la Queste del Graal eussiez vos failli, ausi com a
fet Lancelot del Lac qui, par eschaufement de char [et par
sa mauvese luxure], a perdu grant pieç'a a mener a fin ce
15   dont tuit li autre sont ore en poine. Por ce vos pri je que
vos [vos] gardez si sain et si net com Nostre Sires vos mist
en chevalerie, si que vos poissiez venir net et virge devant
le Saint Graal [et sans tache de luxure]. Et [certes] ce sera
une des [plus] beles proeces que onques [chevaliers feist]
20   : car de toz cels de la Table Roonde n'i a il .i. seul qui ne
[se] soit mesfet en virginité, fors vos et Galaaz, le Buen
Chevalier de cui je [vos] paroil.

peut rien vous dire, allez tout droit au château de Corbenic
où demeure le Roi Mehaignié. Je sais que là vous en aurez
de vraies nouvelles, si vous ne l'y trouvez pas.

La recluse et Perceval parlèrent ainsi du chevalier jusqu'à l'heure de midi. Elle lui dit alors :

— Beau neveu, vous resterez aujourd'hui avec moi et
j'en serai très heureuse, car il y a si longtemps que je ne
vous ai vu que votre départ me fera bien de la peine.

— Ma dame, répond-il, j'ai tant à faire qu'il ne m'est pas
possible de rester, et je vous demande, au nom de Dieu,
de me laisser partir.

— Si vous partez aujourd'hui ce sera sans ma permission. Mais demain, dès que vous aurez entendu la messe,
je vous l'accorderai bien volontiers.

94. Perceval accepta donc de rester et se fit aussitôt
désarmer. Les gens de la recluse mirent la table et leur
servirent la nourriture dont ils disposaient. Ainsi Perceval
passa-t-il la nuit chez sa tante, et ils parlèrent longuement
du chevalier et d'autres choses.

— Beau neveu, dit-elle enfin, jusqu'ici vous avez pris
soin de garder intacte votre virginité, et vous n'avez jamais su ce qu'était l'union charnelle. Ce vous fut d'un
grand profit; car si votre corps avait été profané par la
perte de votre virginité, vous n'auriez pu être un des principaux compagnons de la Quête du Graal. C'est ce qui est
arrivé à Lancelot du Lac qui, échauffé dans sa chair par sa
mauvaise luxure, a perdu depuis longtemps toute chance
d'accomplir ce que les autres s'efforcent maintenant de
mener à bien. Je vous prie donc de vous garder aussi pur
et aussi net que lorsque Notre-Seigneur vous fit chevalier,
afin que vous puissiez arriver devant le Saint-Graal vierge
et sans aucune tache de luxure. Et certes, ce sera là une
des plus belles prouesses qu'un chevalier ait jamais faites,
car, de tous ceux de la Table Ronde, il n'en est pas un qui
n'ait souillé sa virginité, sauf vous et Galaad, le Bon Chevalier dont je vous parle.

95. Et il dit, se Deu plest, que il se gardera [si] bien
[come a fere li covient]. Tot cel jor demora leenz Percevax et molt [le chastia s'ante et] l'amonesta de bien fere.
[Mes] sor totes choses li proia qu'il gardast sa char [si ne-
5 tement com il le devoit fere], et il li creante que si fera il.
Et qant il orent einsi parlé del Chevalier et de la cort lo roi
Artur, si [li] demanda por qoi ele s'ert mise en si sauvage
leu et avoit lessié sa terre.

— Par foi, fet ele, ce fu par poor de mort que [je m'en
10 afuï ça. Car] vos savez bien [que], quant vos alastes a cort,
avoit mes sires li rois Pallas guerre contre le roi Harlan ;
dom il avint, si tost com mes sires fu morz, ge [qui estoie
feme et poorose], oi poor qu'il ne m'oceist [se il me peust
prendre]. Si pris [maintenant] grant partie de mon avoir et
15 m'en afoi ça [en cest sauvage leu], por ce que je ne fusse
trovee ; et tantost fis fere cest reclus et ceste meson tele
com vos la veez, et mis mon chapelain o moi et ma mesniee, si entrai en cest reclus dom ja mes n'istrai, se Deu
plest, tant que je vive, et morrai el servise Nostre [B^a,
20 f. 23d] Seignor, si userai le remanant de ma vie.

— Par foi, fet Percevax, ci a merveilleuse aventure. [Mes]
or me dites que vostre fiz Diabel devint, que je desir molt
a savoir coment il le fet.

— Certes, fet ele, il ala servir lo roi Pellés vostre parent
25 por doner lui armes ; et j'ai puis oï dire qu'il l'a fet chevalier. Bien a .ii. anz passé que ge nel vi, car il va sivant les
tornoiemenz par la Grant Bretaigne. Mes je quit que vos
le troverez a Corbenyc, se vos i alez.

— Certes, fet il, se je n'i aloie fors por lui vooir, si irai je,
30 car molt li desir a fere compaignie, et il a moi.

— Par Deu, fet ele, je vodroie bien qu'il vos eust trové,
que donques seroie je seure se vos estiez ensenble.

96. Einsi demora Perceval auvec s'antain cel jor. L'endemain, si tost com il ot oï messe et il fu monté, il parti
de leenz et chevaucha tot le jor parmi la forest, [qui grant
estoit a merveille, en tel maniere] qu'il n'encontra ame.
5 Aprés vespres li avint que il oï une cloche soner sor des-

95. Perceval répond que, s'il plaît à Dieu, il se gardera comme il le doit. Il demeura tout le jour avec sa tante qui lui fit force recommandations et l'exhorta à se bien conduire. Mais surtout elle lui demanda de garder son corps aussi pur qu'il le devait, et il le lui promit. Après qu'ils eurent longuement parlé du Chevalier et de la cour du roi Arthur, Perceval demanda à sa tante pourquoi elle avait quitté son royaume et s'était retirée en un lieu si sauvage.

– Par ma foi, dit-elle, c'est la peur de la mort qui m'a fait fuir jusqu'ici. Vous n'ignorez pas que lorsque vous êtes parti pour la cour, mon seigneur le roi Pallas[1] était en guerre contre le roi Harlan[2], et dès que mon seigneur mourut, moi, pauvre femme craintive, j'eus peur qu'il ne me mît à mort s'il pouvait s'emparer de moi. J'ai rassemblé aussitôt une grande partie de mes richesses et je me suis enfuie jusqu'à ce lieu sauvage pour ne pas être retrouvée. J'ai fait bâtir cette maison que vous voyez, où j'ai installé mon chapelain et mes gens, et cette cellule d'où, s'il plaît à Dieu, je ne sortirai pas de mon vivant. J'y passerai le reste de mes jours et mourrai au service de Notre-Seigneur.

– Par ma foi, dit Perceval, c'est là une extraordinaire aventure. Mais dites-moi ce qu'est devenu votre fils Diabel, car je désire fort le savoir.

– Il est allé servir le roi Pellès, votre parent, pour obtenir ses armes et j'ai appris plus tard qu'il avait été fait chevalier. Mais il y a bien deux ans que je ne l'ai vu, car il prend part à tous les tournois en Grande-Bretagne. Je pense toutefois que vous le trouverez à Corbenic, si vous y allez.

– J'irai donc, dit Perceval, quand ce ne serait que pour le voir, car je désire fort être son compagnon et lui désire être le mien.

– Par Dieu, dit-elle, je voudrais bien que vous vous retrouviez, car je serais rassurée de vous savoir ensemble.

96. Ce jour-là Perceval resta donc avec sa tante. Le lendemain, dès qu'il eut entendu la messe, il monta en selle et s'en alla. Il chevaucha toute la journée à travers une fo-

tre. Il torne cele part [car il set bien que ce est meson de
religion ou hermitage. Et] quant il a .i. pou alé, si voit
que c'est une meson de religion close de mur et de fossez
parfonz, si vint a la porte, si apela tant que l'en li ovre. Et
10   quant cil de leenz le voient armé, si sevent tantost qu'il
est chevaliers erranz, si le font desarmer et le reçoivent a
grant joie. Si prenent son cheval et l'en moinent a l'esta-
ble, si li done[nt] fein et aveine a grant plenté. Et .i. des
freres l'e[n]moine en une chambre por [aaisier]. Cele nuit
15   fu leenz herbergié au meuz que li frere porent, et com il fu
endormiz, si ne s'esveilla devant [hore de] prime. Lors ala
oïr messe en l'abeie [meismes].

97. Et quant il fu entrez el mostier, si vit [*Bᵃ*, f. 24a] a
destre partie unes prones de fer, si estoit dedenz .i. frere
qui estoit revestuz [des armes Nostre Seignor] et vouloit
chanter la messe. Il se torne cele part com cil qui talent
5   avoit d'oïr le servise, [et] vint as prones, si quida dedenz
entrer ; mes non fera, ce li est avis, qu'il n'i puet point
trover [d']entree. Et com il voit ce, si s'e[n] soffre atant,
si s'ajenoille par dehors ; si regarde [derriere] le prestre et
voit d'autre part .i. lit molt richement atorné [si com] de
10   dras de soie [et d'autres choses : car il n'i avoit riens se
blanc non]. Percevax regarde lo lit et l'avise tant qu'il set
bien que dedenz gist home o feme, mes il ne set lequel,
qu'il ot covert son vis d'une toaille blanche et deliee, si
que l'en n'i pooit rien nule vooir apertement. [Et] quant il
15   voit qu'il i museroit por neent, si lesse a regarder et entent
au servise que li prodons a comencié. Quant [ce vint a cel
point que] li prestres volt lever le cors Nostre Seignor,
si se dreça en seant cil qui el lit se jesoit et descovri son
chief. Et c'estoit .i. hom molt vielz et molt chanuz, si ot
20   une corone d'or en son chief et ot les espaulles nues et
descovertes et le piz devant jusq'au nonbril. Et quant Percevax le regarde, si voit qu'il ot tot le cors plaié et navré
[et les paumes et les braz et le vis]. Et quant [ce avint que]
li prestres mostra apertement le cors Jesucrist, cil tendi

rêt véritablement immense sans rencontrer âme qui vive. Après vêpres, il entendit une cloche sonner sur sa droite. Il se dirigea de ce côté sachant bien qu'il trouverait là un monastère ou un ermitage. Il n'était pas allé bien loin quand il aperçut un monastère entouré de hauts murs et de fossés profonds. Arrivé à la porte, il appela pour qu'on lui ouvre. Quand les moines virent qu'il était armé, ils surent aussitôt que c'était un chevalier errant. Ils le désarmèrent et lui firent un chaleureux accueil. Ils conduisirent son cheval à l'écurie où ils lui donnèrent du foin et de l'avoine en abondance, et un des moines emmena Perceval se reposer dans une chambre. Cette nuit-là, les moines l'hébergèrent du mieux qu'ils purent. Une fois endormi, Perceval ne s'éveilla pas avant l'heure de prime ; il se rendit alors à l'abbaye pour entendre la messe.

97. Une fois dans la chapelle, il vit sur sa droite une grille de fer derrière laquelle un frère, revêtu des armes de Notre-Seigneur, s'apprêtait à célébrer la messe. Perceval se dirige vers la grille pour entendre le service et pense pouvoir la franchir, mais se rend compte qu'il ne le pourra pas, car il ne peut trouver de porte. Il en prend son parti et s'agenouille devant la grille. Regardant derrière le prêtre, il aperçoit de l'autre côté un lit richement paré de draps de soie et d'autres étoffes, le tout parfaitement blanc. Perceval regarde le lit très attentivement et s'aperçoit alors que quelqu'un y est étendu, homme ou femme il ne saurait dire, car le visage est recouvert d'une fine toile blanche qui le dérobe à la vue. Comprenant qu'il n'en saura pas davantage, il prête toute son attention au service que le prêtre avait commencé. Au moment de l'Élévation, celui qui était étendu dans le lit se dressa sur son séant et découvrit sa tête. C'était un homme très âgé, aux cheveux tout blancs, qui portait une couronne d'or sur la tête et qui avait le torse nu jusqu'au nombril. Perceval vit que tout son corps, ses paumes, ses bras et son visage étaient envahis de plaies et de blessures. Lorsque le prêtre tint levé le Corps de Jésus-Christ, le vieillard tendit les mains vers lui

25 les mains [encontre] et comença a crier : « Biau douz peres, ne m'obliez mie de ma rente ! » Ne puis ne se volt
recovrir, ainz fu toz jorz en prieres [et en oroisons], et ot
les mains dreciés vers son criator et ot totevoies la corone
d'or en sa teste. Molt entendi Percevax a regarder l'ome
30 qui el lit sooit, que trop li semble mesaiesié [des plaies
que il a] ; et le vit si viel [par semblant] qu'il quide bien
qu'il ait .iii.^{C}. anz d'aage. Il le [B^a, f. 24b] regarde toz dis,
car il tient ceste chose a trop grant merveille, et voit que,
quant la messe fu chantee, li prestres [prist entre ses mains
35 *Corpus Domini* et le porta a] celui qui jesoit el lit [et li
donna a user]. Et tantost com qu'il l'ot receu, si osta la corone de sa teste et la fist metre sor l'autel ; et se recoucha
en son lit ausi com il avoit fet devant, et fu coverz si qu'il
ne paroit rien de lui. [Et] maintenant se devesti li prestres
40 come cil qui avoit la messe chantee.

98. Quant Percevax ot veue ceste chose, si oissi del
mostier et vint en la chambre ou il avoit jeu, si apela .i.
des prodomes de leenz, si li dist :

— Sire, [por Deu] dites moi ce que je vos demanderai,
5 [car je cuit bien que vos en sachiez la verité].

— Sire chevalier, fet il, dites moi [que ce est, et se] je le
sai je le vos dirai volentiers, se je le puis fere ne doi.

— Par foi, fet il, je vos dirai que ce est. Je fui orendroit en
cele yglyse et oï le servise ; [et la] vi ge en unes prones de-
10 vant .i. autel en .i. lit jesir .i. viel home de tres grant aage
et une corone d'or en sa teste. Et com il se dreça en seant,
ge vi qu'il estoit [toz] plaiez amont et aval. Et après ce que
la messe fu chantee [li donna li prestres a user *Corpus Domini*. Et maintenant qu'il l'ot usé] il se recoucha et osta sa
15 corone de sa teste. [Biau sire], si me semble que c'estoit
grant senefiance ; si le vodroie volentiers savoir [s'il pooit
estre ; et por ce] vos pri que vos le me dites.

99. — Certes, fet li preudons, volentiers. Il fu voirs, et oï
l'ai dire a pluseurs jenz que Joseph d'Aramacie, li preudons, li buens chevaliers, fu premierement envoiez en ces-

et s'écria : «Beau doux père, n'oubliez pas ce qui m'est
dû. » Il ne se couvrit plus et demeura en prières et en oraisons, les mains levées vers son Créateur, et la couronne
d'or toujours sur sa tête. Perceval regarde attentivement
l'homme assis dans le lit et qui semble souffrir cruellement de ses plaies ; il lui semble si vieux qu'il se dit qu'il
doit bien avoir trois cents ans. Ce qu'il voit lui paraît si extraordinaire qu'il ne peut en détacher son regard. Quand la
messe fut chantée, le prêtre prit *Corpus Domini* dans ses
mains, le porta à celui qui gisait dans le lit, et le lui donna.
Dès qu'il l'eut reçu, l'homme ôta la couronne de sa tête et
la fit mettre sur l'autel ; puis il se recoucha comme auparavant, et se couvrit de sorte qu'on ne vit plus rien de sa
personne. Le prêtre, sa messe dite, se dévêtit aussitôt.

98. Ayant vu cela, Perceval sortit de la chapelle, retourna dans la chambre où il avait dormi, et appela un des
moines :

– Seigneur, lui dit-il, au nom de Dieu, répondez à ma
question, car je ne doute pas que vous puissiez le faire.

– Seigneur chevalier, dites-moi de quoi il s'agit et je
vous le dirai volontiers si j'en suis capable et s'il m'est
permis de le faire.

– Par ma foi, dit-il, je vous dirai ce que c'est. Je viens
d'assister à la messe dans la chapelle, et j'ai vu à travers
la grille, couché dans un lit devant l'autel, un homme très
âgé portant une couronne d'or sur la tête. Quand il s'est
assis, j'ai vu qu'il était tout couvert de plaies. Une fois la
messe chantée, le prêtre lui a donné la communion, et aussitôt il a ôté sa couronne et s'est recouché. Beau seigneur,
ceci doit avoir un très grand sens que je voudrais bien
connaître, s'il se peut, et je vous prie de me l'expliquer.

99. – Volontiers, répondit le moine. C'est un fait bien
établi, et que j'ai entendu mentionner par bien des gens,
que Joseph d'Arimathie, le noble, le bon chevalier, fut

te terre de par le Haut Mestre por [ce qu'il i plantast] et
5 [edefiast] sainte crestienté a l'aide de son Criator. Et com
il i fu venuz, si i sofri molt de persecucions et d'aversitez
qe li enemi de la Loi li fesoient, car a cel tens n'avoit il en
cest terre fors Sarracins. [*B^a*, f. 24c] En cest païs avoit .i.
roi que l'en apeloit Crudel, si estoit li plus [fel et li plus]
10 cruels del monde, [sanz pitié et sanz humilité]. Et com il
oï dire que li crestien estoient venu en sa terre, et qu'il
aportoient auvec els .i. preciels vessel, et si merveillex
que de la grace del vessel se vivoient il presque tuit, si
tint ceste parole a fable. Et l'en li certefia plus et plus et
15 [dist l'en que ce estoit veritez]. Et il dist que ce savroit
il par tens. Si prist Joseph et son fil Josephé et .ii. de ses
neveuz ; et jusqu'a .c. de cels qu'il avoit elleuz a estre
mestres [et] pastors par desus la crestienté. Quant il les
ot [pris et] mis en prison, si jura son serement qu'il ne
20 mangeroient par lui devant .xl. jorz, mes il orent auvec els
le Saint Graal, par quoi il ne dotoient rien [de chose] qui
a la viande corporel covenist. Li rois les tint en sa prison
en tel maniere .xl. jors qu'il ne lor envoia [que boivre ne]
que mangier, et bien ot deffendu que nus ne fust si hardiz
25 qui d'els s'entremeist.

100. « Dedenz celui terme fu la novele espandue par
totes les terres ou Joseph avoit esté, que li rois Crudel le
tenoit en prison et grant partie des crestiens, tant que li
rois Mordrains, qui estoit vers les parties de Jerusalem [et
5 tenoit la cité de Sarras et] qui avoit esté convertiz par les
paroles Joseph et par le prechement des serjanz Jesucrist,
[en oï parler]. Si en fu molt dolenz, que par son conseil
avoit il recovree sa terre que Tolomés li [voloit tolir], et
toloite li eust, se ne fust li conselz Joseph et l'aide [de]
10 son serorge que l'en apeloit Seraphé. Et quant il sot veraiement que Joseph estoit en prison en tel maniere, si
dist qu'il feroit son pooir de lui delivrer. Si semonst ses
homes tant com il en pot avoir en haste, si se mist en la

tout d'abord envoyé par le Haut Maître en ce pays pour
y instaurer et y édifier la religion chrétienne avec l'aide
de son Créateur. Mais une fois arrivé, il subit bien des
persécutions et des adversités de la part des ennemis de la
Loi, car, en ce temps-là, il n'y avait dans ce pays que des
Sarrasins. Un roi y régnait, nommé Crudel, qui était le
plus méchant et le plus cruel du monde, sans aucune pitié
ni humilité. Quand il apprit que les chrétiens étaient venus
dans son pays et qu'ils avaient apporté avec eux un vase
précieux, si merveilleux que presque tous se nourrissaient
uniquement de sa grâce, il tint cela pour une fable. Mais
comme on lui assurait toujours que c'était vrai, il déclara
qu'il saurait bientôt à quoi s'en tenir. Il fit donc arrêter Joseph, son fils Josephé, deux de ses neveux et une centaine
de ceux que Josephé avait choisis pour être les maîtres et
les pasteurs des chrétiens. Une fois qu'il les eut emprisonnés, il jura qu'il ne leur donnerait rien à manger pendant
quarante jours. Mais ils avaient avec eux le Saint-Graal de
sorte qu'ils n'avaient pas à se soucier pour leur nourriture
terrestre. Le roi les garda ainsi quarante jours enfermés
sans leur donner ni à boire ni à manger, et il avait ex-
pressément défendu à toutes et tous d'avoir l'audace de
s'occuper d'eux.

100. « Pendant ce temps, la nouvelle se répandit dans
tous les pays où Joseph était passé que le roi Crudel l'avait
emprisonné ainsi qu'un grand nombre de chrétiens. La
nouvelle parvint jusqu'au roi Mordrain qui tenait la cité de
Sarras, non loin de Jérusalem, et qui avait été converti par
les exhortations de Joseph et les prédications des soldats de
Jésus-Christ. Il en fut très affligé, car c'est grâce à Joseph
qu'il avait sauvegardé son royaume dont Tolomer voulait
s'emparer. Et ce dernier y serait parvenu, n'eussent été
les conseils que le roi Mordrain reçut de Joseph et l'aide
que lui apporta son beau-frère qui s'appelait Seraphé[1].
Lorsque le roi Mordrain sut que Joseph était en prison, il
déclara qu'il ferait tout ce qui serait en son pouvoir pour
le délivrer. Il rassembla en toute hâte le plus grand nombre

mer, garni d'armes et de chevax, et fist tant qu'il vint en
15 cest païs o grant navie. Com il fu arrivez [B^a, f. 24d] entre
lui et sa jent, si manda au roi Crudel que s'il ne li rendoit
Joseph, il li toldroit [sa] terre [et le desheriteroit]. Cil nel
prisa mie granment, ainz ala [en]contre lui a ost. Si assenblerent les unes genz as autres. Si avint par le plesir de
20 Deu que li crestien orent la victoire, et li rois Crudel [i]
fu ocis entre lui et sa jent. Et li rois Mordrains, qui Evalac avoit esté apelé devant ce qu'il eust receu crestienté,
l'ot si bien fet en bataille que toz li monz le tenoit a
merveille. Et com il l'orent desarmé, si troverent qu'il
25 ot tantes plaies que .i. autres hom en fust morz. Il [li]
demanderent coment il li estoit, et il dist qu'il ne sentoit
mal ne dolor [qu'il eust]. Si fist Joseph trere de prison ;
et com il le vit, si li fist grant joie, qu'il l'amoit de grant
amor. Et Joseph li demanda qui l'avoit amené cele part, et
30 il dist qu'il estoit venuz por lui delivrer.

101. « L'endemain avint que li crestien alerent devant la
table del Saint Graal, si firent lor oroisons. Et quant ce fu
chose que Josephés, qui mestres estoit d'els, se fu revestuz
por aler au Saint Graal, et il estoit el servise, li rois Evalac,
5 qui toz jorz avoit desirré a vooir le Saint Graal apertement
s'il poïst estre, se trest plus pres que il ne deust ; et une
voiz descendi entr'els qui dist au roi : "Rois, ne va plus
pres, que tu nel doiz fere !"

« Et il estoit ja tant alé pres que langue mortel nel por-
10 roit dire ne cuer [terrien] penser, si fu si ardanz et desirranz de lui vooir qu'il se trest plus avant qu'il ne deust.
[Et] maintenant descendi une nue devant lui, qui li toli
la veue des euz et le pooir del cors, en tel maniere qu'il
ne vit gote ne ne se pot aidier se petit non. Quant il vit
15 que Nostre Sires avoit prise si grant [B^a, f. 25a] venjance
de lui, por ce qu'il avoit son comandement trespassé, si
dist oiant [tout] le pueple : "Biau sire Dex Jesucrist, qui a
cest point m'avez mostré que folie est de trespasser vostre
comandement, einsi veraiement com cest flaiel me plest
20 que vos m'avez envoié et com je le suefre volentiers, einsi

possible de ses hommes, embarqua des armes et des chevaux et arriva jusqu'en ce pays avec une flotte importante.
Une fois qu'il eut débarqué, il fit savoir au roi Crudel que
s'il ne libérait pas Joseph, il lui prendrait sa terre et le dés-
hériterait. Le roi Crudel, ne se souciant guère de ses menaces, marcha contre lui. Les armées s'affrontèrent. Par
la volonté de Notre-Seigneur, les chrétiens remportèrent
la victoire, et le roi Crudel fut tué avec ses hommes. Le
roi Mordrain, qui s'appelait Evalach avant d'être baptisé,
avait accompli de telles prouesses pendant le combat que
tous ses hommes étaient dans l'émerveillement. Quand on
le désarma, on vit qu'il avait tant de blessures que tout
autre en serait mort. Ils lui demandèrent comment il se
sentait et il répondit qu'il n'éprouvait ni mal ni douleur. Il
fit libérer Joseph et l'accueillit avec beaucoup de joie, car
il l'aimait de grand amour. Quand Joseph lui demanda ce
qui l'avait amené dans cette région, il répondit qu'il était
venu pour le délivrer.

101. « Le lendemain, les chrétiens allèrent devant la
table du Saint-Graal et y firent leurs prières. Quand Josephé, leur maître, revêtu des ornements sacerdotaux, se
fut approché du Saint-Graal et eut commencé l'office, le
roi Evalach, qui avait toujours désiré voir distinctement le
Saint-Graal, si cela était possible, s'approcha plus qu'il
n'aurait dû. Une voix se fit entendre alors, qui lui dit :
"Roi, n'approche pas davantage, tu n'en as pas le droit".

« Mais il s'était déjà avancé plus loin que langue mortelle ne pourrait le dire ni cœur humain le concevoir, et
son désir de voir le Graal était tel qu'il s'avança plus loin
qu'il n'aurait dû. Et aussitôt une nuée descendit devant lui
qui le priva de la vue et lui enleva presque complètement
l'usage de ses membres. Lorsqu'il comprit que Notre-Seigneur avait tiré de lui une telle vengeance parce qu'il avait
enfreint ses ordres, il dit devant tout le peuple : « Beau
seigneur Dieu Jésus-Christ, qui venez de me montrer que
c'est folie de vous désobéir, de même que j'accepte volontiers et suis prêt à endurer le châtiment que vous m'avez

m'otroiez vos par vostre plaisir, en guerredon de mon servise, que je ne muire jusqu'atant que li Buens Chevaliers,
[li noviesmes de mon lignage, cil] qui doit les merveilles
del Saint Graal apertement vooir, me viegne visiter, en tel
25 maniere que ge le puisse acoler et besier." Quant li rois ot
fet ceste requeste a Deu, si respondi la voiz : "[Rois], or
ne t'esmaie : Nostre Sires a oïe ta proiere. Ta volenté est
acomplie de ceste chose, que tu ne [morras] jusqu'a cele
hore que li Chevaliers que tu demandes te viegne vooir, et
30 au terme qu'il vendra devant toi te sera la clarté des euz
rendue, si que tu le verras apertement. Lors seront totes
tes plaies sanees, que devant la ne rejoindront."

102. « Einsi parla la voiz au roi et li promist qu'il verroit la venue de cel Chevalier qu'il avoit tant desirré. Et
il me senble qu'il dist voir de totes choses, qu'il a ja passé
.iiii.^{C}. anz que cele aventure li avint, ne puis ne vit gote,
5 ne ses plaies ne furent sanees, n'il ne se pot aidier. Et li
Chevaliers est ja en cest païs, si com nos avons oï dire,
cil qui les aventures doit mener a chief. Et par cez signes
que nos en avons veu penson nos bien que encor verra il
et avra tot le pooir de ses menbres ; mes aprés ce ne vivra
10 il pas longuement.

« Einsi avint il del roi Evalac com je vos di. Et sachiez
veraiement que c'est cil rois que vos avez hui veu, qui a
puis vescu [.iiii.^{C}.] anz si saintement [et si religieusement]
que onques ne gosta de viande terriene fors de celui que li
15 [*B^a*, f. 25b] prestres nos mostre el sacrement [de la messe,
ce est li cors Jesucrist]. Et ce poïstes vos hui vooir, que
si tost com li prestres ot la messe chantee, si li porta il
Corpus Domini a user. Einsi a atendu li rois des le tens
Joseph[é] jusqu'a ore la venue de cel chevalier qu'il a tant
20 desirré a vooir. Si fet ausi come Symeon li vielz fist, qui
tant atendi la venue de Nostre Seignor qu'il fu aportez el
tenple, et [la] le reçut li prodons [et le prist] entre ses braz,
liez et joianz de ce que sa promesse estoit acomplie. Car li
Sainz Esperiz li avoit fet savoir que il ne morroit ja devant
25 qu'il avroit veu Jesucrist. Et quant il le [vit], si chanta la

envoyé, de même daignez m'accorder, en récompense de
mes services, que je ne meure pas avant que ne vienne me
visiter le Bon Chevalier, neuvième de mon lignage, celui
qui verra à découvert les merveilles du Saint-Graal, afin
que je puisse le serrer dans mes bras". Quand le roi eut
adressé cette requête à Dieu, la voix lui répondit : "Roi,
sois sans inquiétude : Notre-Seigneur a entendu ta prière.
Ton désir est exaucé, et tu ne mourras pas avant que le
Chevalier que tu réclames soit venu te voir. Le jour où il
viendra devant toi, la vue te sera rendue, tu pourras le voir
très clairement, et toutes tes plaies guériront qui, jusque-
là, ne pourront se refermer".

102. «Ainsi parla la voix, promettant au roi qu'il verrait
le Chevalier tant désiré. Et ses paroles me semblent en
tous points véridiques. Car depuis quatre cents ans que
cette aventure lui est advenue, il n'a pas recouvré la vue,
ses plaies ne se sont pas refermées, et il est demeuré sans
force. Mais on dit que le Chevalier qui doit achever les
aventures de ce pays est déjà ici, et d'après les signes que
nous en avons vu, nous pensons que le roi retrouvera bientôt l'usage de ses yeux et de ses membres, mais qu'ensuite
il ne vivra pas longtemps.

«Telle est l'histoire du roi Evalach ; et sachez qu'il est
bien celui que vous avez vu aujourd'hui. Depuis quatre
cents ans, il a vécu d'une manière si sainte et si pieuse
qu'il n'a jamais pris aucune nourriture terrestre sauf celle
que le prêtre nous montre au sacrement[1] de la messe, je
veux dire le Corps de Jésus-Christ. Vous avez pu le voir
aujourd'hui : dès que le prêtre eut chanté la messe, il lui
porta et lui donna *Corpus Domini*. Depuis le temps de
Josephé, le roi a ainsi vécu dans l'attente du Chevalier
tant désiré, à l'exemple du vieillard Siméon[2] qui attendit
la venue de Notre-Seigneur jusqu'au jour où il fut amené
au temple. Là, le vieillard l'accueillit et le prit dans ses
bras, tout heureux que la promesse eût été tenue. Car le
Saint-Esprit lui avait fait savoir qu'il ne mourrait pas avant
d'avoir vu Jésus-Christ. Quand il le vit, il chanta la douce

douce chançon, dont Daviz li prophetes fet remenbrance
en son livre. Et ausi com cil atendoit [a grant desirrier] a
tenir et a vooir le fil Deu, [le haut Prophete, le souverain
Pastre], ausi atent li rois la venue Galaaz, [le virge, le ve-
30 rai Chevalier et le parfet]. Or vos ai dit [de] ce que vos
[m']avez demandez [la verité einsi come il avint]. Or vos
prie je que vos me dites qui vos estes.

103. Et il dit qu'il est de la meson lo roi Artur et compainz de la Table Roonde, et si a non Perceval de Gales.
Quant li preudons ot son non, si li fet [mout] grant joie,
que mainte foiz en avoit oï parler. Si li prie que il demort
5 mes hui leenz : si li feront li frere feste et henor, qu'il le
doivent [bien] fere. Mes il dit [qu'il a tant a fere] qu'il ne
demorroit [en nule maniere, et por ce l'en covient partir].
Si demande ses armes et l'en li aporte. Et com il fu apareilliez, si se part de leenz et chevauche parmi la forest
10 jusqu'a hore de midi. Lors le mena ses chemins en une valee, si encontra [jusques a] .xx. homes armez qui portoient
en une biere chevalerece .i. chevalier ocis novelement. Et
com il voient Perceval, si [li] demandent dom il est. Et il
dit qu'il est de la meson lo roi Artur et compainz de la
15 Table Roonde, si escrient tuit [ensemble] :
– Or a lui !

104. [B^a, f. 25c] Et com il voit ce, si s'apareille de defendre au meuz qu'il puet, si s'adrece vers celui qui venoit premierement et le fiert si [durement] qu'il le porte
a terre le cheval sor le cors. Et com il quide parfere
5 son poindre, si ne puet, que plus de .vii. le fierent sor
l'escu et li autre li ocient son cheval, si qu'il chiet a
terre. Il se relieve, [come cil qui estoit de grant proesce],
et tret l'espee et s'apareille de defendre. Mes li autre li
corent sus si [angoisseusement] que defense ne li a mes-
10 tier, [et il le fierent sor l'escu et sor le hiaume] et li donent
tant de cox qu'il ne se pot tenir en estant, ainz [vole jus
et] flati a terre de l'un des jenouz. Et il fierent sor lui et
maillent et [le meinent a ce qu'il] l'eussent ocis [main-

chanson que David le prophète rapporte dans son livre. Et de même que Siméon attendait, avec grand désir, de voir et de serrer dans ses bras le Fils de Dieu, le Haut Prophète, le Souverain Pasteur, de même le roi attend la venue de Galaad, le Vrai Chevalier, vierge et parfait. Je vous ai dit toute la vérité sur ce que vous m'avez demandé. Dites-moi maintenant, je vous prie, qui vous êtes.

103. Il répond qu'il est de la maison du roi Arthur et compagnon de la Table Ronde, et qu'il s'appelle Perceval le Gallois. En apprenant son nom, le moine ne cache pas sa joie, car il avait souvent entendu parler de lui. Il l'invite à rester tout le jour à l'abbaye où les frères lui feront honneur et fête, comme il convient. Mais Perceval répond qu'il a tant à faire qu'il ne saurait s'attarder et qu'il lui faut partir. Il demande ses armes, qu'on lui apporte, et, une fois équipé, il quitte l'abbaye et chevauche à travers la forêt jusqu'à l'heure de midi. Son chemin le mena dans une vallée où il rencontra une vingtaine d'hommes armés qui transportaient sur une litière tirée par deux chevaux un chevalier récemment tué. Dès qu'ils le voient, ils lui demandent d'où il vient, et lorsqu'il leur dit qu'il est de la maison du roi Arthur et compagnon de la Table Ronde, ils s'écrient tous ensemble :

– Sus au chevalier !

104. Aussitôt, Perceval s'apprête à se défendre de son mieux ; il s'élance sur son premier assaillant et lui porte un coup si rude qu'il l'envoie à terre, son cheval sur lui. Mais il ne peut aller au bout de sa course, car plus de sept de ses adversaires le frappent sur son écu tandis que d'autres tuent son cheval. Il tombe à terre, mais se relève, en homme de grande prouesse, tire son épée et fait front. Les autres, cependant, l'attaquent si furieusement que toute résistance est vaine. Ils le frappent sur l'écu et le heaume et l'accablent de tant de coups qu'il ne peut plus se tenir debout ; il chancelle et touche terre d'un genou. Eux continuent à le harceler et n'auraient pas manqué de

tenant, qu'il li avoient ja esrachié le heaume de la tes-
15 te et l'avoient navré], se ne fust li Chevaliers as armes
vermeilles qui venoit cele part. Quant il voit le chevalier
a pié tot seul entre ses anemis qui ocirre le voloient, si
s'adrece cele part [quanques li chevaus puet aler], si leur
crie :
20   – Lessiez le chevalier !

105. Si se met entr'els le glaive aloignié et fiert li .i.
d'els si durement qu'il le porte a terre et met la main a
l'espee quant li glaives fu brisiez. Si point as uns et aus
autres et les fiert si [merveilleusement] qu'il n'en ateint
5 nul a [droit] cop qu'il ne port a terre. Si le fet si bien en
po d'ore [as granz cox qu'il lor done et a la vistece dont il
est pleins qu'il n'i a si hardi] qui a cop l'ose atendre ; ainz
s'en vont fuiant li .i. ça, li autres la et se departent en tel
maniere parmi la forest, [qui grans estoit], tant qu'il n'en
10 pot mes [nul] vooir que trois, dont Percevax avoit l'un
abatu et li Buens chevaliers les .ii. Et quant il voit qu'il
sont einsi tuit departi [et] que Percevax n'en a mes garde,
si se remet en son chemin et se refiert en la forest [la ou il
la voit plus espesse], come cil qui ne vodroit [en nule ma-
15 niere] que l'en le suist. Et quant Percevax voit qu'il s'en
va si hastivement, si li crie tant haut com il puet :
– [Ha !] sire, [por Deu] [*B^a*, f. 25d] arrestez vos .i. petit,
tant que vos aiez parlé a moi !

106. Cil ne fet onques senblant qu'il l'oie, ainz s'en va
grant aleure com cil qui n'avoit talent de retorner. Et Perceval, [qui n'a point de cheval, car cil li avoient le suen
ocis], le suit tot a pié [au] plus tost qu'il puet. Lors encon-
5 tra .i. vallet sor .i. ronci fort et legier [et bien courant], qui
menoit en destre .i. destrier plus noir que meure. Et quant
Percevax l'encontre, si ne set que fere. Car il vodroit volentiers cheval avoir por sivre le buen chevalier. [Et molt
en voldroit grant meschief avoir fet, par covent qu'il l'eust
10 par la volenté au vaslet, car a force ne l'en menroit il mie
se trop grant besoign ne li fesoit fere, et por ce que l'en

le tuer – ils lui avaient déjà arraché le heaume de la tête
et l'avaient blessé – si le Chevalier aux armes vermeilles
ne s'était trouvé passer par là. Quand il voit le chevalier à
pied, tout seul, au milieu d'ennemis qui voulaient le tuer,
il se dirige droit sur eux de toute la vitesse de son cheval
et leur crie :

– Laissez ce chevalier !

105. Il se précipite au milieu d'eux, la lance en arrêt,
et assène à l'un d'eux un coup si violent qu'il l'abat. Sa
lance s'étant brisée, il met la main à l'épée et frappe avec
une force telle que tous ceux qu'il atteint sont projetés
à terre. Par la force et la rapidité des coups qu'il donne,
il accomplit de telles prouesses que très vite aucun des
chevaliers n'a l'audace de l'affronter. Tous s'enfuient en
désordre et se dispersent dans la forêt, qui était grande, si
bien que finalement il n'en voit plus que trois dont l'un
avait été abattu par Perceval et les deux autres par lui-
même, le Bon Chevalier. Et quand il voit qu'ils sont tous
partis et que Perceval n'a plus rien à craindre, il se remet en route et s'enfonce au plus épais de la forêt comme
quelqu'un qui ne tient nullement à être suivi. En le voyant
s'éloigner si rapidement, Perceval lui crie le plus fort qu'il
peut :

– Ah ! seigneur, au nom de Dieu, arrêtez-vous un instant
pour pouvoir me parler !

106. Le chevalier ne paraît pas l'entendre et s'en va à
vive allure comme s'il n'avait aucune intention de revenir
sur ses pas. Et Perceval, qui n'avait plus de cheval, ses
assaillants ayant tué le sien, le suit à pied aussi vite qu'il
peut. Il rencontre alors un écuyer monté sur un roncin,
puissant, agile et rapide et qui menait de la main droite
un destrier plus noir que les mûres. Perceval ne sait que
faire. Il voudrait bien avoir ce destrier pour suivre le bon
chevalier et il aurait été prêt à faire beaucoup pour cela,
mais à condition que l'écuyer le lui cède de son plein gré.
Il ne le lui prendrait pas de force, à moins que la nécessité

nel tenist a vilain]. Lors salue le vallet [si tost come il
l'aproche], et cil dit [que] Dex le beneie.

– Biax amis, fet Percevax, je vos pri en toz [servises et
15 en toz] guerredons [et por ce que ge soie tes chevaliers
el premier leu que tu m'en requerras], que tu cel cheval me prestes tant que j'aie ataint cel chevalier qui la
s'en vet.

– Sire, fet li vallez, je nel feroie mie, qu'il est a tel home
20 qui me honiroit [del cors] se je ne li rendoie.

– Biax amis, fet Percevax, fai ce que je te di, que certes
je n'oi onques si grant duel com cestui [me sera] se je pert
le chevalier par [de]faute de cheval.

– Par foi, fet cil, [ge n'en ferai autre chose]. Ja par ma
25 volenté ne l'avrez [tant com il soit en ma garde] ; par force
le me poez vos tolir, se vos volez.

107. Com il ot ceste parole, si est tant dolenz qu'il li est
avis qu'il doie del sens oissir, que vilanie ne feroit il pas
au vallet ; et s'il pert einsi le Chevalier qu'il va querant, il
n'avra ja mes joie. Cez .ii. choses li metent tel ire el cuer
5 qu'il ne se puet tenir sor pié, ainz chiet soz .i. arbre et li
cuers li faut ; si devient vains et morz ausi com s'il eust
perdu [tot] le pooir del cors ; et a tel duel qu'il vodroit
orendroit morir. [Et lors oste son heaume et prent l'espee],
puis dit au vallet :

10 – Biax amis, quant je ne puis eschaper sanz mort, je te
pri que tu [preignes m'espee et] m'ocies orendroit : [si
sera ma dolor afinee. Et lors se li Bons Chevaliers, que
je aloie querant, ot dire que je soie morz de duel de lui, il
ne sera ja si vilains qu'il ne prit Nostre Seignor qu'il ait
15 merci de m'ame].

– E[n] non Deu, fet li vallez, ja se Deu plest ne vos ocirrai, que vos ne l'avez pas deservi.

108. Lors [*B^a*, f. 26a] s'en va grant aleure, et Percevax
remaint si dolent qu'il quide bien morir [de corrouz]. Et

ne l'y contraigne, de crainte d'être tenu pour discourtois.
Il s'approche donc de l'écuyer et le salue.

– Que Dieu vous bénisse, lui répond ce dernier.

– Bel ami, dit Perceval, je te demande comme un grand
service, et en retour je serai ton chevalier dès que tu me le
demanderas, de me prêter ton cheval jusqu'à ce que j'aie
pu rejoindre le chevalier qui vient de partir.

– Seigneur, dit l'écuyer, je ne le ferai point. Ce cheval
appartient à un homme qui me tuerait si je ne le lui rame-
nais pas.

– Bel ami, fais ce que je te demande, car, certes, si je
perds la trace de ce chevalier, j'éprouverai une douleur
telle que je n'en ai jamais éprouvée.

– Par ma foi, répond l'écuyer, je m'en tiens à ce que j'ai
dit. Tant que le cheval sera sous ma garde, vous ne l'aurez
pas de mon plein gré ; mais vous pouvez me l'enlever de
force, si vous voulez.

107. En entendant cela, Perceval est si affligé qu'il croit
en perdre l'esprit. Il ne veut pas causer du tort à l'écuyer,
mais, s'il perd la trace du chevalier, il n'aura plus jamais
de joie. Ce dilemme lui cause une telle détresse qu'il ne
peut se tenir debout et tombe au pied d'un arbre. Le cœur
lui manque. Il se sent abattu, exténué, comme si toutes ses
forces l'avaient abandonné ; et sa douleur est telle qu'il
voudrait mourir sans tarder. Il enlève son heaume, prend
son épée et dit à l'écuyer :

– Bel ami, puisque la mort est la seule issue pour moi,
je te prie de prendre mon épée et de me tuer sur-le-champ ;
ainsi ma souffrance prendra fin. Et si le Bon Chevalier que
je recherche apprend que je suis mort de douleur à cause
de lui, il ne sera pas si discourtois qu'il ne prie Notre-Seigneur d'avoir pitié de mon âme.

– S'il plaît à Dieu, dit l'écuyer, jamais je ne vous tuerai,
car vous ne le méritez pas.

108. Il s'éloigne alors à vive allure, laissant Perceval en
proie à un tel désespoir qu'il pense bien en mourir. Quand

com il ne voit mes le vallet ne autre si [comence a fere
trop grant duel et se claime las et chetif et] dit :

5　　– Ha ! maleureus, or as tu failli a ce que tu queroies puis
qu'il [t']est ore eschapez. Ja mes ne seras en ausi buen
point de lui trover que tu estoies [ores] !

Endementres qu'il menoit son duel en tel maniere, il
escoute et ot venir une friente de chevax. Si ovre les euz
10　et voit venir .i. chevalier armé qui s'en aloit tot le grant
chemin de la forest, si chevauchoit le cheval que li vallez
[m]enoit orendroit. Percevax conoist bien le cheval, si ne
quide mie que cil l'ait eu a force. Et com il nel pot mes
vooir, si recomence son duel ; et ne demora gueres qu'il
15　vit venir devant lui le vallet acorant sor .i. roncin qui fesoit
[trop] grant duel. Et la ou il voit Perceval, si li dit :

– [Ha] ! sire, veistes vos par ci passer .i. chevalier armé
qui en menoit le cheval que vos me demandastes ore ?

– Oïl [voir], fet Perceval, por quoi le dis tu ?

20　　– Sire, por ce qu'il le m'a tolu a force. Si m'en a mort
et malbailli, que mes sires m'[cn] occirra ou qu'il me
t[ru]ist.

– Et de ce, fet Percevax, que velz tu que je [te] face ?
Ge nel te pui mie rendre, quar je sui a pié. Mes se g'eusse
25　cheval, gel te quidasse amener molt par tens.

– Sire, fet li vallez, montez sor mon roncin, et, se vos le
poez conquerre, vostre soit.

– Et ton roncin, fet Percevax, coment ravras tu se ge
puis le cheval gaaignier ?

30　　– Sire, fet il, je vos sivrai [tot] a pié, et se vos conquerez
le chevalier, je prendrai mon roncin, et vos avrez le cheval.
Et il dit qu'il ne li demande meuz.

109. Lors relace son heaume et monte sor le roncin et
prent son escu, et point [si grant oirre com il puet del roncin traire] après le chevalier. Si a tant alé qu'il vint en
une petite [*B^a*, f. 26b] praerie, [dont il avoit mainte en la

il ne voit plus ni l'écuyer ni personne, il commence à se lamenter, se qualifiant de pauvre infortuné.

– Ha! malheureux, s'écrie-t-il, tu as échoué dans ta quête puisque le chevalier t'a échappé. Jamais tu n'auras une aussi bonne occasion qu'aujourd'hui de le retrouver.

Tandis que Perceval se lamente ainsi, le bruit d'un galop parvient à son oreille. Il ouvre les yeux et voit un chevalier armé qui suivait le grand chemin de la forêt, monté sur le cheval que l'écuyer conduisait un instant plus tôt. Perceval reconnaît bien le cheval, mais ne pense pas que le chevalier l'ait pris de force. Lorsque ce dernier a disparu, Perceval recommence ses lamentations, mais bientôt il voit l'écuyer qui arrive en toute hâte sur son roncin en se plaignant amèrement. Quand il aperçoit Perceval, il lui dit :

– Ah! seigneur, n'avez-vous pas vu passer ici un chevalier armé monté sur le cheval que vous m'avez demandé tout à l'heure ?

– Oui, certes, répond Perceval, mais pourquoi cette question ?

– Parce qu'il me l'a pris de force. Il m'a perdu, voué à la mort, car mon seigneur me tuera dès qu'il me retrouvera.

– Et que veux-tu que je fasse pour toi ? Je ne peux pas te rendre le cheval puisque je suis à pied. Mais si j'avais une monture, je te le ramènerais bientôt.

– Seigneur, dit l'écuyer, prenez mon roncin, et si vous pouvez reprendre le cheval, il sera à vous.

– Et ton cheval, comment le retrouveras-tu si j'arrive à m'emparer de l'autre ?

– Seigneur, je vous suivrai à pied et si vous triomphez du chevalier, je reprendrai mon roncin et vous aurez le destrier.

Perceval dit qu'il ne demande pas mieux.

109. Il relace son heaume, enfourche le roncin, prend son écu et s'éloigne aussi vite que peut aller le cheval à la poursuite du chevalier. Il finit par arriver dans une petite prairie comme il y en avait beaucoup dans cette forêt, et

5 forest. Et] lors voit devant lui le chevalier qui s'en aloit les
granz galoz sus le destrier, si [li] escrie [de si loing com
il le voit] :

– Sire chevalier, retornez, et rendez au vallet son cheval
que vos en menez mauvesement !

10 Et quant cil ot qu'il [li] escrie, si [li cort] le glaive aloignié, [et] Percevax tret l'espee, [come cil qui bien voit
qu'il est a la meslee venuz]. Et li autres, qui tost s'e[n]
voloit delivrer et venoit si grant oirre com li chevax pooit
rendre, fiert le roncin parmi le piz si durement qu'il li
15 bot[e] le glaive d'outre en outre. [Et cil chiet qui a mort
estoit feruz], si que Percevax vole jus [par desus le col].

Et quant li autres voit son cop, si reprent son poindre et
[va tot contreval la praerie] et se refiert en la forest la ou
il la voit plus espesse. Quant Percevax voit ce, si est tant
20 dolenz qu'il ne set qu'il doie fere [ne dire]. Si crie a celui
qui s'en vet :

– Mauvés chevalier, failli [de cors, coarz de cuer], venez, si vos combatez a moi qui sui a pié et vos a cheval !

110. Cil ne respont mot [a chose qu'il li die], que po
l'en est, si se fiert en la forest [si tost com il i est venuz].
Et quant Percevax ne le pot mes vooir, si a tel duel qu'il
jete jus son escu et s'espee, si oste son hiaume de sa teste.
5 [Et] lors recomence son duel assez greignor que devant.
Si plore et crie a haute voiz, si se claime chetif, maleureus,
li plus mescheanz de toz [autres] chevaliers [et dist] :

– Ore ai je failli a toz mes desirriers !

En tel duel et en tel ire demore iluecques tote jor, que
10 nus ne vient sor lui por lui reconforter. Et quant vint a
l'anuitier, si se trueve si las et si vain que tuit li menbre li
faillent, ce li est avis. Lors [li prent talent de dormir ; si]
s'endort, si que il ne s'esveille devant la mie nuit. Quant
il fu esveilliez, si regarda devant lui et vit une feme qui li
15 demande molt fierement :

– Percevax, que fes tu ci ?

Et il respont qu'il ne fet [ne] bien [*B^a*, f. 26c] ne mal,
mes s'il eust cheval, il s'en alast d'iluec.

voit devant lui un chevalier qui s'en va au grand galop sur le destrier. À peine l'a-t-il aperçu qu'il lui crie :

– Seigneur chevalier, revenez et rendez à l'écuyer ce cheval auquel vous n'avez aucun droit.

En entendant ces paroles, le chevalier lui court sus, lance couchée, et Perceval tire son épée, comprenant qu'il lui faudra se battre. Le chevalier, qui a hâte d'en finir avec lui et qui arrive au grand galop, frappe le roncin au poitrail avec une force telle que la lance le perce de part en part. Le cheval tombe, blessé à mort, et Perceval est projeté par-dessus l'encolure. Voyant que son coup a porté, le chevalier repart à vive allure, traverse la prairie et se jette au plus épais de la forêt. Perceval est si affligé par cette aventure qu'il ne sait plus que faire ni que dire. Il crie à celui qui s'enfuit :

– Mauvais chevalier, sans honneur ni courage, revenez combattre, moi à pied et vous à cheval !

110. Mais l'autre, qui se soucie fort peu de lui, ne répond pas et pénètre aussitôt dans la forêt. Lorsqu'il l'a perdu de vue, Perceval, dans son désespoir, jette à terre son écu et son épée, ôte son heaume de sa tête et redouble ses lamentations. Il pleure, pousse des cris, se proclame malheureux, misérable, et le plus infortuné de tous les chevaliers.

– Ainsi, s'écrie-t-il, tous mes désirs n'ont abouti à rien !

Perceval passe toute la journée ainsi en proie à la douleur et à la détresse sans que personne vienne le réconforter. À la tombée de la nuit, il se sent si fatigué, si épuisé qu'il lui semble que ses membres ne le soutiennent plus. Le sommeil le gagne et il s'endort pour ne se réveiller que vers minuit. Lorsqu'il ouvre les yeux, il aperçoit devant lui une femme qui lui demande d'un ton impérieux :

– Perceval, que fais-tu ici ?

Il répond qu'il ne fait ni bien ni mal et que, s'il avait un cheval, il s'en irait.

– Se tu [me] voloies, fet ele, creanter que tu feroies ma
20 volenté quant je t'en semondroie, ge le te dorroie buen
orendroit qui te porteroit la ou tu vodroies.

111. Quant il ot ceste parole, si est tant liez qe nul plus,
com cil qui ne prent garde qui ce soit a cui il parole. Il
quide [bien] que ce soit feme, mes non est, ainçois estoit
li enemis qui le voloit decevoir et metre en tel point que
5   s'ame fust perdue [a toz jors mes]. Quant il ot la promesse
que cele li fet [de la chose dont il estoit adonc plus de-
sirans], si dit qu'il est toz prez que il l'en face [si] seure
[com ele voldra, que s'ele cheval li donne bon et bel, il
fera a son pooir ce qu'ele li requerra].
10 – Le me creantez vos, fet [ele], com loiax chevaliers ?
– Oïl, fet il.
– Or m'atendez, fet ele, que [ge] revendra[i] orendroit.
Lors entre en la forest et revient tantost et amoine .i.
cheval [grant et merveilleux], si tres noir que ce est mer-
15 veille a vooir. Com il le voit, si [le regarde et] a grant
hysdeur. Neporquant il est si hardiz que il monte sus, com
cil qui ne s'aperçut de l'engin a l'enemi. Et com il est
montez, si prent son escu [et sa lance], et cele qui devant
lui estoit li dit :
20 – Perceval, [vos vos en alez] ? Or vos soviegne [que]
vos me devez .i. guerredon.

112. Et il dit que c'est voirs, si s'en aquitera bien. Lors
s'en va grant aleure, si se fiert en la forest ; et la lune luisoit cler. Et cil l'e[m]porte si tost qu'il l'a mis hors de
la forest en petit d'ore [et le porta plus de .iii. journees
5   loing]. Si chevaucha tant qu'il vit devant lui [en une valee]
une grant eve rade. Li chevax vint cele part et se voloit
ferir enz. Et quant Percevax vint a la rive et il la vit si
grant, si la redote [moult] a passer, qu'il [estoit nuis, ne il]
n'i vooit [ne] pont ne planche. Lors lieve sa main et fet le
10 signe de la sainte croiz en son front au point que li enemis
se senti charchié del fes de la croiz, qui trop li estoit pesanz [et griés], si [s'esceut et] se desvolope de Perceval,

– Si tu voulais bien me promettre de faire ma volonté quand je te l'ordonnerai, je te donnerais tout de suite un bon cheval qui te mènerait où tu voudrais.

111. Cette promesse rend Perceval si heureux qu'il ne se soucie pas de savoir à qui il parle. Il ne doute pas que ce soit une femme, mais ce n'en est pas une ; en réalité c'est l'Ennemi qui veut le tromper et l'amener à perdre son âme à tout jamais. Quand il l'entend lui promettre la chose qu'il désire le plus au monde, il répond qu'il est prêt à lui donner toute l'assurance qu'elle voudra et que, si elle lui procure un bon et beau cheval, il s'acquittera de son mieux de ce qu'elle lui demandera.

– Me le promettez-vous sur votre foi de chevalier ?

– Oui, répond-il.

– Alors attendez-moi, car je reviendrai dans un instant.

Elle entre dans la forêt et en ramène presque aussitôt un grand et magnifique cheval, d'un noir merveilleux à voir. Perceval le regarde et l'effroi le saisit. Néanmoins il est assez téméraire pour monter en selle, en homme qui n'est pas conscient des ruses de l'Ennemi. Il prend son écu et sa lance, et celle qui se tenait devant lui dit alors :

– Perceval, vous vous en allez ? Souvenez-vous que vous me devez une récompense.

112. Il répond qu'il n'a pas oublié sa promesse et qu'il la tiendra. Puis il s'en va à vive allure et pénètre dans la forêt. La lune brillait. Sa monture l'emporte si vite qu'en peu de temps il est hors de la forêt et s'en trouve à plus de trois jours de marche. Il finit par arriver dans une vallée où il voit devant lui une grande rivière au cours rapide. Le cheval se dirige vers elle et veut s'y jeter, mais Perceval redoute de traverser une rivière aussi large, car il fait nuit et il ne voit ni pont ni passerelle. Il lève alors la main et fait le signe de la sainte croix sur son front. Dès que l'Ennemi sent sur lui le fardeau de la croix, qui lui était très pesant et très pénible, il se secoue et se débarrasse de

et se feri en l'eve [ullant et criant et] fesant la plus male
fin del [B^a, f. 26d] monde. Si avint tantost que l'eve fu
15 esprise en plusors lex de feu [et de flambe clere], si qu'il
senbloit que tote l'eve arsist.

113. Quant Percevax voit ceste aventure, si s'aperçoit
bien [tantost] que c'a esté li enemis qui en l'eve l'ot amené
por lui [decevoir et] metre a perdicion [de cors et d'ame].
Lors se seigne et se comande a Deu et li prie qu'il ne le
5 lest chooir en tentacion, par quoi il perde la compaignie
des anges. Il tent les mains vers le ciel et mercie Nostre
Seignor de buen cuer de ce qu'il li a si bien aidié a cest
point. Quant li enemis fu entrez en l'eve, il l'i eust sanz
faille lessié chooir et tot einsi poïst il estre noiez et periz,
10 si eust perdu tot ensemble cors et ame, mes il se trest en
loig de l'eve, car totevoies a il poor des assauz a l'enemi,
si s'ajenoille contre oriant et dit ses proieres et ses oroisons teles com il les savoit. Si desire molt que li jorz viegne por savoir en quel terre il est arrivez, car il pense bien
15 que li enemis l'ait porté molt loig de la ou il avoit veu lo
roi Mordrain.

114. Einsi fu Percevax jusqu'au jor en proieres et en oroisons, et atendi tant que li soleuz ot fet son tor el firmament
[et qu'il aparut au monde]. Et quant li jorz fu biax et clers,
[et le soleil ot auques abatue la rosee], si regarde Percevax
5 [tot] entor lui, si voit qu'il fu en une grant montaigne [et
merveilleuse et] sauvage, qui estoit close de m[e]r [tot]
entor, si [largement] qu'il ne vooit de nule part terre [se
trop loign non]. Et lors s'aperçoit qu'il est aportez en .i.
isle, mes il ne set en quel païs ; et si le savroit il volen-
10 tiers, mes il ne voit coment ce peust estre, qu'il n'a pres
de lui [ne] chastel [ne forteresce me meson] ne recet [ou
gent puissent habiter, ce li est avis. Et] neporquant [il n'est
mie si seus qu'il ne voie] pres de lui [bestes sauvages],
ors, lions et lieparz et serpenz volanz. Quant il se [B^a,
15 f. 27a] voit en tel leu, si n'est pas a eise, que molt redote
les bestes sauvages [qui nel leront mie en pes, ce set il

Perceval, puis se jette dans la rivière, poussant des cris et des hurlements et menant un train épouvantable. Aussitôt des flammes de feu clair jaillissent en plusieurs endroits de la rivière qui semble ainsi tout embrasée.

113. En voyant cet événement extraordinaire, Perceval comprend tout de suite que c'est l'Ennemi qui l'a amené à la rivière pour le tromper et l'exposer à perdre son corps et son âme. Il se signe, se recommande à Dieu et le prie de ne pas le laisser succomber à la tentation, ce qui lui ferait perdre la compagnie des anges. Il tend les mains vers le ciel et remercie du fond du cœur Notre-Seigneur de l'avoir si bien aidé en cette circonstance ; car une fois entré dans la rivière, l'Ennemi l'y aurait certainement précipité et il aurait pu mourir en se noyant, perdant ainsi et son corps et son âme. Perceval s'éloigne de la rive, redoutant toujours les assauts de l'Ennemi, puis s'agenouille tourné vers l'orient et récite les prières et les oraisons qu'il savait. Il attend avec impatience la venue du jour pour découvrir dans quel pays il est arrivé, car il ne doute pas que l'Ennemi l'ait emporté bien loin de l'abbaye où il avait vu le roi Mordrain.

114. Perceval demeure ainsi en prière jusqu'au jour, attendant que le soleil apparaisse sur le monde après avoir accompli sa course dans le ciel. Quand le jour fut beau et clair et que le soleil eut un peu séché la rosée, Perceval, regardant tout autour de lui, vit qu'il se trouvait sur une grande et haute montagne, très sauvage, entourée de toutes parts par une mer si vaste qu'il n'aperçoit de terre que tout au loin. Il se rend compte alors qu'il a été transporté dans une île. Il voudrait bien savoir laquelle, mais cela est impossible, car il n'y a, semble-t-il, ni château, ni forteresse, ni maison, ni refuge où puissent habiter des êtres humains. Pourtant, il n'est pas si seul qu'il ne voie près de lui des bêtes sauvages, ours, lions, léopards et serpents ailés. Un tel lieu n'est pas fait pour le rassurer. Il redoute les bêtes sauvages qui, il le sait bien, ne le laisseront pas

bien, ainz l'ocirront s'il ne se puet deffendre. Et] neporquant [se] Cil qui sauva Jonas el ventre de la baleine [et
qui gari Daniel en la fosse as lions li veut ici estre escuz
20 et deffendemenz, il n'a garde de tot ce qu'il voit]. Si se
fie plus en l'aide Deu que en soi, car ce set il bien que
par proece de chevalerie terriene ne puet il eschaper, se
Dex n'i metoit conseil. Il regarde, si voit en [mi] l'ille une
roche molt haute [et molt merveilleuse], ou il ne quidoit
25 avoir garde de [nule] beste sauvage s'il s'i estoit mis. Si
s'adrece il cele part tot einsi armé com il estoit. [Et en
ce qu'il aloit cele part], lor regarde [desous lui et voit] .i.
serpent qui portoit .i. petit lion et le tenoit par le col as
denz, si s'assist sor la montaigne. Aprés le serpent coroit
30 .i. grant lion criant et braiant et fesant trop grant duel, si
senble a Perceval que li lions si fet duel por le petit lioncel
que li serpenz enporte.

115. Quant il voit ce, si cort au plus tost qu'il pot contremont la montaigne. Mes li lions, [qui plus estoit legiers],
l'ot ja trespassé, si ot comencié la mellee contre le serpenz, [ainçois qu'il i poïst estre venus. Et neporquant, si
5 tost come il fu venuz amont la roche et il vit] la mellee
des .ii. bestes, [si] s'apense qu'il aidera au lion por ce que
plus est naturel beste et de meillor maniere que li serpenz.
Lors [tret l'espee et met l'escu devant son vis, por le feu
qui mal ne li face, et] cort sus au serpent, si li done granz
10 cox [entre les .ii. oreilles]. Et cil [gite feu et flamme si
qu'il] li art tot son escu et son hauberc par devant ; [et li
eust encor plus mal fet]. Et cil fu vistes et legiers et reçut
le feu ausi come de tisons, si que la flanbe nel feri pas de
bot, et por ce fu li feus moins nuisanz. Quant il voit ce, si
15 est toz efreez por le feu, dom il dote estre envenimez. Et
totevoies recort sus au serpent et le fiert de l'espee [la ou il
le puet ateindre]. Si li avint si bien a cel cop qu'il l'assena
la ou il l'ot devant assené. L'espee fu trenchanz et bone, si
cola legierement parmi la teste puis que la pel fu entamee,
20 a ce que li os n'estoi[en]t pas durs, et li serpenz chaï [B^a,
f. 27b] mort [en la place].

en paix, mais le tueront s'il ne peut se défendre. Toutefois, si Celui qui sauva Jonas[1] du ventre de la baleine et qui protégea Daniel[2] dans la fosse aux lions veut bien lui servir de bouclier et de rempart, il n'a rien à craindre de ce qu'il voit. Il se fie plus à l'aide de Dieu qu'à lui-même, sachant bien qu'aucun exploit selon la chevalerie terrestre ne pourra le sauver si Dieu n'intervient pas. Il regarde autour de lui et voit au milieu de l'île un rocher très haut où il serait à l'abri des bêtes sauvages s'il parvenait à l'escalader. Il se dirige vers lui, tout armé, et chemin faisant aperçoit un serpent qui tenait un lionceau entre ses dents par la peau du cou. Le serpent gagne le sommet, poursuivi par un gros lion qui pousse des cris et des rugissements si pitoyables que Perceval se dit qu'il doit se lamenter sur son petit que le serpent emporte.

115. Perceval s'élance alors aussi vite qu'il peut vers le sommet de la montagne. Mais le lion, plus rapide, l'a dépassé et a déjà commencé à se battre contre le serpent. Lorsque Perceval arrive au sommet et voit le combat des deux bêtes, il décide d'aider le lion[1] parce que c'est une bête plus naturelle et d'espèce plus noble que le serpent. Il tire son épée, met son écu devant son visage pour se protéger des flammes, se précipite vers le serpent et lui assène un grand coup entre les deux oreilles. Et le serpent crache des flammes qui brûlent l'écu de Perceval et le devant de son haubert. Il aurait pu lui faire plus de mal encore, mais Perceval est si rapide et si agile qu'il ne reçoit que des flammèches ; les flammes ne l'atteignent pas directement et leurs effets sont donc moins graves. Sa frayeur pourtant est grande, car il craint que le feu ne l'infecte de son venin. Néanmoins il court sus au serpent une fois encore et le frappe de son épée partout où il peut l'atteindre. Il réussit à lui porter un coup là où il l'avait déjà blessé. Son épée était tranchante et bonne ; elle s'enfonce facilement dans la tête du monstre dès que la peau est entamée, car les os n'étaient pas durs, et le serpent tombe mort.

116. Quant li lions se voit delivré [del serpent] par
l'aide del chevalier, il ne fet pas senblant qu'il ait talent
de combatre a Perceval, [ainz] vient devant lui et besse
la teste, si li fet la gregnor joie qu'il puet, si que Perceval
5 s'aperçoit bien qu'il n'a talent de lui mal fere. Il remet
s'espee en son fuerre et jete jus son escu, qui toz fu brullez, et oste son hiaume [de sa teste] por le vent cueillir,
car assez l'ot eschaufé li serpenz. Et li lions aloit toz jorz
aprés lui corant et fesant grant joie. Et quant il voit ce, si
10 li comence a aplaignier le col [et la teste et les espaules]
et dit que Dex li a envoié cele beste por lui fere compaignie : [si tient ce a mout bele aventure. Et li lions li fet si
grant feste come beste mue puet fere a home, et] tot le
jor demora li lions auvec Perceval jusqu'a hore de none.
15 Mes si tost com hore de none fu passee, si s'en vint aval
la roche, puis si enport[e] a son col son lioncel a son repere. Quant Percevax se voit sanz compaignie en la roche
soutive [et haute a merveilles, si ne fet mie a demander
s'il est a malaise] ; mes plus le fust encore, se ne fust le
20 grant espoir qu'il avoit en son Criator, qu'il estoit .i. des
chevaliers del monde qui plus crooit parfitement [en] son
Criator. Neporquant c'estoit contre la costume de son païs,
car a cel tens estoient si desreé jenz et si sanz mesure par
tot lo roiaume de Gales que se li fiz trovast lo pere [gisant]
25 en son lit par acheson d'enfermeté, il le tressist hors par
la teste ou par le[s] braz, si l'oceist erraument, car a [viltance
et a] reproche li fust atorné se ses peres moreust en son
lit. Mes quant il avenoit que li peres ocioit le fil ou li filz
lo pere, et toz li lignages moreust d'armes, lors disoient
30 la jent del païs qu'il estoient de haut lignaje.

117. Tot le jor fu Percevax en la roche et regarde [*B^a*,
f. 27c] loig en la mer [por] savoir s'il veist [par aventure]
nef trespassant. Mes ce li avint cel jor que il [ne sot tant
baer ne amont ne aval qu'il] n'en v[eis]t nule. Quant il
5 voit ce, si prent cuer en soi meismes et [se reconforte en
Nostre Seignor, et] prie Deu qu'il le gart en tel maniere
qu'il ne poïst choir en tenptacion [ne par engin de deable

116. Quand le lion se voit délivré du serpent par le chevalier, il ne fait pas mine de l'attaquer, mais s'approche
de lui, baisse la tête et lui fait fête du mieux qu'il peut, si
bien que Perceval comprend qu'il ne lui veut aucun mal.
Il remet son épée au fourreau, jette à terre son écu tout
brûlé et enlève son heaume pour que le vent rafraîchisse
son visage, tout échauffé qu'il est par le souffle du serpent. Le lion le suivait toujours en courant et en manifestant sa joie. Voyant cela, Perceval se met à lui caresser le
cou, la tête et les épaules et pense que Dieu lui a envoyé
cette bête pour lui tenir compagnie et que c'est là une bien
belle aventure. Le lion continue à lui faire fête aussi bien
qu'une bête muette peut le faire à un homme, et reste avec
lui jusqu'à l'heure de none. Passé cette heure, il redescend
du rocher et, prenant son lionceau par la peau du cou, il
l'emporte dans son repaire. Quand Perceval se retrouve
tout seul sur le haut rocher solitaire, on conçoit aisément
son inquiétude, laquelle aurait été plus vive encore s'il
n'avait placé toute sa confiance en son Créateur ; car il
était un des chevaliers du monde dont la foi en Dieu était
la plus profonde. Une telle ferveur était rare pourtant dans
son pays. À cette époque les habitants du royaume de Galles étaient si dépourvus de bon sens et de mesure que si le
fils trouvait son père couché dans son lit parce qu'il était
malade, il le tirait du lit par la tête ou par les bras et le tuait
sur-le-champ, car il aurait encouru reproches et déshonneur si son père était mort dans son lit. Mais s'il arrivait
que le père tuait le fils ou le fils le père, et que toute la famille trouvait la mort par les armes, alors on disait d'eux
qu'ils étaient de haut lignage.

117. Perceval resta toute la journée sur le rocher les yeux
fixés au loin sur la mer au cas où quelque nef viendrait à
passer. Mais il a beau regarder dans toutes les directions,
il ne voit rien. Alors il fait appel à tout son courage et
cherche son réconfort dans Notre-Seigneur. Il le prie de
ne pas le laisser être induit en tentation par les ruses du

ne par malvese pensee, mes einsint come peres doit garder le fil, le gart et norisse]. Il tent ses mains vers le ciel
10 et dit :

– [Biax] sire Dex, qui en si haute ordre com est chevalerie me lessastes monter, qui m'esleustes a vostre serjant, tot n'en fusse ge pas dignes, sire, par vostre pitié ne
sofrez que g'isse de vostre servise, mes [soie] si com li
15 buens champions [et li seurs], qui bien deffent la querele
son seignor contre celui qui a tort l'apele. Biau sire Dex,
einsi me donez vos pooir que je poisse defendre m'ame,
qui est vostre [querele et vostre droit] eritaje, contre celui
qui a tort la velt avoir et qui n'i a droit. Biax douz peres,
20 qui dites en l'evangile de vos meismes : « Je sui buens
pastres. Li buens pastres met s'ame por ses oeilles, mes
ce ne fet pas li marcheanz pastres qui lesse les oeilles sanz
garde tant que li lex les [estrangle et] devore si tost com
il i vient » ; Sire, vos me soiez pastres et defenderres [et
25 conduisierres], si que je soie de voz oeilles. Biau sire Dex,
et s'il avient que je soie la centieme oeille fole et chetive
qui [se] departi des nonante nuef et s'en ala foloiant el
desert, Sire, pregne vos de moi pitié et [ne me lessiés pas
el desert, mes] ramenez moi a vostre part, c'est a Sainte
30 Yglyse et a sainte creance, la ou les buenes oeilles sont,
la ou li bon crestien [et li vrai home] reperent, si que li
enemis, qui en moi ne demande fors [la substance, ce est]
l'ame, ne me truisse sanz garde.

118. Quant il ot ce dit, si vit vers lui venir le lion por qui
il s'estoit combatu au [B^a, f. 27d] serpent ; [mes il ne fet
nul semblant qu'il li voille mal fere], si li fet joie. Quant
il voit ce, si l'apele, et il vint tantost a lui, si li aplaigne le
5 col et la teste. Et il se couche devant lui ausi com se ce fust
la plus privee beste del monde. Il s'acoute lez lui et met
sa teste [sor s'espaule] ; si atent tant que la nuiz fu venue
[oscure et noire] ; si s'endort delez le lion tot erraument.

diable ou par de mauvaises pensées, et de le garder et de le protéger comme un père doit protéger son fils. Il tend les mains vers le ciel et dit :

– Beau Seigneur Dieu qui m'avez permis d'accéder au très haut ordre de chevalerie et qui m'avez choisi comme votre serviteur bien que je n'en fusse pas digne, Seigneur, dans votre miséricorde ne souffrez pas que j'abandonne votre service, mais faites que je sois comme le bon et loyal champion qui soutient vaillamment la cause de son seigneur contre celui qui l'accuse à tort. Beau Seigneur Dieu, faites que je puisse, de la même manière, défendre mon âme qui est votre cause et votre bien légitime contre celui qui veut s'en emparer injustement. Beau doux Père, qui avez dit dans l'Évangile en parlant de vous-même : « Je suis le bon pasteur. Le bon pasteur donne sa vie pour ses brebis, ce que ne fait pas le mercenaire qui les laisse sans protection jusqu'au moment où arrive le loup qui les étrangle et les dévore »[1], Seigneur, soyez mon pasteur, mon défenseur et mon guide et faites que je sois de vos brebis. Et s'il advient, Beau Seigneur Dieu, que je sois la centième brebis, la folle, la malheureuse, qui abandonna les quatre-vingt-dix-neuf autres et s'égara dans le désert, prenez pitié de moi, ne me laissez pas au désert, mais ramenez-moi auprès de vous, c'est-à-dire à la Sainte Église et à la sainte foi, là où se trouvent les bonnes brebis, les bons chrétiens et les hommes justes, afin que l'Ennemi qui ne veut de moi que la substance, je veux dire mon âme, ne puisse me prendre au dépourvu.

118. Comme il achevait sa prière, Perceval vit revenir le lion pour lequel il avait combattu le serpent. Le lion ne manifeste aucune hostilité envers lui et lui fait fête. Perceval l'appelle donc, lui caresse la tête et l'encolure, et le lion se couche à ses pieds comme l'aurait fait la bête la mieux apprivoisée du monde. Perceval s'allonge auprès de lui, pose sa tête contre son épaule et attend que soit venue la nuit, noire et profonde. Il s'endort aussitôt sans

Si ne li prent nul talent de mangier, car il pensoit molt le
10 jor a autre chose.

Quant il fu endormiz, si li avint [une aventure merveilleuse, car il li fu avis] en son dormant que devant lui
venoient .ii. dames dont l'une estoit [vielle et] anciene et
l'autre n'estoit pas de [molt] grant aage, mes bele estoit.
15 Les .ii. dames ne venoient pas a pié, ainz estoient montees
sor .ii. [molt] diverses bestes, que l'une fu montee sor .i.
lion et l'autre sor .i. serpent. Il regarde les dames et se
merveille coment eles puent si bien justisier cez [.ii.] bestes. La plus juene vint avant, si li dit :

20 – Perceval, mes sires te salue, si te mande que tu t'apa-
reilles au meuz que tu porras, que demain te covendra
combatre au champion del monde qui plus fet douter. Et
se tu es veincuz, tu ne seras pas quite por .i. de [tes] menbres perdre, ainz [te menra l'en si mal que tu en] seras
25 honiz a toz jorz [mes].

119. Quant Percevax ot ce que cele li dit, si li demande :

– [Dame], qui est vostre sires ?

– Certes, fet ele, li plus riches hom del monde. Or garde
5 [que tu soies si preus et si seurs] que de ceste bataille aies
henor.

Puis s'en vet [si soudainement que Perceval ne set que
ele est devenue]. Lor vint [avant] l'autre dame qui fu sor
le serpent, et dit [a Perceval] :

10 – Perceval, je me plaig [mout] de vos, que vos avez meffet a moi et as miens, et si ne l'avoie pas deservi.

Quant il [*B^a*, f. 28a] ot ce, si est toz esbahiz et dit :

– [Certes], dame, a vos n'a dame qui soit el monde ne
quit je rien avoir meffet. Si vos pri que vos me dites de
15 qoi je vos ai mefet ; et se je puis, je l'amenderai a vostre
volenté.

– Ce vos dirai je bien, fet ele, [en quoi vos m'avez mef-
fet]. Je avoie en mon ostel [une grant piece] norrie une
beste que l'en apele serpent, [qui me servoit molt plus que
20 vos ne cuidiés]. Cele beste vola ier [par aventure] jusqu'a

penser à manger, car il avait bien d'autres préoccupations
ce jour-là.

Une fois endormi, il lui arriva une aventure merveilleuse.
Il lui sembla que deux dames s'approchaient de lui, l'une
très âgée, l'autre assez jeune et belle. Elles n'étaient pas
à pied, mais étaient montées sur deux bêtes bien étranges,
l'une sur un lion, l'autre sur un serpent. Perceval regarde
les dames et se demande comment elles peuvent maîtriser
les deux bêtes. La plus jeune qui venait la première, lui
dit :

– Perceval, mon seigneur te salue et t'ordonne de te
préparer le mieux que tu pourras, car demain il te faudra combattre le plus redoutable des champions. Si tu es
vaincu, tu n'en seras pas quitte avec la perte d'un membre,
mais tu souffriras une telle défaite que tu seras déshonoré
à tout jamais.

119. – Ma dame, lui demande Perceval, qui est votre
seigneur ?

– En vérité, répond-elle, c'est l'homme le plus puissant du monde. Aussi te faudra-t-il montrer beaucoup de
vaillance et de fermeté pour sortir vainqueur du combat.

Sur ce, elle disparaît si soudainement que Perceval ne
sait ce qu'elle est devenue. L'autre dame, celle qui était
montée sur un serpent, s'approche de Perceval et lui dit :

– Perceval, j'ai beaucoup à me plaindre de vous, car
vous m'avez fait du tort, à moi et aux miens, et je ne
l'avais pas mérité.

Fort surpris de ces paroles, Perceval répond :

– Certes, ma dame, je ne crois pas avoir fait de tort, ni
à vous ni à aucune autre femme. Je vous prie donc de me
dire quel tort je vous ai fait et si je le peux, je le réparerai
comme vous l'entendrez.

– Eh bien, voici : j'ai longtemps nourri dans mon château une bête, un serpent, qui m'était bien plus utile que
vous ne pensez. Hier, cette bête a volé par hasard jusque

cele montaigne, si trova .i. lioncel qu'ele aporta jusqu'a
ceste roche. Vos venistes [corant] aprés et l'oceistes [de
vostre espee sanz ce que ele ne vos demandoit rien] Or
me dites quel reson vos eustes de lui ocirre ? [Vos avoie
25 je riens meffet por quoi vos la deussiez mener a mort] ?
Estoit li lions vostres [ne en vostre subjection], que vos
vos deussiez combatre [por lui] ? Sont les bestes de l'air si
abandonees que vos le[s] poez ocirre sanz reson ?

120. Com [Perceval ot les paroles que la dame li dit], si
[respont] :
– Dame, vos ne m'avez meffet que je sache, ne li lions
n'estoit a moi, [ne les bestes de l'air ne me sont abandon-
5 nees]. Mes por ce que [li] lions est de plus jentil nature
que [li] serpent et de plus haut afere, et por ce [que je vi
que li lions estoit meins mesfesanz que li serpenz, li corui
je sus et] l'ocis. Si ne m'est mie avis que je soie tant mesfet vers vos com vos dites.
10 Quant la dame l'ot, si dit a Perceval :
– Ne [m']en feroiz vos plus ?
– Dame, que volez vos que ge [vos e]n face ?
– Je vueil fet ele, por l'amende [de mon serpent] que
vos deveigniez mes homs.
15 Et il dit que ce ne feroit il pas.
– Non ? fet ele. Ja le fustes vos [ja] ; ainz que vos re-
ceussiez l'omage de vostre seignor [estiés vos a moi]. Et
por ce que vos fustes ainz miens que autrui ne vos claim
je pas quite ; ainz vos prendrai, se je vos truis sanz garde,
20 come li miens.

121. Lors s'en parti la dame. Et Percevax [remest dor-
mant], qui molt fu traveilliez de cele avision. Tot[e] la nuit
dormi [si bien que onques ne s'esveilla]. [A] l'endemain,
quant [li jorz fu clers et] li soleuz fu levez, qui li raia
5 sor la teste [chauz et ardanz], il ovri [B^a, f. 28b] les euz.
Lors s'aperçut qu'il estoit jorz, si se [dreça] en seant [et
lieve sa main] et se seigna et prie De[u] qu'il li envoit

sur cette montagne et a trouvé un lionceau qu'elle a apporté sur ce rocher. Vous l'avez poursuivie avec votre épée et vous l'avez tuée, alors qu'elle ne vous avait rien fait. Dites-moi pourquoi vous l'avez tuée. Quel tort vous avais-je fait pour que vous commettiez pareille action ? Le lion était-il à vous ou sous votre dépendance, pour qu'il vous faille combattre pour lui ? Les bêtes de l'air sont-elles si abandonnées que vous puissiez les tuer sans raison ?

120. – Ma dame, répond Perceval, vous ne m'avez fait aucun tort, que je sache, et le lion n'était pas à moi, et les bêtes de l'air ne sont pas à ma discrétion. Mais c'est parce que le lion est d'espèce plus noble et de rang plus élevé que le serpent, et parce que j'ai vu qu'il était moins malfaisant que lui, que j'ai attaqué et tué le serpent. Il ne me semble donc pas que je vous ai fait autant de tort que vous dites.

À cela la dame répond :

– Perceval, vous en tiendrez-vous là ?

– Ma dame, que voulez-vous que je fasse ?

– Je veux qu'en réparation du serpent vous deveniez mon vassal.

Et Perceval dit qu'il ne le ferait pas.

– Comment, dit la dame, vous refusez ? Pourtant vous l'avez déjà été. Avant de rendre hommage à votre seigneur, vous m'apparteniez. Et parce que vous étiez à moi avant d'être à un autre, je refuse de vous tenir quitte de votre obligation ; si je vous trouve sans garde, je vous reprendrai.

121. Sur ce, la dame s'en alla. Perceval continua à dormir, profondément troublé par cette vision. Il dormit toute la nuit sans se réveiller. Quand le jour fut levé et que le soleil, déjà haut, commençait à lui chauffer la tête, il ouvrit les yeux et vit qu'il faisait grand jour. Il se dressa sur son séant, fit le signe de la croix et pria Dieu de l'aider de

conseil qui profitable soit a s'ame, que del cors ne li chaut
il mie tant com il selt, por ce qu'il ne l'est pas avis que ja
10 mes poisse oissir de cele roche [ou il est]. Lors regarde
entor lui, si ne voit ne le lion qui li ot fet compaignie, ne le
serpent qu'il avoit ocis, si se merveille qu'il estoit devenu
et le lion et le serpent.

122. Endementres qu'il pensoit a ceste chose, si regarda
en la mer [molt] loig ; et voit une nef qui acoroit le voile
tendu, si venoit la ou Percevax [atendoit por savoir se Dex
li envoiast aventure qui li pleust. Et] la nef venoit molt
5 tost, qu'ele avoit le vent derriere [qui la hastoit ; et ele
vient le droit cours vers lui et arriva au pié de la roche.
Et] quant Percevaus, [qui ert amont en la roche], la vit,
si ot [molt] grant joie, car il quide [bien] qu'il ait enz
plenté de jent ; si se drece en estant et prent ses armes.
10 Et com il fu armez, si descent de la roche com cil qui velt
vooir quel jent il a en la nef. Com il vint pres, si vit que la
nef est encortinee [par] dedenz et [par] dehors de samit
blanc, [si qu'il n'i pert se blanche chose non]. Com il
vint au bort de la nef, si trove .i. viel home revestu de sor-
15 peliz et d'aube come prestre, si avoit en son chief une
corone de blanc samit [ausi lee com vos .ii. dois], et en
cele corone par devant avoit letres escrites qui disoient
que li haut non Nostre Seignor i estoient saintefié. Quant
Percevax le voit, si s'en merveille ; et se tret pres de lui
20 et le salue, si li dist :

– Sire, bien soiez vos venuz ! Dex vos ament !

– Biax amis, [fet li preudons], qui estes vos ?

– Sire, fet il, je sui, de la meson lo roi Artu.

– Et quele aventure vos a or ci aporté ?

25 [*B^a*, f. 28c] – Sire, fet il, ge ne sai [en quel maniere ne]
coment g'i vi[n]g.

– Et que vodriez vos ? fet li preudons.

– Se il plesoit a Deu, sire, je vodroie bien estre hors
de ci et aler aprés mes freres [de la Table Reonde] en la
30 queste del Saint Graal, que por autre chose ne mui je de la
cort lo roi Artur.

ses conseils pour le bien de son âme. De son corps il se
souciait moins que d'ordinaire, car il ne pensait pas qu'il
pourrait jamais quitter ce rocher. Regardant autour de lui,
il ne voit ni le lion qui lui avait tenu compagnie, ni le
serpent qu'il avait tué, et il se demande bien ce qu'ils sont
devenus.

122. Tandis que Perceval réfléchissait à ces choses, son
regard se porta au loin sur la mer et il aperçut une nef qui,
toutes voiles tendues, se dirigeait vers le rocher où il attendait pour savoir si Dieu allait lui envoyer quelque aventure
qui lui[1] plairait. Et la nef, qui avait le vent en poupe, allait
très vite et se dirigeait tout droit vers le pied du rocher.
Perceval, sur la hauteur, est tout heureux de la voir, car il
ne doute pas qu'il y ait bien des gens à bord. Il se lève,
revêt ses armes et descend du rocher pour s'enquérir des
passagers. En s'approchant, il voit que la nef est entièrement drapée de samit blanc, à l'intérieur comme à l'extérieur. Il vient près du bord et trouve là un vieil homme
revêtu, comme un prêtre, d'un surplis et d'une aube et
qui avait sur la tête une couronne de samit blanc de la largeur de deux doigts. Sur le devant de cette couronne, une
inscription glorifiait les noms divins de Notre-Seigneur.
Quand Perceval, très surpris, voit cela, il s'approche de
lui et le salue :

– Seigneur, lui dit-il, soyez le bienvenu, et que Dieu
vous aide !

– Bel ami, répond l'homme, qui êtes-vous ?

– Je suis, seigneur, de la maison du roi Arthur.

– Et quelle aventure vous a amené ici ?

– Seigneur, je ne sais ni comment ni pourquoi j'y suis
venu.

– Et que désirez-vous ?

– Seigneur, s'il plaisait à Dieu, je voudrais bien sortir de
cette île et reprendre avec mes frères de la Table Ronde la
Quête du Saint-Graal, car c'est uniquement pour cela que
j'ai quitté la cour du roi Arthur.

– Quant il plera a Deu, fet li preudons, vos en istroiz
[bien fors] ; il vos en avra tantost jeté quant Lui plera. S'il
[vos tenoit a son serjant et il] veist que vos fussiez melz [a
35 son preu] ailleurs que ci, [sachiez que] il vos en osteroit
assez tost. Mes il vos a [ore] mis en esprueve [et en essai]
por [conoistre et por] savoir se vos estes loiax serjanz et
loiax chevaliers si com ordre de chevalerie le requiert. Car
puis que vos en si haut degré estes montez, vostre cuer ne
40 se doit esmaier por poor ne por peril terrien. [Car] cuer de
chevalier doit estre si durs [et si serrez] encontre l'enemi
son seignor que nule riens ne l'en puist flechir. Et s'il est
menez jusq'a poor, il n'est pas des verais chevaliers [ne
des veraiz champions] qui se lessierent ocirre en champ,
45 ainz que la querele [lor] seignor ne fust desrenié.

123. Lors li demande Percevax dom il est et de quel
terre ; et il dit qu'il est d'un estrange païs.

– Quele aventure, fet Percevax, vos amena ça [en si estrange leu et] en si savaje [come cist me semble] ?
5 – Par foi, fet li preudons, g'i vi[n]g por vos vooir et reconforter, et por ce que vos me deissiez vostre estre ; ne il
n'est rien dont vos soiez a conseillier, [se vos le me dites],
que je ne vos en conseille meuz que nus ne porroit fere.
– Merveilles me dites, fet Percevax, qui dites que vos
10 venistes [ça] por moi conseillier. Car je ne voi pas coment
ce puist estre, car en ceste roche [ou je sui] ne me savoit
nus fors Deu et moi. Et encor m'i seussiez vos, ne quit
je pas que vos seussiez mon non, car [*B^a*, f. 28d] onques
[mes] a mon escient ne me veistes. Et por ce me merveil
15 je molt de ce que vos me dites.
– Ha ! Perceval, fet li prodons, je te conois molt melz
que tu ne quides. Grant tens a que tu ne feis chose que je
ne sache [assez] meuz que tu meesmes ne puez savoir.
Quant Percevax ot que li preudons le nome si bien, si
20 est toz esbahiz. Lors se repent de ce qu'il li a dit, si li crie
merci :
– Ha ! sire, fet il, por Deu pardonez moi ce que je vos

– Vous quitterez l'île, dit l'homme, quand il plaira à Dieu et Il vous en fera vite sortir quand Il le voudra. S'Il vous considérait comme son serviteur et jugeait que vous Lui seriez plus utile ailleurs qu'ici, Il aurait tôt fait de vous délivrer. Mais Il a voulu vous mettre à l'épreuve pour savoir si vous êtes son loyal serviteur et son loyal chevalier comme le requiert l'ordre de chevalerie. Puisque vous avez accédé à un si haut rang, rien ne doit troubler votre cœur, ni la peur ni aucun péril terrestre. Car le cœur du chevalier doit être si endurci, si intransigeant envers l'ennemi de son seigneur que rien ne puisse le faire fléchir. S'il succombe à la peur, il n'est pas de ces vrais chevaliers, de ces vrais champions qui ont préféré se laisser tuer sur place plutôt que de ne pas faire triompher la cause de leur seigneur.

123. Perceval lui demande alors de quel pays il est ; il répond qu'il est d'un pays lointain.

– Et quelle aventure vous a amené en un lieu qui me paraît si isolé, si sauvage ?

– Par ma foi, répond-il, je suis venu pour vous voir et vous réconforter et pour que vous me disiez ce qui vous tourmente ; et quel que soit le conseil dont vous ayez besoin, je saurai mieux que personne vous le donner.

– Voilà qui me surprend fort, dit Perceval. Vous dites que vous êtes venu pour me conseiller, mais comment cela se peut-il puisque personne, sinon Dieu et moi-même, ne savait que j'étais sur ce rocher ? Et même si vous l'aviez su, je ne pense pas que vous puissiez connaître mon nom, car jamais vous ne m'avez vu, que je sache. Voilà pourquoi je suis si surpris de vos paroles.

– Ah ! Perceval, lui dit l'homme, je te connais mieux que tu ne penses. Depuis longtemps déjà, je sais mieux que toi-même tout ce que tu fais.

Quand Perceval s'entend appeler par son nom, il est stupéfait. Il se repent alors de ce qu'il a dit et implore sa pitié.

– Ah ! seigneur, s'écrie-t-il, au nom de Dieu, pardon-

[ai] di[t], [car je cuidoie] que vos ne me conoissiez pas,
[mes or] voi je bien que vos me conoissiez meuz que je ne
25 faz vos : si m'en tie[n]g a fol et vos a sage.

124. Lors s'acoute sor le bort de la nef auvec le preudom, si parolent ensemble de maintes choses. Si le trueve
Percevax si sage en totes responses qu'il se merveille molt
qui il puet estre. Si li plest tant sa compaignie que se il es-
5 toit toz jorz auvec lui ne li sembleroit il mie que il eust ja
talent de boivre ne de mangier, tant par li sont ses paroles
douces et plesanz. Quant il ont esté grant piece ensemble,
si li dit Percevax :

— Sire, car me fetes saje d'une avision qui m'avint anuit
10 en mon dormant, qui me sembla si divers[e] que ja mes ne
seré aeise [devant que ge] en [sache] la verité.

— Or dites, fet li preudons, et je vos en certefierai si que
vos verroiz apertement que ce puet estre.

— Ge le vos dirai donc, fet Percevax. Il m'avint anuit
15 en mon dormant que devant moi venoient .ii. dames dont
l'une estoit montee sor .i. lion et l'autre sor .i. serpent.
Cele qui sor le lion [*B*ᵃ, f. 29a] estoit montee si estoit juene dame, et l'autre estoit vielle. La plus juene parla a moi
premierement.

20 Lors li comence a conter totes les paroles qu'il avoit
oïes en son dormant, si bien com eles li avoient esté dites,
qu'il n'en avoit encor nule obliee. Et com il ot reconté son
songe, si prie le prodome qu'il li die la senefiance. Et cil
dit que si fera il volentiers. Lors li comence a dire :

125. — Percevax, de cez .ii. dames que vos veistes si di-
versement montees, que l'une estoit montee sor .i. lion
et l'autre sor .i. serpent, c'est grant senefiance, si la vos
dirai. Cele qui sor le lion estoit montee senefie la Novele
5 Loi, qui sor le lion, [ce est] Jesucrist, prist [pié et] fondement [et] qui par lui fu edefiee et montee en la veue et en
l'esgart de tote crestienté, et por ce qu'ele fu[st] mireoir et
veraie lumiere a toz cels qui metent lor cuer en la Trinité.
Cele dame siet sor le lion, qui est Jesucrist ; cele dame

nez-moi mes paroles. Je croyais que vous ne me connais-
siez pas, mais je vois bien que je vous suis plus connu que
vous ne l'êtes de moi ; je suis le sot et vous le sage.

124. Perceval s'accoude alors auprès de l'homme sur le
bord de la nef et ils parlent ensemble de maintes choses.
Perceval trouve une telle sagesse dans les réponses de son
visiteur qu'il se demande bien qui il peut être. Sa compagnie lui est si agréable, ses paroles si douces et plaisantes,
que s'il pouvait ne jamais le quitter il ne songerait plus ni
à boire ni à manger. Après qu'ils ont longuement parlé,
Perceval lui dit :

— Seigneur, veuillez m'expliquer une vision que j'ai eue
cette nuit dans mon sommeil et qui m'a semblé si étrange
que je n'aurai pas de paix avant d'en connaître le sens.

— Eh bien, parlez, dit l'homme, et je vous en dévoilerai
le sens. Et ainsi tout vous paraîtra clair.

— Je vous le dirai donc, répond Perceval. Cette nuit,
durant mon sommeil, deux dames sont venues vers moi,
l'une montée sur un lion, l'autre sur un serpent. Celle qui
chevauchait le lion était jeune, l'autre vieille, et c'est la
plus jeune qui m'a parlé la première.

Il lui rapporte alors fidèlement toutes les paroles qu'il
avait entendues dans son sommeil et dont il se souvenait
très bien encore. Et après avoir achevé le récit de son
songe, il prie l'homme de lui en expliquer le sens.

— Volontiers, lui répond celui-ci.

125. « Perceval, ces deux dames que vous avez vues,
montées sur des bêtes si étranges, ont une grande signification. Celle qui chevauchait le lion représente la Nouvelle
Loi qui eut en Jésus-Christ – le lion[1] – son origine et son
fondement, et qui fut par lui édifiée et présentée à toute la
chrétienté pour qu'elle soit le miroir et la vraie lumière de
tous ceux qui donnent leur cœur à la Trinité. Cette dame,
assise sur le lion qui représente Jésus-Christ, est la Foi,

10 si est Foi, Esperance, [creance], batesme. Cele dame si
est la pierre dure et ferme sor quoi Jesucriz dist qu'il
[ferm]eroit Sainte Yglise la ou il dist : "Sor ceste pierre
edefieré je m'yglise". Par cele dame, qui estoit montee
sor le lion, doit estre entendue [la Novele Loi], que Nostre
15 Sires maintient [en force et] en pooir ausi com li peres
sostient l'enfant. Et ce qu'ele vos sembloit plus juene que
l'autre, si n'est pas grant merveille : [car de tel eage ne de
tel semblant n'est ele pas], que ceste dame fut nee en la
Passion Jesucrist et en la Resurecion, et l'autre avoit ja en
20 terre [trop] longuement regné. Cele vint a toi parler com
a son fil, que tuit buen crestien sont si enfant, et bien te
mostra qu'ele estoit ta mere : car ele avoit de toi si grant
poor qu'ele te vint [avant le cop] noncier ce [*B^a*, f. 29b]
qui t'estoit [a] avenir. Cele te vint dire de par son seignor,
25 c'est Jesucriz, qu'il te covenoit combatre. [Par la foi que
je te doi], s'ele ne t'amast, ele nel te venist pas dire, [car
il ne l'en chausist se tu fusses vencus]. Et le te vint si
tost dire por ce que tu fusses meuz garniz au point de la
bataille. [Et a cui] ? Contre le plus redouté champion del
30 monde ; et c'est cil por qui Enoc et Helyes, [qui tant furent
preudome], fu[rent] ravi de terre [et porté es cieus, et ne
revenront devant le jor del Juise, por combatre encontre
celui qui tant est redoutés]. Cil champions, si est li enemis qui tant se poine toz jorz [et travaille] qu'il poisse
35 home mener a pechié mortel, et d'iluec le conduit en enfer. C'est li champions a cui il te covient combatre, et se tu
es veincuz, [si] come la dame te dist, tu ne seras mie quite
por .i. de [te]s menbres [perdre], ainz [en] seras honiz a
toz jorz [mes]. Et ce puez tu vooir par toi meismes [se
40 ce est voirs] ; car s'il est einsi que li enemis puisse venir
au desus de toi, il te metra a perdicion de cors et d'ame
et d'iluec te conduira en [la maison tenebreuse, c'est en]
enfer, ou tu sofferras honte [et dolor] et martire tant com
[la poesté] Jesucriz durra.

126. « Or t'ai devisé que cele dame senefie que tu veis

l'Espérance, la croyance et le baptême. Elle est la pierre dure et ferme sur laquelle Jésus-Christ a dit qu'il établirait Sainte Église lorsqu'il déclara : "sur cette pierre je bâtirai mon Église[2]". Cette dame montée sur le lion représente donc la Nouvelle Loi que Notre-Seigneur maintient en force et en vigueur comme le père son enfant. Qu'elle vous ait paru plus jeune que l'autre n'est pas surprenant : elle n'a ni le même âge ni la même apparence puisqu'elle est née avec la Passion et la Résurrection de Jésus-Christ, alors que l'autre régnait depuis très longtemps déjà. Elle est venue te parler comme à un fils, car tous les bons chrétiens sont ses enfants, et elle t'a bien montré qu'elle était ta mère. Elle craignait tant pour toi qu'elle est venue t'avertir de ce qui allait t'arriver. Elle est venue t'annoncer, au nom de son seigneur, Jésus-Christ, qu'il te faudrait combattre. Par la foi que je te dois, si elle ne t'aimait pas, elle n'aurait pas agi ainsi, car peu lui aurait importé que tu sois vaincu. Elle t'a prévenu pour que tu sois mieux préparé au moment de livrer combat. Et contre qui ? Contre le champion le plus redouté du monde, celui à cause de qui Énoch et Élie[3], hommes de grande vertu, furent ravis au ciel d'où ils ne reviendront que le jour du Jugement pour combattre cet adversaire si redouté. Cet adversaire, c'est l'Ennemi qui jamais ne ménage ni fatigue ni peine pour faire tomber l'homme dans le péché mortel et le mener ensuite en enfer. Tel est le champion qu'il te faut combattre et, comme la dame te l'a dit, si tu es vaincu tu feras plus que perdre un membre, tu seras déshonoré à jamais. Tu peux voir par toi-même que c'est là la vérité : si l'Ennemi parvient à triompher de toi, il te perdra corps et âme et te conduira dans la demeure des ténèbres, c'est-à-dire en enfer, où tu souffriras honte, douleur et martyre aussi longtemps que durera le règne de Jésus-Christ.

126. «Ainsi, je t'ai expliqué ce que signifie la dame

en ton songe, qui chevauchoit le lion. Et par ce que je t'ai
mostré puez tu assez savoir qui l'autre puet estre.

– Sire, fet Percevax, de l'une m'avez vos tant dit que
5 bien en sai la senefiance. Mes ore me dites de l'autre qui
chevauchoit le serpent, que de cele ne conoistroie je mie
la senefiance, se vos ne m'en fesiez certein.

– Donc le te diré ge, fet li prodons ; or escoute. Cele
dame que tu veis le serpent chevauchier, c'est la Synago-
10 gue, la vielle Loi, [qui] fu arriere mise si tost com Jesucriz
ot aportee avant la Novele Loi. Li serpenz qui la porte,
c'est l'Escriture mauvesement entendue et mauvesement
esponse, ce est ypocresie, iresie, iniquité, pechié mortel,
[*B^a*, f. 29c] [c'est li anemis meismes] ; c'est li serpenz
15 qui par son orgoil fu jetez de paradis ; c'est li serpenz qui
dist a Adan et a sa moillier : "Se vos mangiez [de cest
fruit] vos serez ausi comme Dex." Par cele parole entra
en els covo[iti]se. Car il baerent maintenant a estre plus
halt qu'il ne deussent, si crurent le conseil de l'enemi et
20 pechierent, por quoi il furent jcté [hors] de paradis [et
mis en essil], por qui meffet [tout li hoir partirent et] le
comperent chascun jor. Quant cele dame vint devant toi,
si se plaint de son serpent que tu li avoies ocis. Sez tu de
quel serpent ele se pleint ? Ele ne se pleint pas del serpent
25 que tu oceis ier sor cele roche, ainz dit de celui serpent
qu'ele chevauche, c'est li enemis. Et sez tu ou [tu] li feis
tel duel don ele se pleint ? Tu li feis au point que li enemis te portoit quant tu venis a ceste [roche, a cele eure]
que tu feis la croiz sor toi. [Par la crois que tu feis, que il
30 ne pooit sostenir en nule maniere, ot il si grant paor que
il quida bien estre mors, si s'en fui si grant oirre comme il pot], com cil qui plus ne te pooit fere compaignie.
Einsi l'oceis tu et destruissis et li tolis pooir et force de
sa baillie et de son conduit, et si te quidoit il bien avoir
35 gaaingnié : et de ce vient li granz dels qu'e[le] a. Quant
tu li eus respondu au meuz que tu seus [de ce que ele te
demandoit], si te requist [que] por amende de ce que tu
li avoies mesfet devenisses ses hom. Tu deis que no feroies. Et ele dist que [aucune fois] tu l'avoies esté ainz

que tu as vue en songe, celle qui était montée sur le lion. D'après ce que je t'ai dit, tu peux bien comprendre qui est l'autre.

– Seigneur, dit Perceval, ce que représente cette dame est parfaitement clair pour moi. Mais parlez-moi de celle qui chevauchait le serpent, car sans votre aide je ne saurais comprendre sa signification.

– Je vais donc te le dire, répond l'homme. Alors écoute-moi. La dame que tu as vue chevaucher le serpent, c'est la Synagogue, l'Ancienne Loi, qui fut repoussée dès que Jésus-Christ eut apporté la Nouvelle Loi. Le serpent qui la porte, c'est l'Écriture mal comprise et mal interprétée, c'est l'hypocrisie, l'hérésie, l'iniquité, le péché mortel, c'est l'Ennemi en personne ; c'est le serpent qui fut chassé du paradis, celui qui dit à Adam et à sa femme[1] : "Si vous mangez de ce fruit, vous serez comme Dieu", paroles qui firent naître en eux la convoitise. Aussitôt ils aspirèrent à une condition supérieure à la leur, ils crurent les conseils de l'Ennemi et commirent le péché qui leur valut d'être chassés du Paradis et condamnés à l'exil. Tous leurs descendants eurent part à ce péché et l'expient chaque jour. Lorsque la dame est venue devant toi, elle t'a reproché d'avoir tué son serpent. De quel serpent parlait-elle ? Non pas de celui que tu as tué hier, mais de celui qu'elle chevauche, je veux dire l'Ennemi. Et sais-tu quand tu lui as causé le dommage dont elle se plaint ? Quand l'Ennemi te portait jusqu'à ce rocher, et que tu as fait sur toi le signe de la croix. Ce signe, qu'il ne peut en aucune manière supporter, lui a causé une telle frayeur qu'il a pensé en mourir, et il s'est enfui au plus vite ne pouvant plus rester avec toi. Ainsi tu lui as porté un coup mortel, tu lui as fait perdre de son pouvoir et de sa domination et renoncer à te conduire alors qu'il croyait bien te tenir. Voilà d'où vient la grande douleur de la dame. Puis, quand tu eus répondu de ton mieux à ses questions, elle t'a demandé de devenir son vassal en réparation du tort que tu lui avais causé. Tu as refusé. Elle t'a dit qu'autrefois tu l'avais été avant

40 que tu [feisses] homage [a] ton seignor. A ceste chose
as tu hui molt pensé, et si le deusses tu bien savoir.
Car [sanz faille] ainz que tu fusses bautizié [et crestiené]
estoies tu el pooir a l'enemi. Mes si tost com [on t'eus
mis le seel Jhesucrist, c'est le saint cresme et la sainte
45 oncion] eus tu renoié l'enemi et fus fors de sa baillie,
[car tu eus ja fait hommage a ton Creator]. Or t'ai
devisé de l'une et de l'autre dame la senefiance ; si m'en ira,
[car molt ai a fere]. Et tu remaindras ici, si te soviegne
bien de la bataille que tu as a fere ; car se tu es veincu tu
50 avras ce que l'en te promet.

127. – Biau sire, fet Percevax, por quoi vos en alez vos
si tost ? [Certes] [*B*ᵃ, f. 29d] vos paroles me plesent tant
[et vostre compaignie] que ja mes ne [me] queisse de vos
departir. Et por Deu, se il puet estre, demorez encore ; car
5 certes de tant com vos m'avez dit quit je meuz valoir toz
les jorz de ma vie.
   – Aler m'en covient, fet li preudons, [car molt de genz
m'atendent], et vos remaindrez. Si gardez que vos ne
soiez desgarniz contre celui qui vers vos se vendra com-
10 batre, que se vos estiez desgarniz, tost vos [en] porra mes-
chooir.
   Quant il ot ce dit si s'en part ; et li venz se fiert el voile,
si en moine la nef si tost com l'en porroit regarder. Si est
tant esloigniez en pou d'ore que Percevax n'en puet mes
15 point vooir. Et quant il en a del tot perdu la veue, si s'en
va tot contremont la roche si armez com il estoit. Et si tost
com il fu amont, si retrueve le lion qui le jor devant li avoit
fet compaignie. Si le comença a aplaignier por ce [qu'il
voit] que la beste li fesoit [merveilleuse] joie. Quant il ot
20 iluec demoré jusqu'a midi, si [regarde loing en la mer et]
voit venir une nef ausi fendant par mi l'eve come se tuit
li vent del monde la chasassent ; et devant venoit .i. estor-
beillon qui fesoit la mer movoir et les ondes saillir de totes
parz. Com il voit ce, si se merveille [mout] que ce est, que
25 li estorbeillons li toloit la veue de la nef. Et neporquant
[ele] aproche tant que il set veraiement que c'est nef, si

de faire hommage à ton seigneur. Tu as beaucoup réfléchi
à cela aujourd'hui et tu devrais en comprendre le sens.
C'est un fait qu'avant d'être baptisé et de devenir chrétien, tu étais au pouvoir de l'Ennemi, mais dès que tu as
reçu le sceau de Jésus-Christ, le saint chrême et la sainte
onction, tu as renié l'Ennemi, tu as échappé à son pouvoir,
car tu avais fait hommage à ton Créateur. Je t'ai dit ce
que représente l'une et l'autre dame, et maintenant je vais
partir, car j'ai beaucoup à faire. Toi, tu resteras ici ; pense
bien au combat qu'il te faudra livrer ; car si tu es vaincu,
tu subiras le sort qu'on t'a prédit.

127. – Beau seigneur, dit Perceval, pourquoi partez-vous
si vite ? Vos paroles et votre compagnie me plaisent tant
que jamais je ne voudrais vous quitter. Par Dieu, restez
encore avec moi, s'il se peut, car je suis sûr que tout ce
que vous m'avez dit fera de moi un meilleur homme pour
le reste de ma vie.

– Il me faut partir, dit l'homme, car beaucoup de gens
m'attendent. Toi, tu resteras ici. Veille à ce que ton adversaire ne te trouve pas démuni ; s'il te prenait au dépourvu,
il t'arriverait vite malheur.

Sur ce, il s'en va. Le vent frappe la voile et emporte la
nef avec une telle rapidité qu'on peut à peine la suivre
du regard. Elle a tôt fait de gagner l'horizon, et lorsque
Perceval l'a complètement perdue de vue, il remonte sur
le rocher tout armé comme il l'était. Arrivé au sommet, il
retrouve le lion qui lui avait tenu compagnie la veille. La
bête lui fait de telles fêtes qu'il se met à la caresser.

Il reste ainsi jusqu'à midi, puis, regardant au loin sur la
mer, il voit venir une nef qui fend les flots comme poussée
par tous les vents du monde et précédée d'un tourbillon
qui agite la mer et fait jaillir les vagues de toutes parts.
Perceval n'est pas du tout sûr de ce qu'il voit, car le tourbillon lui cache la vue de la nef. Mais elle se rapproche
tant qu'il se rend compte que c'est bien une nef, toute ten-

est tote covert[e] de dras noirs, de soie [ou] de lin. Quant
ele est auques pres, si descent qu'il vodra savoir que ce
est, com cil qui bien vodroit que ce fust li preudons a cui il
30 avoit ier parlé. Il descent jus, si li avient si bien toutevoies,
[ou par la vertu de Deu ou par autre chose] qu'il n'a si hardie beste [en la montaigne] qui l'osast adeser [ne asaillir].
Et il avale le tertre et vient a la nef au plus tost qu'il puet.
Et com il i est venuz, [B^a, f. 30a] si voit une damoisele de
35 tres grant biauté sooir a l'entree et fu vestue si richement
que nule meuz.

128. Si tost com ele voit venir Perceval, si se lieve encontre lui, si li dit sanz saluer :

— Perceval, que fetes vos ci ? Qui vos a amené en ceste
montaigne qui est si [estrange et si] sauvage que vos n'i
5 serez ja mes secoruz [se par aventure n'est], ne n'i avrez
a mengier, si morrez de faim et de mesese a ce que vos ne
troverez home qui vos regart ?

— Damoisele, fet Perceval, se je moroie de faim, donc
ne seroie je pas loiax serjanz, car nus ne sert si haut home
10 come je faz por qu'il le serve de verai cuer et loiaument,
[que] il ne demandera ja chose qu'il n'ait. Et il meismes
dit [que] sa porte n'est close a nului qui i viegne, mes qui
[i] bote, si [i] entre, et qui li demande, si a. Et se aucuns
le demande, il ne se repont pas [ainz se laisse legierement
15 trover].

Quant cele ot qu'il li fet mencion de l'Evangile, si ne
li respont rien a cele parole, ainz le met en autre matire
et dit :

— Perceval, savez vos dont ge vie[n]g ?

20 — Coment, damoiselle, fet il, qui vos aprist mon non ?

— Ge le sai bien pieç'a, fet ele, si vos conois meuz que
vos ne quidiez.

— Et dont venez vos, fet il einsi ?

— Ge vieng, fet ele, de la Forest Gaste ou j'ai veu la plus
25 merveillose aventure del monde del Vermeil Chevalier.

— Ha ! damoisele, fet il, de celui chevalier me dites qui
porte l'escu blanc a la croiz vermeille.

due d'étoffes noires, de soie ou de lin. Quand elle est assez près du rivage, il descend du rocher pour voir ce qu'il
en est, espérant y retrouver celui avec qui il avait parlé peu
auparavant. Or, soit par un effet de la puissance divine,
soit pour quelque autre raison, aucune des bêtes sauvages n'ose le menacer ou l'attaquer. Une fois au bas de la
montagne, il se dirige vers la nef en toute hâte. Là il voit,
assise à la proue, une demoiselle d'une grande beauté et
vêtue le plus richement du monde.

128. Dès qu'elle voit Perceval, elle se lève et lui dit sans
le saluer :

– Perceval, que faites-vous ici ? Qui vous a amené sur
cette montagne si sauvage et si éloignée de tout que jamais vous ne serez secouru, sinon par quelque hasard, et
où vous mourrez de faim et de détresse parce que personne ne se souciera de vous ?

– Ma demoiselle, dit-il, si je mourais de faim, c'est
que je ne serais pas un loyal serviteur. Car personne ne
sert un maître aussi puissant que le mien, si toutefois il
le sert loyalement et de bon cœur, sans obtenir ce qu'il
demande. Lui-même a dit que sa porte n'est jamais fermée
à quiconque s'y présente ; celui qui y frappe peut entrer et
celui qui demande reçoit. Et si quelqu'un le cherche, il ne
se cache pas, mais se laisse facilement trouver[1].

Quand la demoiselle l'entend citer l'Évangile, elle ne
répond rien et change de sujet.

– Perceval, lui dit-elle, savez-vous d'où je viens ?

– Comment, ma demoiselle, qui vous a appris mon
nom ?

– Je le sais depuis longtemps et je vous connais mieux
que vous ne le pensez.

– Et d'où venez-vous ainsi ?

– Je viens de la Forêt Gaste où j'ai vu arriver une aventure extraordinaire au Chevalier Vermeil.

– Ah ! ma demoiselle, dit-il, vous parlez du chevalier
qui porte l'écu blanc à la croix vermeille.

– De celui, fet ele, vos di ge.

– Damoisele, fet il, qu'en avez vos veu ? Dites le moi,
30 par la foi que vos devez a la rien del monde que vos plus
amez !

– Et je ne vos en dirai, fet ele, ce que g'en sai [en nule
maniere], se vos ne me creantez [sur l'ordre que vos tenez
de chevalerie] que vos ma volenté ferez de quele ore que
35 je vos [en] semoigne.

Et il li creante com cil qui ne se done garde a cui il
parole.

129. – [Assés, fait ele, en avés dit. Or vos en dirai la
verité]. Il est voirs, fet ele, que g'estoie n'a guaires en la
Gaste Forest [droit ou mileu, cele part ou] la grant eve
[cort] que l'en apele Marcoise. [Iluec] vi je que li Buens
5 Chevaliers [*B*ᵃ, f. 30b] vint, si enchauçoit devant lui .ii.
autres chevaliers [que il voloit ocirre]. Et cil se ferirent en
l'eve [por paor de mort ; si lor avint si bien qu'il] passerent
outre. Mes a [ce]lui qui les sivoit mesavint, si que ses chevax remest en l'eve et il i fust noiez, s'il ne fust retornez
10 maintenant, mes por ce qu'il s'en retorna fu gariz. Or as
oïe l'aventure que je vi del Chevalier que tu demandes. Or
[voil que tu] me di[es] coment tu l'as puis fet que tu venis
[en ceste isle estrange], ou tu seras [ausi come] perdu se
tu n'en es ostez. [Car tu vois bien que ci ne vient hom
15 dont tu aies secors], et oissir t'en covient [ou morir. Dont
il couvient], se tu ne vels morit, [que tu faces plait a aucun
que tu en sois getés]. Et tu n'en puez estre geté se par moi
non, dont il covient que tu faces [tant] por moi [que je t'en
oste] se tu es sajes ; car je ne sai [nule] greignor mauvestié
20 que de celui qui se puet fere garir et ne le fet.

– Damoisele, fet il, se je quidoie qu'il pleust a Nostre
Seignor que g'en oississe, ge m'en istroie, se ge pooie,
mes autrement ne vodroie je mie [estre hors]. Car il n'est
riens el monde que ge vossisse avoir fet, se je ne quidoie
25 qu'il Li pleust [car donc avroie ge chevalerie receue de
male eure, se ge l'en devoie gueroier].

– De lui, en effet, dit-elle.

– Ma demoiselle, dit-il, qu'avez-vous donc vu ? Dites-le-moi, par la foi que vous devez à la personne que vous aimez le plus au monde.

– Je ne vous dirai rien, dit-elle, de ce que je sais si vous ne me promettez, sur l'ordre de chevalerie que vous avez reçu, de faire ma volonté dès que je vous le demanderai.

Il le promet, en homme qui ne se méfie pas de la personne à qui il parle.

129. – Votre promesse me suffit. Voici donc la vérité. Je me trouvais récemment au cœur même de la Forêt Gaste, là où coule la grande rivière que l'on appelle Marcoise. J'ai vu arriver le Bon Chevalier qui poursuivait deux autres chevaliers qu'il voulait tuer. Craignant pour leur vie, ils se jetèrent dans la rivière et réussirent à la traverser. Mais lui eut moins de chance : son cheval se noya et lui-même aurait péri s'il n'était revenu promptement à la rive, ce qui le sauva. Te voilà instruit de l'aventure du Bon Chevalier. Mais dis-moi maintenant ce qui t'est arrivé depuis que tu es dans cette île lointaine où tu mourras à coup sûr si personne ne t'en retire ; tu vois bien que personne ne vient ici qui pourrait te porter secours et tu dois ou partir ou mourir. Si tu ne veux pas mourir, il te faut faire un pacte avec quelqu'un qui te sortira de là. Et moi seule peux le faire. Donc, si tu es raisonnable, tu feras tant pour moi que je t'en sortirai. Car je ne connais pire lâcheté que de pouvoir sauver sa vie et de ne pas le faire.

– Ma demoiselle, si je pensais qu'il plairait à Notre-Seigneur que je sorte d'ici, j'en sortirais si possible. Mais autrement je ne le souhaiterais pas, car je ne voudrais rien faire sans être sûr que cela Lui agrée. J'aurais reçu l'ordre de chevalerie en un jour bien funeste si je m'opposais à Sa volonté.

– Tot ce, fet ele, lessiez or ester, mes dites moi se vos manjastes hui.

130. – Certes, fet il, de terriene viande ne gostai ge hui. Mes ci vint ore .i. prodom por moi reconforter, qui tant m'a dit [de] bones paroles qu'il m'a peu et rasazié si larjement que je n'avroie ja mes talent [de boivre ne] de mangier tant com il me sovenist de lui.

5

– Savez vos, fet ele, cui il est ? C'est .i. enchanterres, .i. monteplierres de paroles qui fet toz dis d'une parole .c., si ne dira ja voir qu'il poisse. Et, se vos le creez, vos estes honiz, car vos n'istroiz ja mes de ceste roche ou vos estes, ainz i morrez de faim ou vos serez mangié de bestes sauvages ; et si en poez vooir grant senblance, car vos avez ja ci esté .i. jor et .ii. nuiz et tant com de cest jor est alé ; ne onques cil par cui vos clamez ne vos envoia a mangier, ainz vos i a lessié tot sol et lessera, que ja par [*B*^a, f. 30c] lui n'i seroiz regardez. Si sera granz domages [et grant malaventure] se vos einsi morez, car vos estes si juenes hom et si buens chevaliers que encor porrez molt valoir a vos et a autrui se vos estes d'ici getez. Et je vos en jeteré se vos volez.

10

15

Quant il ot ce que cele li ofre, si li dit :

20

– Damoisele, qui estes vos, qui m'offrez a oster d'ici se je voloie ?

– Je sui, fet ele, une damoisele deseritee, qui fusse la plus riche feme del monde se je ne fusse chacié de mon eritaje.

25

– Deseritee damoisele, fet il, [or vos pri je que vos me dites] qui vos deserita, [car assés me prent ore greigneur pitié de vos qu'il ne fist hui mes].

131. – Ge [le] vos dirai, fet ele. Voirs fu que .i. [riches] hom me mist jadis en son ostel por lui servir, si estoit cil hom li plus riches rois que l'en sache. Et quant je fui leenz auvec lui, je fui tant bele et tant clere qu'il n'i avoit ame el monde qui de ma beauté [ne se peust esmerveillier. Je fui bele sor toute rien]. Et en cele biauté m'orgoilli sanz

5

– Laissons tout cela, dit-elle, et dites-moi si vous avez mangé aujourd'hui.

130. – Non, je n'ai mangé aucune nourriture terrestre. Mais un saint homme est venu ici me réconforter et il m'a dit tant de bonnes paroles qu'il m'a pleinement nourri et rassasié et que je n'aurai plus jamais envie de boire ni de manger tant que je me souviendrai de lui.

– Savez-vous, dit-elle, qui il est ? C'est un enchanteur, un habile parleur qui d'un mot en fait cent, et ne dit jamais la vérité s'il peut éviter de le faire. Si vous lui faites confiance, vous êtes perdu ; vous ne quitterez jamais ce rocher, vous y mourrez de faim et serez dévoré par les bêtes sauvages. Un tel sort doit déjà vous paraître certain. Voici deux nuits et presque deux jours que vous êtes ici et pas une seule fois celui dont vous vous réclamez ne vous a envoyé à manger. Il vous a laissé tout seul et vous laissera ainsi sans plus se soucier de vous. Ce sera une grande perte et un grand malheur si vous mourez ainsi, car vous êtes jeune et bon chevalier et vous pourriez encore faire beaucoup pour vous-même et pour les autres si vous sortiez d'ici. Et cela je peux le faire si vous le voulez.

– Ma demoiselle, dit Perceval en entendant ces paroles, qui donc êtes-vous pour offrir ainsi de me délivrer si je le veux ?

– Je suis, répond-elle, une demoiselle déshéritée qui aurait été la dame la plus puissante du monde si on ne l'avait dépouillée de son héritage.

– Demoiselle déshéritée, dit Perceval, pour qui je commence à éprouver une grande pitié, dites-moi, je vous prie, qui vous a dépouillée ?

131. – Je vais vous le dire. Jadis, un homme puissant – c'était le plus puissant roi du monde – me mit dans sa maison pour le servir. J'étais si belle, si éblouissante, que personne ne pouvait me voir sans être émerveillé ; je passais en beauté toutes les autres femmes. Mais j'en conçus

faille .i. pou plus que je ne deusse, et je dis une parole qui
ne li plot pas. Et tantost com je l'oi dite, si fu si corrociez
a moi qu'il [ne me vost plus soffrir en sa compaignie,
10 ainz] m'enchaça povre et deseritee, ne onques n'ot pitié
de moi ne de nului qui a moi se tenist. Einsi enchaça li
riches hom moi et ma mesnié, si m'envoia [en desert et]
en essil. Si me quida bien avoir maubaillie, et si eust il
fet se ne fust mes granz sens, si començai [maintenant]
15 contre lui la guerre, dont il m'est puis si bien avenu que
molt i ai gaaignié ; si li ai tolu partie de ses homes, qui
l'ont lessié, si s'en sont venu a moi [por la grant compaignie et] por le solaz que je lor faz, que je lor doi[n]g ce
qu'il demandent, et encor assez plus. Einsi sui en guerre
20 nuit et jor contre celui qui m'a deseritee. Si ai assemblé
chevaliers et serjanz et jens [de] mainte maniere ; si [vos
di que je] ne sai el monde prodom ne bon chevalier [a] qui
je ne face ofrir [del] mien por estre de ma partie. Et por ce
que je vos sai a prodome et a buen chevalier sui je ça ve-
25 nue, por ce que vos m'en aidiez. Et vos le devez bien fere
puis que vos estes compainz de la Table Roonde, que nus
[*B^a*, f. 30d] qui compainz en soit ne doit faillir a pucele
deseritee, por quoi ele le requiere d'aide. Et ce savez vos
bien se c'est voirs, car quant [vos i fustes assis que] li rois
30 Artus vos mist el siege, vos jurastes el premier serement
[que vos feistes] que vos ne faudriez d'aide a pucele qui
vos en requeist.

Et il respont que cest serement fist il sanz faille, si l'en
aidera volentiers puis qu'ele l'en requiert. Et ele l'en mer-
35 cie [molt].

132. Tant parlerent ensemble que midis fu passez [et
l'ore de none aprochiee. Et] lors fu li soleuz chauz et ardanz, et la damoisele dist [a Perceval] :

– Perceval, il a en ceste nef le plus riche paveillon de
5 soie que vos onques veissiez. S'il vos plest, je le ferai trere
hors et le feré tendre por l'ardor del soleil que mal ne vos
face.

Et il dit que ce velt il bien. Et ele entre [maintenant] en

plus d'orgueil que je n'aurais dû et je dis une parole qui
ne plut pas à mon maître. Il en fut si courroucé qu'il ne
me voulut plus en sa compagnie ; il me chassa, pauvre
et déshéritée, et jamais plus ne montra la moindre pitié
ni envers moi ni envers ceux qui avaient pris mon parti.
Ainsi ce puissant seigneur me chassa et m'exila dans un
lieu désert avec toute ma maison. Il pensait bien m'avoir
réduite à l'impuissance et c'eût été le cas si je n'avais eu
le bon sens de lui déclarer immédiatement la guerre. Je
m'en suis fort bien trouvée, car j'ai remporté beaucoup
de succès. Je lui ai enlevé bon nombre de ses hommes qui
l'ont abandonné pour venir à moi quand ils ont vu la belle
compagnie et le bien-être que je leur offrais. Tout ce qu'ils
me demandent, je le leur donne, et plus encore. Ainsi, nuit
et jour, je suis en guerre contre celui qui m'a déshéritée.
J'ai rassemblé chevaliers, soldats et gens de toute sorte
et je ne connais aucun chevalier, aucun homme de valeur
à qui je n'offre de mes richesses pour qu'il se range de
mon côté. Sachant que vous êtes un loyal et vaillant chevalier, je suis venue vous demander votre aide. Vous devez
me l'accorder puisque vous êtes compagnon de la Table
Ronde et qu'aucun compagnon ne doit refuser d'aider une
demoiselle déshéritée. Vous savez bien que cela est vrai,
car le jour où le roi Arthur vous fit asseoir à cette table, le
premier serment que vous avez prêté fut de venir en aide à
toute demoiselle qui vous en prierait.

Perceval répond qu'en effet il avait prêté ce serment et
qu'il l'aidera puisqu'elle le lui demande. Elle l'en remercie vivement.

132. Midi était passé et l'heure de none approchait lorsque leur conversation prit fin. Le soleil était brûlant.

– Perceval, dit la demoiselle, il y a dans cette nef la plus
belle tente de soie que vous ayez jamais vue. Si vous le
voulez, je la ferai dresser ici pour que vous n'ayez pas à
souffrir de l'ardeur du soleil.

Il répond qu'il veut bien. La demoiselle entre aussitôt

la nef, si fet tendre le paveillon a .ii. serjanz, et lor
10   comande qu'il le tendent desor la rive. Et il si font. Et com
il l'ont tendu [au meuz qu'il porent], si dist la damoisele
a Perceval :

— Perceval, venez [vos] reposer [et seoir] tant que la nuit
viegne, [et issiez fors dou soleil], qu'il me semble que li
15   soleuz vos eschaufe trop.

Il entre el paveillon, si s'endort tantost ; et ele l'ot fet
avant desarmer de son hiaume et de son hauberc et de
s'espee. Et com il est remés en pur cors, si le lesse dormir.
Quant il a dormi grant piece, si s'esveille et demande a
20   mangier ; et cele comande que la table soit mise. Ele fu
mise. Et il regarde qu'ele fu coverte de tele plenté de mes
que ce n'estoit se merveille non. Il menjue entre lui et la
damoisele. Et quant il demande a boivre, l'en li done ; si
trueve que c'est vins, [li plus forz et] li meudres qu'il on-
25   ques beust : et se merveille [molt] dom il puet estre venuz.
Car a cel tens n'avoit en la Grant Bretaigne point de vin,
se ce ne fust en trop riche leu, ainz bevoient [comune-
ment] cervoise et autres boivres qu'il fesoient. Si en but
tant outre ce qu'il ne deust qu'il [en] eschaufa. Et lors
30   regarde la damoisele [B^a, f. 31a] qui li est si bele, ce li est
avis, que onques mes ne vit sa pareille de biauté. Si li plest
tant [et embelist], por le grant acesmement qu'il voit en li
et por les douces paroles qu'ele [li] dit, que il en eschaufe
plus qu'il ne deust. Et lors parole a li de maintes choses,
35   tant qu'il la requiert d'amors et li prie qu'ele soit soe et
il sera suens. Et ele li refuse [quant que li requiert], por
ce qu'il en soit [plus ardanz et] plus desirranz. Il ne cesse
de prier [la]. Et com ele voit qu'il est bien eschaufez, si
li dit :

40   — Perceval [tant] sachiez [vos] bien que je en nule maniere ne feré vostre volenté, se vos ne me creantez que vos
des ore mes serez miens et en m'aide contre toz homes, ne
ne ferez rien fors ce que je [vos] comanderai.

133. Et il dit que ce fera il volentiers.
— Le me creantez vos, fet ele, come loiax chevaliers ?

dans la nef et ordonne à deux serviteurs de dresser la tente sur le rivage, ce qu'ils font du mieux qu'ils peuvent. La demoiselle dit alors à Perceval :

– Perceval, venez vous reposer et vous asseoir en attendant la nuit ; ôtez-vous de ce soleil qui vous brûle, me semble-t-il.

Perceval entre sous la tente et s'endort aussitôt. Mais auparavant la demoiselle l'a fait désarmer de son heaume, de son haubert et de son épée, et c'est ainsi devêtu qu'elle le laisse s'endormir. Après avoir dormi longtemps, il s'éveille et demande à manger. La demoiselle ordonne que l'on mette la table, et une fois qu'elle est mise Perceval voit qu'elle est couverte d'une quantité de mets tout à fait extraordinaire. Il mange avec la demoiselle. Quand il demande à boire, on lui sert le meilleur vin, le plus fort qu'il ait jamais bu, et il se demande d'où il peut bien provenir. Car en ce temps-là en Grande-Bretagne, on ne servait du vin que chez les grands seigneurs et les gens buvaient ordinairement de la cervoise[1] et d'autres boissons qu'ils préparaient. Perceval boit tant de ce vin qu'il en est tout échauffé. Il regarde la demoiselle qui lui paraît si belle qu'il pense n'avoir jamais vu de beauté comparable à la sienne. Sa parure, ses douces paroles le charment et lui plaisent tant qu'il s'enflamme plus qu'il n'aurait dû. Il lui parle de bien des choses et finit par solliciter son amour, la priant d'être à lui comme lui sera à elle. Elle repousse tout ce qu'il demande pour accroître son désir, mais il ne cesse de la supplier. Quand elle le voit tout brûlant de désir, elle lui dit :

– Perceval, sachez que je ne céderai pas à votre volonté si vous ne me promettez d'être à moi désormais, de m'aider contre tous et de vous en tenir à mes ordres.

133. Il dit qu'il y consent volontiers.

– Me le promettez-vous, répond-elle, en loyal chevalier ?

– Oïl, fet il.

– Et je [m'en soferai atant, fet ele, et] feré ce que vos
5　plera.

Et sachiez [veraiement] que vos ne me desirrastes onques tant a avoir com je vos desirrai encor plus, que vos
estes .i. des chevaliers del monde a cui je ai plus baé.

Lors comande a ses vallez qu'il facent .i. lit le plus bel
10　et plus riche qu'il porront, [et soit fet] en mi lo paveillon.
Cil [dient que il feront son comandement. Si] font [tan-
tost] le lit, si couchent la damoiselle et Perceval aprés.
Com il fu couchiez auvec la damoisele et il se volt covrir,
si [li avint einsi par aventure que il] vit s'espee jesir a terre
15　[que cil li avoient desçainte]. Si tent la main por prendre
la, et si com il la voloit apoier a son lit, si vit el pont une
croiz vermeille [qui entailliee i estoit. Et si tost come il la
vit, si li souvint de soi]. Lors [dreça sa main et fist la croiz
en mi son front] et tantost vit le paveillon verser, et une
20　fumee [et une nublesce fu] tot entor [lui], si grant qu'il ne
pot vooir goute ; et senti tel puor [de totes parz] que il li fu
avis qu'il fust en enfer. Lors cria si hautement [et dist] :

– Biax douz pere Jesucrist, ne m[e] lessiez ci perir, [mes
secorez moi] par ta grace, [ou autrement je sui perduz] !

134. Com il a ceste parole dite, si ovri les euz, [mes il]
ne vit rien [ne del paveillon ne del lit ou il se cuidoit estre
couchiez. Et] lors regarde vers la rive, si voit la nef, tele
com il l'avoit devant veue et la damoisele [qui] li dit :
5　– Perceval, traïe m'avez !

[Et] tantost si s'enpoint en la mer et il [B^a, f. 31b] voit
une si grant tempeste qui la sivoit qu'il senbloit que la nes
deust oissir de son droit cors, et tote la mer fu [maintenant]
plaine de flanbe, [si merveilleusement] qu'il senbloit que
10　toz li feus del monde i fust espris ; et la nes aloit si bruiant
que nus soflemenz de vent [par semblant] n'alast si tost.
Quant Perceval voit ce[ste aventure] si est tant dolenz
qu'il ne set qu'il doie fere [ne dire]. Il regarde la nef tant

– Oui, dit-il.

– Eh bien, soit, réplique-t-elle, je ferai ce que vous voudrez. Sachez, en toute vérité, que vous ne m'avez jamais autant désirée que moi je vous ai désiré, car vous êtes un des chevaliers du monde que je tenais le plus à avoir pour mien.

Elle ordonne alors à ses serviteurs de préparer au milieu de la tente un lit, le plus beau, le plus somptueux qu'ils pourront. Ils lui obéissent sans tarder, puis couchent la demoiselle et ensuite Perceval. Quand celui-ci fut étendu auprès d'elle et qu'il voulut se couvrir, il vit par hasard, posée à terre, son épée que les serviteurs lui avaient ôtée. Il tendit la main pour la prendre et comme il allait l'appuyer contre le lit, il aperçut une croix vermeille gravée sur le pommeau. Aussitôt il revint à la raison, et levant la main, il fit le signe de la croix sur son front. Au même moment, la tente se renversa, une fumée et un nuage l'enveloppèrent, si épais qu'il n'y vit plus goutte, et une telle puanteur se répandit de tous côtés qu'il se crut en enfer. Il s'écria alors d'une voix forte :

– Beau doux père Jésus-Christ, ne me laissez pas périr ici, mais secourez-moi par votre grâce, sans quoi je suis perdu !

134. Ouvrant les yeux, il ne voit plus aucune trace de la tente ni du lit où il croyait être couché. Il regarde vers le rivage et aperçoit la nef qu'il avait vue précédemment et la demoiselle qui lui dit :

– Perceval, vous m'avez trahie !

Aussitôt la nef gagne le large et Perceval voit s'élever derrière elle une telle tempête qu'elle semble prête à partir à la dérive. Puis, tout à coup, la mer est couverte de flammes comme si tous les feux du monde y brûlaient. Et la nef filait dans un grand tumulte, plus rapide que le vent le plus violent. Quand il voit cette aventure, Perceval est si malheureux qu'il ne sait que faire ou que dire. Il suit la nef des yeux aussi longtemps qu'il le peut, appelant sur

com il la pot vooir, si li ore male aventure [et pestilence].
15 Et com il en pert la veue, si dit :

– Ha ! las ! morz sui !

Si est tant dolenz qu'il vodroit estre morz. Et lors tret
l'espee del fuerre et s'en fiert si [durement] qu'il l'embat
parmi sa senestre quisse, si que li sans en saut de totes
20 parz. Et quant il se voit navré, si dit :

– Biau sire Dex, c'est [en] amende de ce que je me sui
mesfet vers vos.

Et com il se regarde, si se voit toz nuz fors de ses
braies, si voit ses dras de l'une part et ses armes d'autre.
25 Il se claime :

– Las ! chetif ! tant sui vix et mauvés, qui ai si tost esté
[menés] a point de perdre ce a quoi nus hom ne puet recovrer, ce est virginitez qui ne puet estre restoree puis qu'ele
est une foiz corrompue.

135. Il retret s'espee a soi et l'estuie en son fuerre. Si li
poise plus de ce qu'il quide qe Dex se soit corroci[e]z a
lui que de ce qu'il est bleciez. Il vest sa chemise et sa cote
et se ceint au meuz qu'il puet et se couche lez une roche et
5 prie Nostre Seignor qu'il ait de lui merci et qu'il li envoit
tel conseil qui li soit profitable a l'ame. [Car il se sent vers
lui tant mesfet et coupables que il ne cuide pas que il soit
ja mes envers lui apesiez, se ce n'est par sa misericorde].
Einsi fu toz seus cele nuit Perceval delez la rive de l'eve,
10 com cil qui ne pooit aler avant n'arriere por [l]a plaie
[qu'il avoit]. Il prie Nostre Seignor qu'il ait de lui merci
et [qu'il] li envoit tel conseil qui li soit profitable a l'ame,
qu'il ne demande autre chose.

– Ne ja mes de ci [*Bᵃ*, f. 31c], biau sire Dex, ne me quier
15 partir [ne por mort ne por vie] fors par vostre volenté.

Einsi demora tot le jor Percevax en la roche, si perdi
molt de sanc por la plaie qu'il avoit. Mes com il voit la
nuit venir et l'oscurté fu tornee par le monde, si se trest
vers son hauberc et coucha desus sa teste et fist le signe
20 de la [Veraie] Croiz en son front et prie Deu que il par sa
[douce] pitié le gart en tel maniere que li deables n'ait sor

elle toutes les malédictions possibles, puis, lorsqu'elle a disparu, il s'écrie :

– Hélas ! je suis mort !

Si profonde est sa détresse qu'il voudrait être mort. Il tire alors son épée du fourreau et s'en donne un coup si rude qu'il se l'enfonce dans la cuisse gauche. Le sang jaillit de tous côtés, et lorsqu'il se voit blessé, il dit :

– Beau seigneur Dieu, ceci est pour réparer mon offense envers vous.

Baissant les yeux, il se rend compte qu'il n'a plus sur lui que ses braies[1] et aperçoit ses vêtements d'un côté et ses armes de l'autre.

– Ah ! malheureux que je suis ! J'ai été le plus vil des hommes, moi qui me suis si vite laissé mener au point de perdre ce que nul ne peut recouvrer quand il l'a perdue : la virginité.

135. Il retire l'épée de la plaie et la remet au fourreau, plus affligé de savoir Dieu irrité contre lui que de s'être blessé. Il revêt sa chemise et sa cotte, ceint son épée du mieux qu'il peut, se couche près d'un rocher et prie Notre-Seigneur d'avoir pitié de lui et de lui envoyer un conseil qui soit profitable à son âme. Il se sent coupable d'un si grand péché qu'il pense que seule la miséricorde divine pourrait lui rendre la paix. Perceval resta ainsi tout seul toute la nuit sur le rivage incapable de bouger à cause de sa blessure. Il prie Notre-Seigneur d'avoir pitié de lui et de le conseiller pour le bien de son âme. Il ne demande rien d'autre.

– Qu'il y aille de ma vie ou de ma mort, dit-il, jamais, beau Seigneur, je ne chercherai à partir d'ici si ce n'est par votre volonté.

Perceval demeura ainsi toute la journée sur le rocher, perdant beaucoup de sang de sa blessure. Lorsqu'il vit tomber la nuit et que l'obscurité fut venue sur le monde, il se traîna jusqu'à son haubert, posa sa tête dessus, fit le signe de la Vraie Croix sur son front et pria Dieu de le prendre en sa douce pitié et de le protéger afin que le diable

lui [tant de] pooir [qu'il le meint a temptacion]. Quant il
a sa priere finee, si se drece en son seant et trenche de sa
chemise .i. grant pan, si estoupe sa plaie [por ce que ele
25 ne saignast trop]. Si comence ses proieres et ses oroisons
[don il savoit plusors], si atent [en tel maniere] jusqu'au
jorz. Et quant [a Nostre Seignor vint a plesir qu'il espandi
la clarté de son jor par les terres et] li rai del soleil jetent
lor clarté [la ou Percevax estoit couchiez], Perceval regarde
30 entor lui, si voit d'une part la mer et d'autre part la roche.
Et quant il li sovint de l'enemi qui le jor devant l'ot tenu
en guise de damoisele, [car enemis pense il bien que ce
soit] si comence a fere .i. duel grant [et merveilleus] et dit
qu[e voirement est] il morz, se Dex nel conforte.

136. Endementres qu'il pensoit a ceste chose, si regarde
en la mer au plus loig qu'il puet vers orient, si voit venir
la nef qu'il avoit le jor devant veue, cele qui fu coverte de
blanc samit, ou li preudons [qui estoit] vestuz en guise de
5 prestre estoit. Et com il l[a] conoist, si est molt asseurez
de [s]a venue por les bones paroles que li preudons li avoit
autre foiz dites et por le grant sen qu'il avoit en lui trové.
Et quant la nef fu arrivee et il vit le prodome au bort, si se
drece en son seant si com il puet, et dit :
10 – Sire, bien soiez vos venuz.
Li preudons ist hors de la nef et vient avant, si s'assiet
sor une roche et dit a Perceval :
– Coment l'as tu puis fet ?
– Sire, fet il, povrement, car a pou que une damoisele
15 [*B*^{a}, f. 31d] ne m'a mené jusq'a pechié mortel.
Et lors li conte tot einsi com il li estoit avenu. Et li preudons li demande :
– La conois tu ?
– Sire, fet il, nenil. Mes je sai bien que li enemis la
20 m'envoia por moi honir et decevoir. Et si en eusse esté
traïz, se ne fust li signes de la sainte Croiz, par qoi Dex
me ramena en mon droit sen et en mon droit memoire. Et
tantost come j'oi fet le signe de la Croiz en [m]on front,

ne parvienne pas à l'induire en tentation. Sa prière finie, il se dresse sur son séant, coupe un grand morceau de sa chemise et en étanche le sang de sa plaie pour un peu l'empêcher de couler. Puis il récite les nombreuses prières qu'il connaissait et attend la venue du jour. Quand il plut à Notre-Seigneur de répandre sa clarté sur la terre et quand le soleil toucha de ses rayons l'endroit où Perceval était étendu, celui-ci regarda autour de lui et vit d'un côté la mer et de l'autre le rocher. Il se souvient alors de l'Ennemi qui l'a possédé la veille sous les apparences d'une demoiselle, car il ne doute pas que ce soit l'Ennemi, et il commence à mener grand deuil, disant qu'il est perdu si Dieu ne le réconforte.

136. Tandis qu'il réfléchissait à tout cela, il regarde au loin sur la mer en direction de l'orient et voit venir la nef qu'il avait vue la veille, celle qui était tendue de samit blanc et qui avait à son bord l'homme vêtu comme un prêtre. Dès qu'il la reconnaît, il se sent rassuré au souvenir des bonnes paroles que le saint homme lui avait dites autrefois et de la grande perspicacité qu'il avait trouvée en lui. Et quand la nef a touché le rivage et que Perceval voit l'homme à bord, il se met non sans peine sur son séant et lui dit :

– Seigneur, soyez le bienvenu.

L'homme descend de la nef et va s'asseoir sur la roche. Il dit à Perceval :

– Comment t'es-tu comporté depuis notre rencontre ?

– Bien mal, seigneur, car il s'en est fallu de peu qu'une demoiselle ne m'ait fait commettre un péché mortel.

Il lui raconte alors tout ce qui lui était arrivé. Et l'homme lui demande :

– Connais-tu cette demoiselle ?

– Non, seigneur. Mais je sais bien que c'est l'Ennemi qui l'a envoyée pour me tromper et me perdre. Et elle y serait parvenue si je n'avais fait le signe de la sainte Croix, grâce auquel Dieu me rendit toute ma raison et toute ma mémoire. Dès que je me suis signé, la demoiselle a

maintenant s'en ala la damoisele, que onques puis ne la
25 vi. Si vos pri por Deu que vos me dioiz que ge des or mes
feré, car certes onques mes n'oi si grant mestier de conseil
come j'ai orendroit.

– Ha ! Percevax, fet li preudons, toz jorz seras tu nices !
Si ne conois pas cele damoisele qui te mena jusq'a pechié
30 mortel quant Nostre Sires t'en delivra par le signe de la
Croiz ?

– Certes, sire, fet Percevax, je ne la conois mie tres bien.
Et por ce vos pri je [por Deu] que vos me dioiz qui ele est
[et de quel païs], et qui est cil riches hom qui l'a deseritee,
35 encontre cui ele me requeroit qe je li aidasse.

137. – Ce te dirai ge bien, fet soi li preduens, si que tu
le verra[s] apertement. [Or escoute] :

« Cele damoisele a cui tu as parlé, si est li enemis, fet
soi li prodons, li mestres d'enfer, cil qui a poesté sor toz
5 les autres. Et si fu voirs qu'ele fu jadis es ciels en la compaignie des anges, si biax et si tres cler que por la grant
beauté de lui s'enorgoilli trop, si se volt fere pareil a Deu,
et dist : "Je monterai en halt, et seré senblable au Haut
Seignor." Et si tost com il ot ce dit, Nostre Sires qui ne
10 voloit pas que sa meson fust conchiee de venim d'orgoil,
le trebucha del haut [B^a, f. 32a] siege ou il l'avoit mis, et
le fist avaler en la meson tenebrose d'enfer que l'en apele
enfer. Quant il se vit si abessié [del haut siege et de la
grant clarté ou il souloit estre et il fu mis en pardurables
15 tenebres], si se porpensa qu'il guerroieroit celui de tot son
pooir qui jeté l'avoit de son servise, mes il ne vooit pas
legierement de quoi. A la parfin s'acointa de la moillier
Adan, [la premiere fame de l'umain lignage] ; et tant fist
qu'il l'ot esprise de pechié mortel par quoi il avoit esté tre-
20 buchié [et jeté] de la gloire de[s] cels, [ce fu de covoitise].
Si li fist [son desloial talent mener a ce qu'elle] cueilli del
fruit mortel [de l'arbre] qui li avoit esté deffendu [par la
bouche] de son criator. Et com ele l'ot cueilli, si en manja,
puis en dona a Adan a mangier, a tel eur[e] que tuit li oir
25 s'en sentent mortelment. Cil enemis qui ce li ot conseillié,

disparu et je ne l'ai pas revue depuis. Je vous prie, au nom
de Dieu, de me dire ce que je dois désormais faire, car je
n'ai jamais eu autant besoin de conseil qu'en ce moment.

– Ah ! Perceval, tu seras toujours aussi naïf ! Tu ne sais
donc pas qui est cette demoiselle qui a failli te faire commettre un péché mortel dont Notre-Seigneur t'a préservé
par le signe de la croix ?

– Certes, seigneur, dit Perceval, je ne le sais pas très
bien. Aussi je vous prie de me dire qui elle est, de quel
pays elle vient, qui est cet homme puissant qui l'a déshéritée et contre lequel elle me demandait mon aide.

137. – Je vais donc te l'expliquer de telle façon que tu le
comprendras clairement. Écoute bien :

« Cette demoiselle à qui tu as parlé est l'Ennemi, le
maître de l'enfer, celui qui a pouvoir sur tous les autres.
Il est vrai que jadis il était au ciel et faisait partie de la
compagnie des anges ; il était si beau, si radieux, qu'il tira
orgueil de sa grande beauté et voulut se faire l'égal de
Dieu. "Je monterai jusqu'au faîte, dit-il, et je serai semblable au Très-Haut[1]." Mais dès qu'il eut prononcé ces paroles, Notre-Seigneur qui ne voulait pas que sa demeure
fût souillée du poison de l'orgueil, le précipita du haut
siège où il l'avait mis et le fit descendre dans la maison
des ténèbres qu'on appelle l'enfer. Lorsqu'il se vit ainsi
déchu de son haut rang et de sa gloire et condamné aux ténèbres éternelles, il prit la résolution de combattre de toutes ses forces celui qui l'avait chassé de son service. Mais
il ne voyait pas très bien comment faire. À la fin, il se
lia avec la femme d'Adam, la première femme de la race
humaine, et fit tant qu'il alluma en elle la convoitise, ce
péché mortel pour lequel il avait été précipité de la gloire
des cieux. Il sut si bien flatter son désir criminel qu'elle
cueillit le fruit mortel de l'arbre qui lui avait été défendu
de la bouche même de son Créateur. Elle en mangea et
en donna à manger à Adam de telle sorte que tous leurs
descendants en ressentent les effets mortels. L'Ennemi qui

[ce] fu li serpenz que tu veis avant ier que li enemis chevauchoit, ce fu la damoisele qui ersoir te vint vooir. Et de
ce qu'ele te dist qu'ele guerrooit nuit et jor dist ele voir, et
tu [meismes] le deusses bien savoir, qu'il ne sera ja hore
30 qu'ele ne gait les chevaliers Jesucrist et les prodomes en
qui li Sainz Esperiz est herbergiez.

138. « Quant il ot fet pes a toi par ses fausses paroles [et
par ses decevemens], si fist tendre son paveillon [por toi
herbergier] et dit : "Perceval, vien toi reposer et sooir tant
que la nuiz viegne, si is fors del soleil, qu'il [m'est avis
5   qu'il] t'eschaufe trop." Ces paroles qu'ele te dist ne sont
pas sanz grant senefiance, car ele i entendi molt autre
chose que tu n'i entendoies. Li paveillons, qui ert roonz
a la maniere de la circonstance del monde, senefie tot
apertement le monde, qui ja ne sera sanz pechié ; et por
10 ce que pechiez i abite toz jorz ne volt ele mie que tu fusses herbergiez en autre leu [se el paveillon non]. Por ce
le [te] fist ele apareillier. Et com ele t'apela, si te dist :
"Perceval, vien toi reposer [et aaisier] tant que la nuiz
viegne."

15 « En ce qu'ele [te] dist que tu [te seisses et] reposasses,
entent ele [*B*^a, f. 32b] que tu soies oiseus et norrisses ton
cors es terrienes viandes [et des gloutonnies]. El[e] ne te
loe pas que tu [te] travailles en cest monde ne que tu semes
tel semence [a celui jor] com li prodom doivent cueillir,
20 [ce sera] au jor del Joise. Ele te prie que tu reposes tant
que la nuiz viegne, c'est a dire que tu te refroides de bien
fere et peches, et en pechant plus et plus t'endormes, tant
que la nuiz viegne, c'est a dire tant que la mort te soprei-
gne, qui veraiement est dite nuiz et tenebres totes les foiz
25 qu'ele sorprent home en pechié mortel. Ele t'apela por ce
qu'ele avoit dote que li soleuz ne t'eschaufast trop. Et ce
n'est pas merveille se ele en a poor. Car quant li soleuz,
en qoi nos entendons Jesucrist, qui est veraie lumiere, eschaufe le pecheor del feu del Saint Esperit, petit li puet
30 puis forfere la froidure ne la gelee de l'enemi, por qu'il

l'avait poussée à faire cela, c'était le serpent que tu as vu avant-hier, chevauché par la vieille dame, et c'était aussi la demoiselle qui est venue te voir hier soir. Quand elle t'a dit qu'elle combattait jour et nuit, elle a dit vrai, et tu devrais bien le savoir, car il ne se passe pas un instant où elle ne guette les chevaliers de Jésus-Christ et les hommes de bien[2] en qui habite le Saint-Esprit.

138. « Quand elle eut gagné ta confiance par ses paroles mensongères et ses ruses, elle fit dresser sa tente pour te recevoir et te dit : "Perceval, viens te reposer et t'asseoir jusqu'à la tombée de la nuit, et ôte-toi de ce soleil qui te brûle trop, me semble-t-il." Ces paroles ne sont pas sans une grande signification, car elle y entendait tout autre chose que ce que tu as compris. La tente, qui était ronde à l'image du monde, représente manifestement ce monde qui ne sera jamais sans péché ; et parce que le péché y habite toujours, elle ne voulait pas que tu sois logé dans un autre lieu. C'est pour cette raison qu'elle l'a fait dresser. Lorsqu'elle t'appela, elle te dit : "Perceval, viens te reposer et te délasser jusqu'à la tombée de la nuit."

« En te disant de t'asseoir et de te reposer, elle signifiait que tu devais vivre dans l'oisiveté et te repaître jusqu'à satiété des nourritures de ce monde. Elle ne te conseillait pas de travailler ici-bas et de semer la semence que les justes doivent récolter un jour, qui sera le jour du Jugement. Elle t'invita à te reposer jusqu'à la nuit, c'est-à-dire jusqu'au moment où, cessant de te bien conduire, tu commences à commettre des péchés et où, en péchant de plus en plus, tu t'endors jusqu'à la venue de la nuit, autrement dit jusqu'à ce que la mort te surprenne, cette mort qui peut, à juste titre, être appelée nuit et ténèbres chaque fois qu'elle trouve un homme en état de péché mortel. Elle t'appela parce qu'elle craignait que le soleil ne te brûlât. Cette crainte n'a rien d'étonnant. Car lorsque le soleil, par quoi nous entendons Jésus-Christ, la vraie lumière, embrase le pécheur du feu du Saint-Esprit, le froid et la glace de l'Ennemi ne peuvent plus lui faire grand mal puisqu'il

ait fichié son cuer el haut soleil. Or t'ai tant dit de cele
damoisele que tu doiz bien savoir qui ele est et et qu'ele te
vint plus vooir por ton mal que por ton bien.

35 – Sire, fet Percevax, vos m'en avez tant dit que je sai
bien que c'est li champions contre cui je [me] devoie
combatre.

– Par foi, fet li preudons, tu diz voir. Or garde come tu
t'es combatuz.

– Certes, sire, mauvesement ce me semble, car je fusse
40 veincuz se ne fust la grace de Nostre Seignor qui ne me
lessa pas perir, soe merci !

– Coment qu'il te soit ore avenu, fet li preudons, des ore
en avant te gard, que si tu rechiés [une] autre foiz, tu ne
troveras pas qui t'e[n] reliet si tost com tu as fet ore.

139. Longuement parla li preudons a Perceval et molt
l'amonesta de bien fere, et si li dist que Jesucriz ne
l'oublieroit pas [*B^a*, f. 32c], ainz li envoieroit secors prochienement. Et lors li demande coment il li est de sa
5 plaie.

– Par foi, fet il, onques puis que vos venistes devant moi
ne senti mal ne dolor ne angoisse, ne plus que se [ge] onques n'eusse eu plaie ; ne encor tant com vos parlez a moi
n'en sent ge point, ainçois m[e] vient de vostre regart et de
10 vostre parole une si grant douçor et .i. si grant alegement
de mes menbres que ge ne croi pas que vos soiez hom terriens, mes esperitex. Si sai veraiement que, se vos demo-
riez auvec moi toz dis, qe ja mes n'avroie ne faim ne soif,
ne nul talent de mangier ; et se gie l'osoie dire, ge diroie
15 que vos seriez li Pains vis qui descendi des ciels, dont nus
ne menjue dignement qui pardurablement ne vive.

Et tantost com il ot ce dit, si s'esvanoï li preudons en
tele maniere que onques Percevax ne sot qu'il devint. Et
lors dist une voiz a Perceval :

20 – Perceval, tu as veincu, si es [gariz]. Or entre en cele
nef et va la ou ele te merra. Si ne t'esmaier ja de chose
que tu voies, que tu n'as garde en quel leu que tu soies,
car ou que tu onques voises, Nostre Sires te conduira. Et

a fixé son cœur sur le vrai soleil. Mais je t'en ai assez dit sur cette demoiselle pour que tu saches qui elle est et qu'elle est venue te voir pour te faire plus de mal que de bien.

– Seigneur, dit Perceval, je comprends maintenant que c'est le champion contre qui je devais me battre.

– Par ma foi, répond le saint homme, tu dis vrai. Mais vois comment tu t'es battu.

– Bien mal, me semble-t-il, car j'aurais été vaincu si la grâce de Notre-Seigneur ne m'avait empêché de périr. Qu'Il en soit remercié.

– Quoi qu'il te soit arrivé, dit l'homme, prends garde désormais, car si tu succombes encore, tu ne trouveras personne pour te secourir aussi vite que la première fois.

139. Il parla longtemps à Perceval, l'exhortant à se bien conduire et lui disant que Jésus-Christ ne l'oublierait pas, mais viendrait bientôt à son secours. Puis il lui demanda comment allait sa plaie.

– Par ma foi, répondit Perceval, depuis que vous êtes arrivé je n'ai plus eu mal, je n'ai ressenti aucune douleur, comme si je n'avais jamais été blessé. Et même maintenant que vous me parlez, je ne sens rien : vos paroles et votre regard me procurent une telle douceur, un tel calme dans tout mon corps que je ne pense pas que vous soyez une créature terrestre, mais un être spirituel. Je suis sûr que si vous restiez toujours avec moi, je n'aurais plus jamais ni faim ni soif, ni aucune envie de manger. Si j'osais, je dirais que vous êtes le Pain Vivant descendu des cieux[1], et dont nul ne mange, s'il en est digne, qui ne reçoive la vie éternelle.

Dès que Perceval eut prononcé ces mots, l'homme disparut sans qu'il puisse savoir ce qu'il était devenu. Une voix dit alors :

– Perceval, tu as vaincu et tu es sauvé. Entre dans cette nef et va où elle te mènera. Ne crains rien de ce que tu verras, car où que tu ailles, Dieu te conduira. Et tu auras la

de tant t'est il molt tres bien avenu que tu troveras par tens
25 [tes compaignons] Boorz et Galaaz, et ce sont cil que tu
desirres plus a vooir.

Et quant Percevaus entent ceste parole, si a tote la joie
qe cuer d'ome poisse avoir. Il se drece en estant, si tent ses
mains vers lo ciel et mercie Nostre Seigneur de ce q'il li
30 est si bien avenu. Si prent ses armes, et quant il est armez,
si entre en la nef, [et s'empeint en mer] et s'esloigne de
la roche si tost com li [*B^a*, f. 32d] venz se feri en la voile.
Mes atant lesse ore li contes a parler de lui, si retorne a
Lancelot, qui estoit [remés] chiés le preudome qui si bien
35 li ot devisee la senefiance des trois paroles que la voiz li
avoit dites en la chapele.

140. Or dit li contes que trois jorz fist li preudons Lancelot sejorner auvec lui, et entre tant com il le tint en sa
compaignie li sermona toz dis et l'amonesta de bien fere
et li dit :
5   – Certes Lancelot, por neent iriez [en] ceste Queste, se
vos ne vos volez tenir de toz pechiez mortex et retrere
vostre cuer des pensees terrienes et des deliz del monde.
Car bien sachiez [que] en ceste Queste ne vos puet vostre
chevalerie terriene rien valoir, se li Sainz Esperiz ne vos
10 fet la voie en totes les aventures que vos troverez. Car vos
savez bien que ceste Queste est emprise por savoir et por
vooir aucune chose [des merveilles] del Saint Graal, que
Nostre Sires a promis a vooir au verai chevalier qui [de
bonté et] de haute chevalerie a passé toz cels qui devant
15 lui ont esté et trestoz cels qui or sont, ne ja mes enprés lui
n'en sera .i. son pareil. Cel chevalier veistes vos le jor de
Pentecoste sooir el Siege Perilleus de la Table Roonde, el
quel siege nus ne s'estoit onques assis qui n'i fust morz.
Et ceste merveille veistes vos aucune foiz avenir. Cil che-

bonne fortune de retrouver bientôt tes compagnons Boorz et Galaad, ceux que tu désires le plus voir.

Ces paroles remplissent Perceval d'une très grande joie. Il se lève, tend les mains vers le ciel et remercie Notre-Seigneur que tout se soit si bien terminé pour lui. Il prend ses armes, et une fois équipé, entre dans la nef qui gagne le large et s'éloigne du rocher dès que le vent a frappé la voile. Mais ici le conte cesse de parler de Perceval et revient à Lancelot demeuré chez l'ermite qui lui avait si bien expliqué le sens des trois paroles entendues dans la chapelle.

CHAPITRE VII

Lancelot chez l'ermite

140. Le conte dit que l'ermite garda Lancelot trois jours auprès de lui, et pendant tout ce temps, il ne cessa de le sermonner et de l'exhorter à se bien conduire.

– Certes, Lancelot, c'est en vain que vous poursuivrez cette Quête si vous ne voulez pas vous abstenir de tout péché mortel et détacher votre cœur des pensées terrestres et des plaisirs de ce monde. Sachez bien que dans cette Quête votre chevalerie ne vous sera d'aucun secours si le Saint-Esprit ne vous guide dans toutes les aventures que vous y trouverez. Vous n'ignorez pas que cette Quête est entreprise pour voir et connaître quelque chose des merveilles du Saint-Graal que Notre-Seigneur a promis de révéler au vrai chevalier, à celui qui, par son mérite et sa grande vaillance, aura surpassé tous les chevaliers des temps passé et présent, et qui n'aura son pareil dans le temps à venir. Ce chevalier, vous l'avez vu le jour de la Pentecôte s'asseoir à la Table Ronde, sur le Siège Périlleux où nul n'avait jamais pu s'asseoir sans mourir, comme vous en avez été témoin une fois[1]. Ce chevalier est

20 valiers est li granz lions qui mosterra a son vivant tote
chevalerie terriene. Et quant il avra tant fet qu'il ne sera
pas terriens, mes [*B^a*, f. 33a] esperitex, il lessera le terrien abit, si entrera en la celestiel chevalerie. Einsi dist
Mellin de cel chevalier que vos avez mainte foiz veu, com
25 cil qui molt savoit des choses qui estoient a venir. Et neporquant, [tot soit il verité que] plus ait or cil chevaliers
en lui proece [et chevalerie] que autres n'ait, sachiez de
voir que s'il se me[n]oit jusq'a pechié mortel – [dont Nostre Sires le gart] – il ne feroit en ceste Queste ne [plus]
30 que .i. autres [simples] chevaliers, que li servises ou vos
estes entrez n'apartient de rien as terrienes choses, [mes
as celestiaux]. Dont vos poez vooir que, qui i velt [entrer
et] venir a perfection d'aucune chose, il li covient avant
netoier [et espurgier] de totes ordures terrienes, si que li
35 enemis ne parte en lui de nule chose. Et [en tel maniere],
com il avra [del tot] renoié l'enemi et il sera [netoiez et]
espurgiez des mortels pechiez, lors porra il seurement entrer en ceste [haute] Queste [et en cest haut servise]. Et
s'il est [tex qu'il soit] de si foible creance [et de si povre]
40 qu'il quit plus fere par sa proece que par la grace Nostre
Seignor, [sachiez qu']il n'en partira ja sanz honte, ne au
derreein ne fera il rien de la chose por quoi il s'esmut.

141. Ensi parloit li preudons soventes foiz a Lancelot ;
et le tint en tel maniere .iii. jorz o lui. Si se tint molt Lanceloz a beneuré de ce que Dex l'avoit cele part amené a
cel preudome qui si bien l'avoit asené et conseillié qu'il
5 en quidoit melz valoir toz les jorz de sa vie. Quant li .iiii.
jorz fu venuz, si manda li preudons a son frere qu'il li
envoiast armes et cheval a .i. chevalier qui auvec lui avoit
sejorné. Et il en fist sa requeste volentiers. Au quint jor,
quant Lanceloz ot oï messe et il fu armez et montez [el
10 cheval], si s'en parti [del preudome] tot plorant, et [molt]
li requist [por Deu] qu'il priast por lui [que Nostre Sires
ne l'obliast tant qu'il revenist a sa premiere maleurté]. Et
il li promist que si feroit il.

le puissant lion qui sera de son vivant le modèle de toute chevalerie terrestre. Et quand il aura tant fait qu'il ne sera plus un être d'ici-bas mais un être spirituel, il laissera son enveloppe charnelle et entrera dans la chevalerie céleste. C'est là ce qu'a prédit Merlin, qui connaissait si bien l'avenir, sur ce chevalier que vous avez vu maintes fois. Pourtant, bien qu'il soit vrai que ce chevalier a plus de prouesse et de vaillance qu'aucun autre, sachez bien que s'il lui arrivait de commettre un péché mortel – que Dieu l'en préserve –, il ne ferait pas mieux en cette Quête que le plus simple chevalier. Car ce service où vous êtes entré ne relève pas des choses de la terre, mais du ciel. Aussi, celui qui veut s'y engager et y accomplir quelque chose avec succès doit-il auparavant se débarrasser et se purifier de toutes ordures terrestres afin que l'Ennemi n'ait plus aucune part en lui. Une fois qu'il aura renié l'Ennemi et qu'il se sera lavé de tout péché mortel, alors il pourra entrer avec confiance dans cette haute Quête et ce haut service. Mais s'il est de si faible et de si pauvre croyance qu'il pense faire plus par sa prouesse que par la grâce de Notre-Seigneur, sachez qu'il ne s'en tirera pas sans honte et que finalement il n'accomplira rien de ce pourquoi il était entré dans la Quête.

141. L'ermite parla souvent ainsi à Lancelot, et il le retint trois jours auprès de lui. Lancelot s'estima très fortuné que Dieu l'ait conduit à ce saint homme qui l'avait si bien instruit et conseillé qu'il pensait en être devenu meilleur pour le reste de sa vie. Le quatrième jour, l'ermite fit demander à son frère de lui envoyer des armes et un cheval pour un chevalier qui avait séjourné chez lui, ce qu'il fit très volontiers. Le cinquième jour, après avoir entendu la messe, Lancelot s'arma, monta à cheval et quitta l'ermite en pleurant et en le suppliant au nom de Dieu de prier Notre-Seigneur de ne pas l'oublier afin qu'il ne retombât pas dans son état malheureux. L'ermite le lui promit.

142. Tantost se parti Lanceloz de leenz, et com il fu parti de leenz, si chevaucha [par mi la forest] jusqu'a hore de
prime. [Et] lors encontre .i. vallet qui li demande :

– Sire chevalier, don estes [*Bᵃ*, f. 33b] vos ?

5   – Ge sui, fet il, de la meson lo roi Artur.

– Coment avez vos non ? [Dites le moi].

Et il dit qu'il a non Lancelot del Lac.

– Par foi, [Lancelot], fet cil, vos n'aloie ge pas querant,
que vos estes li plus maleureus chevalier del monde.

10   – Biax amis, fet Lanceloz, coment le savez vos ?

– Ge le sai bien, fet li vallez. Dont n'estes vos celui qui
vit le Saint Graal [venir] devant lui et fere apert miracle,
ne onques por la venue del Saint Graal ne se remua de son
siege [ne plus que se ce fust uns mescreans] ?

15   – Certes, fet Lanceloz, je le vi, ne onques ne m'en re-
muai ; si m'en poise [plus que bel ne m'en est.

– Ce] n'est pas merveille, fet li vallez, s'il vos en poise.
Car [certes] vos mostrastes bien que vos n'estiez pas prodome ne buen chevaliers, mes desloiax [et mescreans]. Et
20   puis que vos enor ne li vossistes fere [de vos meismes],
ne vos merveilliez pas se honte vos avient en ceste Queste
[ou vos estes entrez avec les autres prodomes]. Et certes,
[mauvés chevalier failliz], molt poez avoir grant honte,
qui soliez estre tenu au meillor chevalier del monde et or
25   estes a ce venuz que vos estes tenuz au plus malvés et [au]
plus desloial !

143. Quant Lanceloz ot ceste parole, si ne set que respondre, qu'il se sent a forfet de ce dont li vallez l'encuse.
Si li dit :

– Biax amis, tu [me] diras [ore] ce que tu vodras, et je
5   t'escouterai, que [nus] chevaliers ne se doit corrocier de
chose que vallez [li] die, se trop grant vilanie ne li dit.

– A l'escouter, fet cil, estes [vos ore] venuz, car de vos
n'istra ja mes [nul] autre preu, qui soliez estre [la] flor [et
la merveille] de tote chevalerie [terriene] ! Chetif ! bien

142. Lancelot partit aussitôt et il chevaucha à travers la forêt jusqu'à l'heure de prime. Il rencontra alors un écuyer qui lui demanda :

— Seigneur chevalier, d'où êtes-vous ?

— Je suis, dit-il, de la maison du roi Arthur.

— Et quel est votre nom ? Dites-le moi.

Il répond qu'il se nomme Lancelot du Lac.

— Par ma foi, Lancelot, ce n'est pas vous que je cherchais, car vous êtes le plus infortuné chevalier du monde.

— Bel ami, comment le savez-vous ?

— Je le sais fort bien, dit l'écuyer. N'êtes-vous pas celui qui a vu le Saint-Graal venir devant lui et opérer un miracle très évident, mais qui n'a pas bougé à cette apparition, comme l'aurait fait un mécréant ?

— Oui, dit Lancelot, je l'ai vu et je n'ai pas bougé ; je n'en tire pas gloire, et ma peine est grande.

— Ce n'est pas étonnant si cela vous afflige, car vous avez démontré que vous n'étiez ni un homme de bien ni un vrai chevalier, mais un être déloyal et impie. Et puisque vous n'avez pas voulu honorer le Saint-Graal, ne vous étonnez pas si cela attire sur vous la honte au cours de cette Quête où vous êtes entré avec de vaillants compagnons. Ah ! mauvais chevalier failli, vous pouvez bien avoir honte, vous qui étiez tenu pour le meilleur chevalier du monde et qui passez maintenant pour le plus mauvais et le plus déloyal.

143. Quand Lancelot entend cela, il ne sait que répondre, car il se sent coupable de l'offense dont l'accuse l'écuyer.

— Bel ami, lui dit-il, tu peux bien me dire tout ce que tu voudras et je t'écouterai. Un chevalier ne doit pas se courroucer des paroles que peut lui adresser un écuyer si du moins elles ne sont pas trop injurieuses.

— Il est bien temps que vous écoutiez, répond-il, car désormais plus rien de bon ne sortira de vous, vous qui étiez la fleur et la gloire de la chevalerie terrestre ! Malheureux !

10 estes enfantosmez par cele qui ne vos aime ne [ne] prise
[se petit non]. Ele vos a si atorné que vos en avez perdu
la joie des ciels et [la compaignie des anges et tote] henor
terriene, si estes venuz a tote honte recevoir.

Et il n'ose respondre, com cil qui n'a tant de pooir que
15 il poisse mot dire. Et li vallez [le va ledenjant et honissant
et] li dit tote la vilanie qu'il puet. Et il l'escoute totevoies,
si entrepris qu'il ne l'ose [neis] regarder. [*B^a*, f. 33c] Et
quant li vallez est toz lassez de dire [li] ce qu'il velt et il
voit qu'il ne li respondra mot, si s'en va [tot son chemin].
20 Et Lanceloz nel regarde onques, ainz s'en va par la forest
plorant et dolosant soi et priant Nostre Seignor qu'il le
ramoint a tel voie qui profitable li soit a l'ame, que ce voit
il bien qu'il a tant mefet en cest siecle et tant meserré vers
son Criator que, se la pitié Nostre Seignor [et sa miseri-
25 corde] n'estoit molt granz, il ne porroit ja mes avoir pardon. Si est a ce mené que la vie devant ne li plot onques
tant qu'ele ne li desplese assez plus orendroit.

144. Quant il ot chevauchié jusq'a hore de midi, si voit
devant lui une petite meson hors del chemin. Et il torne
cele part, por ce qu'il set bien que c'est hermitage. Quant
il est pres jusque la venus, si voit que ce est une petite cha-
5 pele et une petite meson. Et devant, a l'entree, se sooit .i.
viel home vestu d'une robe blanche en senblance d'ome
de religion, et fesoit duel grant et merveillex et disoit :

– Biau sire Dex, por quoi avez vos ce sofert ? Ja vos
avoit il si longuement servi et tant s'estoit longuement tra-
10 veillié en vostre servise !

Quant Lanceloz vit le preudome si tendrement plorer, si
l'en prent pitié grant et le salue, si li dit :

– Sire, Dex vos gart.

– Dex le face, sire chevaliers, dit li preudons, que s'il ne
15 me gaite de pres, ge ne dot mie que li enemis ne me puist
bien [legierement] soprendre. Et Dex vos giet del pechié
ou vos estes, car certes vos en estes plus maubailliz [*B^a*,
f. 33d] que chevalier que je sache.

Vous voilà captivé par celle qui ne vous aime guère ni ne vous estime. Elle vous a réduit à une si triste condition que vous ne connaîtrez jamais la joie des cieux, la compagnie des anges et les honneurs terrestres, et que vous serez condamné à subir toutes les hontes.

Lancelot n'ose répondre, comme quelqu'un qui n'a pas la force de dire un mot. L'écuyer continue à l'injurier, à l'humilier, à l'accabler de termes de mépris, et Lancelot l'écoute, si confondu qu'il n'ose même pas le regarder. Quand l'écuyer est las de parler et comprend qu'il n'obtiendra pas de réponse, il se remet en route. Sans lui adresser le moindre regard, Lancelot s'en va dans la forêt, pleurant, se lamentant, et priant Dieu de le ramener sur une voie qui soit profitable à son âme. Il se rend bien compte qu'il a commis tant de péchés en ce monde et tant offensé son Créateur, qu'il n'obtiendra jamais de pardon sinon par la très grande miséricorde de Dieu. Il en arrive à penser que sa vie de naguère lui déplaît bien plus maintenant qu'elle ne lui a jamais plu.

144. Ayant chevauché jusqu'à l'heure de midi, il aperçoit devant lui, en retrait du chemin, une petite maison vers laquelle il se dirige, voyant bien que c'est un ermitage. Il s'approche et trouve une petite chapelle et une petite maison. À l'entrée était assis un vieillard vêtu d'une robe blanche, comme un moine, et qui se lamentait très haut et disait :

– Beau Seigneur Dieu, pourquoi avez-vous permis cela ? Il vous avait pourtant si longuement servi, et sans jamais épargner sa peine !

Quand Lancelot voit le vieillard tout en larmes, il est pris de pitié. Il le salue et lui dit :

– Seigneur, que Dieu vous garde !

– Qu'il vous entende, seigneur chevalier, répond le vieillard, car s'il ne veille de près sur moi, je crains que l'Ennemi ne me surprenne aisément. Et que Dieu vous retire du péché où vous êtes, car vous êtes bien le plus infortuné chevalier que je connaisse.

Quant Lanceloz entent ce que li preudons li dit, si
20 descent et pense qu'il ne s'en partira hui mes, ainz se
conseillera a cel preudome qui bien le conoist, ce li est
avis as paroles qu'il li a dites. Lors atache son cheval a .i.
arbre, si va avant, et regarde [et voit] que devant l'entree
del mostier se gesoit mort par senblant .i. viel home tot
25 chanu vestu de chemise blanche et deliee, et lez lui avoit
une haire aspre [et] poignant. Quant Lanceloz voit ce, si
se merveille de la mort au prodome, si s'assiet et demande
coment il est morz. Et cil li dit :

– Sire chevalier, je ne sai, mes ge voi bien qu'il n'est
30 mie morz selonc Deu ne selonc ordre. Car en tel robe com
vos le veez ne puet nus tex hom morir com il estoit, qui
n'ait religion enfreinte ; et por ce sai je bien que li enemis
li a fet cel assaut par quoi il est morz. Si est trop granz
domages, ce me semble, car il a esté au mien escient el
35 servise Nostre Segnor plus de .xxx. anz.

– Par Deu, fet Lanceloz, ciz domages me semble trop
grant de ce qu'il a son servise perdu et de ce qu'il a en tel
aage esté sopris de l'enemi.

145. Lors entre li preudons en sa chapele, et prent .i. livre et met une estole entor son col, si vient hors et comence a conjurer l'enemi. Et quant il l'a grant piece conjuré,
si regarde et voit l'enemi devant lui en si lede figure qu'il
5 n'a cuer en tot le monde qui tote poor n'en deust avoir.

– Tu me travailles trop [B^a, f. 34a] fet li enemis ; or
m'as, que me vels tu ?

– Ge vueil fet li preudons, que tu me dies coment mes
compainz est morz, et s'il est periz ou sauvez.

10 Lors parole li enemis a voiz orrible [et espoentable] et
dit :

– Il n'est mie periz, mes sauvez.

– Coment puet ce estre, fet li preudons ? Il me semble
que tu [me] mentes, car ce ne comande mie nostre ordre,
15 ainz le vee tot pleinement, que nus de nos freres ne veste

En entendant ces paroles, Lancelot met pied à terre, décidé à ne pas aller plus loin aujourd'hui et à demander conseil à ce vieillard qui, d'après ce qu'il lui a dit, semble si bien le connaître. Il attache son cheval à un arbre, s'avance vers la chapelle et voit, à l'entrée, le corps d'un homme aux cheveux blancs, mort semble-t-il, et qui portait une fine chemise blanche ; et auprès de lui se trouvait une haire rude et piquante. Très surpris de ce qu'il voit, Lancelot s'assied et demande au vieillard comment cet homme est mort.

– Seigneur chevalier, je ne sais, répond-il, mais je vois bien qu'il n'est pas mort selon Dieu et selon son ordre, car un homme tel que lui ne peut mourir dans ce vêtement que vous lui voyez à moins d'avoir enfreint la règle. C'est pourquoi je suis sûr que c'est l'Ennemi qui lui a livré cet assaut dont il est mort. C'est un bien grand malheur car, à ma connaissance, il a servi Notre-Seigneur pendant plus de trente ans.

– Par Dieu, c'est un grand malheur, en effet, qu'il ait perdu son service et qu'il ait été surpris par l'Ennemi à un âge aussi avancé.

145. L'ermite entre alors dans la chapelle, prend un livre et une étole qu'il met à son cou, puis ressort et commence à conjurer l'Ennemi. Après l'avoir longuement conjuré, il lève les yeux et voit devant lui l'Ennemi sous un aspect tellement hideux qu'à sa vue l'homme le plus vaillant serait saisi de frayeur.

– Tu me tourmentes trop, dit l'Ennemi. Me voici ; que me veux-tu ?

– Je veux que tu me dises comment mon compagnon est mort, et s'il est perdu ou sauvé.

– Il n'est pas perdu mais sauvé, répond l'Ennemi d'une voix horrible et terrifiante.

– Comment cela est-il possible ? dit l'ermite. Je crois que tu mens, car notre ordre défend absolument qu'aucun d'entre nous porte une chemise de lin. Quiconque le fait

chemise de lin ; et qui la vest il trespasse ordre. Et qui en
trespassant ordre muert, ce n'est mie bien, ce m'est avis.

– Ha ! fet li enemis, je te dirai coment il est alé de lui.

« Tu sez bien qu'il fu gentix hom et de grant lignage,
20　et qu'il a encor neveuz et nieces et parenz molt en cest
païs. Si avint avantier que li quens del Val comença guerre
encontre .i. de ses neveuz que l'en apele Agarin. Quant la
guerre fu comencie, Agarin, qui auques se vooit au desoz,
ne sot que fere, si se vint conseillier a son oncle, que tu
25　voiz ci, et le pria si docement que cil oissi de son hermitage et s'en ala auvec son neveu por maintenir la guerre
contre le conte. Si revint a ce qu'il selt jadis fere, ce est a
armes porter. Et com il fu assemblez auvec ses parenz, il
le fist si bien de totes chevaleries que li quens fu pris au
30　tierz jor qu'il assenblerent. Lors firent pes entre le conte
et Agaran, si dona li quens bone seurté que ja mes nel
guerroieroit.

146. « Et quant la guerre fu [apaisice et] faillie, si revint ciz hom a son hermitaje et recomença son servise
[qu'il avoit maintenu maint jor] [*Bᵃ*, f. 34b]. Mes quant li
quens sot qu'il avoit esté desconfit par lui, si pria a .ii. de
5　ses neveuz qu'il l'en venchassent. Et il distrent que si feroient il, si vindrent maintenant ceste part, et com il furent
ier matin descendu a l'entree de ceste chapele, si
virent que li preudons estoit el sacre de la messe. Si ne
l'oserent [pas] assaillir en tel point, ainz distrent qu'il
10　soferroient tant qu'il oissist hors de leenz ; si firent tendre .i. paveillon ci devant. Et com il fu [chose] qu'il ot
chanté la messe et il fu [issuz] hors de la chapele, si distrent qu'il estoit morz. Si le pristrent et trestrent lor espees. Et com il li voudrent couper la teste, cil qu'il avoit
15　toz jorz servi mostra sor lui si apert miracle qu'il ne porent [sor lui ferir cop dont il li peussent] mal fere, [et si
n'avoit vestu fors sa robe], ainz resortoient les espees si
com il ferissent sor une enclume. Si [i] ferirent tant que
leur espees furent [toutes] depeciees et il furent lassé [et

transgresse la règle et mourir en transgressant la règle est chose grave, me semble-t-il.

– Eh bien, dit l'Ennemi, je vais te dire ce qui lui est arrivé.

« Tu sais qu'il était de famille noble et de haut lignage et qu'il a encore des neveux, des nièces et de nombreux parents dans ce pays. Or, il y a quelque temps, le comte du Val déclara la guerre à un de ses neveux, nommé Agarin. Dès le début des combats, Agarin, voyant qu'il avait le dessous et ne sachant que faire, vint demander conseil à son oncle que tu vois là et le pria, avec une douceur persuasive, de quitter son ermitage et de l'aider à soutenir la guerre contre le comte. Il revint ainsi à son premier métier qui était le métier des armes. Il se joignit aux membres de sa famille et accomplit de telles prouesses que le comte fut fait prisonnier le troisième jour des combats. La paix fut alors conclue, et le comte promit à Agarin qu'il ne l'attaquerait plus jamais.

146. « La guerre ayant pris fin, l'homme revint à son ermitage et reprit le service auquel il s'était si longtemps consacré. Mais lorsque le comte apprit que c'était par lui qu'il avait été vaincu, il demanda à deux de ses neveux de le venger. Ils le lui promirent et se rendirent aussitôt par ici. Quand ils mirent pied à terre, hier matin, devant la chapelle, ils trouvèrent l'ermite en train de célébrer la messe. Ils n'osèrent pas l'attaquer à ce moment-là, mais décidèrent d'attendre qu'il sortît, et dressèrent une tente là-devant. Lorsque, sa messe finie, l'ermite sortit de la chapelle, ils lui dirent qu'il était un homme mort. Ils se saisirent de lui, tirèrent leurs épées, et voulurent lui couper la tête. Mais Celui qu'il avait toujours servi fit pour lui un miracle tout à fait visible : aucun des coups qu'il recevait ne lui fit le moindre mal. Quoiqu'il n'eût sur lui que sa robe, leurs épées rebondissaient comme s'ils avaient frappé sur une enclume. Ils continuèrent ainsi à le frapper jusqu'à ce que leurs épées fussent tout ébréchées, et eux-

20 travaillié] des cox qu'il [li] avoient doné, ne il ne li avoient
encore tant de mal fet que gote de sanc fust issuz de lui.

147. « Quant il virent ce, si [furent] tuit desvé [d'ire et
de maltalent] ; si portoient esche et fuisil, si alumerent .i.
feu ci devant, si distrent qu'il l'ardroient, [car encontre
feu ne durerait il mie]. Si le despoillierent toz nuz et li
5 osterent la haire que vos veez iluec. Et com il se vit [einsi]
nuz, si en ot [honte et] vergoigne [de soi meismes] ; si lor
pria qu'il [li] prestassent aucun afublail, qu'il ne se veist
si vileinement com il estoit. Cil [furent felon et cruel, si]
distrent qu'il n'en vestiroit ja [mes de linge ne de lange],
10 ainz morroit einsi. Et com il les oï einsi parler, si comença
a sozrire et respondi :

"Coment, fet il, [B^a, f. 34c] quidiez vos que ge poisse
morir par cest feu que vos avez ci aparoillié por moi ?

– Vos n'en avroiz ja, firent il, autre garison.

15 – Certes, fet il, s'il plest a Deu, que g'i muire, je le vueil
bien. Mes se g'i muir, je sai bien que ce sera plus par la
volenté Nostre Seigneur que par le feu, car ciz feus n'avra
ja tant de force que poil desus moi en soit brullez ; n'il
n'a el monde chemise si deliee, se ge l'avoie vestue et
20 [puis] je entrasse o tot el feu, qui ja en fust [maumise ne]
empirié."

« Quant cil oïrent ceste chose, si tindrent tot a fable
[quan]qu'il disoit ; [et] neporquant li .i. [d'els] dist qu'il
verroit par tens se ce porroit estre voir. Si osta sa chemise
25 [de son dos] et li fist vestir, et tantost le geterent el feu
[qu'il avoient fet si grant] qu'i[l] dura des le matin jusq'au
vespre [tot] tart. [Et quant il fu estainz], si troverent [sanz
faille] le preudome devié ; si avoit la char ausi seine [et si
nete] com vos poez encor vooir, ne la chemise qu'il avoit
30 vestue ne fu autrement enpirié que vos veez. Et com il
virent ce, si en furent molt esmaié ; si [l'osterent de la et]
l'aporterent en ceste place [ou vos le veez ore], si mistrent
sa haire delez lui, si s'en alerent [a tant]. Et par cestui
miracle que Cil qu'il avoit tant servi a fet por lui puez
35 tu vooir [apertement] qu'il n'est pas periz, mes sauvez.

mêmes épuisés de fatigue, mais leurs coups n'avaient pas
réussi à faire couler une goutte de sang de son corps.

147. « En voyant cela, ils furent saisis de rage et de dépit. Ils avaient sur eux une pierre à briquet et des mèches
et ils allumèrent un feu ici même pour le brûler vif, disant
qu'il ne résisterait pas aux flammes. Ils lui ôtèrent tous ses
vêtements, et jusqu'à sa haire que vous voyez là. Quand il
se vit nu, il éprouva un tel sentiment de honte et de gêne
qu'il les supplia de lui prêter quelque vêtement pour qu'il
ne se vît pas dans cet état d'indignité. Mais ces hommes
méchants et cruels répondirent qu'il ne porterait plus jamais ni toile ni laine, mais mourrait ainsi. À ces mots, il
se mit à sourire et leur dit :

"Comment ? Vous pensez vraiment que ce feu que vous
avez préparé pour moi peut me faire périr ?

– Rien ne vous protégera contre lui.

– Certes, dit-il, s'il plaît à Notre-Seigneur que je meure,
je mourrai volontiers. Mais alors ce sera par sa volonté et
non par ce feu ; car ce feu n'aura pas le pouvoir de brûler
un seul de mes cheveux, et si j'entrais dans les flammes
revêtu de la chemise la plus fine qui soit, elle n'en serait
nullement abîmée."

« Ils tinrent tout ce qu'il disait pour une fable, mais l'un
d'eux dit qu'il allait bien voir si la chose était possible. Il
ôta sa chemise et la fit revêtir à l'ermite. Puis ils le jetèrent
dans le feu qu'ils avaient fait si grand qu'il dura du matin jusque tard dans la soirée. Quand le feu fut éteint, ils
trouvèrent que l'ermite était bien mort, mais sa chair était
intacte comme vous pouvez encore le voir, et la chemise
n'était pas du tout abîmée. En voyant cela, ils ressentirent
une grande peur ; ils retirèrent le corps des cendres, l'apportèrent en cet endroit où vous le voyez maintenant, déposèrent sa haire à côté de lui, et s'enfuirent en toute hâte.
Par ce miracle que Celui qu'il avait si longuement servi a
fait pour lui, tu peux bien voir qu'il n'est pas perdu, mais

Si m'en irai a tant, que bien t'ai dit ce dont tu estoies en dote.

148. Et tantost com il ot ce dit, si s'en ala abatant les arbres devant lui et fesant la greignor tempeste del monde, si que il sembloit que tuit li deable d'enfer s'en alassent par mi la forest. Quant li preudons ot ceste aventure, si
5 est [assez plus] liez [que devant]. Si met jus son livre et s'estole et vint [*B^a*, f. 34d] au cors, si le comence a besier et dist a Lancelot :

— Par foi, sire, ci a bel miracle que Nostre Sires a fet por cest home que je quidoie que fust morz en aucun mortel
10 pechié. Mes non est, Deu merci, [ainz est sauvez, si come vos meismes poez avoir oï].

— Sire, fet Lanceloz, car me dites qui cil fu qui tant a parlé a vos ? Son cors ne poï je vooir, me[s] sa parole oï je bien, qui est si [laide et] si espoantable [qu'il n'est nus qui
15 tote poor n'en deust avoir].

— Sire, fet li preudons, [poor en doit l'en bien avoir, car] il n'est riens qui tant face a redouter come celui, car c'est cil qui done conseil a home de perdre cors et ame.

Lors set bien Lancelot qui [c]il est [a qui il a parlé]. Et
20 li freres li prie qu'il li face compaignie hui mes a guarder cel saint cors, et demain li ait tant qu'il l'ait mis en terre. Et il dit que ce fera il volentiers et molt est liez de ce que Diex l'a amené en tel leu que il puet fere servise a [cors de] si preudome com ciz est.

149. Il oste ses armes et les met en la chapele, puis vient a son cheval, si li oste la sele et le frein, si le lesse pestre, [puis] revient fere compaignie au preudome. Et quant il sont ensemble assis, si li comence a demander :
5 — Sire chevaliers, n'estes vos Lancelot del Lac ?

— Sire, fet il, oïl.

— Et que alez vos ore querant par cest païs si armé come vos estes ?

sauvé. Et maintenant je m'en irai, t'ayant expliqué ce dont tu étais incertain.

148. Aussitôt il s'en alla, abattant les arbres devant lui et soulevant une tempête si épouvantable qu'on aurait cru que tous les diables de l'enfer traversaient la forêt. Le moine, tout heureux de ce qu'il vient d'entendre, range son livre et son étole et s'approche du corps. Il l'embrasse et dit à Lancelot :

– Par ma foi, seigneur, c'est un beau miracle que Notre-Seigneur a fait pour cet homme que je croyais mort en état de péché mortel. Mais il n'en est rien, Dieu merci. Il est sauvé comme vous avez pu l'entendre.

– Seigneur, dit Lancelot, dites-moi qui est celui qui vous a si longuement parlé. Je n'ai pas pu voir son corps, mais j'ai bien entendu sa voix, si laide et si épouvantable que personne ne pourrait l'entendre sans trembler.

– Seigneur, dit le moine, on a tout lieu de le craindre ; aucun être n'est aussi redoutable, car c'est celui qui pousse l'homme à perdre son corps et son âme.

Lancelot comprend bien alors qui est celui qui a parlé au moine. Ce dernier lui demande de lui tenir compagnie pour veiller sur ce saint corps, et de l'aider à l'enterrer le lendemain. Lancelot accepte volontiers, tout heureux que Dieu lui ait donné l'occasion d'honorer le corps d'un homme aussi vaillant.

149. Il enlève ses armes et les met dans la chapelle, puis va vers son cheval, lui ôte la selle et le mors, et le laisse paître ; après quoi il revient tenir compagnie à l'ermite. Une fois qu'ils sont assis à côté l'un de l'autre, l'ermite dit à Lancelot :

– Seigneur chevalier, n'êtes-vous pas Lancelot du Lac ?

– Oui, seigneur.

– Et que cherchez-vous dans ce pays, armé comme vous l'êtes ?

– Sire, fet il, ge vois auvec mes [autres] compaignons
10　querre les aventures del Saint Graal.

– Certes, fet li preudons, querre les poez vos, mes au
trover n'avendrez vos ja, que se li Sainz Graax venoit devant vos, ne quit je pas que vos le poissiez vooir, ne plus
que .i. auvegles verroit une espee qui devant [*B^a*, f. 35a]
15　les eulz li seroit. Et neporquant maint en ont demoré en
tenebres de pechié lonc tens [et en oscurté] que Nostre
Sires rapeloit puis a veraie lumiere, tantost com il vooit
que li cuer i [en]tendoient. Nostre Sires n'est mie lenz de
secorre les pecheors si tost com il [puet apparcevoir qu'il]
20　se tornent vers lui en cuer ou en volenté ou en aucune
buene ovre. Si le vient tantost visiter ; et se cil a [garni]
son ostel [et] netoié de totes ordures si com pechierres
doit fere, il descent et repose en lui, ne puis n'a li pechierres garde qu'il [s'en parte s'il ne] l'enchace hors
25　de son ostel. Mes s'il [i] apele autre qui contrere li soit,
il s'en part come cil qui plus n'i puet demorer, puis que
cil i est [acoillis] qui toz jorz le gueroie.

150. « Or Lancelot, fet li preudons, cest essample t'ai
je mostré por la vie que tu as si longuement menee puis
que tu chaïs en pechié, ce est, puis que tu receus le haut
ordre de chevalerie. Car devant ce que tu fusses chevalier
5　avoies tu herbergiés en toi totes bones vertuz si naturelment que je ne sai nul juene home qui poïst estre tes parelz. Car tu avoies tot premierement virginité herbergié
[en toi] si veraiement que onques ne l'avoies enfreinte en
volenté ne en ovre. Seulement en volenté ne l'avoies tu
10　pas enfreinte ; car mainte foiz avint que quant tu pensoies
a la viltance de la coupe charnel en quoi virginitez est
corrumpue, tu en escopissoies en despit et disoies que ja
en ceste maleurté n'encharroies. Lors affermoies tu qu'il
n'estoit nule [*B^a*, f. 35b] chevalerie si haute com d'estre
15　virges et eschiver luxure et garder son cors toz jorz netement. Aprés ceste vertu, qui tant est merveilleuse, avoies
tu en toi humilité. Humilité va soef et doucement, le chief

– Seigneur, répond-il, je vais avec mes autres compagnons à la recherche des aventures du Saint-Graal

– Certes, dit l'ermite, vous pouvez bien les chercher, mais vous ne parviendrez jamais à les trouver, car si le Saint-Graal paraissait devant vous, je ne crois pas que vous puissiez le voir, pas plus qu'un aveugle ne verrait une épée placée devant ses yeux. Pourtant bien des gens sont longtemps restés dans les ténèbres du péché et dans l'aveuglement, que Notre-Seigneur a ensuite rappelés à la vraie lumière dès qu'Il a vu que leur cœur le désirait. Notre-Seigneur n'est pas lent à secourir les pécheurs dès qu'Il voit qu'ils se tournent vers Lui, mûs par leur cœur, leur volonté, ou par quelque bonne action. Et Il vient aussitôt visiter le pécheur ; et si celui-ci a nettoyé sa demeure de toute ordure et l'a garnie, comme le pécheur doit le faire, Notre-Seigneur descend et habite en lui, et ensuite lui n'a plus à craindre qu'Il s'en aille à moins qu'il ne le chasse lui-même de sa demeure. Mais si le pécheur y appelle quelqu'un d'autre qui soit hostile à Notre-Seigneur, Il s'en va, car Il ne peut demeurer là où est accueilli celui qui toujours Lui fait la guerre.

150. « Lancelot, poursuit l'ermite, je t'ai instruit de ces vérités à cause de la vie que tu n'as cessé de mener depuis le jour où tu es tombé dans le péché, c'est-à-dire depuis que tu as reçu le haut ordre de chevalerie. Car avant d'être fait chevalier tu possédais toutes les bonnes vertus si naturellement que je ne connais pas de jeune homme qui pût t'être comparé. En premier lieu, tu possédais la virginité, une virginité si pure que tu ne l'avais jamais enfreinte ni en pensée ni en acte. Même en pensée tu ne l'avais pas enfreinte car, bien souvent, songeant au caractère ignoble de la faute charnelle qui détruit la virginité, tu crachais de dégoût et disais que jamais tu ne tomberais dans cette infortune. Tu affirmais alors qu'il n'y avait pas de plus noble état pour un chevalier que d'être vierge, de fuir la luxure et de préserver toujours la pureté de son corps. Après cette vertu si précieuse, tu avais en toi l'humilité. L'humilité[1]

enclin, et ne fet pas ausi com fesoit li phariseus qui disoit
quant il oroit au tenple : "Biax sire Dex, ge te rent graces
20 et merciz de ce que ge ne sui pas ausi [desloiaus ne ausi]
mauvés com [sont] mi voisin." Itex n'estoies tu pas, ainz
senbloies le publican qui n'osoit [nes] regarder l'ymage,
tel poor avoit que Dex ne se corroçast [a lui] por ce qu'il
estoit si pechierres, ainz estoit loig de l'autel, si batoit son
25 piz et disoit : "Biax sire Dex, pere poissant, aiez merci de
cest pecheor !" En tel maniere se doit contenir qui velt
[droitement] acomplir les ovres d'umilité. Einsi fesoit tu
quant tu estoies damoisiax, que tu [dotoies et] amoies ton
criator sor totes choses et disoies que l'en ne devoit nule
30 terriene chose doter, mes l'en devoit douter celui qui pooit
destruire cors et ame [et geter en enfer].

151. « Aprés cez .ii. vertuz que je t'ai nomees avoies tu
en toi sofrance. Sofrance est semblable a esmeraude qui
est toz jorz verz. Car sofrance n'avra ja si fort tentacion
que ele poisse estre veincue, ainz est toz dis verdoianz et
5 en vive force que ja nus n'ira encontre qu'ele n'enport toz
jorz la vitoire et l'enor. Car nus ne puet si bien veincre son
enemi come par soffrir, et quelque chiere que tu feisses
aucune [foiz] par dehors, [ce] sez tu bien [B^a, f. 35c] en ta
pensee que ceste vertu avoies tu dedenz toi herbergié molt
10 naturelment.

« Aprés ce avoies tu en toi herbergié une autre vertu si
merveilleusement come s'ele te venist de nature : ce estoit
droiture. Droiture [si] est une vertuz si haute et si poissanz
que par li sont totes les autres tenues en droit point, [ne] ja
15 nule foiz ne se changera, et a chascun rendra ce qu'il avra
deservi et ce que droiz li dorra. Droiture ne done a nului
[par amor] fors ce qu'ele li velt doner, et si ne tout a nului
par haine, ne ja n'espargnera ami ne parent, ainz s'en ira
a toz jorz selonc la droite ligne de verité [et de droit], si
20 que ja ne changera [hors] de droite voie [por aventure qui
aviegne].

« Aprés cez vertuz eus tu en ton cuer charité si hautement herbergié que ce estoit merveille. Car se tu eusses

marche à petits pas discrets, la tête baissée. Elle n'agit pas comme le Pharisien qui disait quand il priait au temple : "Beau Seigneur Dieu, je te rends grâce de ce que je ne suis pas aussi mauvais et déloyal que mes voisins." Tu n'étais pas ainsi, mais tu ressemblais au publicain qui n'osait même pas regarder l'image divine[2], craignant que Dieu ne s'irritât contre un pécheur tel que lui, et qui restait loin de l'autel[3], battant sa coulpe et disant : "Beau Seigneur Dieu, Père tout-puissant, ayez pitié de ce pécheur." Ainsi doit se comporter celui qui veut accomplir comme il convient les œuvres d'humilité. Ainsi faisais-tu quand tu étais un tout jeune homme, car tu aimais et craignais ton Créateur par-dessus tout, disant qu'il n'est rien au monde que l'on doive redouter sinon celui qui peut détruire le corps et l'âme et nous jeter en enfer.

151. «Après ces deux vertus que j'ai nommées, tu avais en toi la patience. La patience est semblable à l'émeraude qui reste toujours verte. Car la patience ne sera jamais si fortement tentée qu'elle puisse être vaincue; elle ne perd jamais son éclat et sa force, si bien qu'elle remporte la victoire et l'honneur sur quiconque l'attaque. On ne peut mieux vaincre son ennemi que par la patience, et quelque mine que tu aies pu parfois laisser paraître, tu sais bien en ton cœur que cette vertu était naturellement logée en toi.

«Tu possédais une autre vertu encore, et à un si haut degré qu'elle semblait tenir à ta nature même, la justice. Vertu si remarquable, si puissante qu'elle maintient toutes les autres vertus à leur juste place, ne change jamais, et rend à chacun selon ses mérites et son droit. La justice ne donne à personne par amour que ce qu'elle veut bien lui donner, n'ôte à personne par haine, et n'épargnera jamais ni ami ni parent; elle suivra toujours la route de la vérité et du droit dont elle ne déviera pas, quoi qu'il advienne.

«En plus de ces vertus, tu hébergeais dans ton cœur la charité, et à un degré tel que c'en était merveille. Car si

totes les richeces del monde entre tes mains tu les osasses
25 bien doner por amor de ton criator. Lors estoit li feus del
Saint Esperit chauz et ardanz en toi, si estoies volenteis et
curieus de tenir et amer les vertuz que Dex t'avoit presté.

152. « Einsi garniz de totes bontés et de totes vertuz
[terrienes] montas tu ou haut ordre de chevalerie. Mes
quant li enemis qui primes fist home pechier [et le mena
a dampnacion], te vit si garni et si covert de totes parz, si
5 dota qu'il ne te poïst so[r]prendre [en nule maniere]. Si
vooit [apertement] qu'il [trop] esploitast bien a son hues,
s'il te poïst metre hors d'aucun de ces poinz ou tu estoies.
Il vit que tu estoies ordenez a estre serjanz Jesucrist et fus
mis [*B^a*, f. 35d] en si haut degré que ja mes ne te deusses
10 abessier [jusque] au servise de l'enemi. Si te dota molt a
assaillir por ce que sa poine i quidoit perdre. Lors s'apensa en mainte maniere coment il te porroit decevoir, tant
que au derreein li fu avis qu'il te porroit plus tost mener
par feme que par autre chose a pechier mortelment, et dist
15 que li premiers peres avoit esté deceu par feme et Salemons [li plus sages de toz les terriens] et Sanson Fortin [li
plus fors de toz homes], et Absalon li filz David qui fu li
plus biax hom del siecle. "Et puis, fist il, que tuit [cil] en
ont esté veincu et honi, il ne me semble pas que ciz enfés
20 poïsse durer."

153. « Et lors entra [li anemis] en la roine Guinievre
qui ne s'estoit pas vera[i]ement fete confesse puis que ele
estoit [primes] venue en mariage, et l'esmut a ce qu'ele
te regardoit molt volentiers tant com tu demoras en son
5 ostel, le jor que tu fus chevalier. Et quant tu veis qu'ele
te regarda, si i pensas ; et en cel pensé te feri li enemis
d'un de ses darz a descovert, si durement qu'il te fist tot
chanceler. [Chanceler] te fist il si fort qu'il te fist oissir
fors de droite voie et entrer en cele que tu n'avoies on-
10 ques coneue, ce fu en la voie de luxure, ce fu en la voie
qui degaste cors et ame si merveilleusement que nus ne le

tu avais eu entre tes mains toutes les richesses du monde, tu n'aurais pas hésité à les donner pour l'amour de ton Créateur. Le feu du Saint-Esprit était alors en toi chaud et ardent et tu étais bien résolu à conserver et à aimer les vertus que Dieu t'avait prêtées.

152. « Ainsi pourvu de toutes les qualités et de toutes les vertus que peut posséder un être humain, tu entras dans le haut ordre de chevalerie. Mais quand l'Ennemi, qui le premier mena l'homme au péché et à la damnation, te vit si bien armé et protégé de tous côtés, il eut peur de ne trouver aucun moyen de te surprendre. Il comprenait bien que ce lui serait d'un grand profit s'il pouvait te chasser d'une des positions que tu occupais. Il vit que tu avais été choisi pour être un soldat de Jésus-Christ et que tu avais été élevé à un si haut rang que tu ne devrais jamais t'abaisser à servir l'Ennemi. Il hésita à t'attaquer, craignant d'y perdre sa peine, et il se mit à réfléchir à divers moyens de te tromper. Finalement, il estima que c'était par une femme qu'il parviendrait le mieux à te faire commettre un péché mortel : c'est par une femme que fut trompé notre premier père, tout comme Salomon, le plus sage des hommes, et Samson le fort, et Absalon, fils de David, le plus beau de tous les humains. "Et puisque tous ces hommes ont été vaincus et déshonorés par une femme, je ne pense pas que ce jeune homme puisse résister." »

153. « Il entra alors dans le cœur de la reine Guenièvre qui ne s'était pas bien confessée depuis son mariage, et la poussa à te regarder avec plaisir tant que tu demeuras dans sa maison, le jour où tu fus fait chevalier[1]. Quand tu vis qu'elle te regardait, tu te mis à penser à elle, et c'est alors que l'Ennemi, te trouvant sans protection, te frappa d'une de ses flèches avec une telle violence qu'il te fit chanceler. Chanceler si fort que tu sortis du droit chemin pour t'engager sur celui qui ne t'était pas encore connu, le chemin de la luxure, un chemin qui corrompt le corps et l'âme à un degré qu'on ne peut imaginer avant de s'y

puet tres bien savoir qui essaié ne l'a. Et des lors te toli li
enemis la veue, que si tost com tu eus tes euz eschaufez et
espris de l'ardor de luxure, maintenant enchaças tu humi-
15 lité et atressis [*B^a*, f. 36a] orgoil et volsis aler teste levee
ausi fierement com .i. lion, si deis en ton cuer que tu ne
devoies rien prisier ne ne priseroies ja mes, se tu n'avoies
ta volenté de cele que tu vooies si bele. Et quant li enemis
qui set totes les paroles si tost come la langue les a dites,
20 conut que tu pechoies mortelment en pensee et en volenté,
si entra lors tot dedenz toi, si en chaça hors celui que tu
avoies tant longement ostelé.

154. « Einsi te perdi Nostre Sires qui t'avoit norri et es-
creu et garni de toutes buenes meurs, et t'avoit si haut
monté qu'en son servise [t'avoit mis]. Si que quant il quida que tu fusses ses loiax serjanz et le servisses des biens
5 qu'il t'avoit presté, tu le lessas maintenant si que quant
tu deusses estre serjanz Jesucrist tu devenis serjant au
deable, si meis dedenz toi tantes vertuz de l'enemi come
Nostre Sires i avoit mises des soes : car contre virginité et
chasteé herberjas tu luxure qui destruit et confont l'un[e]
10 et l'autre ; [et] contre humilité receus tu orgoil, com
cil qui ne prisoit nul home envers soi. Aprés enchaças totes les autres vertuz que ge t'ai nomees et recueillis les
autres qui contreres lor estoient. Et neporquant Nostre Sires avoit tant de bien mis en toi que de cele grant plenté
15 ne pooit estre qu'il n'i eust aucune chose de remanant. Et
de cel remanant que Dex te lessa as tu puis fetes les [*B^a*,
f. 36b] merveilleuses proeces par les estranges terres et
par les loigtains païs, dont toz li monz parole. Or garde
que tu poïsses puis avoir fet, se tu eusses [toutes] cez ver-
20 tuz sauvees en toi que Nostre Sires i a[voit] mises des lors
que tu estoies en enfance. Tu n'eusses pas failli a achever
les aventures del Saint Graal dont tuit li autre sont ore en
poine, ainz en eusses tant a fin mis come nus hom, sanz
le Verai Chevalier, poïst fere ; ne li oil ne te fussent pas
25 avueglé devant la presence de ton Seignor, ainz le veisses

être engagé. Dès lors, l'Ennemi te priva de la vue, car dès que tes yeux furent échauffés et embrasés par l'ardeur de la luxure, tu chassas l'humilité et accueillis l'orgueil. Tu te mis à marcher, tête haute, aussi fier qu'un lion, et tu te dis en ton cœur que tu ne devais ni ne devrais désormais estimer quoi que ce soit au monde, tant que tu ne posséderais pas celle qui te semblait si belle. Quand l'Ennemi, qui connaît toutes nos paroles dès qu'elles sont prononcées, sut que tu péchais mortellement en pensée et en intention, il entra tout entier en toi et en chassa Celui que tu avais si longtemps hébergé.

154. « C'est ainsi que Notre-Seigneur te perdit, Lui qui t'avait élevé, enrichi et muni de toutes les qualités, et qui t'avait fait le grand honneur de te prendre à son service. Alors qu'Il croyait que tu étais son loyal serviteur et que tu utiliserais à son service les biens qu'Il t'avait prêtés, tu l'abandonnas aussitôt, et au lieu d'être le serviteur de Jésus-Christ, tu devins celui du diable ; et tu mis en toi autant des attributs de l'Ennemi que Notre-Seigneur t'en avait donné des siens. Car à la place de la virginité et de la chasteté, tu laissas s'installer la luxure qui les corrompt et les détruit toutes deux ; et à la place de l'humilité, tu accueillis l'orgueil, en homme qui se jugeait supérieur à tout autre. Ensuite tu chassas toutes les autres vertus que je t'ai nommées pour recevoir celles qui leur sont contraires. Pourtant, Notre-Seigneur t'avait donné une telle abondance de bien qu'il devait nécessairement en rester quelque chose, et c'est avec ce que Dieu t'a laissé que tu as, depuis, accompli en terres et en pays lointains les remarquables prouesses dont tout le monde parle. Mais pense à ce que tu aurais pu faire si tu avais su préserver en toi toutes les vertus que Notre-Seigneur t'avait données dans ta jeunesse. Tu n'aurais pas failli à mener à bien les aventures du Saint-Graal pour lesquelles tous les compagnons sont aujourd'hui en peine, mais tu en aurais achevé plus qu'aucun autre excepté le Vrai Chevalier. Tu n'aurais pas été aveuglé en présence de ton Seigneur, mais

apertement. Totes cez paroles t'ai je dites por ce que je sui
molt dolenz que tu es si malbailliz [et honniz] que ja mes
en leu ou tu viegnes n'avras henor, ainz te diront vilanie
tuit cil qui [la verité] savront coment il t'est avenu en la
30 Queste del Saint Graal.

155. « Et neporquant tu n'as pas encores tant meserré que tu ne poïsses trover pardon si tu cries veraiement
merci a Celui qui t'avoit si hautement garni et qui t'avoit
apelé a son servise. Mes se tu nel vels fere de buen vo-
5 lenté et de buen cuer, ge ne te lo pas que tu voises plus en
ceste Queste, que bien saches que nus n'i est entrez qui
sanz honte s'en parte s'il n'est confés veraiement. Car la
Queste n'est mie des terrienes choses, mes des celestiex ;
[et qui el ciel velt entrer orz et vilains, il en est trebuchiez
10 si felennessement qu'il s'en sent a toz les jorz de sa vie].
Ensi avendra il a toz cels qui en ceste Queste sont entré
[ort] et entechié des vices [*B^a*, f. 36c] terriens, que il ne
savront tenir ne voie ne sentier, ainz iront foloiant parmi
les estranges contrees. Si est ore avenue la semblance dont
15 li Evangeliste parole, la ou il dit : " Il fu jadis .i. prodome
riches qui out apareillié a fere noces, si ot semont toz ses
amis et ses parenz et ses voisins. Et quant les tables furent
mises, si envoia [ses messages] a cels qu'il avoit semons,
si lor manda que il venissent, que tot estoit prest et apa-
20 reillié. Cil tarderent et demorerent tant qu'il ennoia au riche home. Et quant il voit qu'il ne vendroient pas, si dist
a ses serjanz : 'Or en alez de ci, si tornez par mi les rues
et par mi les chemins, si dites as privez et as estranges,
et as povres et as riches, que il viegnent mangier, que les
25 tables sont mises et tot est prest.' Cil firent le comandement lor seignor, si l'en amenerent tant avant els que tote
la meson en fu pleine. Et quant il furent tuit assis, li sires
regarda entre les autres ; si vit .i. home qui n'estoit pas
vestu de robe de noces. Il vint a lui et li dit : 'Biax amis,
30 qui estes vos et quoi estes vos < venu > ceenz [querre] ?
– Sire, fet il, g'i vi[n]g ausi come cil autre. – Par foi, fet

tu l'aurais vu distinctement. Je t'ai dit tout cela parce que je suis très peiné de te savoir dans une situation si mauvaise, si humiliante que désormais, où que tu ailles, tu ne recevras aucun honneur, mais devras subir les insultes de tous ceux qui sauront ce qui t'est arrivé durant la Quête du Saint-Graal.

155. « Pourtant, tu ne t'es pas à ce point égaré que tu ne puisses encore obtenir ton pardon si tu implores très sincèrement la pitié de Celui qui t'avait doté de si hautes qualités et t'avait appelé à son service. Mais si tu ne le fais pas humblement et de ton plein gré, je ne te conseille pas de poursuivre la Quête ; nul, sache-le, n'en sortira sans honte s'il n'a fait auparavant une vraie confession. Car cette Quête n'est pas quête des choses terrestres mais célestes, et celui qui veut entrer au ciel avec ses souillures et ses impuretés en est si rudement précipité qu'il s'en ressent pour le reste de sa vie. Il en ira de même de tous ceux qui sont entrés dans cette Quête salis et souillés des péchés de ce monde : ils ne sauront tenir ni route ni sentier, mais erreront sans but dans de lointains pays. Voici que se réalise la parabole que rapporte l'évangéliste là où il dit[1] : "Il y eut, jadis, un seigneur puissant qui avait préparé un festin de noces et y avait convié tous ses amis, ses parents et ses voisins. Quand les tables furent mises, il envoya ses messagers à ceux qu'il avait invités, leur demandant de venir car tout était prêt. Mais les invités se firent tant attendre que le seigneur s'en irrita. Lorsqu'il vit qu'ils ne viendraient pas, il dit à ses serviteurs : 'Allez par les rues et les chemins et dites aux familiers et aux inconnus, aux pauvres et aux riches, de venir manger, car les tables sont mises et tout est prêt.' Ils exécutèrent les ordres de leur maître et amenèrent tant de monde que la maison fut pleine. Quand tous furent assis, le seigneur les regarda et vit parmi eux un homme qui ne portait pas d'habit de noces. Il s'approcha de lui et lui dit : 'Bel ami, qui êtes-vous, et qu'êtes-vous venu chercher ici ? – Seigneur, je suis venu comme tous les autres. – Non point, dit le seigneur, car

li sires, no feistes, car il sont venu plain de joie et de feste
et si sont venu vestu come l'en [B^a, f. 36d] [doit] venir a
noces. Mes vos n'i avez aporté nule chose qui apartiegne
35 a feste.' Maintenant le fist jeter hors de son ostel et dist,
oiant toz cels qui as tables sooient, que il avoit semons
.x. tanz plus de gent que il n'avoit venu a ses noces ; dont
l'en puet veraiement dire que molt i a des apelez et petit
des elleuz."

40 « Ceste semblance dont li Evangelistes parole ici endroit poons nos vooir en ceste Queste. Car par les noces
que il fist crier devons nos entendre la table Jesucrist, ou
li preudome [mangeront], li verai chevalier, cels que Nostre Sires trovera vestu de robe de noces, ce est de buenes
45 vertuz et de buenes graces que Dex preste a cels qui le
servent. Mes cels qe il trovera desgarniz et desnuez de
veraie confession et de veraie repentance [et de buenes
oevres] ne vodra il mie recevoir, ainz les fera jeter hors de
la compaignie as autres, si que il recevront autant de honte
50 [et de vergoigne] com li autre [avront] d'enor.

156. A tant se test et regarde Lancelot, qui ploroit ausi
durement come s'il veist [devant lui] morte la rien del
monde que il plus amast, come cil qui tant est dolenz qu'il
ne set qu'il doie fere ne dire. Et quant il l'a grant piece
5 regardé, si li demande s'il fu puis confés qu'il entra en la
Queste. Et il respont a poine et dit oïl ; si li conte tot son
estre [B^a, f. 37a] et totes les paroles que cil li ot dites et
devisees, et la senefiance des .iii. [choses]. Et quant il ot
ce, si dit :

10 – Lancelot, ge te requier sor la crestienté que tu as et sor
l'ordre de chevalerie que [tu] receus ja a lonc tens que tu
me dies laquele vie te plest meuz, ou cele que tu eus jadis
ou cele ou tu es novelement entrez.

– Sire, fet soi Lanceloz, je vos creant loiaument que cest
15 novel estre me plest asez meuz que li autres ne fist onques,
ne ja mes tant come je vive ne m'en quier partir por chose
qui m'aviegne.

eux sont venus de belle et joyeuse humeur et vêtus comme on doit l'être pour une noce, tandis que vous n'avez rien apporté qui soit propre à une fête.' Il le fit aussitôt chasser de sa maison et dit, en présence de tous les convives, qu'il avait invité à la noce dix fois plus de gens qu'il n'en était venu. D'où l'on peut bien dire qu'il y a beaucoup d'appelés et peu d'élus[2]."

« Cette parabole dont l'évangéliste parle ici, nous pouvons la retrouver dans cette Quête. Par le repas de noces que fit annoncer le seigneur, nous devons entendre la table de Jésus-Christ, où mangeront les justes, les vrais chevaliers, ceux que Notre-Seigneur trouvera vêtus de leur habit de noces, c'est-à-dire des vertus et des grâces que Dieu prête à ceux qui Le servent. Mais ceux qu'Il trouvera entièrement démunis, dénués de vraie confession, de repentir sincère et de bonnes œuvres, Il ne voudra pas les accueillir ; Il les chassera de la compagnie des autres si bien qu'ils recevront autant d'humiliation et de honte que le reste recevra d'honneur.

156. L'ermite se tait alors et regarde Lancelot qui pleure aussi amèrement que s'il voyait morte devant lui la personne qu'il aimait le plus au monde, et qui ressent une telle douleur qu'il ne sait que faire ni que dire. Après l'avoir longuement regardé, il lui demande s'il s'est confessé depuis qu'il s'est joint à la Quête. Il parvient, non sans peine, à répondre que oui. Puis il lui raconte toute son histoire, lui rapporte les paroles qu'on lui avait dites et expliquées, et le sens des trois appellations[1]. L'ayant écouté, l'ermite lui dit :

– Lancelot, au nom de la foi chrétienne que tu as et de l'ordre de chevalerie où tu es entré il y a longtemps déjà, je te conjure de me dire quelle vie tu préfères, celle que tu as menée jadis ou celle que tu viens de commencer.

– Seigneur, répond Lancelot, je vous jure en toute loyauté que ma nouvelle existence me plaît beaucoup plus que l'autre et que, tant que je vivrai, je ne l'abandonnerai pas quoi qu'il puisse m'arriver.

– Or ne t'esmaie mie, fet soi li preudons. Car se Nostre
Sires voit que tu li requieres secors de bon cuer, il t'en-
20 voiera tant de sa grace que tu li seras temple et ostel, si
que il se herbergera dedenz toi.

En tex paroles trespasserent lo jor. Et quant la nuiz fu
venue, si mangierent pain et [burent] cervoise que il troverent en l'ermitage. [Puis] s'en alerent couchier delez le
25 cors et dormirent petit, car il pensoient anbedui assez plus
as celestiels choses que as terrienes. Au matin, quant li
preudons ot enfoï le cors en la chapele devant l'autel, si
entra en l'ermitage et si dist que il ne s'en partiroit ja mes
jor de sa vie, ainz i serviroit son seignor celestiel tote sa
30 vie. Et quant il voit que Lancelot volt prendre ses armes,
si li dist :

157. – Lancelot, je vos comant en non de seinte penitence que vos la haire a cel preudome que nos avons ci
enterré vestoiz aprés [*B^a*, f. 37b] vostre char des orc mes,
et je vos di que ja mes ne pecherez mortelment tant com
5 vos l'aiez entor vos ; et ce vos doit bien asseurer. Et encor
vos comant je que tant com vos seroiz en ceste Queste ne
mangiez de char ne ne bevez de vin, et si alez chascun jor
au mostier oïr le servise de Nostre Seigneur se vos estes
en tel leu que vos le poïssiez fere.

10 Et il reçoit cest comandement en leu de penitance, si se
despoille devant le preudome et reçoit decepline de buene
volenté. Et aprés prent la haire qui molt estoit aspre et
poignant, et la met en son dos ; puis vest sa robe par desus. Et quant il est vestuz, si prent ses armes et monte sor
15 son cheval, si demande congié au preudome. Et cil li done
molt volentiers et molt le prie de bien fere, si le chastie de
tot ce que il onques puet et si li dit que il ne lest en nule
maniere que il ne voist chascune semaine a confesse, si
que li enemis n'ait pooir de lui aprochier ne de trere soi
20 pres de lui. Et il dit que si fera il. Si s'en part maintenant
de leenz, et chevauche tote jor a jornee par mi la forest
jusqu'a hore de vespres sanz aventure trover qui a conter
face.

– Alors sois sans inquiétude, dit l'ermite, car si Notre-Seigneur voit que tu implores son aide du fond du cœur, Il t'enverra tant de grâce que tu seras son temple et sa demeure et qu'Il habitera en toi[2].

Ils s'entretinrent ainsi tout le jour. Quand la nuit fut venue, ils mangèrent du pain et burent de la cervoise qu'ils trouvèrent dans l'ermitage. Puis ils allèrent se coucher auprès du cadavre, mais ils ne dormirent guère, car tous deux pensaient aux choses du ciel plutôt qu'à celles de la terre. Au matin, après que l'ermite eut enterré le corps dans la chapelle devant l'autel, il entra dans l'ermitage, disant qu'il ne le quitterait plus de sa vie, mais y resterait pour servir son Maître divin. Lorsqu'il vit que Lancelot voulait prendre ses armes, il lui dit :

157. – Lancelot, je vous ordonne, au nom de la sainte pénitence, de porter désormais à même votre corps la haire de ce saint homme que nous venons d'enterrer ; et je vous dis que tant que vous la garderez sur vous, vous ne commettrez plus jamais de péché mortel, ce qui doit vous donner grande confiance. Je vous ordonne également de ne pas manger de viande et de ne pas boire de vin tant que vous prendrez part à cette Quête et d'aller tous les jours à l'église entendre le service de Notre-Seigneur si vous êtes en un lieu où vous puissiez le faire.

Lancelot accepte ces ordres en guise de pénitence. Il se dévêt devant l'ermite et reçoit la discipline de bon cœur. Puis il endosse la haire qui était rude et piquante, et remet sa robe[1] par-dessus. Après quoi, il prend ses armes, monte en selle, et demande à l'ermite la permission de s'en aller. Celui-ci la lui accorde volontiers ; mais il lui rappelle de se bien conduire, lui fait toutes les recommandations possibles, lui dit de ne pas négliger de se confesser chaque semaine afin que l'Ennemi ne puisse approcher pour l'attirer à lui. Lancelot le lui promet et s'en va aussitôt. Il chevauche à travers la forêt toute la journée jusqu'à l'heure de vêpres sans rencontrer d'aventure digne d'être rapportée.

158. Aprés vespres si encontre une damoisele qui chevauchoit .i. palefroi blanc qui venoit molt grant oirre. Et la
ou ele encontre Lancelot, si le salue et li dit :

— Sire chevalier, ou alez [*B^a*, f. 37c] vos ?

5 — Certes, damoisele, fet il, je ne sai, fors que la ou aventure me conduira, car ge ne sai mie bien quel part je poisse
torner ne trover ce que [je] vois querant.

— Je sai bien, fet ele, que vos [alés] querant. Vos en fustes jadis plus pres que vos n'estes ore, et si en estes ore
10 plus pres que vos ne fustes onques [mes], se vos tote voies
vos teniez en ce ou vos estes entrez.

— Damoisele, fet il, ces .ii. paroles que vos me dites me
semblent estre totes contraires.

— Ne vos chaut, fet ele, que vos les verrez molt plus
15 apertement que vos ne fetes ore, ne je ne vos sai chose
dire que vos encore bien n'entendez.

Quant ele a ce dit, et ele s'en velt aler, il li demande ou
il porroit hui mes herbergier.

— Vos ne troveroiz, fet ele, hui mes hostel ; mes demain
20 au soir le troverez vos tel come mestier vos sera, et lors
troverez secors de ce dont vos estes en dotance.

159. Lors la comande a Deu et ele lui ; si se part li .i.
de l'autre, si chevauche Lanceloz tot le grant chemin par
mi la forest, tant que il li anuite a l'entree de .ii. chemins
forchiez, ou il avoit une croiz de fust el departement des
5 .ii. chemins. Et quant il voit la croiz, si est molt liez de ce
qu'il l'a trovee et dit que huimés sera iluec ses ostex. Si
l'encline et puis descent, et oste a son [*B^a*, f. 37d] cheval
le frein et la sele, et [le] lesse pestre. Puis oste son escu de
son col et le met jus ; il deslace son hiaume, si l'oste de
10 sa teste. Et quant il ot tot ce fet, si s'ajenoilla par devant
la croiz et fet ses proieres et ses oroisons teles com il les
savoit ; et si proie Celui qui en la Croiz fu mis, [por qui
honor et remenbrance ceste croiz fu mise ci], que il le gart
en tel maniere que il ne rechie en pechié mortel. Car il ne
15 redoute nule chose autant com il fait le renchooir. Quant
il ot fete s'oroison et proié Nostre Seignor grant pièce,

158. Après vêpres, il rencontre une demoiselle qui venait à vive allure, montée sur un palefroi blanc. Dès qu'elle a rejoint Lancelot, elle le salue et lui dit :

— Seigneur chevalier, où allez-vous ?

— En vérité, ma demoiselle, je ne saurais vous le dire : là où l'aventure me mènera, car je ne sais trop quelle direction prendre pour trouver ce que je cherche.

— Je sais bien, dit-elle, ce que vous cherchez. Vous en avez été plus près jadis que vous ne l'êtes maintenant et pourtant vous en êtes maintenant plus près que vous ne l'avez jamais été, si du moins vous vous en tenez à ce que vous avez entrepris.

— Ma demoiselle, ce que vous me dites me paraît bien contradictoire.

— Ne vous inquiétez pas, répond-elle, vous le verrez beaucoup mieux un jour, et je ne peux rien vous dire que vous puissiez comprendre maintenant.

Sur ce, comme elle allait s'en aller, il lui demande où il pourrait se loger ce soir-là.

— Vous ne trouverez pas de gîte pour cette nuit, mais demain soir vous en trouverez un qui vous conviendra en tout point et vos doutes et vos craintes seront dissipés.

159. Ils se recommandent alors à Dieu, puis se séparent. Lancelot suit le chemin à travers la forêt et arrive à la tombée de la nuit au croisement de deux routes où se dressait une croix de bois. Tout heureux de voir cette croix, il déclare que ce sera là son gîte pour la nuit. Il s'incline devant elle, met pied à terre, ôte à son cheval le mors et la selle et le laisse paître. Il retire l'écu de son cou et le pose à terre, puis délace et ôte son heaume. Après quoi, il s'agenouille devant la croix, récite les prières qu'il savait, et demande à Celui qui fut crucifié, et en l'honneur et souvenir de qui cette croix fut placée là, de le garder de tout péché mortel, car il ne craint rien tant que d'y retomber. Après avoir longuement prié Notre-Seigneur, il s'appuya à une pierre

si s'acoute sor une pierre qui estoit devant la croiz. Et il
avoit molt grant talent de dormir, car il estoit las et molt
traveilliez de chevauchier et de jeuner ; et por ce si li avint
20 qu'il s'endormi tot de maintenant qu'il fu acotez sor la
pierre.

Quant il fu endormiz, si li fu avis que devant lui venoit
.i. home tot avironé d'estoiles. Cil home si avoit une corone d'or en sa teste, si menoit en sa compaignie .vii. rois
25 et .ii. chevaliers. Et quant il estoient venu devant Lancelot,
si s'arestoient et si aoroient la croiz et fesoient [devant] lor
aflicions. Et quant il avoient esté grant piece a jenouz, si
s'assooient [tuit], et tendoient lor mains vers le ciel, et si
crioient a haute voiz :
30 — Pere, vien nos visiter et vooir, et rent a chascun de nos
selonc [*B^a*, f. 38a] ce qu'il a deservi, si nos met en ton
ostel, en la meson ou nos desirron tant a entrer !

160. Quant il avoient ce dit, si se tesoient trestuit. Et lors
regardoit Lanceloz envers le ciel amont, si vooit les nues
ovrir, si en oissoit .i. hom o grant compaignie d'anges ; si
descendoit entre cels et lor donoit sa beneïçon et les ape-
5 loit serjanz buens et loiax et disoit :
— Mes ostex est apareilliez a vos toz : alez en la joie qui
ja ne faudra.

Quant il avoit ce fet, si venoit a l'ainzné des .ii. chevaliers, si li disoit :
10 — Fui toi d'ici, car j'ai perdu tot ce que j'avoie mis en
toi. Tu ne m'as pas esté come serjanz, mes come guerriers.
Tu ne m'as pas esté filz, mes fillastre. Je te di que je te
confondrai, se tu ne me renz mon tresor.

Quant il ooit ceste parole, si s'enfuioit d'entre les autres
15 et crioit merci tant dolenz que nus plus. Et li hons li disoit :
— Se tu velz je t'amerai, et se tu velz je te harrai.

Et cil se departoit maintenant de tote la conpaignie. Et li
huens qui devers les cels estoit descenduz venoit a l'autre
20 chevalier [qui estoit li plus] jeune [d'eus toz], si le metoit
en figure de lion et li donoit eles, si li disoit :

qui était devant la croix. Il avait grande envie de dormir, épuisé qu'il était par le jeûne et sa longue chevauchée, et à peine s'était-il appuyé à la pierre qu'il s'endormit.

Dans son sommeil, il crut voir venir devant lui un homme tout environné d'étoiles. Il était accompagné de sept rois et de deux chevaliers et portait une couronne d'or sur la tête. Arrivés devant Lancelot, tous s'arrêtaient pour adorer la croix et faire acte d'humilité. Après être restés longtemps à genoux, ils s'asseyaient tous et tendaient les mains vers le ciel en disant à haute voix :

– Père, viens nous voir et nous visiter ; rends à chacun de nous selon ses mérites[1], et accepte-nous dans ta demeure où nous désirons tant entrer.

160. Puis tous se taisaient. Lancelot, levant alors les yeux vers le ciel, voyait les nues s'ouvrir et un homme en sortir, entouré d'une grande compagnie d'anges ; et il descendait vers ceux qui priaient, leur donnait sa bénédiction, les appelant bons et loyaux serviteurs, et disant :

Ma maison est prête pour vous accueillir tous : entrez dans la joie qui jamais ne vous manquera.

Il s'approchait alors de l'aîné des deux chevaliers et lui disait :

– Va-t'en d'ici, car j'ai perdu tout ce que j'avais mis en toi. Tu n'as pas été pour moi un serviteur, mais un ennemi ; non point un bon fils, mais un fils indigne[1]. Je te préviens que je te confondrai si tu ne me rends pas le trésor que je t'avais confié.

En entendant ces paroles, le chevalier se séparait rapidement des autres et implorait son pardon en proie à une douleur sans bornes. Et l'homme lui disait :

– Si tu le veux, je t'aimerai, et si tu le veux, je te haïrai.

Le chevalier quittait alors les autres. Et l'homme qui était descendu du ciel s'approchait de l'autre chevalier, le plus jeune de tous, le changeait en lion et lui donnait des ailes, lui disant :

– Biax fiz, or poez aler par tot le monde et voler par
desus tote chevalerie.

161. Et cil començoit tantost a voler, si devenoient
ses eles si granz et si merveilleuses que toz li monz [B^a,
f. 38b] en estoit coverz. Et quant il avoit tant volé que toz
li monz le tenoit a merveille, si s'en aloit contremont vers
5 les nues. Main[tenant] se ovroit li ciels por lui recevoir, et
il s'en entroit dedenz sanz plus demorer.

Einsi avint a Lancelot qu'il vit ceste avision en son dormant. Et quant il fu chose que la nuiz fu faillie et li jorz fu
venuz, si s'esveilla ; et si n'a point obliee de cele avision
10 qu'il ot veue en son dormant. Quant [il] vit que il fu jorz,
si aleve sa main et fet lo signe de la croiz enmi son front ;
si se comande a Nostre Seigneur et dit :

– Biax doux pere Jesucriz, qui ies verais conseillierres
et verais conforz a toz cels qui de buen cuer et de buene
15 volenté te reclaiment, Sire, toi aor je et rent graces et merciz de ce que tu m'as garanti et delivré des granz mesa-
ventures et des granz hontes que il me covenist soffrir, se
ta grant debueneretè ne fust. Sire, ge sui ta criature, cui
tu as mostré si grant debueneretè, car quant l'ame de moi
20 iert aprochié d'aler en enfer et en perdicion pardurable, tu
par ta grant doçor l'en as retrete arriere, et si l'a rapelee
a toi conoistre et doter. Sire, par ta douce misericorde ne
me lesse des ore mes hors ta voie aler, mes garde moi de
[si] pres que li enemis, qui toz jorz [B^a, f. 38c] gaite a moi
25 decevoir, ne me truist hors de tes mains.

162. Quant il a ce dit, [si] se drece en son estant et vient
a son cheval, si li met la sele et le frain. Si lace son hiaume, si prent son escu et sa lance, si monte ; et se met en sa
voie ausi com il avoit fet le jor devant, et pense molt a ce
5 que il avoit veu en son dormant, car il ne set onques a quel
chose ce poïsse torner. Et si le vodroit il molt [volentiers]
savoir s'il pooit estre. Quant il ot chevauchié jusq'a hore
de midi, si se trova molt chaut. Et lors encontra en une

– Cher fils, tu peux maintenant t'en aller à travers le
monde et voler au-dessus de tous les chevaliers.

161. Le jeune homme prenait aussitôt son essor et ses
ailes devenaient si merveilleusement grandes que le monde entier en était recouvert. Après avoir fait l'admiration
de tous par la puissance de son vol, il s'élevait vers les
nues. Le ciel s'ouvrait immédiatement pour le recevoir et
il y pénétrait sans plus s'attarder.

Telle fut la vision que Lancelot eut durant son sommeil. Quand la nuit se fut écoulée et que le jour parut,
il s'éveilla, la vision toujours présente dans son esprit.
Voyant qu'il faisait jour, il leva la main, se signa, et se
recommanda à Dieu :

– Beau doux père Jésus-Christ, dit-il, vrai conseiller et
vrai réconfort de tous ceux qui t'invoquent du fond du
cœur et de leur plein gré, Seigneur, je t'adore et te rends
grâce de m'avoir protégé et délivré des terribles malheurs
et humiliations que j'aurais dû subir si ta miséricorde
n'était si grande. Seigneur, je suis ta créature, à qui tu as
montré tant de bonté ; car lorsque mon âme était sur le
point d'aller en enfer et d'être damnée à jamais, Toi, dans
ta mansuétude, tu l'as retenue et tu l'as laissée revenir te
connaître et te craindre. Seigneur très miséricordieux, ne
me laisse pas désormais sortir du droit chemin, mais veille
sur moi de si près que l'Ennemi, qui ne cherche qu'à me
tromper, ne me trouve jamais hors de tes mains.

162. Sa prière faite, il se relève, va vers son cheval et
lui met la selle et le mors. Il lace son heaume, prend son
écu et sa lance et monte en selle. Puis il se met en route
tout comme la veille, préoccupé par la vision qu'il a eue
et dont la signification lui échappe. Il aimerait pourtant
bien la connaître si la chose était possible. Il chevaucha
jusqu'à l'heure de midi, fort incommodé par la chaleur, et
rencontra alors dans une vallée le chevalier qui, quelques

valee le chevalier qui ses armes en avoit a[m]portees avant
10 ier. Quant cil le voit venir, si ne le salua pas, ainz li dist :
– Garde toi de moi, Lancelot, que tu es morz se tu ne te
puez de moi desfendre.
Si li vient le glaive aloignié et le fiert si durement que
il li perce l'escu et le hauberc, mes que en char ne l'a
15 pas touchié. Et Lanceloz, qui tot son pooir i met, le fiert
si durement qu'il abat et lui et le cheval a terre si fele-
nessement que a pou qu'il n[e li] a le col brisié. Il point
outre et revient arriere et voit le cheval qui [ja] se relevoit.
Il le prent au frein, si l[e meine] a .i. arbre [et l'i atache],
20 por ce que quant li chevaliers se relevera d'ileques que il
le truist prestz a monter. Quant il a ce fet, si se remet en
sa voie et chevauche jusq'au soir. Lors fu vains et las de
jeuner que il avoit fet, come cil qui n'ot mangié de tot le
jor ne de l'autre [*B^a*, f. 38d] devant ; et si ot chevauchié
25 .ii. granz jornees merveilleuses qui assez l'orent lassé et
traveillié.

163. Quant il ot chevauchié jusqu'a pres de la nuit, si
vint par devant .i. hermitage qui estoit en une montaigne.
Il regarde cele part et voit devant l'uis de la chapele sooir
.i. hermite, qui estoit vielz hom et chanuz et anciens. Et
5 il est molt liez de cele aventure, si s'adrece cele part et le
salue, et li preudons li rent son salu molt bel.
– Sire, fet Lanceloz, porriez vos anuit mes herbergier
cest chevalier errant ?
– Biau sire, fet soi donc li hermites, s'il vos plest, des-
10 cendez, car je vos herbergerai au melz que je porrai, et
vos dorrai, fet soi li preudons, a mangier de ce que Dex
nos a presté.
Et Lanceloz dit que il ne demande meuz, si descent
atant. Et li preudons moine le cheval en .i. petit apentiz
15 qui estoit devant son ostel, si li oste il meismes le frein
et la sele et li dona de l'erbe dom il avoit grant plenté de
totes parz. Puis prent l'escu et le glaive Lancelot, si le
porte en son ostel. Et Lanceloz ot ja deslacié son hiaume
et sa ventaille [abatue] ; si oste son hauberc de son dos et

jours auparavant[1], lui avait enlevé ses armes. Dès qu'il l'aperçut, celui-ci lui dit sans le saluer :

– Lancelot, en garde ! Tu es un homme mort si tu ne te défends pas.

Il fonce sur lui, lance en arrêt, et le frappe si rudement qu'il lui perce son écu et son haubert, mais sans atteindre la chair. Lancelot, rassemblant ses forces, lui assène un coup d'une violence telle qu'il l'envoie à terre avec son cheval, et peu s'en faut que le chevalier ne se brise le cou. Lancelot poursuit sur son élan, puis tourne bride, et voyant que le cheval se relevait déjà, il le prend par le mors et le mène à un arbre où il l'attache pour que le chevalier le trouve prêt à monter quand lui-même se relèvera. Il reprend ensuite sa route et chevauche jusqu'au soir. Il ressentait une grande fatigue en raison du jeûne qu'il pratiquait ; ni ce jour-là en effet ni le précédent, il n'avait mangé, et les deux longues journées de chevauchée avaient épuisé ses forces.

163. La nuit tombait lorsqu'il arriva en vue d'un ermitage situé sur une montagne. Fixant son regard dans cette direction, il aperçoit, assis devant la porte, un ermite très âgé, aux cheveux blancs. Tout heureux, Lancelot se dirige vers lui et lui adresse un salut que l'autre lui rend avec une grande courtoisie.

– Seigneur, dit Lancelot, pourriez-vous héberger cette nuit un chevalier errant ?

– Beau seigneur, si vous le désirez, descendez de cheval : je vous logerai du mieux que je pourrai et vous donnerai à manger ce que Dieu nous a prêté.

Lancelot répond qu'il ne demande pas mieux et met immédiatement pied à terre. L'ermite mène le cheval sous un petit appentis qui était devant la maison, lui ôte le mors et la selle et lui donne de l'herbe qui se trouvait là en abondance. Puis il prend l'écu et la lance de Lancelot et les porte dans la maison. Lancelot avait déjà délacé son heaume et rabattu sa ventaille[1], et il enlève son haubert

20   se desarme et porte ses armes en l'ostel. Et quant il est toz
     desarmez, li preudons li demande s'il oï anuit vespres, et
     il dit nenil, car il ne vit anuit ne meson ne recet ne home,
     fors .i. que il encontra ore a midi. Lors entra li preudons
     en [*B^a*, f. 39a] sa chapele, si apela son clerc, si coumença
25   vespres del jor et puis de la Mere Deu. Et quant il ot ce
     fet qui au jor apartenoit, si s'en oissi de sa chapele. Lors
     demanda a Lancelot qui il estoit et de quel païs. Et il li
     dit la verité de son estre, ne ne se çoile pas vers le preu-
     dome de chose qui avenue li soit del Saint Graal. [Quant
30   li preudons ot ceste aventure, si li prent molt grant pitié de
     Lancelot, car il voit qu'il comença a plorer des lors qu'il
     conta l'aventure del Saint Graal]. Lors li requiert el non
     de Deu et de sainte Marie et de sainte creance qu'il li die
     tote sa confession et son estre. Et il dit que si fera il molt
35   volentiers, puis que il le velt. Si le ramoine en la chapele.
     Et lors li reconte tote sa vie ausi com il l'avoit autre foiz
     contee, puis li requiert por Deu que il le conselt, car il est
     .i. des homes de tot le siecle qui plus avroit grant mestier
     de conseil.

     164. Quant li hermites ot oïe sa vie et sa repentance, si
     le reconforte molt durement et asseure, et li dist tant de
     buenes paroles que [Lancelot] en est trop plus aese que il
     n'estoit devant. Lors li dist :
5   – Sire, por Deu, car me conseilliez de ce que je vos de-
     manderai, se vos savez.
     – Dites, fet li preudons. Car il n'est rien dont je ne vos
     conseille a mon pooir.
     – Sire, fet Lanceloz, il m'avint anuit en mon dormant
10   que devant moi venoit .i. home tot avironé d'estoiles de
     totes parz, si amenoit auvec lui .vii. rois et .ii. chevaliers.
     Et lors li conte tot mot a mot s'avision tot einsi com il
     l'avoit la nuit devant veue. Et quant li preudons entent
     ceste parole, si li dist :
15   – Ha ! [*B^a*, f. 39b] Lancelot, la poïs tu vooir la hautece
     de ton lignage et de quex gent tu es descenduz. Et saches

et ses armes et porte le tout à l'intérieur. L'ermite lui demande alors s'il a entendu ce soir les vêpres ; Lancelot répond que non, car à part un homme rencontré vers midi, il n'a vu de la journée ni maison, ni abri, ni être humain. L'ermite entre alors dans la chapelle, appelle son clerc et commence les vêpres du jour, puis celles de la Mère de Dieu. L'office du jour terminé, il ressort de la chapelle et demande à Lancelot qui il est et de quel pays. Lancelot lui raconte toute son histoire sans rien lui cacher de ce qui lui était arrivé dans la Quête du Saint-Graal. En entendant ce récit, l'ermite est pris de pitié, car il voit que Lancelot s'est mis à pleurer dès qu'il a parlé de l'aventure du Saint-Graal. Il le prie donc au nom de Dieu, de sainte Marie et de la Sainte Foi, de lui ouvrir son cœur et de se confesser sans réserve. Et Lancelot répond qu'il le fera bien volontiers puisque l'ermite le veut. Celui-ci le ramène à la chapelle où Lancelot lui raconte toute sa vie comme il l'a fait précédemment, puis le supplie, au nom de Dieu, de le conseiller, car peu d'hommes ont autant besoin de conseil que lui.

164. Quand l'ermite a entendu le récit de sa vie et l'expression de son repentir, il le réconforte et le rassure avec tant de bonnes paroles que Lancelot se sent bien soulagé. Il lui dit alors :

– Seigneur, au nom de Dieu, dites-moi votre avis, si vous le pouvez, sur ce que je vais vous demander.

– Parlez, dit l'ermite, et je ferai tout en mon pouvoir pour vous conseiller.

– Seigneur, poursuit Lancelot, cette nuit dans mon sommeil j'ai vu venir devant moi un homme tout environné d'étoiles, qu'accompagnaient sept rois et deux chevaliers.

Et il lui raconte très exactement la vision qu'il avait eue la nuit précédente. Et l'ermite, après avoir entendu le récit, lui dit :

– Ah ! Lancelot, tu as pu voir ainsi la noblesse de ton lignage et de quelles gens tu descends. Cette vision, sache-

que ci a [molt] greignor senefiance que maintes genz ne
quideroient. Or m'escoute se tu vels, que ge te conteré le
comencement de ton parenté. Mes je le prendrai molt de
20　loig, car einsi le me covient a fere.

« Voirs fu, que aprés la Passion Jesucrist .xlii. anz, oissi
Joseph d'Arimacie de la cité de Jerusalem par le comandement de Nostre Seignor por preechier et por anoncier
par tot la ou il vendroit la verité de l'Evangile et de la
25　Novele Loi et les comandemenz de Sainte Yglise et de
la sainte Evangile. Et quant il vint en la cité de Sarraz, si
trova .i. roi paien – Evalach avoit non –, si avoit guerre a
.i. suen voisin riche et poissant. Et quant il fu acointiez del
roi, si le conseilla en tel maniere qu'il ot la vitoire de son
30　enemi et le veinqui en cha[m]p de bataille par l'aide que
Nostre Sires li envoia. Et maintenant que il fu reperiez a sa
cité, si reçut crestienté de la main Josephé, le fil Joseph. [Il
avoit .i. suen serorge que l'en apeloit Seraphés tant com
il ot esté païens, mes quant il ot sa loi guerpie, si ot non
35　Nasciens]. Et quant li rois fu venuz a crestienté et il ot sa
loi guerpie, il crut si bien en Deu et tant ama son Criator
que il fu ausi come pilers et fondement de foi. Et bien fu
aparanz chose qu'il estoit preudons et verais, la ou Nostre
Sires li lessa vooir les granz secrez et les granz repos-
40　tailles del Saint Graal, dont onques chevalier a celui tens
n'avoit gueres [*Bᵃ*, f. 39c] veu, [se Joseph non ; ne puis ne
fu chevaliers qui riens en veist], se [ce] ne fu en dormant
ou ausi com en sonjant.

« A celui tens vint en avision au roi Evalach que d'un
45　suen neveu, qui filz estoit Nascien, issoit .i. grant lac, en
tel maniere que il li oissoit hors del ventre. Et de cel lac issoient .ix. fluns molt biax dont li .viii. estoient d'un grant
et d'une parfondece. Mes cil qui estoit [li] derrains estoit
de lé et de parfont plus grant que tuit li autre ensemble,
50　et si estoit si rades et si bruianz que il n'estoit riens qui le
poïst sofrir. Cil fluns estoit trobles el coumencement et espés tot autresi come boe, et el mi leu si estoit clers et nez,
et en la fin estoit d'autre maniere, car il estoit a cent doubles plus clers et plus nez que il n'estoit en autre leu, et

le, est bien plus riche de sens que beaucoup ne pourraient le penser. Écoute-moi si tu veux, et je te dirai l'origine de ta race. Mais je remonterai très loin, car il convient de le faire.

« C'est un fait véridique que, quarante-deux ans après la Passion de Jésus-Christ, Joseph d'Arimathie quitta la cité de Jérusalem sur l'ordre de Notre-Seigneur pour prêcher et pour annoncer, partout où il viendrait, la vérité de l'Évangile et de la Nouvelle Loi et les commandements de Sainte Église et du saint Évangile. Et quand il arriva à la cité de Sarraz, il y trouva un roi païen, du nom d'Evalach[1], qui était en guerre contre un de ses riches et puissants voisins. Lorsque Joseph eut fait la connaissance du roi, il le conseilla si bien que celui-ci triompha de son ennemi sur le champ de bataille grâce à l'aide que Notre-Seigneur lui envoya. Dès son retour dans sa cité, il se fit baptiser par Josephé, le fils de Joseph. Evalach avait un beau-frère dont le nom païen était Seraphé, mais qui, une fois qu'il eut abandonné sa foi, prit le nom de Nascien. Et quand le roi eut renoncé à sa religion pour devenir chrétien, il crut si bien en Dieu et aima tant son Créateur qu'il fut comme un pilier et un fondement de la foi. On vit manifestement qu'il était un homme vertueux et intègre lorsque Notre-Seigneur lui permit de contempler les grands secrets et les mystères du Saint-Graal qu'aucun chevalier de ce temps-là n'avait pu voir qu'indistinctement, à l'exception de Joseph, et que nul depuis n'a pu voir si ce n'est dans son sommeil ou dans ses rêves.

« À cette époque, le roi Evalach vit en songe un grand lac sortir du ventre d'un de ses neveux, fils de Nascien. Et de ce lac coulaient neuf très beaux fleuves dont huit étaient de la même largeur et de la même profondeur. Mais le dernier était plus large et plus profond que tous les autres ensemble et si rapide et si tumultueux que rien n'aurait pu lui résister. Près de sa source, ce fleuve était trouble et épais comme de la boue, au milieu clair et net, et différent encore vers sa fin : là, il était cent fois plus clair et plus limpide qu'en tout autre endroit et son eau était si

55 si douz a boivre que ja mes nus hom ne s'en peust saoler.
Tex estoit li derreeins des .ix. fluns. Aprés esgardoit li rois
Evalach et vooit venir .i. home de vers lo ciel, qui portoit
le tesmoig et la semblance de Nostre Seignor. Et quant il
estoit venuz au lac, si lavoit ses piez et ses mains [dedenz,
60 et en chascun des .viii. fluns fesoit autresi. Et quant il venoit au noviesme, si entroit trestot dedens et lavoit ses piez
et ses mains] et tot son cors.

165. « Cest songe et ceste avision vit li rois Mordrains
en son dormant ; si t'en mosterrai or la senefiance et que
ce fu a dire. Li niés lo roi Mordrain dont li lac issoit, ce
fu Celydoines, li filz Nascien, que Nostre Sires envoia
5 en ceste terre por abatre et por [B^a, f. 39d] confondre les
mescreanz. Cil fu veraiement des serjanz Deu, cil fu des
verais chevaliers Jesucrist. Cil solt del cours et des estoiles et la maniere del firmament et des planetes, autant ou plus que li phylosophe ne fesoient. Et par ce que
10 il en fu ausi come mestres en science et en engin vint il
devant toi tot avironé d'estoiles. Ce fu li premiers rois
crestiens qui maintint [le roiaume d']Escoce. Cil fu veraiement lac, car il fu fonteine de science et en lui pot
l'en puisier et prendre toz les poinz et tote la force de
15 divinité. De celui lac oissirent .ix. fluns, ce sont .ix. persones d'omes qui sont descendu de celui ; non pas einsi
que il soient tuit si fil, ainz est descenduz li .i. de l'autre
par droite engendreure. De ces .ix. sont li .vii. roi et li
autre dui sont chevalier. Li premiers des rois qui oissi
20 de Celydoine si ot non Varpus, [et si] fu buens hom et
molt ama Sainte Yglise. Et li autres si ot a non Nascien
en remenbrance de son aiol ; en celui se herberja Nostre
Sires si merveilleusement que l'en ne sot a son tens nul
plus prodome de lui. Li tierz rois aprés si ot non Helayn
25 le Gros. Icil voussist meuz estre detrenchiez a espees totes nues que il feist rien contre son Criator. Li quarz [B^a,
f. 40a] ot non Ysais. Cil fu preuduens et loiax, et si douta
Nostre Seigneur sor totes choses ; ce fu cil qui onques en
tote sa vie ne corroça son seignor celestiel. Li quinz aprés

douce à boire que nul n'aurait pu s'en lasser. Tel était le
dernier fleuve. Ensuite, le roi Evalach voyait descendre
du ciel un homme qui avait l'aspect et le signe distinctif
de Notre-Seigneur. Une fois près du lac, l'homme y lavait
ses pieds et ses mains et faisait de même dans chacun des
huit fleuves ; mais arrivé au neuvième, il entrait dedans et
lavait ses pieds, ses mains et tout son corps.

165. « Telle est la vision que le roi Mordrain eut dans son
sommeil et dont je vais maintenant t'expliquer le sens. Le
neveu du roi Mordrain d'où sortait le lac, était Celidoine,
le fils de Nascien, que Notre-Seigneur envoya en ce pays
pour détruire et anéantir les incroyants. Il fut un vrai serviteur de Dieu, un vrai chevalier de Jésus-Christ. Il connaissait le cours des étoiles et la configuration du firmament
et des planètes autant ou plus que les philosophes, et c'est
parce qu'il était si grand maître en science et en intelligence qu'il vint devant toi tout environné d'étoiles. Il fut
le premier roi chrétien du royaume d'Écosse. Il fut un vrai
lac, une vraie source de science, et l'on pouvait puiser
en lui toute connaissance sur la divinité et ses attributs.
De ce lac sortirent neuf fleuves, c'est-à-dire neuf hommes
issus de lui ; ils n'étaient pas tous ses fils, mais les descendants les uns des autres par filiation directe. De ces neuf,
sept furent rois, et deux chevaliers. Le premier roi issu de
Celidoine s'appela Varpus, un homme de bien qui aima
beaucoup la Sainte Église. Le second fut nommé Nascien,
en souvenir de son ancêtre ; en lui Notre-Seigneur établit si bien sa demeure que l'on ne connut, en son temps,
aucun homme d'une aussi haute vertu. Le troisième fut
Helayn le Gros, qui aurait préféré être démembré à coups
d'épées nues plutôt que d'offenser son Créateur. Le quatrième s'appela Ysais, homme sage et loyal qui craignait
par-dessus tout Notre-Seigneur et qui ne provoqua jamais
le courroux de son maître céleste. Le cinquième s'appela

30 ot non Jonaans ; cil fu buens chevaliers et loiax et hardiz
plus que nus hom ; cil essauça Sainte Yglise et esleva de
tot son pooir. Cil ne fist onques a son escient chose dont
il quidast corrocier Nostre Seigneur. Cil se departi de cest
païs et s'en ala en Gaule et prist la fille Maronex, dom il ot
35 le roiaume de Gaule tot quite. De celui oissi li rois Lanceloz tes aiels, qui se parti de Gaule et vint maindre en cest
païs, si ot a feme la fille lo roi d'Illande. Cil fu si preudons com tu meismes as seu quant tu trovas a la fonteine
bolant le cors de lui en la tombe que li lion gardoient. De
40 celui oissi li rois Bans tes peres, qui assez fu de plus haute
vie et de plus merveilleuse que mainte jenz ne cuiderent.
En celui out assez Dex greigneur part qu'il ne fu avis au
puple, car il [i ot aucuns qui] quidoient que li dels de sa
terre l'eust acoré, mes no fist ; ainz avoit toz les jorz de
45 sa vie requis a Nostre Seignor qu'Il li lessast trespasser de
cest siecle com il l'en requerroit. Et [mostra bien Nostre
Sires qu'Il avoit oïe sa proiere, car] si tost com il demanda
la mort del cors, si l'ot [et trova la vie de l'ame].

166. « Cez .vii. persones que je t'ai nomees, qui sont
[*B^a*, f. 40b] comencement de ton lignage, ce sont li .vii.
roi qui aparurent en ton songe, qui vindrent devant toi,
et ce sont li .vii. flueve [qui issoient] del lac que li rois
5 Mordrains vit en son dormant ; et en toz cez .vii. a Nostre
Sire lavees ses mains et ses piez. Or covient que je te die
qui li dui chevalier sont qui estoient en lor compaignie. Li
ainznez de cels qui les sivoit, ce est a dire qui estoit descenduz d'els, ce es tu, car tu descendis del roi Ban qui es-
10 toit li derraains des .vii. rois. Et quant il estoient assenblé
devant toi, si disoient a haute voiz : "Pere, vien nos visiter
et si rent a chascun de nos selonc ce que il a deservi, et
nos met en ton ostel !" En ce que il disoient : "Pere, vien
nos visiter" t'acuelloient il en lor compaignie, si prioient
15 Nostre Seignor que il venist querre els et toi, por ce que
il estoient comencemenz de toi et racine. Et par ce que il
disoient : "Rent a chascun selonc ce que il a deservi", si

Jonaan. Ce fut un bon chevalier, plus loyal et plus hardi qu'aucun autre ; il fit tout en son pouvoir pour glorifier et exalter la Sainte Église, et ne commit jamais volontairement quelque action qui pût offenser Notre-Seigneur. Il quitta ce pays et se rendit en Gaule. Il y épousa la fille de Maronex dont il hérita le royaume quitte de toute redevance. De lui naquit le roi Lancelot ton aïeul qui quitta la Gaule pour venir s'établir en ce pays et qui épousa la fille du roi d'Irlande. Ce fut un homme de grande vertu comme tu l'as appris quand tu trouvas à la Fontaine Bouillante[1] son corps gardé par les lions. De lui naquit le roi Ban ton père dont la vie fut beaucoup plus noble, plus remarquable, que beaucoup de gens ne le pensèrent. Dieu occupait en lui une place bien plus grande que ne le supposaient certains de ses sujets en estimant que la perte de sa terre lui avait brisé le cœur, mais ce n'était pas le cas. Tous les jours de sa vie, il avait prié Notre-Seigneur de lui laisser quitter ce monde quand il le Lui demanderait. Et Notre-Seigneur montra bien qu'Il avait entendu sa prière, car dès qu'il demanda la mort du corps, elle lui fut accordée, et il trouva la vie de l'âme.

166. « Ces sept personnes que je viens de te nommer et qui sont à l'origine de ton lignage, ce sont les sept rois qui t'apparurent en rêve, et ce sont les sept fleuves que le roi Mordrain dans son sommeil vit sortir du lac et dans lesquels Notre-Seigneur a lavé ses mains et ses pieds. Il faut maintenant que je te dise qui sont les deux chevaliers qui les accompagnaient. Le plus âgé des deux qui les suivaient, c'est-à-dire qui descendaient d'eux, c'est toi, car tu es le fils du roi Ban, le dernier des sept rois. Une fois tous réunis devant toi, ils disaient : "Père, viens nous visiter, rends à chacun de nous selon ses mérites, et accepte-nous dans ta demeure !" En disant : "Père, viens nous visiter", ils t'accueillaient en leur compagnie et priaient Notre-Seigneur de venir te chercher ainsi qu'eux-mêmes, parce qu'ils étaient la souche dont tu es sorti. Lorsqu'ils disaient : "Rends à chacun selon ses mérites", tu dois

doiz tu entendre qu'il n'ot onques en els se droiture non,
car por amor que il eussent en toi ne voloient il pas proier
20 Nostre Seigneur se de ce non que il devoient, ce est de
rendre a chascun son droit. Et quant il orent ce dit, si te
fu avis que devers le ciel venoit .i. hom auvec grant compaignie d'anges, si descendoit sor els et si donoit a chascun sa beneïçon. Et tot einsi com tu le veis [B^a, f. 40c] en
25 avision, si est il pieça avenu, car il n'i a nul d'els que nos
ne quidons bien que soit en la compaignie des anges.

167. « Et quant il avoit parlé a l'ainzné des .ii. chevaliers
et il li avoit dites les paroles dom il te menbre bien, que
tu doiz reconoistre et prendre sor toi come celes qui sont
dites de toi et por toi, que tu ies senefiez par celui a cui
5 eles estoient dites, aprés venoit au juene chevalier qui de
toi est descenduz, car tu l'engendras en la fille au Roi Pescheor, et einsi descendi il de toi ; si le muoit en figure de
lion, c'est a dire que il le metoit outre tote maniere d'ome
terrien, si que nus ne li resemblast ne en fierté ne en pooir.
10 Puis li donoit eles por ce que nus ne fust si isneax ne si
vistes come lui, ne que nus ne poïst voler si haut ne en
proece ne en autre chose, si li disoit : "Biau filz, or puez
tu aler par tot le monde et voler desus tote chevalerie."
Et cil començoit tantost a voler, si devenoi[ent ses eles]
15 si gran[z] et si merveilleus[es] que toz li monz en estoit
coverz. Tot ce que tu vooies est ja avenu de Galaaz, de
cel chevalier qui est tes filz, car il est de si haute vie
que c'est merveille ; ne de chevalerie ne le puet nus
hom ressembler, ne tu ne autres. Et por ce que il est si
20 haut alez que nus n'i porroit avenir, devons nos dire
que Nostre Sires li a doné eles por voler par desus toz
les autres. Par lui devons nos [B^a, f. 40d] entendre le .ix.
flueve que li rois Mordrains vit en son songe, qui plus
estoit lez et parfonz que tuit li autre ensemble. Or t'ai dit
25 qui furent li .vii. roi que tu veis en ton dormant et qui fu
li chevaliers qui estoit ostez de lor compaignie, et qui iert

comprendre qu'ils agissaient toujours par esprit de justice, et quel que fût l'amour qu'ils te portaient, ils ne voulaient demander à Notre-Seigneur que ce qu'ils devaient demander, c'est-à-dire, de rendre à chacun son dû. Ensuite, tu crus voir un homme environné d'anges descendre du ciel, s'approcher d'eux, et donner à chacun sa bénédiction. Tout ce que tu as vu en rêve est depuis longtemps accompli, car nous pensons bien qu'il n'y en a aucun qui ne soit dans la compagnie des anges.

167. «Lorsqu'il eut adressé à l'aîné des deux chevaliers les paroles dont tu te souviens bien et que tu dois reconnaître et accepter comme tiennes, car c'est à ton sujet et pour toi qu'elles furent prononcées puisque tu es désigné par celui à qui elles ont été dites, il se dirigeait vers le plus jeune chevalier qui est descendu de toi, car tu l'engendras en la fille du Roi Pêcheur. Il le changeait en lion, ce qui veut dire qu'il le mettait au-dessus de toute créature humaine et que nul ne peut l'égaler ni en audace ni en puissance. Puis il lui donnait des ailes afin que personne ne fût aussi rapide et agile que lui et ne pût aller si haut en prouesse ou autres qualités ; et il lui disait : "Cher fils, tu peux maintenant t'en aller par le monde et voler au-dessus de tous les chevaliers." Le jeune chevalier se mettait à voler et ses ailes devenaient si merveilleusement grandes que le monde entier en était recouvert. Tout ce que tu as vu dans ton rêve s'est déjà accompli en la personne de Galaad, ce chevalier qui est ton fils : sa vie est d'une telle sainteté que c'est merveille, et personne, ni toi ni aucun autre, ne peut l'égaler en prouesse. Parce qu'il est allé si haut que nul ne pourrait le rejoindre, nous pouvons bien dire que Dieu lui a donné des ailes pour voler au-dessus de tous les autres, et nous devons voir en lui le neuvième fleuve que le roi Mordrain vit en songe et qui était plus large et plus profond que tous les autres ensemble. Voilà qui étaient les sept rois que tu as vus en rêve, qui était le chevalier qui fut chassé de leur compagnie, et qui était le

li derreeins a cui Nostre Sires donoit sa grant grace, si que
il le fesoit voler par desus toz les autres.

　　– Sire, fet Lanceloz, ce que vos me dites que li Buens
30　Chevaliers est mes filz me fet tot esbahir.

　　– Tu n'en doiz pas estre esbahiz, fet li preudons, ne merveillier ne t'en doiz tu pas. Car tu sez bien que la fille
lo roi Pellés coneus tu charnelment. Iluec engendras tu
Galaaz, ce t'a l'en maint foiz dit. Et cel Galaaz que tu
35　engendras en cele damoisele, si est li chevaliers qui sist le
jor de Pentecoste el Siege Perilleus ; et ce est cil chevaliers
que tu quiers. Si le t'ai dit et fet conoistre por ce que ge
ne vodroie pas que tu te preisses a lui par bataille, car tu
le porroies fere pechier mortelment et toi mal baillir del
40　cors. Car tu puez bien savoir se tu assenbloies a lui par
bataille, ce seroit tantost alee chose de toi, puis que nule
proece ne se puet prendre a la soe.

168. – Sire, fet Lanceloz, molt m'est grant reconfort de
cest[e] chose que vos m'avez dite. Car il me senble que,
puis que Nostre Sires a soffert que si hauz fruit est oissuz de moi, cil qui si est preudons ne doit pas soffrir [*Ba*,
5　f. 41a] que ses peres, qex que il soit, venist a perdicion,
ainz devroit prier nuit et jor Nostre Seignor que il m'ostast
par la soe douce pitié de la male vie ou je ai tant demoré.

　　– Je te dirai, fet li preuduens, coment il est. Des pechiez
mortex porte li peres son fes et li filz le suen ; ne li filz ne
10　partira pas a l'iniquité del pere, ne li peres a l'iniquité del
fil ; mes chascuns selonc ce que il avra deservi recevra
son loier. Et por ce ne doiz tu pas avoir esperance en ton
fil, mes tant seulement en Deu, que se tu celui requiers
d'aide, il t'aidera et secorra au grant besoig.

15　　– Et puis que il est einsi, fet Lanceloz, que autre fors Jesucrist ne me puet aidier ne valoir, lui pri je donc que il me
vaille et ait, si que il ne me lest mie des ore mes chooir es
mains a l'enemi, en tel maniere que ge li poïsse rendre le
tresor que il me demande, ce est l'ame de moi, au grant jor
20　espoantable que il dira as pecheors : "Alez d'ici, malooite
gent, el feu pardurable !" et si dira as autres la douce pa-

dernier à qui Notre-Seigneur donnait une si grande grâce qu'il le faisait voler par-dessus tous les autres.

– Seigneur, dit Lancelot, vous me surprenez beaucoup en me disant que le Bon Chevalier est mon fils.

– Tu ne dois pas en être surpris, répond l'ermite, car tu sais bien que tu as connu charnellement la fille du roi Pellés ; c'est ainsi que Galaad fut engendré, comme on te l'a maintes fois rappelé. Ce Galaad est le chevalier qui, le jour de la Pentecôte, prit place sur le Siège Périlleux, et c'est le chevalier que tu cherches. Je te l'ai dit et fait comprendre, parce que je ne voudrais pas que tu te battes contre lui : tu pourrais le faire pécher mortellement et te faire blesser à mort. Et tu peux bien savoir que si tu entrais en lutte avec lui, c'en serait fait de toi, puisque nulle prouesse n'égale la sienne.

168. – Seigneur, dit Lancelot, vos paroles me sont d'un grand réconfort. Puisque Notre-Seigneur a permis qu'un tel fruit soit issu de moi, un être aussi vertueux ne devrait pas souffrir, me semble-t-il, que son père, quel qu'il soit, perde son âme, mais devrait, nuit et jour, prier Notre-Seigneur de bien vouloir, dans sa douce pitié, m'arracher à la mauvaise vie que j'ai si longtemps menée.

– Je vais te dire ce qui en est, dit l'ermite. Le père porte le fardeau de ses péchés mortels, et le fils le sien ; le fils n'aura jamais part à l'iniquité du père, ni le père à celle du fils[1], mais chacun sera recompensé selon ses mérites. Ne mets donc pas ton espoir en ton fils, mais en Dieu seul, car si tu fais appel à lui, Il t'aidera et viendra à ton secours quand tu te trouveras dans une situation difficile.

– Puisqu'il en est ainsi, dit Lancelot, que nul hormis Jésus-Christ ne peut me venir en aide, je le prie de le faire et de ne pas me laisser tomber aux mains de l'Ennemi, de sorte que je puisse lui rendre le trésor qu'Il me réclame, je veux dire mon âme, le jour d'épouvante où Il dira aux pécheurs : "Allez-vous en d'ici, race maudite, dans les flammes éternelles[2]" et où Il dira aux autres la douce parole :

role : "Venez avant, li benooit oir mon pere, li benooit fil, entrez en la joie qui ja ne vos faudra."

169. Assez parlerent longuement entre Lancelot et le preudome ; et quant il fu hore de [souper], il oissirent de la chapele et s'assistrent en la meson au preudome, si mangierent pain et [burent] cervoise. Et quant il orent mangié,
5 li preudons fist Lanceloz couchier sor l'erbe, come cil qui autre lit n'avoit apareillié. Et il s'i dormi assez bien [B^a, f. 41b], come cil qui toz estoit veincuz de lasseté et de travail, et ne baoit pas tant a la grant ese del monde com il soloit. Car se il i baast graument, il n'i dormist pas a
10 ese, por la terre qui trop ert dure et por la haire qui li es-toit molt dure et molt poignant emprés la char. Mes il est ore a ce menez que ceste mesese et ceste durtez que il a comencié a soffrir li plest tant et enbelist que il n'essaia onques mes rien qui tant li pleust. Et por ce ne li grieve
15 rien li aferes.

Cele nuit se dormi Lanceloz et reposa en la meson au preudome. Et quant li jorz aparut, si se leva et ala oïr le servise Nostre Seignor. Et quant li preuduens ot chanté, Lanceloz prist ses armes et monta en son cheval, si co-
20 manda son oste a Deu. Et li preudons li proia molt que il se tenist en ce qu'il avoit comencié novelement. Et il li promist que si feroit il, se Nostre Sires li donast vie et santé. Si se part[i] maintenant de leenz et chevaucha par mi la forest tot le jor en tel maniere que il ne tenoit ne voie
25 ne sentier. Car il pensoit molt durement a sa vie et a son estre et molt se repentoit des pechiés qu'il avoit fet, par quoi il estoit jetez de la haute compaignie qu'il avoit veue en son dormant. Et ce estoit une chose dont si grant dolor li venoit au cuer, que il avoit grant poor que il n'en chaïst
30 en desesperance. Mes por ce qu'il a del tot mise s'espe-rance en Jesucrist, [B^a, f. 41c] quide il bien encor venir a celui leu dom il est ostez et fere compaignie au parenté dont il est estrez.

170. Et quant il ot chevauchié jusqu'a hore de prime, si

"Venez, vous les héritiers et les fils bénis de mon Père, et entrez dans la joie qui jamais ne vous manquera[3]."

169. Lancelot et l'ermite parlèrent longtemps ensemble. Quand vint l'heure de souper, ils sortirent de la chapelle et allèrent s'asseoir dans la maison de l'ermite où ils mangèrent du pain et burent de la cervoise. Une fois le repas terminé, l'ermite, qui n'avait pas d'autre lit à offrir, fit coucher Lancelot sur l'herbe. Celui-ci dormit assez bien, car il était épuisé et recru de fatigue et se souciait donc moins que d'habitude de son confort. S'il s'en fût soucié, il n'aurait pu dormir, car la terre était très dure et la haire qu'il portait piquait et irritait sa chair. Mais il en est venu au point où cet inconfort et cette dureté qu'il connaît maintenant lui plaisent beaucoup plus que tout ce qu'il a jamais éprouvé. Et sa situation ne le gêne donc nullement.

Cette nuit-là, Lancelot dormit et se reposa dans la maison de l'ermite. Lorsque le jour parut, il se leva et alla entendre l'office de Notre-Seigneur. Une fois que l'ermite l'eut célébré, Lancelot prit ses armes, monta à cheval et recommanda son hôte à Dieu. L'ermite l'engagea vivement à tenir les résolutions qu'il venait de prendre et Lancelot lui promit qu'il le ferait, si du moins Notre-Seigneur lui donnait vie et santé. Sans plus s'attarder, il se mit en route et chevaucha toute la journée dans la forêt sans suivre ni chemin ni sentier, car il réfléchissait à toute sa vie passée et se repentait de ses péchés qui l'avaient exclu de la haute compagnie qu'il avait vue en rêve. Cette pensée lui causait une telle douleur qu'il avait grand-peur de céder au désespoir. Mais parce qu'il a mis toute sa confiance en Jésus-Christ, il pense bien qu'il pourra encore parvenir à ce lieu d'où il a été banni et rejoindre ceux dont il est issu.

170. Ayant chevauché jusqu'à l'heure de prime, il arriva

vint a une grant place qui estoit en mi la forest ; et il voit
devant lui .i. chastel fort et grant et avironé tot de murs et
de fossez. Et par devant le chastel avoit .i. pré ou il avoit
5 tendu paveillons de dras de soie toz ovrez de diverses co-
leurs, et si en i avoit bien jusqu'a cent. Et par devant les
paveillons avoit bien monté .v.^{c}. chevaliers et plus desor
granz destriers, et si avoient ja comencié .i. tornoiement
grant et merveilleus. Si estoient li .i. bien covert de blan-
10 ches armeures et li autre estoient covert de noires, ne nule
autre diverseté d'armes il n'avoit entr'els tot. Mes cil qui
avoient les noires armeures se tenoient devers lo chastel,
et cil qui avoient les blanches armeures se tenoient par devers la forest. Si avoient ja comencié le tornoiement trop
15 grant et trop merveilleus, et tant i avoit ja homes abatuz
d'une part et d'autre que ce estoit une merveille. Et Lanceloz si regarde le tornoiement grant piece, et tant que il li
est avis que cil par devers le chastel [B^a, f. 41d] si en ont
de trop le poior et que il perdent la place ; et si avoient il
20 assez greigneur compaignie que li autre. Et quant il voit
ce, si se torne maintenant devers els come cil qui leur voudra aidier de tot son pooir. Lors besse la lance, si lesse
corre le cheval et fiert le premier que il encontre si durement que il porte a terre et lui et le cheval. Il hurte outre et
25 fiert .i. autre et brise son glaive, mes toutevoies l'abati il a
terre. Il met la main a l'espee et si comence a departir entr'els grandimes cox amont et aval et point ça et la par mi
le tornoiement, come cil qui de grant proece estoit pleins ;
si a fet tant en pou d'ore que tuit cil qui le voient li donent
30 le los et le pris de tot le tornoiement. Et neporquant il ne
puet venir au desus de cels qui encontre lui sont, car tant
sont soffrant et endurant que il s'en esbahist toz. Et il fiert
sor els et maille autressi com il feist sor une piece de fust.
Mes cil ne mostrent pas que il se sentent des cox que il lor
35 done, car nule foiz n'en recule[nt], ainz prenent toz jorz
sor lui terre. Si le lassent tant durement par soffrir et par
endurer que il ne se puet mes aidier ne lever s'espee, ainz
est tant durement las et travailliez que il ne quide pas [B^a,
f. 42a] qu'il ait ja mes pooir de porter armes. Et cil le prenent

à une grande clairière et vit en face de lui un grand château fort tout entouré de murs et de fossés. Dans une prairie, devant le château, étaient dressées une centaine de tentes en soie de diverses couleurs. Et devant elles, cinq cents chevaliers, sinon plus, montés sur de grands destriers, avaient commencé un magnifique tournoi. Les uns portaient des armures blanches, les autres des armures noires, et c'était là la seule différence entre eux. Mais ceux qui portaient les armures noires se tenaient du côté du château et ceux qui avaient les armures blanches se tenaient du côté de la forêt. Ce prodigieux tournoi durait depuis quelque temps et déjà un nombre si considérable de chevaliers des deux côtés avaient été abattus que c'était merveille. Lancelot regarde longuement le combat jusqu'au moment où il s'aperçoit que ceux du château ont le dessous et cèdent du terrain, encore qu'ils soient les plus nombreux. Il se dirige aussitôt de leur côté dans l'intention de les aider de son mieux. Il baisse sa lance, laisse courir son cheval, et frappe le premier adversaire qu'il rencontre avec une violence telle qu'il le renverse avec sa monture. Poursuivant sur sa lancée, il en frappe un autre et ce faisant brise sa lance, mais parvient quand même à le jeter à terre. Il tire alors son épée, se précipite dans la mêlée et assène çà et là de terribles coups, en homme de grande prouesse. En très peu de temps, il accomplit de tels exploits que tous les assistants lui accordent l'honneur et la gloire du tournoi. Pourtant, il ne peut venir à bout de ses adversaires dont la ténacité et l'endurance le laissent stupéfait. Il frappe sur eux à coups redoublés comme s'il frappait sur un morceau de bois, mais ils ne paraissent pas sentir les coups qu'il leur donne et, loin de reculer, ils ne cessent de gagner du terrain sur lui. L'endurance dont ils font preuve le fatigue si bien qu'il ne peut plus faire usage de ses forces ni lever son épée, et son épuisement est tel qu'il pense qu'il ne pourra plus jamais porter ses armes. Ils se saisissent de

40　a force, si le moinent vers la forest et le metent dedenz,
et tuit si compaignon si furent maintenant veincu q'il lor
failli d'aide. Et cil qui en meinent Lancelot li distrent :

– Or, Lancelot, nos avons tant fet, la merci Deu, que vos
estes des noz et que nos vos tenons en nostre prison ; et se
45　vos en volez oissir, il vos covient fere nostre volenté.

Et il lor creante, si s'en parti tot de maintenant et si les
lesse en la forest. Si s'en vait tot .i. autre sentier que cele
part que il estoit venuz.

171. Et quant il est une grant piece esloignié de cels qui
pris l'avoient, et il se pense que il avoit hui esté a ce mené
la ou onques mes ne pot estre menez, ce est ce que il ne pot
onques mes venir en tornoiement que il ne veinquist, ne si
5　ne pot onques mes estre pris en tornoiement. Et quant il se
porpense de ce, si fet trop grant duel et trop merveilleus et
si dit que or voit il bien qu'il est plus pechierres que [nus]
autres pechierres. Car ses pechiez et sa male aventure li a
[del tot] toloit le pooir del cors et la veue des euz, et ce si
10　fu bien provee chose par la venue del Saint Graal que il ne
pot [veoir]. De la force de son cors a il ci esprové veraiement, car il ne fu [B^a, f. 42b] onques mes entre si pou de
gent com il a esté a cest tornoiement que il i poïst onques
estre ne las ne traveilliez, ains les fesoit au derreein foïr
15　de place, ou il vossissent ou non. Einsi dolenz et corrociez
chevaucha tant Lanceloz que [la nuiz le sorprint] en une
valee qui estoit grant et parfonde. Et quant il voit que il
ne porroit mie venir a la montaigne, si descent desoz .i.
grant pueplier et pense de son cheval oster la sele et lo
20　frain, et de soi alegier de son hiaume et de son escu, si
abat sa ventaille. Et maintenant s'assiet desoz l'arbre, si
s'endort assez legierement, come cil qui plus avoit [le jor]
esté traveilliez que il n'avoit esté pieça mes.

172. Quant il fu endormiz, si li fu avis que devant lui
venoit .i. hom qui resenbloit bien preudome par semblant,
si venoit vers lui autresi come corrociez et [li] disoit :

lui, le mènent dans la forêt et l'y laissent. Privés de son aide, tous ses compagnons sont aussitôt vaincus ; et ceux qui emmènent Lancelot lui disent alors :

– Lancelot, nous avons tant fait, par la grâce de Dieu, que vous voici avec nous, en notre pouvoir ; et si vous voulez vous en aller, il vous faut jurer de vous plier à notre volonté.

Il le jure et, les laissant dans la forêt, il s'en va aussitôt empruntant un sentier autre que celui par lequel il était venu.

171. Une fois qu'il se trouve à bonne distance de ceux qui l'avaient pris, il se met à réfléchir et se dit que jamais il n'a été, comme aujourd'hui, réduit à un tel état, car il était toujours sorti vainqueur des tournois auxquels il avait pris part et n'y avait jamais été fait prisonnier. À cette pensée, il s'abandonne à un immense désespoir et dit qu'il voit bien qu'il est le plus grand des pécheurs puisque ses péchés et sa mauvaise fortune lui ont fait perdre la vue et la force physique. Pour ce qui est de la vue, la preuve en est qu'il n'a pu voir le Saint-Graal lorsqu'il est venu devant lui. Et de même pour la force physique, car il n'a jamais ressenti une telle fatigue en participant à un tournoi où un si petit nombre de chevaliers prenaient part ; au contraire, il réussissait toujours à mettre ses adversaires en fuite, qu'ils l'eussent voulu ou non. Ainsi, triste et abattu, Lancelot chevaucha jusqu'à ce que la nuit l'eût surpris dans une large et profonde vallée. Voyant qu'il ne pourrait atteindre la montagne, il met pied à terre sous un grand peuplier. Il prend soin de son cheval, lui ôte la selle et le mors, puis il se défait de son heaume et de son écu et rabat sa ventaille. Après quoi, il s'assied sous l'arbre et s'endort sans peine, car il était plus fatigué ce jour qu'il ne l'avait été depuis longtemps.

172. Une fois endormi, il crut voir un homme d'aspect très vénérable s'approcher de lui en lui disant avec colère :

– Hé ! home de povre foi et de male creance, por quoi
est ta volenté si legierement tornee vers ton enemi mortel ? Se tu ne t'i gardes, il te fera chooir el parfont puiz
dont nus hom ne resort.

Quant il avoit ce dit, si s'esvanoïssoit en tel maniere que
Lanceloz ne sot que il estoit devenuz. Si estoit molt a malese de ceste parole ; mes por ce ne s'esveilloit il pas, ainz
li avint einsi que il s'endormi jusqu'a l'endemain que li
jorz aparut clers et biax. Et si se lieve, si fet le signe de la
vraie croiz en mi son front. Il regarde [B^a, f. 42c] tot entor
lui, mes il ne voit mie de son cheval ; et neporquant tant le
quiert amont et aval que il le trueve. Puis met la sele et lo
frain et monte tantost com il est armez.

173. Et quant il s'en voloit aler, si regarde a destre del
chemin, si voit pres de lui a une archie une chapele ou il
avoit une recluse, que l'en tenoit a une des bones dames
del monde. Et quant il voit la chapele, si dit que voirement est il meschaanz et que ses pechiez le destorne de
toz biens. Car la ou il est ore vint il ersoir de tele hore que
il poïst bien estre alez a la chapele tot de jorz et avoir demandé conseil de son estre et de sa vie. Il torne cele part et
descent a l'entree de la chapele, si atache son cheval a .i.
arbre, si oste son hiaume de sa teste et son escu de son col,
et si desceint s'espee, si s'en vient tot droit devant l'uis de
la chapele. Et quant il est enz, si voit que desus l'autel estoient li garnement [de Sainte Eglise] tuit prest come por
revestir, et devant l'autel si estoit li chapeleins, vielz hom
et chanuz, a coutes et a jenouz, si disoit ses oroisons ; et
ne demora gueres que il prist les armes Nostre Seigneur et
s'en revesti, si comença la messe de la gloriose Mere Deu.
Et quant il l'ot chantee et il se fu desvestuz, la recluse,
qui avoit une petite boete par ou ele vooit a l'autel, apela
Lancelot por ce que chevalier errant li sembloit et bien
quidoit que il eust mestier de conseil. Lanceloz vint a li,
et ele li demande maintenant cui il estoit [et de quel leu]
et que il aloit querant. Et il li [B^a, f. 42d] respont tot mot a
mot einsi com ele li avoit demandé. Et quant il li a tot dit,

– Ah! homme de peu de foi[1] et de pauvre croyance, pourquoi ta volonté est-elle si aisément portée vers ton ennemi mortel? Si tu ne te gardes, il te fera tomber dans le puits sans fond dont nul ne ressort.

Sur ce, il disparaissait sans que Lancelot pût savoir ce qu'il était devenu. Bien que profondément troublé par ces paroles, Lancelot ne se réveilla pas pour autant et dormit jusqu'au lendemain lorsque le jour parut beau et clair. Il se lève alors et fait le signe de la vraie croix sur son front. Regardant autour de lui, il ne voit plus son cheval, mais après l'avoir cherché de tous côtés, il le trouve, lui met la selle et le mors et le monte dès qu'il s'est armé.

173. Comme il s'apprêtait à partir, il regarde sur sa droite et aperçoit, à une portée d'arc, une chapelle où vivait une recluse que l'on tenait pour une des plus saintes dames du pays. À la vue de la chapelle, il se dit qu'il est vraiment infortuné et que ses péchés le détournent de tout bien : n'était-il pas venu là hier au soir alors qu'il faisait encore jour et qu'il aurait pu aller demander conseil sur lui-même et sur sa vie? Il se dirige donc vers la chapelle, met pied à terre à l'entrée, attache son cheval à un arbre, ôte son écu, son heaume et son épée, puis se rend tout droit vers la porte. Une fois à l'intérieur, il voit sur l'autel les ornements sacerdotaux prêts à être revêtus et, devant l'autel, le chapelain, un vieillard aux cheveux blancs, qui priait, prosterné sur les coudes et les genoux. Peu après, il revêtit les armes de Notre-Seigneur et commença la messe de la glorieuse Mère de Dieu. Quand il l'eut chantée et qu'il se fut dévêtu, la recluse, qui voyait l'autel par une petite ouverture, appela Lancelot pensant bien que c'était un chevalier errant qui avait besoin de conseil. Il s'approche, et elle lui demande tout de suite qui il est, de quel pays, et ce qu'il cherche. Il répond avec la plus grande exactitude à toutes ses questions. Et après l'avoir informé de tout, il

25 si li conte l'aventure del tornoiement ou il avoit ier esté, et
coment cil as blanches armes le pristrent et la parole qui li
avoit esté dite. Aprés li conte l'avision qu'il avoit ier veue
en son dormant. Et quant il li a tot conté son estre, si la
30 prie qu'el[e] le conselt a son pooir. Et ele [li] dist tot de
maintenant :

174. – Lancelot, [Lancelot], tant com vos fustes chevaliers des chevaleries terrienes, si fustes vos li plus merveilleus hom del monde et li plus aventureus. Or premierement come vos estes devenu [.i. des] chevalier[s]
5 celestiex, se aventures merveilleuses vos avient, ce
n'est pas merveille. Et neporquant del tornoiement que
vos veistes ier vos dirai ge la senefiance ; car tot ce que
vos en veistes ne fu fors ausi com une demostrance de
Nostre Seignor. Et neporquant, sanz faille [nule et sanz
10 point de decevement], cil tornoiemenz estoit de chevaliers
terriens ; mes [assez] i avoit greigneur senefiance que il
meismes ne quidoient. [Tout avant] vos dirai por quoi li
tornoiemenz fu empris et qui estoient li chevalier. Li tornoiemenz fu empris por vooir li quex avroit plus cheva-
15 liers, ou Eliezer, li fiz lo roi Pellés, ou Argustes, li fiz lo
roi Herlan. Et por ce que l'en poïst conoistre les uns des
autres fist Elyezer le[s] suens covrir trestoz de [blanches]
covertures. Et quant il furent ajosté ensemble, si furent li
noir [*B^a*, f. 43a] [vaincu], encor lor aidissiez vos et encor
20 eussent il greignor gent que li autre n'avoient.

175. « Or vos dirai la senefiance de ceste chose. Avant
ier, le jor de Pentecoste, pristrent li chevalier terrien et li
chevalier celestiel .i. tornoiement ensemble, ce est a dire
qu'il comencierent ensemble chevalerie. Et quant li che-
5 valier qui estoient en pechié mortel, ce sont li terrien, et li
celestiel, ce sont li verai chevalier, li preudome qui n'estoient pas en ordure de pechié, comencierent la Queste del
Saint Graal, ce fu li tornoiemenz que il empristrent ; li terrien, qui avoient la terre es euz et el cuer, pristrent noires
10 covertures, come cil qui estoient covert de pechiez noirs

lui raconte l'histoire du tournoi de la veille, comment les chevaliers aux armes blanches l'avaient capturé et les paroles qui lui avaient été dites et, finalement, la vision qu'il avait eue dans son sommeil. Son récit achevé, il la prie de le conseiller du mieux qu'elle peut. Elle répond aussitôt :

174. – Lancelot, Lancelot, tant que vous avez fait partie de la chevalerie terrestre, vous avez été le plus remarquable chevalier du monde et le plus avide d'aventures. À présent que vous vous êtes engagé dans la chevalerie céleste, ne vous étonnez pas s'il vous arrive de merveilleuses aventures. Je vais néanmoins vous dire la signification du tournoi d'hier, car tout ce que vous avez vu n'était autre qu'une manifestation de Notre-Seigneur. Et pourtant, et sur ce point il ne peut y avoir ni erreur ni tromperie, c'était bien un tournoi de chevaliers terrestres ; mais la signification de ce tournoi était bien plus grande qu'eux-mêmes ne le pensaient. Tout d'abord je vous dirai pourquoi ce tournoi a été entrepris et qui étaient les chevaliers. Il fut entrepris pour voir qui aurait le plus de chevaliers, Eliezer, le fils du roi Pellés ou Argustes, le fils du roi Herlan. Et pour qu'on puisse distinguer les deux camps, Eliezer fit prendre à ses hommes des housses blanches. Le combat fut engagé et les chevaliers aux housses noires furent vaincus en dépit de votre aide et de leur plus grand nombre.

175. « Je vais vous expliquer la signification de tout cela. Il y a quelque temps, le jour de la Pentecôte, les chevaliers terrestres et les chevaliers célestes s'assemblèrent pour un tournoi, c'est-à-dire qu'ils s'engagèrent ensemble dans la Quête. Et quand les chevaliers terrestres qui étaient en état de péché mortel, et les chevaliers célestes, les vrais chevaliers, les justes qui n'étaient pas souillés par le péché, commencèrent la Quête du Saint-Graal, je veux dire le tournoi, les chevaliers terrestres, dont les yeux et le cœur étaient remplis de terre, prirent des housses noires, en

et horribles. Li autre qui estoient celestiel, si pristrent covertures blanches, c'est [de] virginité [et de] chastee, ou
il n'avoit nerté ne tache. Quant li tornoiemenz fu comen-
ciez, c'est a dire quant la Queste fu comencié, tu regardas
15 les pecheors et les preudomes. Si te fu avis que li pecheor
estoient veincu. Et por ce que tu estoies de la partie as
pecheors, c'est a dire que tu estoies en pechié mortel, si te
tornas devers els, si te mellas as preudomes. Bien t'i mellas tu, quant tu a Galaaz ton fil vossis joster, a cele hore
20 que il abati to[n cheval] et [le] Perceval ensemble. Quant
tu eus grant piece esté el tornoiement et tu fus si lassez
que tu ne pooies mes avant, li preudome te pristrent et te
menerent en la forest et oïs ce que il te requeroient. Quant
tu fus avant hier entrez [*B*ᵃ, f. 43b] en la Queste et li Sainz
25 Graax t'aparut, lors te trovas [tu] si vils et si orz et si
lassez de pechiez que tu ne quidoies pas que ja mes poïsses porter armes, c'est a dire [quant tu te veis si vix et
orz] que tu ne quidoies pas que ja mes Nostre Sires feist
de toi son chevalier ne son serjant. Mes tantost te pris-
30 trent li preudome de religion et li hermite, qui te mistrent en la voie Nostre Seigneur, qui est pleine de vie et
de verdor ausi com la forez estoit. Si te conseillierent tot
ce qui t'estoit profitable a l'ame. Et quant tu fus departi
d'els, tu ne tornas pas a la voie que tu estoies alé devant,
35 c'est a dire que tu ne venis pas a pechier si mortelment
com tu fesoies devant. Et neporquant, puis qu'il te sovint de la vaine gloire del siecle et de l'orgoil que tu so-
loies demener, si començas a fere ton duel por ce que
tu n'avoies tot veincu, dont Nostre Sires se dut corrocier a
40 toi. Et bien le te mostra en ton dormant, quant il te vint
dire que tu estoies de povre foi et de male creance, et
t'amentut que li enemis te feroit chooir el parfont puis,
c'est en enfer, se tu ne t'i gardes bien.

176. « Or t'ai devisee la senefiance del tornoiement et
de ton songe por ce que tu te gardes que tu ne te partes
de la voie de verité par veine gloire [ne par aucune racine

hommes couverts de noirs et horribles péchés. Les chevaliers célestes, eux, prirent des housses blanches, symboles
de virginité et de chasteté où il n'y a ni tache ni noirceur.
Quand le tournoi, c'est-à-dire la Quête, fut commencé, tu
regardas les pécheurs et les justes et il te sembla que les
pécheurs étaient en difficulté. Comme tu étais du côté de
ces pécheurs, puisque tu étais en état de péché mortel, tu te
joignis à eux pour combattre les justes. C'est ce que tu fis
lorsque tu voulus jouter contre Galaad ton fils, le jour où il
abattit ton cheval et celui de Perceval[1]. Au bout d'un long
combat et comme tes forces t'abandonnaient, les bons
chevaliers se saisirent de toi et t'emmenèrent dans la forêt
où ils te dirent ce qu'ils exigeaient de toi. Lorsque, il y a
quelque temps, tu es entré dans la Quête et que le Saint-
Graal t'est apparu, tu t'es jugé si vil, si souillé et accablé
de péchés que tu as pensé ne plus pouvoir jamais porter
les armes, autrement dit, que jamais plus Notre-Seigneur
ne voudrait faire de toi son chevalier et son serviteur. Mais
très vite les hommes de religion et les ermites t'ont pris
en main et t'ont mis sur la voie de Notre-Seigneur qui
est pleine de vie et de verdure comme était la forêt. Et
ils t'ont conseillé tout ce qui était profitable à ton âme.
Après les avoir quittés, tu n'as pas repris la route que tu
avais suivie précédemment, c'est-à-dire que tu n'as pas
recommencé à pécher mortellement comme tu le faisais
auparavant. Pourtant, dès que tu t'es souvenu de la vaine
gloire de ce monde et de l'orgueil dont tu faisais preuve,
tu as commencé à te lamenter parce que tu n'avais pas
tout vaincu en toi, ce dont Notre-Seigneur eut lieu de se
courroucer. Il te le montra bien durant ton sommeil lorsqu'Il vint te dire que tu étais un homme de peu de foi et
de pauvre croyance et te rappela que l'Ennemi te ferait
tomber dans le puits sans fond, c'est-à-dire l'enfer, si tu
ne te tenais sur tes gardes.

176. «Je t'ai donc expliqué la signification du tournoi
et de ton rêve afin que tu ne t'écartes pas de la voie de la
vérité par amour de la vaine gloire ou par quelque orgueil

d'orgoil]. Car a ce que tu as meserré tantes foiz vers ton
5　Criator, saches veraiement, se tu fez vers lui chose que tu
ne doies, il te lera tant forsvoier et trebuchier de pechié en
pechié, qe tu charras en pardurable poine, ce est en enfer.

A tant se test la dame [*B^a*, f. 43c] et il respont :

– Dame, vos en avez tant dit, et vos et li preudome a cui
10　je ai parlé, que se [je] ja mes chooie en pechié mortel, l'en
me devroit plus blasmer que [nul] autre pecheor.

– Dex vos otroit, fet ele, par sa pitié que vos ja mes n'i
renchaoiz !

Lors li redit :

15　– Lancelot, ceste forest si est molt granz et molt desvoiable ; si i puet bien .i. chevalier errer tote jor a jornee
en mainz leus que ja ne trovera ne meson ne recet. Por ce
vueil je que vos me dites se vos manjastes hui. Car se vos
n'avez mangié, nos vos dorrions de tel charité come Dex
20　nos a prestee.

Et il dit que il ne manja ne hui ne ier. Et ele li fet aporter
pain et eve. Et il entre en la meson au chapelein et prent la
charité que Dex li a envoié.

177. Quant il a mangié, si se part de leenz, si comande
la recluse a Deu et chevauche tote jor a jornee. La nuit
jut en une roche haute et merveilleuse sanz compaignie
de nule gent fors de Deu ; et il fu grant partie de la nuit
5　en proieres et en oroisons, et si se dormi grant piece.
L'endemain, quant il vit le jor paroir, si fist le signe de
la croiz en mi son front ; puis se mist a coutes et a je
nouz contre oriant et fist sa proiere tele come il la savoit.
Lors vint a son cheval et monta [sus] quant il ot mis le
10　frein et la sele, si racueilli son chemin ausi com il avoit
fet devant autre foie. Puis chevaucha tant que il vint aprés
none en une valee parfonde, trop bele [a veoir et trop de-
litable], qui estoit entre .ii. roches granz et merveilleuses.
[*B^a*, f. 43d] Quant il vint en la valee, si comença a penser
15　molt durement. Lors il regarde devant lui, si voit l'eve que
l'en apeloit Marcoise, qui la forest departoit en .ii. parties.
Et quant il voit ce, si ne set que fere, car il voit que par mi

invétéré. Ayant commis tant de fautes envers ton Créateur, sache que, si tu l'offenses encore, il te laissera te fourvoyer et aller de péché en péché jusqu'à ce que tu tombes dans la peine éternelle, c'est-à-dire en enfer.

La dame se tait alors et Lancelot répond :

– Ma dame, vous m'en avez tant dit, vous et les ermites avec qui j'ai parlé, que si je retombe en état de péché mortel, je serai plus à blâmer qu'aucun autre pécheur.

– Que Dieu, dans sa miséricorde, ne vous laisse plus y retomber, lui répond la dame.

Puis elle ajoute :

– Lancelot, cette forêt est très vaste et il est facile de s'y égarer. Un chevalier peut la parcourir toute une journée en tous sens sans trouver ni maison ni refuge. Aussi dites-moi si vous avez mangé aujourd'hui, car si vous n'avez pas mangé, nous vous donnerons ce que la charité de Dieu nous a prêté.

Il lui répond qu'il n'a mangé ni ce jour ni la veille, et elle fait apporter du pain et de l'eau. Lancelot entre dans la maison du chapelain et prend la charité que Dieu lui a envoyée.

177. Dès qu'il a mangé, il s'en va en recommandant la recluse à Dieu, et chevauche toute la journée. Il passa la nuit sur un rocher extrêmement élevé sans aucune compagnie hormis celle de Dieu. Il resta une grande partie de la nuit en prières et oraisons, puis dormit longtemps. Le lendemain, quand le jour parut, il fit le signe de la croix sur son front, se prosterna sur les coudes et les genoux face à l'orient et récita la prière qu'il savait. Ensuite, il vint à son cheval, et quand il eut mis le frein et la selle, il monta et reprit sa route comme il l'avait fait auparavant. Passé l'heure de none, il arriva dans une vallée profonde, très belle, très attrayante, qui s'étendait entre deux montagnes d'une hauteur prodigieuse. Une fois là, il se trouva fort perplexe. Regardant devant lui, il voit la rivière appelée Marcoise, qui divise en deux la forêt, et il ne sait que faire, car il lui faudra traverser cette rivière profonde et

l'eve, qui tant est parfonde et perilleuse, le covendra passer, et c'est une chose qui molt l'esmaie. Et neporquant il
20 met si del tot [s'esperance et] sa fiance en Jesucrist qu'il
s'en jete tot hors del penser, et pense qu'il passera bien a
l'aide de Deu.

178. Et tandis com il estoit en cel pensé [li avint une
aventure molt merveilleuse], qu'il vit oissir de l'eve .i.
chevalier [armé d'unes armes] plus noir[es] que meure,
et sist sor .i. grant cheval noir. Et la ou il voit Lancelot, si
5 li adrece le glaive aloignié sanz [lui] mot dire et fiert son
cheval si durement que il l'ocit, mes lui ne touche ; si s'en
va [si grant] oirre qu'il est en pou d'ore si esloignié que
Lanceloz n'en pot point vooir. Et quant il voit son cheval
desoz lui ocis, si [se relieve, et si n'en] est trop dolenz
10 [puis qu'il plest a Nostre Seignor]. Mes il nel regarde onques, ainz s'en vet outre [si armez com il estoit]. Et com il
est venuz jusq'a l'eve [il ne voit pas coment il poïst outre
passer], si s'arreste, si oste son hiaume et s'espee et son
escu et son glaive, si se couche delez une roche et dit qu'il
15 atendra ilueques tant que Nostre Sires li envoiera secors
d'aucune partie.

Einsi est Lanceloz a pié enclos de trois parties, d'une
part de l'eve et d'autre part des roches, et d'autre part [de]
la forest. Si ne set tant regarder en nule de cez .iii. par-
20 ties qu'il i voie sa sauveté terriene. Car s'il monte en [*B*ᵃ,
f. 44a] la roche et il a talent de mangier, la ne trovera il
ja chose qui sa faim li estanche, se Nostre Sires [n'i] met
conseil. Et s'il entre en la forest, [a ce qu'ele est la plus
desvoiable qu'il onques trovast], il [i] porra tost esgarer
25 [et demorer lonc tens qu'il n'i trovera home ne fame qui
le conselt]. Et s'il entre en l'eve, il ne voit [mie] coment
il en poïst oissir sanz peril, car ele est noire et parfonde
durement, si qu'il ni porroit pas prendre fonz. Cez trois
choses le font remanoir a la rive et estre en proieres et
30 en oroisons envers Nostre Segneur Jesucrist, que Il par sa
douce pitié et par la soe misericorde le viegne reconforter
et visiter, et doner li conseil, si que il ne puist chooir en

dangereuse et cela l'effraie fort. Et pourtant il met toute son espérance et sa confiance en Jésus-Christ si bien qu'il chasse son inquiétude et se dit qu'avec l'aide de Dieu il parviendra à la traverser.

178. Il en était là de ses réflexions lorsqu'il lui arriva une aventure merveilleuse. Il vit sortir de l'eau un chevalier portant des armes plus noires que les mûres et monté sur un grand cheval noir. Sans mot dire, le chevalier fonce sur Lancelot, lance en arrêt, et frappe son cheval avec une force telle qu'il le tue, mais sans toucher Lancelot. Puis il s'éloigne si rapidement qu'il a tôt fait de disparaître. Quand Lancelot voit son cheval tué sous lui, il se relève, pas trop affligé puisque telle est la volonté de Notre-Seigneur. Sans un regard pour son cheval, il s'en va, armé comme il l'était. Arrivé à la rivière, et ne voyant pas comment il pourrait la traverser, il s'arrête, se défait de son heaume, de son épée, de son écu et de sa lance, se couche près d'un rocher et dit qu'il restera là jusqu'à ce que Notre-Seigneur lui envoie quelque secours.

Voici donc Lancelot sans cheval, et cerné de trois côtés : de l'un par la rivière, de l'autre par les montagnes, du troisième par la forêt. Il a beau regarder de ces trois côtés, il voit qu'il ne peut espérer aucun secours terrestre. S'il monte sur la montagne et qu'il ait besoin de manger, il n'y trouvera rien pour apaiser sa faim, à moins que Notre-Seigneur n'intervienne. S'il entre dans la forêt, qui est la plus dangereuse qu'il ait jamais connue, il pourra très vite s'égarer et rester longtemps sans rencontrer ni homme ni femme qui puisse l'aider. Et s'il entre dans la rivière, il ne voit pas comment il pourrait en réchapper, car elle est si noire et si profonde qu'il n'aura pas pied. Ces trois considérations le font rester sur la rive, priant Notre-Seigneur Jésus-Christ d'avoir pitié de lui, de venir le visiter, de le réconforter et de le conseiller afin qu'il ne se laisse pas

temptacion d'enemi, ne estre mené jusq'a desesperance.
Mes a tant lesse ore li contes a parler de lui et retorne a
35 monseigneur Gauvain.

179. Or dit li contes que quant messires Gauvain se fu
departiz de ses compaignons, si chevaucha mainte jornee
loig et pres tot sanz aventure trover qui face a ramentevoir
en conte. Et tot autressi fesoient trestuit li autre compai-
5 gnon, car il ne trovoient pas de .x. tanz tant d'aventures ne
de merveilles com il soloient trover devant la Queste del
Saint Graal ; et por ceste chose lor anoioit plus la Queste.
Mes messires Gauvain chevaucha [des la Pentecoste]
jusq'a la feste de la Madaleine que il ne trova onques ne
10 pres ne loig nule aventure qui gaires li pleust [*B^a*, f. 44b] ;
et si s'en merveilloit il trop durement, car en la Queste
del Saint Graal quidoit il que les plus forz aventures et
trestotes les plus merveilleuses fussent trovees assez plus
tost que en autre leu. Un jor li avint si com il chevauchoit
15 par mi le chemin que il encontra Hestor des Mares qui
venoit tot seul chevauchant ; si s'entreconurent maintenant que il s'entrevirent, si s'entrefirent tote la greigneur
joie del monde. Maintenant a demandé messires Gauvain
a Hestor coment il li estoit. Et i[l] li respont que il est toz
20 seinz et toz hetiez, mes que il ne trova pieça nule aventure
merveilleuse en leu ou il venist.
   – Par foi, fet soi messires Gauvain, de ceste chose me
voloie je complaindre a vos. Car, se Dex me conselt, onques puis que je me parti de la cité de Kamaalot ne trovai
25 je aventure nule. Si ne sai pas coment ce est alé : car por
aler en estranges terres et en lointains païs et en terrez
sauvages et merveilleuses et por chevauchier de nuiz et

tenter par l'Ennemi et qu'il ne cède pas au désespoir. Mais ici le conte cesse de parler de lui et revient à monseigneur Gauvain.

CHAPITRE VIII

Gauvain et Hector

179. Le conte dit que lorsque monseigneur Gauvain eut quitté ses compagnons, il chevaucha longtemps de tous côtés sans rencontrer d'aventure digne d'être rapportée. Il en allait de même pour tous les autres compagnons qui trouvaient dix fois moins d'aventures et de merveilles qu'ils n'en trouvaient avant d'entreprendre la Quête du Saint-Graal, et c'est là ce qui les contrariait le plus. Monseigneur Gauvain chevaucha de la Pentecôte jusqu'à la Sainte-Madeleine[1] sans rencontrer nulle part une aventure qui lui plût vraiment. Il en était fort surpris, car il pensait qu'il trouverait très vite, dans la Quête du Saint-Graal, des aventures plus difficiles et plus surprenantes que partout ailleurs. Un jour, il rencontre sur son chemin Hector des Mares qui chevauchait tout seul. Ils se reconnurent immédiatement et manifestèrent une grande joie à se retrouver. Monseigneur Gauvain demanda à Hector comment il allait et Hector répondit qu'il allait très bien, mais que depuis longtemps il n'avait rencontré aucune aventure merveilleuse.

— Par ma foi, dit monseigneur Gauvain, je voulais me plaindre à vous de cela. Car, que Dieu me conseille, je n'ai rien trouvé depuis que j'ai quitté la cité de Camaalot. Je ne me l'explique pas, mais ce n'est pas faute d'avoir voyagé en terres étrangères et en pays lointains et d'avoir chevauché nuit et jour. Et je vous jure, à vous qui êtes mon

de jorz ne remeist il pas. Car ge vos creant loiaument com
a mon compaignon et a mon ami que por aler seul, sanz
30 autre besoigne fere, ai je [puis] ocis plus de .x. cheva[liers]
[dont li pires valoit assez, ne aventure ne trovai nule].

Et Hestor se comence trop a seignier de la merveille
qu'il en a.

— Or me dites, fet soi messires Gauvain, se vos trovastes
35 [*B^a*, f. 44c] puis nul de nos compaignons.

— Oïl, fet soi Hestor, g'en ai puis .xv. jorz encontré plus
de .xx. chascun par soi, dont il n'i ot nul qui ne [se plainsist a moi] de ce que il ne pooient trover nule aventure en
leu ou il alassent.

40 — Par foi, fet soi messires Gauvain, merveilles oi. Et
de monseignor Lancelot del Lac, vostre frere, oïstes vos
pieça parler ?

— Certes, fet il, nenil. Je ne truis qui noveles m'en die,
ne plus que s'il fust fonduz en abisme. Et por ce sui je
45 molt esmaiez de lui, si ai grant poor que il ne soit en aucune prison.

— Et de Galaaz ne de Perceval, ne de Bohort oïstes vos
pieça parler ?

— Certes, fet Hestor, nenil. Cil .iiii. si sont si perdu que
50 l'en n'en set [ne] vent ne voie.

— Or les conselt Dex, fet messires Gauvain, ou que
il soient. Car, certes, se il as aventures del Saint Graal
faillent, li autre nes troveront pas. Et je quit que il i aven-
dront molt bien, car ce sont tuit li plus preudome de la
55 Queste.

180. Et quant il ont une grant piece parlé andui ensenble, si dit Hestor des Mares :

— Sire, vos avez grant piece chevauchié tos sels et ge toz
sels, si n'avons encor rien trové. Or chevauchons ansem-
5 ble andui por savoir se nos serions plus chaant de trover
aucune chose que chascuns n'est par soi.

— Par foi, fet soi messires Gauvain, vos dites bien et ge
l'otroi. Or alons ensemble, que Dex nos conduie la ou nos
truissons aucune chose de ce que nos alon querant.

compagnon et mon ami que, simplement en allant mon chemin sans m'occuper d'autre chose, j'ai tué plus de dix chevaliers[2] dont le moindre ne manquait pas de valeur, mais je n'ai trouvé aucune aventure.

Saisi d'étonnement, Hector fait un grand signe de croix.

— Dites-moi, poursuit Gauvain, avez-vous rencontré quelques uns de nos compagnons ?

— Oui, répond Hector, depuis quinze jours j'en ai rencontré plus de vingt dont chacun chevauchait seul, et tous se sont plaint à moi du manque d'aventures.

— Par ma foi, dit monseigneur Gauvain, vous m'étonnez beaucoup. Mais avez-vous récemment entendu parler de monseigneur Lancelot du Lac, votre frère ?

— Non, en vérité. Personne ne peut me donner de ses nouvelles. C'est comme s'il avait été englouti par un abîme. Je suis très inquiet pour lui et je crains qu'il ne soit emprisonné quelque part.

— Et avez-vous entendu parler de Galaad, de Perceval et de Bohort ?

— Pas davantage. Ces quatre chevaliers ont si bien disparu qu'on n'en trouve pas la moindre trace.

— Que Dieu les guide, où qu'ils soient, dit monseigneur Gauvain. Car s'ils échouent aux aventures du Saint-Graal, aucun autre n'y réussira. Mais je pense qu'ils les mèneront à bien, car ils sont les meilleurs chevaliers de la Quête.

180. Après avoir longuement parlé ensemble, Hector des Mares dit enfin :

— Seigneur, vous avez longtemps chevauché seul et moi de même, et nous n'avons rien trouvé. Chevauchons donc ensemble pour voir si nous aurons plus de chance ainsi de trouver quelque aventure.

— Par ma foi, répond monseigneur Gauvain, vous avez raison et j'accepte. Allons ensemble et que Dieu nous conduise là où nous puissions trouver une partie de ce que nous cherchons.

10 — Sire, fet soi Hestor, ceste partie dont je vieg ne trove-
rions nos riens, ne cele part dont vos [*B^a*, f. 44d] venez
ausi.

Et il dit que ce puet bien estre voirs.

— Donc lo je, fet soi Hestor, que nos aillons aucune autre
15 voie que cele ou nos avons alé avant.

Et il dit qu'il l'otroie bien. Et Hestor torne tot de maintenant cele voie qui aloit de travers la plaigne ou il s'estoient entr'encontré, si lessent ambedui le grant chemin.

Einsi chevauchierent .viii. jorz ensemble entre Hestor et
20 monseignor Gauvain, si que il ne troverent aventure nule
qui a ramentevoir face ; si lor en pesa molt durement. Un
samedi leur avint que il chevauchierent parmi une forest
grant et estrange, ou il ne troverent de tot le jor home ne
feme. Au soir quant il fu anuitié, si troverent en une mon-
25 taigne, entre [.ii.] roches, une chapele vielle et anciene
qui tant estoit gaste par semblant que il n'i reperoit ame.
Et quant vindrent la, si descendirent et osterent lor escuz
et lor hiaumes et lor glaives, si les apoient dehors la chapele contre la paroi. Puis ostent a leur chevax les frains
30 et les seles, si les lessent pestre par la montaigne. [Lors
desceignent lor espees et metent en la place], puis vont
devant l'autel fere lor oroisons et lor prieres, come buen
crestien doivent fere. Et quant il orent grant piece esté a
genouz, si se vont andui ensemble assooir par desus .i.
35 siege qui estoit en mi la chapele, si parole iluec li .i. a
l'autre de maintes choses ; mes de mangier [*B^a*, f. 45a]
n'i ot il onques parlé tant ne qant, por ce qu'il savoient
tres bien veraiement que a celui point s'en dementeroient
il por neent. Et il fesoit leenz molt oscur durement, por ce
40 que il n'i avoit ne lampe ne cierge qui arsist. Et quant il
orent .i. pou veillié, si s'en dormirent li .i. ça, li autres la
par la chapele.

181. Et quant il se furent endormi, si avint a chascun
de cels une avision molt tres merveilleuse qui ne fet pas
a oblier ne a trespasser, ainz la doit l'en molt tres bien ramentevoir en conte ; car assez i ot grant senefiance. Ceste

– Seigneur, dit Hector, nous ne trouverons rien dans la région d'où je viens ni dans celle d'où vous venez.

– C'est fort probable en effet, reconnaît Gauvain.

– Je suggère donc que nous prenions une tout autre route que celle que nous avons suivie.

Gauvain y consent et, sans plus tarder, Hector s'engage dans un sentier qui traversait la plaine où ils s'étaient rencontrés, et tous deux abandonnent le grand chemin.

Hector et monseigneur Gauvain chevauchèrent ainsi pendant huit jours ensemble sans trouver d'aventure qui vaille la peine d'être rapportée, ce qui les attrista fort. Un samedi, ils traversèrent une forêt vaste et sauvage sans rencontrer âme qui vive de toute la journée. Le soir, à la tombée de la nuit, ils aperçurent sur une montagne entre deux rochers une très vieille chapelle, en si mauvais état que personne, semblait-il, ne pouvait s'y trouver. Une fois arrivés là, ils mettent pied à terre et placent leurs écus, leurs heaumes et leurs lances contre le mur extérieur. Puis ils dessellent leurs chevaux qu'ils laissent paître dans la montagne. Ensuite ils enlèvent leurs épées qu'ils déposent à terre et vont devant l'autel réciter leurs prières et leurs oraisons comme doivent le faire de bons chrétiens. Après être restés longtemps agenouillés, ils vont s'asseoir sur un banc au milieu de la chapelle et parlent de maintes choses, mais pas une seule fois de nourriture, car ils savent bien que dans leur situation présente il serait vain de se lamenter. Il faisait très sombre dans la chapelle où ne brûlait ni lampe ni cierge. Ils veillèrent quelque temps, puis s'endormirent chacun de son côté.

181. Durant leur sommeil, ils eurent chacun une vision si extraordinaire qu'on ne peut omettre ni négliger de les rapporter dans ce conte, tant elles sont riches de significa-

5 avision que messires Gauvain vooit en son dormant, si fu
que il li estoit avis qu'il estoit en .i. pré tot plain d'erbe
vert, et de flors i avoit il a molt grant plenté. En cel pré
si avoit .i. rastelier ou il manjoient bien cent et cinquante
toreax. Li torel si estoient molt orgueilleus et molt fier de
10 grant maniere, et si estoient tuit vairié ne mes trois. Et de
cez trois n'estoit li .i. ne bien tachié ne bien sanz tache,
ainçois i avoit signe que tache i eust esté ; et li autre dui si
estoient si tres bel et si tres blanc com il [ne] pooient plus
estre. Cil troi torel si estoient lié par les cox de jous forz et
15 tenanz, et li torel disoient tuit :
— Or nos en alons de ci por querre meilleur pasture que
ceste n'est.

Li torel s'en departoient a tant [*B*ᵃ, f. 45b] et s'en aloient
par mi la lande grant aleure, et non mie par mi le pré vert,
20 si demor[oi]ent trop lonc tens. Et quant il s'en estoient
revenu arriere, si en failloient tuit li pluseur. Et cil qui
estoient revenu, si estoient si megre et si las que a poines
se pooient il tenir en estant. Et des trois sanz tache, si
s'en revenoit li .i. et li autre dui si remanoient. Et quant il
25 estoient trestuit revenu a lor rastelier, si montoit entr'els si
tres grant famine que [la] viande lor failloit, si que il les
covenoit a departir par mi le païs les uns ça, les autres la.

182. Einsi avint il a cele foiz a monseignor Gauvain de
s'avision. Mes a Hestor en avint il une autre avision qui
molt par estoit dessemblable durement de l'autre avision,
qu'il li estoit veraiement avis en son dormant que entre lui
5 et Lancelot del Lac, son frere, descendoient d'une haute
chaiere et montoient sor .ii. granz chevax, et disoit li .i. a
l'autre :
— Alons quierre ce que nos ne troverons ja.

Et maintenant se departoient, si erroient mainte jornee,
10 tant que Lanceloz chooit de son cheval ; si l'en abatoit .i.
hom qui tot le despolloit. Et quant il l'avoit tot despoillié,
si li revestoit une autre robe qui tote estoit pleine de fren-
gons et le montoit sor .i. asne. Et quant il estoit montez,
si chevauchoit trop grant tens, tant qu'il venoit a une fon-

tion. Dans son rêve, monseigneur Gauvain se voyait dans un pré tout plein d'herbe verte et de fleurs. Il y avait dans ce pré un râtelier où mangeaient quelque cent cinquante taureaux, très orgueilleux et très fiers. Tous avaient la robe tachetée à l'exception de trois d'entre eux. L'un de ces derniers n'était ni vraiment tacheté ni tout à fait sans taches, mais il en portait encore quelques traces ; les deux autres étaient d'une beauté et d'une blancheur parfaites. Tous trois étaient liés par un joug très solide. Tous les taureaux disaient :

– Allons ailleurs chercher une meilleure pâture.

Ils partaient alors et se hâtaient de gagner la lande, non le pré vert, et y restaient très longtemps. Au retour, il en manquait beaucoup et ceux qui revenaient étaient si maigres et si las qu'ils pouvaient à peine se tenir debout. Des trois taureaux sans tache, un seul revenait. Et une fois qu'ils étaient tous de retour près du râtelier, une si grande famine se déclarait que, manquant de nourriture, il leur fallait se disperser dans le pays, les uns par ci, les autres par là.

182. Telle fut cette fois-là la vision de monseigneur Gauvain. Mais celle d'Hector fut tout à fait différente. Il se voyait, avec Lancelot du Lac, son frère, descendre d'un siège élevé et monter sur deux grands chevaux en se disant l'un à l'autre :

– Allons en quête de ce que nous ne trouverons jamais.

Aussitôt ils se séparaient et chevauchaient pendant plusieurs jours, et à la fin Lancelot tombait de son cheval, abattu par un homme qui le dépouillait de ses vêtements, lui passait ensuite une robe toute hérissée de houx et le faisait monter sur un âne. Il chevauchait longtemps et finissait par arriver près d'une source, la plus belle qu'il

15 teine, la plus bele qu'il onques veist. Si descendoit por
boivre, et quant il estoit abessiez [B^a, f. 45c], la fonteine
se reponoit, si qu'il n'en vooit point. Et com il vooit qu'il
ne porroit point avoir de la fonteine, si [s'en] retornoit la
dom il est venuz. Et Hestors, qui onques ne descendoit de
20 son grant cheval, aloit tant foloiant ça et la qu'il venoit a
la meson au riche home qui fesoit noces [et feste grant]. Il
huchoit a l'uis et disoit : « Ovrez, ovrez ! » et li sires [ve-
noit avant et] li disoit : « Sire chevalier, autre ostel querez
[que cestui], que ceenz n'entre nus qui si haut soit mon-
25 tez com vos estes. » Et il s'en partoit maintenant, si dolenz que nus plus, et revenoit a sa chaiere qu'il avoit lessié
en son païs.

183. De cest songe fu Hestor si a malese qu'il s'en esveilla de corroz et se comença a torner [et a retorner] come
cil qui pensoit a ceste avision. Et messires Gauvains, qui
[ne dormoit pas, ainz se] refu esveilliez por son songe,
5 quant il oï einsi Hestor torner, si li dist :
   – Sire, dormez vos ?
   – Nenil, fet Hestor, ainz m'a orendroit esveillié une avision [molt merveilleuse] que j'ai veue en mon dormant.
   – Par foi, fet messires Gauvain, tot autretel vos di. [Je ai
10 veue une trop grant merveille en mon dormant, por quoi
je me sui esveilliez. Si vos di] que je ne serai ja mes liez
devant que g'en savrai la senefiance.
   – [Tot autresi vos di ge, fet Hestor, que je ne serai ja mes
aeise devant que je sache la verité de monseignor Lance-
15 lot mon frere].
   En ce qu'il parloient einsi, si voient entrer parmi la fenestre [de la chapele] une main qui paroit jusqu'au coute, si
estoit coverte d'un vermeil samit delié. A cele main pen-
d[oit] .i. frain non mie [molt] riche, et la main tenoit
20 empoignié .i. gros cierge qui ardoit cler ; et pass[a] par
devant els, si entra el chancel et s'esvanoï d'entr'els si
qu'il ne sorent qu'ele estoit devenue. Et tantost descendi
entr'els une voiz qui lor dist :
   – Chevalier plain de povre [foi et de povre] creance, cez

eût jamais vue. Il mettait pied à terre pour boire, mais dès qu'il se penchait la source se dérobait à ses yeux. Voyant bien qu'il ne pourrait boire, il retournait au lieu d'où il était parti. Hector, lui, sans jamais descendre de sa monture, chevauchait au hasard et finissait par arriver à la maison d'un homme riche qui célébrait des noces magnifiques. Il frappait à la porte et criait : « Ouvrez, ouvrez ! » Le maître de la maison venait à lui et lui disait : « Seigneur chevalier, allez chercher un gîte ailleurs, car nul n'entre ici monté sur un cheval aussi haut que le vôtre. » Hector repartait alors, tout découragé, et retournait au trône qu'il avait laissé dans son pays.

183. Hector fut si troublé par ce songe qu'il se réveilla plein d'inquiétude et commença à se retourner de tout côté, l'esprit hanté par ce qu'il avait vu. Monseigneur Gauvain, réveillé lui aussi par son rêve, dit en entendant bouger Hector :

– Seigneur, dormez-vous ?

– Non, répondit Hector, je viens d'être réveillé par un rêve très étrange que j'ai fait.

– Et moi de même, dit Gauvain. J'ai fait un songe très étrange qui m'a réveillé, et je ne me sentirai jamais satisfait tant que je n'en connaîtrai pas la signification.

– Moi non plus, dit Hector, je n'aurai jamais l'esprit tranquille tant que je n'aurai pas de nouvelles de mon frère, monseigneur Lancelot.

Tandis qu'ils parlaient ainsi, ils virent venir par la fenêtre de la chapelle une main, visible jusqu'au coude, et recouverte d'une fine soie vermeille. Elle portait au poignet un mors assez ordinaire et tenait un gros cierge qui jetait une vive clarté. La main passa devant eux, entra dans le chœur et disparut sans qu'ils puissent savoir ce qu'elle était devenue. Et aussitôt parvint jusqu'à eux une voix qui leur dit :

– Chevaliers de pauvre foi et de mauvaise croyance, ces

25 trois choses que vos avez orendroit [veues] vos faillent ; et
por ce ne poez vos avenir as aventures del Saint Graal.

184. Et quant il oent ceste parole, [*B^a*, f. 45d] si en sont
tuit esbahi. Et quant il se sont teu grant piece, messires
Gauvains parla premiers et dist :

– Hestor, avez vos ceste parole entendue ?

5 – [Certes], sire, fet il, nenil, et si l'ai je bien oïe.

– Par foi, fet messires Gauvains, nos avons en ceste nuit
tant oï en veillant et tant veu en dormant que li meuz que
g'i voie [de nostre afaire mener a aucun bon point], si est
que nos querons aucun preudome hermite qui nos die la

10 senefiance de noz songes et [la senefiance] de ce que nos
avons oï. Et puis, selonc ce qu'il nos conseillera, si ferons,
[car autrement m'est il avis que nos irons nos pas gastant,
ausi com nos avons fet jusque ci].

Et Hestor dit qu'en cest conseil ne voit il se bien non.

15 Einsi furent li compaignon tote la nuit en la chapele, ne
onques puis qu'il [se] furent esveillié ne s'endormirent,
ainz pensoit chascun [molt forment] a ce qu'il avoit veu
en dormant et en veillant.

Quant li jorz fu venuz, si alerent vooir ou lor cheval es-

20 toient, et les quistrent tant qu'il les troverent ; si mistrent
lor seles et lor frains et pristrent lor armes et monterent, si
se partirent de la montaigne. Et quant il furent venu en la
valee, il encontrerent .i. vallet qui chevauchoit .i. roncin et
estoit sanz plus de compaignie. Et quant il vindrent pres

25 de lui, si le saluent et il lor rent lor salu molt debonere-
ment.

– Biax amis, fet messires Gauvains, savez vos [nos en-
seignier] ci pres nul hermitaje [ne nule religion] ?

– Sire, fet li vallez, oïl.

185. Lors lor mostre .i. petit [sentier a destre] et lor
dist :

– Ciz sentiers vos merra au haut hermitaje qui est en
une petite montaigne ; mes ele est si roiste que nus [che-

5 vaus] n'i puet aler, et por ce vos covendra descendre et

trois choses que vous venez de voir vous manquent, et c'est pourquoi vous ne pouvez prendre part aux aventures du Saint-Graal.

184. Ces paroles les laissent tout interdits. Après être restés tous deux longtemps silencieux, monseigneur Gauvain fut le premier à parler.

– Hector, dit-il, avez-vous compris ces paroles ?

– Certes non, et pourtant je les ai bien entendues.

– Par ma foi, dit monseigneur Gauvain, nous avons cette nuit entendu et vu tant de choses, en veillant comme en dormant, que pour mener à bien ce que nous avons entrepris, le mieux serait, je pense, d'aller chercher quelque sage ermite qui nous dirait la signification de nos songes et des paroles entendues. Et nous agirons ensuite selon ses conseils. Autrement, me semble-t-il, nous perdrons notre temps comme nous l'avons fait jusqu'ici.

Hector trouva la décision fort sage. Les deux compagnons passèrent la nuit dans la chapelle sans pouvoir se rendormir, car tous deux ne cessaient de penser à ce qu'ils avaient vu dans leur sommeil et dans leur veille. Le jour venu, ils partirent à la recherche de leurs chevaux et quand ils les eurent trouvés, ils les sellèrent, prirent leurs armes, montèrent à cheval et quittèrent la montagne. Arrivés dans la vallée, ils rencontrent un écuyer, tout seul, qui chevauchait un roncin. Il lui adressent un salut qu'il leur rend très poliment.

– Bel ami, dit monseigneur Gauvain, pourriez-vous nous indiquer près d'ici un ermitage ou un monastère ?

– Oui, seigneur, répond l'écuyer.

185. Il leur montre un petit sentier sur la droite et leur dit :

– Ce sentier vous mènera à un ermitage qui se trouve en haut d'une montagne peu élevée mais si escarpée qu'aucun cheval ne pourrait y monter. Il vous faudra donc y monter

aler contremont a pié. Et quant vos serez amont venuz,
vos troverez en une meson povre et petite .i. hermite qui
est li plus prodom [et de la meillor vie] que l'en sache en
cest païs.

10   — Or te comant gie [B^a, f. 46a] a Deu, fet messires Gauvains, [biax amis], que tu nos as bien servi a gré [de ces
noveles que tu nos as dites].

Li vallez s'en vait de l'une part et cil de l'autre. Et quant
il ont .i. pou alé avant, si encontrent en une valee .i. cheva-
15   lier armé de totes armes qui lor crie : « Joste ! » de si loig
com il les voit.

— Par foi, fet messires Gauvains, puis que je parti de Camaalot ne trovai je mes qui joste me demandast, et [puis
que cist la demande, il] n'i faudra pas.

20   — Sire, fet Hestor, lessiez m'i aler, [s'il vos plest].

— Non feré, fet il ; mes s'il m'abat, donc ne me pesera il
pas se vos i alez [aprés moi].

Lors met la lance sor le fautre [et embrace l'escu], si va
joster au chevalier et cil [li vient si grant aleure com il puet
25   del cheval trere]. Si se fierent si granz cox qu'il font les
[escus] percier et [les haubers rompre et] desmaillier, si se
blecent molt durement [li uns plus que li autres]. Messire
Gauvains fu navrez el costé senestre, mes non mie en parfont. Mes li chevaliers fu feruz par mi le piz si mortelment
30   que li glaives li parut de l'autre part. Il volent andui a
terre et au chooir brisent li glaive, si que li chevaliers gist
a terre toz enferrez et se sent si [angoisseusement] feru
qu'il n'a nul pooir de lui relever.

186. Quant messire Gauvains se voit chaüz a terre, si se
relieve tantost [et isnelement], et met main a espee et jete
l'escu devant son vis, [et fet semblant de mostrer la greignor proece qu'il onques pot, come cil qui assez en avoit
5   en soi]. Mes com il voit que li chevaliers ne se relieve, si
quide bien qu'il soit navrez a mort. Lors li dit :

— Sire chevalier, a otré vos covient tenir ou je vos
ocirrai.

à pied. Une fois là-haut, vous trouverez, dans une petite et pauvre maison, un ermite qui est l'homme le plus sage et le plus saint que l'on connaisse dans ce pays.

– Bel ami, dit monseigneur Gauvain, je te recommande à Dieu, car tu nous a bien aidés en nous donnant ces renseignements.

L'écuyer s'en va d'un côté et eux d'un autre. Ils ne tardent pas à rencontrer, dans une vallée, un chevalier armé de toutes ses armes qui leur crie dès qu'il les aperçoit :

– En garde !

– Par ma foi, dit monseigneur Gauvain, depuis que j'ai quitté Camaalot, je n'ai rencontré personne qui me demande de jouter. Si celui-ci le veut, j'y consens.

– Seigneur, dit Hector, laissez-moi aller combattre, s'il vous plaît.

– Non, dit Gauvain, mais s'il m'abat, je n'ai pas d'objection à ce que vous preniez ma place.

Il met sa lance en arrêt, passe l'écu à son bras, et va jouter contre le chevalier qui vient vers lui aussi vite que son cheval peut aller. Ils se portent de si grands coups qu'ils percent leurs écus, rompent les mailles de leurs hauberts et se blessent, l'un plus sérieusement que l'autre. Monseigneur Gauvain est touché au côté gauche, mais assez légèrement. Le chevalier lui, est frappé si violemment à la poitrine que la lance le transperce de part en part. Tous deux sont désarçonnés et leurs lances se brisent dans la chute, si bien que le chevalier reste enferré ; il se sent blessé à mort et n'a pas la force de se relever.

186. Quand monseigneur Gauvain se retrouve sur le sol, il se relève promptement, tire son épée, place l'écu devant son visage et fait montre de toute la vaillance dont il ne manque certes pas. Mais voyant que le chevalier ne se relève pas, il pense bien qu'il est blessé à mort.

– Seigneur chevalier, lui dit-il, il faut vous avouer vaincu, sinon je vous tue.

– Ha ! sire, fet il, ja sui je ocis, [veraiement le sachiez
10 vos]. Si vos pri por Deu que vos fetes ce que je vos re-
querrai.

Et il dit que si fera il volentiers, [se il le puet fere en
nule maniere].

– Sire, fet il, je vos pri por Deu que vos me portez a
15 aucune abeie pres de ci, si me fetes fere ma droiture tele
com l'en doit fere a chevalier.

– Biax sire, fet messires Gauvains, je ne sai ci pres nule
religion.

– [Ha] ! sire, fet il, metez moi devant vos sor vostre che-
20 val [B^a, f. 46b] et je vos merrai a une abeie que je sai, qui
n'est pas loig d'ici.

187. Lors le met messire Gauvains en la sele, si baille
a Hestor son escu a porter, si saut en son cheval derriere
le chevalier et l'enbrace parmi les flans [por ce] qu'il ne
chaïst. Lors conduit le cheval [droit] a une abeie qui pres
5 d'iluec estoit en une valee.

Quant il vindrent a la porte, si [huchierent et] apelerent
tant que cil de leenz lor vindrent [la porte] ovrir et les reçurent molt liement, et descendirent le chevalier navré et
le couchierent en une chambre au plus soef qu'il porent.
10 Et si tost com il fu couchiez, si demanda son Sauveor et
l'en li aporte. [Et quant il le voit venir], il comence a plorer trop durement, et joint les mains encontre, et se fet
confés, oiant toz cels de la place, de toz ses pechiez [dont
il se sent coupable et meffait vers Nostre Seignor], et [en]
15 cria merci a Deu [tendrement plorant]. Et com il ot [tot ce
dit dont il estoit remembranz, li prestres li done son Sauveor, et il le reçoit o grant devocion. Quant il ot] receu son
Sauveor, si dist a monseignor Gauvain qu'il li traississt le
fer del glaive qu'il avoit par mi le piz. Messires Gauvains
20 li demande cui il est et de quel païs.

– Sire, fet il, je sui de la meson lo roi Artur et compainz
de la Table Roonde ; si ai non Yvains l'Avoutre et fui filz
lo roi Urien. Si estoie entrez en la Queste del Saint Graal
auvec mes autres compaignons. Mes einsi m'est ore ave-

– Ah ! seigneur, c'en est fait de moi, sachez-le. Aussi je vous prie, au nom de Dieu, d'accéder à ma demande.

– Bien volontiers, si je le peux, répond Gauvain.

– Seigneur, je vous prie de me porter dans une abbaye qui se trouve près d'ici et de me faire enterrer religieusement comme on doit le faire pour un chevalier.

– Beau seigneur, dit Gauvain, je ne connais pas de monastère près d'ici.

– Ah ! seigneur, mettez-moi sur votre cheval et je vous conduirai à une abbaye que je connais bien et qui est assez proche.

187. Monseigneur Gauvain l'aide à s'asseoir sur la selle, confie son écu à Hector et prend place derrière le chevalier qu'il tient embrassé à mi-corps pour qu'il ne tombe pas. Le chevalier conduit alors le cheval droit vers une abbaye qui se trouvait près de là dans une vallée. Une fois arrivés, ils appellent à grands cris jusqu'à ce qu'on les entende et qu'on vienne leur ouvrir la porte. Les moines les reçurent avec beaucoup de joie, descendirent le chevalier blessé et le couchèrent dans une chambre avec la plus grande précaution. Dès qu'il fut couché, il demanda son Sauveur et quand il vit qu'on le lui apportait, il commença à pleurer amèrement, tendit vers lui ses mains jointes, se confessa devant les personnes présentes des péchés dont il se sentait fautif et coupable envers Dieu et, tout en pleurs, implora sa miséricorde.

Lorsqu'il eut mentionné tous les péchés dont il se souvenait, le prêtre lui donna son Sauveur qu'il reçut avec une grande piété. Après avoir communié, il pria monseigneur Gauvain de lui retirer de la poitrine le fer de la lance. Gauvain lui demande alors qui il est et de quel pays.

– Seigneur, dit-il, je suis de la maison du roi Arthur et compagnon de la Table Ronde ; je m'appelle Yvain l'Avoutre et je suis le fils du roi Urien. J'étais entré dans la Quête du Saint-Graal avec mes autres compagnons. Mais

25 nu, par la volenté de Nostre Seignor ou par mon pechié,
que vos m'avez ocis ; si le vos pardoig molt debonere-
ment, et Dex [ausi] le vos pardoinst !

188. Quant messires Gauvains ot ceste parole, si dit
molt dolenz et molt corrociez :

– Ha ! Dex, tant ci a grant mesaventure ! Ha ! Yvain,
tant il me poise de vos !

5   – Sire, fet il, qui estes vos ?

– Je sui, fet il, Gauvains, li niés lo roi Artur.

– Donc ne me chaut, fet cil, se je sui ocis par la main de
si preudome [*B^a*, f. 46c] com vos estes. Et por Deu, quant
vos vendroiz a cort, saluez moi toz les compaignons que

10 vos troverez vis, car je sai bien qu'il en morra assez en
ceste Queste, et si lor dites, par la grant fraternité qui est
entre moi et els, qu'il lor soviegne de moi en lor prieres
et en lor oroisons et [qu'il] prient Nostre Seignor qu'il ait
merci de l'ame de moi.

15   Lors comencent a plorer [entre] messires Gauvain et
Hestor et a fere trop grant duel. Lors met messires Gauvain la main au fer del glaive que Yvain avoit el piz ; et au
tirer qu'il fet cil s'estent de la grant angoisse qu'il sent,
[et] maintenant s'en ist l'ame del cors, si qu'il devia entre

20 les braz Hestor. Et messires Gauvains en fist trop grant
duel, et ausi fist Hestor, [car mainte bele proece li avoient
veu fere aucune foiz] ; si le firent ensevelir bel et richement, en .i. drap de soie que li frere de leenz lor aporterent si tost com il sorent qu'il ot esté filz de roi, et li font

25 son servise tel com l'en doit fere por mort. Si l'enfoïrent
devant le mestre autel [de leenz], et mistrent une [bele]
tombe sor lui ou il firent son non escrivre et le non de celui
qui l'avoit ocis.

189. Lors se partirent de leenz messires Gauvain et
Hestor et chevauchent molt dolent et corrocié de ceste
aventure qui avenue lor estoit, car il voient bien que ç'a
esté droite mesaventure ; si alerent tant que il vindrent au

5 pié d'un tertre haut la ou li hermitages au prodome estoit.

voici que vous m'avez tué, par la volonté de Notre-Seigneur ou à cause de mes péchés. Je vous le pardonne de grand cœur et que Dieu lui aussi vous pardonne.

188. En entendant ces mots, Gauvain s'écrie, accablé de douleur :

– Ah ! Dieu, quel grand malheur ! Ah ! Yvain, que j'ai de peine pour vous !

– Seigneur, qui donc êtes-vous ?

– Je suis Gauvain, le neveu du roi Arthur.

– Alors il m'importe peu de mourir puisque c'est de la main d'un chevalier tel que vous. Par Dieu, quand vous retournerez à la cour, saluez de ma part tous les compagnons qui seront encore vivants, car je sais bien que beaucoup mourront dans cette Quête, et dites-leur, au nom de la fraternité qui nous unit, de ne pas m'oublier dans leurs prières et de demander à Dieu d'avoir pitié de mon âme.

Monseigneur Gauvain et Hector commencent alors à pleurer et à se lamenter. Puis Gauvain prend le fer de lance enfoncé dans la poitrine du chevalier et le retire. Sous l'effet de la souffrance, Yvain a un long tressaillement, son âme aussitôt quitte son corps et il meurt dans les bras d'Hector. Monseigneur Gauvain manifeste une très grande douleur et Hector fait de même, car ils l'avaient vu plus d'une fois accomplir de brillants exploits. Ils le firent dignement ensevelir dans un beau drap de soie que leur apportèrent les moines lorsqu'ils surent qu'il était fils de roi. Les moines dirent l'office des morts, enterrèrent le corps devant le maître-autel, lui firent faire une belle tombe sur laquelle on inscrivit son nom et le nom de celui qui l'avait tué.

189. Monseigneur Gauvain et Hector quittèrent alors l'abbaye, tristes et consternés par cette aventure qu'ils attribuaient entièrement à la malchance. Ils finirent par arriver au pied d'une haute colline où se trouvait l'ermitage du

Quant il vindrent la, si troverent .ii. granz chesnes a quoi
il atachierent lor chevax. Si i pendirent lor escuz par les
guiges. Lors ent[r]ent en .i. estroit sentier qui aloit amont
el tertre, si le troverent si roiste et si enoieus a monter qu'il
10 furent tuit las et traveillié ainz qu'il venissent amont [B^a,
f. 46d]. Quant il sont [venu] amont el tertre, si voient il
l'ermitaje ou li preudons manoit, que l'en apeloit [N]as-
cien. Et ce estoit une povre meson et une povre chapele.
Il vienent cele part, si voient, en .i. petit cortil qui delez la
15 chapele estoit, .i. prodome viel et ancien et tot chanu qui
queroit orties a son mangier, com cil qui d'autre viande
n'avoit gosté lonc tens avoit passé. Et tantost com il voit
les chevaliers armez, si pense bien que ce soit des chevaliers erranz qui sont entré en la Queste del Saint Graal
20 [dont il savoit ja noveles grant piece avoit]. Il lesse ce qu'il
fesoit et vient a els, si les salue. Et il s'umilient vers lui, si
li rendent son salu. Et il lor demande :

– Biau seignor, quele besoig vos a ça amené ?

– Sire, fet messires Gauvains, [la grant fain et] le grant
25 desirrier que nos avions de parler a vos, que nos fussons
conseillié de ce dont nos dotons et por estre certein de ce
dont nos somes en error.

Quant il ot monseignor Gauvain einsi parler, si pense
bien qu'il soit [assez] sages des choses terrienes, si li
30 dit :

– Sire, de chose que je sache ne que je poisse avoir ne
vos faudrai je ja.

190. Lors les moine [andeus] en sa chapele, si lor demande qui il sont, et il se noment [et se font conoistre a
lui], tant qu'il set bien qui chascun est. Lors lor rueve qu'il
li dient de quoi il sont desconseillié, [et il les conseillera
5 s'il onques puet en nule maniere]. Et messires Gauvains
li dit [maintenant] :

– Sire, il avint ier, a moi et a cest mien compaignon qui
ci est, que nos chevauchion parmi une forest tote jor sanz
encontrer home ne feme, tant que nos venismes ersoir en
10 une montaigne ou nos trovasmes une chapele. Nos des-

saint homme. Là, ils virent deux grands chênes auxquels ils attachèrent leurs chevaux et suspendirent leurs écus par les courroies. Puis ils s'engagèrent dans un sentier étroit qui conduisait au sommet de la colline et le trouvèrent si raide et si difficile qu'ils étaient complètement épuisés avant même d'arriver au bout. Une fois au sommet, ils voient l'ermitage où demeurait le saint homme qu'on appelait Nascien. Cet ermitage se composait d'une pauvre maison et d'une pauvre chapelle. Les deux chevaliers s'approchent et voient, dans un petit jardin près de la chapelle, un vieil homme aux cheveux blancs qui ramassait des orties pour son repas, car il y avait longtemps qu'il ne prenait d'autre nourriture. Et dès qu'il voit les chevaliers armés, il pense bien que ce sont des chevaliers errants engagés dans la Quête du Saint-Graal dont il a entendu parler depuis longtemps. Il interrompt son travail, va vers eux et les salue. Eux s'inclinent avec respect devant lui et lui rendent son salut :

— Beaux seigneurs, leur dit-il, quelle raison vous a poussés jusqu'ici ?

— Seigneur, répond monseigneur Gauvain, c'est le grand désir et le besoin que nous avions de vous parler, pour être conseillés au sujet de nos doutes, et pour être éclairés sur nos erreurs.

Quand il entend Gauvain parler ainsi, l'ermite pense qu'il est très averti des choses de ce monde et lui dit :

— Seigneur, tout ce qu'il m'est donné de connaître et d'avoir vous est acquis.

190. Puis il les conduit dans sa chapelle et leur demande qui ils sont. Ils se nomment, se font connaître à lui, et lorsqu'il est bien renseigné sur chacun d'eux, il les prie de lui dire de quoi il sont en peine : il les conseillera alors si cela lui est possible.

— Seigneur, lui dit aussitôt monseigneur Gauvain, hier mon compagnon et moi avons chevauché toute la journée dans une forêt sans rencontrer âme qui vive, avant d'arriver, le soir, sur une montagne où nous avons trouvé une

cendismes iluec, car nos volions meuz dedenz jesir que
dehors. [Et quant nos fumes auques alegié de nos armes],
si entrames enz et nos endormimes [B^a, f. 47a] [li uns delez l'autre]. Quant je me fui endormiz, si m'avint une avi-
15 sion molt merveilleuse.

   Si li conte [quele, et quant il li a tot conté], puis li reconta
Hestor la soe. Aprés li content de la main qu'il virent tot
en veillant et de la parole que la voiz lor dist. Et quant il li
ont tot conté, si li prient por Deu qu'il lor die la senefiance
20 de ceste chose, car sanz grant senefiance ne lor est mie ce
avenu en lor dormant.

   191. Quant li preudons a [tot ce] oï por quoi il estoient
venu a lui, si respont maintenant a monseignor Gauvain :
   – Or, biau sire, el pré que vos veïstes avoit .i. rastelier.
Par le rastelier devons nos entendre la Table Roonde. Car
5 ausi com el rastelier a verges qui devisent les espaces, ausi
a il en la Table Roonde colonbes et pilers qui devisent
l'un chevalier de l'autre et l'un siege dc l'autre. Par le pré
qui estoit verz devons nos entendre humilité [et] patience,
qui toz jorz son[t] vives et en lor force et en lor verdor.
10 Et por ce que l'en ne puet vaincre humilité ne pacience
fu la Table Roonde fondee, ou la chevalerie a esté si fort
et si poissant par la fraternité et par la douçor qui entr'els
estoit, si qu'ele ne pot puis estre veincue. Et por ce dit l'en
qu'ele fu fondee en patience et en humilité. Au rastelier
15 manjoient .c. et .l. torel. [Il i menjoient et si] n'estoient
pas el pré, que s'i[l] la fussent, lor cuer mainsissent en
humilité et en obedience. Li torel estoient orgoilleus et
tuit vairié, fors trois. Par les toreax puez tu entendre les
compaigons de la Table Roonde, qui par lor luxure et par
20 lor orgoil sont cheoit en pechié mortel si durement que
lor pechié ne se puent tapir dedenz els, ainz [B^a, f. 47b]
les covient aparoir par defors, si qu'il en sont [vairié et]
tachié et ort et mauvés si com li torel estoient.

   192. « Des toreax i avoit trois qui n'estoient pas tachié,

chapelle. Nous avons mis pied à terre, préférant dormir à l'abri plutôt que dehors. Après nous être en partie désarmés, nous sommes entrés dans la chapelle et nous nous sommes couchés l'un près de l'autre. Une fois endormi, j'ai fait un rêve très étrange.

Il le lui raconte, après quoi Hector fait le récit du sien. Puis ils parlent de la main qu'ils ont vue étant éveillés, et de ce qu'a dit la voix. Leur récit terminé, ils prient l'ermite, au nom de Dieu, de leur expliquer le sens de ces rêves, car il n'est pas possible qu'ils en soient dénués.

191. L'ermite, qui sait maintenant pourquoi ils sont venus le voir, dit à monseigneur Gauvain :

– Beau seigneur, dans le pré que vous avez vu, il y avait un râtelier. Par le râtelier, nous devons comprendre la Table Ronde, car de même que le râtelier est divisé par des barreaux, de même à la Table Ronde des colonnes et des piliers séparent les chevaliers et leur siège les uns des autres. Le pré, qui était vert, signifie l'humilité et la patience qui ne perdent jamais leur vigueur, leur force et leur fraîcheur première. Et parce qu'on ne peut les vaincre, c'est sur elles que fut fondée la Table Ronde dont les chevaliers se sont montrés si forts, grâce à la fraternité et à la douceur qui règnent entre eux, qu'ils n'ont jamais encore été vaincus. Voilà pourquoi on dit que la Table Ronde fut fondée sur la patience et l'humilité. Au râtelier mangeaient cent cinquante taureaux. Ils y mangeaient, et non pas dans le pré, car s'ils avaient été dans le pré, leurs cœurs seraient restés humbles et soumis. Les taureaux étaient orgueilleux et tous, sauf trois, étaient tachetés. Ces taureaux, sache-le, représentent les compagnons de la Table Ronde qui, par leur luxure et leur orgueil, se sont enfoncés si profondément dans le péché mortel qu'ils ne peuvent dissimuler en eux leurs vices et les laissent voir au-dehors si bien qu'ils sont mouchetés, tachetés, répugnants et mauvais comme l'étaient les taureaux.

192. «Trois d'entre eux étaient sans tache, ce qui veut

c'est a dire qui estoient sanz pechié. Li dui estoient bel
et blanc ; li tierz avoit eu signe de tache. Li dui torel qui
estoient si bel et si blanc, ce sont Galaaz et Percevax, qui
5 sont plus bel et plus blanc que [nul] autre. Bel sont il [voi-
rement], car il sont parfet en totes vertuz, [et sont net, sanz
ordure et sans tache, que l'en troveroit ore a painne chevalier au mien escient qui n'eust tache aucune]. Li tierz qui
a eu signe de tache, c'est Boorz, qui jadis se meffist en sa
10 virginité. Mes il l'a puis si bien amendé par garder chastee
que cil mesfez li est toz pardonez. Li troi torel estoient lié
par les cox, ce sont li troi chevalier en cui virginitez est si
durement enracinee qu'il n'ont poior des chiés lever, c'est
a dire qu'il n'ont garde que orguelz se fiert en els. Li torel
15 disoient : "Alons querre meillor pasture qe ceste n'est."
Li chevalier de la Table Roonde distrent le jor de Pentecoste : "Alons en la Queste del Saint Graal, si serons conpaignons des henors del monde et de la viande celestiel repeu
que li Sainz Esperiz envoie a cels qui [sieent] a la table
20 del Saint Vessel. La est la buene pasture. Lessons ceste,
alons la." Il partirent de la cort, si alerent par la lande,
non mie par le pré. Quant il partirent de la cort, il n'alerent pas a confession come cil doivent fere qui ent[r]ent
el servise Nostre Segnor. Il ne s'esmurent en humilité ne
25 en pacience, qui est senefiee par l[e] pré, ainz alerent par
la lande en la gastine, en la voie ou il ne croist ne flor ne
fruit, c'est en voie d'enfer, ou totes choses sont jetees qui
ne sont covenables. Quant [*B^a*, f. 47c] il revenoient, si en
failloient li plusor, c'est a dire qu'il ne reven[dro]nt mie
30 tuit, ainz en faudra la meilleur partie, car assez en morra
en ceste Queste. Et cil qui en repereront seront si megre
et si sec que a poine se porront il sostenir en estant ; c'est
a dire, cil qui revendront seront si essorbé de pechiez que
li .i. avront ocis les autres, qu'il n'avront ja menbre qui
35 sostenir les poïsse, c'est a dire qu'il n'avront ja nule vertu
en els qui home tiegne en estant qu'il ne chie en enfer,

dire qu'ils étaient sans péché. Deux étaient beaux et tout blancs et le troisième portait la trace d'une tache. Les deux qui étaient parfaitement blancs représentent Galaad et Perceval qui sont plus beaux et plus purs que tout autre. Ils sont véritablement beaux puisqu'ils possèdent toutes les vertus et ils sont purs, sans souillure ni tache, alors que, de nos jours, on trouverait difficilement, me semble-t-il, un chevalier sans faute aucune. Le troisième, qui portait la trace d'une tache, c'est Bohort qui jadis perdit sa virginité[1]. Mais il a depuis mené une vie si chaste que son péché lui est entièrement pardonné. Les trois taureaux étaient liés par le cou : c'est que la virginité est si profondément enracinée dans ces trois chevaliers qu'ils ne peuvent relever la tête, c'est-à-dire qu'ils n'ont pas à craindre que l'orgueil s'empare d'eux. Les taureaux disaient : "Allons chercher ailleurs une meilleure pâture." Les chevaliers de la Table Ronde dirent le jour de la Pentecôte : "Partons pour la Quête du Saint-Graal et nous aurons part aux honneurs de ce monde et seront rassasiés de la nourriture céleste que le Saint-Esprit dispense à ceux qui sont assis à la table du Saint-Vase. Là est la bonne pâture. Laissons celle-ci et partons." Ils quittèrent la cour et s'en allèrent dans la lande et non dans le pré. Avant de partir, ils négligèrent de se confesser comme doivent le faire ceux qui entrent au service de Notre-Seigneur, et n'ayant en eux ni l'humilité ni la patience que représente le pré, ils allèrent dans la lande, dans la gâtine[2], sur le chemin où ne poussent ni fleur ni fruit, le chemin de l'enfer où tous ceux qui sont indignes sont jetés. Au retour, le plus grand nombre manquait, c'est-à-dire que tous ne reviendront pas, car la majorité mourra en cette Quête. Et ceux qui reviendront seront si maigres, si décharnés qu'ils pourront à peine tenir debout. Cela signifie que ceux qui reviendront seront si aveuglés par le péché qu'ils se seront tués les uns les autres. Leurs membres ne pourront plus les soutenir, c'est-à-dire qu'ils n'auront aucune vertu qui puisse les maintenir et les empêcher de tomber en enfer et qu'ils seront couverts de

[ains seront garni de totes ordures et de tos pechiés]. Des
trois sanz tache revendra li .i. et li autre dui remaindront,
[ce est a dire que des trois bons chevaliers revendra li uns
40 a cort, ne mie por la viande del rastelier, mes por anoncier
la bone pasture que cil ont perdue qui gisoient en pechié
mortel. Li autre dui remaindront], car il troveront si grant
doçor en la viande del Saint Graal que ja n'en partiront
puis qu'il l'avront asavoree. La derreeine parole de vostre
45 songe, fet il a monseignor Gauvain, ne vos dirai je pas, car
ce seroit une chose dont ja preu ne vos vendroit, et si vos
en porroit en mauvesement destorner.

193. – Sire, fet messires Gauvains, et ge m'en sofer-
rai puis qu'il vos plest. Et je le doi bien fere, que si bien
m'avez certefié de ce dont je dotoie que je voi apertement
la verité de mon songe.
5   Lors parole li preudons a Hestor, si dit :
– Hestor, il vos fu avis qu'entre vos et Lancelot descendiez d'une chaiere. Chaiere senefie dignitez et seignorie.
[La chaiere dont vos descendiés, si estoit la grant honor et
la grant reverence que l'en vos portoit a la Table Roonde],
10 c'est a dire que vos lessastes quant vos departistes de la
cort lo roi Artur. Vos montastes entre vos .ii. sor .ii. grant
chevax, c'est en orgoil et en bobant, ce sont li dui cheval a
[B^a, f. 47d] l'enemi. Puis disiez : "Alons querre ce que nos
ne troverons ja", ce est le Saint Graal, [les secrees choses
15 Nostre Seignor, les repostailles qui ja ne vos seront descovertes, car vos n'estes pas dignes del vooir]. Quant vos
fustes departiz li .i. de l'autre, Lanceloz chevaucha tant
qu'il chaï de son cheval, c'est a dire qu'il lessa orgoil, si
prist humilité. Et sez tu qui l'osta d'orgoil ? [Cil qui abati
20 orgoil del ciel] ; ce fu Jesucriz, qui humilia Lancelot et [le
mena a ce que il le despoilla. Il] le despoilla des pechiez
qu'il avoit en lui, si qu'il se conut et vit tot nu et tot voidié
de totes bones vertuz que crestiens doie avoir, et cria mer-

toutes les ordures et de tous les péchés. Des trois sans tache, l'un reviendra, mais non les deux autres, ce qui veut dire que l'un des trois bons chevaliers reviendra à la cour, non certes pour la nourriture du râtelier, mais pour annoncer la bonne pâture qu'ont perdue ceux qui étaient en état de péché mortel. Les deux autres resteront, car ils trouveront si douce la nourriture du Saint-Graal qu'ils ne voudront plus s'en passer après y avoir goûté. De la fin de votre songe, dit-il à monseigneur Gauvain, je ne vous dirai rien, car cela ne vous serait d'aucun profit, et l'on pourrait difficilement vous en détourner[3].

193. – Seigneur, dit monseigneur Gauvain, je m'en passerai puisque telle est votre volonté. Et il est juste qu'il en soit ainsi, car vous m'avez si bien expliqué ce qui me déconcertait que le sens profond de mon rêve est maintenant clair pour moi.

L'ermite s'adresse alors à Hector :

– Hector, dit-il, vous avez rêvé que Lancelot et vous-même descendiez d'un trône. Le trône signifie la dignité et le pouvoir. Le trône dont vous descendiez représente le grand honneur et le grand respect dont vous jouissiez à la Table Ronde et auxquels vous avez renoncé lorsque vous avez quitté la cour du roi Arthur. Vous et Lancelot êtes alors montés sur deux grands chevaux, l'orgueil et l'arrogance, qui sont les deux chevaux de l'Ennemi. Et vous disiez : "Allons à la recherche de ce que nous ne trouverons jamais", c'est-à-dire le Saint-Graal, les secrets de Notre-Seigneur, ses mystères, qui ne vous seront jamais dévoilés, car vous n'êtes pas dignes de les voir. Après vous être séparés, Lancelot chevaucha jusqu'au moment où il tomba de son cheval, ce qui veut dire qu'il rejeta l'orgueil pour laisser place à l'humilité. Et sais-tu qui l'arracha à l'orgueil ? Celui-là même qui chassa l'orgueil du ciel. Ce fut Jésus-Christ qui humilia Lancelot au point de dévoiler tout son être. Il mit à nu tous ses péchés et lui se vit alors tel qu'il était, manquant de toutes les vertus qu'un chrétien doit avoir, et il cria miséricorde. Aussitôt,

ci. Maintenant le revesti Nostre Sires, et sez tu de quoi ?
25 De pacience et d'umilité, de chastee, [de soffrance], ce
fu la robe qu'il li dona qui estoit pleine de frenjons, c'est
la haire [qui li est] poignant [comme li frangons]. Aprés
le monta sor .i. asne, qui est la beste d'umilité, et bien fu
jadis aparissant, que Jesucriz le chevaucha quant il vint en
30 la cité de Jerusalem, [qui estoit rois des rois, et avoit totes
richesces en sa baillie]. Il n[i] volt pas venir sor destrier
ne sor palefroi, mes sor la plus [rude beste et la plus] despite, ce est li asnes, por ce que li povre et li riche preissent
essample a lui. Itel beste veistes vos chevauchier Lancelot
35 en vostre dormant. Et quant il avoit une piece chevauchié,
si venoit a une fontaine, la plus bele qu'il onques veïst,
et descendoit por boivre ; et com il s'estoit abessiez, la
fonteine se reponoit ; et quant il vooit qu'il n'en porroit
point avoir, si retornoit la ou il estoit venuz. Fontaine si est
40 de tel maniere qu'en ne la puet espuisier, ja tant n'en [*B*^{a},
f. 48a] savra l'en oster : c'est li Sainz Graax, c'est la grace
Nostre Seignor. La fonteine est la douce pluie, la douce
parole de l'Evangile, ou li cuers del verai repentant trueve
la grant douçor, que de tant com il plus l'asavore, de tant
45 en est il plus desirranz ; c'est la grace del Saint Graal, que
de tant com ele est plus [large et plus] plenteive, tant en i
remaint il plus. Et por ce qu'ele ne puet estre espuisie doit
ele par droiture estre apelee fonteine.

194. « Quant il venoit a la fontaine, il descendoit, c'est a
dire com il vendra devant le Saint Graal, il descendra, tant
qu'il ne se tendra pas por home, devant le Saint Graal, por
ce que tant sera chooiz en pechié. Et com il s'abessera,
5 c'est a dire com il s'ajenoillera por [boivre et por] estre
rassaciez de sa grant grace [et repeuz], lors se repondra
la fontaine, c'est lo Saint Graal, qu'il perdra la veue des
euz devant le Saint Vessel, [por ce qu'il les conchia a regarder les terrienes ordures], et perdra le pooir del cors,
10 [por ce qu'il en servi si longuement le deable]. Et durra
cele venjance .xxiiii. jorz, [por ce qu'il a esté .xxiiii. ans
sergans a l'anemi. Et quant il avra esté .xxiiii. jorz] si qu'il

Notre-Seigneur le revêtit. Et de quoi ? De patience, d'humilité et de chasteté ; et ce fut le vêtement hérissé de houx qu'il lui donna, cette haire aussi piquante que le houx. Ensuite il le fit monter sur un âne, la bête d'humilité, comme l'a bien montré jadis Jésus-Christ en choisissant une telle monture pour entrer dans la cité de Jérusalem[1]. Lui, le roi des rois, le maître de toutes les richesses du monde, ne voulut pas venir sur un destrier ou un palefroi, mais sur la bête la plus grossière et la plus méprisable, l'âne, afin de servir d'exemple aux pauvres comme aux riches. C'est une telle bête que, dans votre rêve, vous avez vu Lancelot chevaucher. Puis, au bout d'un certain temps, il arrivait à une source, la plus belle qu'il eût jamais vue, et mettait pied à terre pour boire ; mais lorsqu'il se baissait, la source disparaissait. Comprenant qu'il ne pourrait boire, il retournait là d'où il était venu. Cette source où l'on peut boire autant qu'on le veut sans jamais l'épuiser, c'est le Saint-Graal, c'est la grâce de Notre-Seigneur. C'est la douce pluie, la douce parole de l'Évangile où le cœur de celui qui s'est vraiment repenti trouve la plus grande douceur, et plus il la savoure, plus il en est assoiffé. C'est la grâce du Saint-Graal[2] : plus elle se répand, plus elle est abondante, et plus elle est inépuisable, c'est pourquoi elle est à juste titre appelée source.

194. « Une fois arrivé à la source, Lancelot mettait pied à terre, ce qui veut dire que lorsqu'il viendra devant le Saint-Graal, il s'humiliera et se considérera moins qu'un homme à cause de la gravité de ses péchés. Et quand il se baissera, c'est-à-dire quand il s'agenouillera pour boire, pour être nourri et rassasié de la haute grâce du Saint-Graal, alors la source, le Saint-Graal, disparaîtra. Il perdra devant le Saint-Vase l'usage de ses yeux qu'il a souillés en regardant les ordures de ce monde, et il perdra l'usage de son corps avec lequel il a si longtemps servi le diable. Ce châtiment durera vingt-quatre jours parce qu'il a été pendant vingt-quatre ans le serviteur de l'Ennemi. Et quand il aura passé vingt-quatre jours sans pouvoir ni manger,

ne mangera ne bevra, ne parlera, ne movra pié ne main [ne
membre qu'il ait], ainz li sera avis qu'il sera [toz jorz] en
15 tel beneurté com il estoit com il perdi la veue, lors dira il
partie de ce qu'il avra veu. Maintenant se partira del païs
et ira a Camaaloc. Et vos, qui toz dis irez sor le [grant]
destrier, c'est a dire qui toz jorz demorerez en pechié mortel, [et en orgoil et en envie et en maint autre vice], irez
20 foloiant [ça et la], tant que vos vendroiz a la meson au Riche Pescheor, [la ou li preudome, li verai chevalier feront
lor feste de la haute troveure qu'il avront trovee]. Et quant
vos [*B^a*, f. 48b] [vendroiz la et vos] vodrez [enz] entrer, li
rois vos dira qu'il n'a cure d'ome qui soit si haut monté
25 [com vos estes], c'est a dire qui gise en pechié mortel [et
en orgoil et en bobant]. Et quant vos orrez ce, si revendrez
a Camaalot, [sanz ce que vos n'avroiz gueres fet de vostre
preu en la Queste]. Si vos ai or dit [et devisé] grant partie
de ce que vos avendra.

195. « Or covient que vos sachiez de ce que vos veistes
une main [apertement qui passa par devant vos], qui portoit .i. cierge et .i. frein, si vos dist la voiz que cez [.iii.]
choses vos failloient. Par la main [que tu veis] doiz tu en-
5 tendre charité, et par le vermeil samit doiz tu entendre le
feu do Saint Esperit [dont charité est toz jorz enbrasee.
Et] qui charité a en soi, il [est chauz et] ardanz de l'amor
[au seignor celestiel, ce est] Jhesucrist. Par le frain doiz
tu entendre abstinence. Car ausi com li chevaliers [maine
10 et] conduit son cheval par le frain la ou il velt, ausi fet
abstinence com ele est fermee el cuer au crestien [si] qu'il
ne puet chooir en pechié mortel, ne aler a sa volenté, se
ce n'est en voie de verité et en bones ovres. Par le cierge
[qu'ele portoit] devon nos entendre [la verité de l'Evan-
15 gile, ce est li filz Deu qui rend] clarté et veue a toz cels qui
retornent de pechié et revienent [a la voie de] Jhesucrist.
Quant ce fu donc chose qe [charité] et verité et abstinence
vindrent en la chapele, [ce est a dire quant Nostre Sires
vint a son ostel en sa chapele], qu'il n'avoit pas edefiee

ni boire, ni bouger aucun de ses membres, mais avec le sentiment qu'il connaîtra toujours cette félicité éprouvée au moment où il perdit la vue, alors il racontera une partie de ce qu'il aura vu. Il quittera immédiatement le pays et se rendra à Camaalot. Et vous qui continuerez à chevaucher le grand destrier, autrement dit, qui serez toujours en état de péché mortel, la proie de l'orgueil, de l'envie et de bien d'autres vices, vous irez vous égarant de-ci de-là jusqu'à ce que vous arriviez à la maison du Riche Pêcheur, là où les justes, les vrais chevaliers célébreront la très précieuse découverte qu'ils auront faite. Et quand vous arriverez là et que vous voudrez y entrer, le roi vous dira qu'il n'a que faire d'un homme monté, comme vous l'êtes, sur un aussi haut cheval, c'est-à-dire qui vit dans le péché mortel, dans l'orgueil et l'arrogance. En entendant ces paroles, vous retournerez à Camaalot sans avoir tiré grand profit de la Quête. Ainsi je vous ai dit et expliqué une grande partie de ce qui vous arrivera.

195. «Il faut maintenant que vous sachiez ce que signifie la main que vous avez vue très distinctement passer devant vous portant un cierge et un mors, trois choses qui, selon la voix, vous font défaut. La main signifie la charité, et le samit vermeil, le feu du Saint-Esprit dont brûle toujours la charité; et quiconque a la charité en lui est embrasé de l'amour de notre seigneur céleste, Jésus-Christ. Le mors, lui, signifie l'abstinence. Car de même que le mors sert au chevalier à maîtriser sa monture et à la mener où il veut, de même fait l'abstinence quand elle est fermement établie dans le cœur du chrétien, de sorte qu'il ne peut ni succomber au péché mortel, ni suivre sa propre volonté si ce n'est sur la voie de la vérité et des bonnes œuvres. Quant au cierge que portait la main, il signifie la vérité de l'Évangile. C'est le Fils de Dieu qui rend la lumière et la vue à tous ceux qui se détournent du péché et reviennent vers Lui. Donc, lorsque charité, vérité et abstinence apparurent dans la chapelle, c'est-à-dire lorsque Notre-Seigneur vint dans sa demeure, cette chapelle qu'Il

20 a ce que [li vil pecheor, li ort et] li luxurieus i entrassent,
mes por ce que veritez i fust anoncié, et [quant] il vos [i]
trova, si s'en ala, por ce que vos aviez le leu conchié de
vostre repere, et com il s'en ala, il vos dist : "Chevalier de
povre foi et de povre creance, cez trois choses vos faillent,
25 charité, abstinence, verité ; et por ce ne puet nus ateindre
as aventures del [Saint] Graal." Or vos ai dit [les senefiances de vos songes, et] la senefiance de la main.

– Certes, fet messire Gauvains, voirement l'avez vos
[si] bien devisee [B^a, f. 48c] [que je la voi tot apertement].
30 Mes or vos pri je que vos nos dites por quoi nos ne trovons
mes tant [d']aventures come nos solions.

– [Je vos dirai, fet li preudons, por quoi ce est]. Les aventures qui ore avienent sont [les demostrances et li signe]
del Saint Graal, ne li signe del Saint Vessel n'aparront ja
35 a pecheor n'a home qui soit envolepez de terriens vices.
[Dont il ne vos aparront ja ; car vos estes trop desloial
pecheor]. Si ne devez pas quidier que cez aventures qui
or corent soient de chevaliers ocirre et mehaignier, ainçois sont des choses esperitex qui sont graindres [et meuz
40 valent assés].

196. – Sire, fet messires Gauvains, par ceste reson que
vos me dites, puis que ge sui en pechié mortel, puis ge
vooir tot apertement que je m'i traveilleroie por neent [en
ceste Queste], puis que je n'i feroie rien.
5 – Certes, fet li preudons, vos dites voir ; il en i est assez
alé qui ja n'i avront se honte non.
– Par foi, fet Hestor, monseignor Gauvain, se vos m'en
creez, nos en retornerons a Camaalot.
– Ge le vos lo bien, fet li preudons, car je vos di encore
10 bien que, ja tant come vos soiez en pechié mortel, n'i ferez rien dont vos aiez henor.
Et quant il ot dite ceste parole, si s'en partirent a tant. Et
quant il furent .i. pou esloignié, li preudons rapela monseignor Gauvain. Et il revint a lui et li preudons li dist :

n'avait pas construite pour qu'y entrent les vils pécheurs, les corrompus, et les luxurieux, mais pour que la vérité y fût annoncée, et lorsqu'Il vous y trouva, Il s'en alla parce que vous aviez souillé le lieu par votre présence. En s'en allant, Il vous dit : "Chevaliers de pauvre foi et de pauvre croyance, ces trois choses vous manquent : charité, abstinence, vérité, et c'est pourquoi vous ne pouvez ni l'un ni l'autre prendre part aux aventures du Saint-Graal." Et maintenant je vous ai dit la signification de vos songes et celle de la main.

– Certes, dit monseigneur Gauvain, vous nous l'avez si bien expliquée qu'elle m'est parfaitement claire. Mais je vous prie de nous dire pourquoi nous ne rencontrons pas autant d'aventures qu'autrefois.

– En voici la raison. Les aventures qui se produisent maintenant sont les manifestations et les signes du Saint-Graal, et les signes du Saint-Vase n'apparaîtront jamais au pécheur, à l'homme entaché des vices de ce monde. Vous ne les verrez donc jamais, car vous êtes de très indignes pécheurs. Et ne croyez pas que les aventures qui surviennent maintenant consistent à mutiler et à tuer des chevaliers. Ce sont des choses spirituelles, d'un ordre et d'une valeur bien supérieurs.

196. – Seigneur, dit monseigneur Gauvain, d'après ce que vous me dites, il m'est parfaitement clair, puisque je suis en état de péché mortel, que je me dépenserais en vain dans cette Quête, car je n'y accomplirais rien.

– Vous dites vrai, et il y en a beaucoup qui n'y trouveront que de la honte.

– Par ma foi, monseigneur Gauvain, dit Hector, si vous m'en croyez, nous retournerons à Camaalot.

– Je vous le conseille vivement, dit l'ermite, et je vous répète que tant que vous serez en état de péché mortel, vous ne ferez rien qui soit à votre honneur.

Sur ces paroles, ils se séparent. Mais quand les chevaliers se furent un peu éloignés, l'ermite rappela monseigneur Gauvain. Il revint sur ces pas, et l'ermite lui dit :

15   – Gauvain, Gauvain, il a molt lonc tens que tu fus primes
chevaliers, ne onques puis ne servis tu ton Criator se petit
non. Tu es li velz arbres, qu'il n'a mes en toi ne fueille ne
fruit. Car te porpenses tant, au moins, que Nostre Sires ait
en toi eu la moole et l'escorce, puis que li enemis en a eu
20   la fueille et le fruit.

       – Sire, fet messires Gauvains, [*Bᵃ*, f. 48d] se g'eusse
loisir de parler a vos, g'i parleroie molt volentiers. Mes
veez la mon compaignon qui ja devale le tertre, por quoi
il m'en covient aler de ci ou je vueille ou non. Mes bien
25   sachiez veraiement que ja si tost n'avrai loisir de revenir
come g'i retornerai, que molt ai grant talent de parler a
vos priveement.

       Atant s'en depart li .i. de l'autre, si devalent li dui com-
paignon le tertre, si vienent a lor chevax et montent, si pre-
30   nent lor armes et chevauchent jusq'au soir qu'il vindrent
chiés .i. forestrier, qui molt leur fist grant joie si tost com
il les conut et les herberja molt bien et molt richement. A
l'andemain s'en departirent et se remistrent en lor queste,
si chevauchierent ensemble molt lonc tens sanz aventure
35   trover qui a conter face. Mes a tant lesse ore li contes a
parler d'els, si retorne a monseigneur Boorz de Gaunes.

       197. Or dit li contes que quant Boorz se fu partiz de
Lancelot si com li contes a devisé, qu'il chevaucha jusq'a
hore de none. Lors ateinst .i. preudome qui estoit de grant
aage, si estoit vestu de robe de religion et chevauchoit .i.
5   asne, si n'avoit auvec lui [ne vallet ne serjant ne] compaignie [nule]. Boorz le salue et [li dist :

       – Sire, Dex vos conduie.

       Et cil le regarde et conoist tantost qu'il est chevaliers

– Gauvain, Gauvain, il y a fort longtemps que tu as été
fait chevalier, et jamais depuis tu n'as vraiment bien servi
ton Créateur. Tu es un vieil arbre qui n'a plus ni feuilles
ni fruits. Veille donc à ce que Notre-Seigneur ait au moins
de toi la moelle et l'écorce puisque l'Ennemi en a eu la
feuille et le fruit.

– Seigneur, dit monseigneur Gauvain, si j'en avais le
temps, je resterais bien volontiers pour parler avec vous.
Mais voyez là mon compagnon qui descend déjà la colline. Il me faut donc vous quitter, que je le veuille ou non.
Mais soyez sûr que je reviendrai dès que j'en aurai la pos-
sibilité, car je tiens beaucoup à vous parler en privé.

Là-dessus ils se séparent. Les deux compagnons descendent rapidement la colline, vont retrouver leurs chevaux, montent en selle, prennent leurs armes et chevauchent jusqu'au soir. Ils arrivèrent alors chez un forestier
qui les accueillit avec joie aussitôt qu'il les reconnut et
leur offrit une généreuse hospitalité. Le lendemain ils re-
prirent leur route et chevauchèrent longtemps ensemble
sans trouver d'aventure digne d'être rapportée. Mais ici
le conte cesse de parler d'eux et revient à monseigneur
Bohort de Gaunes.

CHAPITRE IX

Aventures de Bohort

197. Le conte dit ici, comme il l'a déjà rapporté, que
lorsque Bohort eut quitté Lancelot[1], il chevaucha jusqu'à
l'heure de none. Il rejoignit alors un homme très âgé, vêtu
d'une robe de religion et monté sur un âne, qui s'en allait
tout seul, sans écuyer ni serviteur.

– Seigneur, que Dieu vous guide, lui dit Bohort en le
saluant.

Le vieillard le regarde, et comprenant tout de suite que

errans, si li] respont que Dex le conselt. Lors demande
10 Boorz dont il vient [*B^a*, f. 49a] einsi sels.

— Ge vieg, fet il, de visiter .i. mien serjant [qui ça gist]
malade, qui me soloit aler en mes aferes. Et vos, qui estes
et quel part alez vos ?

— Sire, fet il, ge sui .i. chevaliers erranz qui sui meu
15 en une queste dont je vodroie bien que Nostre Sires me
conseillast. Car c'est la plus haute queste qui onques mes
fust comencie, c'est la Queste del Saint Graal, ou cil avra
tant d'enor terriene, qui a fin la porra mener, que cuer
d'ome mortel ne le porroit mie penser.

20 — Si m'aït Dex, fet li preudons, vos dites verité, henor
i avra il [grant, ne] ce n'est mie merveille, car il sera li
plus loiax chevaliers [et li plus verais] de tote la Queste.
Il n'entrera pas en ceste Queste ort ne conchié [ne lais]
come [sont] li desloial pecheor qui [i] entrent sanz amen-
25 dement de vie, [car ce est li servises meimes de Nostre
Seignor]. Or esgardez com il sont fol. Il sevent bien,
et maintes foiz l'ont oï dire, que nus ne puet a son Criator
venir s'il n'i vient par la porte de netee, c'est confession ; car nus ne puet estre nez [ne espurgiez] se veraie
30 confession ne l'espurge : par la confession en chace l'en
l'enemi. Quant li chevaliers, ou li hom [quel qu'il soit],
peche mortelment, il reçoit l'enemi et manjue, mes transglotir ne le puet il [que il ne soit toz jorz o lui. Et] quant
il a esté en lui .x. anz o .xx., ou tant de terme come ce a
35 esté, et il vient a confession, il le gete hors de son cors
et herberge autre dom il a assez greigneur henor, c'est
Jesucriz qui a presté longuement a la chevalerie [ter-
rienne] la viande del cors. Or s'est [adouciz et alegiez et]
eslargiz apertement plus qu'il ne selt. Car il lor a prestee
40 la viande del Saint Graal, qui est repessement a l'ame et
sostenement au cors. [Iceste viande est la douce viande
dont il reput et sostint si longuement le pueple Israel
el desert. Or s'est plus eslargiz envers eus, car il lor promet or la ou il soloient prendre plom]. Car tot einsi
45 com la viande terriene est changié a la celestiel, tot ausi

c'est un chevalier errant, il lui rend son salut. Bohort lui demande alors d'où il vient, ainsi seul.

– Je viens de visiter un de mes serviteurs chargé de s'occuper de mes affaires, et qui est malade. Et vous, qui êtes-vous et où allez-vous ?

– Je suis, seigneur, un chevalier errant parti pour une quête où je voudrais bien que Dieu me conseille. Car c'est la plus haute quête qui ait jamais été entreprise, la Quête du Saint-Graal, et celui qui l'achèvera y gagnera un honneur si grand que nul cœur ne pourrait l'imaginer.

– Par Dieu, dit le vieillard, vous dites vrai ; grand sera l'honneur dont il jouira et il n'y a là rien d'étonnant, car il sera le plus loyal et le plus vrai chevalier de toute la Quête. Il n'y entrera pas sali, souillé et odieux comme le sont les pécheurs déloyaux qui s'y sont engagés sans amender leur vie, ce qu'ils auraient dû faire puisqu'il s'agit du service même de Notre-Seigneur. Voyez comme ils sont insensés : ils savent bien, et l'ont souvent entendu dire, que nul ne peut venir à son Créateur sans passer par la porte de pureté, c'est-à-dire la confession ; car nul ne peut être nettoyé et purifié si ce n'est par une vraie confession qui délivre de l'Ennemi. Lorsqu'un chevalier, ou un homme, quel qu'il soit, commet un péché mortel, il reçoit l'Ennemi et le mange, mais il ne peut le rejeter et l'empêcher de demeurer toujours en lui. Mais si, après l'avoir hébergé dix ou vingt ans ou n'importe quel autre nombre d'années, il va se confesser, il le rejette hors de lui et reçoit un autre hôte dont la présence lui est bien plus salutaire ; c'est Jésus-Christ qui a longtemps prêté à la chevalerie terrestre la nourriture du corps. Mais maintenant Notre-Seigneur se montre plus clément, plus indulgent, plus généreux encore puisqu'il a prêté aux chevaliers la nourriture du Saint-Graal qui rassasie l'âme et soutient le corps. C'est la douce nourriture dont il a si longtemps nourri et soutenu le peuple d'Israël dans le désert. Sa générosité envers ses chevaliers est donc plus grande encore puisqu'il leur promet de l'or au lieu de plomb. Car de même que la nourriture terrestre s'est changée en nourriture céleste,

covient il que cil qui [jusques a cest terme] ont esté [*B^a*,
f. 49b] terrien, c'est a dire que li chevalier qui jusque ci ont
esté pecheor, soient changié de terrien en celestiel, et lessent [lor] pechiez [et lor ordures] et viegnent a confession
50 et a repentance, et deviegnent chevalier Jesucrist et portent
l'escu Jesucrist, c'est pacience et humilité. Car autre escu
ne porta il encontre l'enemi, quant il le veinqui en la Croiz
ou il sofri mort por les pecheors oster de la mort d'enfer et
del servaje ou il estoient.

198. « Par cele porte, qui est apelee confession, [sanz
quoi nul hom ne puet venir a Nostre Seignor], covient entrer en ceste Queste [et muer l'estre de chascun et changier, encontre la viande qui changiee lor est]. Et qui par
5 autre porte i vodra entrer, c'est a dire qui s'i traveillera
[granment] sanz aler a confession premierement, il n'i trovera ja chose qu'il quiere, ainz s'en revendra [sans taster
et] sans goster de cele douce viande qui promise lor est. Et
encor lor avendra autre chose, que por ce qu'il se metront
10 en leu de chevaliers celestiex [et si ne le seront mie], c'est
a dire por ce qu'il se feront conpaignon de la Queste [et
si ne le seront pas, ainz seront ort pecheor et malvés plus
que vos ne porriez penser, et en] charra li .i. en avotire
et li autres en fornicacion [et] li autres en homicide. Et
15 einsi gabé et escharni [par lor mal sens et] par l'engin del
deable, s'en revendront a cort sanz rien trover, fors ce que
li enemis done de lui servir, c'est honte et desenor, dom il
avront a grant plenté ainz qu'il reviegnent mes. Sire chevalier, fet li preudons, tot ce vos ai je dit por ce que vos
20 estes meuz en la Queste del Saint Graal. Car je ne vos
loeroie mie [en droit conseil] que vos ja vos i traveillissiez
[plus], se vos n'estes tex que vos en doiez estre conpainz.

199. – Sire, fet Boorz, il me semble, [par la raison]
que vos [me] dites, que tuit cil qui entré i sont en seront

de même il convient que ceux qui jusqu'ici n'ont pensé qu'aux choses de ce monde, je veux dire les chevaliers qui jusqu'à ce jour ont été des pécheurs, soient changés de terrestres en célestes, se débarrassent de leurs péchés et de leurs souillures, se confessent, se repentent, pour devenir des chevaliers de Jésus-Christ et porter son écu qui est de patience et d'humilité. Car il n'en porta point d'autre pour se défendre de l'Ennemi quand il le vainquit sur la Croix où il endura la mort pour sauver les pécheurs de la mort de l'enfer et du servage auquel ils étaient réduits.

198. « C'est par cette porte appelée confession, la seule qui mène à Notre-Seigneur, que chacun doit entrer dans cette Quête et changer son être pour devenir digne de recevoir la nourriture qui a été changée pour eux. Celui qui voudra entrer par une autre porte et qui se donnera beaucoup de mal sans s'être d'abord confessé, ne trouvera jamais ce qu'il cherche, mais reviendra sans avoir touché ou goûté à la douce nourriture promise. Et ce n'est pas tout : comme ces chevaliers se feront passer pour des chevaliers célestes sans l'être réellement, c'est-à-dire comme ils se donneront pour compagnons de la Quête, mais ne le seront pas, et qu'ils seront des pécheurs plus vils et plus mauvais que vous ne pourriez l'imaginer, l'un commettra l'adultère, un autre la fornication, et un autre encore l'homicide. Ainsi par leur folie et les ruses du diable, ils se trouveront exposés aux railleries et aux insultes, et ils reviendront à la cour sans avoir rien trouvé sinon ce que l'Ennemi donne à ceux qui le servent : la honte et le déshonneur qui ne leur seront pas ménagés avant même qu'ils ne reviennent. Seigneur chevalier, je vous ai dit tout cela parce que vous avez entrepris la Quête du Saint-Graal. Je ne vous conseillerais pas, en toute honnêteté, d'y persévérer si vous n'êtes pas tel que vous ayez le droit d'en être compagnon.

199. – Seigneur, dit Bohort, il me semble, d'après ce que vous dites, qu'il dépend de tous ceux qui y sont entrés

conpaignon s'en els ne remaint. Et sanz faille il m'est avis
que en si haut servise come ciz est, [qui est servise Jhesu-
5 crist], ne doit nus entrer se par [*B^a*, f. 49c] confession non.
Et qui autrement i enterra, je ne quit pas qu'il l'en poïsse
bien chooir, [qu'il soit troverres de si haute troveure come
ceste est].

— Vos dites voir, fet li preudons.

10 Lors li demande Boorz s'il est prestres.

— Oïl, fet il.

— Or vos requier je, fet Boorz, [ou nom de sainte cha-
rité], que vos me conseilliez si com peres doit conseillier
fil, [ce est le bon crestien qui vient a confession ; car pres-
15 tres est el leu de Jhesucrist, qui est peres a toz ceulz qui en
lui croient. Si vos prie que vos me conseilliez au profit de
m'ame et a l'enor de chevalerie].

— Par foi, fet li preudons, vos me requerez grant chose.
Et se ge de ce vos failloie, et puis chaïssiez en pechié mor-
20 tel [ou en error] par defaute d'aide, vos m'en porriez apeler au [grant] jor del Joïse devant la face Jesucrist. Et por
ce vos conseilleré je au meuz que je savrai.

Et lors li demande coment il a non, et il dit qu'il a non
Boorz de Gaunes et fu filz lo roi Boorz, si est cosins Lan-
25 celot del Lac.

200. Quant li preudons entent ce, si li respont :

— [Certes], Boorz, se la parole de l'Evangile estoit en
vos sauvee, vos seriez des [bons] chevaliers [et des verais].
Car, si com Nostre Sires dit : "Li bons arbres fet le bon
5 fruit", et vos estes [li] fruit de [tres] buen arbre, si devez
estre buen par nature, que vostre peres, li rois Boorz, fu
.i. des [plus] prodomes del monde [que je onques veïsse],
rois piteus et douz ; et vostre mere, la roïne Evaine, [fu]
une des bones dames do monde. Cil dui furent .i. [seul]
10 arbre et une [meïsme] char par conjoncion de mariage. Et
quant vos en estes fruit vos devez bons estre puis que li
arbre furent bon.

— Sire, fet Boorz, toz soit li hons estrez de mauvés arbre, c'est de mauvés home et de mauvese feme, si est il

d'en être compagnons. Et je conçois bien que nul ne peut entrer en un si haut service, le service de Jésus-Christ, sans s'être confessé. Celui qui agirait autrement, je ne pense pas qu'il puisse réussir et découvrir un trésor aussi précieux que l'est le Saint-Graal.

– Vous dites vrai, répondit le saint homme.

Bohort lui demande alors s'il est prêtre.

– Oui, dit-il.

– Je vous prie donc, au nom de la sainte charité, de me conseiller comme le père doit conseiller son fils, c'est-à-dire le bon chrétien qui vient se confesser ; car le prêtre tient la place de Jésus-Christ qui est le père de tous ceux qui croient en lui. Conseillez-moi donc, je vous prie, pour le profit de mon âme et pour l'honneur de la chevalerie.

– Par ma foi, dit le prêtre, vous me demandez là une grande chose. Si je refusais de vous aider et que vous tombiez ensuite dans le péché mortel et dans l'erreur, vous pourriez faire appel contre moi au grand jour du Jugement devant la face de Jésus-Christ. Je vous conseillerai donc de mon mieux.

Il lui demande alors comment il s'appelle, et Bohort répond qu'il se nomme Bohort de Gaunes, fils du roi Bohort et cousin de Lancelot du Lac.

200. En entendant cela, le prêtre lui dit :

– Certes, Bohort, si la parole de l'Évangile était conservée en vous, vous devriez être un bon, un vrai chevalier. Si en effet, comme l'a dit Notre-Seigneur, le bon arbre produit le bon fruit[1], vous devez être bon par nature, car vous êtes le fruit d'un très bon arbre. Votre père, le roi Bohort, fut un des meilleurs hommes que j'aie connus, un roi pieux et doux ; et votre mère, la reine Evaine, fut une femme d'un très grand mérite. Le lien du mariage fit de ces deux êtres un seul arbre, une seule chair, et vous qui en êtes le fruit devriez être bon puisque les arbres étaient bons.

– Seigneur, dit Bohort, même si un homme est issu d'un mauvais arbre, c'est-à-dire d'un mauvais père et d'une

15 changié d'amertume en doçor si tost com il reçoit la seinte
oncion de cresme ; por ce m'est [il] avis qu'il ne va pas au
pere n'a la mere [quex qu'il soit, bons ou mauvés], mes au
cuer de l'ome. Li cuer de l'ome si est l'aviron [*B^a*, f. 49d]
de la nef, qui le moine quel part que il velt ou a port ou
20 a peril.

— A l'aviron, fet li preudons, a mestre qui le tient [et
qui le maistroie] et fet aler quel part qu'il velt ; ausi a il
au cuer de l'ome. Car ce qu'il a [fet] de bien li vient de la
grace [et del conseil] del Saint Esperit, et ce qu'il fet de
25 mal, si li vient de [l'atisement a] l'enemi.

Assez parlerent de maintes choses [entr'els .ii.], tant
qu'il virent devant els une petite meson a hermite. Li
preudons va cele part et dit a Boorz qu'il le sive, et il le
herberjera en son ostel hui mes, et le matin si parlera a
30 lui priveement [de ce dont il li a demandé conseil] ; et
Boorz li otroie [molt volentiers]. Com il sont venu a ostel,
si descendent et trovent leenz .i. clerc, qui oste au cheval
Boorz lo frein [et la sele et s'en prent garde], et aide Boorz
a desarmer. Et com il est desarmez, li preudons li dit qu'il
35 aille oïr vespres en sa chapele. Et il dit :

— Volentiers.

201. Lors entrent enz, et li preudons comence vespres.
Et [quant il les a chantees, il] comande a metre la table et
done a Boorz pain et eve, si li dit :

— Sire, de tel viande se doivent pestre li chevalier ce-
5 lestiel [lor cors, non pas des grosses viandes qui meinent
home a luxure et a pechié mortel]. Et [se Dex me conseut],
se je quidoie que vos vossissiez une chose fere por moi, je
le vos en requerroie.

Et Boorz li demande que ce est.

10 — C'est une chose, fet il, qui vos sostendra assez le cors
et vos vaudra a l'ame.

Et il li creante qu'il le fera.

— [Grans merciz. Et] savez vos, fet li prodons, que vos
m'avez otroié ? Vos m'avez creanté que vos ne pestrez

mauvaise mère, son amertume se change en douceur dès qu'il reçoit la sainte onction, le Saint Chrême. Aussi me semble-t-il qu'il ne dépend pas du père ou de la mère qu'un homme soit bon ou mauvais, mais du cœur même de cet homme. Le cœur est l'aviron qui mène la nef là où il veut, à bon port ou à sa perte.

— L'aviron, dit le prêtre, a un maître qui le tient et le gouverne et le fait aller comme il veut. Il en est de même du cœur de l'homme : ce qu'il fait de bien, il le doit à la grâce et aux conseils du Saint-Esprit, et ce qu'il fait de mal, il le doit aux incitations de l'Ennemi.

Ils continuèrent à parler de maintes choses jusqu'au moment où ils arrivèrent devant un petit ermitage. Le prêtre s'y dirige, invite Bohort à le suivre, et lui dit qu'il l'hébergera aujourd'hui et que demain matin il s'entretiendra avec lui, en privé, de ce qui le préoccupe. Bohort accepte très volontiers. Arrivés à l'ermitage, ils mettent pied à terre. Un clerc prend soin du cheval de Bohort, lui enlève le frein et la selle, puis aide Bohort à se désarmer. Après quoi, le prêtre l'invite à entendre les vêpres.

— Volontiers, répond Bohort.

201. Ils entrent alors dans la chapelle et le prêtre commence les vêpres. Une fois qu'il les a chantées, il fait mettre la table et offre à Bohort du pain et de l'eau en lui disant :

— Seigneur, c'est d'une telle nourriture que les chevaliers célestes doivent soutenir leur corps, et non des nourritures trop riches qui mènent l'homme à la luxure et au péché mortel. Et si je pensais que vous me l'accordiez, je vous ferais une demande.

— De quoi s'agit-il ? dit Bohort.

— De quelque chose qui soutiendra votre corps et sera profitable à votre âme.

Bohort lui promet d'y consentir.

— Grand merci, dit le prêtre. Savez-vous ce que vous m'avez promis ? De ne jamais manger d'autre nourriture

15 mes vostre cors d'autre viande jusq'a tant que vos serez a
la table del Saint Graal.

— Que savez vos, fet Boorz, se g'i mangerai ?

— Ge sai bien, fet li preudons, que vos i mangerez, vos
[*B^a*, f. 50a] tierz de compaignons de la Table Roonde.

20 — Donc vos creant je, fet il, que ja mes ne mangeré fors
pain et eve jusque tant que g[e] serrai [a cele table que vos
me dites].

Et li preudons l'en mercie [molt de ceste abstinence
qu'il fera por l'amor del verai Crucefié].

202. Cele nuit se jut Boorz sus l'erbe vert que li c[l]ers
avoit cueilli delez la chapele. L'endemain, si tost com li
jorz parut, se leva Boorz, et lors vint li preudons a lui, si
li dist :

5 — Sire, vez ci une cote blanche que vos vestirez en leu
de chemise. Si sera signe de peneance, si vaudra .i. chas-
tiement a la char.

Et il oste maintenant tote sa robe et sa chemise et la vest
en tele entencion come cil li baille, puis vest par desuz une
10 cote d'escarlate vermeille. Puis se [seigne], si entre en la
chapele, si se fet confés au preudome [de tot ce dont il se
sent corpables vers son Creator]. Si le trove li preudons
de si bone vie [et de si religieuse] qu'il s'en merveille
toz, et set qu'il ne s'ert onques mesfez en corrupcion de
15 virginité, fors quant il engendra Helain le Blanc. Et de ce
rendoit il graces a Deu de bon cuer. Quant li preudons l'a
assols et enjointe tel penitance com il voit qu'il li covient,
Boorz li dit qu'il li doinst son Sauveor : [si en sera toutevoies plus aseur en quel que leu qu'il viegne, car il ne
20 set se il morra en ceste Queste ou se il en eschapera]. Et
li preudons li dit qu'il se suefre tant qu'il ait messe oïe. Et
il dit [que] si fera il.

203. Lors comence li preudons ses matines ; et com il
les ot chantees, si se revesti et chanta la messe. Et com il

jusqu'à ce que vous preniez place à la table du Saint-Graal.

– Et comment pouvez-vous savoir si j'y mangerai ?

– Vous y mangerez, je le sais, vous, le troisième des trois compagnons élus de la Table Ronde[1].

– Alors je vous promets de ne prendre que du pain et de l'eau jusqu'à ce que je sois assis à la table que vous dites.

Le prêtre le remercie beaucoup d'accepter cette abstinence pour l'amour du Vrai Crucifié.

202. Cette nuit-là Bohort dormit sur l'herbe verte que le clerc avait ramassée près de la chapelle. Le lendemain il se leva dès que le jour parut. Le prêtre vint le trouver et lui dit :

– Seigneur, voici une cotte blanche que vous porterez au lieu de votre chemise. Elle sera signe de pénitence et châtiment de la chair.

Bohort enlève immmédiatement sa robe et sa chemise et revêt la cotte dans l'esprit dans lequel elle lui a été donnée, puis passe par-dessus une autre cotte de drap vermeil[1]. Il se signe, entre dans la chapelle et se confesse au prêtre de tous les péchés dont il se sent coupable envers son Créateur. Le prêtre est très surpris d'apprendre qu'il a mené si bonne vie et si pieuse et qu'il n'a jamais souillé sa pureté – ce dont il rend grâce à Dieu de bon cœur – sauf lorsqu'il engendra Helain le Blanc[2]. Quand le prêtre lui a donné l'absolution et imposé la pénitence qu'il juge appropriée, Bohort demande à recevoir son Sauveur : il se sentira ainsi mieux protégé, où qu'il aille, car il ne sait pas s'il mourra en cette quête ou s'il en réchappera. Le prêtre lui dit de patienter jusqu'à ce qu'il ait entendu la messe. Ce à quoi il consent.

203. Le prêtre dit l'office des matines, puis revêt les vêtements sacerdotaux et chante la messe. Après la béné-

ot fet sa beneiçon, si [prent *Corpus Domini* et] fet signe a
Boorz qu'il viegne avant. Et il [si fet et] s'agenoille devant
lui [si tost com il i est venuz]. Et li preudons li dit :

– Boorz, voiz tu ce que je tieg ?

– Sire, fet il, oïl [bien. Je voi que vos tenez ma redempcion et mon Sauveor en semblance de pain ; et en tel semblance nel veisse je pas, mes mi oil, qui sont si terrien
qu'il ne pueent veoir les esperitex choses, ne le me lessent
autrement veoir, ainz m'en tolent la vraie semblance. Car
de ce ne dout je mie que ce ne soit veraie char et verais
hons et enterine deité.

Lors comence a plorer trop durement.

– Or seroies tu donc, fait li prodons, molt fox se tu si
haute chose com tu devises recevoies, se tu ne li portoies
loial foi et loial compaignie toz les jorz mes que tu vivroies.

– Sire, fet Boorz, ja tant come je vive mais ne serai se
ses serjanz non, ne n'istrai fors de son comandement].

Lors li done li preudons son Sauveor et il le reçoit [tant
liez et tant joianz qu'il ne cuide ja mes estre corrociez de
chose qu'il voie].

204. Quant il l'ot usé [et esté devant l'autel tant come
lui plot], il vient au preudome et li dit [*B^a*, f. 50b] qu'il
s'en velt aler, car assez a ore demoré leenz. Et li preudons
li dit qu'il s'en puet aler quant li plera, [car ore est il armez en tel maniere come chevaliers celestiex doit estre, et
si bien garniz contre l'enemi que meuz ne porroit estre].
Lors vient a ses armes, si les prent. Et qant il est toz armez, si se part de leenz et comande le preudome a Deu.
Et cil li requiert qu'il prit por lui com il vendra devant le
Saint Vessel. Et Boorz li dit qu'il prit por lui [Nostre Seignor qu'il nel laist chaoir en pechié mortel par temptacion
de deable]. Et li prodons li dit que si fera il [en totes les
manieres qu'il onques porra].

Maintenant s'en part Boorz et chevauche [tote jor]
jusq'a none. Et [quant vint .i. poi aprés cele hore, il] regarde amont en l'air, si vit .i. grant oisel voler sus .i. arbre

diction, il prend *Corpus Domini* et fait signe à Bohort de
s'approcher. Bohort s'avance et s'agenouille devant lui.

– Bohort, lui dit le prêtre, vois-tu ce que je tiens ?

– Oui, seigneur. Je vois que vous tenez ma rédemption
et mon Sauveur sous les apparences du pain. Je ne le verrais pas sous cette apparence, si mes yeux, qui sont yeux
de chair, ne m'empêchaient de contempler les choses spirituelles et ne m'en cachaient la véritable apparence. Car
je ne doute point que ce soit là vraie chair, vrai homme, et
Dieu tout entier.

Il ne peut alors retenir ses larmes, et le prêtre lui dit :

– Tu serais bien fou si, recevant quelque chose d'aussi
saint que tu viens de le dire, tu ne l'assurais pas de ta
loyauté et de ton fidèle service jusqu'à la fin de tes jours.

– Seigneur, répond Bohort, tant que je vivrai je serai son
serviteur et obéirai toujours à son commandement.

Le prêtre lui donne alors son Sauveur qu'il reçoit avec
tant de joie qu'il pense que désormais rien de ce qu'il
pourrait voir ne saurait le rendre malheureux.

204. Après avoir communié et être resté à genoux aussi
longtemps qu'il le désirait, Bohort va vers le prêtre et lui
dit qu'il veut s'en aller car il s'est suffisamment attardé.
Le prêtre lui répond qu'il peut s'en aller quand il voudra
puisqu'il est maintenant armé comme doit l'être un chevalier céleste et protégé le mieux qu'il est possible contre
l'Ennemi. Bohort va prendre ses armes et, une fois équipé, il s'en va en recommandant son hôte à Dieu. Le saint
homme lui demande de prier pour lui quand il sera devant
le Saint-Vase, et Bohort de son côté lui demande de prier
Notre-Seigneur de ne pas le laisser induire par le diable à
commettre un péché mortel. Le prêtre l'assure qu'il fera
tout ce qu'il pourra pour lui.

Bohort se met aussitôt en route et chevauche jusqu'à
l'heure de none. Peu après, levant les yeux vers le ciel, il
vit un grand oiseau voler au-dessus d'un vieil arbre, tout

viel [et sec et deserté], sanz fueille et sanz fruit. Et quant
il ot grant piece alé entor, si s'assist sus l'arbre ou il avoit
ses oiselez [propres, ne sai quanz], qui tuit estoient mort.
20 Et com il s'assooit sor els, si les trovoit sanz vie, il se
feroit de son bec qui estoit aguz et trenchanz si durement
qu'il se fesoit le sanc saillir del cors. Et si tost com li oiselet sentoient le sanc chaut, si revenoient en vie, et il moroit
entr'els, et einsi prenoient li oiselet comencement de vie
25 par le sanc del grant oisel.

Quant Boorz voit ceste aventure, si se merveille [trop]
que ce puet estre, [car il ne set quel chose puisse avenir de
ceste semblance]. Mes il set bien que c'est aucune senefiance merveilleuse. Lors regarde grant piece [por] savoir
30 se li granz oisiax se releveroit, mes ce ne pooit avenir,
qu'il estoit ja morz. Et com il voit ce, si raquelt sa voie et
chevauche jusqu'aprés vespres.

205. Au soir li avint, si com aventure le porta, qu'il
vint a une tor fort et haute ou il demanda ostel ; et l'en l'i
herberja volentiers. Et quant cil de leenz l'orent desarmé
[en une chambre], si le moinent en la sale en haut, ou il
5 trova [*B^a*, f. 50c] la dame de leenz, qui estoit juene et bele,
mes povrement estoit vestue. Et com ele voit Boorz entrer
leenz, si li cort a l'encontre et dit que bien soit il venuz.
Et [il la salue come dame, et ele] le reçut a grant joie, si le
fet assooir joste lui [et li fet feste merveilleuse]. Quant il
10 fu hore de souper, ele fist Boorz assooir [delez] li, et cil de
leenz aporterent granz mes de char a la table. Et [quant]
Boorz [voit ce, si] pense qu'il n'en mangera ja. Lors apele
.i. vallet, si li dit qu'il li aport de l'eve. Et cil si fet en .i.
henap d'arjent ; et [il] la met devant lui, si fet trois soupes
15 de pain dedenz, si les manjue. Et quant la dame voit ce,
si li dit :

– Sire, ne vos plest pas ceste viande que l'en a devant
vos aporté ?

– Dame, fet il, oïl [bien], mes je ne mangerai [hui mes]
20 autre chose que vos veez, car einsi me plest ore.

désséché, sans feuilles et sans fruits. Après avoir longtemps volé tout autour, l'oiseau se percha sur l'arbre où
se trouvaient ses petits, combien étaient-ils, je ne sais, qui
tous étaient morts. Puis il se posait sur eux et, s'apercevant qu'ils étaient sans vie, il se frappait si fort de son bec
pointu et tranchant qu'il faisait jaillir le sang de son corps.
Et dès que les oisillons sentaient le sang chaud, ils repre-
naient vie tandis que lui mourait au milieu d'eux ; ainsi, ils
renaissaient du sang du grand oiseau[1].

Bohort est frappé d'étonnement à la vue de cette aventure, car il ne voit pas ce qu'elle peut signifier, mais il ne
doute pas qu'elle ait un sens très profond. Il regarde un
long moment pour voir si le grand oiseau se relèverait,
mais c'était impossible, car il était déjà mort. Bohort se
remet donc en route et chevauche jusqu'après vêpres.

205. Le soir, le hasard le conduisit au pied d'une forte
et haute tour où il demanda l'hospitalité. On la lui accorda
volontiers. Après l'avoir désarmé dans une chambre, les
gens de la tour le menèrent en haut dans la grande salle
où il trouva la dame de la maison. Elle était jeune et belle,
mais pauvrement vêtue. Dès qu'elle vit entrer Bohort, elle
se hâta d'aller vers lui en lui souhaitant la bienvenue. Lui
la salua avec tout le respect dû à son rang. La dame l'accueillit avec joie, le fit asseoir auprès d'elle et fut pleine
d'égards envers lui. Quand vint l'heure de manger, elle
l'invita à prendre place à table à côté d'elle, tandis que
ses gens apportaient de riches plats de viande. Bohort se
dit qu'il n'y toucherait pas et, appelant un serviteur, lui
demanda de l'eau qui lui fut apportée dans un hanap d'argent[1]. Bohort le mit devant lui et y trempa trois tranches
de pain. En voyant cela, la dame lui dit :

– Seigneur, la nourriture que l'on vous a apportée ne
vous plaît-elle donc pas ?

– Si fait, ma dame, mais je ne mangerai aujourd'hui que
ce que vous voyez, car j'en ai décidé ainsi.

206. Et ele [en] lesse a tant la parole, [come cele qui ne
vodroit pas fere chose qui li despleust]. Quant cil de leenz
orent mangié et il orent les napes ostees, [il se drecierent],
si alerent as fenestres [del palés] ; si s'assist Boorz delez
la dame. Et [en ce qu'il parloient ensemble] .i. vallet entre
leenz qui dist [a la dame] :

– Dame, malement va. Vostre suer a pris .i. de vos chastiax et toz les homes qui de par vos i estoient, et vos mande
qu'ele ne vos lera plein pié de terre, se demain a hore de
prime n'avez [trové] .i. chevalier qui por vos se combate
contre Pr[i]adan le Noir, [qui ses sires est].

Quant la dame ot ceste parole, si [comence a fere trop
grant duel et] dist :

– Ha ! Dex, por quoi m'otroiastes vos onques a tenir
terre, quant g'en devoie estre deseritee, [et sanz reson] ?

Quant Boorz l'ot, si demande que ce est.

– [Sire, fet ele, ce est la greignor merveille del monde.

– Dites moi, fet il, quele, se il vos plest].

207. – Sire, fet ele, [molt volentiers]. Voirs fu que li rois
Amanz, qui tint tote ceste terre en sa baillie, [et assez plus
que ce ne monte], ama [jadis] une dame, [moie sereur]
qui estoit [assez] plus vielle que je ne sui, et li bailla tot le
pooir de sa terre et toz ses homes a governer. Et tant com
ele fu entor lui, si i mist mauveses costumes [et ennuieu-
ses ou il n'avoit point de droiture, mes tot apertement
tort], et mist a mort grant partie [B^a, f. 50d] des homes
lo roi. Quant li rois vit [qu'ele ovroit si mal], si la chaça
de sa terre, si me bailla tot ce qu'il avoit. Et [si tost] com
il fu morz, ele comença la guerre contre moi, si m'a puis
tolue pres que tote ma terre et assez de mes homes [tor-
nez a sa partie]. Et de tant com ele a en fet ne se tient ele
mie encore a paiee, ainz dit qu'ele me deseritera del tot.
[Et ele en a si bel comencement qu'ele ne m'a lessié fors
que ceste tor, qui ne me remaindra mie], se je ne truis qui
demain se combate por moi contre P[r]iadan le Noir, [qui
por sa querele deresnier en vuelt entrer en champ].

206. Elle ne dit plus rien, de crainte de lui déplaire. Quand le repas fut fini et qu'on eut ôté les nappes, tous se levèrent et s'approchèrent des fenêtres de la salle ; Bohort lui, s'assit auprès de la dame. Tandis qu'ils parlaient, un écuyer entra et dit à la dame :

– Ma dame, les choses vont mal. Votre sœur a pris un de vos châteaux et tous les hommes qui le gardaient en votre nom. Elle vous fait dire qu'elle ne vous laissera pas un pied de terre si, d'ici demain, à l'heure de prime, vous n'avez trouvé un chevalier prêt à se battre pour vous contre Priadan le Noir, son seigneur.

À ces mots, la dame commence à se lamenter, disant :

– Ah ! Dieu, pourquoi m'avez-vous permis de posséder des terres si je devais en être déshéritée, et sans raison ?

Bohort, en entendant ces paroles, lui demande de quoi il s'agit.

– Seigneur, répond-elle, c'est l'histoire la plus extraordinaire du monde.

– Racontez-la moi, je vous prie.

207. – Bien volontiers, dit-elle. C'est un fait reconnu que le roi Amanz, qui avait en sa possession tout ce royaume et bien d'autres terres encore, aima jadis une dame, ma sœur, qui est bien plus âgée que moi, et lui donna tout pouvoir sur sa terre et ses hommes. Tant qu'elle fut auprès de lui, elle établit des coutumes mauvaises et pernicieuses, fondées non sur le droit mais sur une injustice flagrante, et elle fit mettre à mort un grand nombre des hommes du roi. Quand celui-ci vit qu'elle agissait si mal, il la chassa de son royaume et me fit don de tout ce qu'il avait. Mais dès qu'il fut mort, elle entra en guerre contre moi et, depuis, elle m'a enlevé une grande partie de mon royaume et a gagné à sa cause beaucoup de mes hommes. Pourtant elle ne s'estime pas encore satisfaite et déclare qu'elle me dépouillera de tout. Elle y est déjà si bien parvenue qu'elle ne m'a laissé que cette tour que je perdrai si je ne trouve demain quelqu'un prêt à combattre pour moi contre Priadan le Noir, son champion.

– Or me dites, fet Boorz, qui est cil P[r]iadans.

20 – C'est, fet ele, li plus redotez chevaliers de ceste terre,
[et qui de greignor pooir est].

– Et vostre bataille, fet Boorz, doit estre demain ?

– Sire, fet ele, voire.

– Or poez, fet il, mander a vostre sereur et a cel P[r]iadan
25 que vos avez trové qui por vos se combatra, que vos devez
avoir l'eritaje, puis que vostre pere le vos dona, et qu'ele
n'i doit rien avoir puis que ses peres meismes l'en chaça.

208. Quant la dame ot ce, si est molt lié, et dit [por la
joie qu'ele en a] :

– Sire, buer venissiez vos hui ceenz ! Car vos m'avez
fet trop grant joie de vostre promesse. Or vos doinst Dex
5 force et pooir que vos ceste ma querele poïssiez desres-
nier, si voirement come mes droiz i est ! Car autrement
nel demant je mie.

Et il l'asseure molt, si li dit qu'ele n'a garde de perdre
son droit tant com il soit si sains [et si hetiez com il est].
10 Lors mande a sa suer que ses chevaliers sera demain toz
prez de fere ce que li chevalier del païs esgarderont qu'[il
en] doie fere. Si ont einsi porparlee la chose que la bataille
doit estre l'endemain.

Cele nuit fist la dame grant henor a Boorz et li fist apa-
15 reiller .i. lit molt riche. Quant il fu hore de couchier et il
l'orent deschaucié, si le menerent en une chambre grant
et bele. Et quant il fu la venuz et il voit le lit que l'en
[*B^a*, f. 51a] avoit apareillié por lui, si les en fet toz aler [et
departir d'ilecques. Et il s'en vont tuit puis qu'il le velt].
20 Si esteint les cierges [tot erraument], puis se couche a la
terre dure et met .i. cofre soz sa teste, si prie Deu que il
par sa douce pitié li soit demain en aide [et en force contre
cel chevalier a qui il se doit combatre], si veraiement com
il le fet por droiture et por loiauté metre avant et por tor-
25 çonerie abatre.

209. Quant il ot grant piece de la nuit esté en proieres

– Mais dites-moi, demande Bohort, qui est ce Priadan ?

– C'est le chevalier le plus redouté de ce royaume et un homme très puissant.

– Et le combat doit avoir lieu demain ?

– Oui, seigneur.

– Alors vous pouvez faire savoir à votre sœur et à ce Priadan que vous avez trouvé un chevalier prêt à se battre pour vous, que c'est à vous que revient la terre puisque votre père vous l'a laissée, et qu'elle n'a aucun droit sur elle puisque son père même l'en a chassée.

208. La dame est très heureuse d'entendre ces paroles et, toute à sa joie, s'écrie :

– Seigneur, que votre venue est opportune ! Et votre promesse me cause un bien grand bonheur. Puisse Dieu vous donner la force et le pouvoir de soutenir ma cause puisque je suis dans mon droit ; s'il en est autrement, je ne demande rien.

Bohort fait tout pour la rassurer et lui dit qu'elle n'a pas à craindre de perdre ce qui lui revient de droit tant qu'il conservera force et santé. Elle fait alors dire à sa sœur que son chevalier sera prêt le lendemain à faire tout ce que les chevaliers du pays décideront qu'il doit faire. Ils en parlèrent entre eux et la bataille fut fixée au lendemain.

Ce soir-là, la dame traita Bohort avec beaucoup d'honneur et lui fit préparer un lit somptueux. Quand vint l'heure du coucher, les serviteurs lui enlevèrent ses chausses, puis le conduisirent dans une grande et belle chambre. Mais lorsqu'il voit le lit qu'ils lui ont préparé, il leur dit de se retirer ; ce qu'ils font, puisque telle est sa volonté. Il éteint aussitôt les chandelles, se couche à même le sol dur, avec un coffre sous sa tête, et prie Dieu de bien vouloir, dans sa miséricorde, l'aider et le soutenir contre ce chevalier qu'il doit combattre le lendemain, étant donné qu'il se bat pour maintenir la justice et la loyauté et mettre fin à la violence.

209. Bohort passa une grande partie de la nuit en prières

et en oroisons, si s'endormi. Maintenant [que il fu endor-
mis], li fu avis que devant lui venoient dui oisel dont li
.i. estoit ausi blans com .i. cisnes et ausi granz, et cisne
resembloit il bien. Et li autres estoit noirs a merveilles, si
n'estoit mie de grant corsage. [Et il le regardoit], si li senbloit une cornille ; mes molt estoit bele en la nerté qu'ele
avoit. Li blans oisiaux [venoit a lui et] li disoit :

– Se tu me voloies servir, je te dorroie totes les richeces
del monde, et te feroie ausi biax [et ausi blans] com je
sui.

Et il [li] demandoit qui il est.

– [Dont ne voiz tu qui] ge sui ? fet il. [Ge sui si blans et
si] biax [et assez plus] que tu ne quides.

Et il ne responoit mot a ce, si s'en aloit tantost. Maintenant venoit devant lui li noirs oisiax, et disoit :

– Il covient que tu me serves demain et ne m'aies pas en
despit por ce se je sui noire que ce sont mi pocin qui si me
nercissent. Et sachiez que meuz valt ma nerté que autrui
blanchor [ne fait].

Lors se departoit d'iluec, qu'il ne voit [ne] l'un ne
l'autre oisel.

210. Aprés ceste avision li avint .i. autre [assez mer-
veilleuse], qu'il li estoit avis qu'il venoit en .i. ostel grant
et bel, qui resenbloit [une chapele]. Et quant il i estoit venuz, si trovoit .i. home seant en une [chaiere], si avoit a
senestre partie loig de lui .i. fust porri et vermeneus, si
foibles que a poines se pooit il sostenir [en estant] ; et a
destre avoit .ii. flors de lis. L'une des fleurs se traoit pres
de l'autre, si li voloit sa blancheur tolir. Et li preudons les
departoit, si que l'une ne touchoit [B^a, f. 51b] a l'autre, et
ne demoroit pas que de chascune flor oissoit arbres portant fruit a grant plenté. Quant ce estoit avenu, li preudons
disoit a Boorz :

– Boorz, ne seroit il molt fox, qui cez fleurs leroit perir
por cest fust porri secorre qu'il ne chaïst a terre ?

– Sire, fet il, oïl voir. [Car il m'est avis que cest fust ne

et en oraisons, puis il s'endormit. Aussitôt, il crut voir venir devant lui deux oiseaux dont l'un ressemblait beaucoup à un cygne par sa taille et son plumage blanc, tandis que l'autre, plus petit, était d'un noir intense et paraissait, à Bohort qui le regardait, être une corneille. Mais le noir de son plumage ne nuisait aucunement à sa beauté. L'oiseau blanc s'approchait et lui disait :

– Si tu voulais me servir, je te donnerais toutes les richesses du monde, et je te rendrais aussi beau et aussi blanc que moi.

Bohort lui demandait qui il était.

– Ne le vois-tu donc pas ? Je suis si blanc et si beau, et plus encore que tu ne penses.

Bohort ne répondait rien et l'oiseau s'envolait aussitôt. L'oiseau noir s'approchait alors et disait :

– Il faudra demain que tu te mettes à mon service. Et ne me méprise pas parce que je suis noir, car ce sont mes oisillons qui me rendent aussi sombre. Sache que ma noirceur vaut mieux que la blancheur d'autrui[1].

Il s'envolait à son tour, si bien que Bohort ne voyait plus ni l'un ni l'autre oiseau.

210. Après ce rêve, Bohort en fit un autre, très étrange. Il se voyait entrer dans une grande et belle maison qui ressemblait à une chapelle où il trouvait un homme assis sur un trône. À la gauche de cet homme, loin de lui, il y avait un tronc d'arbre pourri et vermoulu, si fragile qu'il pouvait à peine rester debout ; et à sa droite se trouvaient deux fleurs de lis. L'une des deux se penchait vers l'autre pour lui enlever sa blancheur, mais l'homme les séparait, si bien qu'elles ne se touchaient plus et, peu après, de chaque fleur sortait un arbre chargé de fruits.

Une fois ceci accompli, l'homme disait à Bohort :

– Bohort, ne serait-il pas fou celui qui laisserait périr ces fleurs pour secourir ce tronc pourri et l'empêcher de tomber ?

– Oui, certes, seigneur, car ce tronc ne pourrait plus ser-

porroit riens valoir, et ces flors sont assez plus merveilleuses que je ne cuidoie].

– Or te garde donc, fet li prodons, se tu voiz tele aventure [avenir] devant toi, que tu ne lesses mie [ces flors
20 perir] por le fust porri secorre. [Car se trop grant ardor les
sorprenoit, eles porroient tost perir].

Et il disoit qu'il seroit remenbranz de ceste chose s'il en
venoit en leu. Einsi li vindrent la nuit cez .ii. avisions qui
trop le firent merveillier, q'i[l] ne savoit que ce pooit estre.
25 Et tant le greverent en son dormant qu'il s'en esveilla. Et
com il fu esveilliez, si fist le signe de la croiz en mi son
front, [et se comanda a Nostre Seignor ; et atendi jusqu'a
tant qu'il fu jorz]. Quant il vit le jor [grant et bel], si entra
en son lit et l'atorna en tel maniere que l'en ne s'aperceust
30 qu'il n'i eust jeu. Lors vint leenz la dame de l'ostel et le
salua, et il dit que Dex li doinst joie.

Si en vont maintenant a une chapele qui estoit desoz la
tor ; si oï matines et le servise del jor.

211. Et quant vint .i. pou devant prime, si oissi del mostier et vint en la sale o tot grant compaignie de chevaliers
et de serjanz que la dame avoit mandez por vooir la bataille. Quant il vindrent el palés, si dist la dame a Boorz
5 qu'il manjast .i. po ainz qu'il s'armast, si en seroit totevoies plus seur. Et il dist qu'il ne mangeroit pas [devant
qu'il eust sa bataille menee a fin].

– Donc n'i a il, font cil de leenz, fors de prendre vos
armes [et d'apareillier vos]. Car nos cuidons bien que
10 P[r]iadans soit ja toz armez el champ ou la bataille doit
estre.

Lors demande Boorz ses armes, et l'en li aporte [main-
tenant]. Et quant il est [tot] apareilliez [si qu'il n'i faut
rien, il] monte en son cheval et dit a la dame qu'ele mont
15 entre lui et ses chevaliers et sa [B^a, f. 51c] conpaignie, si
le moinent el champ ou la bataille doit estre. Et ele monte
[erranment] entre li et cels de leenz, si oirrent jusqu'une
praerie qui estoit en une valee, si voient laienz [molt grant
gent] qui atendoient la dame et Boorz qui por li se devoit

vir à rien alors que ces fleurs sont bien plus merveilleuses
que je ne pensais.

– Garde-toi donc, reprenait l'homme, si tu vois pareille
aventure se produire, de laisser périr des fleurs pour secourir le tronc pourri, car si une chaleur trop intense les
surprenait, elles se flétriraient très vite.

Et Bohort répondait qu'il s'en souviendrait si cela se
produisait. Tels furent les deux rêves que fit Bohort cette
nuit-là et qui le laissèrent fort perplexe car il n'en comprenait pas le sens. Il en fut si troublé qu'il se réveilla ; il fit
le signe de la croix sur son front, se recommanda à Notre-
Seigneur, et attendit la venue de l'aube. Lorsqu'il fit grand
jour, il entra dans le lit, le découvrit en partie pour qu'on
ne pût s'apercevoir qu'il n'y avait pas couché. La dame
du château vint alors le saluer. «Que Dieu vous donne la
joie», lui répondit-il, puis tous deux se rendirent dans une
chapelle, qui se trouvait au bas de la tour, où il entendit les
matines et l'office du jour.

211. Un peu avant l'heure de prime, il sortit de la chapelle et se rendit dans la salle accompagné de nombreux
chevaliers et hommes d'armes que la dame avait fait venir
pour assister au combat. Une fois arrivés dans la salle, la
dame invita Bohort à manger un peu avant de s'armer : il
se sentirait ainsi plus fort pour combattre. Mais il répondit
qu'il ne mangerait pas avant d'avoir mené à bonne fin le
combat.

– Il ne vous reste donc qu'à prendre vos armes et à vous
préparer, dirent ceux qui étaient là. Car nous pensons bien
que Priadan se trouve déjà, tout armé, sur le lieu du combat.

Bohort demande donc ses armes qu'on lui apporte aussitôt. Une fois bien équipé, il monte en selle et demande à
la dame de faire de même, avec ses chevaliers et sa suite,
et de le conduire là où devait se dérouler la bataille. Elle
monte immédiatement à cheval et tous se dirigent vers
une prairie, située dans une vallée, où un grand nombre
de gens attendaient Bohort et la dame pour laquelle il de-

20 combatre. Il devalerent le tertre, et quant il vindrent en la
place et les .ii. dames s'entrevirent, si vint l'une contre
l'autre. Lors dist la plus juene dame, [cele por qui Boorz
se devoit combatre].

– Dame, je me pleig de vos et a droit, que vos me tolez
25 ma terre [et mon heritage] que li rois Amanz me dona ou
vos ne poez rien avoir par droit, come cele qui en fu deseritee par la boche lo roi meismes.

Et cele dit qu'ele ne fu onques deseritee : c'est ele preste de prover, [se ele s'en ose deffendre]. Et quant cele voit
30 qu'ele n'en puet eschaper [autrement], si dit a Boorz :

– Sire, que vos en senble [de la querele a ceste dame] ?

– Il me senble, fet il, qu'ele vos guerroie a tort et tuit
cil sont desloial qui li aident. Et je ai tant oï par vus et par
autres que je sai bien qu'ele a tort et vos droit. Et se ses
35 chevaliers velt desdire qu'el[e] n'ait le tort, je sui pres que
je l'en rende veincuz et recreant.

212. Et cil saut avant et dit que [ces menaces ne prise il
pas .i. boton, ainz] est prez de deffendre la dame.

– Et ge sui prez, fet Boorz, que ge por ceste dame qui ci
m'a amené me combate contre vos, qu'ele doit avoir l'eri-
5 tage et tote la terre, puis que li rois l'en revesti, et l'autre
dame la doit perdre par fin droit.

Lors [se] depart[ent] li .i. ça, li autres la, cil qui estoient
en la place, et [vuident] la [place] ou la bataille devoit
estre ; et li dui chevalier se traient en sus, si [s'entresloi-
10 gnent, puis] lesse[nt] corre li .i. a l'autre et se fierent si
durement [es granz aleures des chevaux] que li escu percent et li hauberc rompent. Et se li glaive ne volassent en
pieces, navré se fussent durement. Lors s'entrehurtent des
cors et des escuz si durement qu'il se portent a terre, les
15 chevax seur [B^a, f. 51d] les cors. Mes tost se relievent,
[come cil qui estoient de tres grant proesce] ; si metent

vait combattre. Ils descendirent la colline et arrivèrent au lieu convenu. Quand les deux dames s'aperçurent, elles s'avancèrent l'une vers l'autre.

– Ma dame, dit la plus jeune, celle pour qui Bohort devait se battre, j'ai à me plaindre de vous, et à bon droit, car vous m'avez enlevé la terre et l'héritage que le roi Amanz m'avait donnés, et dont aucune part ne peut vous revenir puisqu'il vous a déshéritée de sa bouche même.

Mais l'autre répond qu'elle n'a jamais été déshéritée et qu'elle est prête à le prouver si sa sœur ose soutenir le contraire. Voyant qu'il n'y avait pas d'autre issue, la jeune dame dit à Bohort :

– Seigneur, que pensez-vous de la cause de cette dame ?

– Il me semble qu'elle vous attaque injustement et que tous ceux qui la soutiennent sont déloyaux. J'ai tant appris, de vous-même et d'autres personnes, que je sais bien qu'elle a tort, et vous raison. Et si son chevalier nie qu'elle a tort, je suis prêt à le vaincre et à le faire se rétracter.

212. Le chevalier fait un bond en avant, dit qu'il se moque bien de ces menaces et qu'il est prêt à défendre sa dame.

– Je suis prêt moi aussi, dit Bohort, à me battre contre vous pour la dame qui m'a amené ici ; elle doit garder l'héritage et toute la terre puisque le roi les lui a donnés, et l'autre dame doit donc, en toute justice, les perdre.

Les assistants se séparent alors ; les uns vont d'un côté, les autres vont de l'autre, laissant vide la place où doit se tenir le combat. Les deux chevaliers prennent leurs distances, puis se précipitent l'un vers l'autre au grand galop de leurs chevaux et se frappent si durement qu'ils percent leurs écus et rompent leurs hauberts. Si les lances n'avaient pas volé en éclats, ils se seraient très grièvement blessés. Les corps et les écus se heurtent avec une telle violence que les deux chevaliers sont projetés à terre, renversés sous leur monture. Mais ils se relèvent promptement, en hommes d'une grande prouesse, tirent

les mains as espees [et s'entrecourent sus les escus getés
sor les testes], si se donent granz cox [la ou il se cuident
plus empirer], si se depiecent les escuz amont et aval [et
20 en font voler a la terre granz chantiax] ; et derrompent les
haubers [sor les braz et sor les hanches], et se font plaies
parfondes [et granz] en plusors lex, si qu'il se traient le
sanc del cors as espees cleres et trenchanz. Si trove Boorz
el chevalier [assez] greignor deffense qu'il ne quidoit. Ne-
25 porquant il set bien qu'il est en droite querele [et en loial],
et c'est une chose qui li done tel seurté qu'il ne dote rien,
ainz sueffre que li chevaliers jete sor lui menu et sovent,
et il se cuevre et le lesse traveillier par lui meismes. Et
quant il a grant piece sofferz et il voit que li chevaliers est
30 lassez [et est venuz en la grosse alaine], lors li cort sus
[si vistes et] si fres com s'il n'i eust hui mes cop feru. Si
li done granz cox de l'espee et le moine tant en po d'ore
que cil n'a pooir de soi deffendre, tant [a] de cox receuz
[et del sanc perdu].

213. Et quant Boorz le voit si afeblie, si va sor lui plus
et plus, et cil va tant guenchissant qu'il chiet arrieres tot
envers. Et Boorz l'aert au hiaume et le tire si fort qu'il li
errache de la teste et le jete en voie, puis li done de l'espee
5 par mi le chief, si qu'il en fet le sanc saillir et les mailes
del hauberc entrer dedenz ; et li dit qu'il l'ocirra s'il ne
se tient por outré, si hauce l'espee et fet senblant qu'il li
voille couper la teste. Et cil [voit l'espee dreciee desus son
chief, si] a poor de morir, si crie merci et dit :
10 — Frans hom, por Deu ne m'oci mie, [mais laisse moi
vivre]. Et je te creanteré loiaument que je ne guerroierai
ja mes la juene dame [tant come je vive, ainz me tendrai
toz quoiz].

Et Boorz le lesse atant. Et quant la vielle dame voit que
15 ses chanpions est veincuz, si s'enfuit de la place [si tost
com ele puet], come cele qui grant poor a d'estre honie.
[*B*ᵃ, f. 52a] Et Boorz vient tantost a [toz] cels [de la place]
qui terre tenoient de li et dit qu'il les destruira toz s'il ne
la guerpissent. Si ot assez de cels qui tantost firent homaje

leur épée, lèvent leur écu au-dessus de leur tête, et se donnent de grands coups là où ils pensent se faire le plus de mal. Ils mettent leurs écus en pièces et en font voler à terre de grands morceaux. Ils rompent leurs hauberts aux bras et aux hanches et se font, en plusieurs endroits, de larges et profondes blessures, faisant jaillir le sang sous les épées claires et tranchantes. Bohort trouve chez le chevalier beaucoup plus de résistance qu'il ne pensait. Et pourtant il sait bien que la cause qu'il défend est juste et honorable, et cette pensée lui donne une telle assurance qu'il ne ressent aucune crainte. Se couvrant de son écu, il laisse le chevalier se fatiguer à le harceler. Puis après avoir longtemps supporté les coups, et voyant que son adversaire est épuisé et hors d'haleine, il passe à l'attaque, aussi rapide, aussi dispos que s'il ne s'était pas encore battu. Il lui donne de grands coups d'épée et le presse si bien que, très vite, le chevalier ne peut plus se défendre tant il a reçu de coups et perdu de sang.

213. Quand Bohort le voit ainsi affaibli, il le presse de plus en plus, et son adversaire, qui chancelle, finit par tomber à la renverse. Bohort le saisit par le heaume et tire si fort qu'il le lui arrache et le jette loin de lui. Il le frappe à la tête avec son épée si bien que le sang jaillit et que les mailles du haubert s'enfoncent dans la chair. Puis il lui dit qu'il le tuera s'il ne s'avoue vaincu et, levant son épée, fait mine de lui couper la tête. En voyant l'épée au-dessus de lui, l'autre a peur de mourir et demande grâce.

– Noble chevalier, crie-t-il, au nom de Dieu, ne me tue pas. Laisse-moi vivre, et je te donne ma parole que jamais plus je ne combattrai la jeune dame, et que je me tiendrai tranquille.

Alors, Bohort le laisse. Quand la sœur aînée voit que son champion est vaincu, elle s'enfuit aussi vite qu'elle peut car elle a grand-peur d'être déshonorée. Bohort s'approche aussitôt des vassaux et leur dit qu'il les tuera s'ils n'abandonnent pas leur dame. Beaucoup d'entre eux vinrent rendre hommage à la jeune sœur, et ceux qui refusè-

20　a la juene dame. Et cil qui ne li vodrent fere furent destruit
et deserité ou chacié de la terre. Si avint einsi a la juene
dame par la proece Boorz qu'ele vint a la hautece ou li
rois Amanz l'avoit mise. Neporquant de tant com l'autre
dame pot la guerroia [puis toz les jorz de sa vie, come cele
25　qui] toz jorz [avoit envie sor li].

214. Quant ce fu chose que li païs fu apaiez, en tel maniere que li enemi a la juene dame n'oserent les testes drecier, Boorz s'en parti et chevaucha parmi la forest grant
piece, pensant a ce qu'il avoit veu en dormant. Si desirroit
5　que Dex le menast en tel leu ou l'en li deist la senefiance.
Le premier soir vint [il] chiés une veve dame, qui molt
bien l[e] herberja et molt li fist grant henor com ele le
conut, que molt avoit grant joie de sa venue.

L'endemain, si tost com il vit le jor, se parti de leenz, si
10　se mist e[l grant chemin ferré de] la forest. Et com il ot
erré jusque [a heure de] midi, si [li avint une aventure molt
merveilleuse. Car il] encontra au depart de .ii. chemins, .ii.
chevaliers armez qui enmenoient Lyonel son frere tot nu
en braies sor .i. roncin grant et fort, les mains liees devant
15　le piz, si tenoit chascuns plein poig d'espines poignanz,
dom il l'aloient batant si durement que li sans li decoroit
de plus de .c. parz tot contreval le dos, [si qu'il en estoit
tot sanglanz et devant et derrieres]. Et il ne disoit [onques]
mot, com cil qui estoit de grant cuer, [ainz soffroit tout ce
20　qu'il li fesoient ausi com s'il n'en sentist riens]. En ce que
Boorz le voloit aler rescorre, il regarde d'autre part et voit
.i. chevalier armé qui enportoit a force une tres bele pucele, si la voloit metre el plus espés de la forest, [por estre
plus desvoiee a cels qui la querroient, se nus venoit aprés
25　lui por lui rescorre]. Et [c]ele, [qui n'estoit mie asseur],
crioit a haute voiz :

– Sainte Marie [*B^a*, f. 52b], secorez vostre pucele !

Et com ele voit Boorz chevauchier si sels, si pense que
ce soit des chevaliers [erranz] de la Queste. Lors [se torne
30　vers lui et] li crie [quan que ele puet :

– Ha !] franc chevalier, je te conjur par la foi que tu doiz

rent furent tués, dépouillés ou chassés. Ainsi, grâce à la vaillance de Bohort, la jeune dame retrouva la dignité à laquelle le roi Amanz l'avait élevée. Mais sa sœur n'en continua pas moins, toute sa vie durant, à lui faire la guerre, car elle ne put jamais se départir de sa jalousie.

214. Une fois le pays pacifié de telle manière que les ennemis de la sœur cadette n'osèrent redresser la tête, Bohort s'en alla. Il chevaucha longtemps à travers la forêt, pensant à ce qu'il avait vu en rêve et souhaitant que Dieu le menât en un lieu où il pût en apprendre la signification. Le premier soir, il s'arrêta chez une dame veuve qui le reçut très bien, le traita avec beaucoup d'honneur quand elle sut qui il était, et se montra très heureuse de sa venue.

Le lendemain, dès que le jour parut, il s'en alla, empruntant le grand chemin ferré[1] de la forêt, et chevaucha jusqu'à l'heure de midi. Il lui arriva alors une aventure fort extraordinaire : à l'embranchement de deux chemins, il rencontra deux chevaliers armés qui emmenaient son frère Lionel, monté sur un grand et robuste roncin, sans autre vêtement que ses braies, et les mains liées sur la poitrine. Les deux chevaliers tenaient chacun une grosse poignée d'épines et l'en frappaient si rudement que le sang lui coulait dans le dos de plus de cent endroits et qu'il était tout ensanglanté et devant et derrière. Lui se taisait, en homme de grand courage, et supportait les coups, comme s'il n'avait rien senti. Comme il voulait aller à son secours, Bohort, regardant de l'autre côté, vit un chevalier armé qui emportait de vive force une très belle demoiselle et voulait la mener au plus épais de la forêt pour mieux la cacher aux regards de ceux qui la cherchaient, au cas où l'un d'eux viendrait à son secours. Tout effrayée, la demoiselle criait d'une voix forte :

– Sainte Marie, secourez votre enfant.

Apercevant Bohort qui chevauchait tout seul, elle se dit que ce devait être un des chevaliers errants de la Quête et, se tournant vers lui, elle lui crie aussi fort qu'elle peut :

– Ah ! noble chevalier, sur la foi que tu dois à Celui que

a Celui en cui servise tu es [entrez et qui chevaliers tu
dois estre], que tu [m'aides et] ne m'i lesses honir [a cest
chevalier qui ci m'emporte] !

215. Quant Boorz entent cel[e] qui si le conjure [de
Celui qui liges hons il est, si est si angoisseux qu'il] ne set
que fere, que s'il en lesse son frere mener [a celz qui le
tienent], il nel quide ja mes trover sain ne hetié ; et s'i[l]
5 n'aide la pucele, ele sera [maintenant] honie [et despucelee, et einsi recevra honte] par la defaute de lui. Lors drece
les euz au ciel et dit tot en plorant :

– Biau sire Dex, [cui homs liges je sui], garde [moi] mon
frere que cil chevalier ne l'ocient. Et je por [pitié de vos
10 et] vostre amor irai rescorre cele pucele [d'estre honie, car
il me semble que li chevaliers la vuelle despuceler].

Lors s'adrece la ou li chevaliers enporte la pucele et
point le cheval si qu'il li fet le sanc saillir par andox les
costez. [Et quant il l'aproche], si li crie :

15 – Sire chevalier, lessiez la pucele ou vos estes mort !

216. Quant cil l'ot, si met jus la pucele ; [et il estoit armez de totes armes fors de glaive. Il embrace l'escu et tret
l'espee], si s'adrece a Boorz. Et il le fiert si [durement]
par mi l'escu et par mi le hauberc qu'il li met le glaive
5 par mi l'espaulle, [mais il ne l'a mie si fort navré qu'il ne
puisse legierement garir. Il l'enpaint bien comme cil qui
estoit de grant force], si l'abat a terre ; et au retraire del
glaive se pasma cil [de l'angoisse qu'il sent]. Et Boorz
dit a la pucele :

10 – [Damoisele, il me semble que vos estes delivre de cest
chevalier]. Volez vos que g'en face plus ?

– Sire, fet ele, [puis que vos m'avez garantie de perdre
honor et d'estre honie], je vos pri que vos me menez la ou
ciz chevaliers me prist.

15 Et il dit [que si fera il] volentiers. Lors prent le cheval au

tu sers et dont tu dois être le soldat, je te supplie de venir à mon aide et de ne pas me laisser déshonorer par ce chevalier qui m'enlève !

215. Lorsque Bohort entend la jeune fille le conjurer ainsi au nom de Celui dont il est l'homme lige[1], son désarroi est tel qu'il ne sait que faire : s'il laisse emmener son frère par ceux qui le tiennent, il pense qu'il ne le reverra jamais sain et sauf, et s'il ne secourt pas la jeune fille, elle sera violée et déshonorée par sa faute. Il lève les yeux au ciel et dit tout en pleurs :

– Beau seigneur Dieu dont je suis l'homme lige, ne laisse pas ces chevaliers tuer mon frère et, par égard et par amour pour Vous, j'empêcherai cette jeune fille d'être déshonorée, car il me semble que le chevalier veut lui faire violence.

Bohort se met à la poursuite du ravisseur, éperonnant son cheval si rudement que le sang jaillit des flancs de l'animal. Sur le point de le rejoindre, il lui crie :

– Seigneur chevalier, laissez cette jeune fille, ou vous êtes mort !

216. À ces mots, le chevalier met la jeune fille à terre. Il était armé de toutes ses armes, sauf de sa lance. Passant son écu à son bras, il tire son épée et se précipite sur Bohort, mais celui-ci le frappe si violemment sur l'écu et le haubert qu'il lui enfonce sa lance dans l'épaule, mais il ne l'a pas si grièvement blessé qu'il ne puisse facilement se remettre. Bohort pousse de toutes ses forces et l'abat à terre. Quand il retire la lance, l'autre s'évanouit sous la douleur.

– Ma demoiselle, dit alors Bohort, vous voilà délivrée, je pense, de ce chevalier. Voulez-vous que je fasse davantage pour vous ?

– Seigneur, dit-elle, puisque vous m'avez sauvée du déshonneur, je vous prie de me ramener là où ce chevalier m'a enlevée.

Il répond qu'il le fera volontiers. Il prend alors le cheval

chevalier navré, si [i] monte la pucele, si l'enmoine [tote
la voie que ele li devise]. Et com ele est auques esloignié,
si li dit :

— Sire chevaliers, molt avez meuz esploitié que vos ne
20 quidiez [de ce que vos m'avez rescousse], que s'il m'eust
despucelee, .v.ᶜ. homes en moreussent encore [qui ore en
seront sauvé].

Et il demande qui li chevaliers est.

— Par Deu, fet ele, c'est .i. miens cosins germains, que je
25 ne sai quels deables l'avoient eschauffé a ce qu'il me prist
chi[é]s mon pere humain celeement, et m'en portoit en
cele [Bᵃ, f. 52c] forest por moi despuceler. Et s'il l'eust
fet, il fust mort de pechié et honi del cors, et je meismes
en fusse desenoree a toz jorz mes.

217. Endementres qu'il parloient einsi, [si voient venir
jusq'a douze chevaliers armés] qui queroient la pucele par
mi la forest. Et com il la voient, si li font [si] grant joie
[que ce est merveille a regarder]. Et ele lor prie qu'il fa-
5 cent joic a cel chevalier et le moinent auvec els, qu'ele
fust honie se Dex et il ne fust. Cil le prenent au frein et
[li] dient :

— Sire, vos [en] vendrez auvec nos, [car ainsi le covient
a fere. Et nos vos prion que vos i viegniés, car tant nos
10 avés servi que a peine le vos porrion guerredoner].

— Bel seignor, fet il, je n'iroie pas, car tant ai a fere
aillors que je ne porroie demorer. [Si vos pri qu'il ne vos
en poist ; car bien sachiez que volentiers i alasse, mes li
besoins i est si granz endroit moi, et la perte si douloreuse
15 se je remanoie, que nus fors Deu ne la me porroit res-
torer].

Quant cil oent ce [que li essoignes i est si granz], si ne
l'[en] osent [plus] esforcier ; ainz le comandent a Deu ; et
la pucele li prie [molt doucement] por Deu qu'il la viegne
20 vooir quant il en avra loisir, et li dit en quel leu il la trovera.
Et il dit [que s'il l'en souvenoit et] aventure le menoit cele
part, il iroit plus tost qu'en autre leu. Si s'en parti [a tant
d'els et cil en meinent la pucele a sauveté. Et] Boorz che-

du blessé, y fait monter la demoiselle et s'en va avec elle
sur le chemin qu'elle lui indique. Au bout d'un moment,
elle lui dit :

– Seigneur chevalier, vous avez fait mieux encore que
vous ne pensez en venant à mon secours. Car si ce chevalier m'avait fait perdre ma virginité, cinq cents hommes
seraient morts, qui maintenant sont sauvés.

Bohort lui demande qui est le chevalier.

– Par Dieu, répond-elle, c'est un de mes cousins germains que je ne sais quels démons avaient si bien échauffé
qu'il m'a secrètement enlevée de chez mon père et emme-
née dans cette forêt pour me violer. S'il y était parvenu,
il aurait commis un péché mortel et aurait perdu son honneur, et moi-même j'aurais été déshonorée à tout jamais.

217. Tandis qu'ils parlaient ainsi, ils voient arriver
douze chevaliers armés qui cherchaient la jeune fille dans
la forêt. La joie qu'ils manifestent en la retrouvant est
merveilleuse à voir. Mais elle leur demande de faire fête
au chevalier et de l'emmener avec eux car, sans lui et sans
l'aide de Dieu, elle aurait été déshonorée.

– Seigneur, disent-ils à Bohort, en prenant son cheval
par le mors, il faut que vous veniez avec nous. Nous vous
le demandons instamment, car vous nous avez rendu un tel
service que nous aurons bien du mal à vous le revaloir.

– Beaux seigneurs, répond-il, je n'irai pas : j'ai tant à
faire ailleurs que je ne saurais m'attarder. N'en soyez pas
offensés, et sachez que je vous suivrais bien volontiers,
mais l'on a grand besoin de moi et, si je m'attardais, il
s'ensuivrait une perte si douloureuse que Dieu seul pourrait la réparer.

Comprenant que l'affaire est pressante, ils n'osent insister davantage. Ils le recommandent à Dieu, et la demoiselle le prie avec douceur de venir la voir dès qu'il
en aura le loisir, lui indiquant où il pourra la trouver. Il
répond que s'il s'en souvient et si l'aventure le mène de ce
côté, il s'y rendra plutôt qu'ailleurs. Sur ce, il les quitte, et
eux emmènent la jeune fille en lieu sûr. Bohort s'en va du

vauche la ou il quidoit avoir veu Lyonel son frere. Et com
25 il vint [a cel chemin meisme ou il cuidoit avoir veu les
chevaliers torner], se regarde [amont et aval si loign come
la forest li soffre a veoir], et escoute [et oreille por] savoir
s'il poïst oïr rien. Et com il ne voit chose qu'il voille, [ne
il n'ot rien par quoi il puisse avoir nule esperance de son
30 frere], si se met au chemin [qu'il lor vit torner]. Et com
il a grant piece alé, si ateint .i. home vestu de robe de religion, et chevauchoit .i. grant cheval fort et isnel et noir
come more. Quant cil ot que Boorz vient aprés lui, si le
regarde et dit :
35 – Chevalier, que querez vos ?
– Sire, fet il, je quier .i. mien frere que je vi ore mener
batant a .ii. chevaliers.
– Ha ! Boorz, fet il, se je ne quidoie que vos [vos en]
corrocissiez [trop, et que vos n'en chaïssiez en desespe-
40 rance], je vos en diroie la verité [tele com je la sai et le vos
mosterroie as els].

218. Quant Boorz oï ceste parole, si pense tantost que
li [dui] chevalier l'aient ocis. Et lors comence a fere trop
grant duel, et quant il pot parler, si dist :
– [Ha] ! sire, s'il est morz, mostrez moi le cors, si le feré
5 enfoïr et fere tele henor com l'en doit fere a fil de roi, [car
certes il fu filz de preudome et de preudedame].
– Or te regarde, fet [*B^a*, f. 52d] li hons, si le verras.
Et il [se re]garde, si voit .i. cors jesir a terre [tout estendu et sanglant], novelement ocis. [Et il l'avise], si li est
10 avis que c'est Lyoneax [son frere. Et] lors [a si grant duel
qu'il] ne set que fere, ainz chaï [jus a terre touz] pasmez
[et gist grant piece en pasmoison]. Et com il se redrece,
si dist :
– Ha ! biau frere, qui vos a ce fet ? [Certes] or n'avrai
15 je ja mes joie, [se Cil qui es tribulations et es angoisses
vient les pecheors visiter ne me conforte. Et] puis [qu'il
est einsi, biax douz freres], que la compaignie de moi et
de vos est departie, [Cil que j'ai pris a compaignon et a

côté où il pense avoir rencontré son frère Lionel. Arrivé
au chemin dans lequel il avait vu les chevaliers s'engager,
il regarde à droite et à gauche aussi loin que le permet la
forêt, écoute et tend l'oreille pour surprendre le moindre
bruit. Mais comme il ne voit ni n'entend rien qui puisse
lui donner quelque espoir de retrouver son frère, il suit
le chemin qu'il leur avait vu prendre. Au bout d'un assez
long temps, il rejoint un homme vêtu d'une robe de religion et monté sur un cheval puissant et rapide, plus noir
que mûre. Quand l'homme entend que Bohort le suit, il se
tourne vers lui et lui dit :

– Chevalier, que cherchez-vous ?

– Seigneur, dit il, je cherche mon frère que je viens de
voir emmener par deux chevaliers qui le battaient.

– Ah ! Bohort, si je ne craignais de trop vous affliger et
de vous plonger dans le désespoir, je vous dirais ce que
j'en sais, et je vous le ferais voir.

218. En entendant cela, Bohort pense immédiatement
que les deux chevaliers ont tué son frère et il laisse écla-
ter sa douleur. Quand il peut de nouveau parler, il dit à
l'homme :

– Ah ! seigneur, s'il est mort, montrez-moi son corps, et
je le ferai enterrer avec les honneurs dus à un fils de roi,
car il est vrai qu'il fut le fils d'un homme et d'une femme
de haut rang.

– Alors regarde, dit l'homme, et tu le verras.

Bohort regarde autour de lui et voit, étendu sur le sol
et tout sanglant, le cadavre d'un homme qui venait d'être
tué. Il l'examine et croit reconnaître son frère Lionel. Sa
douleur est telle qu'il ne sait que faire ; il tombe à terre où
il reste longtemps évanoui. Lorsqu'il se relève, il dit :

– Ah ! cher frère, qui vous a fait cela ? En vérité, je serai désormais privé de toute joie si Celui qui vient visiter
les pécheurs dans leurs souffrances et leurs tribulations ne
me réconforte. Mais puisqu'il en est ainsi, cher et doux
frère, que nous sommes à tout jamais séparés, que Celui
que j'ai pris pour maître et compagnon soit mon guide et

mestre me soit conduiseors et mestres en toz perilz. Car
20 des or mes n'ai ge a penser fors de m'ame, puis que vos
estes trespassez de vie. Quant il a ce dit], lors [prent] le
cors [et le lieve] en la sele [come cil qui riens ne li poise,
ce li est avis, et puis] si dit a celui qui iluec estoit :

— Sire, por Deu dites moi se vos savez ci pres nule me-
25 son de religion [ou je puisse cest chevalier enterrer].

— Oïl, fet cil. Ci pres a une chapele [ça devant une tour]
ou il porra bien estre enfoïz.

— [Sire], por Deu, fet Boorz, menez m'i.

— [Je vos i menrai] volentiers, fet cil. Venez aprés moi.

219. Et Boorz saut sor la crope del cheval et porte devant lui, ce li est avis, le cors son frere. Si n'ont gueres alé
qu'il vit devant lui une tor fort et haute, et devant avoit une
meson viez et [gaste] ausi come chapele. Il descendent
5 [ambedui] a l'entree, si entrent dedenz et metent le cors
sor une [grant] tombe de marbre [qui estoit en mi la me-
son]. Et Boorz quiert amont et aval, si ne trueve croiz ne
eve benooite [ne nule veraie enseigne de Jhesucrist].

— Or le lesson ci, fet li hom, si alon [herbergier] en cele
10 tor jusqu'a demain, [que je revendrai ci por fere le servise
de vostre frere].

— Coment, [sire], fet Boorz, estes vos donc prestres ?

— Oïl, fet cil.

— Or vos prie je donc, fet Boorz, que vos me dioiz la
15 senefiance de mon songe [qui avant ier m'avint en mon
dormant, et d'autre chose dont je sui en dote].

— Dites, fet cil.

Et il li conte [maintenant] de l'oisel qu'il avoit veu en la
forest et [aprés li dist] des .ii. oisiax, dont li .i. estoit blans
20 et li autres noirs, et del fust porri et des flors blanches.

— Ge t'en dirai, fet cil, ore une partie et demain l'autre.
Li oisiax qui estoit en senblance de cigne senefie une pu-

mon protecteur en tous périls. Car, désormais, je ne dois me soucier que de mon âme, puisque vous avez quitté ce monde.

Puis il prend le corps, qui lui semble ne rien peser, et le place sur la selle.

– Seigneur, dit-il à l'homme, pour l'amour de Dieu, dites-moi s'il y a près d'ici quelque monastère où je puisse enterrer ce chevalier.

– Oui, dit l'autre, il y a tout près une chapelle, devant une tour, où vous pourrez l'enterrer.

– Seigneur, au nom de Dieu, veuillez m'y conduire.

– Bien volontiers, dit l'homme, suivez-moi.

219. Bohort saute sur la croupe de son cheval, portant devant lui, pense-t-il, le cadavre de son frère. Il n'est pas allé très loin quand il voit devant lui une haute tour fortifiée au pied de laquelle se trouvait une vieille maison délabrée qui semblait être une chapelle. Les deux hommes mettent pied à terre à l'entrée, pénètrent à l'intérieur, et déposent le corps sur un grand tombeau de marbre placé au centre. Bohort cherche de tous côtés, mais il ne trouve ni croix ni eau bénite, ni aucun véritable emblème de Jésus-Christ.

– Laissons le corps ici, dit l'homme, et allons nous loger dans cette tour jusqu'à demain ; je reviendrai alors dire l'office pour votre frère.

– Comment, seigneur ? dit Bohort. Vous êtes donc prêtre ?

– Oui, répond-il.

– Alors je vous prie de m'expliquer le sens du rêve que j'ai fait la nuit dernière et d'autres choses qui me laissent perplexe.

– Racontez, dit l'homme.

Bohort lui parle alors de l'oiseau qu'il avait vu dans la forêt, puis des deux oiseaux dont l'un était blanc et l'autre noir, et enfin du bois pourri et des fleurs blanches.

– Je vais, dit l'homme, t'en expliquer une partie maintenant, et l'autre demain. L'oiseau qui ressemblait à un

cele [bele et riche et de vaillant gent] qui t'aime par amors
[et t'a amé longuement] et te priera [procheinement] que
25　tu soies ses amis [et ses acointes]. Et [ce que tu ne li voloies otroier senefie que] tu l'escondiras et ele s'en [ira
maintenant et] morra de duel [s'il ne t'en prent pitié]. Li
noirs oisiax senefie ton [grant] pechié qui la te fera escondire. [Car por bonté que tu aies en toi ne por crieme de
30　Dieu ne l'escondiras tu pas, ainz le feras por ce que l'en te
tiegne a chaste, por conquerre la loenge et la vaine gloire
del monde]. Si en vendra tex max [de ceste chastee] que
Lancelot tes cosins en morra, [*B^a*, f. 53a] [car li parent a la
damoisele l'ocirront, et ele morra del duel que ele avra de
35　l'escondit]. Si porra l'en [bien] dire que tu seras homicide
de l'un et de l'autre, ausi com tu as [hui] esté de ton frere
[qui le poïsses avoir resqueus aiseement se tu vousisses,
quant] tu [le] lessas por aler aidier a une pucele qui ne
t'apartenoit. Or garde ou il a greignor domaje, [ou] en ce
40　qu'ele n'est despucelee, ou en ce que tes freres, [qui estoit
.i. des bons chevaliers del monde], est ocis. [Certes mielz
fust que totes les puceles del monde fussent despucelees
qu'il fust ocis].

220. Quant Boorz ot que cil [en qui il cuidoit si grant
bonté de vie] le blame de ce qu'il ot fet a la pucele, si ne
set que dire. Et cil li demande :
　– As tu oïe la senefiance de ton songe ?
5　　– [Sire], oïl, fet Boorz.
　– Or est en toi, fet il, de Lancelot ton cosin, que se tu
vels tu le porras rescorre de mort, et se tu vels, tu le feras
morir. [Li queus que tu mieus voldras en avenra].
　– Certes, fet Boorz, il n'est riens que je si enviz feisse
10　come mon cosin ocirre.
　– [Ce verra l'en par tens, fet cil].
Lors le moine en la tor. Et com il entrent leenz, si trovent vallez, puceles, chevaliers qui tuit dient a Boorz :
　– Sire, bien veigniez !
15　Si le moinent en la sale et le desarment. [Et quant il est

cygne signifie une demoiselle, belle, riche, et de haute
naissance qui t'aime d'amour depuis fort longtemps
et qui bientôt te demandera d'être son ami. Que tu aies
refusé de l'entendre veut dire que tu repousseras son
amour et qu'elle s'en ira aussitôt et mourra de chagrin à
moins que tu ne la prennes en pitié. L'oiseau noir signifie
le grand péché qui te la fera repousser. Ce n'est pas, en
effet, par crainte de Dieu ou par quelque vertu naturelle
que tu agiras ainsi, mais afin d'être tenu pour chaste et
d'obtenir les louanges et la vaine gloire du monde. Cette
chasteté sera la cause de tant de maux que Lancelot ton
cousin en mourra, tué par les parents de la demoiselle qui,
elle-même, mourra de douleur pour avoir été repoussée.
Ainsi, on pourra dire avec raison que tu es le meurtrier
de tous deux, comme tu as été aujourd'hui celui de ton
frère, toi qui aurais pu si facilement le sauver, si tu l'avais
voulu, et qui l'as abandonné pour secourir une demoiselle qui n'était pas de ton sang. Considère alors quel est
le plus grand mal : qu'elle ait perdu sa virginité, ou que
ton frère, l'un des bons chevaliers du monde, ait été tué.
Assurément, il vaudrait mieux que toutes les jeunes filles
du monde perdent leur virginité et que lui soit encore en
vie.

220. Lorsqu'il entend cet homme, qu'il croyait de si
bonne vie, le blâmer d'avoir sauvé la demoiselle, il ne sait
que dire. Et l'autre lui demande :

– As-tu compris le sens de ton rêve ?

– Oui, seigneur.

– Le sort de Lancelot ton cousin dépend donc de toi : tu
pourras, si tu le veux, ou bien empêcher sa mort, ou bien
la provoquer. Il en sera selon ta volonté.

– Assurément, répond Bohort, je serais prêt à tout faire
plutôt que de causer la mort de mon cousin.

– On verra cela d'ici peu, dit l'homme.

Il le mène alors dans la tour où ils trouvent des écuyers,
des demoiselles, des chevaliers qui tous lui souhaitent la
bienvenue. Puis ils le conduisent dans la grande salle où

en pur cors], si li aportent .i. [riche] mantel forré d'ermine
[et li metent au col], si l'assient en .i. [blanc] lit [et le
confortent tuit], si li font joie tant qu'il li font une partie
de sa dolor oblier. Et en ce qu'il entendoient a lui confor-
20 ter, ez vos une dame oissir d'une chanbre, trop bele et trop
[avenant que il paroit a avoir en li toute biauté terriene
et fu si] richement vestue [com s'ele eust a chois esté de
toutes les riches robes del monde].

 – Sire, font il a Boorz, vez ci la dame a cui nos somes, la
25 plus riche et la plus bele del monde, et [cele] qui plus vos
aime et vos a atendu lonc tens, [come cele qui ne voloit
avoir a ami nul chevalier, se vos non].

221. Et com il ot ce, si est toz esbahiz. [Quant il la voit
venir, si la salue ; et ele li rent son salu et s'asiet de joste
lui, et parolent ensemble de maintes choses, et tant que ele
li requiert qu'il soit ses amis, car ele l'aime sor toz homes
5 terriens ; et s'il li vuet otroier s'amor, ele le fera plus riche
que onques hom de son parenté ne fu.

 Quant Boorz entent ceste novele, si est molt a malaise],
com [c]il qui en nule maniere ne vodroit enfreindre sa
chastee, si ne set que respondre. Et ele [li] dit :
10 – Coment, Boorz ? Ne ferez vos mie ma volenté ?

 – Dame, fet Boorz, nenil. [Il n'a si riche dame el monde
qui volenté ge feisse] de ceste chose el point ou je sui. Ne
l'en ne me devroit requerre, que mes feres gist ceenz mort,
[qui a esté orendroit occis ne sai par quel achoison].
15 – [Ha] ! Boorz, fet ele, [a ce ne regardez pas] ! Il covient
que vos fetes ma volenté et se je ne vos amasse [*B^a*, f. 53b]
[plus que autre fame ne fet home], je ne vos en priasse
pas, car ce n'est mie costume [ne maniere de] feme qu'ele
prit avant l'ome, tot l'aint ele bien. Mes la grant [beance
20 que je ai en vos eue et la grant] amor dont je vos ai toz

ils le désarment. Et lorsqu'il est dévêtu, ils lui mettent sur les épaules un magnifique manteau fourré d'hermine, le font asseoir sur un lit blanc, le réconfortent et s'empressent autour de lui si bien qu'il en oublie un peu sa douleur. Tandis qu'ils s'efforçaient de le consoler, une dame sortit d'une chambre, si belle, si gracieuse qu'elle semblait incarner toute la beauté terrestre, et aussi magnifiquement vêtue que si elle avait eu à sa disposition les plus belles robes du monde.

– Seigneur, disent à Bohort les personnes présentes, voici la dame à qui nous appartenons, la plus puissante et la plus belle qui soit, et celle qui vous aime le plus. Il y a longtemps qu'elle vous attend, car elle ne voulait pas d'autre chevalier que vous pour ami.

221. Ces paroles laissent Bohort tout interdit. Voyant approcher la dame, il la salue ; elle fait de même, puis vient s'asseoir à ses côtés. Ils parlent de choses et d'autres jusqu'au moment où elle lui demande d'être son ami, car elle l'aime plus que tout homme au monde, et s'il veut bien lui accorder son amour, elle le rendra plus puissant qu'aucun homme de son lignage ne le fut jamais.

En entendant ces paroles, Bohort est très embarrassé, car il ne voudrait à aucun prix renoncer à sa chasteté. Il ne sait que répondre.

– Comment, Bohort ? lui dit la dame, refusez-vous de faire ce que je vous demande ?

– Ma dame, répond-il, ma situation est telle que je ne le ferais pour aucune dame au monde, si puissante soit-elle. Et l'on ne devrait pas me solliciter ainsi alors que mon frère, qui vient d'être tué pour je ne sais quelle raison, gît ici même.

– Ah ! Bohort, ne pensez pas à cela. Il faut vous soumettre à ma volonté. Si je ne vous aimais plus qu'aucune femme n'aime un homme, je ne vous l'aurais pas demandé, car il n'est ni habituel ni convenable qu'une femme fasse des avances à un homme, même si elle l'aime. Mais le grand désir que j'ai eu de vous et le grand amour que

jorz amé moine mon cuer a ce [et efforce si durement qu'il
me covient] que je die ce que je ai toz jorz celé. Si vos pri
[biax dous amis, que vos m'otroiez ce que je vos requier,
ce est] que vos jesez anuit auvec moi.

25   Et il dit [que ce ne feroit en nule maniere]. Et com ele
ot ce, si fet si grant semblant de [dolor] qu'il quide qu'ele
plort [et face trop grant duel], mes ce ne li vaut [riens].

222. Et com ele voit qu'[ele] ne [le] porra veincre [en
nule maniere], si dit :

— Boorz, [a ce m'avez menee que] par cest escondit
morrai orendroit devant vos.

5   Lors le prent [par la main] et le moine a l'uis del palés,
si li dit :

— Tenez vos ci, si verrez coment je morrai por amor de
vos.

— Par foi, fet il, je nel verra[i ja].

10   Et ele comande a cels de leenz qu'il le tiegnent. Et il
dient que si feront il. Et ele monte [maintenant] en la
haute tor [desus les creneaus], si moine auvec lui .xii. puceles. [Et quant eles i sont montees, si dist l'une, non pas
la dame] :

15   — Ha ! Boorz, franc chevalier, aiez merci de nos totes et
otroiez a ma dame sa volenté ! Et [certes], se tu ce ne fez,
nos nos lerons orendroit totes chooir de ceste tor ainz que
ma dame, que sa mort ne vodrion nos pas vooir [en nule
maniere]. Et se tu por si pou [de chose] nos lesses morir,
20   onques chevalier ne fist tel desloiauté.

[Il les regarde et cuide bien que ce soient gentis fames
et hautes damoiseles ; si l'en prent assez grant pitié. Et
neporquant il n'est mie conseilliez qu'il ne vueille] melz
qu'eles totes perdent lor ames qu'il [seus perdist] la soe,
25   et [lor] dit qu'il n'en fera rien, [ne por lor mort ne por lor
vie]. Et eles se lessent [maintenant] chooir [de la halte tor]
a terre. Et com il voit ce, si est toz esbahiz, si [hauce sa
main et] se seigne. Si ot entor lui tel noise et tel cri qu'il
li est avis que tuit li deable d'enfer soient o lui : [et sanz

je vous ai toujours porté, contraint mon cœur à agir ainsi et m'oblige à dire ce que j'ai toujours tenu secret. Je vous prie donc, beau doux ami, de m'accorder ce que je vous demande et de coucher avec moi cette nuit.

Bohort dit qu'il n'y consentira jamais. Et quand la dame entend cela, elle donne alors les signes d'un immense chagrin, et il semble bien à Bohort qu'elle pleure et qu'elle est fort bouleversée ; mais elle n'en est pas plus avancée.

222. Comprenant qu'elle ne parviendra pas à le faire fléchir, elle lui dit :

– Bohort, vous m'obligez par votre refus à mourir sous vos yeux.

Le prenant par la main, elle le mène à la porte de la salle et lui dit :

– Restez ici, et vous verrez comment je mourrai pour l'amour de vous.

– Par ma foi, dit-il, je ne le verrai pas.

Elle ordonne alors à ses gens de le tenir, puis monte en haut de la tour, sur les créneaux, avec douze demoiselles. Une fois qu'elles y sont arrivées, l'une d'entre elles (et non la dame), dit à Bohort :

– Ah ! Bohort, noble chevalier, aie pitié de nous toutes, et cède à la demande de notre dame. Si tu refuses, nous n'hésiterons pas à nous laisser tomber de cette tour avant elle, car nous ne pourrions supporter de la voir mourir. Mais si tu nous laisses mourir pour si peu de chose, ce serait la plus grande déloyauté qu'un chevalier ait jamais commise.

Bohort les regarde et, croyant vraiment que ce sont des dames de haute naissance et de haut rang, il se prend de pitié pour elles. Pourtant, il pense qu'il vaut mieux qu'elles perdent leurs âmes plutôt que lui la sienne. Il leur répond donc qu'il ne cédera pas, qu'elles en meurent ou en vivent. Aussitôt elles se précipitent du haut de la tour. Frappé de stupeur, Bohort lève la main et se signe ; il s'élève alors autour de lui un tel bruit, un tel tapage, qu'il se croit environné de tous les diables de l'enfer ; et en effet il y en

30 faille il en i avoit plusors]. Il [re]garde entor lui, si ne voit
[ne la tor ne la dame qui d'amor le requeroit, ne] riens
[qu'il eust devant veue], fors [seulement] ses armes [qu'il
avoit laiens aportees] et la chapele ou il quidoit son frere
avoir aporté mort.

223. Com il voit ce, si s'aperçoit [maintenant] que ce
estoient enemi [qui cest aguet li avoient basti et qui le voloient mener a perdicion de cors et a destruction de l'ame ;
mes par la vertu de Jhesucrist s'en estoit eschapez]. Lors
5 tent ses mains vers le ciel et dist [B^a, f. 53c] :

– Sire Dex, beneoiz soies tu qui m'as doné [force et]
pooir de [moi] combatre contre l'enemi, et m'as otroié la
vitoire de ceste bataille.

Lors va la ou il quidoit son frere avoir lessié mort, si ne
10 trueve rien. Lors fu plus seur que devant, car il quide or
bien qu'il ne soit mie morz [et que ce ait esté tot fantosme
que il ait veu]. Lors [vient a ses armes et les prent, si]
s'arme et monte en son cheval, et se part de la place ou
il ne demorera plus, si com il dit, [por l'amor de l'anemi
15 qui i repere].

Et com il a chevauchié jusque la nuit, si escoute et ot
soner une cloche a senestre partie. Il est molt liez de ceste
aventure, si torne cele part et ne demora gueres qu'il vit
une abeie [close de bons murs, et estoient li frere blanc
20 moine]. Et il vient a la porte, si huche tant qe l'en li ovre.
Et com il le voient [armé], si pensent bien que ce soit des
compaignons de la Queste. Si le descendent et le moinent
en une chambre [por] desarmer, et li font tote l'enor qu'il
puent. Et il dit a .i. viel home qu'il quidoit que fust prestres
25 qu'il le menast au plus prodome de leenz, « car il m'est
[hui] avenu une aventure dont je me voudrai conseillier a
lui ».

– Sire chevalier, fet il, vos irez a nostre conseil a dant
abé, qu'il est li plus prodons de ceenz de clergie et de
30 bone vie.

– Sire, fet Boorz, je vos pri que vos m'i menez.

Et il dit [que molt] volentiers. Lors le moine li preudons

avait un certain nombre. Il regarde autour de lui et ne voit plus ni la tour, ni la dame qui l'avait requis d'amour, ni rien de ce qu'il avait vu auparavant, sauf les armes qu'il avait apportées et la chapelle où il pensait avoir laissé son frère mort.

223. Il se rend compte immédiatement que ce sont les démons qui lui ont tendu ce piège pour causer sa mort et la perte de son âme; mais la puissance de Jésus-Christ lui a permis d'y échapper. Tendant alors les mains vers le ciel, il dit :

– Seigneur Dieu, sois béni pour m'avoir donné la force et le pouvoir de combattre l'Ennemi et de sortir vainqueur de ce combat.

Puis il va là où il croit avoir laissé le corps de son frère, mais n'y trouve rien. Il en éprouve du soulagement, car il pense bien que Lionel n'est pas mort, et qu'il n'a vu qu'un fantôme. Ayant repris ses armes, il s'équipe, monte en selle et quitte ce lieu où, dit-il, il ne veut pas s'attarder plus longtemps à cause de l'Ennemi qui y demeure.

Il chevauche jusqu'à la nuit et entend alors une cloche sonner sur sa gauche. Tout joyeux, il se dirige de ce côté et ne tarde pas à apercevoir une abbaye entourée de bons murs et dont les frères étaient des moines blancs. Il frappe à la porte jusqu'à ce qu'on lui ouvre. Les moines, en le voyant armé, ne doutent pas qu'il soit un compagnon de la Quête. Ils l'aident à descendre de cheval, le mènent dans une chambre pour le désarmer et le traitent avec beaucoup d'honneur. Il demande à un vieil homme qui lui paraît être prêtre de le conduire auprès du moine réputé le plus sage, car, dit-il, « il m'est arrivé aujourd'hui une aventure sur laquelle je voudrais bien qu'il m'éclaire ».

– Seigneur chevalier, nous vous conseillons d'aller trouver notre vénérable[1] abbé, car il est, plus qu'aucun de nous, homme de grand savoir et de grande piété.

– Seigneur, dit Bohort, veuillez me conduire auprès de lui.

– Très volontiers, répond le moine.

en une chapele ou li abés estoit, si li mostre, puis s'en
retorne. Et Boorz vient a lui, si li encline et le salue. Et
35 cil li encline, si li demande qui il est, et qu'il quiert. Et
Boorz [li dit que il est chevaliers erranz et puis] li conte
[l]'aventure [qui hui li estoit avenue]. Quant li prodons ot
tot oï, si dit :

– Sire chevaliers, je ne sai qui vos estes, [mais] par mon
40 chief je ne quidoie pas que chevaliers de vostre aage poïst
estre si forz en la grace Deu com vos avez hui esté. Mes
[vos m'avez dit de vostre afere, dont] je ne vos porroie
hui mes conseillier [a ma volenté], que [*B*ᵃ, f. 53d] trop
est tart. Mes vos irez soper et dormir et resposer et le ma-
45 tin revendroiz parler a moi. Lors vos conseillerai au meuz
que je porrai.

224. Boorz s'en part et comande le prodome a Deu ; et
li abés [remaint, qui assez pense a ce qu'il li ot dit, et] comande au frere qu'il soit servi bel et richement, [car assez
est plus preudons que l'en ne cuide]. Cele nuit fu Boorz
5 serviz assez plus richement qu'il ne voussist, si li aporterent char [et poisson], mes il n'en manja onques, ainz prist
pain et eve, si en manja tant com mestier li fu et d'autre
chose ne gosta, com cil qui ne voloit mie enfreindre
la penitance que li prodons li avoit donee [ne en lit ne
10 en viande ne en autre comandement que l'en li eust fait].
Au matin, si tost com il ot oï [matines et] messe, li moines, qui ne l'ot pas oblié, vint a lui, si li dist que bon jor li
donast Dex. Et Boorz li redit autretel. Lors se tre[stren]t
loig des autres a une part lez .i. autel. Lors li dist li pro-
15 dons qu'il li cont tot ce qui li fu avenu puis qu'il entra en
la Queste del Saint Graal. Et il li conte tot mot a mot ce
qu'il ot veu en dormant et en veillant, si li prie qu'il l'en
die la senefiance [de totes ces choses]. Et cil pense .i. pou,
si dit qu'il li dira volentiers. Lors li dist :

20 – Boorz, quan vos eustes receu [le Haut Mestre], le

Il le mène alors dans une chapelle où se trouvait l'abbé, le lui montre, puis se retire. Bohort s'approche, s'incline devant l'abbé et le salue. L'abbé lui rend son salut, lui demande qui il est et ce qu'il cherche. Bohort répond qu'il est un chevalier errant, puis lui raconte l'aventure qui lui est arrivée ce jour même. Quand Bohort a terminé son récit, l'abbé lui dit :

– Seigneur chevalier, je ne sais pas qui vous êtes mais, par ma foi, je ne pensais pas qu'un chevalier de votre âge puisse être aussi rempli de la grâce de Dieu que vous l'avez été aujourd'hui. Vous m'avez raconté votre histoire, mais je ne pourrais vous conseiller maintenant comme je le voudrais, car il est trop tard. Allez souper, dormir et vous reposer, et demain matin revenez me parler. Je vous conseillerai alors de mon mieux.

224. Bohort s'en va en recommandant l'abbé à Dieu. Le saint homme reste dans la chapelle, réfléchissant à ce qu'il a entendu, puis il ordonne au moine d'offrir à Bohort leur meilleure hospitalité, car le mérite de ce chevalier est plus grand qu'on ne pense. Ce soir-là, Bohort fut servi plus généreusement qu'il ne l'aurait souhaité. On lui apporta de la viande et du poisson, mais il n'en mangea pas, se contentant de pain et d'eau, juste assez pour apaiser sa faim, et il ne toucha à rien d'autre, ne voulant à aucun prix enfreindre la pénitence que le prêtre lui avait imposée[1] pour la nourriture et le coucher, ni aucune autre recommandation. Le lendemain matin, dès que Bohort eut entendu l'office de matines et la messe, l'abbé, qui ne l'avait pas oublié, vint à lui et lui souhaita, au nom de Dieu, une bonne journée. Bohort fit de même. Puis, s'éloignant des autres, ils allèrent près d'un autel. L'abbé lui demanda alors de lui raconter tout ce qui lui était arrivé depuis qu'il était entré dans la Quête du Saint-Graal. Bohort lui conte en détail tout ce qu'il a vu, éveillé ou endormi, et le prie de lui en expliquer le sens. L'abbé répond qu'il le fera volontiers ; il réfléchit un instant, puis lui dit :

– Bohort, après avoir reçu le Haut Maître, le Haut Sei-

Haut Seignor a compaignon, [ce est a dire quant vos eustes receu *Corpus Domini*], vos vos meistes en la voie por
savoir se Dex vos donast trover la haute troveure qui avendra as chevaliers Jesucrist, [as verais preudomes de ceste
25 Queste]. Vos n'eustes gaires alé que Nostre Sires vos vint
a l'encontre en senblance d'oisel, et vos mostra la dolor
et l'angoisse qu'il soffri por pecheors quant il fu mis en
la crois. Si vos dirai coment vos le veistes : ce fu quant li
oisiax vint a l'arbre qui estoit sanz fueille et sanz fruit. Il
30 comença a regarder ses pocins et vit qu'il n'en i avoit nul
vif. Si vint entr'els [*Bᵃ*, f. 54a] et se comença en mi le piz
a ferir de son bec, tant que li sans en sailli hors ; et morut
[ilec] de cel sanc, et li pocin qui mort estoient, si en reçurent vie, ce veistes vos. Or vos dirai que ce senefie.

225. « Li oisiax senefie nostre Criator, qui fist home a
sa senblance. Et quant il fu boté [hors] de paradis par son
forfet, il vint en terre ou il trova la mort, que de la vie n'i
avoit il point. Li arbres que vos veistes sanz fruit et sanz
5 fueille senefie le monde, ou il n'avoit lors se male aventure
non et povreté et mesese. Li pocin senefient l'umain lignage, qui adonc estoient si mort el monde que tuit aloient en
enfer, ausi li buen com li mauvés, et [estoient tuit egal en
merite]. Quant li filz Deu vit ce, si monta en l'arbre, ce est
10 en la Croiz, et fu iluec feru del bec del glaive, c'est de la
pointe, el costé destre, tant que li sans en oissi. Et de celui
sanc reçurent vie li pocin, cil qui ses ovres orent fetes,
car il les osta d'enfer, ou tote morz estoit et est encore
sanz point de vie. Ceste bonté que Dex fist au monde, a
15 moi et a vos et a toz autres pecheors, vos vint il mostrer
en senblance d'oisel, por ce que vos ne dotissiez mie a
morir por lui, ne plus qu'il fist por vos. Puis vos amena
chi[é]s la dame a cui li rois Amanz avoit doné sa terre a
garder. Par lo roi Amant doiz tu entendre Jesucrist, qui est
20 rois de tot le monde, c'est cil qui plus veraiement aime,
et plus trova l'en amor et doçor en lui que l'en ne porroit

gneur, pour compagnon, autrement dit après avoir reçu
Corpus Domini, vous vous êtes mis en route pour savoir si
Dieu vous permettrait de faire la haute découverte réservée aux chevaliers de Jésus-Christ, aux vrais champions
de cette Quête. Vous n'étiez pas allé très loin lorsque
Notre-Seigneur s'est manifesté à vous sous la forme d'un
oiseau et vous a montré la douleur et l'angoisse qu'il a
endurées pour les pécheurs quand il a été mis sur la Croix.
Et voici comment : lorsque l'oiseau s'est posé sur l'arbre sans feuilles et sans fruits, il a regardé ses oisillons
et vu qu'aucun n'était vivant. Il est venu parmi eux et
s'est frappé la poitrine de son bec jusqu'à ce que le sang
jaillisse ; lui est mort, mais son sang a rendu la vie à ses
petits comme vous l'avez vu. Je vais vous expliquer ce
que cela signifie.

225. « L'oiseau représente notre Créateur qui fit l'homme
à son image. Quand celui-ci fut chassé du Paradis par son
péché, il vint sur la terre où il ne trouva aucune trace de
vie. L'arbre sans feuilles et sans fruits représente le monde
où n'existait alors que malheur, pauvreté et souffrance.
Les oisillons représentent les hommes de ce temps-là
qui, étant privés de la grâce[1], étaient voués à l'enfer, les
bons comme les mauvais, et tous partageaient une même
rétribution. Quand le Fils de Dieu vit cela, il monta sur
l'arbre, c'est-à-dire sur la Croix, et il fut frappé du bec,
je veux dire de la pointe du glaive, au côté droit d'où le
sang jaillit. Ce sang donna la vie à ceux des oisillons qui
avaient fait ses œuvres, car il les tira de l'enfer où la mort
règne encore, sans le moindre signe de vie. Ce don que
Dieu fit au monde, à vous, à moi, et à tous les autres pécheurs, Il vint, sous la forme d'un oiseau, vous le montrer
afin que vous ne craigniez pas de mourir pour Lui comme
Il l'a fait pour vous. Puis il vous mena chez la dame à qui
le roi Amanz avait confié la garde de son royaume. Par
le roi Amanz, il faut entendre Jésus-Christ qui est le roi
du monde entier, celui dont l'amour est le plus vrai, et en
qui l'on trouve plus d'amour et de douceur[2] qu'en aucun

trover en home terrien. Si la deseritoit l'autre de tot son
pooir, cel[e] qui de la terre [avoit esté] jetee. Vos feistes
la bataille et la veinquistes. Or vos dirai que [B^a, f. 54b]
25 ce senefie.

226. « Nostre Sires vos avoit mostré qu'il avoit espandu
son sanc por vos ; et vos tantost enpreistes une bataille
por lui. Por lui fu ce bien quant vos por la dame l'enpreistes, que par la dame entendons nos Sainte Yglise, qui tient
5 sainte crestienté en droite foi et en droite creance, qui est
la terre et li droiz heritages Jhesucrist, por quoi vos estiez
tenu par droit a combatre l'autre dame qui deseritee en
avoit esté. Et par cele qui la guerroit, devon nos entendre
la Vielle Loi, li enemis qui toz jorz guerroie Sainte Yglise
10 et les suens. Quant la juene dame vos ot conté la reson
que l'autre dame avoit de guerroier la, vos enpreistes la
bataille si com vos devez fere ; car vos estiez chevalier
Jesucrist, par qoi vos estiez a droit tenu de defendre Sainte
Yglise. Et la nuit vos vint vooir Sainte Yglise en senblance
15 de feme tristre [et corrociee et] que l'en deseritoit a tort.
El[e] ne vint mie en robe de joie [ne de feste], ainz vint
en robe de corroz, [ce est en robe noire]. El[e] vos aparut
[noire et] tristre por le corroz [meismes] que si fil li font,
ce sont li pecheor crestien, qui li deussent estre fil, et il li
20 sont fillastre ; et la deussent garder come li fil lor mere,
mes no[n] font, ainz la corrocent de nuiz et de jorz. Et por
ce vos vint ele vooir en senblance de feme tristre [et cor-
rociee], por ce qu'il vos en preist greignor pitié.

227. « Par le noir oisel qui vos vint vooir doit l'en entendre Sainte Yglise, qui dit : "Je sui noire, mes je sui bele.
[Sachiez que mielz valt ma nerté que autrui blancheur
ne fet]." Par le blanc oisel qui avoit senblance de cisne
5 doit l'en entendre l'enemi, si te dirai coment. Li cisnes
est blans par defors et noir par dedenz [B^a, f. 54c], c'est
li ypocrites, qui est par defors jaunes et pales, et senble
[bien], a ce qui defors [en] apert, que ce soit des serjanz
Jesucrist ; mes il est par dedenz si noir et si orribles de pe-

être humain. L'autre dame, celle qui avait été chassée du royaume, cherchait à dépouiller sa sœur de tous ses biens. Vous avez livré bataille et vous avez vaincu. Et voici ce que cela signifie.

226. « Notre-Seigneur vous avait montré qu'Il avait répandu son sang pour vous et vous avez aussitôt combattu pour Lui. C'était bien pour Lui que vous combattiez quand vous avez livré bataille pour la dame, car cette dame représente Sainte Église qui maintient la chrétienté dans la vraie foi et la vraie croyance, et qui est le royaume et le légitime héritage de Jésus-Christ ; vous étiez donc tenu de combattre pour la dame qui avait été déshéritée. Celle qui lui faisait la guerre représente l'Ancienne Loi, l'Ennemi qui ne cesse d'attaquer Sainte Église et les siens. Quand la jeune dame vous eut dit pourquoi sa sœur lui faisait la guerre, vous avez livré bataille comme vous le deviez, car étant chevalier de Jésus-Christ, vous étiez tenu de défendre Sainte Église. La nuit, Sainte Église vint vous voir sous l'aspect d'une femme triste et contrariée que l'on déshéritait à tort. Elle ne vint pas en robe de fête, mais en robe de deuil, en robe noire. Elle vous apparut triste et sombre en raison du chagrin que lui causent ses fils, c'est-à-dire les chrétiens pécheurs, fils dénaturés qui, au lieu de veiller sur elle comme sur leur mère, l'affligent nuit et jour. Et c'est pourquoi elle est venue vous voir sous l'aspect d'une femme pleine de tristesse et d'affliction afin d'exciter davantage votre pitié.

227. « L'oiseau noir qui vint à vous représente Sainte Église qui dit : "Je suis noire, mais je suis belle[1] ; sachez que ma noirceur vaut mieux que la blancheur d'autrui." L'oiseau blanc, qui ressemblait à un cygne, représente l'Ennemi, et voici pourquoi. Le cygne est blanc au-dehors et noir en dedans ; c'est l'hypocrite qui est jaune et pâle et qui, par son apparence extérieure, semble bien être un serviteur de Jésus-Christ ; mais en dedans il est si noir, si

10 chié et d'ordure qu'il engigne trop malement le monde. Li
oisiax vint devant toi en dormant et ausi fist il en veillant,
et sez tu coment ce fu ? Quant li enemi s'aparut a toi en
senblance d'ome de religion, qui te dist que tu avoies ton
frere lessié ocirre. De ce te menti il, car tes freres [n'est
15 mie ocis, ains] est [encor] toz vis. Mes il [le te disoit por
ce qu'il] te voloit [fere entendre folie et] mener a desesperance [et a luxure. Et einsi t'eust il mis en pechié mortel],
par quoi tu eusses failli au Saint Graal, se tu l'eusses creu.
Einsi t'ai devisé qui fu li blans oisiax et qui fu li noirs, et
20 qui fu la dame por qui tu enpreis la bataille [et encontre
qui] ce fu.

228. « Or [covient que je te devise] la senefiance del
fust porri et des .ii. flors. [Li fus sanz force et sanz vertu
senefie Lionel, ton frere, qui n'a en soi nule vertu de Nostre Seignor qui en estant le tiegne. La porreture senefie la
5 grant plenté de pechiez mortex qu'il a dedenz soi amoncelez, por quoi l'en le doit apeler fust porri et vermeneus].
Par les .ii. flors [qui estoient a destre] sont senefié .ii.
[vierge, si en est] li .i. [li chevalier] que vos navrastes ier,
li autres la pucele que vos rescossistes. L'une des flors se
10 traoit pres de l'autre, ce fu li chevaliers qui prist la pucele
a force et la voloit despuceler [et tolir li sa blanchor]. Mes
li prodons les departoit, c'est a dire que Nostre Sires ne
soffri mie que lor virginité fust einsi perdue, [ainz] vos i
envoia qui les departistes [et sauvastes a chascun sa blan-
15 chor]. Li preudons vos disoit : "Boorz, il seroit fox qui
ces .ii. flors leroit perir por ce fust porri rescorre. Garde,
se tu troves tele aventure, que tu ne lesses les flors perir
por [le fust porri] rescorre." Ce te comanda il et tu le feis,
don il te s[e]t bon gré. Car vos veistes vostre frere que li
20 [dui] chevalier en menoient, et veistes le chevalier qui en
portoit la pucele. Ele vos pria [si docement que] vos fustes
par pitié conquis, et meistes arriere [dos] la naturel amor
por l'amor Nostre Seignor, si alastes la pucele secorre et

horriblement souillé de péchés et d'ordures qu'il trompe très cruellement le monde. Cet oiseau t'est apparu dans ton sommeil, mais aussi lorsque tu étais éveillé. Sais-tu à quel moment? Lorsque l'Ennemi s'est présenté à toi sous l'aspect d'un homme de religion qui t'a dit que tu avais laissé tuer ton frère. Il t'a menti; ton frère est toujours en vie. Mais il voulait t'abuser et te mener au désespoir et à la luxure. Il t'aurait ainsi mis en état de péché mortel et tu n'aurais pu alors mener à bien les aventures du Saint-Graal. Je t'ai donc expliqué qui étaient l'oiseau blanc et l'oiseau noir, la dame pour qui tu as livré bataille, et celui contre qui tu as combattu.

228. « Il me faut maintenant t'expliquer le sens du bois pourri et des deux fleurs. Le bois sans force et sans vigueur représente ton frère Lionel qui n'a en lui aucune des vertus de Notre-Seigneur pour le soutenir. La pourriture représente le grand nombre de péchés mortels qu'il a accumulés en lui. Il mérite donc bien d'être appelé bois pourri et vermoulu. Les deux fleurs qui étaient à droite représentent deux êtres vierges : l'un est le chevalier que vous avez blessé hier, l'autre, la demoiselle que vous avez secourue. L'une des fleurs se penchait vers l'autre : c'est le chevalier qui avait enlevé la demoiselle de vive force et voulait la violer, lui ravir sa blancheur. Mais l'homme les séparait, ce qui signifie que Notre-Seigneur qui ne voulait pas que la jeune fille perde sa virginité, vous envoya près d'elle et vous les avez séparés, préservant aux deux leur pureté. L'homme vous disait : "Bohort, il serait bien fou celui qui laisserait périr ces deux fleurs pour secourir ce bois pourri. Veille donc, si tu rencontres une telle aventure, à ne pas laisser périr les fleurs pour sauver le bois pourri." Tel fut son ordre; tu lui obéis, et il t'en sait gré. En effet, vous avez vu votre frère emmené par les deux chevaliers et la jeune fille qu'emportait son ravisseur. Elle fit appel à vous avec tant de douceur que, pris de pitié, vous avez fait passer l'amour de Jésus-Christ avant l'amour naturel et vous êtes allé secourir la jeune fille, laissant votre frère

lessastes vostre frere en tel [*B^a*, f. 54d] peril. Mes Dex [en
25 cui servise vos estiez entrez] i fu por vos, si fist tel miracle
que li chevalier chaïrent mort qui vostre frere [en] menoient. Il se deslia et prist les armes a l'un d'els et le cheval et se remist en la Queste [aprés les autres]. De ce[ste
aventure] savras tu la verité prochienement.

229. « Ce que tu voies que des flors issoit [fueilles et]
fruit, senefie que del chevalier et de la pucele istra encor parenté grant, dont il i avra de preudomes et de verais
chevaliers, [que l'en doit bien apeler fruit]. Et se la pucele
5 eust perdu son pucelage, Nostre Sires en fust corrociez [a
ce qu'il fussent ilec andui dampné par mort soubite ; et
ein]si fussent perdu en cors et en ame. Et [ce rescousistes
vos, por quoi l'en vos doit apeler verai chevalier celestiel,
sergent Jhesucrist bon et loial. Et si m'aït Dex], se vos
10 fussiez terriens, ja si haute aventure ne vos fust avenue
[que vos delivrissiez les crestiens Nostre Seignor, le cors
de honte terriene et l'ame de la paine d'enfer]. Or vos ai
devisees les aventures et les senefiances qui vos sont avenues [puis que vos receustes vostre Sauveor].
15 – Sire, fet Boorz, vos dites voir. [Vos les m'avez si bien
devisees que toz jors mes j'en serai plus a aise tant come
il m'en sovenra].
– Or vos pri je, fet li preudons, que vos priez por moi,
[car, si m'aïst Dex, je cuit que Nostre Sires vos orroit plus
20 legierement qu'il ne feroit moi.
Et il se test, com cil qui toz est honteus de ce que li abés
le tient a preudome].

230. Et com il orent grant piece parlé ensenble, Boorz
se parti de leenz, si comanda l'abé a Deu. [Et quant il se
fu armez, il se mist en son chemin] et chevaucha jusqu'au
soir, qu'il [vint] chi[é]s une veve dame qui molt volen-
5 tiers le herberja. Au matin se [mist a la voie] et chevaucha

en péril. Mais Dieu que vous serviez a pris votre place et a fait un si grand miracle que les chevaliers qui emmenaient votre frère sont tombés morts. Lionel a défait ses liens, a pris les armes et le cheval de l'un d'eux et a rejoint les compagnons de la Quête. Vous saurez bientôt la vérité sur cette aventure.

229. «Les feuilles et les fruits que tu as vus sortir des fleurs signifient que du chevalier ainsi que de la demoiselle naîtra encore une noble lignée qui comptera des chevaliers de grande prouesse et de haut mérite, que l'on doit bien considérer comme des fruits. Mais si elle avait perdu sa virginité, Notre-Seigneur aurait été irrité et affligé parce que tous deux seraient morts de mort soudaine, perdant ainsi leur corps et leur âme. Vous avez empêché cela, aussi doit-on vous tenir pour un vrai chevalier céleste, un bon et loyal serviteur de Jésus-Christ. Mais – j'en prends Dieu à témoin – si votre allégeance avait été terrestre, jamais vous n'auriez pu avoir cette haute aventure qui vous a permis de délivrer les fidèles de Notre-Seigneur, de sauver leurs corps de la honte terrestre et leurs âmes des souffrances de l'enfer. Voilà donc la signification des aventures qui vous sont arrivées depuis que vous avez reçu votre Sauveur.

– Seigneur, dit Bohort, vous dites vrai. Vous me les avez si bien expliquées que je me sentirai plus confiant tant que je m'en souviendrai.

– Je vous demanderai donc, dit l'abbé, de prier pour moi car – que Dieu m'assiste – je pense qu'Il vous écoutera plus volontiers qu'Il ne m'écouterait.

Bohort se tait, tout confus d'être considéré par l'abbé comme un homme de bien.

230. Après qu'il eurent longtemps parlé ensemble, Bohort prit congé de l'abbé en le recommandant à Dieu. Une fois armé, il se mit en route et chevaucha jusqu'au soir. Il arriva alors chez une dame veuve qui l'hébergea très volontiers. Le lendemain matin, il repartit et finit par se trou-

tant qu'il vint a .i. chastel que l'en apeloit Cubele, [et seoit
en une valee]. Et com il vint vers le chastel, si encontra .i.
vallet qui aloit [grant erre vers] une forest. Et il li [vient
a l'encontre et li] demande s'il set nules noveles. Et il dit
10 [que] oïl, que demain avra tornoiement devant cel chastel.

— De quel jent ? fet Boorz.

— Del conte des Plains, fet cil, et de la veve dame de
leenz.

15 Quant Boorz l'ot, si pense qu'il demorra huimés leenz,
car il ne sera pas qu'il ne voie [demain] aucun des compaignons de la Queste a cel tornoiement qui li diront noveles de son frere, ou par aventure ses freres [meismes]
i vendra, [s'il est pres d'illuec et il a santé]. Il torne a .i.
20 hermitage qui estoit a l'entree de la forest, et com il i est
venuz, si trueve Lyonel son frere [*B^a*, f. 55a] qui sooit tot
desarmé a l'entree de la chapele. Si estoit iluec herbergiez
por estre l'endemain au tornoiement [qui en cele praerie
devoit estre feruz]. Quant Boorz le voit, si a [si] grant joie
25 [que nus ne vos porroit deviser greignor]. Lors descent
[de son cheval a terre] et dit :

— Biau fere, quant venistes vos ci ?

Quant Lyoniax l'entent, si [le conoist a la parole, et si ne
se remue onques, ainz li] dit :

30 — Boorz, [Boorz], il ne failli mie avant ier en vos que je
ne fui ocis, quant li dui chevalier m'en menoient batant
et vos m'en lessastes mener [c'onquez ne m'aidastes], si
alastes rescorre la pucele que li chevaliers en menoit, et
me lessastes en peril de mort. Onques nus freres ne fist tel
35 desloiauté, et por ce ne vos asseur je fors de la mort, [car
bien l'avez deservie]. Or vos gardez bien [des ore mes] de
moi ; car [bien sachiez que] vos n'en poez atendre se la
mort non, de quele ore que je soie armez, en quel que leu
que je vos truisse.

231. Quant Boorz entent ceste parole, si est trop dolenz
de ce que ses freres est si corrociez vers lui. Lors s'ajenoille [maintenant a terre] devant lui et [li crie merci a

ver tout près d'un château appelé Cubele situé dans une vallée. En approchant du château, il rencontra un écuyer qui chevauchait à vive allure en direction d'une forêt. Bohort s'avance vers lui et lui demande s'il a des nouvelles à lui apprendre.

– Oui, répond-il. Un tournoi aura lieu demain devant le château.

– Entre qui ?

– Entre les hommes du comte des Plains et ceux de la dame veuve qui habite ce château.

À cette nouvelle, Bohort décide de ne pas aller plus loin, car il est impossible qu'il ne rencontre demain quelques compagnons de la Quête qui pourront lui donner des nouvelles de son frère ; et peut-être que son frère lui-même sera là, s'il est dans les parages et en bonne santé. Il se rend à un ermitage qui était à la lisière de la forêt et là, il trouve son frère Lionel assis, sans armes, à l'entrée de la chapelle. Il avait pris gîte à l'ermitage pour être le lendemain au tournoi qui devait se tenir dans la prairie. En le voyant, Bohort éprouve une joie telle qu'on ne saurait en concevoir de plus grande. Il met pied à terre et lui dit :

– Cher frère, quand êtes-vous venu ici ?

Lionel le reconnaît à sa voix, mais il ne bouge pas et lui dit :

– Bohort, Bohort, ce n'est pas à vous que je dois de n'avoir pas été tué l'autre jour quand les deux chevaliers m'emmenaient en me battant. Vous m'avez laissé emmener sans rien faire pour m'aider, et vous êtes allé secourir la demoiselle que le chevalier emportait, me laissant en danger de mort. Jamais un frère ne commit une telle déloyauté, et pour ce crime je ne vous promets que la mort, vous l'avez bien méritée. Désormais, gardez-vous de moi, car, sachez-le bien, où que je vous rencontre, je vous tuerai, si je suis armé.

231. La colère de son frère cause à Bohort une vive douleur. Il se jette à genoux devant lui, et, mains jointes, implore sa pitié, le suppliant au nom de Dieu de lui par-

jointes mains et] li prie [por Deu] qu'il li pardoinst. Et il
5 dit que non fera, ainz l'ocirra [se Dex li aït, s'il en puet
venir au desus. Et por ce qu'il ne le veut plus escouter, si
entre maintenant en la maison a l'ermite ou il avoit ses
armes mises, si les prent et] s'arme tantost. Et com il est
armez, si monte en son cheval et dit :

10 – Gardez vos de moi ! Car [se Dex me conselt], se je
puis venir au desus de vos, g'en feré ce que l'en doit fere
de traïtor, que vos estes li plus desloiax chevaliers qui onques oïssist de si prodome come lo roi Boorz de Gaunes
[fu], qui nos engendra. Or montez sor vostre cheval, si
15 serez meuz. Et se vos nel fetes, je vos ocirrai si come vos
estes tot a pié, si [en] sera la honte moie et li domajes
vostres. Mes de la honte ne me chaut, que melz [en] vueil
je [.i. poi avoir et] estre blasmez de maintes jenz, que vos
n'en soiez honiz del cors [einsi com vos devez].

232. Quant Boorz voit [qu'il est a ce menez] que combatre le covient, si ne set que fere qu'il n'a talent de combatre a son frere ; et por ce que Lyoneax est ainz nez de
lui, si li doit porter reverence [et subjection], et por ce
5 [*B^a*, f. 55b] qu'il nel voloit blecier [en nule maniere].
Mes [totevoies] por estre plus asseur, mont[er]a il en son
cheval ; mes encor l'essaiera une foiz [por] savoir s'il
porroit [ja] en lui trover merci. Lors s'ajenoille [a terre]
devant les piez del cheval son frere [et plore molt tendre-
10 ment], et si li dist :

– Biax douz frere, por Deu aiez merci de moi ! Pardonez moi cest meffet, si ne m'ociez mie ; mes menbre vos
de la grant amor qui doit estre entre moi et vos !

De tot ce que Boorz dit ne chaut a Lyonel, [come cil
15 que li anemis avoit eschaufé jusqu'a volonté d'ocirre son
frere]. Et Boorz est totevoies a jenouz devant lui [et li crie
merci jointes mains]. Et quant Lyoneax vit qu'il n'i prendra plus [et qu'il ne se levera mie, si point outre et] hurte
Boorz del piz del cheval si durement qu'il le fist chooir
20 contre terre tot envers, et [del chooir qu'il fist est molt
bleciez. Et cil] li va a tot le cheval sor le cors tant que tot

donner. Mais Lionel refuse et dit qu'avec l'aide de Dieu il le tuera, s'il peut triompher de lui. Puis, ne voulant pas en entendre davantage, il entre dans la maison de l'ermite où il avait déposé ses armes et les revêt en toute hâte. Une fois armé, il monte à cheval et dit à Bohort :

– Gardez-vous de moi ! Si je peux, avec l'aide de Dieu, l'emporter sur vous, je vous traiterai comme on doit traiter un traître. Car vous êtes le chevalier le plus déloyal qui ait jamais été issu d'un homme de bien tel que le fut le roi Bohort de Gaunes, notre père. Montez donc sur votre cheval, ce sera mieux pour vous. Si vous ne le faites pas, je vous tuerai debout comme vous l'êtes. La honte sera pour moi et le dommage pour vous. Mais cette honte ne m'importe guère et je préfère perdre un peu de mon honneur et être blâmé par bien des gens plutôt que de vous épargner le sort que vous méritez.

232. Quand Bohort voit qu'il va être contraint d'accepter la bataille, il ne sait que faire. Il n'a aucune envie de combattre son frère parce que Lionel est son aîné, à qui il doit respect et obéissance, et parce qu'il ne veut pas lui faire de mal. Toutefois, pour être plus sûr, il montera à cheval, mais il tentera une fois encore de trouver grâce auprès de lui. Il s'agenouille devant le cheval de son frère et, tout en pleurs, lui dit :

– Beau doux frère, au nom de Dieu, ayez pitié de moi ! Pardonnez-moi ce méfait et ne me tuez pas ! Souvenez-vous du grand amour qui doit être entre vous et moi !

Les supplications de Bohort ne touchent pas Lionel tout échauffé par l'Ennemi du désir de tuer son frère. Cependant Bohort est toujours à genoux devant lui, les mains jointes et criant grâce. Quand Lionel voit qu'il s'obstine et ne se relèvera pas, il fonce sur lui au galop et le frappe du poitrail de son cheval si rudement que Bohort est renversé à terre et, en tombant, se blesse grièvement. Lionel lui passe sur le corps avec son cheval, lui brisant les os.

le debrise. Et Boorz se pasme [de l'angoisse qu'il sent, si
qu'il cuide bien morir sanz confession]. Et quant Lyoneax
voit qu'il l'a tel atorné qu'il n'a [mes] pooir de soi relever,
25 si descent [a terre] et li volt couper la teste. [Et quant il est
descendus], si li errache le hiaume [de la teste]. Lors acorut li hermites de leenz, qui estoit vielz hom [et de grant
aage], et bien avoit oï les paroles qui avoient esté entr'els
.ii. Et com il voit Lyonel qui voloit a Boorz couper la teste,
30 si se lesse chooir desus et dit a Lyonel :

– Ha ! franc chevalier, por Deu aies merci de toi et de
ton frere ! Car ce sera trop grant domaje se tu l'ocis, qu'il
est .i. des plus prodomes del monde et des meilleurs chevaliers.

35 – [Se me conselt Dex], sire prestre, fet soi Lyoneax, se
vos ne fuiez de ci, je vos ocirrai, et por ce ne sera il mie
quites

– Certes, fet li prodons, je vueil meuz que tu m'ocies
que lui, qu'il n'est mie si grant domage de ma mort come
40 de la soe, [et por ce voil je mieus morir que il muire].

Si se couche sus Boorz [de lonc en lonc] et l'enbrace par
les espaulles. Quant Lyoneax voit ce, si met main a espee
et fiert l'ermite si qu'il li abat tot le haterel derriere. [*B^a*,
f. 55c] Et cil s'estent qui [angoisse de] mort destreint.

233. [Quant il a ce fet, si ne se refraint point de son
maltalent, ainz] aert son frere au hiaume, si li errache de
la teste et l'eust mort sanz faille [en assez pou de tens],
qant cele part acorut, [par la volenté de Nostre Seignor],
5 Calogrenant, .i. chevalier de la meson lo roi Artur et compainz de la Table Roonde. Et quant il fu la venuz et il vit le
prodome ocis, si s'en merveilla molt [que ce estoit]. Lors
regarde Lionel qui voloit son frere ocirre [et li avoit ja le
hiaume deslacié], si vit que ce estoit Boorz, qu'il amoit
10 molt. Si [saut a terre et] prent Lyonel par les espaulles et
le [tire si fort qu'il le] tret arriere et dit :

– Qu'est ce, Lyon[el] ? [Estes vos fors del sens, qui]

Bohort se pâme de douleur et pense qu'il va mourir sans s'être confessé. Voyant qu'il l'a si malmené qu'il ne peut plus se relever, Lionel met pied à terre, résolu à lui couper la tête. Dès qu'il est descendu, il lui arrache le heaume de la tête. Mais, à ce moment-là, l'ermite, un homme de très grand âge, accourut, car il avait bien entendu les paroles échangées par les deux hommes. Quand il voit Lionel prêt à couper la tête à Bohort, il se laisse tomber sur Bohort et dit à Lionel :

– Ah ! noble chevalier, au nom de Dieu, aies pitié de toi et de ton frère ! Si tu le tues, sa mort sera une très grande perte, car il est un des meilleurs chevaliers du monde et des plus vertueux.

– Par Dieu, seigneur, répond Lionel, si vous ne partez pas d'ici, je vous tuerai, et il n'en sera pas quitte pour autant !

– En vérité, dit l'ermite, je préfère que tu me tues, moi plutôt que lui, car ma mort ne sera pas une aussi grande perte que la sienne. Il vaut donc mieux que ce soit moi qui meure.

Il s'étend alors de tout son long sur Bohort, le tenant serré par les épaules. Voyant cela, Lionel tire son épée et porte un tel coup à l'ermite qu'il lui brise la nuque. Le vieillard se raidit sous l'étreinte de la mort.

233. La rage de Lionel ne s'apaise pas pour autant et, saisissant son frère par le heaume, il le lui arrache de la tête. Il l'aurait certainement tué en un rien de temps si n'était survenu, par la volonté de Notre-Seigneur, Calogrenant, chevalier de la maison du roi Arthur et compagnon de la Table Ronde. À la vue de l'ermite sans vie, il reste stupéfait. Il tourne alors son regard vers Lionel qui s'apprêtait à tuer son frère dont il avait déjà délacé le heaume, et il reconnaît Bohort qu'il aimait de tout son cœur. Sautant à terre, il saisit Lionel par les épaules et le tire si fort qu'il le fait reculer.

– Que se passe-t-il, Lionel ? lui dit-il. Avez-vous perdu la raison, pour vouloir tuer votre frère, un des meilleurs

volez ocirre vostre frere, .i. des meillors chevaliers del
monde ? [En non Deu], ce ne vos soferroit nus preudons.
15   – Coment ? fet Lyoneax, le volez vos rescorre ? Par foi,
se vos [vos en] entremetez plus, je le leré et me prendrai
a vos.

Et cil [le regarde, qui toz est esbahiz de ceste chose, et]
li dit :
20   – Coment, Lyon[el], est ce a de certes que vos le volez
ocirre ?

– Ocirre, fet il, le voil je [et l'ocirrai], que ja por vos [ne
por autre] nel leré, car il m'a tant forfet qu'il a bien mort
deservie.
25   Lors [li recort sus, et] le volt ferir de l'espee parmi la
teste. Mes Calogrenant se met entre [eus] .ii. et dit que,
s'il est [mes hui] si hardiz qu'il mete main sor lui, qu'il
est [venus] a la mellee.

234. Et quant Lyoneax entent ceste parole, si prent son
escu et demande a Calogrenant qui il est. Et il se nome ; et
quant Lyoneax le conoist, si le desfie et li cort sus [l'espee
trete], et li done grant cop sor le hiaume [au plus durement
5   qu'il puet amener del brant].

Quant cil voit qu'il est [venuz] a la meslee, si prent son
escu et [tret] s'espee. Et il fu buens chevaliers [et de grant
force], si se deffent viguereusement. Et dure la bataille
tant que Boorz fu dreciez en son seant, si est si angoisseuz
10   qu'il ne quide ja mes avoir pooir de soi [*B*^a^, f. 55d], se
Dex ne li aide. [Quant] il voit son frere qui se combat a
Calogrenant, si est molt a malese, car s'il ocit son frere
[qu'il aime tant], il n'avra ja mes joie, et s'il ocit Calogrenant, il i avra hont[e] : car il set bien qu'il ne comença la
15   meslee se por lui non. De ceste chose est il molt a malese ;
si les alast volentiers departir, s'il poïst, mes il [se delt
tant qu'il] n'a pooir de soi desfendre ne d'autrui assaillir.
[Si a tant regardé que] il voit que Lyoneax est au desus
de Calogrenant, car trop estoit buens chevaliers et hardiz.
20   Si li ot depecié son hauberc et son hiaume, et tel atorné

chevaliers du monde ? Par Dieu, aucun homme de bien ne vous laisserait faire cela.

– Comment, répond Lionel, vous voulez le secourir ? Par ma foi, si vous vous mêlez davantage de l'affaire, je le laisserai et m'en prendrai à vous.

Calogrenant, tout ébahi, regarde Lionel et lui dit :

– Comment, Lionel ? Est-ce vrai que vous voulez le tuer ?

– Je le veux et je le tuerai, et ni vous ni qui que ce soit ne m'en empêchera, car il est coupable d'un tel crime envers moi qu'il mérite la mort.

Sur ce, il se précipite de nouveau sur Bohort pour le frapper à la tête avec son épée. Mais Calogrenant se met entre eux deux et dit que dès lors, si Lionel a assez d'audace pour porter la main sur son frère, il lui faudra se battre avec lui.

234. À ces mots, Lionel prend son écu et demande à Calogrenant qui il est. Celui-ci se nomme. Une fois qu'il connaît son identité, Lionel le défie, s'élance sur lui, l'épée dégainée, et lui en assène un coup terrible sur le heaume. Voyant qu'il lui faut se battre, Calogrenant prend son écu et tire son épée. C'était un bon chevalier et de grande force, et il se défend avec acharnement. Le combat se prolongeant, Bohort parvient enfin à se mettre sur son séant, mais il est si mal en point qu'il pense ne jamais retrouver ses forces si Dieu ne vient à son aide. La vue de son frère aux prises avec Calogrenant lui cause un profond désarroi : si Calogrenant tue son frère qu'il aime tant, il ne connaîtra plus jamais de joie, et si Lionel tue Calogrenant, il en sera déshonoré, car c'est pour lui, il le sait bien, que Calogrenant a engagé le combat. Cette situation le rend très malheureux. S'il pouvait, il n'hésiterait pas à aller les séparer, mais ses souffrances sont telles qu'il ne peut ni se défendre ni attaquer. Au bout d'un certain temps, il s'aperçoit que Lionel, qui était un chevalier plein de vaillance et d'audace, l'emporte sur son adversaire. Il lui avait déjà rompu le haubert et le heaume, et l'avait si

[l'avoit Lyoneax] qu'il n'atendoit mes se la mort non, [car
tant avoit perdu dou sanc que ce ert merveille coment il
se pooit tenir en estant]. Et com il se voit si au desoz, [si
a paour de morir] ; si [se] regarde [et voit] Boorz qui s'es-
25 toit dreciez en son seant, si [li] dit :

— [Ha] ! Boorz, car me venez aidier. [Ja me sui je mis
en peril de mort por vos secourre. Car me venés gieter de
peril tandis come vos me veés en vie] ; car, se g'i muir, toz
li mondes vos en blasmera.

30 — Certes, fet Lyoneax, ce ne vos a mestier. [Vos en morroiz de ceste emprise], que nus ne vos porroit estre garanz
que je ne vos ocie [ambedeus de ceste espee].

235. Quant Boorz l'oï, si n'est mie asseur, car bien set
se cil est morz ou outré, qu'il sera en peril de mort ; si [fet
tant qu'il] se lieve en estant et lace son hiaume. Et com il
voit l'ermite ocis, si en plora trop durement et prie Deu
5 qu'il ait pitié de s'ame, [car por si pou de chose ne morut
onques mes nus si preudons]. Lors s'escrie Calogrenant :

— Ha ! Boorz, plest vos donc que je [i] muire ? Puis qu'il
vos plest, il m'est bel, que por plus prodome [sauver] ne
puis je morir.

10 Lors le fiert Lyoneax tel cop de l'espee, qu'il li fet le
hiaume voler en mi la place. Et quant cil [sent sa teste nue
et descoverte et] voit qu'il n'en puet eschaper, si dit :

— Ha ! biau pere Jesucrist, qui sofristes que je me meisse
en vostre servise, non mie si dignement come je deusse,
15 aiez merci de m'ame en tel maniere que la dolors [B^a,
f. 56a] que je sostieg por bien, me soit assoagement a
l'ame [et penitance], si voirement come ge por aumone
le faz.

A ceste parole, le fiert Lyonel si durement qu'il le rue
20 mort [a terre, et li cors se comence a estendre de la grant
angoisse qu'il sent]. Quant il a ocis Calogrenant, si [ne se
volt pas a tant tenir, ainz] cort sus a son frere, si li done

malmené que Calogrenant n'attendait plus que la mort ;
il avait perdu tant de sang qu'il était étonnant qu'il pût
encore se tenir debout. Quand il se voit en si mauvaise
posture, la peur de mourir le saisit. Il regarde autour de lui
et aperçoit Bohort qui s'était assis.

– Ah ! Bohort, lui crie-t-il, venez donc à mon aide !
Comme vous le savez, je me suis mis en danger de mort
pour vous secourir. Venez donc me tirer du danger tant
que je suis encore en vie, car si je meurs, tout le monde
vous en blâmera.

– Tout cela est inutile, croyez-moi, dit Lionel ; vous
mourrez d'être intervenu et nul ne pourrait empêcher que
je vous tue tous deux de cette épée.

235. Cette réponse n'est pas faite pour rassurer Bohort,
car il sait bien que si Calogrenant est tué ou vaincu, lui-
même sera en péril de mort. Il s'est tant efforcé, qu'il parvient à se relever et lace son heaume. Apercevant le cadavre de l'ermite, il pleure amèrement et prie Dieu d'avoir
pitié du mort, car jamais homme si sage ne mourut pour si
peu de chose. Mais Calogrenant lui crie :

– Ah ! Bohort, vous voulez donc que je meure ? Si telle
est votre volonté, j'y consens, car je ne pourrais mourir
pour sauver un meilleur chevalier.

Lionel le frappe alors si violemment de son épée qu'il
fait voler son heaume à terre. Sentant sa tête nue et comprenant qu'il n'échappera pas, Calogrenant s'écrie :

– Ah ! doux père Jésus-Christ, qui avez permis que j'entre à votre service, mais que je n'ai pas servi aussi dignement que j'aurais dû, ayez pitié de mon âme, de sorte que
cette souffrance, que je vais endurer par amour du bien,
me soit pénitence et soulagement de l'âme puisque j'agis
dans une intention charitable.

Comme il disait cela, Lionel le frappe si violemment
qu'il l'abat mort, et le corps commence à se raidir dans les
spasmes de l'agonie. D'avoir tué Calogrenant ne satisfait
pourtant pas Lionel ; il se jette sur son frère et lui porte un

tel coup qu'il le fist trebuchier a terre. Et Boorz, [en qui
humilitez estoit aussi comme naturelment enracinee], li
25 prie por Deu qu'il laist ceste bataille ester.

– Car se [il avient, biau frere, que] je vos occi[e] ou vos
moi, nos serons mort de pechié.

– Certes, fet Lyoneax, ja merci n'avrai de vos [que je
ne vos occie] se g'en puis venir au desus, qu'il ne remaint
30 mie en vos que je ne soie ocis.

Lors tret Boorz l'espee et dit [tot en plorant] :

– Biax sire Dex, ne m'establissiez a pechié se je deffent
ma vie [contre mon frere] !

Lors hauce l'espee [contremont], et en ce qu'il [le] vo-
35 loit ferir, si oï une voiz qui li dit :

– [Fui], Boorz, nel touchier, que tu l'ocirroies ja.

236. Lors descendi entr'els .i. brandon de feu en senblance de foudre qui vint de vers le ciel, si [en] oissi une
[flambe] si ardant que [andui] lor escu en furent ars, et il
furent si esfreé qu'il chaïrent [andui] a terre et [j]urent
5 grant piece en paumoison. Et com il se [re]lievent, il se
regardent et voient entr'els .ii. la terre roge del feu qui i ot
esté. Mes quant Boorz voit que ses freres n'ot nul mal, si
[en] tent ses mains vers le ciel et [en] mercie Nostre Seignor [de bon cuer]. Lors oï une voiz qui li dist :

10 – Boorz, [lieve sus et] va t'en de ci. Ne tien plus compaignie a ton frere, mes ira tot droit a la mer, si ne demore
en nul leu devant que tu i soies, que Percevax t'i atent.

Et quant Boorz l'oï, si s'ajenoille et tent ses mains vers
lo ciel [B^a, f. 56b] et dit :

15 – Biau Pere des cels, benooiz soies tu que tu me deignes
apeler a ton servise !

237. Lors [vient] a Lyonel [qui encore estoit tot estordiz,
si li dist] :

– Biau frere, pardonez moi ce que je vos ai meffet.

tel coup qu'il l'envoie à terre. Mais Bohort, en qui l'humilité était si naturellement enracinée, le prie, au nom de Dieu, de cesser le combat :

– Car s'il advient, cher frère, que je vous tue, ou vous moi, nous serons morts dans le péché.

– Certes, dit Lionel, je n'aurai jamais pitié de vous si je parviens à vous vaincre, car si je suis encore en vie, ce n'est pas à vous que je le dois.

Bohort tire alors son épée et dit tout en pleurs :

– Beau seigneur Dieu, si je défends ma vie contre mon frère, ne me l'imputez pas à péché.

Puis il lève son épée, mais comme il va le frapper, il entend une voix qui lui dit :

– Fuis, Bohort, ne le touche pas, car tu le tuerais aussitôt.

236. Au même instant entre eux deux descendit du ciel un brandon enflammé, pareil à la foudre, d'où jaillit une flamme si ardente que leurs deux écus furent brûlés. Ils en furent si effrayés qu'ils tombèrent à terre et restèrent longtemps évanouis. Quand ils se relevèrent, ils se regardèrent et virent que la terre était toute rougie du feu qui l'avait brûlée. Mais quand Bohort voit que son frère n'a aucun mal, il tend les mains vers le ciel et remercie Notre-Seigneur de tout son cœur. Il entend alors une voix qui lui dit :

– Bohort, relève-toi et pars d'ici. Quitte ton frère et va tout droit vers la mer sans t'attarder nulle part avant d'y arriver, car Perceval t'y attend.

En entendant la voix, Bohort s'agenouille, tend les mains vers le ciel et dit :

– Père des cieux, sois béni de daigner m'appeler à ton service.

237. Puis il s'approche de Lionel qui était encore tout étourdi, et lui dit :

– Cher frère, pardonnez-moi la faute que j'ai commise envers vous.

Et il si fet. Lors li dit Boorz :

5　　– Biau frere, vos avez trop mal esploitié de cel chevalier qe vos avez ocis, qui estoit nostre compainz, et de cest hermite ausi. Por Deu, ne vos en partez devant que li cors soient [mis] en terre et que l'en lor ait fet tel enor com l'en doit.

10　　– Et vos, que ferez ? fet Lyoneax. Dont ne remaindroiz vos ici jusque tant qu'il soient enterré ?

– Nenil, fet Boorz, il me covient aler a la mer ou Percevax m'atent, [si come la vois Deu le m'a fait entendant].

Lors s'en part, si va vers la mer et chevauche [par ses 15　jornees] tant qu'il vint a une abeie [qui seoit] sor la mer. La nuit se herberja leenz ; et com il se fu endormiz, si li dit une voiz :

– Boorz, lieve sus, si t'en va [droit] vers la mer que Percevax t'i atent.

20　　Et com il ot ceste parole, si [saut sus et] fet le signe de la croiz en mi son vis et prie Deu qu'il le conduie. Lors prent ses armes, si s'arme maintenant, puis vient a son cheval, si li met lo frein et la sele et monte maintenant. Et lors s'en va vers la frete del mur, si s'en part einsi de leenz 25　que nus ne s'en aperçoit, et chevauche tant qu'a la mer vient et trueve a la rive une nef qui tote estoit coverte de blanc samit. Maintenant descent Boorz, si entre dedenz, si se comande a Jesucrist. Et si tost com il fu dedenz, la nef se part de la rive et li venz se fiert el voile, qui en porte la 30　nef si grant aleure que il senble que li venz l'en face [B^a, f. 56c] voler par desus les ondes de la mer.

238. Et quant Boorz voit que il a failli a son cheval metre dedenz la nef, si s'en sueffre a tant. Lors regarde par tote la nef, mes il n'i voit rien nule qui vive por la nuit qui estoit noire et oscure, por quoi il n'i pooit mie legierement 5　vooir. Et il vient maintenant au bort de la nef et s'i acote, et si prie Nostre Seigneur Jesucrist que il le conduie en tel leu ou l'ame de lui i soit sauvee. Et quant il a fete ceste proiere, si s'endort et dormi jusq'au matin que il fu ajorné. Et quant il se fu esveilliez, si regarde en la nef, si voit

Lionel lui pardonne et Bohort poursuit :

– Cher frère, vous avez très mal agi en tuant ce chevalier qui était notre compagnon, et cet ermite. Au nom de Dieu, ne partez pas d'ici avant que leurs corps aient été mis en terre et qu'on leur ait rendu les honneurs qui leur sont dus.

– Et vous, dit Lionel, que ferez-vous ? Ne resterez-vous donc pas ici jusqu'à ce qu'ils soient enterrés ?

– Non, répond Bohort, il me faut aller vers la mer où Perceval m'attend, comme la voix de Dieu me l'a fait savoir.

Il s'en alla alors en direction de la mer et chevaucha à grandes journées jusqu'à ce qu'il arrivât à une abbaye qui était au bord de la mer. Il y passa la nuit. Une fois endormi, il entendit une voix qui lui dit :

– Bohort, lève-toi et va tout droit vers la mer où Perceval t'attend.

À ces mots, il se lève d'un bond, fait le signe de la croix sur son visage et prie Dieu de le guider. Puis il prend ses armes et les revêt sans tarder. Il va vers son cheval, lui met le frein et la selle et monte. Puis il se dirige vers la brèche du mur par où il peut sortir de l'abbaye sans que personne s'en aperçoive, et il chevauche jusqu'à la mer. Là, sur le rivage, il trouve une nef toute tendue de samit blanc. Il met aussitôt pied à terre et entre dans la nef en se recommandant à Jésus-Christ. Dès qu'il y est entré, la nef s'éloigne du rivage. Le vent frappe la voile et l'emmène à si vive allure qu'il semble qu'il la fait voler sur les eaux.

238. Quand Bohort se rend compte qu'il n'a pas pensé à embarquer son cheval, il en prend son parti. Il regarde à l'intérieur de la nef, mais il ne voit aucun signe de vie, car la nuit était noire et profonde et il lui était donc difficile de distinguer quoi que ce soit. Il va alors s'accouder sur le bord de la nef et prie Notre-Seigneur Jésus-Christ de le conduire en un lieu où son âme puisse être sauvée. Sa prière faite, il s'endort jusqu'à la venue du jour. Une fois réveillé, il regarde dans la nef et voit devant lui un cheva-

10 .i. chevalier qui estoit armé de totes armes, fors de son
hiaume, qui estoit devant lui. Et quant il l'a .i. petit avisé,
si conoist tot de maintenant que ce est Percevax le Galois.
Et tantost le corut Boorz acoler et li comence a fere molt
grant joie. Et cil en devient toz esbahiz de ce que il le voit
15 devant lui, car il ne set par quele maniere il puisse estre
leenz venuz. Lors li demande Percevax cui il est :

— Et coment, fet soi donc Boorz, biax sire douz, ne me
conoisiez vos mie ?

— Certes, fet Percevax, nenil, ainçois m'en merveil molt
20 durement en quel maniere vos poez estre venu ceenz ne
entrez, car je ne voi mie coment ce puisse estre, se Nostre
Sires meismes ne vos i aporta.

Et Boorz comence maintenant a sozrire de ceste parole,
et osta son hiaume. Et lors a primes le conut Percevax
25 [*B*^a^, f. 56d] ; si ne seroit mie legiere chose a deviser la
joie qu'il s'entrefirent. Lors li comence Boorz a conter
coment il s'en vint droit a la mer et com il entra dedenz
la nef et par qel amonestement. Et Percevax si li reconte
les aventures qui li estoient avenues en la roche ou il avoit
30 esté, la ou li enemis li aparut en guise de feme qui le mena
presque jusqu'a pechier mortel. Einsi sont li dui ami ensemble en la nef que Nostre Sires lor avoit apareillié. Si
atendent iluec les aventures que Dex lor vodra envoier ;
si s'en vont tot contreval la mer une hore avant et autre
35 arriere, si come li venz les moine. Si parolent de maintes
choses et reconforte li .i. l'autre. Et Percevax si dit que
or ne lor faut il mes que Galaaz que tote sa promesse ne
li soit rendue. Lors devise a Boorz coment il li avoit esté
promis. [Mais] atant se test ore li contes a parler d'els et
40 retorne a Galaaz.

lier armé de toutes armes sauf de son heaume, en qui il ne
tarde pas à reconnaître Perceval le Gallois. Il court aussitôt l'embrasser et lui faire fête. Perceval est très étonné de
voir ce chevalier devant lui, ne comprenant pas comment
il a pu arriver là. Il lui demande qui il est.

– Comment, doux seigneur, dit Bohort, ne me recon-
naissez-vous pas ?

– Certes non, répond Perceval, et je me demande bien
comment vous avez pu venir ici et monter à bord ; cela me
paraît impossible, à moins que Notre-Seigneur lui-même
ne vous y ait amené.

Bohort se met à sourire de ces paroles, et ôte son heaume. Et c'est alors que Perceval le reconnaît. La joie qu'ils
manifestent à se retrouver ne serait pas facile à décrire.
Puis Bohort commence à lui raconter comment il est venu
tout droit à la mer, comment il est entré dans la nef, et sur
l'ordre de qui il a fait cela. Et Perceval lui rapporte les
aventures qui lui sont arrivées sur le rocher, là où l'Ennemi lui était apparu sous l'aspect d'une femme qui avait
failli lui faire commettre un péché mortel. Ainsi les deux
amis se trouvent réunis dans la nef que Notre-Seigneur
avait préparée pour eux. Ils attendent là les aventures que
Dieu voudra bien leur envoyer, et voguent sur la mer,
une heure par ci, une heure par là, selon que le vent les
mène. Ils parlent de maintes choses et se réconfortent l'un
l'autre. Perceval dit qu'il ne leur manque plus que Galaad
pour que soit accomplie la promesse qui lui a été faite et il
explique à Bohort ce qu'il en fut[1]. Mais le conte cesse ici
de parler d'eux et revient à Galaad.

239. Or dit li contes que, quant li Buens Chevaliers se
fu partiz de Perceval cui il avoit rescous as .xx. chevaliers
qui l'avoient si durement entrepris, si se mist maintenant
el grant chemin ferré de la Forest Gaste. Si erra mainte
5 jornee une hore avant et autre arriere, tot einsi come aventure le [*B^a*, f. 57a] portoit. Si trova leenz mainte perilleuse
aventure qu'il mena a chief, dont li contes ne fet mie mencion, [por ce que trop i eust a fere se tot vousist retraire,
chascune chose par soi]. Quant il a grant piece chevauchié
10 par mi la forest del roiaume de Logres, il s'en parti, si
ala droit vers la mer, [si come il li venoit a volenté]. Un
jor li avint qu'il passoit par [devant] .i. chastel ou il avoit
.i. tornoiement [merveilleux]. Mes trop avoient ja fet cil
dedenz d'armes et molt estoient traveillié, et cil dehors les
15 avoient mis a la fuie, [car trop estoient plus que cil dedenz
et meillor chevalier assez].

Et quant Galaaz voit que cil [dedenz] estoient a si grant
meschief et que l'en les ocioit a l'entree del chastel, si se
torne par devers els, et pense qu'il lor aidera. Il besse le
20 glaive et fiert le cheval des esperons, et fiert le premier
qu'il encontre si [durement] qu'il le fet voler a terre, et li
glaives vole en pieces. Lors met la main a l'espee, [come
cil qui bien s'en savoit aidier], si [se] fiert la ou il voit la
greignor presse, et comence a abatre chevaliers et chevax,
25 et a fere tex merveilles d'armes qe nus ne le veist qui n'en
fust toz esbahiz. Et messires Gauvain, qui au tornoiement
estoit venuz entre lui et Hestor por aidier a cels dehors, si
tost com il voient l'escu [blanc] a la croiz vermeille, si dist
li .i. a l'autre :

30 — Vez ci le Buen Chevalier ! Or est fox qui l'atendra, car
encontre ses cox ne dureroit arme nule.

240. En ce qu'il disoient ceste parole, Galaaz vint atei-

CHAPITRE X

La nef merveilleuse

239. Le conte dit que lorsque le Bon Chevalier eut quitté Perceval après l'avoir délivré des mains des vingt chevaliers qui l'avaient si brutalement attaqué, il prit aussitôt le grand chemin ferré de la Forêt Gaste. Il chevaucha de nombreuses journées tantôt dans une direction, tantôt dans une autre, là où le conduisait le hasard. Il y trouva maintes aventures périlleuses qu'il mena à bien, mais dont le conte ne fait pas mention parce qu'il eût été trop long de les raconter toutes, une par une. Après avoir longtemps chevauché dans la forêt du royaume de Logres, il la quitta et, tel étant son désir, se dirigea tout droit vers la mer. Un jour, il vint à passer devant un château où avait lieu un très grand tournoi. Les gens du château qui avaient déjà accompli beaucoup d'exploits étaient épuisés, et les assaillants les avaient mis en déroute, car ils étaient plus nombreux et bien meilleurs chevaliers que leurs adversaires.

Quand Galaad voit que ceux du dedans étaient dans une si mauvaise passe et se faisaient tuer à l'entrée du château, il se dirige vers eux dans l'intention de les aider. Abaissant sa lance, il éperonne son cheval et frappe le premier adversaire qu'il rencontre avec une telle violence qu'il l'envoie à terre. Sa lance s'étant brisée, il tire son épée dont il sait si bien se servir, se jette au plus fort de la mêlée, abat chevaliers et chevaux, et fait de telles prouesses que tous ceux qui le voient en demeurent stupéfaits. Or, monseigneur Gauvain était venu au tournoi avec Hector pour aider les assaillants. Dès qu'ils virent l'écu à la croix vermeille, ils se dirent l'un à l'autre :

– Regardez ! Voici le Bon Chevalier ! Bien fou qui restera à l'attendre, car nulle armure ne résisterait à ses coups.

240. Tandis qu'ils échangeaient ces paroles, le hasard

gnant mon seignor Gauvain einsi com aventure le porte.
Si le fiert si durement de l'espee parmi la teste si qu'il li
fent le hiaume et la coiffe de fer, [si] li trenche [le cuir]
5 jusq'au test. Et messires Gauvain [qui bien cuide estre
mort de celui cop, vole jus des arçons et] chiet a terre. Et
cil, qui son coup ne pot detenir, fiert son cheval par devant
le premier arçon de la [*B^a*, f. 57b] sele, si le trenche tot
par mi les esseles, si qu'il abat mort le cheval par delez
10 monseignor Gauvain.

Et quant Hestor voit cel coup, si se tret arriere, por ce
que il voit bien que ce ne seroit mie sens de lui atendre et
por ce qu'il le devoit amer de naturel amor et garder come
son neveu. Et cil point amont et aval et fet tant en po d'ore
15 que cil del chastel sont recovré, qui estoient ore desconfit.
Et il ne fine de ferir et d'abatre tot ce que il encontre en
mi sa voie, et tant fet que cil dehors se desconfisent a fine
force. Si s'en fuient la ou il quident avoir garant. Et il les
enchauce grant piece. Et com il voit que neenz est del
20 retorner, si s'en va si quoiement que nus nel puet apercevoir quel part il est tornez. Si enporte de[s] .ii. parz le los
del tornoiement. Et messires Gauvain, qui se fu relevez
angoisseus del coup que il ot receu qu'il ne quide mie
eschaper vis, dit a Hestor, [qu'il vit devant lui] :
25 — Par mon chief, Hestor, or m'est avenue la parole que
messires Lanceloz me dist le jor de Pentecoste voiant toz,
car il me dist que por l'espee del perron ou j'avoie mis
main recevroie je tel cop, ainz que li anz fust passez, que
je nel vodroie avoir receu por .i. chastel, et si seroit de l'es-
30 pee meismes. Et par mon chief, c'est cele espee dont cil
chevaliers m'a [orendroit] feru. Si puis ore bien vooir que
la chose est si avenue com ele me fu promise. Or conselt
Dex Perceval, car a autretel ne puet il pas faillir.
— Sire, fet Hestor, vos a cil chevaliers si durement blecié
35 [*B^a*, f. 57c] come vos dites ?
— Certes, fet messires Gauvain, oïl, si que je ne sai que

voulut que Galaad arrivât sur monseigneur Gauvain. Il le frappe si rudement sur la tête avec son épée qu'il lui fend le heaume et la coiffe de fer et lui tranche la peau jusqu'au crâne. Monseigneur Gauvain, persuadé qu'il va mourir, est désarçonné et tombe à terre. Et Galaad, qui ne peut retenir son élan, frappe le cheval devant le premier arçon de la selle, et lui tranche les épaules si bien qu'il l'abat mort à côté de monseigneur Gauvain.

Quand Hector voit cela, il recule, sachant bien que ce serait folie de vouloir résister à Galaad lequel, d'ailleurs, est son neveu qu'il se doit d'aimer et de protéger. Celui-ci dirige son cheval de tous côtés et, en peu de temps, accomplit de tels exploits que ceux du château, qui allaient être défaits, se ressaisissent. Galaad ne cesse de frapper et d'abattre tout ce qu'il trouve sur son chemin et se démène tant et si bien que les assaillants sont définitivement vaincus et s'enfuient là où ils pensent être en sécurité. Il les poursuit longtemps. Quand il voit qu'il n'est plus question qu'ils reviennent, il s'en va si discrètement que personne ne sait de quel côté il est allé. Cependant les deux camps lui accordent la gloire du tournoi. Monseigneur Gauvain, qui s'était relevé, souffre si cruellement du coup qu'il a reçu qu'il ne pense pas en réchapper. Il dit à Hector qu'il voit devant lui :

– Sur ma tête, Hector, voici avérée la parole que monseigneur Lancelot me dit le jour de la Pentecôte, en présence de tous : il me dit que pour avoir touché à l'épée fichée dans la pierre, je recevrai de cette épée, avant la fin de l'année, un coup si terrible que je donnerais un château pour ne pas l'avoir reçu[1]. Or, par ma foi, c'est de cette épée que le chevalier vient de me frapper. Je vois donc bien que tout s'est passé comme on me l'avait prédit. Que Dieu assiste Perceval, sans quoi il n'échappera pas au même sort.

– Seigneur, dit Hector, le chevalier vous a-t-il aussi grièvement blessé que vous le dites ?

– Oui, certes, répond monseigneur Gauvain, et je ne

fere. Se Nostre Sires n'i met conseil, ja mes n'en quit garir.

— Et que porrons nos [donc] fere ? fet Hestor. Or m'est
40 il avis que nostre voie est remese, puis que vos estes si
bleciez.

— La vostre, fet messires Gauvain, n'est mie remese,
mes c'est la moie, jusqu'a tant que Deu plese que je vos
sive.

241. Et en ce qu'il parloient einsi, si assenblerent iluec
tuit cil del chastel. Et com il conurent monseignor Gauvain et il virent qu'il fu blecié, si [en] furent molt corrocié
li plusor d'els, car c'estoit l'ome del monde qui plus es-
5 toit coneuz d'estranges jenz. Il le prenent, si le desarment,
si le portent el chastel [et le couchent] en une chambre
quoie et serie, loig de gent. Puis font mander le mire
et li font regarder ses plaies et [li] demandent s'il garra.
Et il dit qu'il le rendra dedenz .i. mois sain et hetié, si
10 qu'il porra chevauchier et porter armes. Et cil li crean-
tent que se il ce fet, il li dorront tant del lor qu'il sera
riches hom toz les jorz de sa vie. Et il dit qu'il [en
soient tot asseur qu'il] lor rendra tot ce qu'il lor promet.
Si remeist einsi messires Gauvain leenz, et Hestor,
15 qui ne s'en volt movoir devant qu'il fust gariz et sains.

Et li Buens Chevaliers qui se parti del tornoiement erra,
[ainsi come aventure le maine], tant qu'il vint a .ii. liues
de [Corbenic], si li anuita devant .i. hermitage. [Et quant
il voit que la nuiz est venue], si descent et apele a l'uis a
20 l'ermite. Et quant li preudons li a overt, si voit qu'il est
chevaliers erranz et [li] dit que bien soit il venuz. Si le
fet desarmer, et pense de son cheval. Et li done li prodom
de tel viande com Dex li ot donee, et il la reçoit molt volentiers [*Ba*, f. 57d], com cil qui de tot le jor n'avoit man-
25 gié. Quant vint a hore de coucher, si se coucha sor .i. fes
d'erbe qui leenz estoit. Et com il furent endormi, si vint
a l'uis une pucele et apela Galaaz, tant que li preudons

sais que faire. Si Dieu ne vient à mon secours, je ne guérirai jamais.

– Que ferons-nous donc ? dit Hector. Notre entreprise est finie, me semble-t-il, puisque vous êtes dans un état si grave.

– La vôtre n'est pas finie, dit monseigneur Gauvain, mais la mienne l'est jusqu'à ce qu'il plaise à Dieu que je vous suive.

241. Sur ces entrefaites, tous les gens du château s'assemblèrent près d'eux. Quand ils reconnurent monseigneur Gauvain et virent la gravité de ses blessures, beaucoup en furent très affligés, car c'était l'homme le plus connu des gens qui n'appartenaient pas à la cour d'Arthur. Ils le prennent, le désarment, et le portent au château où ils le couchent dans une chambre tranquille, loin des gens. Puis ils font venir un médecin pour qu'il examine les plaies, et lui demandent si Gauvain guérira. Il répond qu'en un mois il l'aura complètement rétabli et qu'il pourra donc chevaucher et porter ses armes. Les gens du château l'assurent que s'il y parvient, ils lui donneront tant de biens qu'il sera riche pour le restant de ses jours. Le médecin répond qu'ils peuvent compter sur lui et qu'il tiendra sa promesse. Monseigneur Gauvain resta donc au château avec Hector qui ne voulait pas partir avant que son compagnon ne fût tout à fait remis.

Après avoir quitté le tournoi, le Bon Chevalier chevaucha à l'aventure et finit par arriver un soir à deux lieues de Corbenic, devant un ermitage. Quand il voit que la nuit est venue, il met pied à terre devant la porte et appelle l'ermite. Celui-ci lui ouvre, et voyant que c'est un chevalier errant, il lui souhaite la bienvenue. Puis il le fait désarmer, prend soin de son cheval, et offre à manger à son hôte ce que Notre-Seigneur avait bien voulu lui donner. Galaad accepte très volontiers, car il n'avait rien pris de toute la journée. À l'heure du coucher, il s'étendit sur une botte de foin qui se trouvait là. Comme ils s'étaient tous deux endormis, une demoiselle vint à la porte et appela Galaad

s'esveilla, si vient a l'uis et demande qui ce est qui [a tele hore] velt leenz entrer.

30 — Sire [Ulfin], fet ele, je sui une pucele qui velt parler a cel chevalier [qui] leenz [est]. Esveilliez le, que j'ai grant besoig de lui.

Lors vient avant li prodons et li dist :

— Sire chevalier, levez sus. Une pucele vos demande [la 35 dehors, qui molt a grant besoig de vos].

Lors [se] lieve li chevaliers et vient a l'uis et dit :

— Pucele, que me volez vos ?

— Galaaz, fet ele, je vueil que vos [vos] armez et montez sor vostre cheval et me sivez la ou g'irai. Et je [vos di 40 vraiement que je] vos mosterra[i] la plus haute aventure que onques chevaliers veist.

242. Com il ot ceste novele, si cort a ses armes et s'arme [au plus isnelement qu'il puet]. Puis monte en son cheval et comande l'ermite a Deu, et dit a la pucele :

— Alez quel part que vos plera, car je vos sivrai ou que 5 vos ailliez.

Cele s'en va [si] grant oirre [com ele puet trere de son palefroi], et il la suit [totevoies]. Si ont tant alé qu'il comença a ajorner. Et quant li jorz fu [biax et] clers, si entrent en une forest qui duroit jusqu'a la mer, et estoit 10 apelee Cibise. Si oirrent [a jornee en tel maniere] qu'il ne burent [ne] ne mangierent.

Lo soir, aprés vespres, si vindrent en .i. chastel qui [seoit] en une valee, si estoit trop bien fermez de totes choses [d'iaue courant et de bons murs fors et haus, et de 15 fosses parfons]. Et la pucele entra el chastel, et Galaaz aprés. Et quant cil de leenz la virent venir, si dient :

— Dame, bien veigniez.

[B*a*, f. 58a] Si la reçurent a grant joie, com cele qui lor dame estoit. Et ele lor dit qu'il facent joie [et feste] au 20 chevalier, que ce est li plus prodom do monde. [Et ele le volt desarmer, et il descent]. Et il li dit :

— Damoisele, remaindroiz vos huimes ceenz ?

avec tant d'insistance que l'ermite se réveilla. Il va à la
porte et demande qui veut entrer à pareille heure.

– Seigneur Ulfin, dit-elle, je suis une demoiselle qui
désire parler au chevalier qui est là. Réveillez-le, car j'ai
grand besoin de lui.

L'ermite s'approche de Galaad et lui dit :

– Seigneur chevalier, levez-vous. Il y a là dehors une
demoiselle qui vous demande et qui a grand besoin de
vous.

Galaad se lève donc, va à la porte et dit :

– Ma demoiselle, que me voulez-vous ?

– Galaad, répond-elle, je veux que vous vous armiez,
que vous montiez à cheval, et que vous me suiviez là où
j'irai. Et je vous assure que je vous montrerai la plus haute
aventure qu'un chevalier ait jamais vue.

242. À ces mots, Galaad court prendre ses armes, et les
revêt le plus rapidement qu'il peut. Puis il monte en selle,
recommande l'ermite à Dieu, et dit à la demoiselle :

– Allez où il vous plaira. Je vous suivrai en quelque lieu
que vous me conduisiez.

La demoiselle part alors de toute la vitesse de son palefroi, suivie de près par Galaad. Ils chevauchèrent jusqu'à
l'aube. Quand le jour fut venu, beau et clair, ils entrèrent
dans une forêt qui s'étendait jusqu'à la mer et qu'on nommait Cibise. Ils poursuivirent ainsi leur route toute la journée sans boire ni manger.

Le soir, après vêpres, ils arrivèrent à un château, situé
dans une vallée, et entouré de tout ce qu'il fallait pour le
bien protéger : rivière, murailles hautes et solides, fossés
profonds. La demoiselle entra dans le château et Galaad
après elle. Quand les habitants la virent arriver, ils lui souhaitèrent la bienvenue et l'accueillirent avec une grande
joie, car elle était en fait leur dame. Elle leur dit de faire
fête au chevalier, le meilleur au monde, et ordonne qu'on
le désarme. Galaad descend de cheval et dit à la demoiselle :

– Ma demoiselle, resterez-vous ici aujourd'hui ?

– Sire, fet ele, nenil, que si tost come vos avroiz .i. petit
mangié et dormi, nos en irons.

243. Et quant il fu desarmez, si furent les tables mises,
si mangierent. Et com il orent mangié, si alerent couchier.
Et [si tost come vint] au premier some, la pucele esveilla
Galaaz, [si li dist :

5   – Sire, levez sus.

Et] il se lieve. [Et cil de laiens aportent cierges et tortis
por ce c'on veist a lui armer]. Et com il est armez et monté
sor son cheval, la pucele monte, si prent [un escrin trop
bel et trop riche. Et quant ele est montee sor son palefroi,
10   si le met devant li et puis se part] del chastel et s'en vet
grant aleure. Et Galaaz la suit. Cele nuit [chevauchierent
molt grant oirre. Et] errerent tant qu'il vindrent a la mer.
Et com il sont venu a la rive, si troverent la nef ou
Boorz estoit et Percevax, qui les atendoient au bort de
15   la nef, et ne demora gueres qu'il comencierent a crier
[de loign] :

– Sire, bien veigniez ! Tant vos avons or atendu que Dex
vos a amené, Soe merci. Or n'i a que d'entrer enz et d'aler
a l'aventure que Dex nos a apareillie.

20   Il lor rent lor salu, puis demande a la pucele s'ele descendra.

– Sire, fet ele, oïl. Et leroiz ci vostre cheval, car ausi leré
je le mien.

Et il descendent maintenant, et [ostent les frains a lor
25   chevax et les seles. Puis] Galaaz fet le signe de la croiz
en son vis et se comande a Deu. Si entra en la nef [et la
pucele aprés. Et li dui compaignon les reçoivent a si grant
feste] et a si grant joie com il pue[n]t plus. Maintenant
qu'il furent enz, s'en comence la nef a aler grant aleure,
30   que li venz se fu feruz el voile. Si oirrent tant en pou d'ore
qu'il ne virent terre [ne] loig ne pres. A l'ajorner s'entreconurent, si plorerent tuit [*B^a*, f. 58b] [troi] de joie qu'il
[avoient de ce qu'il] s'estoient entretrové.

244. Lors osta Galaaz son hiaume et s'espee, mes son

– Non, seigneur, répond-elle. Dès que vous aurez mangé et dormi un peu, nous partirons.

243. Quand il fut désarmé et que les tables furent mises, ils mangèrent ; puis, le repas fini, ils allèrent se coucher. Dès qu'elle fut sortie de son premier sommeil, la demoiselle réveilla Galaad.

– Seigneur, lui dit-elle, levez-vous.

Il se lève, et les gens du château apportent cierges et torches pour qu'on y voie pour l'équiper. Une fois prêt, il monte à cheval tandis que la demoiselle prend un écrin très beau et très précieux qu'elle met devant elle quand elle est montée sur son palefroi. Puis elle quitte le château en toute hâte, Galaad à sa suite. Ils chevauchèrent toute la nuit à vive allure et finirent par arriver à la mer. Parvenus sur le rivage, ils trouvèrent la nef où Bohort et Perceval les attendaient appuyés sur le bord. Aussitôt les deux chevaliers crièrent de loin à Galaad :

– Seigneur, soyez le bienvenu ! Nous vous avons tant attendu que Dieu vous a enfin amené ici. Qu'Il en soit remercié ! Il ne vous reste plus qu'à monter dans la nef et nous partirons pour la haute aventure que Dieu nous a préparée.

Galaad leur rend leur salut, puis demande à la demoiselle si elle mettra pied à terre.

– Oui, seigneur, répond-elle, et laissez ici votre cheval comme j'y laisserai le mien.

Ils descendent aussitôt et dessellent leurs montures. Puis Galaad fait le signe de la croix sur son visage, se recommande à Dieu et entre dans la nef, suivi de la demoiselle. Les deux compagnons leur font un accueil des plus chaleureux. Le vent frappe alors la voile et la nef s'éloigne à vive allure. Au bout de quelques instants, ils ne peuvent plus voir de terre, ni loin, ni près. Lorsque le jour parut, ils se reconnurent et pleurèrent de joie de s'être retrouvés.

244. Galaad ôte alors son heaume et détache son épée,

hauberc ne volt il pas oster. Et com il voit la nef si bele
et si riche [et par dedens et] par dehors, si demande a ses
[.ii.] compaignons [se il sevent] dont si bele nef vint. Et
5 Boorz dit qu'il n'en set rien. Et Percevax lor en conte ce
qu'il en set, et lor conte tot einsi com il li estoit avenu en
la roche, et coment li prodons qui sembloit prestre li avoit
fet entrer.

– Et me dist qu'il ne demorroit mie que je vos avroie
10 andox en ma compaignie ; mes de ceste pucele ne me dist
il rien.

– Par foi, fet Galaaz, ja ceste part ne fusse venuz, [a
mon escient], s'ele ne m'i eust amené. [Dont l'en peut
dire que je i sui plus venuz par lui que par moi]. Car en
15 ceste voie ne fui je onques mes, ne de vos .ii. [compai-
gnons] ne quidoie je ja mes oïr noveles en si estrange leu
com ciz est.

Et il comencent a rire. Puis content lor aventure li .i. as
autres. Lors dist Boorz a Galaaz :
20 – Ha ! sire, [se] or fust ci messire Lanceloz vostre peres,
lors me fust avis que rien ne nos faussist.

Et il li dit que ne puet estre, quant Deu ne plest. Einsi
alerent parlant par mi la nef jusqu'a [hore de] none. Lors
porent il bien avoir esloignié lo roiaume de Logres, qu'ele
25 n'avoit finé de corre a plain voile par jor et par nuit. Et
com il fu none, si arriva la nef entre .ii. roches en .i. leu
sauvage, et ce estoit .i. regort de mer. Et com il furent
iluec arrivé, si troverent une autre nef outre une trenchie
ou il ne poissent pas arriver se il n'alassent a pié par desus
30 la roche.

– [Biau] seignor, fet la pucele, en cele nef la est l'aventure por quoi Nostre Sires vos a [*B^a*, f. 58c] toz trois ci
assemblé, si vos en covient oissir hors de ceste nef et aler
la.

245. Et il dient [que si feront il] volentiers. Il saillent
hors, si entrent sor la roche et prenent la pucele, si la me-

mais refuse de quitter son haubert. Quand il voit comme la nef est magnifique, à l'intérieur et à l'extérieur, il demande à ses deux compagnons s'ils savent d'où elle est venue. Bohort répond qu'il n'en a aucune idée, mais Perceval leur dit ce qu'il en sait : il leur raconte son aventure sur le rocher et comment l'homme qui lui avait semblé être un prêtre l'y avait fait entrer.

— Et il m'a dit, ajoute-t-il, que je ne tarderais pas à vous avoir tous deux en ma compagnie. Mais il ne m'a pas parlé de cette demoiselle.

— Par ma foi, dit Galaad, je ne pense pas que je serais jamais venu par ici si cette demoiselle ne m'y avait amené. On peut donc dire que ma présence ici dépend d'elle plus que de moi. Car je n'étais jamais venu dans cette direction et je n'aurais jamais imaginé entendre parler de vous, mes deux compagnons, dans un lieu aussi étrange que celui-ci.

Ils se mettent à rire, puis se racontent leurs aventures. Bohort dit alors à Galaad :

— Ah ! seigneur, si monseigneur Lancelot, votre père, était ici, je crois que plus rien ne nous manquerait.

Galaad répond que cela ne peut être, car telle n'est pas la volonté de Dieu. Ils poursuivirent leur voyage tout en parlant ainsi, jusqu'à l'heure de none. Ils devaient être alors bien loin du royaume de Logres, car la nef n'avait cessé de cingler à pleines voiles toute la nuit et tout le jour. Elle finit par arriver, entre deux rochers, dans un lieu sauvage qui n'était autre qu'une baie. Une fois là, ils aperçurent, par-delà une tranchée, une autre nef qu'ils ne pouvaient atteindre qu'à pied en franchissant le rocher.

— Beaux seigneurs, dit la demoiselle, en cette nef est l'aventure pour laquelle Notre-Seigneur vous a tous trois réunis. Il vous faut donc quitter cette nef et aller dans l'autre.

245. Ils y consentent volontiers. Ils sautent à terre, montent sur le rocher et aident la demoiselle à descendre ; puis

tent hors et atachent lor nef, que li floz ne la face esloi-
gnier. Com il furent sor la roche, si vait li .i. aprés l'autre
5 cele part ou il voient la nef. Et com il furent la, si [la]
troverent plus bele et plus riche que cele dom il estoient
oissu ; mes il se merveillent molt [de ce] qu'il n'i trovent
[home ne fame]. Si se traient plus pres por oïr et por apercevoir s'il avoit nul ame dedenz. Et quant il vuelent de-
10 denz entrer, si regardent el chief de la nef et voient letres
[escrites] en caldeu, qui disoient une [molt] dotose parole
[et perilleuse] a toz cels qui dedenz voloient entrer. Ceste
parole estoit dite en tel maniere :

O tu, hom qui dedenz moi vels entrer, [qui que tu soies,
15 *bien te] garde que tu soies plain de foi, car il n'a en moi*
se foi non. Por ce garde bien, ainz que tu i entres, que tu
ne soies entechié, [car je ne sui se foi non et creance]. Et
si tost com tu guenchiras a creance, je te guenchirai en tel
maniere que tu n'avras de moi aide ne sostenance, ainz
20 *te faudrai ou que tu soies aconseuz de mescreance, [ja si*
petit n'i seras atainz].

Quant il voient les letres et il les conoissent, si regarde
li .i. l'autre. Lors dist la pucele a Perceval :
– Perceval, savez vos qui je sui ?
25 – Certes, fet il, nenil ; [onques a mon escient ne vos vi
mais].
– Sachiez, fet ele, que je sui vostre suer [et fille au roi
Pellehen]. Et savez vos por quoi je me faz conoistre a vos ?
Por ce que vos me creez melz de ce que je vos dirai. Je vos
30 pri premierement, come la riens el monde que je plus aim,
que se vos n'estes parfitement creanz en Jesucrist, que vos
en cele nef n'entroiz [en nule maniere, car bien sachiez
que maintenant i peririez], que la nef est si haute chose
[B^a, f. 58d] que nus entechiez [de mauvais vice] ne puet
35 dedenz remanoir sanz peril.

Quant il ot cele qui le prie, si la regarde [et avise] tant
qu'il la conoist. Lors li fet [molt] grant joie et li dit :
– [Certes], bele suer, g'i enterrai ; [et savez vos por
quoi] ? Por si que, se je sui mescreanz, que g'i perisse

ils amarrent leur nef pour que le flot ne l'emporte pas.
Ils s'en vont ensuite, l'un derrière l'autre, en direction de
la nef. Arrivés près d'elle, ils la trouvent plus magnifique encore que celle qu'ils venaient de quitter, mais ils
s'étonnent beaucoup de n'y voir ni homme ni femme. Ils
s'approchent davantage pour écouter et chercher à découvrir s'il y a quelqu'un dedans. Sur le point d'y monter,
ils regardent l'avant de la nef et voient une inscription en
chaldéen qui contenait un avertissement fort redoutable et
terrifiant à l'intention de tous ceux qui voulaient y entrer.
Voici ce qu'elle disait :

*Homme, qui que tu sois, qui veux monter à mon bord,
écoute : prends bien garde d'être plein de foi, car je suis
la foi même. Assure-toi donc, avant d'entrer, de n'être
pas souillé de péché, car je ne suis autre que la foi et la
croyance. Et si tu viens à te détourner de la foi, je me
détournerai de toi ; tu ne recevras plus de moi ni aide ni
soutien, et je t'abandonnerai dès que pèsera sur toi la
moindre accusation d'impiété.*

Ayant lu l'inscription, ils se regardent les uns les autres,
et la demoiselle dit à Perceval :

– Perceval, savez-vous qui je suis ?

– Certes non, dit-il ; je ne pense pas vous avoir jamais
vue.

– Sachez donc que je suis votre sœur, la fille du roi Pellehen[1]. Et savez-vous pourquoi je me fais connaître à vous ?
Pour que vous accordiez plus de crédit à ce que je vais
vous dire. Je vous demande tout d'abord, vous que j'aime
plus que tout autre au monde, de ne pas monter dans cette
nef si votre foi en Jésus-Christ n'est pas absolue : vous y
péririez aussitôt. Car cette nef est si sainte chose que nul
homme entaché de vice ne peut y demeurer sans danger.

Quand Perceval entend ces paroles, il regarde la demoiselle avec attention et reconnaît sa sœur. Il lui fait fête et
lui dit :

– Chère sœur, j'y entrerai pourtant, et savez-vous pourquoi ? Afin que, si ma foi est imparfaite, j'y périsse comme

40 come desloiax, et se je sui [plains de foi et] tiex com chevaliers doit estre, que g'i soie sauvez.

– Or i entrez donc, fet ele, seurement, [que Nostre Sires
vos i soit garanz et deffense].

246. En ce qu'il disoient ce, Galaaz, qui estoit devant
els, lieve sa main, si se seigne, puis entra en la nef. Et
com il fu dedenz, si la comence a regarder d'une part et
d'autre, et la pucele ne se targe plus, ainz se seigne et entre
5 enz. Quant Boorz vit ce, si entre aprés et Percevax aprés.
Et com il sont enz, si regardent sus et jus, si dient que en
mer n'en terre ne quidassent il trover nef de si grant biauté
ne de si grant richece pleine come ceste estoit. Et quant il
ont cerchié toz les angles de leenz, si rev[i]enent arriere
10 el cors de la nef et voient .i. blanc drap ausi come cortine
estendu par desus .i. grant lit.

Galaad vient au drap et le sozlieve ; si voit desoz le plus
bel lit dom il onques mes eust oï parler. Li liz estoit granz
et biax et riches assez, si avoit au chevez une corone d'or,
15 et as piez avoit une espee molt bele et molt riche qui estoit
estendue au travers del lit, si estoit trete hors del fuerre
bien demi pié et plaine paume.

Cele espee estoit molt diverse, que li ponz en estoit
d'une pierre qui a en soi totes les colors que l'en puet
20 en terre trover. Et si [i] avoit autre diversité qui encore
valoit plus, car chascune des colors avoit [en soi] une vertu. Aprés dit li contes que l'enheudeure de l'espee [B^a,
f. 59a] estoit de .ii. costes, et cez .ii. costes estoient de
.ii. diverses bestes. La premiere estoit d'une maniere de
25 serpent qui converse en Calidoine plus qu'en autre terre ;
si est apelez cil serpenz palustes ; et de celui serpent est
itex la vertuz que se nus hom tient une de ses costes ou .i.
de ses os, il n'a garde de trop grant chalor de soleil ne de
travail, ainz est toz jorz en mesurable chalor tant com il
30 la tient. [De tel maniere et] de tel force estoit la premiere
[coste de l']enheudeure. Et l'autre estoit d'un poisson qui
n'est mie molt grant, qui converse el flun d'Eufrates, [et
non mie en autre eve]. Li poissons est apelez ordeiz, et

un traître, et si je suis plein de foi et tel qu'un chevalier doit être, je sois sauvé.

– Alors, entrez sans crainte, et que Notre-Seigneur vous protège et vous défende.

246. Cependant Galaad, qui se trouvait en avant d'eux, lève la main, se signe et entre dans la nef. Une fois à bord, il se met à regarder de tous côtés. Sans plus attendre, la demoiselle se signe et entre à son tour. Voyant cela, Bohort, puis Perceval, font de même. Ils examinent la nef de haut en bas et déclarent qu'ils n'auraient jamais pensé trouver, ni sur mer ni sur terre, une nef aussi belle, aussi magnifique que celle-ci. Puis après avoir cherché dans tous les coins, ils reviennent au centre de la nef où ils voient un drap blanc tendu en guise de dais.

Galaad s'approche, soulève le drap, et découvre en dessous le plus beau lit dont il eût jamais entendu parler, vaste, somptueux. Au chevet était posée une couronne d'or, et au pied, en travers du lit, une épée très précieuse dont la lame dépassait du fourreau d'un bon demi-pied et de la largeur d'une paume.

Cette épée était très singulière : le pommeau était fait d'une pierre qui réunissait en elle toutes les couleurs que l'on peut trouver sur terre. Et elle avait une autre qualité plus remarquable encore : chacune des couleurs avait une vertu particulière. Le conte ajoute que la poignée de l'épée était faite de deux côtes provenant de deux bêtes très étranges. La première était une espèce de serpent qui vit en Calédonie plus qu'en tout autre pays et qui est appelé *paluste*[1]. Sa vertu est telle que si un homme tient une de ses côtes ou un de ses os, il n'a pas à craindre une chaleur trop vive, celle du soleil ou celle que cause un effort pénible, et il ressent toujours une chaleur modérée. Tels étaient la propriété et le pouvoir de cette côte. L'autre appartenait à un poisson, pas très gros, qui vit dans l'Euphrate et dans nul autre fleuve et qu'on appelle *ordeiz*[2]. La propriété de

ses costes sont de tel vertu que se nus hom en porte une,
35 ja tant com il la tendra ne li sovendra de joie ne de duel
[qu'il ait eu fors seulement de cele chose por quoi il l'avra
prise]. Et com il l'avra mise jus, si repensera ausi com il
est costume d'autre home. Tel force [et tel vertu] avoient
les .ii. costes qui estoient en l'enheudeure de l'espee, si
40 estoient covertes de drap vermeil [trop riche], tot plein de
letres qui disoient : *Je sui merveilles a vooir et merveille a*
conoistre, que nus ne me pot onques enpoignier, tant eust
grant main, ne nus ne m'enpognera, fors .i. tot seul ; et cil
passera de son mestier toz cels qui devant lui avront esté
45 *et qui aprés lui vendront.*

Einsi disoient les letres de l'enheudeure et si tost come
cil les orent leues, [qui assez savoient de letres], si regarde
li .i. l'autre :

– Par foi, font il, ci puet l'en vooir merveilles.

50 – [En non Deu], fet Percevax, g'i essaierai savoir se je
porroie ceste espee enpoignier.

Lors met la main a l'enheudeure, mes onques ne la pot
enpoignier.

– Par foi, fet il, or quit je bien que cez letres dient voir.

55 Lors remet Boorz la main a l'espee, mes [*B*^*a*, f. 59b] il
n'i puet rien fere qu'il vueille. Quant il voient qu'il n'i
feront rien, si dient a Galaaz :

– Sire, essaiez a ceste epee. Car nos savons bien que vos
acheverez ceste aventure a quoi nos avons failli.

60 Et il dit qu'il n'i essaiera ja devant qu'il aient veu tote la
maniere de l'espee, « car je i voi assez greignor merveille
que je ne vi onques mes ».

247. Lors regardent l'alemele de l'espee, qui estoit tant
trete hors del fuerre come vos avez oï ; et voient autres
letres si vermeilles come sanc, et disoient : *Ja nus ne me*
traie hors de cest fuerre, [tant soit hardiz], s'il ne fiert
5 *melz d'espee que autres [et plus hardiement] ; et qui au-*

ses côtes est telle que si un homme en tient une, il oubliera, tant qu'il la tiendra, toute joie et douleur qu'il ait éprouvées pour ne se souvenir que de la raison qui l'a poussé à la prendre. Dès qu'il l'aura déposée, il se remettra à penser comme un homme normal. Telles étaient donc les vertus des deux côtes qui se trouvaient dans la poignée de l'épée. Elles étaient recouvertes d'une magnifique étoffe vermeille qui portait l'inscription que voici : *Je suis une merveille à voir et à connaître, car jamais personne ne put m'empoigner, quelque grande que fût sa main, et personne ne le fera, sauf un seul. Et celui-là surpassera dans la voie qu'il a choisie tous ceux qui l'auront précédé et tous ceux qui viendront après lui.*

Voilà ce que disait l'inscription gravée sur la poignée. Et dès que les compagnons, qui savaient assez de lettres, l'eurent déchiffrée, ils se regardèrent :

— Ma foi, dirent-ils, on voit ici des choses extraordinaires.

— Par Dieu, fit Perceval, je vais essayer d'empoigner cette épée.

Il met la main sur la poignée, mais ne peut la saisir.

— Par ma foi, s'écrie-t-il, je crois bien que cette inscription dit vrai.

Bohort essaie à son tour, mais n'aboutit à rien. En voyant cela, les deux chevaliers disent à Galaad :

— Seigneur, essayez, car nous savons bien que vous achèverez cette aventure où nous avons échoué.

Galaad répond qu'il n'essaiera pas avant qu'ils aient examiné l'épée de plus près «car, dit-il, j'y vois des choses plus extraordinaires que je n'en ai jamais vu».

247. Ils regardent donc la lame de l'épée dont une partie sortait du fourreau, comme il vous a été dit, et ils voient une autre inscription, en lettres rouges comme le sang, qui disait : *Que nul ne soit assez hardi pour me tirer du fourreau s'il ne sait se servir de l'épée mieux et plus vaillamment que personne. Autrement, que celui qui me tirera*

trement me trera, sache il veraiement qu'il ne faudra ja a
estre mort ou mehaignié. Et ceste chose a esté esprovee.

Et com il voient ce, si dist li .i. a l'autre :

– [Par foi], je voloie ceste espee trere hors del fuerre,
10 mes puis que il i a si grans desfens, gie n'i metrai ja la
main.

[C]este parole dist Boorz a Perceval.

– [Biau] seigneur, fet la pucele, sachiez bien que li treres
est deveez [a toz], fors a .i. tot seul, si le vos dirai. Il a pas-
15 sé ja grant tens que ceste nef arriva el roiaume de Logres.
A celui tens i avoit grant guerre et mortel mellee entre lo
roi Lambart, qui estoit peres au Roi Mehaignié, et lo roi
Varlan qui avoit esté sarrazin toz les jorz de sa vie, mes lor
estoit crestiens novelement, si que l'en le tenoit a .i. des
20 plus prodomes del monde. Un jor avint que li rois Lambar
et li rois Varlan orent lor jent assenblee sor la marine ou
ceste nef estoit arrivee, tant que li rois Varlan estoit tornez
a desconfiture. Et com il se vit desconfit et ses homes ocis,
si vint a ceste [B^a, f. 59c] nef qui estoit a la rive, qu'il avoit
25 poor de morir, si sailli dedenz. Et com il ot trovee ceste
espee, si la trest fors del fuerre, si revint maintenant hors
de la nef. Si trova en mi sa voie lo roi Lambar, l'ome des
crestiens ou il adonc eust greignor foi et greignor creance
et en qui Dex avoit la greignor part. Quant li rois Varlan
30 vit lo roi Lanbart, si dreça l'espe[e] contremont et le feri
[amont ou hiaume], si durement qu'il fendi lui et le cheval
jusqu'en terre. Tex fu li premier cox de ceste espee, qui el
roiaume de Logres fu fez. Si en avint si grant [pestilence
et si grant] persecucion es .ii. roiaumes, que onques puis
35 les terres ne rendirent rien as laboreors, car onques puis
n'i crut [ne] blé ne autre chose, ne li arbre ne porterent
fruit, ne en eve ne furent trové poisson. Et por ce a l'en
apelee la terre des .ii. roiaumes la Terre Gaste, por ce que
par cel doleros cop fu si durement agastie.

248. « Quant li rois Varlan vit que l'espee trenchoit si bien,
si retorna a la nef por prendre le fuerre. Lors revient en la

sache bien qu'il en mourra ou sera mutilé. Et cela s'est déjà vérifié.

– Ma foi, dit Bohort à Perceval après qu'ils ont lu l'inscription, je voulais tirer cette épée du fourreau, mais la mise en garde est si nette que je n'y toucherai jamais.

– Beaux seigneurs, dit la demoiselle, sachez qu'il est interdit à tous, sauf à un seul, de tirer cette épée, et je vais vous dire pourquoi. Il y a bien longtemps déjà que cette nef arriva au royaume de Logres. À cette époque, une guerre sans merci et une violente querelle opposaient le roi Lambar, le père du Roi Mehaignié, et le roi Varlan, qui avait été païen toute sa vie, mais venait d'être fait chrétien et qui était considéré comme un des hommes les plus vertueux du monde. Un jour, les armées des deux rois s'affrontèrent sur le rivage où avait abordé la nef, et celle du roi Varlan fut mise en déroute. Quand il vit qu'il était vaincu et ses hommes tués, il vint à cette nef, car il craignait pour sa vie, et monta à bord. Il y trouva cette épée, la tira du fourreau et redescendit aussitôt à terre. Sur son chemin il rencontra le roi Lambar, de tous les chrétiens celui dont la foi et la croyance étaient les plus profondes et en qui Dieu avait la plus grande part. Il leva aussitôt son épée et l'abattit sur le heaume du roi Lambar avec une force telle qu'il fendit jusqu'à terre l'homme et son cheval. Ce fut là le premier coup frappé par cette épée dans le royaume de Logres. Il s'ensuivit de tels fléaux et de telles calamités dans les deux royaumes que, par la suite, les terres ne rapportèrent plus rien à ceux qui les travaillaient : il n'y poussa plus ni blé ni autres plantes, les arbres ne produisirent plus de fruits et on ne trouva plus de poissons dans les eaux[1]. Et c'est pourquoi la terre des deux royaumes fut appelée la Terre Gaste parce qu'elle avait été dévastée par ce coup douloureux[2].

248. «Quand le roi Varlan vit que l'épée tranchait si bien, il retourna à la nef pour prendre le fourreau. Il monta

nef et entre dedenz et mist l'espee el fuerre ; et si tost com
il ot ce fet, si chaï mort devant cest lit. Einsi fu esprovee
5 ceste espee, que nus ne la treroit qui ne moreust ou me-
haignast. Si remest li cors lo roi de[vant] cest lit, tant que
une pucele l'en geta fors ; qu'il n'avoit home en trestot
cest païs [tant hardi] qui dedenz la nef osast entrer por les
letres qui estoient el bort de la nef qui le deffendoient.

10 — Par foi, fet Galaaz, ci ot molt bele aventure ; et ge croi
bien qu'il avint einsi, car de ce ne dot je mie que ceste
espee ne soit assez plus merveilleuse que autre.

Lors vet avant por trere la.

— Ha ! sire, fet la pucele, sofrez [vos encor] .i. petit, tant
15 que nos aions melz regardees [*B^a*, f. 59d] les merveilles
qui i sont.

Il la lesse maintenant. Lors comence[nt] a regarder le
fuerre, mes il ne sevent de quoi il est, s'il n'est de cuir de
serpent. Neporquant il voient bien qu'il est vermeil come
20 rose, si avoit desus letres escrites qui estoient les unes d'or
et les autres d'azur.

Et quant ce vint a regarder les renges de l'espee, si n'i
a nul d'els qui plus ne s'e[n] merveille que de chose qu'il
veist onques mes. Car il voient bien que tex renges n'ave-
25 nissent pas a si riche brant com cil estoit, car eles estoient
[de si vil maniere et de si povre come] d'estopes de chanvre et si foibles [par semblant] qu'il lor estoit avis qu'il
ne poissent mie l'espee .i. hore sostenir [sans rompre]. Et
les letres qui estoient escrites [el fuerre] disoient : *Cil*
30 *qui me portera doit estre meudres chevaliers que autres*
et plus preuz et plus seurs, s'il [m]e porte si loiaument
come l'en me doit porter. Car je ne doi estre en leu ou
il ait ordure ne pechié. Et qui m'i metra, bien sache
qu'il sera le premier qui s'en repentira. Mes s'il me
35 *porte netement, il porra seurement aler partot, car li*
cors [de celui] a cui costé je pendrai ne puet estre ho-
niz [en place] tant com il soit ceinz des renges a quoi
je pendrai. Ne ja nus ne soit tant hardiz qui cez renges,
[qui ci sont], en ost por nule rien, car il n'est pas encore

à bord et remit l'épée au fourreau, mais dès qu'il l'eut fait il tomba mort devant ce lit. Ainsi fut prouvé que nul ne tirerait cette épée sans mourir ou être mutilé. Le corps du roi resta devant le lit jusqu'au jour où une demoiselle l'en retira, car aucun homme dans tout le pays n'était assez hardi pour oser monter dans la nef à cause de l'inscription gravée sur le bord qui l'interdisait.

– Par ma foi, dit Galaad, voilà une très belle aventure, et je ne doute pas que tout se soit passé ainsi, car je suis persuadé que cette épée est plus merveilleuse qu'aucune autre.

Il s'approche alors pour la tirer.

– Ah ! seigneur, dit la demoiselle, attendez encore un peu jusqu'à ce que nous ayons mieux regardé les merveilles qu'on y voit.

Il retire aussitôt sa main, et tous se mettent à examiner le fourreau ; mais ils ne sauraient dire en quoi il est fait, si ce n'est en cuir de serpent. Toutefois, ils remarquent qu'il est vermeil comme une rose et qu'il porte une inscription en lettres d'or et d'azur[1]. Mais quand ils examinent le baudrier, leur étonnement est tel qu'ils n'en ont jamais connu de semblable, car ce baudrier ne convenait nullement à une aussi belle épée : il était fait d'étoupe de chanvre, une matière bien vile et bien pauvre, et il paraissait si peu solide qu'il n'aurait pu, leur semblait-il, soutenir l'épée plus d'une heure sans se rompre. L'inscription sur le fourreau disait : *Celui qui me portera sera meilleur chevalier, plus preux et plus sûr de lui que tout autre, s'il me porte avec la loyauté qui convient ; car je ne dois me trouver en aucun lieu où il y ait souillure ou péché. Celui qui m'y mettra, qu'il sache bien qu'il s'en repentira tout le premier. Mais s'il me porte avec pureté, il pourra aller partout avec confiance, car celui au côté de qui je pendrai ne pourra être vaincu tant qu'il sera ceint du baudrier qui me soutiendra. Et que nul n'ait la témérité d'ôter ce baudrier pour quelque*

40　*otroié a home qui or soit, [ne qui a venir soit], qu'il*
　en soit osterres, ainz doivent estre ostees par main de
　feme, fille de roi et de roine ; et si i metra tele eschange
　por cestes, qu'ele en fera unes autres de la chose desus li
　qu'ele plus a[vra] chiere, si les metra en leu de cestes. Et
45　*si covient qu'ele soit toz jorz pucele en volenté et en ovre.*
　Et s'[il avient qu']ele enfraigne sa virginité, [aseur en
　soit ele qu']ele morra de la plus male mort que feme poist
　morir. Et cele feme apelera ceste espee par son droit non
　[B^a, f. 60a] *et moi par le mien ; ne ja devant la ne sera nus*
50　*qui nos sache apeler par nos droiz nons.*

249. Et quant il ont cez letres leues, si comencent a rire
et dient que ce sont merveilles a vooir et a oïr.

　— Sire, fet Percevax a Galaaz, tornez ceste espee, si verrons qu'il a d'autre part.

5　Et il la torne [maintenant] sor l'autre costé. Et quant il
l'a tornee, si voient qu'ele estoit vermeille come sans de
cele part, et si [i] avoit letres escrites ausi noires come
charbon qui disoient : *Cil qui plus me prisera plus i trove-*
ra a blasmer au [grant] besoig [qu'il ne porroit cuidier] ;
10　*et a celui [a] qui je devroie estre plus debonere seré je*
plus felenesse, et ce n'avendra que une foiz, [car einsi le
covient estre sans faille]. Tels paroles disoient cez letres
qui de cele part estoient. Et com il virent ce, si sont plus
esbahi que devant.

15　— Par foi, fet Percevax a Galaaz, je [vos] voloie dire que
vos preissiez ceste espee. Mes puis que cez letres dient
qu'ele faudra au grant besoig, et qu'ele sera felenesse la
ou ele devroit estre debonere, je ne vos loeré ja que vos la
preignoiz, car ele vos porroit honir a .i. cop, dont ce seroit
20　trop grant domage.

　Quant la pucele entent cez paroles, si dit :
　— Biau frere Perceval, cez .ii. choses sont ja avenues, si
vos dirai que ce fu, et a quel jent il avint, por quoi nus ne
doit doter de prendre ceste espee, [por tant qu'il en soit
25　dignes].

　« Il avint [jadis], bien a .xliii. ans aprés la Passion Jesu-

raison que ce soit ; nul homme du temps présent ou à ve-
nir n'en a le droit. Il ne peut être ôté que par la main
d'une femme, fille de roi et de reine, qui le remplacera par
un autre fait de ce qu'elle prisera le plus en toute sa per-
sonne. Il convient également que la jeune fille soit vierge
de fait et d'intention pendant toute sa vie. S'il lui arrive
d'enfreindre sa virginité, qu'elle sache qu'elle mourra de
la mort la plus honteuse que femme ait jamais connue.
Cette jeune fille appellera cette épée de son vrai nom, et
moi du mien, ce que personne auparavant ne saura faire.

249. Lorsqu'ils eurent lu l'inscription, ils se mirent à
rire, disant que c'étaient là choses extraordinaires à voir
et à entendre.

– Seigneur, dit Perceval à Galaad, retournez cette épée,
et nous verrons ce qu'il y a de l'autre côté.

Galaad la retourna donc, et ils virent que l'autre face
était rouge comme du sang et qu'elle portait une inscription en lettres noires comme du charbon. Cette inscription
disait : *Celui qui m'estimera le plus me trouvera plus à*
blâmer dans le besoin qu'il ne pourrait croire ; et à ce-
lui envers qui je devrais être le plus bienveillante, je me
montrerai le plus cruelle. Cela ne se produira qu'une fois,
car il doit nécessairement en être ainsi. Telle était l'inscription gravée sur cette face, et lorsqu'ils l'eurent lue, les
compagnons furent encore plus étonnés qu'avant.

– Par ma foi, dit Perceval à Galaad, je voulais vous engager à prendre cette épée, mais puisque l'inscription dit
qu'elle fera défaut en cas de besoin, et qu'elle sera cruelle
quand elle devrait être bienveillante, je ne vous conseille
pas d'y toucher ; elle pourrait d'un seul coup vous coûter
la vie, ce qui serait un bien grand malheur.

En entendant cela, la demoiselle dit à Perceval :

– Cher frère, ces deux choses se sont déjà produites ; je
vais vous dire ce qu'elles étaient et à qui elles sont arrivées. Ainsi, nul ne devrait craindre de prendre cette épée
s'il en est digne.

« Il y a bien longtemps, quarante-trois ans au moins

crist, que Nasciens, le serorge lo roi Mordrain, fu por
tez en une nue par le comandement Nostre Seignor, .xiii.
jornees loig de son païs, en une ille vers [les parties
30   d']occident, si apeloit l'en cele ille l'Ille Tornoiant. Et
com il fu ilueques mis [par le commandement Nostre
Seigneur], si [li avint que il ceste nef meismes ou nos
sommes ore] trova au rivage de la roche. Et com il i fu
entrez, si trova dedenz cest lit et ceste espee [*B^a*, f. 60b]
35   ausi com nos l'avons ore trovee ; si la covoita tant a
avoir quant il l'ot regardee grant piece et desirra tant
a avoir la que ce estoit merveilles. Et neporquant il
n'avoit pas hardement del trere. Einsi chaï en volenté
[et en desirier] d'avoir la. Si demora en la nef .viii.
40   jorz sanz boivre et sanz mangier [se petit non]. Au .ix.
jor li avint que .i. granz venz et merveilleus le prist et
le fist partir de l'Ille Tornoiant et l'enporta en une
ille d'oriant, si arriva molt loig lez une roche. Et com
il fu a terre, si vit en [l']ille .i. jaiant, le plus grant et
45   le plus merveilleus del monde, si li cria qu'il estoit morz.
Et il ot grant poor de morir com il vit cel deable qui acoroit vers lui. Si regarda entor lui, mes il ne trova rien
dom il se poïst deffendre. Lors corut a l'espee, [come cil
qui angoisse de morir et doutance semonoit], si la trest
50   hors del fuerre. Et com il la vit nue, si la prisa tant qu'il
n'avoit onques mes nule rien tant prisie come ceste. Lors
la comença a branller [contremont] ; et el branle qu'il fist
[avint qu'il] la brisa par mi. Et lors dist il que la riens qu'il
avoit onques plus prisie devoit il plus blasmer, et a droit,
55   car au grant besoig li estoit faillie.

250. « Lors remist les pieces de l'espee sor le lit, puis
sailli hors de la nef, si [s']ala combatre au jaiant, si l'ocist.
Puis rentra en la nef. Et quant li venz se fu feruz en la voile,
si erra tant par mi la mer qu'il encontra lo roi Mordrain
5   en une autre nef, qui molt avoit esté guerroiez et assailliz
de l'enemi en la roche del Port Perilleus. Et quant li .i. vit
l'autre, si s'entrefirent molt grant joie, come cil qui molt
s'entr'amoient de bone amor et demanda li .i. a l'autre de

après la Passion de Jésus-Christ, Nascien, le beau-frère du roi Mordrain, fut, sur l'ordre de Notre-Seigneur, transporté dans un nuage à treize jours de son pays, en une île proche des régions d'Occident et qu'on appelait l'Ile Tournoyante. Une fois là, il trouva au bas d'un rocher cette nef même où nous sommes maintenant. Il y entra et découvrit, comme nous l'avons fait, le lit et cette épée. L'ayant longuement contemplée, il fut pris d'une très forte envie de la posséder. Cependant, il n'eut pas la hardiesse de la tirer du fourreau. Son désir de l'avoir devint une obsession. Il demeura huit jours dans la nef sans presque rien boire ni manger. Le neuvième jour, un vent d'une violence extraordinaire le chassa de l'Ile Tournoyante et l'emporta jusque dans une île d'Orient, très éloignée. La nef s'arrêta près d'un rocher. Une fois à terre, Nascien aperçut un géant, le plus grand du monde, et le plus horrible, qui lui cria qu'il était un homme mort. Quand il vit ce démon qui se précipitait sur lui, il craignit pour sa vie. Il regarda autour de lui, mais ne vit rien avec quoi il pût se défendre. Il courut alors vers l'épée, poussé par l'angoisse et la peur de mourir, et la tira du fourreau. Quand il la vit à nu, il la trouva plus belle que tout ce qu'il avait pu admirer jusque là. Il se mit à la brandir, mais dès qu'il fit cela, l'épée se brisa en deux. Alors il s'écria qu'il avait tout lieu de blâmer la chose qu'il avait le plus estimée puisqu'elle lui avait fait défaut dans le besoin.

250. «Il remit alors les morceaux de l'épée sur le lit, sortit de la nef, alla combattre le géant, et le tua. Puis il remonta à bord. Lorsque le vent frappa la voile, il se remit à errer sur la mer jusqu'au jour où il rencontra, sur une autre nef, le roi Mordrain qui avait été en butte aux attaques incessantes de l'Ennemi sur le rocher du Port Périlleux[1]. Grande fut la joie que les deux hommes manifestèrent en se retrouvant, car ils avaient l'un pour l'autre une profon-

son estre [et des aventures qui li estoient avenues], tant que
10 Nasciens dist :

"Sire, ge ne sai que [*B^a*, f. 60c] vos me diroiz des aventures del monde. Mes puis que je ne vos vi mes, vos di
ge qu'il m'avint une des plus merveilloses aventures [del
monde, ne] qui a nul home avenist onques mes."

15   « Lors li conte [ce qui li estoit avenu] de l[a riche] espee qu'il tant prisoit et coment ele li failli au grant besoig
quant il se quidoit defendre del jaiant.

"Par foi, fet li rois, merveilles me dites. Et de cele espee
qu'en feistes vos ?

20   – Sire, fet Nasciens, je la remis la ou je la pris. Si la poez
[çaienz] venir vooir s'il vos plest, qu'ele i est encore."

« Li rois Mordrains [se] parti de sa nef et vint en la Nascien et vint au lit. Et com il vit les .ii. pieces de l'espee
[qui estoit brisiee], si les prisa molt [plus que riens qu'il
25 eust onques mes veue]. Et dist que ceste briseure n'avoit
mie esté [fete] par mauvestié d'espee [ne par defaute],
mes par aucune senefiance ou par le pechié Nascien. Lors
prist les .ii. pieces, si les remist ensemble. [Et si tost come
li dui acier furent ajosté l'un a l'autre], si resoud[a l'espee
30 ausi legierement] com ele avoit esté brisie. Et com il vit
ce, si comença a sorrire et dist :

"[Par Deu], merveilles est des vertuz Jesucrist, qui soude et fraint plus legierement que l'en ne porroit quidier."

251. « Lors re[mist] l'espee [el fuerre] et la couche la ou
il l'ot prise. Maintenant vint une voiz qui lor dist :

"Issiez de ceste nef, si entrez en une autre, car a po [que]
vos ne chooiz en pechié, et se vos chooiz en pechié [tant
5 come vos seroiz ceans, vos] ne poez eschaper que vos ne
perissiez."

« Il oissirent maintenant [de la nef] et entrerent en
l'autre. Et en ce que Nasciens entroit de l'une en l'autre,
fu il feruz en lançant de l'espee en l'espaulle senestre si
10 durement qu'il chaï en la nef adenz ; et au chooir qu'il fist
dist il :

"Ha ! Dex, com or sui bleciez !"

de affection. Ils se racontèrent ce qui leur était arrivé et Nascien dit enfin :

"Seigneur, je ne sais ce que vous me direz des aventures de ce monde, mais depuis notre dernière rencontre, il m'est arrivé une des plus merveilleuses aventures qui soient jamais arrivées à un homme."

«Il lui raconte alors l'histoire de l'épée qu'il estimait tant et qui lui avait fait défaut dans le besoin lorsqu'il pensait s'en servir pour se défendre contre le géant.

"Par ma foi, dit le roi Mordrain, c'est là une merveilleuse aventure. Et qu'avez-vous fait de l'épée ?

— Seigneur, répondit Nascien, je l'ai remise où je l'avais prise. Vous pouvez venir la voir si vous voulez, car elle est toujours dans la nef."

«Le roi Mordrain quitta sa nef, monta dans celle de Nascien et s'approcha du lit. Quand il vit l'épée brisée en deux, il l'apprécia plus que toute chose qu'il eût jamais vue. Il ajouta que la rupture ne tenait pas à la mauvaise qualité ou à quelque défaut de l'épée, mais à quelque raison cachée ou au péché de Nascien. Il prit alors les deux morceaux et les mit bout à bout. Immédiatement l'épée se ressouda aussi facilement qu'elle s'était brisée.

"Par Dieu, dit Mordrain en souriant, combien grand est le pouvoir de Jésus-Christ qui soude et brise avec plus de facilité qu'on ne saurait l'imaginer."

251. «Il remit l'épée au fourreau et la reposa là où il l'avait prise. À ce moment-là, une voix se fit entendre qui leur dit :

"Sortez de cette nef et entrez dans l'autre, car peu s'en est fallu que vous ne commettiez un péché, et si vous péchez tant que vous serez ici, vous ne pourrez échapper à la mort."

«Ils se rendirent aussitôt dans l'autre nef, mais tandis que Nascien montait à bord, il fut frappé par l'épée à l'épaule gauche, d'un coup si violent qu'il tomba la face contre terre[1].

"Ah ! Dieu, s'écria-t-il, je suis cruellement blessé !"

« Lors descent une voiz qui li dist :

"C'est por le pechié de trere l'espee que tu n'i deusses
15 pas atouchier, que tu n'i avoies [*Bᵃ*, f. 60d] droit. Or te
garde melz une autre foiz d'aler contre ton Criator."

« En tel maniere come ge vos ai devisé avint ceste parole qui ici est escrite : *Cil qui plus me prisera assez plus
me blasmera au grant b[e]soig, car il [me] trovera [pior]*
20 *qu'il ne porroit quidier.* Car cil del monde qui plus prisa
ceste espee, ce fu Nasciens, et ele li failli [au grant besoig]
si come je vos ai dit.

– A non Deu, fet Galaaz, de ceste parole nos avez vos
orendroit bien fet sages. Or nos redites l'autre.

25 – Volentiers, fet ele. Il avint que li rois Pelinor que l'en
apele lo Roi Mehaignié, tant com il pot chevauchier, essauça molt Sainte Yglise et enora povre gent a tot son
pooir plus que nus que l'en seust, et fu de si haute vie
et de si merveillose que l'en ne savoit pas son pareil en
30 tote crestienté. Un jor chaçoit en .i. suen bois qui duroit
jusqu'a la mer [et] tant qu'il perdi toz ses chiens et ses
homes et ses veneors toz, fors .i. tot seul qui estoit ses cosins germains. Quant il vit qu'il ot perdue sa compaignie,
si ne sot que fere, car il se vooit si en perfont en la forest
35 qu'il ne savoit coment il s'en oissist, come cil qui n'avoit
mie la voie acostumee. Lors se mist en .i. chemin entre
lui et son chevalier, et erra tant qu'il vint sor le rivage de
la mer par devers Illande. [Et quant il i fu venuz], si trova
ceste nef ou nos somes orendroit, et vint au bort, si trova
40 les letres que vos avez veues. Et quant il les vit, si ne s'es-
maia mie, come cil qui estoit parfiz en la creance Jesucrist
et si estoit de totes les bontez [*Bᵃ*, f. 61a] que chevaliers
terriens poïst avoir. Et lors si entra en la nef toz sels, car
ses conpainz n'ot mie le hardement d'entrer auvec lui. Et
45 quant il ot trovee ceste espee, si la trest hors del fuerre tant
come vos en poez vooir, car devant ce n'en paroit il point
de l'alemele. Et tote l'eust il trete sanz demorer, se ne fust
une lance qui entra maintenant en la nef qui le feri par mi
les .ii. cuisses si durement qu'il en remeist mehaignié si

«Une voix lui parvint alors qui lui dit :

"C'est pour le péché que tu as commis en tirant l'épée. Tu ne devais pas la toucher, car tu n'en avais pas le droit. Une autre fois, tu feras mieux attention à ne pas désobéir à ton Créateur."

«C'est ainsi que s'est vérifiée la prédiction inscrite ici : *Celui qui m'estimera le plus me blâmera le plus dans le besoin, car il me trouvera bien pire qu'il ne pourrait l'imaginer.* Car celui qui estima le plus cette épée, ce fut Nascien, et elle lui fit défaut dans le besoin comme je vous l'ai raconté.

— Au nom de Dieu, dit Galaad, vous nous avez bien expliqué cette prédiction. Dites-nous maintenant ce qu'il en est de l'autre.

— Volontiers, dit la demoiselle. Le roi Pelinor, que l'on appelle le Roi Mehaigné, fit beaucoup, tant qu'il put monter à cheval, pour la gloire de Sainte Église, et il honora les pauvres gens plus que personne. Il mena une vie si noble, si exemplaire, qu'il n'avait pas son pareil dans toute la chrétienté. Un jour qu'il chassait dans un de ses bois qui s'étendait jusqu'à la mer, il perdit ses chiens, ses hommes, ses veneurs, tous, sauf un chevalier qui était son cousin germain. Quand il se trouva ainsi seul, il ne sut que faire : il avait pénétré si loin dans la forêt dont il ne connaissait pas les chemins qu'il ne savait comment en sortir. Il se mit donc en route avec son compagnon et après avoir longtemps chevauché, arriva sur le rivage de la mer du côté de l'Irlande. Là, il trouva la nef où nous sommes maintenant, s'approcha du bord et lut l'inscription que vous avez vue. Elle ne lui inspira aucune crainte, car sa croyance en Jésus-Christ était entière et il possédait toutes les qualités que peut avoir un chevalier terrestre. Il monta donc à bord, tout seul, son compagnon n'ayant pas eu la hardiesse de le suivre. Quand il eut trouvé l'épée, il en dégaina une partie comme vous pouvez le voir, car auparavant la lame n'était pas visible. Et il n'aurait pas hésité à la retirer tout entière, si à ce moment-là une lance n'était apparue qui lui transperça les deux cuisses avec une violence telle qu'il

50 com il i pert encore, ne encore ne puet il garir ne ne garra
ja mes devant que vos vendroiz a lui.

« Sire, fet la pucele a Galaaz, einsi fu li rois Pelinor
mehagniez por le hardement qu'il voloit fere. Et por cele
venjance dit l'en que l'espee li fu felenesse qui li deust
55 estre plus debonere que a .i. autre, car il estoit li meldres
chevaliers et li plus preudons qui lors fust a celui tens.

– E non Deu, [damoisele], fet Galaaz, tant nos en avez
or dit que nos voions bien que por cez letres ne doit l'en
mie lessier a prendre l'espee.

252. Lors regardent le lit et voient qu'il estoit de fust,
non mie couche. Et el mileu del lit avoit par devant .i. fuisel qui toz estoit droiz ; et d'autre part derriere en l'autre
partie outre en l'esponde en ravoit .i. autre qui toz estoit
5 droiz, et si estoit endroit celui. De l'un de cez fuisiax jusqu'a l'autre avoit tant de place com li liz avoit de lé et sor
cez .ii. avoit .i. autre fuisel menu quarré [B^a, f. 61b] qui
estoit chevilliez en l'un et en l'autre. Li fuiseax qui par
devant fu dreciez estoit plus blans que nois [negiee] ; et cil
10 derrieres estoit si vermeuz come sanc ; et cil qui aloit par
desus ces .ii. estoit si verz com esmeraude. De cez trois
colors estoient li troi fuisel qui estoient desor le lit ; et si
sachiez veraiement qu'il estoient de naturels colors sanz
pointure, car eles n'i avoient pas esté mises par home mor-
15 tel ne par feme. Et por ce que maintes jenz le porroient oïr
qui a merveille le tendroient se l'en ne lor devisoit coment
ce poist avenir, si se destorne .i. pou li contes de sa matere
et de sa droite voie por deviser [la verité d]es trois fuiseax
qui de trois colors estoient.

fut rendu infirme. Il l'est encore et ne pourra jamais guérir avant que vous ne veniez à lui.

« Seigneur, dit la demoiselle à Galaad, l'infirmité du roi Pelinor fut donc la conséquence de l'acte audacieux qu'il voulait commettre. Et c'est à cause de la vengeance exercée sur lui qu'il est dit que l'épée lui fut cruelle alors qu'elle aurait dû lui être plus bienveillante qu'à tout autre puisqu'il était le meilleur et le plus vaillant chevalier de son temps.

– Par Dieu, ma demoiselle, dit Galaad, tout ce que vous nous avez dit nous montre bien que les inscriptions ne doivent pas nous empêcher de prendre l'épée.

252. Ils regardent alors le lit et voient qu'il est de bois et n'est pas fait pour le repos[1]. Sur le côté du lit devant lequel ils se tenaient, en son milieu, était fixée, toute droite, une petite pièce de bois en forme de fuseau, et un autre fuseau était fixé sur l'autre côté, exactement en face du premier. Tous deux étaient donc séparés par la largeur du lit. Un troisième fuseau, assez mince et taillé en carré était chevillé aux deux autres. Le premier fuseau était plus blanc que neige fraîche, le deuxième rouge comme le sang, et celui qui venait par-dessus vert comme l'émeraude. Telles étaient les couleurs des trois fuseaux fixés sur le lit, et sachez que c'étaient des couleurs naturelles et non peintes, car elles n'avaient pas été appliquées par une main d'homme ou de femme. Cependant, comme bien des gens pourraient, en l'entendant raconter, croire que tout ceci n'est qu'une histoire invraisemblable si on ne leur expliquait pas comment la chose a pu se produire, le conte se détourne un peu de sa voie et de son sujet pour dire ce qu'étaient vraiment les trois fuseaux de couleurs différentes.

253. Or dit li contes ici endroit que quant il avint chose
que Eve la pecheresse, la premiere feme, out pris conseil
au mortel enemi, ce fu au deable, qui des lors comença
a engignier l'umain lignage por decevoir, et il l'ot tant
5 enorté del mortel pechié, [ce fu] de covoitise, por quoi il
ot esté boté hors de paradis et trebuchié de la gloire del
ciel, et il li fist son desloial talent mener a ce qu'ele cueilli
le mortel fruit [de l'arbre], et de l'arbre meismes .i. rainsel auvec le fruit, si com il avient sovent que li rains s'en
10 vient auvec le fruit com l'en le quelt. Et si tost com ele
[l']ot aporté a son espous Adan, [a] qui ele l'ot conseillié
[*B^a*, f. 61c] et enorté a mangier, si le prist as denz en tel
maniere qu'il [l']erracha del rainsel ct le manja a nostre
poine et a la soe [et a son grant destruiement et au nostre].
15 Et com il l'ot errachié del rainsel si com vos avez oï, si
avint chose que li reinseax remeist en la main a la feme,
si com il avient mainte foiz que l'en tient aucune chose
en sa main et si n'i quide l'en rien tenir. Et si tost com
il orent [ambedui] mangié le mortel fruit, [qui bien doit
20 estre apelez mortiex], car par celui vint premierement la
mort a els .ii. et puis as autres, si changierent lor qalité[s]
qu'il avoient devant eue et virent qu'il estoient charnel et
nu, que devant ce n'estoient il [se esperituel non, ja soit
ce qu'il eussent cors. Et nonporquant ce n'aferme mie li
25 contes qu'il del tout fussent espirituel, car chose formee
de si vil nature come est limons ne puet estre de tres grant
neté. Mais il estoient ausi come esperituel quant a ce
qu'il] estoient formé a toz jorz vivre, s[e ce avenist qu']il
se tenissent de pechier. Et com il se virent nu et il virent
30 lor hontex menbres, si fu li .i. de l'autre vergoigneus. Lors
covri chascuns les plus ledes parti[e]s qui sor lui estoient
[de ses .ii. mains]. Eve tint totevoies [en sa main] le rein-

CHAPITRE XI

Légende de l'Arbre de Vie

253. Ici, le conte rapporte comment, lorsque Ève la pécheresse, la première femme, eut pris conseil de l'ennemi mortel, le Diable, qui dès lors commença à leurrer la race humaine afin de la perdre, et lorsqu'il l'eut incitée à commettre un péché mortel, celui de convoitise, pour lequel lui-même avait été expulsé du paradis et précipité de la gloire des Cieux, il flatta si bien son désir criminel qu'elle cueillit le fruit mortel de l'arbre et, avec lui, le rameau qui le portait, comme il arrive souvent qu'un bout de branche reste avec le fruit que l'on cueille. Dès qu'elle eut apporté à Adam son époux ce fruit qu'elle lui avait conseillé et recommandé de manger, il y mordit et, ce faisant, le détacha du rameau. Puis il le mangea, pour notre peine et pour la sienne, pour sa perte et pour la nôtre. Et quand il l'eut détaché du rameau, comme il vient d'être dit, ce dernier resta dans la main de sa femme ; il arrive souvent en effet que l'on tienne quelque chose dans sa main sans s'en rendre compte. Et dès qu'Adam et Ève eurent goûté du fruit mortel, fruit qui mérite bien d'être appelé mortel puisque de lui vint la mort à ces deux êtres d'abord et aux autres ensuite, toutes leurs qualités furent changées. Ils virent qu'ils étaient des créatures charnelles et nues, eux qui auparavant étaient des êtres spirituels, bien qu'ils eussent un corps. Toutefois, le conte n'affirme pas qu'ils étaient des êtres entièrement spirituels, car une chose formée de matière aussi vile que le limon ne peut être d'une très grande pureté. Mais ils s'apparentaient à des êtres spirituels dans la mesure où ils étaient faits pour ne jamais mourir s'ils s'abstenaient de pécher. Quand ils se virent nus et découvrirent leurs parties honteuses, ils se sentirent gênés à la vue l'un de l'autre. Alors chacun couvrit de ses deux mains les plus laides parties de son corps ; mais Ève

sel qui [del fruit] li estoit remés, ne onques nel lessa avant
ne aprés.

254. Et quant Cil, qui toz les pensés [set] et les corajes
conoist, sot qu'il avoient einsi pechié, il vint a els, si apela
Adan premierement. Et resons estoit que plus en fust ache-
sonez li hom que la feme, que la feme estoit de plus foible
5 complexion, come cele qui estoit fete de la coste a l'ome ;
et si estoit droiz qu'ele fust obeissanz a l'ome [ne mie il
a li] ; et por ce apela Nostre Sires Adan premierement.
Et quant il li ot dite la felenesse parole : « Tu mangeras
ton pain en ta suor », il ne volt pas por ce que la feme en
10 eschapast quite, qu'ele ne fust compaigne et parçoniere de
la poine ausi come ele avoit esté [*B^a*, f. 61d] del forfet ; si
li dist : « En tristrece enfanteras et en dolor ta porteure ».
Aprés les jeta [andeus] hors de paradis, que l'Escriture
apele le paradis de delit. Et quant il furent hors de leenz,
15 si tint toz jorz Eve le rainsel en sa main, que onques nel
lessa [nule foiz]. Lors s'aperçut et voit le rainsel bel et
verdoiant come celui qui mainte[nant] avoit esté cueilli, si
sot que li arbres dont li fruiz avoit esté estoit acheson de
son deseritement et de sa mesaise. Lors dist Eve que en
20 remenbrance de sa grant perte qui par cel arbre li estoit
avenue, garderoit ele le rainsel tant com ele le porroit plus
et si le metroit en tel leu que ele le verroit sovent.
Et lors s'apensa qu'ele n'avoit ne huche ne autre [estui]
en quoi ele le peust estoier, car encores au tens de lors
25 n'estoit nule tel chose. Si le ficha dedenz terre, si qu'il se
tint tot droiz, et dist que einsi le verroit ele assez sovent.
Li rains qui en la terre fu fichiez, par la volenté au Criator
a cui totes choses sont obeissanz, crut et reprist en la terre
[et enracina].
30 Icil rains que la premiere pecherresse aporta [de] paradis
si fu pleins de [molt] grant senefiance. Car einsi com ele
le portoit en sa main senefioit il une grant leece, tot ausi
come se ele parlast a ses oirs qui encore estoient a venir,
car encore estoit ele pucele ; et li rains senefia tot ausi com
35 s'ele lor deist : « Ne vos esmaiez mie se nos somes jeté

tenait toujours le rameau qui était resté attaché au fruit et elle ne s'en défit jamais.

254. Quand Celui qui pénètre toutes les pensées et connaît tous les cœurs[1] sut qu'ils avaient ainsi péché, Il vint à eux et appela d'abord Adam. Il était juste que l'homme fût considéré plus coupable que la femme, car elle était de plus faible nature, ayant été formée de la côte de l'homme, et il convenait donc qu'elle lui obéît et non lui à elle. C'est pourquoi Notre-Seigneur appela d'abord Adam. Mais quand il lui eut dit la terrible parole : «Tu mangeras ton pain à la sueur de ton front[2]», Il ne voulut pas que la femme fût quitte pour autant et ne partageât pas le châtiment comme elle avait partagé la faute. Il lui dit donc : «Tu enfanteras dans la tristesse et la douleur[3]. » Puis Il les chassa tous deux du paradis que l'Écriture appelle le Jardin des Délices. Une fois dehors, Ève, qui tenait toujours le rameau à la main, le regarda et vit que, comme elle l'avait récemment cueilli, il était beau et vert. Elle comprit alors que l'arbre dont provenait le fruit était la cause de son exil et de son malheur ; et elle déclara qu'en souvenir de tout ce que cet arbre lui avait fait perdre, elle garderait le rameau le plus longtemps possible et le mettrait dans un endroit où elle pourrait le voir souvent.

Ève songea alors qu'elle n'avait ni huche ni coffret où elle pût le mettre, car de telles choses n'existaient pas encore. Elle planta donc le rameau en terre, bien droit, se disant qu'ainsi elle pourrait le voir souvent. Et par la volonté du Créateur, à qui toutes choses obéissent, le rameau reprit racine et grandit.

Ce rameau que la première péchcresse apporta du paradis était chargé de signification. Qu'elle le portât dans sa main, signifiait une grande joie comme si elle avait parlé à ses descendants à venir – car elle était encore vierge – et leur avait dit : «Ne vous désolez pas si nous sommes

hors de nostre heritaje : car nos ne l'avons mie perdu a toz
jorz ; vez ci les enseignes que encore [B^a, f. 62a] i serons
nos en aucun tens. » Et qui vodroit demander au livre por
quoi li hom n'aporta melz cest rein hors de paradis que la
40 feme, por ce que plus haute chose est li hom que la feme,
a ce respont li contes que li porter del rainsel n'apartenoit
de rien a l'ome, mes a la feme. Car la ou la feme le portoit
senefioit il que par li estoit la vie perdue et que par feme
seroit restoree. Et ce fu senefiance [que] par la glorieuse
45 Virge Marie seroit restorez li glorieus heritages.

255. Des ore repere li contes au reinsel qui estoit repris
en la terre, si dit qu'il crut tant en petit de tens qu'il fu
granz arbres. Et [quant il fu granz et aombrables, si] fu
ausi blans come nois en la tige et es branches et es es-
5 corces. Et ce estoit senefiance de virge, car virginitez est
une vertuz par cui li cors est tenu nez et l'ame blanche.
Et ce qu'il estoit blans en totes choses senefia que cele
qui l'avoit planté estoit virge : a cele ore que Eve et Adan
furent mis hors de paradis estoient encore virge et net de
10 tote mauvese luxure. Et sachiez que pucelages et virginitez ne s[on]t mie une meisme chose, ainçois i a molt
grant diference [entre l'un et l'autre. Car pucelages ne se
puet de trop aparagier a virginité], et si vos dirai por quoi.
Pucelages si est une vertuz que tuit cil et totes celes ont
15 en els qui onques n'orent atochement d'ome ne charnel
conpaignie de luxure. Mes virginitez est trop plus haute
chose et molt plus merveilleuse : car nus ne la puet avoir,
soit home [B^a, f. 62b] soit feme, por quoi il ait talent de
charnel atochement. Et cele virginitez avoit encore Eve
20 a cele hore qu'ele fu jetee de paradis et [des granz deliz qui i estoient ; et a cele hore] qu'ele planta le rainsel
n'avoit ele encore pas sa virginité perdue. Mes puis comanda Dex a Adan qu'il coneust sa feme, c'est a dire qu'il
geust a lui charnelment [ainsi come nature le requiert que
25 li hons gise o s'espouse et l'espouse o son seignor]. Et
lors ot ele sa virginité perdue [et conut des lors en avant
charnel assemblement].

chassés de notre héritage, car nous ne l'avons pas perdu pour toujours ; voyez ici les signes qu'un temps viendra où nous le retrouverons. » À qui demanderait au livre[4] pourquoi ce ne fut pas l'homme qui emporta le rameau du Paradis plutôt que la femme, vu que l'homme est supérieur à la femme, le conte répond que c'est bien à elle, et non à lui, qu'il appartenait de le porter. Que la femme le portât signifiait que la vie, perdue par une femme, serait rétablie par une femme. C'était dire que le glorieux héritage serait recouvré par la glorieuse Vierge Marie.

255. Le conte revient maintenant au rameau qui avait pris en terre et qui, dit-il, poussa si rapidement qu'il devint un grand arbre. Lorsqu'il fut haut, projetant son ombre sur le sol, son tronc, ses branches et son écorce, tout était blanc comme neige. C'était signe de virginité, car la virginité est une vertu qui garde le corps pur et l'âme blanche. Que l'arbre fût entièrement blanc signifiait que celle qui l'avait planté était vierge, et en effet lorsqu'Adam et Ève furent chassés du paradis, ils étaient encore vierges et nets de toute honteuse luxure. Sachez que le pucelage et la virginité ne sont pas du tout la même chose, mais qu'une grande différence existe entre eux. Le pucelage ne peut en aucun sens s'égaler à la virginité et je vais vous dire pourquoi. Le pucelage est une vertu que possèdent tous ceux et toutes celles qui n'ont eu aucune relation charnelle ni commerce luxurieux. La virginité, elle, est chose bien plus haute et plus estimable car personne, ni homme ni femme, ne peut la posséder s'il éprouve le désir d'un commerce charnel. Cette virginité, Ève la possédait lorsqu'elle fut chassée du Paradis et de ses délices, et elle ne l'avait pas encore perdue lorsqu'elle planta le rameau. Mais ensuite Dieu commanda à Adam de connaître sa femme, c'est-à-dire de s'unir à elle charnellement comme l'exige la nature qui veut que l'homme s'unisse à son épouse et l'épouse à son mari. Ève perdit alors sa virginité et désormais elle connut l'union charnelle.

256. Tant qu'il avint grant piece aprés que Adans l'ot
coneue einsi come vos avez oï, que entr'els .ii. se sooient
desoz [cel] arbre. Et Adan la comence a regarder et a
plaindre sa dolor et son essil. Si comencierent [molt dure-
5 ment] a plorer li uns por l'autre. Lors dist Eve qu'il n'estoit pas merveille s'il avoient iluec remenbré lor dolor [et
lor pesance], car li arbres l'avoit en soi, ne nus ne por
roit demorer desoz cel arbre, tant fust liez, qu'il ne s'en
partist dolent ; et a bon droit estoient dolent tuit cil qui i
10 demoroient, car ce estoit li Arbres de la mort. Et si tost
com ele ot ceste parole dite, si parla une voiz et dist [a
ambedeus] : « Chetif, porquoi jugiez vos et destinez la
mort li .i. a l'autre ? [Ne destinez plus nule chose par
desesperance, mes] confortez li .i. l'autre, que plus i a de
15 la vie que de la mort. Ice sachiez vos bien. » Einsi parla
la voiz as .ii. chetis ; et lors furent il molt reconforté, si
l'apelerent des lors en avant cel arbre l'Arbre de Vie, et
por la grant joie qu'il en orent [en] planterent il molt des
autres qui tuit descendirent de celui. Car si tost com il
20 en ostoient .i. raim, et le botoient en terre, il reprenoit
[tantost et enracinoit] tot de son gré, et toz jorz retenoit
la color de l'autre.

Cil crut totevoies et amenda, et s'i sooient Eve et Adan
plus volentiers que devant, et tant qu'il avint .i. jor qu'il se
25 cochoient ilueques [*B*ᵃ, f. 62c] entr'els .ii., si dit la veraie
estoire que ce fu a .i. vendredi. Et com il orent longuement
sis ensemble, si oïrent une voiz qui parla a els et lor dist
qu'il assenblassent charnelment. Et il si f[u]rent [ambe-
dui] de si grant vergoigne plain que lor oil ne soffroient
30 pas qu'il s'entreveissent a si vileine ovre fere, car ausi
grant honte en avoit li hom come la feme. Ne il ne savoient coment [il osassent] trespasser le comandement
Nostre Seignor, que la premiere venjance les chastioit.
Si se comencierent a esgarder molt hontosement. Et
35 lors vit Nostre Sires lor vergoigne, si en ot pitié. Mes
puis que [ses comandemenz ne pooit estre destornez et]
sa volentez estoit tele que d'els voloit establir humain
lignage por estorer la disiesme legion d'anges, qui del ciel

256. Il advint, longtemps après qu'Adam eut connu sa femme, que tous deux étaient assis sous l'arbre. Adam regarda Ève et se mit à se lamenter sur sa souffrance et son exil ; puis tous deux commencèrent à pleurer amèrement l'un pour l'autre. Ève dit alors qu'il n'était pas surprenant qu'ils se souviennent en cet endroit de leur chagrin et de leur détresse puisque l'Arbre les portait en lui, et que nul, si heureux qu'il fût, ne pouvait s'asseoir à son ombre sans en repartir tout attristé ; et avec raison, puisque c'était l'Arbre de la Mort. À peine eut-elle prononcé ces paroles qu'une voix leur dit : « Malheureux, pourquoi vous jugez-vous et vous assignez-vous la mort, l'un à l'autre ? Ne souhaitez rien par désespoir, mais réconfortez-vous l'un l'autre, car il y a plus de vie que de mort, sachez-le bien. » Ainsi parla la voix aux deux malheureux qui en furent tout réconfortés. À partir de ce moment-là, ils appelèrent l'arbre, l'Arbre de Vie, et, dans leur grande joie, en plantèrent beaucoup d'autres qui tous descendaient du premier. Dès qu'ils lui en ôtaient un rameau, ils le mettaient en terre et aussitôt il prenait racine et conservait toujours la couleur du premier arbre.

L'Arbre continua de pousser et d'embellir et Adam et Ève se reposaient sous son ombre plus volontiers qu'auparavant. Un jour, un vendredi, nous dit la véritable histoire, ils étaient assis là depuis un long moment lorsqu'ils entendirent une voix qui leur commanda de s'unir charnellement. Ils en furent tous deux si honteux qu'ils ne pouvaient supporter l'idée de se voir faire si vile besogne, et l'homme en ressentait une aussi grande honte que la femme. Cependant, ils n'osaient pas enfreindre le commandement de Notre-Seigneur, car ils se rappelaient le châtiment de leur première transgression. Ils commencèrent à se regarder, tout pleins de honte. Voyant leur embarras, Notre-Seigneur eut pitié d'eux. Mais comme son ordre ne pouvait être enfreint, et comme sa volonté était que, par ces deux êtres, fût établie la race humaine, afin de restaurer la dixième légion des anges[1] qui avaient été

avoient est jeté par lor orgoil, por ce lor envoia [grant]
40 confort a lor vergoigne, qu'il mist [maintenant] entr'els
.ii. une oscurté si grant que li .i. d'els ne pot l'autre vooir.
Lors furent molt esbahi coment cele oscurtez pooit estre
venue entr'els si sodeinement. Lors apela li .i. l'autre, si
s'entretasterent sanz vooir. Si covint par la volenté de Deu
45 qu'il assenblassent charnelment, si come Dex l'avoit comandé [a l'un et a l'autre]. Quant il orent jeu ensenble, si
orent fet une novele semence en quoi lor pechiez fu molt
alegiez, car Adans ot engendrez et sa feme ot conceu Abel
le juste, cil qui premierement servi Nostre Seignor en gré
50 de sa disme rendre loiaument.

257. Einsi fu Abel li justes engendrez desoz l'Arbre de
Vie, et au jor de vendredi, [ce avez vos bien entendu]. Et
lors failli l'oscurté, si s'entrevirent [ausi come devant]. Si
s'aperçurent bien que ce avoit fet Nostre Sires por lor ver-
5 goigne covrir ; si en furent molt lié [*B^a*, f. 62d]. Et tantost
avint une merveille, que li Arbres, qui devant avoit esté
blans [come noif], devint ausi verz come herbe de pré ;
et tuit cil qui de celui oissirent puis que li assenblemenz
fu fez.
10 Einsi fu li Arbres changié de blanchor en verdor ; mes
cil qui de celui estoient descendu ne changierent onques
lor [premiere color], ne onques n'aparut a nul d'els, fors a
celui solement. Mes cil fu coverz de la color vert amont et
aval, et des ore en avant comença a florir et a porter fruit,
15 ne devant ce n'avoit porté point de fruit. Et ce qu'il perdi
la blanche color et prist la vert senefia que la virginitez de
cele qui planté l'avoit si estoit iluec alee ; et ce qu'il prist
la flor et le fruit, [ce] fu senefiance de la semence qui soz
lui avoit esté semee, qu'ele seroit toz jorz verz en Dame-
20 deu, ce est a dire en bone pensee [et en amoureuse envers
son Creator]. Et la flors senefia que la criature qui desoz
[cel Arbre] avoit esté engendree seroit chaste et nete. Et li
fruiz senefia qu'ele seroit religiose en totes choses.

258. Einsi fu cil Arbres longuement de vert color, et tuit

précipités du ciel à cause de leur orgueil, il remédia à leur honte en mettant entre eux une obscurité si profonde qu'ils ne purent plus se voir. Tout ébahis de la venue soudaine de ces ténèbres, ils s'appelèrent et se cherchèrent à tâtons. Ainsi fallait-il par la volonté divine qu'ils s'unissent charnellement, comme Dieu le leur avait ordonné. Leur union produisit une nouvelle semence par laquelle leur péché fut quelque peu allégé, car Adam avait engendré et Ève avait conçu Abel le juste qui le premier sut plaire à Notre-Seigneur en lui rendant loyalement la dîme.

257. Ainsi Abel le juste fut engendré sous l'Arbre de Vie un vendredi, comme vous l'avez entendu. Alors, l'obscurité se dissipa et ils se virent comme auparavant. Ils comprirent que Notre-Seigneur avait fait cela pour cacher leur honte et ils en furent tout heureux. Une chose extraordinaire eut lieu aussitôt après : l'Arbre qui, jusque-là, avait été blanc comme neige, devint aussi vert que l'herbe des prés et il en fut de même de tous ceux qui naquirent après l'union d'Adam et Ève.

Ainsi l'Arbre, de blanc qu'il était, devint vert ; mais ceux qui étaient issus de lui auparavant ne changèrent jamais leur couleur première. Lui seul fut couvert tout entier de couleur verte, et se mit à fleurir et à porter des fruits, ce qu'il n'avait jamais fait encore. Qu'il ait perdu sa couleur blanche signifiait que celle qui l'avait planté avait perdu sa virginité. Qu'il ait fleuri et porté des fruits signifiait que la semence qui avait été semée sous lui serait toujours verte en Dieu, c'est-à-dire mûe par de bonnes pensées et par l'amour de son Créateur. Les fleurs signifiaient que la créature qui avait été engendrée sous lui serait chaste et se garderait pure. Et les fruits signifiaient que sa foi serait manifeste dans tous ses actes.

258. Ainsi l'Arbre demeura longtemps vert, de même

cil qui de lui oissirent jusqu'atant que Abel fu granz. Il
fu [molt] deboneres vers son Criator et tant l'ama qu'il li
rendi ses dismes et ses pr[e]m[i]ces des plus beles choses
5 qu'il avoit. Mes Caÿns ses freres ne fesoit pas einsi, ançois [prenoit] des plus vix choses qu'il avoit [et des plus
despites, si les offroit a Nostre Seignor]. Et Dex rendoit si
bien son guerredon a celui cui les beles choses li offroit,
que quant il estoit el tertre montez ou il estoit acostumez a
10 ardoir ses ofrandes, si come Nostre Sires li avoit comandé,
si s'en aloit la fumee vers le Ciel. Mes la Caÿn, ses freres, [*B^a*, f. 63a] s'espandoit [par tous les champs], si estoit
noire et puanz, et cele qui issoit del sacrefise Abel estoit
blanche et soef olant. Et quant Caÿns vit que ses freres
15 Abel estoit plus beneurez [en son sacrefice] que lui, si l'en
pesa molt, et molt en cueilli grant ire vers son frere, [tant
qu'il l'en haï outre mesure]. Si comença a penser coment
il s'en porroit vengier tant que il dist qu'il l'ocirroit, car
autrement ne voit il mie com il poïst avoir venjance.

259. Einsi porta Caÿns molt longuement la haine de son
frere dedenz son cuer, que onques chiere [ne semblant]
n'en mostra par quoi ses freres s'en poïst apercevoir, qui a
nul mal n'i pensoit. Et tant fu celee cele haine qu'il avint
5 chose .i. jor que Abel estoit alé es chans [auques] loig del
manoir son pere, et li manoir estoit auques loig de l'Arbre,
et devant cel Arbre estoient ses berbiz qu'il gardoit. Et li
jorz eschaufa [et li solaus fu ardanz], si qu'il ne pot sofrir
la chalor, ainz s'ala sooir desoz cel Arbre. Si li prist ta-
10 lent de dormir, si s'ala couchier desoz l'Arbre, si comença
a someillier. Et Caÿn, qui de lonc tens ot la traïson porpensee, [l'ot espié et suï tant qu'il le vit desoz cel Arbre
acouter. Lors] vint aprés, si le quida ocirre si sodeinement
qu'il ne s'en aperceust. Mes Abel l'oï bien venir ; si se
15 regarda, et com il vit que ce estoit Caÿns ses freres, si
se dreça encontre lui et le salua, qu'il l'amoit molt [en
son cuer]. Si li dist : « Biau frere, bien veigniez ! » Et cil
li rendi son salu et le fist assooir joste lui ; puis trest .i.
coutel corbe qu'il avoit, si l'en feri par desoz la mamele
20 [premierement].

que tous ceux qui étaient nés de lui jusqu'au temps où
Abel fut devenu adulte. Abel était dévoué à son Créateur
et l'aimait tant qu'il lui donnait la dîme et les prémices
des plus belles choses qu'il avait[1]. Mais Caïn son frère
n'agissait pas ainsi et offrait à Notre-Seigneur ce qu'il
avait de plus vil et de plus méprisable. Dieu récompensait
si bien celui qui lui offrait de belles choses que lorsque
Abel montait sur la colline où il avait coutume de brûler
ses offrandes, comme Notre-Seigneur le lui avait ordonné,
la fumée s'en allait vers le ciel. Mais celle du sacrifice de
Caïn, son frère, se répandait sur les champs et était noire
et puante alors que celle d'Abel était blanche et odorante.
Lorsque Caïn vit que les sacrifices d'Abel étaient mieux
reçus que les siens, il en fut très affligé et conçut une grande colère, puis une haine sans bornes contre son frère. Il se
demanda comment il pourrait se venger de lui et conclut
que le seul moyen était de le tuer.

259. Caïn porta longtemps cette haine dans son cœur
sans en rien laisser paraître au-dehors devant son frère qui,
lui, ne pensait pas à mal. Il dissimula très bien sa haine
jusqu'au jour où Abel se rendit dans un champ, assez loin
de la demeure de son père. L'Arbre, près duquel il gardait
ses brebis, était lui aussi assez éloigné de la demeure. La
journée devint très chaude et le soleil si brûlant qu'Abel
ne put le supporter. Il alla donc s'asseoir sous l'Arbre où
l'envie de dormir le gagna. Il s'étendit à terre et s'assou-
pit. Caïn qui méditait depuis longtemps sa trahison, l'avait
épié et suivi et l'avait vu s'allonger sous l'Arbre. Il s'approcha, pensant le tuer avant qu'il puisse s'apercevoir de
ce qui arrivait. Mais Abel l'avait entendu venir ; il regarda
autour de lui et, reconnaissant son frère, se leva pour le
saluer, car il l'aimait de tout son cœur. « Cher frère, soyez
le bienvenu ! » lui dit-il. L'autre lui rendit son salut et le fit
asseoir près de lui ; puis, tirant un couteau recourbé qu'il
portait, il l'en frappa sous le sein.

260. Einsi reçut Abel la mort [par la main] de son desloial frere en cel leu meismes ou il avoit esté conceuz [par
loial assemblement de pere et de mere. Et tot autresi com il
avoit esté conceuz au jor de vendredi, si com la vraie Bou-
5 che le met avant, tot autresi fu il mort] au jor de vendresdi
[par cel tesmoing meesmes]. La mort que Abel reçut en
traïson a celui tans qu'il n'estoit [encore] que trois homes
en terre senefie la mort au verai Crucefi, car par Abel fu il
senefiez [*B^a*, f. 63b] et par Caÿn fu senefié Judas par cui il
10 reçut mort. Et tot ausi come Caÿns salua [Abel] son frere
et puis l'ocist, tot ausi fist Judas qui salua son seignor, et
si avoit sa mort porchacie. Einsi s'acorderent bien li dui
mort non mie de hautece, mes de senefiance. Car ausi com
Caÿns ocist Abel au Vendredi, autressi ocist Judas Nostre
15 Seignor [au vendredi], non mie de sa main, mes par sa
langue. Et molt senefia bien Caÿn Judas de maintes choses, qu'il n'i avoit nule reson par quoi Judas deust Nostre
Seignor haïr ; mes il avoit en lui acheson sanz droiture,
[car il le haoit] non mie por mauvestié qu'il eust onques
20 en lui veue, mes por tant solement qu'il ne vooit en lui se
bien non. Car il est costume de toz les mauvés homes del
monde qu'il ont toz jorz guerre et haine contre les buens
homes ; car se Judas, [qui tant estoit desloiaux et traitres],
seust autretant de desloiauté et de felonie el cuer Jesu-
25 crist com il avoit el suen, il ne le haïst pas, [ainçois fust
la chose par quoi il l'amast plus, puis qu'il le veist autel
come il se sentoit]. Et de la traïson qe Caÿns avoit vers son
frere parole Nostre Sires el sautier par la boche del Prophete, qui dist une molt felenesse parole, [et si ne savoit
30 por quoi elle estoit dite], qu'il parole ausi come se il deist
a Caÿn : « Tu pensoies et disoies felonies envers ton frere,
et contre le fil de ta mere bastisoies [tes] traïsons et [tes]
aguez. Ce feis tu, et je me tesoie. [Et] por ce as tu quidié
que je fusse senblable a toi, por ce que je ne parloie mie
35 a toi ; mes non [s]eré, ainçois te chastierai et reprendrai
molt durement. »

261. Ceste venjance si avoit bien esté esprovee ainçois

260. Ainsi Abel reçut la mort de son perfide frère et à l'endroit même où il avait été engendré par l'union légitime de son père et de sa mère. Et de même qu'il avait été conçu un vendredi comme le déclare la vraie Parole[1], de même, comme elle l'affirme encore, il mourut un vendredi. La mort qu'Abel reçut par trahison en ce temps où il n'y avait encore que trois hommes sur la terre annonçait la mort du vrai Crucifié. Car par Abel fut représenté Jésus-Christ, et par Caïn, Judas, qui livra Jésus-Christ à la mort. De même que Caïn salua son frère avant de le tuer, de même Judas salua son Seigneur dont il avait prémédité la mort. Ces deux morts s'accordent donc bien, sinon en grandeur, du moins en signification. En effet, de même que Caïn tua Abel un vendredi, de même Judas tua Notre-Seigneur un vendredi, non de sa main, mais de sa langue[2]. Et Caïn annonça Judas sur bien des points encore. Il n'y avait aucune raison pour que Judas haïsse Notre-Seigneur ; la raison de sa haine était sans fondement, car il le haïssait non pour le mal qu'il aurait pu trouver en lui, mais simplement parce qu'il ne voyait en lui que perfection. C'est là un trait commun à tous les méchants de ce monde de montrer hostilité et haine envers les bons. Si Judas, qui était si plein de déloyauté et de perfidie, avait trouvé dans le cœur de Jésus-Christ autant de déloyauté et de méchanceté qu'en lui-même, il ne l'aurait pas haï, mais ne l'en aurait que plus aimé pour l'avoir trouvé semblable à lui. De cette trahison de Caïn envers son frère, Notre-Seigneur parle dans le livre des Psaumes par la bouche du Prophète qui prononce de redoutables paroles dont il ne pouvait connaître le sens ; parlant comme s'il s'adressait à Caïn, il déclare : «Tu pensais et disais du mal de ton frère, et tu préparais ta trahison et tes pièges contre le fils de ta mère. Tu as fait cela, et je me taisais. Aussi as-tu pensé que j'étais semblable à toi parce que je gardais le silence ; mais je ne le suis pas, et je te réprimanderai et te châtierai très sévèrement[3]. »

261. Cette vengeance avait été exercée bien avant que

que David l'eust devi[s]ee, la ou Nostre Sires vint a Caÿn,
si li dist : [« Caÿns], ou est tes freres ? » [B^a, f. 63c] Et
il respondi come cil qui se sentoit copable de la traïson
5 qu'il avoit fete et qui avoit ja son frere covert des fueilles
de l'Arbre [meismes], por ce qu'il ne peust estre trové. Si
dist, quant Nostre Sires li ot demandé ou ses freres estoit :
« Sire, fet il, je ne sai ; sui je donc garde de mon frere ? »
Et Nostre Sires li dist : « Que est ce que tu as fet ? La
10 voiz del sanc Abel ton frere s'est conplainte a moi de la
ou tu espandis son sanc a terre. Et por ce que tu as ce fet,
malooiz soies tu sor terre ; et la terre auvec toi qui reçut lo
sanc de ton frere. »

Einsi maudist Nostre Sires la terre, mes il ne maudist
15 mie l'Arbre soz qui Abel avoit esté ocis, ne les autres qui
de cel oissirent, ne qui puis furent creu desus la terre par
la volenté de Lui meismes. Mes de celui Arbre avint merveilles, car si tost com Abel ot receu mort desoz, tantost
perdi la color vert, si fu toz vermeuz ; et ce fu remem-
20 brance del sanc [qui desoz fu espandus]. Ne onques de
celui ne pot puis [nus] arbres aengier, ainz moroient totes
les plantes qe l'en en fesoit ne ne pooient a bien venir.
Mes il crut tant et enbeli que ce fu li plus biax arbres qui
onques fust veuz.

262. Molt dura longuement cil Arbres en tel biauté et en
tel color com vos avez oï deviser, ne onques n'envielli ne
[ne] secha ne [de nule riens] n'enpira, fors tant solement
que onques puis ne porta [ne] flor ne fruit [puis cele hore]
5 que li sans Abel i fu espanduz ; mes li autre de quoi il estoient oissu portoient [fruit] et florissoient et frutefioient
ausi com autre arbre. Et tant demora en ceste maniere [B^a,
f. 63d] que li siecles fu molt creuz et montepliez. Si le
tenoient en grant reverence tuit li oir qui d'Adan et d'Eve
10 estoient oissu et contoient li .i. a l'autre [de ligne en li-
gne] coment lor premiere mere l'avoit planté. Si i prenoient grant alegement de lor mesese li viel et li juene,
et s'i venoient reconforter quant il avoient aucune mesese-
tance, por ce que Arbre de Vie estoit apelez, si lor fesoit

David l'annonçât, lorsque Notre-Seigneur vint à Caïn et lui dit : « Caïn, où est ton frère ? » Et Caïn répondit en homme qui se sentait coupable de trahison et qui avait déjà recouvert son frère des feuilles mêmes de l'Arbre pour qu'on ne pût trouver son corps. À la question de Notre-Seigneur, il répondit : « Seigneur, je ne sais ; suis-je donc le gardien de mon frère ? » Et Notre-Seigneur lui dit : « Qu'as-tu fait ? La voix du sang d'Abel, ton frère, s'est plainte à moi du lieu où tu l'as répandu. Parce que tu as commis ce crime, tu seras maudit sur cette terre, et maudite sera la terre qui a reçu le sang de ton frère. »

Ainsi Notre-Seigneur maudit la terre, mais non l'Arbre sous lequel Abel avait été tué, ni les autres arbres qui en étaient issus et qui avaient ensuite poussé sur la terre par Sa volonté. Mais une grande merveille se produisit alors : dès qu'Abel eut été tué, l'Arbre perdit sa couleur verte et devint tout vermeil en souvenir du sang qui avait été répandu sous lui. Et depuis lors aucun arbre ne naquit de lui, et toutes les boutures qu'on en faisait dépérissaient et mouraient. Lui gagna si bien en force et en beauté qu'il devint le plus bel arbre qu'on eût jamais vu.

262. Il conserva longtemps sa beauté et sa couleur, comme vous l'avez entendu ; jamais il ne vieillit, ne se dessécha ni ne s'abîma, mais il cessa de porter fleurs ou fruits depuis le jour où le sang d'Abel avait été répandu. En revanche, ceux qui descendaient de lui fleurissaient et fructifiaient comme les arbres ordinaires. Lui demeurait le même tandis que l'humanité croissait et se multipliait. Tous les descendants d'Adam et Ève le tenaient en grand respect et, de génération en génération, se racontaient comment leur première mère l'avait planté. Vieux et jeunes trouvaient auprès de lui un allègement à leurs peines et venaient y chercher réconfort lorsqu'ils souffraient, parce qu'il était appelé l'Arbre de Vie et leur rappelait

15 remenbrance de joie. Se cil Arbres crut merveilleusement
[et embeli], ausi fesoient tuit li autre qui de celui estoient
oissu, cil qui estoient blanc de totes choses et cil qui estoient [vert. Mes del] vermeil nus n'estoit si hardiz qui en
osast oster une fueille ne une branche.

20 Et encore en vit en greignor merveille avenir, que quant
Nostre Sires ot envoié son deluge en terre, par quoi li monz
[qui tant estoit mauvés], fu periz, et li fruit de terre et les
forez et li gaaigneor l'orent si chierement comparé que
puis ne porent les eves rendre si bone savor ne si douce
25 com eles fesoient devant, ainz furent [adont] totes choses
tornees a amertume ; mes des arbres qui de celui de Vie
furent descendu ne pot l'en vooir nul signe qu'il fussent
enpirié de fruit ne de savor ne changié de lor color qu'il
avoient devant.

263. Tant durerent cil arbre [en tel maniere] que Salemons, li fiz au roi Daviz, regna aprés son pere, et si tint
terre. Cil Salemons fu [si] sages qu'il sot totes les esciences que cuer d'ome mortel porroit savoir. Il conut [totes]
5 les vertuz des pierres precioses et de totes les herbes la
force, et sot si [*Bª*, f. 64a] bien le cors del firmament et
des estoiles que nus fors Deu ne l'en pooit rien apren-
dre. Et neporquant [toz] ses [granz] sens ne valut riens
envers l'engin sa feme, qu'ele nel deceust sovent, quant
10 ele i voloit metre poine. Et ce ne doit l'en pas tenir a merveille, que [sanz faille], puis que feme velt metre son sen
et s'entencion en engin, nul sens d'ome mortel ne s'i porroit prendre ; si [ne] comença [pas a nos, mes] a nostre
premiere mere.

15 Quant Salemons vit qu'il ne se porroit garder de l'engin sa feme, si se merveilla molt dont ce li pooit venir,
si en fu assez corrociez ; mes plus n'en osa fere : dom
il dist en son livre que l'en apele Parabole : « J'ai, fet il,
avironé tot le monde et alé parmi en tel maniere com sens
20 d'ome mortel le porroit encerchier, ne en tote cele circuite
que j'ai fete ne poï une prodefeme trover. » Ceste parole

l'existence de la joie. Et de même que lui, ses rejetons, ceux qui étaient tout blancs et ceux qui étaient verts poussaient et embellissaient merveilleusement. Mais de l'Arbre vermeil, personne n'était assez hardi pour enlever une feuille ou une branche.

Cet Arbre fut à l'origine d'un autre prodige plus grand encore. Lorsque Notre-Seigneur eut envoyé le déluge pour détruire le monde qui était si mauvais, les fruits de la terre, les forêts et les champs en subirent si durement les effets que les eaux perdirent la bonne et douce saveur qu'elles avaient auparavant. Tout devint amer, mais on s'aperçut que les arbres qui étaient issus de l'Arbre de Vie avaient, eux, conservé intacts leurs fruits, leur saveur et leur couleur.

263. Ces arbres durèrent ainsi jusqu'à ce que Salomon, fils du roi David, succédât à son père et tînt le royaume. Ce Salomon était si sage qu'il possédait toutes les sciences que peut connaître un cœur d'homme. Il savait les vertus des pierres précieuses et les propriétés de toutes les herbes, et sa connaissance du cours du firmament et des étoiles était telle que personne, sauf Dieu, n'aurait pu lui apprendre quelque chose sur le sujet. Pourtant, tout son savoir ne lui servit à rien contre la ruse de sa femme qui sut le duper aussi souvent qu'elle s'en donnait la peine. Il n'y a là rien de surprenant : c'est un fait incontestable que lorsqu'une femme applique tout son esprit à tromper, nulle sagesse d'homme ne pourrait lui être opposée. Cela n'a pas commencé avec nous, mais avec notre première mère.

Lorsque Salomon vit qu'il ne pourrait se défendre contre les ruses de sa femme, il se demanda quelle pouvait bien en être la raison et en fut très irrité, mais il n'osa rien faire davantage. Il dit à ce propos dans son livre des Paraboles[1] : « J'ai parcouru le monde entier et cherché partout, avec toutes les ressources de l'esprit humain, mais nulle part au cours de mes voyages, je n'ai pu trouver une femme de bien. » Salomon parla ainsi dans la colère que lui causait

dist il par corroc de la soe a cui il ne pooit durer. Si essaia en mainte maniere savoir se il la porroit jeter hors de
son mal sens, mes ce ne pooit estre. Et quant il vit ce, si
25   comença par mainte fois a fere une demande a soi meisme
por quoi feme fesoit si volentiers corroc a home. A ceste
demande li respondi une voiz [une nuit qu'il i pensoit] et
li dist : « Salemon, se de feme vient tristrece a home, ne
t'en chaille. Car [une] feme venra encore dom il nestra [a
30   home] gregnor joie .c. tanz que ceste tristrece n'est ; et
cele feme nestra de ton lignage. » Quant il oï ceste parole,
si se tint por fol de ce qu'il avoit tant sa feme blasmee.
Lors comença a [B^a, f. 64b] encerchier par les choses qui
li avenoient en dormant et en veillant et por savoir s'il
35   peust conoistre la verité de la fin de son lignage. Tant en-
cercha et quist que li Sainz Esperiz li demostra la venue
de la gloriose Virge, et li dist une voiz partie de la chose
qui li estoit a avenir. Quant il oï ceste parole, si demanda
se ce estoit la fin de son lignage : « Nenil, ce dist la voiz ;
40   .i. hons virges en sera fins, [et cil sera autant meillors chevaliers de Josué ton serorge come cele Virge sera meillor
de ta feme]. Or t'ai certefié de ce dont tu as esté si longuement en dote. »

264. Quant Salemons oï ceste parole, si dist que molt
estoit liez de ce que en si haute vie et en si haute chevalerie estoit fichie la bone de son lignage. Si pensa coment
il poïst fere savoir a celui home derreeins de son lignaje
5   que Salemons, qui si lonc tens avoit devant lui esté, seust
la verité de sa venue. A ce pensa et soutilla molt longuement ; car il ne vooit pas coment il le poïst anoncier a
home qui si lonc tens devoit demorer aprés lui qu'il eust
de lui rien seu. Sa feme s'aperçut qu'il baoit a chose dom
10   il ne pooit a chief venir. [Ele l'amoit asez, non pas tant que
maintes fames n'amassent plus lor seignors]. Et ele iert
molt veziee, si ne li volt mie tantost demander, ainz atendi
[son point] tant qu'ele le vit [un soir] lié et joiox et estoit
molt bien de lui. Lors li proia qu'il li deist ce qu'ele li de-

sa femme à qui il ne pouvait résister. Il essaya, par divers moyens, de la faire renoncer à ses mauvaises intententions, mais en vain. Il commença alors à se demander pourquoi la femme se plaisait ainsi à irriter l'homme. Une nuit qu'il y réfléchissait, une voix lui répondit : «Salomon, si la femme est une source de tristesse pour l'homme, ne t'en mets pas en peine, car une femme viendra qui apportera aux hommes une joie cent fois plus grande que ne l'est cette tristesse. Et cette femme naîtra de ton lignage.» En entendant ces paroles, Salomon se jugea bien fou d'avoir blâmé sa femme. Il se mit alors à examiner tous les signes qui lui apparaissaient, dans la veille et le sommeil, pour tenter de découvrir la vérité sur la fin de son lignage, et il chercha si bien que le Saint-Esprit lui montra la venue de la glorieuse Vierge, et une voix lui révéla une partie de ce qui devait arriver. Salomon demanda si c'était là la fin de son lignage. «Non, répondit la voix, un homme vierge en sera la fin, et il sera meilleur chevalier que ton beau-frère Josué[2] autant que la Vierge sera meilleure que ta femme. Te voilà rassuré sur ce qui t'a si longtemps troublé.»

264. Salomon se sentit tout heureux à la pensée que le dernier de son lignage serait un homme d'une telle vertu et d'une telle prouesse. Il se demanda comment il pouvait faire savoir à ce dernier de ses descendants que lui, Salomon, qui avait vécu si longtemps auparavant, avait été informé de sa venue. Il y réfléchissait longuement, car il ne voyait pas quel moyen employer pour annoncer cela à un homme qui devait vivre tant de siècles après lui. Sa femme s'aperçut qu'il songeait à quelque chose dont il ne pouvait venir à bout. Elle l'aimait beaucoup, encore que maintes femmes aiment davantage leur mari, et elle était très rusée. Elle ne voulut pas le questionner tout de suite, mais attendit le moment opportun, un soir où il était de bonne humeur et bien disposé envers elle. Elle le pria alors de répondre à la question qu'elle lui poserait et il y

15 manderoit ; et il dist que si feroit il, come cil qui ne baoit
mie qu'ele pensast cele part. Et ele li dit [maintenant] :

– Sire, vos avez molt pensé ceste semaine et l'autre, et
lonc tens a, en tel maniere que vostre pensé ne remaint
mie. [*B*ᵃ, f. 64c] [Et por ce sai je bien que vos avez pensé a
20 tel chose dont vos ne poez venir a chief]. Et por ce vodroie
je volentiers savoir a quoi ce est. Car il n'a el monde si
grant chose dont ge ne quidasse venir a chief, au grant sen
que ge sai en vos et a la grant sutilité que je sai en moi.

265. Quant il oï ceste parole, si se pensa bien que, se
cuers mortex pooit metre conseil en ceste chose, qu'ele l'i
metroit, car il l'avoit trovee de tel engig que il ne quidast
mie qu'il eust ame el siecle de tel engin. Et por ce li dist il
5 la verité de sa pensee, [si li dist tot outreement]. Et com il
li ot dit, ele pensa .i. pou. Lors li respondi :

– Coment, fet ele, estes vos [donc] esgarez coment vos
façoiz savoir a cel chevalier que vos avez oï verité de
lui ?

10 – Oïl [voir], fet il ; [je ne voi mie coment ce poïst estre],
qu'il a si grant terme jusque la que g'en sui toz esbaïz.

– Par foi, fet ele, et quant vos ne le savez, je le vos enseignerai. Mes dites moi [tout avant] conbien il puet avoir
de tens jusqu'a cel terme.

15 Et il dit qu'il quide bien que il ait .ii. mile anz et plus.

– Or vos dirai donc, fet ele, que vos feroiz. Fetes fere
une nef del meillor fust et do plus durable que l'en porra
trover, [et de] tel qui ne poïst porrir [ne por eve ne por
autre chose].

266. Et il dist que si feroit il. Lors manda [l'endemain]
toz les ovriers de sa terre, et lor comanda qu'il feissent
la plus riche nef qu'il onques veissent, de tel fust qui ne
peust porrir. Et il distrent qu'il la feroient tel com il la
5 devisoit. Et quant il orent quis le fust [et le merrien, et il
l'orent comenciee], la feme dist a Salemon :

consentit, ne pensant pas que cette question toucherait ses propres préoccupations.

– Seigneur, lui dit-elle aussitôt, ces deux dernières semaines et depuis fort longtemps, vous avez beaucoup réfléchi et votre esprit n'a jamais été en repos. Je vois bien que quelque chose vous préoccupe que vous ne parvenez pas à résoudre. Je voudrais bien savoir de quoi il s'agit, car il n'y a rien au monde que je ne pense pouvoir mener à bien, avec la grande sagesse qui est en vous et la subtilité qui est en moi.

265. En entendant cela, Salomon se dit que si un être humain pouvait lui venir en aide ce serait sa femme, car il l'avait trouvée si astucieuse qu'il pensait qu'aucune femme au monde ne pouvait l'être davantage. Aussi lui révéla-t-il toute sa pensée sans en rien cacher. Elle réfléchit un instant, puis lui dit :

– Comment ? Vous ne voyez donc aucun moyen de faire savoir à ce chevalier que vous avez appris à l'avance sa venue ?

– Oui vraiment, répondit-il ; la chose me paraît impossible ; un temps si long nous sépare que j'en reste confondu.

– Par ma foi, reprit-elle, puisque vous ne savez comment faire, je vais vous le dire. Mais dites-moi d'abord combien de temps, selon vous, doit s'écouler avant sa venue.

Il répondit qu'il fallait bien compter deux mille ans ou plus.

– Voici donc, dit-elle, ce que vous ferez. Faites construire une nef du bois le meilleur et le plus durable que l'on puisse trouver, un bois que ni l'eau ni aucune autre chose ne puisse putréfier.

266. Il y consentit. Le lendemain, il convoqua tous les ouvriers de son royaume, et leur donna l'ordre de construire dans un bois qui ne pourrirait pas, la plus belle nef qu'on eût jamais vue. Ils promirent d'exécuter fidèlement ses ordres. Lorsqu'ils eurent trouvé le bois et les poutres[1] et se furent mis au travail, la femme de Salomon lui dit :

– Sire, puis que vos me dites qu'il est einsi que cil chevaliers doit passer de chevalerie toz cels qui devant lui
avront esté et qui aprés lui [*B^a*, f. 64d] vendront, il me
10 senble que ce seroit seant chose que vos li apareillisiez
une arme qui passast de bonté totes les autres armes ausi
com il passera toz homes de bonté.

Et il dist qu'il ne la savoit ou prendre tele com ele li
devisoit.

15 – Et je l[e] vos enseignerai, fet ele. El tenple que vos
avez fet fere [en l'onor] de vostre Seignor est l'espee lo
roi David vostre pere, la plus trenchant et la plus merveilleuse qui onques fust bailliee de main de chevalier.
Prenez la, si en ostez le pont et l'enheudeure, si que quant
20 vos en avroiz l'alemele a une part tote nue tornee, vos qui
conoissiez la vertu des pierres et la force des herbes et la
maniere de totes choses terrienes, i fetes fere [.i.] pont de
pieres precioses si soltilment jointes qu'il n'ait aprés vos
garde de brisier ne de deviser l'une pierre de l'autre, ainz
25 cuit chascun qui la verra que ce soit une chose. Aprés i
fetes une cnheudeure que nule ne soit si merveilleuse ne si
vertuose ne si riche. Aprés i fetes le fuerre si merveilleus
en son endroit come l'espee sera el suen. Et quant vos
30 avrez tot ce fet, g'i metrai les renges teles come moi plera
.

267. Il fist tot ce qu'ele dist, fors solement del pont, qui
ne fu que d'une seule pierre. Mes cele estoit de totes les
colors que l'en seust deviser ; et il [i] mist l'enheudeure si
merveilleuse com il devise en autre leu. Et quant la nef fu
5 fete et mise en mer, la dame [*B^a*, f. 65a] i mist .i. lit grant
et merveilleus tot de fust. Si i fist metre coutes pointes
dedenz pluseurs, tant que li liz fu biax et [genz]. Et au
chevez si mist li rois sa corone, si la covri d'un blanc drap
de soie. Il avoit baillie l'espee a sa feme por metre les
10 renges, si li dist :

– Aportez l'espee ; si la metrai as piez de cest lit.

Et ele l'aporta ; et il [la] regarde, si voit qu'ele i avoit

– Seigneur, puisque vous me dites que ce chevalier doit surpasser en chevalerie tous ceux qui l'ont précédé ou viendront après lui, il conviendrait, me semble-t-il, de lui préparer une arme qui, par sa qualité, surpasse toutes les autres comme lui surpassera tous les hommes.

Salomon répondit qu'il ne savait où trouver une telle arme.

– Je vais vous le dire, répondit-elle. Dans le temple que vous avez fait construire en l'honneur de votre Seigneur se trouve l'épée du roi David votre père, la plus belle épée et la plus tranchante qu'ait jamais tenue main de chevalier. Prenez-la, ôtez-en le pommeau et la poignée pour que vous ayez la lame toute nue. Alors, vous qui connaissez la vertu des pierres, les propriétés des herbes et la nature de toutes choses terrestres, faites faire un pommeau avec des pierres précieuses si habilement jointes qu'il n'y ait après vous aucun danger qu'elles se brisent ou se séparent ; et toute personne qui verra le pommeau pensera qu'il est fait d'une seule et même pierre. Ensuite faites faire une poignée d'une telle beauté et si riche de vertus qu'elle n'ait sa pareille au monde, et enfin un fourreau digne de l'épée en tous points. Quand vous aurez fait tout cela, j'y mettrai un baudrier de mon choix.

267. Il fit tout ce qu'elle lui avait dit sauf pour ce qui est du pommeau qui fut fait d'une seule pierre, mais celle-ci avait toutes les couleurs qu'on puisse imaginer. Puis il y mit la merveilleuse poignée dont il est parlé ailleurs. Lorsque la nef fut achevée et mise à l'eau, la dame y fit placer un très grand et très beau lit, tout en bois et garni de plusieurs courtepointes pour le rendre plus beau encore. Au chevet, le roi déposa sa couronne qu'il recouvrit d'une étoffe de soie blanche. Il avait remis l'épée à sa femme pour qu'elle y fixât le baudrier. Il lui dit alors :

– Apportez-moi l'épée et je la placerai au pied du lit.

Elle la lui apporta. Il regarda l'épée et s'aperçut qu'elle

mises renges d'estopes ; si s'en dut molt corrocier, quant
ele li dist :

15 – Sire, [sachiez que] je n'ai nule [si] haute chose, qui
soit digne de sostenir si haute espee come ceste est.

– Qu'en porra l'en donques fere ? fist Salemons.

– Vos la leroiz einsi, fist ele, qu'il ne nos afiert pas que
nos l'i metons, ainz les i metra une pucele, mes ge ne sai
20 quant ce sera, ne a quele hore.

268. Et il lessa maintenant l'espee einsi com ele estoit, et il fist cov[ri]r la nef d'un drap de soie qui n'avoit
garde de porrir [ne] por eve ne por autre chose. Et com
il orent ce fet, la dame regarde le lit, si dist que encore i
5 failloit il.

Lors s'en ist entre lui et [.ii.] charpentier[s] et s'en va
a l'Arbre soz quoi Abel avoit esté ocis. [Et quant] ele est
venue a l'Arbre, si dist [as] charpentier[s] :

– Coupez moi de cest Arbre tant que ge en [ai]e merrien
10 a fere .i. fuisel.

– Ha ! Dame, firent il, non ferons. [Ne savez vos] que ce
est l'Arbre que nostre premiere mere planta ?

Et ele lor redit :

– Il covient que vos le façoiz, [car] autrement ge vos
15 feré destruire.

Et il distrent qu'il le feroient, quant il estoient a ce
venu, car mielz [s]e voloient il [mes]fere que l'en les
oceist. Maintenant pristrent lor enginz et comencierent
[*B*ᵃ, f. 65b] a ferir en l'Arbre ; mes il n'i orent pas gran-
20 ment feru [quant il furent tuit espoanté], qu'il virent [tot
apertement] gotes de sanc oissir de l'Arbre ausi vermeille
come rose. Lors vodrent lessier a ferir ; mes ele lor fist
recomencier, ou il vossissent ou non. Et tant en osterent
que l'en en pot bien fere .i. fuisel. Et quant il o[ren]t ce
25 fet, ele lor fist prendre d'un des arbres de verte color qui
de celui estoient descendu. Aprés lor refist coper d'un des
autres qui estoient blans en totes choses.

269. Et quant il furent garni de ces .iii. manieres de fust,

y avait mis un baudrier en étoupe. Il allait s'emporter contre elle lorsqu'elle lui dit :

– Seigneur, sachez que je n'ai rien d'assez précieux pour soutenir une aussi noble épée.

– Et que pourra-t-on faire ?

– Laissez-la telle qu'elle est, car il ne nous appartient pas d'y mettre le baudrier. Une jeune fille s'en chargera, mais je ne sais quand ce sera.

268. Le roi laissa donc l'épée comme elle était ; puis il fit recouvrir la nef d'une étoffe de soie capable de résister à l'eau et à toute autre chose. Après quoi, la dame regarda le lit et déclara qu'il y manquait encore quelque chose.

Elle quitta la nef avec deux charpentiers et se rendit près de l'Arbre sous lequel Abel avoit été tué.

– Coupez-moi, leur dit-elle, un morceau de ce bois de quoi faire un fuseau.

– Ah ! ma dame, dirent-ils, cela est impossible. Ne savez-vous pas que c'est l'Arbre que notre première mère planta ?

– Faites ce que je vous dis, répliqua-t-elle, sinon je vous ferai mettre à mort.

Ainsi contraints, ils acceptèrent, préférant se rendre coupables d'un crime plutôt que d'être tués. Ils prirent aussitôt leurs cognées et se mirent à frapper l'Arbre, mais dès les premiers coups, l'épouvante les saisit, car ils virent très nettement couler de l'Arbre des gouttes de sang aussi vermeilles que des roses. Ils voulurent arrêter leur travail, mais la dame les obligea à continuer, qu'ils le voulussent ou non, et ils détachèrent de l'Arbre un morceau assez grand pour en faire un fuseau. Elle leur ordonna ensuite de couper un morceau d'un des arbres de couleur verte descendus de l'Arbre de Vie, et un autre d'un de ceux qui étaient tout blancs.

269. Une fois en possession de ces trois pièces de bois de

qui estoient si divers en color, si s'en vindrent en la nef. Et
ele entra enz, si les fist auvec li venir, puis lor dist :

– Je vueil que vos me façoiz .iii. fuisiax de cest merrien
5 dont li .i. soit en costé de cest lit, et li autres encontre de
l'autre part, et li tierz aille par desus, si qu'il soit chevilliez en anbedox.

Cil le firent tot einsi come ele lor ot comandé, et mistrent les fuisiax qui onques puis ne changierent lor color.
10 Et quant il orent ce fet, Salemons la regarda, si li dist :

– Feme, merveilles as fet, car se tuit cil del monde estoient ci, ne savroient il deviser la senefiance de ceste nef
se Nostre Sires ne lor devisoit et enseignoit, ne tu meisme,
qui l'as fete, ne sez qu'ele senefie. Ne ja por chose que
15 j'aie fet, ne tu, ne savra li chevaliers que j'aie oï noveles
de lui, se Nostre Sire n'i met conseil.

– Or le lessiez atant ester, fet ele, que vos en verroiz par
tens autre chose que vos ne quidiez.

270. Cele nuit jut Salemons devant la nef en .i. suen
paveillon o petit de compaignie. Et quant il fu endormiz,
si li fu avis que de vers le ciel venoit [*B^a*, f. 65c] une grant
compaignie d'anges et .i. hom auvec els. Il descendoit en
5 la nef, et quant il i estoit descenduz, si prenoit eve que li .i.
des anges avoit aportee en .i. vessel d'argent, si en arosoit
tote la nef. Aprés venoit a l'espee, si escrivoit letres el
pont et en l'enheudeure ; et puis venoit au bort de la nef, si
[i] escrivoit letres autresi. Et quant il avoit ce fet, si venoit
10 au lit et se couchoit dedenz, ne des lores en avant ne savoit
pas Salemons qu'il devenoit, ainz s'esvanoissoit entre lui
et sa compaignie.

Et l'endemain [au point del jor], si tost come Salemons
s'esveilla, si se leva et vint au bort de la nef et [trova] letres
15 escrites qui disoient : *Oz tu, hom qui dedenz moi vels entrer, garde que tu n'i entres se tu n'es plain de foi, que ge
ne sui se foiz non et creance. Et si tost com tu guenchiras
a creance, je te guenchirai en tel maniere que tu n'avras
de moi ne force ne aide ne sostenance, ainz te leré chooir*
20 *de quele hore que tu seras chaüz en mescreance.*

couleurs différentes, ils revinrent à la nef. La dame monta
à bord, leur dit de la suivre, puis, s'adressant à eux :

– Je veux, déclara-t-elle, qu'avec ce bois vous fassiez
trois fuseaux. Fixez-en un sur un côté du lit, le second en
face, sur l'autre côté, et chevillez le troisième sur les deux
autres.

Les charpentiers exécutèrent ses ordres et fixèrent les
fuseaux qui, depuis lors, ne changèrent jamais de couleur.
Salomon regarda alors sa femme et lui dit :

– Femme, tu as fait merveilles ! Si tous les habitants
du monde étaient réunis ici, ils ne sauraient expliquer le
sens de cette nef à moins que Notre-Seigneur ne le leur
apprenne. Et toi-même, qui l'as faite, tu ne sais pas ce
qu'elle signifie. Ainsi, quoi que toi ou moi ayons pu faire
le chevalier ne saura jamais que j'ai appris sa venue si
Notre-Seigneur ne lui prête aide.

– Laissez cela maintenant, dit-elle, car vous verrez bientôt autre chose que ce que vous imaginez.

270. Cette nuit-là, Salomon reposa sous une tente devant la nef avec quelques compagnons. Une fois endormi,
il crut voir un homme entouré d'une foule d'anges descendre du ciel vers la nef et y entrer. Là, il prenait de l'eau
qu'un des anges avait apportée dans un vase d'argent et en
arrosait la nef. Puis, s'approchant de l'épée, il gravait une
inscription sur le pommeau et la poignée, et ensuite une
autre sur le bord de la nef. Ensuite, il allait s'étendre sur le
lit et à partir de ce moment-là Salomon ne savait plus ce
qu'il devenait, car il disparaissait ainsi que les anges.

Le lendemain, au point du jour, dès que Salomon fut
réveillé, il se leva, s'approcha de la nef et trouva sur son
bord l'inscription suivante[1] : *Homme qui veux monter à
mon bord, écoute : garde-toi d'entrer si tu n'es plein de
foi, car je ne suis autre que la foi et la croyance Et si
jamais tu te détournes de ta croyance, je me détournerai
de toi et tu n'auras de moi ni force, ni aide, ni soutien.
Je t'abandonnerai dès l'instant où tu seras tombé dans
l'impiété.*

Quant Salemons vit les letres, si fu tant esbaïz que onques n'osa dedenz la nef entrer, ainz se trest tantost arrieres ; et la nef fu maintenant enpointe en mer et s'en
ala si grant aleure qu'il en perdi la veue en pou d'ore. Si
25 s'assist a la rive, si comença a penser a ceste chose. Si vint
une voiz qui li dist : « Salemons, li derreeins hom de ton
lignaje se [reposera] el lit que tu as fet, et savra noveles
de toi. » Et il fu molt liez de ceste chose, si esveilla sa
feme [*B^a*, f. 65d] et cels qui auvec lui estoient. Si lor conta
30 l'aventure de la nef, et fist savoir a ses privez coment sa
feme avoit mené a chief ce ou il ne savoit metre conseil.
Par ceste ceste reson que li contes vos a devisé nos a li
livres [dit] par quele reson la nef avoit esté fete et por quoi
et coment li fuisel estoient de naturel color blanc et vert et
35 vermeil sanz pointure nule. Si s'en test ore a tant li contes
et parole d'autre chose.

271. Or dit li contes que grant piece regarderent li troi
compaignon le lit et les fuisiax, et tant que il conurent
bien qu[e li fuisel] estoient de naturel color sanz pointure
nule ; si se merveilloient molt, [car il ne sorent] coment
5 ce pooit estre avenu. Et quant il les orent assez esgardé,
si lievent le drap et voient desoz la corone [d'or et desoz
la corone] une aumoniere molt riche par senblant. Et Perceval la prent, si l'ovre, et trove .i. brief dedenz. Et quant
li autre le voient, si dient [que], se Deu plest, ciz briés lor
10 enseignera et fera certein de la nef, dom ele vint et qui la
fist fere premierement. Et Percevax comence a lire ce qui
estoit el brief, tant que il lor devise la ma[ni]ere et des fuisiax [et] de la nef, tot einsi come l'estoire l'a devisé. Si n'i
ot celui qui adés ne plorast tandis com il lor contoit, car
15 de haute afere et de haute lignie lor fesoit la nef remen-

Salomon fut tellement surpris par cette inscription qu'il n'osa entrer dans la nef et se recula aussitôt. La nef alors prit le large et s'éloigna à si vive allure qu'il la perdit de vue en un instant. Il s'assit sur le rivage et se mit à réfléchir à tout ce qui était arrivé. Une voix lui parvint qui lui dit : « Salomon, le dernier homme de ton lignage se reposera sur ce lit que tu as fait et aura connaissance de toi. » Ces paroles remplirent de joie Salomon. Il réveilla sa femme et ses compagnons, leur raconta l'aventure de la nef et fit savoir à ses familiers comment sa femme avait mené à bien ce qu'il n'avait su résoudre lui-même. Par la relation que le conte vous a faite, le livre[2] vous a dit pourquoi la nef fut construite, et pourquoi les fuseaux étaient de couleur parfaitement naturelle, blanche, verte et rouge. Mais le conte abandonne ici le sujet et parle d'autre chose.

CHAPITRE XII

Le château Carcelois

271. Le conte nous dit maintenant que les trois compagnons regardèrent longtemps le lit et les fuseaux et se rendirent bien compte que leur couleur était naturelle, sans aucune peinture. Ils en furent émerveillés, car ils ne comprenaient pas comment la chose était possible. Au bout d'un long moment, ils soulevèrent le drap et découvrirent la couronne d'or et, sous elle, une aumônière de très riche apparence. Perceval la prend, l'ouvre, et y trouve une lettre. Quand ils la voient, ses compagnons disent que, s'il plaît à Dieu, cette lettre leur apprendra la vérité sur la nef, d'où elle vient et qui l'a fait construire. Perceval commence alors à la lire et leur révèle l'histoire des fuseaux et de la nef telle que le conte l'a rapportée. En l'écoutant, aucun d'eux ne put retenir ses larmes, car la nef leur rappelait une noble histoire et un haut lignage. Lorsque

brance. Quant [*B^a*, f. 66a] il lor a devisee la maniere des
fuisiax et de la nef, lors lor dist Galaaz :

– Biau seignor, or nos covient [aler] querre la pucele qui
les renges de ceste espee changera et metra unes autres :
20 car sanz ce ne doit nus remuer l'espee de ceenz.

Et il dient qu'il ne la sevent ou trover.

– Mes tote voies, font il, irons nos en la queste volentiers, que fere le covient.

272. Quant la pucele, la suer Perceval, les oï [si] demen-
ter, si lor dist :

– Biau seignor, or ne vos [esmaiez mie], que, se Deu
plest, ainz que nos departons i seront les renges mises, si
5 beles et si buenes et si riches com il covient.

Lors ovre .i. escrin qu'ele tenoit, si en tret les renges
ovrees de fil d'or et de chevels, si estoi[en]t li [chevel] si
bel et si reluisant que a poines poïst l'en conoistre le fil
d'or des chevels. Et auvec ce i avoit enbatu riches pierres
10 precioses ; si i avoit .ii. bocles d'or si riches que a poines
poïst l'en trover lor parelz.

– B[i]au seignor, fet ele, vez ci les renges que g'i doi
metre, et si vos di que ge les fis de la chose desor moi que
j'avoie plus chiere, c'est de mes chevels. Et se ge les avoie
15 chiers, ce n'estoit pas merveille, car au jor de Pentecoste
que vos fustes chevaliers, sire, fet ele [a Galaad], avoie je
encore le plus biau chief que pucele del siecle eust. Mes
si tost come je soi que ceste aventure m'estoit apareillie
et qu'il la covenoit fornir de mes chevels, si me fis tondre
20 [erranment] et en fis cez renges teles come vos [les] poez
vooir.

– E non Deu, [damoisele], fet Boorz, por ce soiez vos la
tres bien [*B^a*, f. 66b] venue. Car de grant poine nos avez
jeté, ou nos fussons entré, se ne fust ceste novele.

25 Ele s'en vient [maintenant] a l'espee, si en oste les renges d'estopes, si [i] met celes, si bien et si bel come s'ele
l'eust fet toz les jorz de sa vie. Et quant ele ot ce fet, si
demande a ses compaignons :

Perceval eut achevé la lecture de la lettre, Galaad dit à ses compagnons :

– Beaux seigneurs, il nous faut maintenant nous mettre en quête de la demoiselle qui changera le baudrier, puisque nul ne pourra emporter l'épée tant que cela ne sera pas fait.

Ils lui répondent qu'ils ne savent où trouver la demoiselle, mais que, néanmoins, ils sont prêts à partir à sa recherche puisqu'il le faut.

272. Quand la demoiselle, la sœur de Perceval, les entendit se lamenter ainsi, elle leur dit :

– Beaux seigneurs, ne perdez pas courage, car, s'il plaît à Dieu, un baudrier aussi beau, aussi bon, aussi riche qu'il convient sera attaché à l'épée avant notre départ.

Elle ouvre alors un coffret qu'elle portait et en sort un baudrier tissé de fils d'or et de cheveux. Les cheveux étaient si beaux, si brillants qu'à peine pouvait-on les distinguer des fils d'or. Et le baudrier était incrusté de magnifiques pierres précieuses et portait deux boucles d'or d'une richesse véritablement sans égale.

– Beaux seigneurs, dit la demoiselle, voici le baudrier que je dois mettre à l'épée. Je vous affirme que je l'ai fait de ce que j'avais de plus précieux sur moi, mes cheveux. Qu'ils m'aient été chers n'a rien de surprenant, car le jour de la Pentecôte où vous, Galaad, avez été fait chevalier, j'avais alors la plus belle chevelure qu'aucune demoiselle au monde ait jamais eue. Mais dès que j'ai appris que cette aventure m'était réservée et qu'il me fallait pour l'accomplir donner de mes cheveux, je les ai fait immédiatement couper pour en faire le baudrier que vous voyez là.

– Au nom de Dieu, dit Bohort, soyez la très bien venue, ma demoiselle, car vous nous avez épargné ainsi les difficultés que nous aurions certainement rencontrées.

Elle s'approche alors de l'épée, ôte le baudrier d'étoupe et y met l'autre aussi aisément que si elle avait fait cela toute sa vie. Puis elle demande aux compagnons :

– Savez vos coment ceste espee a non ?

30 – Damoisele, fon[t] il, nenil. Mes vos la nos devez nomer, ce dient les letres

– Or sachiez donc, fet ele, qu'ele a non l'Espee as estranges renges, et li fuerres a non Memoire de sanc, que
nus qui sen ait en soi ne verra ja l'une partie del fuerre,
35 qui fu fez de l'Arbre de Vie, que il ne li doie sovenir del
sanc Abel.

273. Quant il oent ceste parole, si dient a Galaaz :

– Sire, or vos prions nos que el non de Nostre Seignor
Jesucrist et por ce que tote chevalerie en soit essaucie, cei-
gniez l'Espee as estranges renges, qui tant a esté desirree
5 el roiaume de Logres, [que onques li apostre ne desirrerent tant Nostre Seignor a veoir].

Car par ceste espee quident il bien que les merveilles
de ceste terre remaignent et les aventures qui lor avienent
chascun jor perilloses.

10 – Or me lessiez, fet il, tot avant fere lo droit de l'espee,
que nus ne la doit avoir qui le pont ne poïsse enpoignier.
Dont vos porroiz vooir [que ele n'est pas moie], se g'i
fail.

Et il dient :

15 – C'est veritez.

Et il met maintenant la main au heut ; si li avint si bien
a l'enpoignier que a l'en[con]trer des doiz passa li .i. des
doiz assez l'autre. Quant li compaignon voient ceste chose, si dient [a Galaad] :

20 – Sire, ore savons nos veraiement qu'ele est vostre,
qu'il n'i puet [*B*^a, f. 66c] mes avoir nul contredit que vos
ne l'aiez.

Il met maintenant la main au fuerre, si en tret l'espee
et la regarde et la voit tant bele et tant clere que l'en s'i
25 poïst mirer ; si la prise tant qu'il ne puet onques nule rien
tant prisier com il fist celui. Et il la remist el fuerre. Et la
pucele li oste cele qui li avoit esté ceinte et li ceint l'autre
par les renges. Et dit quant ele li a ceinte au costé :

– Certes, sire, or ne me chaut il mes quant je muire, qu'il

– Savez-vous comment s'appelle cette épée ?

– Non, ma demoiselle, c'est à vous de nous donner son nom, selon l'inscription[1].

– Sachez donc que cette épée s'appelle l'Épée à l'étrange baudrier, et le fourreau, Mémoire de sang, car nul être doué de raison ne pourra voir la partie du fourreau faite du bois de l'Arbre de Vie, sans se souvenir du sang d'Abel.

273. Bohort et Perceval disent alors à Galaad :

– Seigneur, nous vous prions, au nom de Notre-Seigneur Jésus-Christ, et pour que toute la chevalerie en soit glorifiée, de ceindre l'Épée à l'étrange baudrier, cette épée plus ardemment désirée au royaume de Logres que ne le fut Notre-Seigneur par ses apôtres.

Ils pensent bien, en effet, que grâce à elle, prendront fin les merveilles de ce pays et les aventures périlleuses qu'ils rencontrent chaque jour.

– Laissez-moi, tout d'abord, dit Galaad, me soumettre à l'épreuve, car nul n'aura cette épée s'il ne peut l'empoigner. Si j'échoue, vous verrez donc qu'elle ne m'est pas destinée.

– Fort bien, disent-ils.

Galaad met alors la main sur la poignée et parvient si aisément à la prendre que ses doigts se recouvrent l'un l'autre. Voyant cela, ses compagnons lui disent :

– Seigneur, nous sommes sûrs maintenant que cette épée est vôtre, et rien ne peut s'opposer à ce que vous la portiez.

Galaad la retire alors du fourreau et quand il voit la lame si belle et si claire que l'on aurait pu s'y mirer, il l'estime tant que désormais il ne pourra rien priser davantage. Puis il remet l'épée dans le fourreau, la demoiselle lui enlève celle qu'il portait et lui ceint la nouvelle par le baudrier. Et elle lui dit :

– En vérité, seigneur, peu m'importe désormais l'heure

30 me senble que je soie la plus beneuree feme del monde,
qui ai fet chevalier le plus prodome del monde. Et bien
sachiez que vos ne l'estiez pas encore [a droit] quant vos
n'estiez garniz de l'espee qui por vos fu aportee en cest
païs.

35 — Damoisele, fet il, vos en avez tant fet que je [en] serai
vostre chevaliers tant com je vivrai mes. Et moltes merciz
de tant come vos en dites.

— Or nos poons nos, fet ele, departir de ceenz et aler en
nostre autre afere.

274. Il s'en issent tantost et vindrent a la roche. Et Percevax dit a Galaaz :

— Certes, sire, il ne sera ja mes jor que je ne sache bon
gré a Nostre Seignor de ce qu'il li plot que j'ai esté a si
5 haute aventure achever come ceste est, car ele a esté la
plus merveillose que je veisse onques.

Quant il sont venu a lor nef et il furent entré dedenz, li
venz, qui se fiert en lor voile, les ot tantost porté loig de la
roche. Et quant ce fu chose avenue que la nuiz lor sorvint,
10 si comencierent a demander li .i. a l'autre s'il estoient pres
de terre. Et chascuns dist endroit soi que il ne savoit. Cele
nuit jurent en mer, que il ne [*B^a*, f. 66d] mangierent ne
[ne] burent, come cil qui n'estoient mie de [nule] viande
garni. Si lor avint si bien qu'il arriverent l'endemain au
15 chastel que l'en apele Qarceloi qui estoit en la marche
d'Escoce. Quant il furent a terre et il orent rendu graces a
Nostre Seignor de ce qu'il les avoit si sauvement aconduiz
a l'aventure de l'espee et ramenez, il entrerent el chastel.
Et com il orent la porte passee, la pucele lor dist :

20 — Seignor, mal nos est avenu de port, car se l'en set
ceenz que nos soions de la meson lo roi Artus, l'en nos
assaudra maintenant, por ce que l'en het ceenz lo roi Artur
plus que nul home.

— Or ne vos esmaiez, damoisele, fet soi Boorz, que Cil
25 qui de la roche nos a jetez nos deliverra, se Deu plest, de
ceenz.

de ma mort, car je me considère comme la plus heureuse femme du monde, moi qui ai fait chevalier le plus noble de tous les hommes. Sachez en effet que vous n'étiez pas chevalier de plein droit tant que vous n'étiez pas ceint de l'épée qui fut apportée pour vous en ce pays.

— Ma demoiselle, répond Galaad, vous avez tant fait que je serai votre chevalier pour le restant de ma vie. Et je vous sais infiniment gré de tout ce que vous m'avez dit.

— Nous pouvons donc maintenant partir d'ici et nous rendre à notre affaire.

274. Ils sortent aussitôt de la nef et retournent vers le rocher. Et Perceval dit à Galaad :

— Seigneur, il ne se passera pas de jour que je ne remercie Notre-Seigneur de m'avoir permis de voir s'accomplir une si haute aventure, la plus extraordinaire que j'aie jamais vue.

Quand ils furent revenus à leur nef et montés à bord, le vent, frappant les voiles, les eut très vite éloignés du rocher. Et lorsque la nuit les surprit, ils se demandèrent les uns aux autres s'ils étaient près d'un rivage, mais aucun d'eux ne le savait. Ils passèrent la nuit en mer sans boire ni manger, car ils n'avaient pas emporté de vivres. Par bonheur, ils arrivèrent le lendemain à un château nommé Carcelois qui était sur la frontière[1] d'Écosse. Une fois à terre, et après avoir rendu grâce à Notre-Seigneur de les avoir conduits à l'aventure de l'épée, puis ramenés sains et saufs, ils pénètrent dans l'enceinte du château. Dès qu'ils en eurent franchi la porte, la demoiselle leur dit :

— Seigneurs, la malchance a voulu que nous abordions en ce lieu : si l'on apprend que nous sommes de la maison du roi Arthur on nous attaquera aussitôt, car les gens d'ici haïssent le roi Arthur plus que tout homme au monde.

— N'ayez crainte, ma demoiselle, dit Bohort. Celui qui nous a sauvés du rocher nous tirera d'ici, si telle est sa volonté.

275. En ce qu'il parloient a la damoisele, lor vint .i. vallez qui lor demanda :

– Seignor [chevalier], dom estes vos ?

Et il distrent qu'il estoient de la meson lo roi Artur.

5 – Voire, fet cil, par mon chief vos estes mal arrivé.

Lors s'en retorne vers la mestre forterece ; si ne demora
gaires qu'il oïrent .i. cor sonner, si que l'en le pooit oïr
de par tot le chastel. Maintenant lor vint une damoisele
devant qui lor demanda dom il estoient. Et il li dient.

10 – Ha ! seignor, fet ele lors, se vos m'en creez, si vos en
retornez. Car, se Dex me conselt, vos estes venu a vostre
mort ; et por ce [vos loeroie je] que vos en retornissiez en
droit conseil, ainz que cil de leenz vos sopreignent dedenz
les murs.

15 Et il dient qu'il ne retorneront mie.

– Donc volez vos, fet ele, morir ?

– Or ne vos esmaiez, font il. Car Cil en [*B*^*a*, f. 67a] cui
servise nos somes [entré] nos aidera.

A cez paroles voient venir par mi la mestre rue jusqu'a
20 .x. chevaliers toz armez qui lor dient qu'il se rendent ou il
les ocirront. Et cil dient que del rendre est il neenz.

– Donc estes vos alé, font cil.

Il lor lessent corre les chevax. Et cil qui gueres nes redotent, tot soient il a pié et moins que cil [ne sont, si treent
25 les espees]. Percevax feri si l'un d'els qu'il le porte a terre.
Il prent le cheval et monte sus, et autel avoit ja fet Galaaz.
Et quant il sont a cheval, si les comencent a abatre et a
ocirre ; si donent cheval a Boorz. Quant cil [del chastel] se
voient si mal mener, si tornent en fuie. Et cil les enchau-
30 cent les branz es poinz toz nuz et se fierent en la mestre
forterece.

276. Et [quant il vindrent amont en la sale, si] troverent chevaliers [et serjanz] qui s'armoient por le cri qu'il
avoient oï de cels del chastel. Et li troi compaignon, qui

275. Tandis qu'ils parlaient ainsi, un écuyer vint à eux et leur demanda :

– Seigneurs chevaliers, d'où êtes-vous ?

– De la maison du roi Arthur, répondent-ils.

– Alors je le jure, vous regretterez d'être venus.

Sur ce il retourna vers la tour principale et à peine s'était-il éloigné que les compagnons entendirent une sonnerie de cor qui retentit dans tout le château. Une demoiselle s'approcha alors d'eux et leur demanda d'où ils venaient. Quand ils le lui eurent dit, elle s'écria :

– Ah ! seigneurs, si vous m'en croyez, vous vous en retournerez car, j'en prends Dieu à témoin, vous n'échapperez pas à la mort. Je vous conseille donc, en toute bonne foi, de partir avant que les gens d'ici ne vous surprennent dans leurs murs.

Mais eux déclarent qu'ils ne partiront pas.

– Voulez-vous donc mourir ?

– Soyez sans crainte ! Celui que nous servons nous aidera.

À ce moment, ils voient venir par la rue principale une dizaine de chevaliers tout armés qui leur ordonnent de se rendre s'ils ne veulent pas mourir. Les compagnons répondent que jamais ils ne se rendront.

– Alors vous êtes perdus, disent les chevaliers en lançant leurs chevaux sur eux.

Mais les compagnons qui ne les craignent guère, bien qu'ils soient à pied et moins nombreux que leurs assaillants, tirent leurs épés. Perceval frappe l'un d'eux, le renverse à terre et lui prend son cheval. Galaad en avait déjà fait autant. Une fois en selle, ils se mettent à abattre et à tuer leurs adversaires, et donnent un cheval à Bohort. Les autres, se voyant si malmenés, prennent la fuite. Les compagnons les poursuivent, l'épée à la main, et pénètrent dans la tour principale.

276. Parvenus dans la grande salle, ils trouvent des chevaliers et des sergents[1] qui, alertés par le cri d'alarme de ceux du château, sont en train de s'armer. En voyant cela,

s'estoient feru aprés les autres tot a cheval, quant il voient
5 cels qui s'armoient, si lor corent sus [les espees tretes].
Si les vont abatant et ociant ausi come bestes mues. Et cil
deffendent lor vies au melz qu'il pueent, mes au derreein
lor covint torner les dos. Car Galaaz fet tex merveilles
d'els [et tant en ocit] qu'il ne quident mie qu'il soit hom
10 mortex, ainz quident que ce soit .i. enemis qui soit entr'els descenduz por destruire les. Et [au derrain], quant il
voient qu'il n'i porront garir, si s'en fuient par mi les huis
cil qui puent, et li autre par mi la fenestre, si se brisent
piez et janbes. Et quant li compaignon voient le palés de-
15 livré, si regardent les cors qu'il avoient ocis, si se tienent a
molt pecheors de ceste ovraigne [*B^a*, f. 67b], et dient qu'il
ont mal esploitié de ce qu'il ont ocis tant de gent.

– Certes, fet Boorz, je ne quit mie que se Nostre Sires les amast [de riens], que il fussent si martirié com il
20 sont. Mes il ont esté par aventure aucune jent renoiee et
malooite et ont tant mesfet vers Nostre Seignor qu'il ne
voloit pas que il regnassent plus. Por ce, si nos i envoia ça
Nostre Sires por els destruire.

– Vos ne dites mie bien, fet Galaaz. Por ce, s'il mesfi-
25 rent a Nostre Seignor, n'en estoit mie nostre la venjance
a prendre, mes a Celui qui tant atent que li pechierres se
reconoisse. Por ce vos di je que je ne serai ja mes aese devant que g'e[n] sache [veraies] noveles de ceste ovre que
nos avons fete, s'il plest a Nostre Seignor.

277. En ce que il parloient einsi vint .i. prodons [d'une]
des chambres de leenz, qui estoit prestres, si estoit vestuz
de robe blanche, et portoit *corpus Domini* en .i. calice. Et
com il voit cels qui gisoient iluec, si en fu toz esbahiz. Cil
5 se tret arriere, [come cil] qui ne set qu'il doie fere, quant
il voit tele plenté d'[omes] morz. Et Galaaz, qui bien avoit
veu ce que li preuduens portoit, oste son hiaume encontre
sa venue, si set bien qu'il a poor. Si fet arester ses conpaignons et vient au prodome, si le salue et li dit :
10 – Sire, por quoi estes vos retornez. Vos n'avez garde de
nos.

les trois compagnons qui avaient poursuivi à cheval leurs adversaires, leur courent sus, l'épée au poing, les abattent et les tuent comme bêtes muettes. Les autres défendent leur vie du mieux qu'ils peuvent mais, à la fin, force leur est de prendre la fuite, car Galaad fait de tels exploits et en tue un si grand nombre qu'ils ne pensent pas que ce soit un être humain, mais un démon descendu parmi eux pour les détruire. Enfin, jugeant la situation désespérée, ils s'enfuient, ceux qui le peuvent par les portes, les autres par les fenêtres, en se brisant les pieds et les jambes. Quand les compagnons voient le château délivré, ils regardent les corps de leurs adversaires et se tiennent pour de très grands pécheurs, se disant qu'ils ont bien mal agi en tuant tant de gens.

– Certes, dit Bohort, je ne pense pas que Notre-Seigneur les ait aimés pour les avoir ainsi laissé massacrer. Ils furent sans doute des renégats, des êtres maudits qui avaient tant offensé Dieu qu'Il n'a pas voulu qu'ils vivent plus longtemps, et Il nous a donc envoyés ici pour les détruire.

– Ce que vous dites n'est pas tout à fait juste, répond Galaad. S'ils ont péché envers Notre-Seigneur, ce n'était pas à nous d'exercer la vengeance, mais à Celui qui attend que le pécheur reconnaisse ses fautes[2]. C'est pourquoi, je vous le dis, je n'aurai de paix que lorsque je saurai la vérité sur ce que nous venons de faire, s'il plaît à Notre-Seigneur de me la faire connaître.

277. Sur ces entrefaites, un homme revêtu d'une robe blanche vint d'une des chambres. C'était un prêtre, et il portait *Corpus Domini* dans un calice. À la vue de tous les morts qui gisaient là, il demeure tout interdit, puis recule, ne sachant que faire. Galaad qui avait bien vu ce qu'il portait, ôte son heaume, comprenant qu'Il a peur. Il fait signe à ses compagnons de ne pas bouger, s'approche du prêtre, le salue, et lui dit :

– Seigneur, pourquoi avez-vous reculé ? Vous n'avez rien à craindre de nous.

– Qui estes vos, donc ? fet li preudons.

– Sire, fet il, je sui de la meson lo roi Artur.

15   Et quant il ot ce, si est toz asseurez de la grant poor qu'il
a eue. Lors s'assiet et si demande a Galaaz [qu'il li conte]
coment cil chevalier ont esté ocis. Et il li conte coment
[*B^a*, f. 67c] [il] troi, compaignon de la Queste, estoient
leenz venu et coment il furent assailli, mes sor cels de
leenz est tornee la desconfiture, si com l'en puet vooir.

20   Quant li preudons oï ce, si dist :

– Sire, [sachiez que] vos avez fet la meillor ovre que
onques chevalier feissent, que se vos viviez autant com li
siecle durera, ne quit ge mie que vos poïssiez fere autressi
grant aumosne come ceste est. Et ge sai bien que Nostre

25   Sires vos i envoia por iceste ovre, qu'il n'avoit gent el siecle qui tant haïssent Nostre Seignor come [li] troi frere qui
tenoient cest chastel. Et par lor grant desloiauté avoient
il tel atorné [cels de] cest chastel qu'il estoient paior que
Sarrazin, ne ne fesoient rien qui ne fust contre Deu.

30   – Sire, fet Galaaz, je me repentoie molt [de ce] que
j'avoie esté a cls ocirre, por ce que crestien me resen-
bloient.

278. – Onques ne vos en repentez, fet li preudons, mes
bel vos en soit. Car je vos di veraiement que d'els ocirre
vos set Nostre Sires buen gré, qu'il n'estoient pas crestien,
mes les plus desloiaus jenz que je onques mes veisse ; si

5   vos dirai coment je le sai.

« De cest chastel ou vos estes orendroit estoit sires et
mestres li quens Ernols or a .i. an. Si avoit .[i]ii. fiz, assez
buens chevaliers as armes, et une fille la plus bele feme
que l'en seust. Cil troi frere si amoie[nt] lor seror de si

10   fole amor qu'il en eschauferent et jurent a li et la despu-
celerent ; et por ce [qu'ele fu si hardie] qu'ele s'en [*B^a*,
f. 67d] clama a son pere, si l'ocistrent. Et quant li quens
vit cele desloiauté, si les volt chacier d'entor lui, mes il
ne le sofrirent mie, ainz pristrent lor pere et batirent et

15   navrerent et l'eussent ocis se ne fussent .ii. de ses neveuz
qui le rescostrent. Il pristrent lor pere, si le mistrent en pri-

– Qui donc êtes-vous ? demande le prêtre.

– Je suis, seigneur, de la maison du roi Arthur.

À cette nouvelle le prêtre se remet aussitôt de sa peur. Il s'assied et demande à Galaad de lui dire comment ces chevaliers ont été tués. Galaad lui raconte alors comment eux trois, compagnons de la Quête, étaient arrivés dans l'enceinte et avaient été assaillis ; le combat, comme on pouvait le voir, s'était achevé par la défaite de ceux du château.

– Seigneur, lui dit alors le prêtre, sachez que vous avez fait la meilleure action que firent jamais chevaliers, et si vous deviez vivre jusqu'à la fin du monde, je ne pense pas que vous puissiez faire une œuvre plus charitable que celle-ci. C'est Notre-Seigneur, je le sais, qui vous a envoyé pour l'accomplir, car personne au monde ne haïssait Notre-Seigneur autant que les trois frères qui tenaient ce château. Dans leur grande déloyauté, ils avaient si bien corrompu les gens d'ici qu'ils étaient pires que des Sarrasins et ne faisaient rien qui ne fût contre Dieu.

– Seigneur, dit Galaad, je me repentais beaucoup de m'être laissé aller à les tuer, car je les prenais pour des chrétiens.

278. – Ne vous en repentez pas, dit le prêtre, mais soyez-en heureux. Notre-Seigneur, croyez-moi, vous sait gré de les avoir tués, car ce n'étaient pas des chrétiens, mais les gens les plus perfides que j'aie jamais vus, et je vais vous dire comment je le sais.

« Il y a un an, ce château appartenait au comte Hernoul. Il avait trois fils, assez bons chevaliers, et une fille, la plus belle jeune fille que l'on connût. Les trois frères se prirent pour leur sœur d'une passion folle et s'échauffèrent tant qu'ils lui firent violence. Et parce qu'elle avait eu le courage de se plaindre à son père, ils la tuèrent. Instruit de leur forfait, le comte voulut chasser ses fils, mais eux résistèrent ; ils se saisirent de lui, le frappèrent, le blessèrent et l'auraient même tué si deux de ses neveux ne l'avaient secouru. Ils le mirent alors en prison. Ensuite ils se livrè-

son. Lors encomencierent a fere totes les desloiautez del
monde, qu'il ocioient prestres et clers et moines et abez,
et firent abatre chapeles et mostiers qui en cest chastel
20 estoient. Et que vos diroie ge ? Il ont tant fet de desloiauté
puis .i. an en ça que c'est merveille que li chasteax n'est
fonduz pieça. Hui matin avint que lor pere, qui gist en
ceste prison el mal de la mort, [si com je cuit], me manda
que ge venisse a vos parler [einsi garnis come vos veés].
25 Et g'i vig molt volentiers, com a celui que gie avoie molt
amé. Mes si tost com [il] me virent, si me firent tant de
honte que nul Sarrazin ne m'en feissent tant, se il ne me
tuassent. Et ge le soffri molt volentiers por amor del Haut
Seignor en cui despit il le fesoient. Et quant je fui venuz
30 en la prison ou li quens estoit, et je li oi dite la honte qu'il
[m']avoient fete, il me respondi : "Ne vos chaille, que
vostre honte et la moie sera venchie par les trois serjanz
Damedeu, ce [m'a] mandé li Verais Sires." Et par ceste
parole poez vos bien savoir que Nostre Sires ne se corroce
35 mie de cestui afere dont vos avez poor, ains sachiez qu'il
vos envoia proprement por els ocirre et por els descon-
fire ; et vos [*B*^a, f. 68a] en verrez encor encui signe plus
apert que vos n'avez encore veu.

279. Lors apele Galaaz ses compaignons et lor conte
les noveles que li preudons li avoit dites, que les genz de
leenz, [qu'il avoient occis], estoient li plus desloial del
siecle ; et lor fet savoir la novele de lor pere qu'il tenoient
5 en prison. Quant Boorz l'entent, si dit a mon seignor Galaaz :
— Sire, fet il, je vos disoie bien que Nostre Sires nos i
avoit envoié por prendre sa venjance [d'eus].
— Certes, se Deu ne pleust, ja tant d'omes n'eussons
10 ocis en si po d'ore.
Lors firent le conte Ernol metre hors de la prison ; et
quant il fu amont en la grant sale, si le troverent el point
de la mort. Et neporqant, si tost com il vit Galaaz, le conut
il bien, non mie por ce qu'il l'eust autre foiz veu, mes por

rent à tous les crimes du monde, tuant prêtres et clercs, moines et abbés, et faisant abattre les chapelles et les églises du château. Que vous dirai-je de plus ? Ils ont commis tant de crimes en l'espace d'un an qu'il est même étonnant que le château n'ait pas été détruit depuis longtemps. Il se trouve que ce matin, leur père, qui gît en prison et qui est, semble-t-il, sur le point de mourir, me demanda de venir lui[1] parler, vêtu comme vous me voyez. J'y allai bien volontiers, car je l'avais beaucoup aimé. Mais, dès que ses fils me virent, ils me traitèrent avec plus de mépris que ne l'auraient fait des Sarrasins, à moins que ceux-ci ne m'eussent tué. J'endurai tout cela sans me plaindre pour l'amour du Haut Maître qu'ils insultaient ainsi. Une fois arrivé auprès du comte dans sa prison, je lui racontai les affronts qu'ils m'avaient fait subir et il me dit : "Ne vous en souciez pas ; ma honte et la vôtre seront vengées par trois serviteurs de Dieu, comme le Seigneur de Vérité me l'a fait savoir." Cette parole doit vous faire comprendre que Notre-Seigneur ne s'irrite pas de l'action que vous regrettez d'avoir commise, mais que c'est Lui-même qui vous a envoyés pour les vaincre et les tuer. Et vous en verrez aujourd'hui un signe plus manifeste encore.

279. Galaad appelle alors ses compagnons et leur fait part de ce que lui avait dit le prêtre : que ceux qu'ils avaient tués étaient les hommes les plus déloyaux du monde. Il leur apprend également qu'ils tenaient leur père prisonnier. Quand Bohort entend cela, il dit à Galaad :

– Seigneur, ne vous avais-je pas dit que Notre-Seigneur nous avait envoyés ici pour exercer sa vengeance sur eux ?

– Certes, répond Galaad, s'Il ne l'avait pas voulu ainsi, jamais nous n'aurions tué tant d'hommes en si peu de temps.

Ils firent tirer le comte Hernoul de sa prison et, quand on l'eut transporté dans la grande salle, ils s'aperçurent qu'il approchait de sa fin. Pourtant, dès qu'il vit Galaad, il le reconnut, non qu'il l'eût déjà vu, mais parce que Notre-

15 ce que par la vertu Nostre Seignor li avint. Lors comença
[li quens] a plorer molt tendrement et dit :

– Sire, molt avons atendu vostre venue, et tant, Deu
merci, qe nos l'avons ore. Tenez moi por Deu en vostre
devant, si que l'ame de moi s'esjoïsse de ce que li cors
20 sera deviez sor si prodome come vos estes.

280. Et il fet ce qu'il li requiert molt volentiers. Et quant
il li a mis son chief sor son piz, si clot li quens les euz et
s'acline com cil qui la mort traveilloit et dit :

– Biau sire Dex, a toi comant je m'ame et mon esperit !
5 Lors s'acline del tot et demore une grant piece [ensi]
tant qu'il quident bien qu'il soit morz. Et neporquant il
parole a chief de piece et dit :

– Galaaz, ce te mande li Hauz Mestres qui tu es serjanz,
que tu l'as hui [si] bien venchié de ses enemis [B^a, f. 68b]
10 [que la compaignie des angles s'en esjoïst]. Or covient
que tu ailles chiés lo Roi Mehaignié au plus tost que tu
porras, por ce qu'il reçoive la santé qu'il a tant atendue,
qu'il doit en ta venue recevoir. Et departez vos entre vos
trois si tost com aventure vos vendra.

15 A tant se tut qu'il ne parla plus. Maintenant li parti
l'a[m]e del cors. Et quant cil del chastel qui remés estoient
ont veu le conte morir, si firent molt grant duel, come cil
qui molt l'avoient amé. Et quant li cors fu enseveliz si
noblement com l'en devoit fere si haut home com il estoit,
20 l'en fist savoir par tot le païs la novele qu'il estoit mort ;
si vindrent errant tuit li rendu qui iluec pres estoient, si
enfoïrent le cors en .i. hermitaje.

A l'endemain s'en partirent li troi compaignon de leenz
et se mistrent en lor chemin, et tot adés aloit auvec els la
25 suer Perceval. Si chevauchierent tant que il vindrent a une
forest. Et quant il furent en la forest, si [regarderent devant
els et] virent [venir] le cerf que li .iiii. lion gardoient que
Percevax avoit ja autre foiz veu.

– Galaaz, fet Percevax, or poez vooir merveilles. Par

Seigneur lui en donna le pouvoir. Il se mit alors à pleurer tendrement et dit à Galaad :

— Seigneur, nous vous avons longuement attendu, et vous voici près de nous ; que Dieu en soit remercié. Mais, au nom de Dieu, serrez-moi contre vous afin que mon âme se réjouisse de ce que mon corps meurt dans les bras d'un homme aussi noble que vous.

280. Galaad accepte de grand cœur. Il appuie la tête du comte sur sa poitrine ; sous l'étreinte de la mort, le comte ferme les yeux et se laisse aller. Puis il dit :

— Beau seigneur Dieu, je te recommande mon âme et mon esprit[1].

Il s'affaisse alors et demeure si longtemps ainsi que tous le croient mort. Pourtant, au bout d'un moment, il retrouve l'usage de la parole et dit :

— Galaad, le Haut Maître, dont tu es le serviteur, te fait dire que tu l'as si bien vengé aujourd'hui que la compagnie des anges s'en réjouit. Il faut maintenant que tu te rendes le plus vite possible chez le Roi Mehaignié pour qu'il reçoive la guérison qu'il attend depuis si longtemps et qui dépend de ta venue. Et séparez-vous tous les trois dès qu'une aventure se présentera à vous.

Il se tut alors, et aussitôt son âme quitta son corps. Et quand ceux qui étaient encore dans le château virent mourir le comte, ils menèrent grand deuil car ils l'avaient beaucoup aimé. Après qu'on l'eut enseveli avec tous les honneurs dus à un homme de si haut rang, on fit connaître dans tout le pays la nouvelle de sa mort ; et tous les moines des environs vinrent immédiatement chercher le corps pour l'enterrer dans un ermitage.

Le lendemain, les trois compagnons se remirent en route, toujours accompagnés de la sœur de Perceval, et chevauchèrent jusqu'à ce qu'ils arrivent à une forêt. Lorsqu'ils y furent entrés, ils virent venir vers eux le Cerf Blanc gardé par quatre lions[2], celui que Perceval avait déjà vu une fois[3].

— Galaad, dit Perceval, vous voyez là une bien grande

30 mon chief onques mes ne vi aventure si merveilleuse, car
ge voi apertement que cil lion conduisent et gardent cel
Cerf ; et c'est une chose dont je ne seré ja mes aese tant
que g'en sache la verité.

— E non Deu, fet Galaaz, ausi le desirre je molt a savoir.
35 Or alons donc aprés [lui], et si le sivon [*B^a*, f. 68c] tant
que nos sachon son repere. [Car je cuit que ceste aventure
soit de par Dieu.

Et il l'otroient].

281. Lors s'en vont aprés le Cerf tant qu'il vindrent en
une valee. [Et lors regardent devant els], si voient en une
petite broce .i. hermitage ou .i. prodons [viex et] ancien
manoit. Li Cers entre leenz et li lion ausi. Li chevalier
5 [qui les sivoient] descendent [quant il vindrent pres de
l'ermitage]. Et vont a la chapele, et voient le prodome revestu [des armes Nostre Seignor], qui voloit chanter la
messe del Saint Esperit. [Et quant li compaignon voient
ce, si dient qu'il sont bien venu a point]. Lors vont oïr la
10 messe [que li preudons chanta]. Et quant il vint el secré
[de la messe, il s'esmerveillerent assez plus qu'il ne firent
onques mais de rien qu'il veissent. Car il] virent [aperte-
ment, ce lor fu avis], que li Cers devint hom [propres], et
sist sus l'autel en .i. siege [molt] bel et [molt] riche. Aprés
15 virent que li .iiii. lion furent mué li .i. en forme d'ome, et
li autres en forme de lion, et li autres en forme d'aigle, et
li quarz en forme de buef ; [et avoient tuit .iiii. eles granz
et merveilleuses, par quoi il poïssent voler, se il pleust
a Nostre Seignor]. Il pristrent le siege la ou li prodons
20 sooit, li .ii. as piez et li autre .ii. au chief, [car ce estoit une
chaiere] ; et oissirent par une verriere, [qui laienz estoit],
si que onques n'en fu [malmise ne] enpirie. Et com il s'en
furent alé, cil dedenz n'e[n] virent mes rien. Lor oïrent
une voiz qui dist :
25 — Einsi entra li fiz Deu en la [beneoite] Virge, que onques sa virginité n'e[n] fu corrompue [ne malmise].

282. Com il oïrent ce, si chient a terre tuit estordi. [Car

merveille. Jamais, je le jure, je n'ai vu une aventure aussi extraordinaire, car il est bien évident que les lions conduisent et gardent le Cerf. Je ne serai jamais satisfait avant d'en savoir la vérité.

– Par Dieu, dit Galaad, je voudrais bien moi aussi le savoir. Suivons-le donc jusqu'à ce que nous découvrions son gîte. Car je ne doute pas que cette aventure ne vienne de Dieu.

Ses compagnons l'approuvent.

281. Ils suivent le Cerf jusqu'à ce qu'ils arrivent dans une vallée et là, devant eux, ils aperçoivent, dans un petit bosquet, un ermitage où vivait un ermite de très grand âge. Le Cerf y pénètre suivi par les lions, et les chevaliers mettent pied à terre devant l'ermitage. Puis ils se rendent à la chapelle où ils trouvent l'ermite, revêtu des armes de Notre-Seigneur, qui s'apprêtait à célébrer la messe du Saint-Esprit. Voyant cela, les compagnons se disent qu'ils arrivent au bon moment et s'avancent pour écouter l'office que chanta l'ermite. Au moment de la secrète[1], leur étonnement fut le plus grand qu'ils aient jamais ressenti. Ils virent, très distinctement, leur sembla-t-il, le Cerf se changer en homme et s'asseoir sur l'autel, sur un siège magnifique, tandis que les quatre lions étaient changés l'un en homme, l'autre en lion, le troisième en aigle et le quatrième en bœuf[2]. Tous les quatre avaient de grandes et magnifiques ailes qui leur auraient permis de voler si Dieu l'avait voulu ainsi. Ils prirent le siège, – c'était un trône – où était assis l'homme, deux par les pieds, les deux autres par le haut du dossier, et sortirent à travers une verrière de la chapelle sans la briser ni l'endommager. Lorsqu'ils furent partis, les compagnons ne virent plus rien, mais ils entendirent une voix qui leur dit :

– C'est ainsi que le Fils de Dieu entra en la bienheureuse Vierge Marie sans que sa virginité en souffrît.

282. À ces mots, ils tombèrent à terre tout étourdis, car

la voiz lor ot donee si grant clarté et si grant escrois que il
lor fu bien avis que la chapele fu cheue]. Et com il furent
revenu [en lor force et en lor pooir], il virent le prodome
5   qui se desvestoit [com cil qui avoit la messe chantee]. Lors
[vindrent a lui et] li requistrent por Deu qu'il lor deist la
senefiance de ce qu'il avoi[en]t veu.

– Que avez vos veu ? fet il

– Sire, nos avons veu .i. cerf que nos sivons [changier
10 forme et] devenir home, et ausi firent .iiii. lion qui le
conduisoient.

Quant li prodons l'oï, si [lor] dist :

– [Ha] ! seigneur, bien soiez vos venu. Or sai ge bien,
[a ce que vos me dites] qe vos estes des prodomes, [des
15 vrais chevaliers] de la Queste qui les aventures del Graal
acheveront [et sofferont les grans peines et les granz tra-
vaus por mener les a fin]. Vos estes cil a cui Nostre Sires
mostra ses secrez [et ses repostailles. Si vos en a mostré
partie] ; que [en] ce qu'il se mua de cerf en home celestiel,
20 [qui n'est pas mortex], vos mostra il la venjance qu'il fist
en la Croiz : [la ou il estoit coverz de coverture terriene,
[ce est de char mortel, veinqui il en morant la mort et
ramena nostre vie. Et bien doit estre senefiez par le cerf.
Car tot ausi come li cers, quant il est vieuz, se rajouvenist
25 en lessant son cuir et son poil en partie, tout ausi revint
Jhesucrist de mort a vie, quant il lessa le cuir terrien, ce
fu la char mortel qu'il avoit prise ou ventre de la beneoite
Virge. Et] por ce [que en ce beneoit Seignor n'ot onques
tache de pechié terrien], vos aparut il en senblance de cerf
30 [blanc sans tache]. Et par cels qui estoient en sa compaignie devez vos entendre les .iiii. [*B^a*, f. 68d] evangelistes,
[boneurees persones] qui mistrent en escrit [partie d]es
ovres Jesucrist, qu'il fist tant com il fu en terre [com homs
terriens]. Si sachiez que onques mes chevaliers n'e[n] sot
35 [la verité ne] que ce pot estre. Si s'est [li bons eurés], li
Hauz Sires par mainte foiz mostré en ceste terre as prodomes [et as chevaliers] en tel senblance [comme de cerf] et
en tel compaignie come de .iiii. lions [por ce que cil qui
le veissent i preissent essample]. Mes bien sachiez [que

la voix avait été accompagnée d'une lumière et d'un bruit si éclatants qu'ils avaient bien cru que la chapelle s'écroulait. Lorsqu'ils furent revenus à eux, ils virent que l'ermite se dévêtait, sa messe finie. Ils allèrent vers lui et lui demandèrent, au nom de Dieu, de leur dire la signification de ce qu'ils avaient vu.

– Qu'avez-vous donc vu ? dit-il.

– Seigneur, nous avons vu un cerf – que nous suivions – changer de forme et devenir un homme, et quatre lions, qui le conduisaient, se métamorphoser eux aussi.

– Ah, seigneurs, leur dit alors l'ermite, soyez les bienvenus. Je sais maintenant, d'après ce que vous me dites, que vous faites partie des hommes de haute vertu, des vrais chevaliers de la Quête qui mèneront à bonne fin les aventures du Graal après avoir enduré bien des peines et des souffrances. Vous êtes ceux à qui Notre-Seigneur a révélé ses secrets et ses mystères. Et Il vient de vous en révéler une partie : en se changeant de cerf en homme céleste et non mortel, Il vous a montré la revanche qu'Il prit sur la Croix lorsque, revêtu d'une enveloppe terrestre, sa chair mortelle, Il vainquit la mort en mourant et nous rendit la vie. Cela est bien signifié par le cerf. En effet, de même que le cerf, quand il est vieux, se rajeunit en abandonnant une partie de sa peau et de son poil, de même Jésus-Christ revint de la mort à la vie quand il laissa son enveloppe terrestre, c'est-à-dire la chair mortelle, qu'il avait revêtue dans le ventre de la bienheureuse Vierge. Et parce qu'il n'y eut jamais en Lui trace de péché terrestre, Notre-Seigneur vous apparut sous la forme d'un cerf blanc sans tache. Quant à ceux qui l'accompagnaient, ce sont les quatre évangélistes, personnes bienheureuses, qui mirent par écrit une partie des actes qu'accomplit Jésus-Christ tant qu'il prit chair et vécut ici-bas. Et nul chevalier, sachez-le, n'a jamais pu connaître la raison et le sens de cette apparition. Pourtant, le Très-Haut s'est maintes fois montré sur cette terre aux êtres vertueux et aux chevaliers sous la forme d'un cerf, et accompagné des quatre lions, pour que ceux qui le voient en tirent un enseignement. Mais

40　des or en avant] ne sera nus qui ja mes en tel semblance
le voie.

283. Quant il oïrent ce, si plorent de joie et rendent graces a Deu de ce qu'il lor a mostré [ceste chose] si apertement. Tot le jor furent leenz auvec le prodome. Et l'endemain com il orent oï messe et il durent movoir, Percevax
5　prist l'espee Galaaz [qu'il avoit lessiee et dist qu'il la porteroit des ore en avant], et lessa la soe [chiés le prodome].
Com il furent de leenz parti et il orent chevauchié jusqu'a
midi, si aprochent d'un chastel fort et bien seant, [et] si n'i
entrent mie, por ce que lor chemin torne d'autre part. Com
10　il furent .i. pou esloignié de la [maistre] porte, si voient
aprés els venir .i. chevalier tot armé qui lor dist :

– Seignor, ceste damoisele que vos menez [avec vos] est
ele pucele ?

– Oïl, fet Boorz, [pucele est ele, voirement le sachiez].

15　Et quant cil l'oï, si [gete la main et] la prent au frain et
dit :

– [Par sainte Crois], vos ne m'eschaperez tant que vos
aiez rendu la costume de ceenz.

Et [quant] Perceval [voit qu'il tient sa suer en tel ma-
20　niere, si l'en poise molt et li] dit :

– Sire chevalier, vos n'estes pas sages [de ce dire], que
pucele, ou qu'ele vienne, est quite de totes costumes,
[meismement si gentil femme come ceste, qui fu fille de
roi et de reine].

25　Tandis com il parloient einsi, oissirent del chastel [jus-
qu'a] .x. chevaliers toz armez, et auvec els venoit une pucele qui tenoit une escuele d'argent [en sa main]. Et [cil]
dient as [.iii.] compaignons :

– Biau seignor, il covient [a fine force] que ceste pucele
30　[que vos menez] rende la costume del chastel.

284. Et Galaaz demande quele costume ce est.

– Sire, fet [li uns des chevaliers], il convient que chas-

sachez aussi que désormais nul ne le reverra sous cette
apparence.

283. En entendant ces paroles, les compagnons versè-
rent des larmes de joie et rendirent grâce à Dieu de leur
avoir montré si clairement ce mystère. Ils demeurèrent
tout le jour avec l'ermite. Le lendemain, après la messe,
quand ils furent sur le point de partir, Perceval prit l'épée
que Galaad avait laissée et dit qu'il la porterait désormais.
Il laissa la sienne chez l'ermite. Une fois partis, ils chevauchèrent jusqu'à midi et arrivèrent près d'un château
fort, très bien situé, mais ils n'y entrèrent pas, car leur
chemin conduisait ailleurs. Ils étaient déjà à quelque distance de la porte principale lorsqu'ils furent rattrapés par
un chevalier armé qui leur dit :

– Seigneurs, cette demoiselle qui vous accompagne est-
elle vierge ?

– Oui, répond Bohort, elle l'est, soyez-en certain.

À ces mots, le chevalier tend la main et saisit le cheval
de la demoiselle par le mors.

– Par la Sainte Croix, dit-il, vous ne m'échapperez pas
avant d'avoir satisfait à la coutume de ce château.

Perceval, fort irrité de le voir ainsi retenir sa sœur, lui
répond :

– Seigneur chevalier, ce que vous dites-là n'est pas raisonnable. Car, où qu'elle aille, une demoiselle n'est tenue
de satisfaire à aucune coutume, surtout si elle est d'aussi
noble race que celle ci, fille de roi et de reine.

Tandis qu'ils échangeaient ces paroles, dix chevaliers
tout armés sortirent du château, accompagnés d'une demoiselle qui tenait à la main une écuelle d'argent. Ils dirent aux trois compagnons :

– Beaux seigneurs, il faut absolument que cette demoiselle que vous accompagnez se plie à la coutume du château.

284. – Et quelle est cette coutume ? demande Galaad.

– Beau seigneur, répondit un des chevaliers, toute jeune

cune pucele qui par ci passe nos doinst pleine ceste escuele del sanc de son braz destre, ne nule n'i passe qui ne
5 s'en aquit.

— Dahaz ait, fet Galaaz, [fauz chevaliers], qui ceste costume [*B^a*, f. 69a] establi, [car certes ele est mauvese et
vilaine. Et se Diex me conseut, asseur poez estre que], a
ceste pucele avez vos failli ; car tant com je vive et ele me
10 croie, ne vos rendra ele ce que vos li requerez.

— Par foi, fet Perceval, je vodroie meuz estre morz.

— Et je ausi, fet Boorz.

— Et autel dit Galaaz.

Et li chevalier dient :

15 — Dont en morroiz vos, que vos n'i poez durer, se vos
estiez li meilleur chevalier del monde.

Lors lessent corre li un as autres. Si avint que li troi
compaignon abatirent les .x. chevaliers ainz que lor glaives fussent depeciez. Il metent les mains as espees, si les
20 ocient et abatent ausi come [se ce fussent] bestes mues. Si
les eussent ocis [assés legierement], quant cil del chastel
saillirent jusqu'a .xl. [chevaliers] toz armez qui les seco-
rent. Et devant els vient .i. viel home qui lor dit :

— [Ha ! biau] seignor, aiez merci de vos [meismes, et
25 ne vos fetes pas ocirre] ; que trop seroit grant domages se
vos estes ocis [car trop estes prodom et bon chevalier]. Si
vos vodroie prier, ainz que vos en feissiez plus, que vos
rendissiez ce que l'en vos demande.

— Certes, fet Galaaz, por neent en parlez, que ja ne vos
30 sera rendue [tant com ele m'en croie].

— Coment, fet il, volez vos [donc] morir ?

— Nos ne somes encor pas venu jusque la, fet Galaaz.
Certes je vodroie melz morir que rendre tel desloiauté
come vos demandez.

285. Lors comence la mellee [grant et merveilleuse,
si ont les trois compaignons assailliz et d'une part et
d'autre]. Et Galaaz, qui tint l'Espee as estranges renges,
fiert a destre et a senestre et ocit tot ce qu'il ateint, et [fait

fille qui passe par ici doit remplir cette écuelle du sang de son bras droit et nulle ne peut s'y soustraire.

– Ah ! faux chevalier, dit Galaad, maudit soit celui qui a établi cette coutume, car elle est honteuse et cruelle, Et, que Dieu m'assiste, vous pouvez être sûr que dans le cas de cette demoiselle vous n'arriverez pas à vos fins. Tant que je serai en vie et qu'elle aura confiance en moi, elle ne vous donnera pas ce que vous demandez.

– Par ma foi, dit Perceval, je préférerais être tué.

– Moi aussi, dit Bohort.

– Et moi de même, dit Galaad.

– Alors, disent les chevaliers, vous mourrez, car vous ne pourriez nous résister quand bien même vous seriez les meilleurs chevaliers du monde.

Ils s'élancent alors les uns contre les autres. Les trois compagnons portent à terre les dix chevaliers avant même d'avoir brisé leurs lances. Puis, tirant leurs épées, ils les abattent et les tuent comme s'ils étaient des bêtes muettes. Ils auraient facilement triomphé d'eux si quarante chevaliers tout armés n'étaient accourus du château pour les aider. À leur tête venait un vieil homme qui dit aux compagnons :

– Ah ! beaux seigneurs, ayez pitié de vous-mêmes et ne vous faites pas tuer. Ce serait un grand malheur, car vous êtes des preux et de bons chevaliers. Aussi je vous prierai, avant que vous en fassiez davantage, d'accorder ce que l'on vous demande.

– Il serait vain d'insister, répond Galaad. Jamais la demoiselle ne se soumettra à la coutume tant qu'elle me fera confiance.

– Comment ? Vous voulez donc mourir ?

– Nous n'en sommes pas encore là, dit Galaad. Mais je préférerais mourir que de permettre une telle infamie.

285. La mêlée commence alors, d'une violence extraordinaire. Les compagnons sont attaqués de toutes parts, mais Galaad qui tient l'Épée à l'étrange baudrier, frappe à droite et à gauche, tue tout ce qu'il atteint, et fait de telles

5　itiex merveilles qu'il n'est nus homs qui le veist qui cuidast qu'il fust homs terriens, mes aucuns monstres. Si vet
toz jors avant en tel maniere que onques ne retorne, mais]
conquiert place sor ses enemis. Et ce li valt molt que si
compaignon li sont a destre et a senestre, si que nus ne
10　puet avenir a lui fors par devant.

　　Einsi dura la bataille jusqu'a la nuit, [que li troi compaignon n'en orent onques le peor ne onques n'en perdirent
place]. Et tant se tindrent li troi compaignon que la nuiz
fu venue [noire et oscure], qui [a force] les fist departir ;
15　si que cil del chastel distrent qu'il [lor] covenoit la mellee
lessier. Lors vint as trois compaignons li veuz hom, qui
autre foiz i avoit parlé, et [lor] dist :

　　– Seignor, nos vos prion [par amor et par cortoisie] que
vos venez anuit herbergier auvec nos [*B^a*, f. 69b]. Et [nos
20　vos creanton loialment sor quant que nos tenon de Deu
que] le matin vos metron en autel point [et en tel estat]
com vos estes orendroit. Et savez vos por quoi je le di ?
Je sai bien [veraiement] que si tost com vos savroiz la
verité de ceste chose, vos acorderez bien a ce que la
25　pucele face ce que nos li requeron.

　　– Seignor, fet la pucele, alez i, puis qu'il vos en prient.

　　Et il s'i acordent [maintenant]. Lor[s] donent trives [li
un as autres] et vont tuit ensenble el chastel. [Si ne fu onques si grant joie fete come cil de leienz firent as trois
30　compaignons]. Et com il furent descendu, si les firent
desarmer et lor donerent a mangier.

　　286. Quant il orent mangié, si demanderent coment ceste costume avoit [laiens] esté establie et por quoi. Et li .i.
de cels qui iluec estoit lor dist tantost :

　　– [Ce vos dirons nos bien]. Voirs est, fet il, qu'il a ceenz
5　une pucele a cui nos somes [et tuit cil de cest païs, et
cist chastiax est suens et maint autre]. Si chaï or a .ii.
anz en une maladie [par la volenté Nostre Seignor. Et
quant ele ot grant piece langui, nos regardames quel maladie ele avoit. Si veismes que ele estoit pleine del mal]

prouesses que quiconque l'aurait vu aurait pensé que ce n'était pas un homme mortel, mais quelque monstre. Il va toujours de l'avant, sans jamais reculer d'un pas, et gagne du terrain sur ses ennemis, aidé en cela par ses compagnons qui se tiennent à sa droite et à sa gauche de sorte qu'il ne peut être assailli que de face.

La bataille dura jusqu'à la nuit sans que les trois compagnons aient jamais le dessous ou cèdent du terrain. Ils continuèrent ainsi à résister, mais quand la nuit tomba, noire et profonde, les combattants furent obligés de se séparer, et ceux du château déclarèrent qu'il fallait abandonner le combat. Le vieillard qui avait déjà parlé aux trois compagnons revint vers eux et leur dit :

– Seigneurs, nous vous prions, par amour et par courtoisie, d'accepter ce soir notre hospitalité. Nous vous jurons sur tout ce que nous tenons de Dieu, que vous vous retrouverez demain matin au même point où vous êtes maintenant. Et savez-vous pourquoi je vous le dis ? Parce que je suis persuadé que dès que vous saurez la raison de notre demande, vous consentirez à ce que la demoiselle y satisfasse.

– Seigneurs, dit la demoiselle, allez-y puisqu'ils vous en prient.

Ils acceptent aussitôt. Une trêve est donc conclue, puis tous ensemble se rendent au château où l'accueil le plus chaleureux qui soit est réservé aux trois compagnons. Une fois qu'ils sont descendus de cheval, leurs hôtes les font désarmer et leur offrent à manger.

286. Le repas terminé, ils demandèrent comment et pourquoi avait été établie la coutume.

– Nous vous le dirons volentiers, répondit aussitôt un des chevaliers. Ici demeure, sachez-le, une demoiselle à qui nous appartenons, ainsi que tous les gens de ce pays, et qui possède ce château et beaucoup d'autres. Il y a deux ans, elle est tombée malade, par la volonté de Notre-Seigneur. Comme son état ne s'améliorait pas, nous l'avons regardée attentivement pour savoir de quelle

10 que l'en apele meselerie. Lors mandasmes toz les mires
que nos poismes trover [et pres et loig], mes il n'en i
ot nul qui [de sa maladie] nos seust conseillier, fors .i.
vielz hom qui dist se nos poions avoir pleine escuele del
sanc d'une virge pucele qui fust fille de roi et suer Per-
15 ceval le virge et en oinssist l'en la dame, si garroit [main-
tenant]. Et quant nos oïmes ce, si establimes que ja mes
ne passeroit par ci [damoisele, por qu'ele fust] pucele,
que nos n'eusson pleine escuele de son sanc. [Si meismes
bones gardes as portes de cest chastel por arester totes
20 celes qui i passeroient]. Or avez oï por qoi la costume
[de cest chastel] fu establie [tele come vos la veés]. Si en
ferez ce que vos plera.

287. Lors apele la pucele les [trois] compaignons et lor
dit :

– Seigneur, vos veez que la dame de ceenz est si malade, et que je la puis garir se je vueil, [et se je ne vueil,
5 ele n'en puet garir. Or me] dites que g'en feré.

– Certes, dit Galaaz se vos le fetes, [a ce que vos estes
juene et tendre], vos n'en poez eschaper sanz mort.

– Par Deu, fet ele, se je moroie por sa garison, ce seroit
aumone [a moi et a tot mon parenté]. Et je le doi fere,
10 [partie] por vos et [partie] por els. Car se vos combatez
demain si com vos avez hui fet, il [ne puet estre qu'il n']i
avra greignor domage fet que de ma mort. Por ce vos di
je [*B*ᵃ, f. 69c] que je feré lor volenté ; [si remaindra cist
estris]. Et je vos pri [por Deu] que vos l'otroiez.

15 Et il si font dolent et corrocié. Et la pucele dit a cels de
leenz :

– Seignor, [soiez liez et joianz, que vostre bataille de
demain est remese ; si vos creant que] je m'aquiterai demain si come les autres puceles s'aquitent.

288. Quant il oent ce, si l'en mercient molt [durement].

maladie elle souffrait et nous avons vu qu'elle était gravement atteinte de ce mal qu'on appelle la lèpre. Nous avons fait venir tous les médecins que nous avons pu trouver ici et ailleurs, mais aucun n'a pu nous indiquer un remède, sauf un vieil homme. Il nous a dit que si nous pouvions obtenir une pleine écuelle du sang d'une jeune fille vierge qui fût fille de roi et sœur de Perceval le vierge, il suffirait d'en oindre notre dame pour qu'elle guérisse aussitôt. Nous avons alors résolu que toute demoiselle qui passerait par ici, et qui serait vierge, devrait nous donner une pleine écuelle de son sang, et nous avons mis des gardes vigilants aux portes du château pour arrêter toutes celles qui passeraient. Voilà la raison pour laquelle la coutume fut établie. Vous en ferez ce qui vous plaira.

287. La demoiselle appelle alors les trois compagnons et leur dit :

– Seigneurs, vous voyez que la dame du château est bien malade et qu'il dépend de moi qu'elle guérisse ou qu'elle meure. Dites-moi donc ce que je dois faire.

– Certes, dit Galaad, si vous consentez, vous en mourrez, car vous êtes jeune et délicate.

– Par Dieu, répond-elle, si je devais en mourant lui rendre la santé, ce serait un acte charitable qui ferait honneur à mon lignage et à moi-même[1]. Qui plus est, il faut que je le fasse aussi bien pour vous que pour eux. Car si vous vous battez demain comme vous l'avez fait aujourd'hui, il y aura certainement des pertes bien plus grandes que ne serait ma mort. Je ferai donc ce qu'ils veulent pour que cesse cette querelle, et je vous prie, au nom de Dieu, de me le permettre.

Ils y consentent avec douleur et regret. La demoiselle dit alors à ceux du château :

– Seigneurs, réjouissez-vous ! Il n'y aura pas de bataille demain, car je vous promets de m'acquitter de l'obligation comme les autres demoiselles.

288. En entendant cela, ils l'en remercient très vivement

Lors comence la joie [et la feste] par leenz [assés greigneur qu'ele n'avoit devant esté]. Si servent les compaignons de tot lor pooir [et les couchent au plus richement
5 qu'il pueent]. Cele nuit furent li troi compaignon bien servi leenz, et encore fussent melz s'il vossissent [recevoir tot ce que l'en lor offroit].

L'endemain, com il orent oï messe, si vint la pucele el palés et comanda que l'en li amenast la dame qui si estoit
10 malade, qui par son sanc devoit estre garie. Et cil distrent que si feroient il [volentiers]. Si l'alerent querre [maintenant en une chambre ou ele estoit]. Et quant li compaignon la virent, si se merveillierent [molt], qu'ele avoit le viaire si [deffet et si] broçoné [et si mesaisié de la mese-
15 lerie], que c'iert merveille coment ele pooit vivre en tel dolor. Et com il la virent venir, si se leverent contre li [et la font seoir dalés els]. Et ele dit [maintenant] a la pucele qu'el li rende ce qu'ele li a promis. Et el dit que si fera ele volentiers. Et lors comande que l'en li aport l'escuele
20 d'argent. Et l'en li aporte, et ele se fet seignier el destre braz d'une petite alemele ague [et trenchant] come rasoir, [si que li sans en saut maintenant]. Et ele se seigne et se comande a Deu et dit a la dame :

– Dame, je sui a la mort [venue] por la vostre garison.
25 Por Deu, priez por moi, car je sui a ma fin.

289. [En ce qu'ele disoit ceste parole] li esvanoï li cuers [por le sanc dont ele avoit tant lessié que l'escuele estoit ja tote plaine]. Et li compaignon la vont sostenir, si la font estanchier [de sainier]. Et com ele [ot grant piece esté en
5 pasmoisons et ele] pot parler, si dit :

– Perceval, [biau frere], je me muir por la garison a ceste pucele. Je vos requier que vos ne fetes mon cors enfoïr en cest païs, mes si tost com je seré deviee, si me metez en une nacele au plus prochain port que vos troverez
10 [pres de ci] et me lessiez aler [einsi come fortune me voldra mener]. Et [je vos di vraiement que] ja si tost ne vendroiz [*B^a*, f. 69d] en la cité de Sarraz, ou il vos covendra

et les réjouissances reprennent de plus belle. Ils servent de leur mieux les compagnons et font tout leur possible pour leur préparer des lits somptueux. Cette nuit-là les compagnons furent très bien traités et l'auraient été davantage encore s'ils avaient accepté tout ce qu'on leur offrait.

Le lendemain après la messe, la demoiselle se rendit dans la grande salle et demanda qu'on fasse venir la dame malade qu'elle devait guérir de son sang. Les gens du château obéirent de bon gré et allèrent immédiatement chercher la dame dans la chambre où elle se trouvait. Quand les compagnons la virent, ils furent frappés de stupeur, car son visage était si défait, si pustuleux, si ravagé par la lèpre qu'on se demandait comment elle pouvait vivre dans de telles souffrances. Ils se levèrent à son approche et la firent asseoir à côté d'eux. Aussitôt elle demanda à la demoiselle de s'acquitter de sa promesse. Celle-ci répondit sans hésiter qu'elle le ferait et ordonna qu'on apporte l'écuelle d'argent. Elle se fit saigner au bras droit avec une petite lame aiguë et tranchante comme un rasoir, et le sang jaillit. Elle fit le signe de la croix, se recommanda à Dieu et dit à la dame :

– Ma dame, je meurs pour que vous guérissiez. Au nom de Dieu, priez pour moi, car ma vie touche à sa fin.

289. À ces mots elle s'évanouit, ayant perdu tant de sang que l'écuelle était déjà pleine. Les compagnons allèrent la soutenir et firent étancher le sang. Après être restée longtemps sans connaissance, elle retrouva la parole et dit à Perceval :

– Perceval, mon cher frère, je meurs pour guérir cette demoiselle. Je vous prie de ne pas faire enterrer mon corps dans ce pays mais, dès que je serai morte, de me mettre dans une nacelle dans le premier port que vous trouverez et de me laisser aller où le sort me conduira. Et je puis vous dire que sitôt arrivés à la cité de Sarraz où il vous

aler aprés le Saint Graal, que vos me troverez arrive[e]
desoz la tor. Lors fetes [tant por moi et por vostre honor
15 que vos] mon cors [faciez] enfoïr el palés esperitel. Et
savez vos por qoi je le vos requier ? Por ce que Galaaz i
gierra et [vos ausi].

[Quant Perceval ot ceste parole], il li otroie [tot en plorant et li dit que ce fera il molt volentiers]. Et ele lor dit :
20 – Seignor, departez vos demain a hore de prime et tiegne chascun sa voie tant que Dex vos ramoint chi[é]s lo
Roi Mehaignié. [Et einsi le velt li Haus Maistres, et por ce
le vos mande il par moi, que vos le faciés einsi].

Et cil dient que si feront il. Et ele [lor] dit qu'il li facent
25 venir son Sauveor. Il mandent .i. hermite [prodome qui
manoit hors de leens assés pres del chastel en .i. boschet.
Et il ne demora pas granment, puis qu'il oï que le besoig
i estoit si grant]. Et il vint [devant la damoisele]. Et com
ele le vit, si tendi ses mains contre son Sauveor. [Ele le
30 reçut a grant pitié et a grant doçor]. Et com ele l'ot receu,
si devia tantost, dom li troi compaignon furent trop dolent
[qu'il ne cuidoient pas qu'il s'en peussent legierement re-
conforter].

290. Cel jor [meismes] fu la dame garie de sa maladie,
que si tost com l'en l'ot lavee do sanc a la [sainte] pucele,
si fu [ele netoiee et] garie de la meselerie, et [re]vint en
grant beauté [sa char, qui tant estoit devant noire et orrible
5 a veoir]. De ceste chose furent molt lié li [troi] compaignon et tuit li autre de leenz, et firent au cors a la pucele
ce que ele lor avoit requis. Si li osterent la brueille [et tout
ce que l'en devoit oster], et l'enbasmerent ausi richement
come [se ce fust] le cors d'un empereor. Et firent [querre]
10 une nef bele et fort et la firent richement covrir [par des-
sus] por la pluie. Puis i firent metre .i. riche lit covert de
dras de soie. Et com il l'orent apareillie au plus richement
qu'il porent, si aporterent le cors a la pucele, et si le couchierent par dedenz le lit, et puis aprés tot de maintenant
15 si empoinstrent la nef en l'eve. Et lors dist Bohorz a Perceval :

faudra aller en quête du Saint-Graal, vous me trouverez au pied de la tour. Alors, pour mon honneur et pour le vôtre, faites-moi enterrer au Palais Spirituel[1]. Savez-vous pourquoi je vous demande cela ? Parce que Galaad y reposera et vous aussi.

Perceval y consent, ajoutant, tout en pleurs, qu'il le fera très volontiers. Et elle dit alors aux compagnons :

– Seigneurs, séparez-vous demain à l'heure de prime et que chacun suive son chemin jusqu'à ce que Dieu vous rassemble chez le Roi Mehaignié. Telle est la volonté du Haut Maître qu'il vous fait connaître par moi.

Ils promettent d'obéir. Puis elle demande qu'on lui apporte son Sauveur et ils font venir un ermite, un saint homme qui vivait assez près du château dans un petit bois. Il vint en toute hâte comprenant que l'affaire était urgente. Quand la demoiselle le vit approcher, elle tendit les mains vers son Sauveur qu'elle reçut avec une grande dévotion et une grande douceur. Et aussitôt elle expira, causant une telle douleur aux trois compagnons qu'ils ne pensaient pas pouvoir s'en consoler.

290. Ce jour même, la dame fut guérie de sa maladie. Car dès qu'on l'eut lavée avec le sang de la sainte jeune fille, elle fut purifiée et délivrée de la lèpre, et sa chair qui auparavant était noire et horrible à voir retrouva toute sa beauté. Cette guérison remplit de joie les trois compagnons et les gens du château. Quant à la demoiselle, ils procédèrent comme elle l'avait demandé, ôtèrent de son corps les entrailles et tout ce qu'il fallait ôter, et l'embaumèrent aussi richement que s'il s'était agi du corps d'un empereur. Ensuite, ils firent chercher une belle et solide nef, la recouvrirent pour l'abriter de la pluie, et y placèrent un lit somptueux couvert de draps de soie. Quand ils eurent apprêté la nef du mieux qu'ils purent, ils apportèrent le corps de la demoiselle et le couchèrent dans le lit. Puis, sans tarder, ils poussèrent la nef sur la mer. Bohort dit alors à Perceval :

– Perceval, biau douz amis, il me poise molt que il n'a
.i. brief mis auvec le cors par quoi l'en seust qui la pucele
est et coment ele a esté morte, s'il avenoit einsi que la nef
20 fust ja trovee en auqun estrange païs.

[*B^a*, f. 70a] – Je vos di, fet Percevax, que je ai mis .i.
brief a son chevez qui devise trestot son parenté, et coment
ele a esté morte, et trestotes les aventures que ele a aidié
a achever.

25 Et Galaaz respont que il a molt tres bien fet, car tels
porra ore le cors trover qui molt tres grant honor li fera,
plus grant assez que devant, puis que l'en savra la verité
de son estre et de sa vie.

291. Tant come cil del chastel porent la nef vooir, si
s'arresterent a la rive et si plorerent molt durement tuit
li plus d'els, por ce que trop grant franchise, ce disoient,
avoit fete la damoisele, qui a la mort s'estoit livree por
5 [la garison a] une dame d'estrange païs, si disoient que
onques pucele n'avoit mes ce fet. Et quant il ne porent
[mais] la nef vooir, si rentrerent en lor chastel, et li compaignon distrent entr'els que il n'i enterroient ja mes por
l'amor de la damoisele que il [i] avoient einsi perdue. Si
10 remeistrent dehors et distrent a cels de leenz que il lor
aportassent lor armes ; et cil si firent molt volentiers et
sanz nul contredit.

Quant il furent tuit troi armé et il voloient monter sor
lor chevax, si virent lo tens oscurer et les nues chargier de
15 pluies ; si se traient par devers une chapele qui estoit en
mi lo chemin. Si entrerent dedenz et mistrent lor chevax
en .i. petit apentiz, et il regardent que li tans fu enforciez
durement et que il comença a toner et a espartir et a chooir
foudre par mi le chastel ausi menuement come pluie. Tot
20 le jor dura cele tempeste, si tres [*B^a*, f. 70b] grant et si
tres merveilleuse que il ot bien tote la moitié des murs del
chastel versé par terre, dont il furent molt esbahi. Car il
ne quidierent mie que en mil anz poïst estre en tel maniere li chastiax destruiz par tempeste, come cil [lor sem-
25 bloit par ce qu'il en veoient par defors].

– Perceval, beau doux ami, je regrette beaucoup qu'une lettre n'ait pas été mise près du corps disant qui était la demoiselle et comment elle était morte, si jamais la nef était retrouvée dans quelque pays étranger.

– Sachez, répondit Perceval, que j'ai placé au chevet du lit une lettre qui donne des explications sur sa famille, sur sa mort, et sur toutes les aventures qu'elle nous a aidés à mener à bien.

Galaad lui dit qu'il avait très bien fait, car si quelqu'un trouvait le corps, il le traiterait avec plus d'honneur que s'il n'avait rien su de sa personne et de sa vie.

291. Tant qu'ils purent voir la nef, ceux du château restèrent sur le rivage, et la plupart d'entre eux pleuraient d'émotion, car, disaient-ils, la demoiselle avait fait preuve d'une grande noblesse d'âme en sacrifiant sa vie pour guérir une dame étrangère, ce qu'aucune jeune fille n'avait jamais fait. Lorsque la nef eut disparu à l'horizon, ils rentrèrent au château, mais les trois compagnons dirent qu'ils n'y retourneraient jamais, pour l'amour de la demoiselle qu'ils avaient ainsi perdue. Ils restèrent donc dehors et demandèrent aux gens du château de leur apporter leurs armes ; ce qu'ils firent très volontiers, sans aucune objection.

Une fois armés et prêts à monter en selle, les trois compagnons virent le temps s'obscurcir et les nuages se charger de pluie. Ils se dirigèrent vers une chapelle qui se trouvait au milieu du chemin et y entrèrent, ayant laissé leurs chevaux sous un petit appentis. Ils remarquèrent que le temps se gâtait de plus en plus : il commença à tonner, à faire des éclairs, et la foudre tomba sur le château aussi dru qu'une averse. La tempête dura toute la journée, si violente, si effroyable que la moitié au moins des murailles du château fut abattue. Les compagnons en demeurèrent stupéfaits, car ils ne pensaient pas qu'en mille ans une tempête aurait pu causer au château autant de dégâts qu'ils en pouvaient voir de l'endroit où ils se trouvaient.

292. Et quant vint aprés vespres que li tans fu auques
asseriz, et la tempeste fu remese, si virent par devant els
afoïr .i. chevalier armé qui estoit molt durement navrez el
cors et el chief, et disoit soventes foiz :

5   – Ha ! Dex, secorez moi ! Car ore est venuz li besoinz.

Aprés venoit .i. autres chevaliers et .i. naim, et li crie
de loig :

– Mort estes, ne la poez garir.

Et [c]il tendoit ses mains tote voies vers Jesucrist et
10   disoit :

– Biau pere [Jesucrist], secorez moi et ne m'i lessiez
morir en si grant tribulacion ne en tel point, que l'ame de
moi [ne] soit perie.

Et quant li compaignon oent que li chevaliers se va si
15   dementant a Nostre Seigneur, si lor en prent molt grant
pitié. Et Galaaz dit qu'il le secorra.

– Sire, fet soi Boorz, mes gie, car il n'est mie droiz que
vos movoiz por .i. seul chevalier.

Et il dit que il l'otroie bien puis qu'il le velt. Et Boorz
20   vient a son cheval, si monte maintenant. Et quant il est
montez, si lor dist :

– Beau seigneur, se ge ne revieg, ne lessiez mie por ce
vostre queste, mes metez vos le matin [a la voie] chascun
par soi, et si errez tant que Dex nos ramaint la ou il nos
25   doinst rassembler toz trois, et ce est en la meson au Roi
Mehaignié.

Et il li dient qu'il aut en la garde Nostre Seigneur, car il
dui se departiront le matin li .i. de l'autre. Et lors s'en depart Boorz maintenant d'els [*B^a*, f. 70c], si s'en va aprés
30   le chevalier qui einsi se dementoit a Nostre Seigneur que
il le secoreust. Mes a tant lesse ore li contes a parler de
lui, si retorne as .ii. compaignons qui en la [chapele] sont
remés.

292. Le soir, lorsque le temps se fut un peu éclairci et la tempête apaisée, les compagnons aperçurent non loin d'eux un chevalier armé, grièvement blessé au corps et à la tête, qui s'enfuyait en répétant sans cesse :

– Ah ! Dieu, secourez-moi, car j'en ai grand besoin !

Il était poursuivi par un autre chevalier, accompagné d'un nain, qui lui criait :

– Vous êtes mort, vous ne nous échapperez pas !

Et le chevalier blessé tendait les mains vers Jésus-Christ et disait :

– Beau seigneur Jésus-Christ, secourez-moi dans le grand tourment où je suis afin que mon âme ne périsse point.

En entendant le chevalier supplier ainsi Notre-Seigneur, les compagnons furent pris de pitié et Galaad dit qu'il irait à son secours.

– Seigneur, dit Bohort, c'est moi qui irai, car il ne convient pas que vous alliez combattre pour un seul chevalier.

Galaad répond qu'il y consent puisque Bohort le veut ainsi. Celui-ci va vers son cheval, monte, et dit à ses compagnons :

– Beaux seigneurs, si je ne reviens pas, n'abandonnez pas pour autant votre quête, mais demain matin remettez-vous en route, chacun de son côté, et chevauchez jusqu'à ce que Dieu nous accorde de nous retrouver tous trois dans la demeure du Roi Mehaignié.

Ils le confient à la garde de Dieu et lui disent qu'eux se sépareront au matin. Bohort les quitte alors immédiatement et part à la recherche du chevalier qui implorait Notre-Seigneur de le secourir. Mais ici le conte cesse de parler de lui et revient aux deux compagnons restés dans la chapelle.

293. Or dit li contes que tote la nuit furent en la chapele entre Perceval et Galaaz et prierent molt doucement Nostre Seignor qu'il lor gardast Boorz et conduissist en quel que leu que il alast. A l'endemain, quant li jorz parut biax et clers, et li tens fu aquoisiez et la tempeste fu remese, il monterent sor lor chevax et s'adrecent vers lo chastel por vooir coment il estoit avenu a cels dedenz. Et quant il vindrent a la porte, si troverent toz ars et [les murs] abatuz. Il entrerent maintenant dedenz ; et quant il i furent entré, si se merveillierent assez plus que devant, car il n'i troverent onques home ne feme qui tuit ne fussent mort. Il cerchierent amont et aval et dient que molt a ci [grant domage et] grant perte de gent. Et quant il vindrent au grant palés, il troverent les murs versez et les paroiz chooites, si troverent les chevaliers morz les uns ça, les autres la, tot einsi com Nostre Sires les avoit fodroiez et tempestez por la male voisdie qu'il avoient en els. Et quant li compaignon voient ceste chose, si dient que voirement est ce esperitel venjance ; et dient que ceste chose ne fust ja avenue, se ne fust por apaier l'ire et le corrot au Sauveor del monde.

En ce qu'il parloient einsi, si oïrent une voiz qui lor dist :

— C'est la venjance del sanc a la buene pucele, qui ceenz fu espanduz por la terriene garison d'une desloial [*B^a*, f. 70d] pecherresse.

294. Quant il oent ceste parole, si dient :

— Molt est buene la parole Nostre Seignor et sa venjance merveilleuse, et molt est fox qui encontre Nostre Seignor vet ne por mort ne por vie.

Quant il ont grant piece alé por vooir par mi le chastel la grant mortalité qui [i] avoit esté, si troverent au chief d'une chapele .i. cimetiere toz plains d'arbres floris et

CHAPITRE XIII

Châtiment divin

293. Le conte dit que Perceval et Galaad restèrent toute la nuit dans la chapelle priant Dieu avec ferveur de veiller sur Bohort et de le guider en quelque lieu qu'il allât. Le lendemain, quand le jour parut beau et clair, le temps redevenu serein après la tempête, ils montèrent en selle et se dirigèrent vers le château pour voir ce qui était advenu de ses habitants. Arrivés à la porte, ils virent que tout était brûlé et que les murailles étaient abattues. Leur surprise fut plus grande encore lorsqu'ils pénétrèrent à l'intérieur, car ils ne trouvèrent pas un seul survivant. Ils cherchèrent partout, déplorant une telle catastrophe et un si grand nombre de morts. Et quand ils parvinrent dans la grande salle, ils trouvèrent les murs renversés, les parois effondrées, et les cadavres des chevaliers gisant de côté et d'autre, là même où Notre-Seigneur les avait foudroyés pour les punir de leur fourberie. En voyant cela, les compagnons dirent que c'était, à n'en pas douter, la vengeance du ciel et que cela ne serait jamais arrivé sinon pour apaiser le courroux du Sauveur du monde.

Tandis qu'ils parlaient ainsi, une voix se fit entendre, qui leur dit :

C'est la vengeance du sang qu'a répandu la bonne jeune fille pour la guérison ici-bas d'une déloyale pécheresse.

294. À ces mots, les compagnons s'écrièrent :

– La parole de Notre-Seigneur est bonne, sa vengeance terrible, et bien fou est celui qui va contre Sa volonté, même si c'est pour lui une question de vie ou de mort.

Après avoir longuement parcouru le château pour juger de l'ampleur du massacre, ils découvrirent au chevet[1] d'une chapelle un cimetière tout verdoyant, aux arbres en

d'erbe vert, si estoit toz plains de beles tonbes et riches.
Si en i pooit bien avoir .xl., et estoit si biax et si delitables
10 qu'il ne sembloit pas que tempeste i eust esté ; ne non
avoit il, car leenz jesoient les cors des buenes puceles qui
por la dame de leenz avoient esté mortes. Et quant il sont
entré en cel cimetiere tot einsi a cheval com il estoient,
si vienent as tombes et trovent [desor chascune] le non
15 de chascune des puceles qui desoz gist. Si vont lisant les
letres, tant qu'il voient que leenz gisoient jusq'a .xii. puceles totes filles de rois et de roines, et totes estretes de
haut parage. Et quant li compaignon voient ce, si dient
que trop malvese costume et trop dolerose avoient cil del
20 chastel maintenue et que trop avoient fete grant malvestie
cil del païs qui si longuement l'avoient sofferte, car maint
riche lignage et maint poissant en avoient esté [abessié et]
aneenté por les puceles qui leenz estoient mortes. Jusq'a
hore de prime demorerent li conpaignon leenz por regar-
25 der ceste chose. Quant il orent assez veu, si se departirent
et chevauchierent jusque vers une forest. Et quant il vindrent a l'entrce, si dist Percevax :

— Messires Galaaz, fet [*B*ᵃ, f. 71a] soi Percevax, hui est
li jorz que il nos covient a departir entre moi et vos et aler
30 chascun en sa voie. Ge vos comant a Nostre Seigneur, qui
nos otroit que nos [nos] poïssons entretrover prochienement. Car, certes, je ne trovai onques conpagnie si douce
ne si plesant com la vostre me semble ; et por ce me grieve
ciz departemenz trop plus que vos ne quidiez. Mes il [le]
35 covient a estre, puis que il plest a Nostre Seignor.

Si oste maintenant son hiaume de sa teste et autressi fet
Galaaz, si s'entrebesent et plorent au departir, car molt
s'entr'amoient de grant amor ; et bien i parut a la mort,
car assez pou vesqui li .i. puis que il sot que li autres fu
40 morz. Einsi se departirent li [doi] conpaignon a l'entree
d'une forest que cil del païs apeloient Aube, et entra chascuns en sa voie. Si lesse ore li contes a parler d'els et si
retorne a Lancelot del Lac, qe grant piece s'en estoit teu.

fleurs, et rempli de tombes magnifiques, une quarantaine environ. Le lieu était si beau, si agréable, qu'il ne semblait pas que la tempête l'eût touché. Ce qui était vrai, car là reposaient les corps des bonnes jeunes filles qui avaient été mises à mort pour sauver la dame du château. Les compagnons entrèrent dans le cimetière, sans descendre de cheval, s'approchèrent des tombes et virent sur chacune d'elles le nom de celle qui y était enterrée. Allant d'une tombe à l'autre, ils constatèrent qu'il y avait là douze jeunes filles, toutes filles de rois et de reines, et issues de haut lignage. Cette découverte leur fit dire que ceux du château avaient maintenu une coutume par trop mauvaise et cruelle et que les habitants du pays avaient fait preuve d'une grande lâcheté en la supportant si longtemps, car beaucoup de nobles et puissantes familles avaient été affaiblies et anéanties par la mort de ces jeunes filles. Les deux compagnons s'attardèrent dans le château jusqu'à l'heure de prime et quand ils eurent tout bien regardé, ils se remirent en route et chevauchèrent jusqu'à l'entrée d'une forêt. Là, Perceval dit à Galaad :

– Seigneur, c'est aujourd'hui que vous et moi devrons nous séparer pour suivre chacun notre route. Je vous recommande à Notre-Seigneur. Qu'Il nous accorde de nous retrouver prochainement. Car, en vérité, je n'ai jamais trouvé aucune personne dont la compagnie me soit aussi douce et agréable que la vôtre. Aussi cette séparation me pèse-t-elle beaucoup plus que vous ne le pensez. Mais il nous faut l'accepter puisque Notre-Seigneur le veut.

Il ôte son heaume, Galaad fait de même, et ils s'embrassent en pleurant avant de se séparer, car ils s'aimaient de grand amour. On le vit bien à leur mort puisque l'un ne vécut guère longtemps après avoir appris la mort de l'autre. Les deux compagnons se quittèrent donc à l'entrée d'une forêt que les gens du pays appelaient Aube, et chacun partit de son côté. Mais le conte cesse maintenant de parler d'eux et revient à Lancelot du Lac dont il n'a pas parlé depuis longtemps.

295. Or dit li contes que quant Lanceloz fu venuz a l'eve
de Marcoise, et il se vit entreclos de trois choses qui nel
reconfortoient mie molt : d'une part de la forest qui granz
estoit et desvoiable, et d'autre part l'eve qui noire estoit et
5 parfonde, [et] d'autre part les roches qui estoient hautes et
ancienes. Ces trois choses le menerent a ce qu'il dist qu'il
ne se movroit de la rive, ainz atendroit iluec la merci de
Nostre Seignor. Si demora iluec en tel maniere jusqu'a la
nuit oscure. Et quant ce fu chose que la nuiz fu mellee au
10 jor, si vint a ses armes et se coucha dejoste et se comanda
[*B^a*, f. 71b] a Nostre Seignor et fist sa priere tele com il
[la] savoit, que Nostre Sires ne l'obliast pas, mes secors
li envoiast tel qui profitable li fust au cors et a l'ame. Et
quant il a ce dit, si s'endort en tel point que ses [cuers] et
15 ses esperiz pensoit plus a Nostre Seignor que au terrien
secors. Et quant il fu endormiz, si vint a lui une voiz et
li dist :

– Lancelot, lieve sus et pren tes armes et entre en la premiere nef que tu troveras.

20   Et quant il oï ceste parole, si tressailli toz, si ovre les euz
et voit tot entor lui grant clarté si que il quida bien qu'il
fust grant jor ; mes ne demore gaires qu'ele s'esvanoï, en
tel maniere qu'il ne sot q'ele poisse estre devenue. Il lieve
sa main et se seigne et se comande a Nostre Seignor, puis
25 prent ses armes et s'apareille. Et quant il [est toz armez et
il] ot s'espee ceinte, il regarda aval la riviere et voit une
nef arrivee sanz voile et sanz aviron. Il vient cele part et
entre dedenz. Et si tost com il i est mis, si li est bien avis
que il sente totes les bones odors del monde et qu'il est
30 toz raenpliz de totes les bones viandes qui onques fussent
gostees par boche d'ome et de feme terrien. Si li est a .c.
doubles mius qu'il n'estoit devant, car il a [orendroit], ce
li est avis, totes les choses que il desirra onques en sa vie,

CHAPITRE XIV

Lancelot au château du Graal

295. Le conte dit qu'une fois arrivé à la rivière Marcoise, Lancelot se vit entouré de trois choses peu faites pour le rassurer : d'une part, la forêt immense et sauvage ; de l'autre, la rivière noire et profonde ; et du troisième côté, deux hauts rochers très anciens[1]. En voyant ces trois obstacles, il décida de ne pas bouger de la rive et d'attendre la merci de Notre-Seigneur. Il resta ainsi jusqu'à la venue de la nuit. Quand l'obscurité se fut mêlée au jour, il s'approcha de ses armes, se coucha à côté d'elles et fit les prières qu'il savait, se recommandant à Notre-Seigneur et lui demandant de ne pas l'oublier et de lui envoyer une aide qui fût profitable à son corps et à son âme. Puis il s'endormit, le cœur et l'esprit plus occupés par Notre-Seigneur que par la pensée d'un secours terrestre. Dans son sommeil il entendit une voix qui lui dit :

– Lancelot, lève-toi, prends tes armes et entre dans la première nef que tu trouveras.

À ces mots, il tressaille, ouvre les yeux et voit autour de lui une clarté si vive qu'il croit qu'il fait grand jour ; mais la clarté ne tarde pas à disparaître sans qu'il sache comment. Il lève la main pour se signer, se recommande à Notre-Seigneur, puis prend ses armes et s'équipe. Une fois armé et son épée ceinte, il regarde le long de la rivière et aperçoit une nef sans voile ni aviron. Il s'y rend et monte à bord. Et aussitôt il lui semble que les odeurs les plus suaves emplissent ses narines et qu'il est rassasié des mets les plus délicieux qu'homme ou femme ait jamais goûtés. Il est cent fois plus heureux qu'auparavant car il possède maintenant, lui semble-t-il, tout ce qu'il a jamais

dom il rent graces et merciz a Nostre Seignor et s'aje-
35 noille en la nef meismes et dit :

– Biau douz pere Jesucrist, je ne sai dont ce poïsse estre
venu se de toi ne vient. Mes je voi orendroit mon cuer en
si tres grant joie et mon esprit en si grant soatume que je
ne sai se je sui en terre ou en paradis terrestre.

296. [*B*ᵃ, f. 71c] Lors s'assiet au bort de la nef et s'acoute, si s'endort en cele grant joie ou il estoit. Tote cele nuit
dormi Lanceloz si aese que il li estoit avis qu'il ne fust
pas tex com il soloit, [mais changiez]. Au matin, quant il
5 s'esveilla, si regarda tot entor lui et vit .i. molt biau lit et
molt riche qui estoit en mi la nef. Et par dedenz se jesoit
une pucele morte, dom il ne paroit fors le viaire solement.
Et quant il voit ce, si [se dresce et] se seigne et mercie
Nostre Seignor de tele compaignie com il li a prestee. Il
10 se tret cele part, come cil qui volentiers savroit cui ele
est et de quex jenz ele fu estrete. Il va de la et de ça tant
regardant que il voit .i. brief desoz son chief. Il jete la
main, si le prent et le desploie et [i] troeve les letres qui
disoient : « Ceste damoisele fu suer Perceval de Gales qui
15 fu toz jorz virge en volenté et en ovre, cele qui chanja les
renges a l'Espee as estranges renges que Galaaz, fiz mon
seignor Lancelot del Lac, porte orendroit. » Aprés trove el
brief tote sa vie et coment ele fu morte, et coment li troi
compaignon, Galaaz et Percevax et Boorz, l'ensevelirent
20 einsi com ele est, et si la mistrent en la nef par le comandement de la voiz divine. Et quant il set ceste chose, si est
assez plus liez que devant, que molt a grant joie que Boorz
et Galaaz sont ensemble. Lors met jus le brief et vient au
bort de la nef, et prie Nostre Seigneur que ainçois que
25 ceste Queste soit faillie [li doinst trover Galaad son fil], si
qu'il le puist vooir et conjoïr et parler a lui.

297. Et en ce qu'il estoit en priere de [*B*ᵃ, f. 71d] ceste
chose, il regarde [et voit] que la nef fu arivee desoz une
roche vielle et anciene, si avoit au pié desoz assez pres de
la roche ou la nef arriva une chapele petite, et devant l'en-

pu désirer dans sa vie. Il en rend grâce à Notre-Seigneur et, s'agenouillant dans la nef, il dit :

— Beau doux père Jésus-Christ, je ne sais d'où tout ceci peut venir sinon de Toi. Mais mon cœur connaît une telle joie et mon esprit une telle douceur que je ne sais plus si je suis sur terre ou au paradis terrestre.

296. Il s'assied, s'appuie contre le bord de la nef et s'endort tout habité de sa joie. Il dormit toute la nuit dans un tel état de bonheur qu'il avait l'impression de n'être plus le même homme. Au matin, quand il s'éveilla, il regarda autour de lui et aperçut au milieu de la nef un lit somptueux dans lequel reposait une jeune fille morte dont seul le visage était découvert. Lancelot se lève, se signe et remercie Notre-Seigneur de lui avoir donné une telle compagnie. Il s'approche du lit désirant savoir qui elle est et de quel lignage. À force de chercher partout avec beaucoup d'attention, il finit par découvrir une lettre sous la tête de la morte. Il la prend, la déplie et y lit ceci : «Cette demoiselle était la sœur de Perceval le Gallois. Elle fut toute sa vie vierge d'intention et de fait. C'est elle qui changea le baudrier de l'Épée à l'étrange baudrier que porte maintenant Galaad, le fils de monseigneur Lancelot du Lac.» La lettre relate ensuite l'histoire de sa vie, les circonstances de sa mort, et comment les trois compagnons, Galaad, Perceval et Bohort, l'ont ensevelie, puis l'ont mise dans la nef sur l'ordre de la voix divine. En apprenant tout cela, Lancelot se sent plus heureux encore, car il se réjouit de savoir que Bohort et Galaad sont réunis[1]. Il repose la lettre, va près du bord de la nef et prie Notre-Seigneur de lui permettre de retrouver son fils Galaad avant la fin de la Quête, de le revoir, de lui faire fête et de parler avec lui.

297. Tandis qu'il faisait cette prière, il regarde autour de lui et voit que la nef a abordé au pied d'un rocher très ancien non loin duquel se trouvait une petite chapelle. Un

5 tree sooit .i. vielz hom toz blans et toz chanuz. Et quant
Lanceloz l'aproche, si le salue de si loig com il le pot oïr.
Et li prodons li rent son salu assez plus viguereusement
que Lanceloz ne quidast qu'il le poist fere, et se lieve de la
ou il sooit, et vient au bort de la nef sor une mote de terre,
10 et demande a Lancelot quele aventure l'avoit cele part
amené. [Et il li conte la verité de son estre et coment fortune l'a celle part amené] ou il ne fu onques mes, si com
il quide. Li preudons li demande qui il est, et il se nome.
Et quant il ot que ce est Lanceloz del Lac, si se merveille
15 molt coment il se mist en cele nef. Si li demande cui est
auvec lui.

– Sire, fet Lanceloz, venez vooir s'il vos plest.

Et li preudons entre maintenant dedenz la nef et trova la
damoisele et le brief. Et quant il l'a leu de chief en chief et
20 il oï parler de l'Espee as estranges renges, si dist :

– Ha ! Lancelot, je ne quidai ja tant vivre que ge le non
de ceste espee seusse. Or puez tu bien vooir que tu ies
mescheanz et mesaventurex, quant tu n'as esté a achever
ceste haute aventure ou cil troi preudome ont esté, que
25 l'en quida aucune foiz a moins vaillanz de toi. Mes ore
est coneue chose et veraie et aperte qu'il sont preudome
et verai chevalier envers Nostre Seigneur plus que tu n'as
esté. Mes que que tu aies fet jusque ci, ge croi bien que se
tu [des ore en avant] te [B^a, f. 72a] voloies garder de pe-
30 chié mortel et d'aler encontre ton Criator, encor porroies
tu trover pardon et misericorde envers Nostre Seignor [en
qui tote pitié habite], qui ja te rapele a voie de verité. Mes
ore me conte coment tu entras en ceste nef.

298. Et il li conte. Et li preudons li respont maintenant :

– Lancelot, or saches de verité que molt t'a Nostre Sires
mostré grant debueneretté, quant il en compaignie de si
5 haute pucele et de si sainte come ceste est t'a amené. Or
te garde que tu soies chastes en pensee et en ovre d'or en

vieillard aux cheveux tout blancs était assis à l'entrée.
Lancelot s'approche et dès qu'il peut se faire entendre,
il le salue. Le vieillard lui rend son salut avec plus de vigueur que Lancelot ne l'en aurait cru capable. Il se lève,
s'avance jusqu'à une butte près du bord de la nef et demande à Lancelot quelle aventure l'a amené ici. Lancelot
lui raconte son histoire et comment le hasard l'a conduit
en ce lieu où, pense-t-il, il n'est jamais venu. Le vieillard
lui demande qui il est, et Lancelot se nomme. Quand il apprend que c'est Lancelot du Lac, il se déclare très surpris
de le voir sur cette nef et demande qui est avec lui.

– Seigneur, dit Lancelot, venez voir si vous voulez.

Le vieillard monte aussitôt à bord et découvre la demoiselle et la lettre qu'il lit d'un bout à l'autre. Ayant pris
connaissance de ce qui touchait à l'Épée à l'étrange baudrier, il dit :

– Ah ! Lancelot, je ne pensais pas vivre assez longtemps
pour apprendre le nom de cette épée. Quant à toi, tu peux
bien voir à quel point tu es malheureux et infortuné puisque tu n'étais pas présent quand fut achevée la haute aventure à laquelle ont assisté ces trois chevaliers jugés parfois
moins vaillants que toi. Il est maintenant tout à fait manifeste qu'ils sont, plus que tu ne l'as jamais été, hommes de
grand mérite et vrais chevaliers de Notre-Seigneur. Toutefois, quelles que soient tes fautes passées, je suis sûr que
si tu voulais désormais t'abstenir de tout péché mortel et
ne plus t'opposer à ton Créateur, tu pourrais encore obtenir le pardon et la miséricorde de Notre-Seigneur en qui
réside toute pitié et qui déjà te rappelle sur le chemin de la
vérité. Mais raconte-moi maintenant comment tu es entré
dans cette nef.

298. Lancelot lui en fait le récit et le vieillard lui répond
aussitôt :

– Lancelot, sache que Notre-Seigneur a fait preuve
d'une grande bonté envers toi en te donnant la compagnie d'une aussi noble et sainte jeune fille. Veille donc
désormais à rester chaste en intention et en fait afin que

avant, si que la chastee de toi s'acort a la virginité de li.
Einsi porra durer la conpaignie de vos .ii.

10 — Et cil li promet veraiement et de bon cuer que ja mes
ne fera chose dom il se quit mefere vers Nostre Seigneur.

— Or t'en va donc, fet li preudons, [que tu n'as mes gaires que demorer], que tu vendras par tens, se Deu plest, en
la meson ou tu desirres tant a venir.

15 — Et vos, [sire], fet Lanceloz au preudome, remaindroiz
vos ici ?

— Oïl, fet soi li preudons, car einsi le me covient a fere.

En ce qu'il parloient einsi, si se feri li venz en la nef,
si qu'il la fist partir de la roche. Et quant il voient qu'il
s'entresloignent, si s'entrecomandent a Deu, et li preu-
20 dons s'en retorne vers sa chapele. Mes ançois qu'il se fust
partiz de la [roche] comença il a crier a haute voiz :

— Ha ! Lancelot, serjant Jesucrist, [por Dieu], ne m'oblie
pas, mes prie Galaaz, le verai chevalier, qui par tens sera
25 auvec toi, que il prit Nostre Seignor qu'il ait merci de moi
.

Einsi crioit li preudons aprés Lancelot, et cil fu molt
liez de la novele qu'il li out [*B^a*, f. 72b] dite de ce que
Galaaz devoit estre auvec lui procheinement. Il revint en
mi la nef, si se mist a coutes et a jenouz, et commence ses
30 prieres et ses oroisons que Nostre Sires le conduie en tel
leu ou il poisse fere chose qui Li plese.

Einsi fu Lanceloz .i. mois en la nef, et plus, que onques
n'en oissi. Et se aucuns demandoit dom il vesqui en celui terme, por ce que pains ne viande n'i avoit [trové], li
35 respont li contes que li Hauz Sires qui de la manne reput
le pueple Israel el desert [et] qui fist eve oissir de la roche por boivre a els, sostint cestui en [tel maniere] que
chascun matin, si tost com il avoit s'oroison finee, quant
il avoit requis le Haut Mestre que il ne l'obliast pas, mes
40 son pain de chascun jor li envoiast come pere doit fere a
fil, totes les ores que il avoit fete sa priere, se trovoit il si
repleni et si rassazié [et garni] de la grace del Saint Esperit, que il li estoit bien avis que il eust gosté de totes les
bones viandes del monde.

ta chasteté s'accorde avec sa virginité. Ainsi, tu pourras demeurer avec elle.

Lancelot lui promet du fond du cœur de ne jamais commettre d'action qu'il jugerait susceptible d'offenser Notre-Seigneur.

– Alors, tu peux partir, dit le vieillard, car il n'est rien qui te retienne ici et, s'il plaît à Dieu, tu arriveras bientôt à la demeure où tu désires tant arriver.

– Et vous, seigneur, resterez-vous ici ?

– Oui, dit-il, car il doit en être ainsi.

Tandis qu'ils parlaient, le vent frappa la nef et l'éloigna du rocher. Voyant la distance grandir entre eux, ils se recommandèrent mutuellement à Dieu et le vieillard retourna vers sa chapelle. Mais avant de quitter le rocher, il cria à Lancelot :

– Ah ! Lancelot, soldat de Jésus-Christ, au nom de Dieu ne m'oublie pas, mais demande à Galaad, le vrai chevalier, qui sera bientôt avec toi, de prier Notre-Seigneur de me prendre en pitié.

Telles furent les dernières paroles adressées par le vieillard à Lancelot qui se réjouit fort d'apprendre que Galaad serait bientôt avec lui. Il retourna au centre de la nef et se prosternant sur les coudes et les genoux, pria Notre-Seigneur de le conduire en un lieu où il puisse accomplir quelque action qui Lui soit agréable.

Lancelot resta ainsi plus d'un mois sans sortir de la nef. Et si quelqu'un demande de quoi il vécut pendant ce temps puisqu'il n'avait trouvé ni pain ni aucune autre nourriture sur la nef, le conte répond que le Très-Haut qui nourrit de sa manne le peuple d'Israël dans le désert et fit jaillir l'eau du rocher pour apaiser sa soif[1], le soutint si bien que chaque matin, dès qu'il avait fait ses prières et demandé au Tout-Puissant de ne pas l'oublier et de lui envoyer chaque jour son pain, comme un père doit le faire pour son fils, il se trouvait aussitôt si rempli, si rassasié par la grâce du Saint-Esprit qu'il lui semblait avoir goûté aux meilleures nourritures de ce monde.

299. Et quant il ot lonc tens alé tot en tel maniere come
fortune le menoit sanz issir nule foiz hors de la nef, si li
avint une foiz tot par nuit que la nef arriva devers une forest a l'oraille d'un bois. Lors [escouta, si] oï .i. chevalier
5 venir grant aleure [tot a cheval], et fesoit molt grant noise
par mi la forest. Et quant il vint a la rive et il voit la nef,
si descendi de son cheval, si li osta la sele et lo frain, si le
lessa aler quel part que il volt. Si vint a la nef et se seigna
a l'entrer dedenz armez de totes armes. Et quant Lanceloz
10 le vit [venir], si ne corut pas prendre ses armes, com cil
[*B^a*, f. 72c] qui bien pensoit que c'estoit la promesse que
li preudons li avoit fete de Galaaz, qui li feroit conpaignie
et si seroit auvec lui une piece del tens. Si se drece en
estant et li dit :
15 – Sire [chevalier], vos soiez li tres bien venuz.
Et cil se merveille molt quant il l'ot parler, come cil qui
ne quidoit pas qu'il eust ame leenz ; si li respont por ce
que salué l'avoit si bel :
– Biau sire, et vos aiez buene aventure, mes por Deu,
20 s'il puet estre, dites moi qui vos estes, que ge le desir molt
a savoir.
Et il se nome et dit que il a non Lancelot del Lac.
– Voire, [sire], fet li chevaliers, e non Deu, vos soiez li
tres bien venuz sor toz les homes del monde, car je vos
25 desirroie plus a vooir et a avoir en ma compaignie que rien
vivant. Et j'ai droit, que vos fustes comencemenz de moi.
Lors oste son hiaume [de sa teste], et le met en mi la nef.
Et Lanceloz li demande tantost :
– Ha ! Galaaz, estes vos ce ?
30 – Sire, fet cil, oïl, ce sui je voirement !

300. Et quant Lanceloz l'entent, si li cort les braz tenduz, si comence li uns a besier l'autre et a fere si grant
feste que greigneur ne vos porroie nus a droit conter. Lors
demande li .i. a l'autre de son estre. Si conte chascuns de
5 ses aventures teles com eles li estoient avenues puis que
il se departirent de la cort lo roi Artur. Si demorerent en
cez paroles tant que li jorz fu granz et biax a l'endemain.

299. Après avoir longtemps navigué ainsi à l'aventure, sans jamais sortir de la nef, il finit par arriver en pleine nuit à l'orée d'une forêt. Tendant l'oreille, il entendit venir un chevalier qui galopait à vive allure et à grand bruit à travers le bois. Quand il parvint au rivage et aperçut la nef, le chevalier mit pied à terre et dessella son cheval qu'il laissa aller à sa guise. Il s'approcha de la nef, se signa et monta à bord, armé de toutes ses armes. Lancelot, en le voyant venir, ne courut pas prendre ses armes, persuadé que s'accomplissait là la promesse du vieillard et que c'était Galaad qui lui tiendrait compagnie quelque temps.

– Seigneur chevalier, lui dit-il en se levant, soyez le bienvenu.

Le chevalier, qui ne pensait pas qu'il y eût quelqu'un à bord, est tout surpris de s'entendre saluer, et de façon si courtoise.

– Beau seigneur, répond-il, je vous souhaite heureuse fortune. Mais, au nom de Dieu, dites-moi, s'il se peut, qui vous êtes ; je tiens beaucoup à le savoir.

Lancelot se nomme.

– Ah ! Seigneur, reprend le chevalier, soyez le bienvenu entre tous, car je désirais vous voir et vous avoir pour compagnon plus que tout autre être vivant. Et à bon droit, puisque c'est à vous que je dois mon existence.

Il quitte alors son heaume et le dépose au centre de la nef. Et Lancelot lui dit aussitôt :

– Ah ! Galaad, est-ce donc vous ?

– Oui, seigneur, c'est bien moi.

300. À ces mots, Lancelot court vers lui les bras tendus et tous deux s'embrassent avec une telle joie que nul ne pourrait la décrire. Puis ils s'interrogent l'un l'autre sur ce qu'ils ont fait et se racontent les aventures qui leur sont arrivées depuis leur départ de la cour du roi Arthur. Ils parlèrent jusqu'au moment où apparut la clarté d'un

Quant li jorz [apparut et li solaus] fu [levés] et il s'entre-
[virent et] conurent, lors comença entr'els la joie et la fes-
10 te grant et merveilleuse. Et quant Galaaz vit la damoisele
qui en mi la nef jesoit, si la reconut molt tost come cele
que il avoit autre foiz [*B^a*, f. 72d] veue. Lors demande a
Lancelot s'il set qui ceste damoisele fu.

– Biau fiz, fet Lanceloz, oïl, bien en sai la verité. Car li
15 brief qui a son chevez est en dit apertement la verité. Mes
[por Deu] dites moi se ce est veritez que vos aiez menee a
chief l'aventure de l'Espee as estranges renges.

– Sire, oïl, fet Galaaz. Et se vos ne la veistes onques,
vooir la poez ici.

20 Et quant Lancelot la regarde, si pense bien que ce soit
ele ; si la prent par le heut et la comence a besier et le
fuerre et le pont et le branc. Lors requiert Lanceloz a Galaaz que il li die coment il la trova et en quel leu. Et il li
conte la maniere de la nef que la feme Salemon fist [jadis]
25 fere, si li conte la maniere des trois fuisiax, et coment Eve,
la premiere mere, avoit planté les premiers arbres, dont li
fuisel estoient naturelment coloré de blanc et de vert et de
vermeil. Et quant il li a tote contee la ma[ni]ere de la nef
et des letres que il troverent dedenz, si dit Lanceloz que
30 onques mes si haute aventure ne si merveilleuse n'avint
mes a chevaliers com il lor estoit avenu.

En cele nef demora Lanceloz et Galaaz, ses fiz, bien
demi an et plus, en tel maniere que il n'i avoit celui qui
ne meist tot son cuer en servir son Criator. Et mainte foiz
35 arriverent il en illes estranges loig de gent, [la] ou il ne
reperoit se bestes sauvajes non, ou il troverent aventures
granz et merveilleuses que il menerent a chief, que par lor
proece que par la grace del Saint Esperit, qui en toz les
leus lor aidoit. Et si n'en fet pas li contes del [*B^a*, f. 73a]
40 saint Graal mencion, por ce que trop i covenist a demorer
a qui tot volsist reconter [quan qu'il lor avenoit].

301. Aprés la Pasque, au tens novel que tote chose se
tret en amor et cil oisel chantent par mi cez bois lor douz
chanz et divers por le comencement de la doce seson, et

nouveau jour, et quand le soleil fut levé et qu'ils purent se voir et se reconnaître, leur joie fut à son comble. Puis, quand Galaad aperçut la demoiselle qui gisait dans la nef, il la reconnut tout de suite, l'ayant déjà vue, et demanda à Lancelot s'il savait qui elle était.

– Oui, mon cher fils, je le sais bien. La lettre qui est à son chevet l'explique très clairement. Mais, au nom de Dieu, dites-moi s'il est vrai que vous avez mené à bien l'aventure de l'Épée à l'étrange baudrier.

– Oui, seigneur, répond Galaad. Et si vous n'avez jamais vu cette épée, la voici.

Lancelot la regarde et pense que c'est bien elle ; il la prend par la poignée et se met à la baiser ainsi que le fourreau, le pommeau, et la lame. Il demande ensuite à Galaad de lui dire comment et où il l'avait trouvée. Et Galaad lui raconte l'histoire de la nef que fit jadis construire la femme de Salomon, celle des trois fuseaux, et comment Ève, notre première mère, avait planté les premiers arbres d'où provenaient les fuseaux de couleur naturelle blanche, verte et rouge. Après avoir entendu toute l'histoire de la nef et des inscriptions que les compagnons y avaient trouvées, Lancelot déclara que jamais une aventure aussi extraordinaire n'était arrivée à des chevaliers.

Lancelot et son fils Galaad demeurèrent bien une demi-année dans la nef, chacun s'appliquant à servir son Créateur de tout son cœur. Plus d'une fois ils abordèrent dans des îles lointaines où ne vivaient que des bêtes sauvages et où ils trouvèrent de merveilleuses aventures qu'ils menèrent à bonne fin tant par leur prouesse que par la grâce du Saint-Esprit qui les assistait en tous lieux. Mais le conte[1] du Saint-Graal n'en fait pas mention, car il faudrait trop de temps pour raconter tout ce qui leur arriva.

301. Après Pâques, au temps du renouveau, lorsque toute chose s'ouvre à l'amour, que les oiseaux dans les bois chantent doucement leurs chants divers pour saluer la ve-

tote chose se trait plus adonc en joie que en autre tens, a
5 celui terme lor avint .i. jor a hore de midi que il arriverent
en l'oraille d'une forest devant une croiz. Lors virent oissir de la forest .i. chevalier armé d'unes armes blanches,
et fu montez molt richement et menoit en destre .i. cheval
grant et blanc. Quant il vit la nef arrivee, si vint cele part
10 grant aleure, si salua les .ii. chevaliers de par le Haut Mestre, si dist a Galaaz :

– Sire [chevaliers], assez avez esté auvec vostre pere.
Issiez de ceste nef et montez sor ce blanc cheval, qui biax
est et buens, si alez la ou aventure vos merra, querant les
15 aventures del roiaume de Logres et menant a chief.

Et quant Galaaz oï ceste parole, si cort a son pere, si le
bese molt doucement et dit :

– Biau douz pere, ge ne sai se ja mes vos verrai. Au
[verai] cors Jhesucrist vos comant gie, qui vos maintiegne
20 en son servise.

Lors comence li uns et li autres a plorer. Et en ce que il
fu oissuz de la nef et il fu montez sor son cheval, vint une
voiz entr'els qui lor dist :

– Or pen[s]t chascuns de bien fere endroit soi, que ja
25 mes ne verra li .i. l'autre devant le grant jor del Joïse qui
sera espoantable que Nostre Sires rendra a chascun ce
qu'il avra deservi.

302. Quant Lanceloz entent ceste parole, si dit tot en
plorant :

– Biau, douz, chier filz, puis qu'il est einsi que je me
depart [B^a, f. 73b] de toi [a toz jorz mes], prie le Haut
5 Mestre que il ait merci de moi et que il ne me lest partir
de son servise, mes en tel maniere me gart que je soie son
serjant terrien et esperitel.

Et il li respont :

– Sire, nule priere n'i vaut autant come la vostre meis-
10 mes. Et por ce vos soviegne de vos.

Et maintenant se depart li .i. de l'autre. Si entre Galaaz
en la forest ; et li venz se fu feruz el voile grant et merveilleus, qui l'ot molt tost esloignié de la rive. Einsi fu

nue de la belle saison, et que tout cède à la joie plus qu'en nul autre temps, ils arrivèrent un jour, à l'heure de midi, à l'orée d'une forêt, devant une croix. Ils virent alors sortir de la forêt un chevalier à l'armure blanche, monté sur un cheval richement harnaché et qui menait de la main droite un grand cheval blanc. Quand il vit la nef près du rivage, le chevalier se dirigea vers elle à vive allure, salua les deux chevaliers au nom du Haut Maître et dit à Galaad :

— Seigneur chevalier, vous êtes resté bien longtemps avec votre père. Quittez cette nef, montez sur ce beau et bon cheval blanc, et allez où la fortune vous mènera pour chercher et achever les aventures du royaume de Logres.

À ces mots, Galaad court vers son père, l'embrasse très tendrement et lui dit :

— Beau doux père, je ne sais si je vous reverrai jamais. Je vous recommande au Vrai Corps de Jésus-Christ. Qu'Il vous garde en son service.

Tous deux se mirent à pleurer. Puis, quand Galaad fut sorti de la nef et monté à cheval, une voix descendit sur eux et leur dit :

— Que chacun de vous pense à bien faire, car vous ne vous reverrez pas avant le grand jour du Jugement, ce jour de colère où Notre-Seigneur rendra à chacun selon ses œuvres.

302. En entendant ces paroles, Lancelot tout en pleurs dit à Galaad :

— Mon doux, cher fils, puisqu'il faut que je me sépare de toi à tout jamais, prie le Haut Maître d'avoir pitié de moi, de ne pas me laisser quitter son service, et de me protéger de telle manière que je demeure son serviteur sur cette terre et au ciel.

— Seigneur, lui répond Galaad, aucune prière ne vaudra la vôtre. Aussi, souvenez-vous de vous-même.

Ils se séparent sans plus tarder. Galaad entre dans la forêt tandis que le vent, d'une violence extraordinaire, frappe la voile et a tôt fait d'emporter la nef loin du rivage.

Lanceloz en la nef tot seuls, fors del cors a la pucele. Et il
15 erra bien en tel maniere .i. mois tot entier [par mi la mer]
que il dormoit pou et reposa, et tote jor et tote nuit pria
Nostre Seignor molt tendrement, que Il en tel leu le menast ou il aucune chose del saint Graal [peust veoir]. Un
soir entor mie nuit li avint que il arriva devant .i. chastel
20 qui molt estoit riches et beax et bien seanz de totes choses.
Au derrieres do chastel avoit une porte qui ovroit devers
l'eve, si estoit toz dis overte, de nuiz et de jorz. Ne cil de
leenz n'avoient garde de cele part, car il i avoit toz jorz
.ii. lions qui gardoient l'entree li uns devant l'autre, en tel
25 maniere que nus ne pooit entrer leenz se par mi els non,
por que l'en [i] volsist entrer par cele porte. A cele hore
que la nef arriva a cel chastel luisoit si cler la lune que l'en
pooit assez vooir loig et pres. Et maintenant oï une voiz
qui li dist :
30 – Lancelot, is de ceste nef et si entre en cel chastel, ou tu
verras une grant partie de ce que tu desirres a vooir.

303. Et quant il ot ceste parole, si cort a ses armes [et les
prent], ne n'i lessa nule chose que il i eust aportee, si ist
de la nef. Et quant il en est hors [issus], si s'en vient vers
la porte et il voit les .ii. lions ; si quide bien que il n'en
5 poist [*B^a*, f. 73c] partir fors par mellee. Lors met la main
a l'espee, si s'apareille del defendre. Et en ce que il ot
trete s'espee, il regarde contremont, si voit une [main] tote
enflambee qui le feri si durement sor le braz que l'espee li
vola de la main. Et lors oï la voiz qui li dist :
10 – Hé ! home de povre foi et de povre creance, por quoi
te fies tu plus en t'espee que en ton Criator ? Molt ies
chetis, quant tu quides que celui en cui servise tu es ne te
poisse plus valoir que tes armes !
Il fu si esbahi de ceste parole et de la main que il ot veue
15 que il chaï a la terre tot estendu, et est tel atornez que il
ne set s'il est ou nuiz ou jorz. [Mes] a chief de piece se
redrece et dit :
– Hé ! biau peres Jesucrist, je vos cri merci et aor de
ce que vos me deigniez reprendre en mes forfez. Or voi

Lancelot demeura donc seul dans la nef, avec le corps de la demoiselle. Il erra bien un mois sur la mer, ne dormant et ne se reposant que peu, mais jour et nuit priant Dieu du fond du cœur de le mener en un lieu où il pût voir quelque chose des mystères du Saint-Graal. Un soir, vers minuit, il arriva devant un magnifique château, très bien situé. Derrière le château, une porte, qui donnait sur la mer, restait ouverte de nuit comme de jour. Les habitants n'avaient pas besoin de la surveiller, car deux lions se tenaient là, en face l'un de l'autre, pour garder l'entrée, et si on voulait pénétrer dans le château, il fallait passer entre eux deux. Lorsque la nef aborda, la lune était si claire que l'on pouvait voir aussi bien au loin que tout près. Et à ce moment, Lancelot entendit une voix qui lui dit :

– Lancelot, sors de la nef et entre dans ce château où tu verras une grande partie de ce que tu désires voir.

303. À ces mots, il court prendre ses armes et sans rien laisser dans la nef de ce qu'il avait apporté, descend à terre et s'approche de la porte. Apercevant les deux lions, il comprend qu'il ne passera pas sans se battre contre eux. Il met donc la main à l'épée et s'apprête à se défendre. Mais à peine a-t-il dégainé que, levant les yeux, il voit venir une main de feu qui le frappe si rudement au bras qu'elle fait voler son épée. Il entend alors la voix qui lui dit :

– Ah ! homme de peu de foi et de faible croyance, pourquoi as-tu plus confiance en ton épée qu'en ton Créateur ? Tu es bien misérable de penser que Celui que tu sers n'est pas plus puissant que tes armes !

Lancelot est si stupéfait de ces paroles et de la main qu'il a vue, qu'il tombe à terre de tout son long, tout étourdi et ne sachant plus si c'est le jour ou la nuit. Mais au bout d'un moment il se relève et dit :

– Ah ! doux père Jésus-Christ, je vous rends grâces et vous adore de ce que vous daignez me reprendre de mes

20   je bien que vos me tenez a vostre serjant, quant vos m'en
mostrez signe de ma mescreance.

304. Lors remet s'espee el fuerre et dit que par lui n'en
sera ja mes ostee, ainz se metra en la merci Nostre Seignor ; et s'il Li plest qu'il i muire, si li soit sauvement
de s'ame, et s'il en eschape, il li sera torné a trop grant
5   henor.

Lors fet le signe de la sainte croiz enmi son vis et se comande a Nostre Seignor, si vient as lions. Et cil s'assient
maintenant que il le voient venir, ne n'en font nul senblant
que il li vueillent mal fere. Et il s'en passe par mi els que
10   il ne tochent a lui. Si entre dedenz la mestre rue et s'en va
tot contreval le chastel, si entre en la mestre forterece de
leenz. Et il estoient ja tuit couchié parmi le chastel, car
il estoit bien entor mie nuit, si se dormoient. Et vient as
degrez, si monte tot contremont, tant que il [*B^a*, f. 73d]
15   vint en la grant sale si armez com il estoit. Et quant il fu
amont, si regarda loig et pres, mes il n'i vit home ne feme,
dom il se merveille molt, que si granz palés ne si granz
sales com il i avoit ne quidast il mie sanz genz. Il s'en
passe outre et pense que il ira tant que il trovera aucunes
20   genz qui li diront ou il est arrivez, car il ne set en quel païs
il est. Et tant ala que il vint a une chambre dont li huis
estoit clos et serrez molt bien. Il i met la main, que il le
quide deffermer, mes il ne pot ; si s'en eforça il molt, mes
rien qu'il face ne li puet valoir a ce qu'il i puist entrer.
25   Lors escoute, si ot une voiz chanter tant doucement que
il ne li senble mie que ce soit chant de mortex choses,
mes d'esperitex. Et li estoit avis qu'ele disoit : « Gloire
et loenge soit a Nostre Seigneur Jesucrist et heneur soit a
toi, Pere des cels ! » Quant il ot ce que les voiz disoient,
30   si li atendrie toz li cuers ; si s'ajenoille devant l'uis de la
chambre, car bien pense que leenz soit li Sainz Graax et
dit tot en plorant :

– Biau sire Dex, se ge onques [fis] en ceste voie chose
qui vos pleust, Sire, par ta pitié, ne m'aies en despit, que

fautes. Je vois bien maintenant que vous me considérez comme votre serviteur puisque vous me montrez les signes de mon manque de foi.

304. Lancelot remet alors son épée au fourreau et dit qu'il ne la dégainera plus, mais s'en remettra à la grâce de Notre-Seigneur. Et s'il Lui plaît qu'il meure, que ce soit pour le salut de son âme ; et s'il en réchappe, ce sera pour lui un grand honneur.

Il fait le signe de la sainte croix sur son visage, se recommande à Dieu et s'approche des lions qui, dès qu'ils le voient venir, s'asseyent et ne donnent aucun signe de vouloir l'attaquer. Il passe entre eux sans qu'ils le touchent. Il s'engage dans la grande rue, se dirige vers le château et entre dans la tour principale. Tous les habitants du château étaient déjà couchés et dormaient, car il était bien près de minuit. Arrivé au bas des marches, il les gravit et pénètre tout armé dans la grande salle. Il regarde de tous côtés, mais ne voit ni homme ni femme, ce qui le surprend fort, car il n'aurait pas pensé qu'un si grand château et de si grandes salles puissent être inhabités. Il passe outre, décidé à ne pas s'arrêter avant d'avoir trouvé des gens qui lui diront où il est, dans quel pays il se trouve. Il finit par arriver devant une chambre dont la porte était soigneusement fermée. Il essaya de l'ouvrir, mais n'y parvint pas. Il s'y reprit à plusieurs fois, mais ce fut peine perdue, et il ne put entrer. Prêtant l'oreille, il entendit alors une voix qui chantait d'une manière si douce qu'elle lui parut être la voix d'une créature céleste plutôt que mortelle. Il crut entendre qu'elle disait : « Gloire et louange à Notre-Seigneur Jésus-Christ, et honneur à Toi, Père des cieux ! » Ces paroles attendrirent le cœur de Lancelot qui s'agenouilla devant la porte, pensant bien que le Saint-Graal devait se trouver dans la chambre. Puis il dit tout en pleurs :

– Beau seigneur Dieu, si jamais au cours de cette quête j'ai pu T'être agréable, Seigneur, dans ta pitié, ne me re-

35 tu ne me faces aucun demostrement de ce que je vois querant.

305. Et maintenant que il ot ce dit, si vit l'uis de la chambre overt, et a l'ovrir que il fist avint que il oissi une grant
clarté ausi com se li soleux meismes ferist leenz et [i] feist
son estage. Et de cele grant clarté qui de leenz issoit fu
5 tote la meson si clere ausi com se tuit li cierge del monde
i fussent espris. Et com il voit ce, si a molt grant joie et
grant [*B*ᵃ, f. 74a] desir de vooir dont cele grant clarté venoit, si que il en oublie totes choses. Si vient a l'uis de la
chambre et volt entrer dedenz, quant une voiz li dist :
10 – Fui, Lancelot, n'i entre mie, car tu nel doiz mie fere.
Et se tu i entres sor cestui deffens, tu t'en repentiras.

Et quant il oï ceste parole, si se tret arriere molt dolent, come cil qui volentiers i entrast, mes totevoies s'en
refraint il por le comandement que il a oï. Si regarde en
15 la chambre et voit une table d'argent et le Seint Vessel
covert d'un samit vermeil. Il voit tot entor anges qui ame-
nistroient entor le Saint Vessel, en tel maniere que li .i.
tenoient encensiers d'argent et li autre cierges ardanz, et li
autre croiz et aornemenz d'autel, et n'en i avoit nus iluec
20 qui ne servist d'aucun mestier. Devant le Saint Vessel se
sooit .i. preudons revestu come prestre, si sembloit bien
que il fust el sacrement de la messe. Et quant ce fu chose
que il volt drecier *Corpus Domini*, si fu avis a Lancelot que
desus les mains au preudome en haut avoit trois homes,
25 dont li dui metoient par senblant le plus juene entre les
mains au provoire ; et il le levoit en haut et fesoit senblant
que il le mostrast au pueple.

Lanceloz regarde ceste chose, si ne s'e[n] merveille pas
petit, car il li est bien avis que li prestres est si charchiez
30 de ce que il tient, que il quide que il doie chooir a terre. Et
quant il voit ce, si li volt aler aidier, car il voit bien que nus
de cels qui entor lui estoient ne li voloient aidier. Lors a si
grant talent d'aler [i] que il ne li sovient de desfens qui li
ait esté fez [*B*ᵃ, f. 74b] de ce que il n'i meist ja le pié. Lors
35 vint a l'uis buen pas et dit :

pousse pas en refusant de me montrer quelque chose de ce que je cherche.

305. À peine eut-il prononcé ces paroles que, regardant devant lui, il vit s'ouvrir la porte et jaillir de la chambre une lumière aussi éclatante que si le soleil y avait pénétré et y avait établi sa demeure. Toute la maison en fut illuminée comme si tous les cierges du monde y brûlaient. En voyant cela, Lancelot éprouve une telle joie et un tel désir de découvrir d'où vient cette lumière qu'il oublie tout. Il s'approche de la porte et allait pénétrer dans la chambre quand une voix lui dit :

– Fuis, Lancelot, n'entre pas, cela t'est interdit ; et si tu enfreins cette défense, tu t'en repentiras.

À ces paroles, Lancelot recule, tout chagrin, car il aurait bien voulu entrer ; mais la défense qui lui avait été faite le retint. Il regarde à l'intérieur de la chambre et voit sur une table d'argent le Saint-Vase recouvert d'une étoffe de samit vermeil. Tout autour, des anges officiaient, les uns tenant des encensoirs d'argent, d'autres des cierges allumés, d'autres encore des croix et des ornements d'autel, et il n'y en avait aucun qui ne fût occupé à remplir quelque office. Devant le Saint-Vase était assis un homme vêtu comme un prêtre et qui semblait célébrer la messe. Et lorsqu'il fut sur le point d'élever *Corpus Domini*, Lancelot crut voir, au-dessus des mains du prêtre, trois hommes, et deux d'entre eux remettaient le plus jeune aux mains du prêtre qui l'élevait comme pour le montrer au peuple.

Lancelot est extrêmement surpris de ce qu'il voit. Le prêtre lui paraît si chargé par le poids de la personne qu'il soutient qu'il semble sur le point de tomber. Aussi veut-il aller à son secours, car il voit bien qu'aucun de ceux qui l'entourent ne veut l'aider. Dans son grand désir d'approcher, il oublie la défense qu'on lui a faite de mettre le pied dans la chambre. Il se dirige rapidement vers la porte, et dit :

– Biau, tres douz pere Jesucrist, ne me soit establi a poine n'a damnacion se ge vois aidier a cel prodome qui mestier en a.

306. Lors entre dedenz, si s'adrece vers la table d'argent. Et quant il vient pres, si sent .i. soffle de vent ausi chaut, ce li fu avis, come s'il fust entremellé de feu, si le feri [el vis] si durement que il li fu [bien] avis qu'il li
5 eust tot le viaire [ars et] broï. Lors n'a pooir d'aler avant, com cil qui est tel atorné qu'il a perdu le pooir del cors, et del oïr et del vooir, ne si n'a menbre sor lui dom il aidier se puisse. Lors sent plusor mains qui le tienent amont et aval et l'enportent hors a l'uis de la chanbre, si le lessent
10 ilueques.

A l'endemain, quant li jorz fu et biaus et clers et cil de leenz furent levé, et il troverent Lancelot gesant devant l'uis de la chanbre, si s'en merveillierent molt que ce pooit estre. Il le semonent de lever, mes il ne [fet nul sem-
15 blant qu'il les oie, ne il] ne se remue. Et quant il voient ce, si dient qu'il est morz : si le desarment tost et isnelement et li gardent au pous et au chief s'il est vis. Si le trovent que il est sains et vis, mes il n'a pooir de parler, ainz est ausi com une mote de terre. Il le prenent de totes parz, si
20 l'enportent entre braz en une des chanbres de leenz, si le couchent en un lit molt riche, loig de gent, que la noise ne li face mal. Si s'en prenent garde si com il puent, et sont tote jor delez lui, et l'arresnent mainte foiz [por] savoir s'il porroit parler. Mes il ne dit mot [ne ne fet semblant
25 qu'il eust onques parlé jor de sa vie]. Il regardent as pous et as voines et dient entr'els :

– Merveilles est de cest chevalier qui toz vis est, et si ne puet [*B^a*, f. 74c] parler.

Et li autre dient que il ne sevent dont ce puisse avenir,
30 se ce n'est aucune venjance [ou aucun demostrement] de Nostre Seignor.

307. Tot ce jor furent devant lui, et le tierz et le quart

– Beau, très doux père Jésus-Christ, que cela ne m'attire ni punition ni damnation si je vais aider ce prêtre qui en a grandement besoin.

306. Il entre alors et va vers la table d'argent. Mais comme il s'en approche, un souffle de vent, si chaud qu'il lui semble mêlé de feu, le frappe au visage avec une force telle qu'il pense être tout brûlé. Il lui est impossible de faire un pas de plus comme s'il était frappé de paralysie, incapable de voir, d'entendre, ou de faire usage d'aucun de ses membres. Il sent alors que plusieurs mains le tiennent par les bras et les jambes, l'emportent hors de la chambre et le laissent devant la porte.

Le lendemain, quand le jour parut beau et clair, et que les habitants du château, s'étant levés, découvrirent Lancelot gisant devant la porte de la chambre, ils se demandèrent avec étonnement ce que cela pouvait bien signifier. Ils lui disent de se lever, mais lui ne semble pas les entendre et ne bouge pas. Pensant qu'il est mort, ils s'empressent de le désarmer, lui prennent le pouls et examinent sa tête, pour voir s'il vit encore. Ils se rendent compte qu'il est bien vivant mais incapable de parler, et il est là comme une motte de terre. Ils le prennent dans leurs bras et l'emportent dans une chambre du château où ils le couchent sur un lit somptueux, à l'écart des gens pour que le bruit ne l'incommode pas. Ils s'occupent de lui du mieux qu'ils peuvent, restent toute la journée à son chevet et s'adressent souvent à lui pour voir s'il aurait retrouvé la parole. Mais il reste muet comme s'il n'avait jamais parlé de sa vie. Ils écoutent chaque pouls et le battement de ses veines et se disent entre eux :

– Quelle chose extraordinaire que ce chevalier, qui est vivant, ne puisse pas parler !

D'autres disent qu'ils ne savent pas comment cela est possible à moins que ce ne soit quelque vengeance ou quelque manifestation de Notre-Seigneur.

307. Ils demeurèrent ainsi auprès de Lancelot tout ce

ausi, et disoient li .i. a[s] autre[s] qu'il estoit morz, et li
autre disoient qu'il estoit vis.

– Par foi, fist .i. vielz hom qui leenz estoit et qui as-
5 sez savoit de fisique, je vos di veraiement qu'il n'est mie
morz, ainz est ausi pleins de vie com .i. de nos ; et por
ce lo ge qu'il soit gardez bien et richement tant que Nostre Sires le rait mis en [l]a santé [ou il a autre foiz esté.
Et] lors savrons verité de lui, qui il est et de quel païs. Et
10 [certes], se je onques riens soi, je quit qu'il ait esté .i. des
buens chevaliers del monde, et .i. des hauz homes et sera
encore s'il plest a Nostre Seignor, que de mort n'a il encor
garde, ce me semble ; ce ne vos di ge mie qu'il ne puisse
assez languir si com il est ore.

15   Einsi dist li prodons de Lancelot, come cil qui molt
estoit sages, et si n'en dist il onques chose qui ne fust
voire tot einsi apertement com il l'avoit devisee ; que cil
de leenz le garderent en tel maniere .xxiiii. jorz et .xxiiii.
nuiz que onques ne but ne manja, ne n'oissi parole de sa
20 boche, ne ne remua pié ne main ne membre qu'il eust, ne
ne fist senblant de chose qui dehors apareust qu'il fust en
vie. Et neporquant totes les foiz que l'en metoit sor lui la
main, conoissoit l'en bien qu'il estoit vis. Si le pleignoient
tuit et totes [molt durement], et disoient :

25   – Dex ! quel domage de cest chevalier [qui tant sembloit
vaillant et preudom] et biax hom de son aage, et or l'a Dex
mis [en tel point et] en tel chartre.

308. Einsi disoient cil de leenz de Lancelot et en plo-
roient mainte foiz a chaudes lermes. Mes tant nel savoient
regarder qu'il le seussent encercier por Lancelot. Et
neporquant maint chevalier avoit leenz qui tantes [B^a,
5 f. 74d] foiz l'avoit veu qui le deussent bien conoistre. En
tel estat jut leenz Lanceloz .xxiiii. jorz, que cil de leenz
n'i atendoient se la mort non, et tant que .i. jor li avint entor hore de midi que il ovri les euz. Et quant il vit les genz,
si comença a fere trop grant duel et dit :

10   – Ha ! Dex, por quoi m'avez vos esperi ? Tant estoie
plus aese que je ne sui ore. Ha, biau pere Jesucrist, qui

jour-là ainsi que le troisième et le quatrième, les uns disant qu'il était mort et les autres qu'il était vivant.

– Par ma foi, dit un vieil homme qui se trouvait là et connaissait bien la médecine, je vous assure qu'il n'est pas mort mais aussi plein de vie que l'un de nous. Je vous conseille donc de lui dispenser les meilleurs soins jusqu'à ce que Notre-Seigneur lui rende la santé dont il jouissait naguère. Nous saurons alors tout sur lui, qui il est et de quel pays. De plus, si jamais j'ai su quelque chose, je pense qu'il a été un des meilleurs chevaliers du monde et un des plus nobles, et qu'il le sera encore, s'il plaît à Notre-Seigneur. Je ne pense pas qu'il soit en danger de mort, mais il n'est pas impossible qu'il reste assez longtemps dans cet état de langueur.

Tel fut le jugement que le vieillard, en homme de grande sagesse, porta sur Lancelot. Et tout ce qu'il dit se révéla vrai en tout point. En effet, ils le veillèrent vingt-quatre jours et vingt-quatre nuits durant lesquels il ne but ni ne mangea, ne prononça pas une parole, ne remua ni pied ni main, et ne donna aucun signe qu'il fût en vie. Et pourtant, toutes les fois qu'on le touchait avec la main, on se rendait bien compte qu'il était vivant. Tous et toutes le plaignaient fort, disant :

– Ah ! Dieu, quel malheur que Dieu ait condamné à une telle infirmité ce chevalier qui semblait si vaillant, si noble et si beau pour son âge.

308. Ainsi disaient-ils, et il leur arrivait souvent de pleurer à chaudes larmes. Mais ils avaient beau le regarder, ils ne pouvaient reconnaître en lui Lancelot. Pourtant, beaucoup de chevaliers qui étaient là l'avaient vu si souvent qu'ils auraient bien dû le reconnaître. Lancelot demeura dans cet état vingt-quatre jours si bien que tous n'attendaient plus que sa mort. Mais le jour vint où, vers midi, il ouvrit les yeux. Quand il vit les gens autour de lui, il commença à mener grand deuil :

– Ah ! Dieu, dit-il, pourquoi m'avez-vous réveillé ? J'étais tellement plus heureux que je ne le suis mainte-

porroit estre si beneurez et si preudons qu'il poist apertement vooir les granz merveilles de voz secrez, la ou mi
regart pechierent et ma veue conchiee de la tres grant or-
15 dure [fu] essorbee ?

Quant cil qui entor lui estoient oent ceste parole, si ont
trop grant joie, si li demandent qu'il a veu.

— J'ai, fet il, veu si grant merveilles et si grant beneurté
que ma langue nel vos porroit mie descovrir, ne mes cuers
20 meismes n'i porroit mie penser, com grant chose ce est,
que ce n'est mie chose terriene, mes esperitel ; que se ma
maleurté ne fust et mi grant pechié, encore eusse je plus
veu la ou je perdi la veue de mes euz et lo pooir del cors
par la grant maleurté que Dex avoit veu en moi.

25 Lors dit a cels qui entor lui sont :

— Biau seignor, ge me merveil molt de ce que ge me
sui ici trové, car il ne me sovient mie coment ne en quel
maniere g'i sui mis.

309. Et il li dient [tot] ce qu'il avoient veu de lui et
coment il avoit demoré entr'els .xxiiii. jorz, [en tel ma-
niere] qu'il ne savoient s'il estoit morz ou vis. Et com il
ot ce, si comence a penser coment il avoit tant esté en tel
5 estat [et par quel senefiance], tant qu'il se porpense qu'il
avoit el terme de .xxiiii. anz servi a l'enemi, par quoi Nostre [B^a, f. 75a] Sires le mist en tel penitance par .xxiiii.
jorz [qu'il ot perdu le pooir del cors et des menbres]. Lors
regarde devant lui, si voit la haire qu'il avoit portee pres
10 d'un an, [dont il se voit ore dessaisi]. Si l'en poise molt,
car il li est avis qu'il ait [en ceste chose] enfret son veu. Et
cil li demandent coment il li est. Et il dit qu'il se sent sain
et hetié, la merci Deu.

— Mes por Deu, fet il, dites moi en quel chastel je sui.

15 Et il dient qu'il est el chastel de Corbenyc. Maintenant

nant. Ah ! doux père Jésus-Christ, qui pourrait être assez fortuné et assez vertueux pour voir à découvert les grandes merveilles de vos secrets à ce moment où mes regards ont péché et mes yeux souillés de toute l'ordure du monde furent aveuglés[1] ?

Les gens qui l'entouraient furent remplis de joie en entendant ces paroles, et ils lui demandèrent ce qu'il avait vu.

– J'ai vu, répondit-il, de si grandes merveilles et connu une telle félicité que ma langue ne pourrait vous les décrire et mon cœur même ne pourrait en concevoir la grandeur. Car ce n'était pas chose terrestre mais spirituelle. Et si mon infortune et mes graves péchés ne m'en avaient empêché, j'en aurais vu davantage lorsque je perdis la vue et l'usage de mon corps à cause de la méchanceté que Dieu avait découverte en moi.

Puis il dit à ceux qui étaient là :

– Beaux seigneurs, je suis très étonné de me trouver ici, car je ne me souviens pas d'y avoir été amené ni de quelle manière cela fut fait.

309. Ils lui racontèrent tout ce qu'ils avaient vu et comment il était resté vingt-quatre jours avec eux sans qu'ils puissent savoir s'il était mort ou vivant. Lancelot se mit alors à réfléchir, se demandant ce que pouvait signifier cet état dans lequel il était resté si longtemps. Il finit par se rendre compte qu'il avait servi l'Ennemi pendant vingt-quatre ans, et qu'en guise de pénitence Notre-Seigneur l'avait privé pendant vingt-quatre jours de l'usage de tout son corps. Regardant autour de lui, il aperçut la haire qu'il avait portée près d'un an et qu'on lui avait ôtée. Il en ressentit une grande peine, car il lui sembla qu'il avait ainsi enfreint son vœu. Puis les gens lui demandèrent comment il se sentait et il répondit qu'il était tout à fait remis, grâce à Dieu.

– Mais, ajouta-t-il, dites-moi, au nom de Dieu, dans quel château je me trouve.

Ils répondirent qu'il était au château de Corbenic. À ce

vint devant lui une pucele, qui li aporta robe fresche de lin
[et novele] ; et il ne la velt vestir, ainz prent la haire. Et
quant cil qui entor lui estoient virent ce, si li dient :

– Sire chevalier, vos poez bien lessier la haire, car vostre
20 queste eśt achevee ; por neent vos traveilleriez plus [por
querre le Saint Graal. Bien sachiés que mais n'en verrés
plus que veu en avés. Or nos amaint Dex cels qui le plus
en doivent vooir].

Por ceste parole n'en volt il riens fere, ainz prent la
25 haire, si la vest et puis la robe de lin par desus, et aprés
la robe d'escarlate [tele come il li aporterent]. Et quant
il fu vestuz [et apareilliés et levés de son lit], si le
vienent vooir tuit cil de leenz, si [tienent a grant merveille
ce que Dex a fet de lui. Si ne l'ont gueres regardé quant il]
30 le conoissent et dient :

– Ha ! messire Lanceloz, estes vos ce ?

310. Et il dit : « Oïl ». Lors comence la joie par leenz
[grant et merveilleuse]. Si vont tant les novcles [as uns
et as autres] que li rois Pellés en a oï parler ; si [li dist .i.
chevaliers :

5 – Sire, merveilles vos puis dire.
– De quoi ? fet li rois.
– Par foi, sire, fet li chevaliers, cil qui tant a ceenz geu
come morz, si est orendroit levez de son lit seins et hetiez,
et sachiez que ce est mon seignor Lanceloz do Lac.

10 Quant li rois l'entent, si est molt liez] et le va vooir. Et
quant Lanceloz le voit venir, si se drece contre lui et dit
que bien soit il venuz ; [si li fet molt grant joie] et li rois
[ausint a lui et] li dit que sa belle fille, la mere Galaaz,
estoit morte. Si en pesa molt a Lancelot [por ce que si
15 gentil fame estoit et estrete de si haut lignage].

.IIII. jorz demora Lanceloz leenz, si en fist li rois [molt
grant joie et molt] grant feste, que longuement avoit desir-

moment-là parut une demoiselle qui apportait à Lancelot une robe de lin neuve et fraîche, mais il ne voulut pas la revêtir et prit sa haire. En voyant cela, ceux qui l'entouraient lui dirent :

– Seigneur chevalier, vous pouvez bien laisser la haire : votre quête est terminée, et tous vos efforts pour chercher le Saint-Graal seraient désormais inutiles. Sachez, en effet, que vous n'en verrez pas plus que ce que vous avez vu. Que Dieu nous amène maintenant ceux qui doivent en voir davantage.

Mais Lancelot ne tient pas compte de ces paroles; il prend la haire, la revêt, puis la robe de lin et ensuite une robe d'écarlate qu'on lui apporta. Lorsqu'il fut levé et habillé, tous les gens du château vinrent le voir et s'émerveillèrent de ce que Dieu avait fait de lui. Il ne leur fallut pas longtemps pour le reconnaître.

– Ah ! monseigneur Lancelot, lui dirent-ils, est-ce bien vous ?

310. – Oui, répondit-il.

Une joie extraordinaire éclate alors dans le château et la nouvelle se répand si vite qu'elle parvient jusqu'au roi Pellés. Un chevalier lui dit :

– Seigneur, j'ai de surprenantes nouvelles à vous apprendre.

– Lesquelles ? dit le roi.

– Par ma foi, seigneur, le chevalier qui est resté si longtemps couché ici comme mort est maintenant sur pied sain et sauf, et c'est monseigneur Lancelot du Lac.

Le roi, ravi de cette nouvelle, se rend auprès de lui. Lancelot, en le voyant venir, se lève et lui souhaite la bienvenue; et tous deux manifestent une grande joie de se voir. Et le roi lui apprend que sa fille, qui était si belle – la mère de Galaad –, était morte[1]. Cette nouvelle causa une grande peine à Lancelot parce que c'était une noble dame et de très haut lignage.

Lancelot demeura quatre jours au château pour le plus grand plaisir du roi qui avait longtemps désiré l'avoir avec

ré qu'il tenist Lancelot auvec lui. Au .v. jor furent assis
au disner [en la maistre sale de leens. Et] lors fu si avenu
20   que li Sains Graax avoit ja raenplies les tables de leenz [si
merveilleusement que greignor plenté ne poïst penser
nus hom]. En ce qu'il manjoient, si lor avint une chose
qu'il tindrent a [molt grant] merveille, qu'il virent apertement que li huis del palés clostrent sanz [que nus n'i meist
25   la] main : si en furent esbahis [*B*^a, f. 75b] cil de leenz. Et .i.
chevaliers qui dehors estoit armez de totes armes et monté
sor .i. cheval grant, vint devant le mestre huis et cria :
    — Ovrez, ovrez !

311. Et cil de leenz ne li voldrent ovrir. Et il cria tot adés
et tant lor anoia que li rois [meismes] se leva del mangier
et vint a une [des] fenestre[s del palais, de cele part ou li
chevaliers estoit]. Si le regarde et [quant il le voit atendant
5   devant la porte, si] li dit :
    — Sire chevalier, vos n'i enterroiz ; ja nus qui si haut soit
montez com vos estes n'i enterra ceenz, [tant com li Sainz
Graax i soit. Mes alez vos ent en vostre païs], que [certes]
vos n'estes pas des chevaliers de la Queste, ainz estes de
10   cels qui ont lessié [le servise] Jesucrist [et se sont mis el
servise a l'anemi].
    Quant cil l'oï, si est molt angoisseus [et tant a grant duel
qu'il ne set qu'il doie faire, fors qu'il s'en retorne]. Et li
rois [le rapele et] li dit :
15   — Sire chevalier, [puis qu'il est einsi que vos ceenz estes
venuz, je vos pri que vos me dites] qui vos estes.
    — Sire, je sui del roiaume de Logres, si ai non Hestor des
Mares, et sui frere Lancelot del Lac.
    — Par foi, fet li rois, je vos conois bien ; si sui ore plus
20   dolenz de vos que devant, [car il ne m'en chaloit gueres,
mes or m'en chaut il] por amor de vostre frere qui ceenz
est.
    Quant Hestor entent que Lanceloz est leenz, [l'ome el
monde que il plus cremoit por la grant amor qu'il avoit a
25   lui], si dit :
    — Ha ! Dex, or double ma honte [et croist plus et plus] !

lui. Le cinquième jour, lorsqu'ils s'assirent pour dîner, il se trouva que le Saint-Graal avait déjà couvert les tables de tant de mets que nul n'aurait pu imaginer plus grande richesse. Tandis qu'ils mangeaient, il se produisit une chose qui leur parut tout à fait extraordinaire : à leur grande stupéfaction, ils virent très clairement les portes de la grande salle se fermer sans que personne y eût touché. Puis, un chevalier tout armé, monté sur un grand cheval, arriva devant la porte principale, criant :

– Ouvrez, ouvrez !

311. Les gens du château refusèrent. Il continua à crier et à les importuner tant et si bien que le roi se leva de table, alla vers une des fenêtres de la salle, du côté où se tenait le chevalier. En le voyant qui attendait devant la porte, il lui dit :

– Seigneur chevalier, vous n'entrerez pas ! Tant que le Saint-Graal sera ici, personne n'entrera monté sur un aussi grand cheval que le vôtre[1]. Retournez dans votre pays, car il est certain que vous n'êtes pas un chevalier de la Quête, mais un de ceux qui ont abandonné le service de Jésus-Christ pour celui de l'Ennemi.

En entendant ces paroles, le chevalier ressent un tel désarroi et une telle douleur qu'il ne sait que faire, sinon s'en retourner. Mais le roi le rappelle et lui dit :

– Seigneur chevalier, puisque vous êtes venu jusqu'ici, je vous prie de me dire qui vous êtes.

– Seigneur, répondit-il, je suis du royaume de Logres ; je m'appelle Hector des Mares et je suis le frère de Lancelot du Lac.

– Par ma foi, dit le roi, je vous reconnais bien et je suis maintenant plus peiné que je ne l'étais ; car si auparavant votre cas ne m'importait guère, il m'importe maintenant pour l'amour de votre frère qui est ici.

En apprenant que son frère est là, l'homme qu'il craignait le plus au monde en raison du grand amour qu'il lui portait, Hector s'écrie :

– Ah ! Dieu, ma honte redouble et s'accroît encore. Je

Or n'oseré je mes venir devant mon frere quant j'ai failli
a ce ou li preudome [et li vaillant chevalier] ne faudront
pas. Voirement me dist voir li preudons del tertre, cil qui
30   dist [a moi et] a monseignor Gauvain la senefiance de nos
songes !

312. Lors s'en ist hors de la cort et s'en vait par mi le
chastel si grant oirre com il puet del cheval trere. Et quant
cil del chastel l'en voient einsi foïr, si crient tuit aprés
lui, si le vont huiant et maudisant l'ore qu'il fu nez, et
5   le claiment mauvés chevalier recreant ; et il en a tel duel
qu'il vossist bien estre mort. Si s'en vait fuiant tant qu'il
vint hors del chastel, si se fiert en la forest la ou il la voit
plus espesse. Et li rois Pellés revint a Lancelot, si li dit les
noveles de son frere, dom il est si dolenz qu'il ne set qu'il
10   doie fere ne dire. [*B^a*, f. 75c] Si ne se puet tant celer que
cil de leenz ne s'en aperçoivent, a ce que il li voient les
lermes degoter tot contreval les faces. Et por ceste chose
s'en repent molt li rois Pellés que il avoit dite ceste parole ; ne il ne l'eust dit en nule maniere, s'il quidast que
15   Lanceloz en deust prendre sor lui si tres grant corrot a son
cuer dedenz.

Quant il orent mangié, Lanceloz proia le roi que il li
face aporter ses armes, car il vodra aler el roiaume de Logres, ou il ne fu plus a d'un an.

20   – Biau sire, fet li rois, ge vos pri por Deu que vos me
pardonez ce que je vos aportai noveles de vostre frere.

Et il dit que il li pardone bien. Lors comanda li rois que
l'en li aportast ses armes, et l'en li aporte. Et Lanceloz les
prent, si s'arme. Et quant il est apareilliez, que il n'i a fors
25   del monter, [li rois li fet amener en mi la cort un cheval
fort et isnel et li dit que il mont sus et il si fet. Et quant il
est montés], si a pris congié a toz cels de leenz, si s'en issi
fors del chastel, puis s'en ala chevauchant granz jornees
par mi les estranges terres.

313. Un jor avint qu'il herberja en une abeie blanche, ou
li frere li firent molt grant honor por ce que chevaliers er-

n'oserai jamais plus me présenter devant mon frère puisque j'ai échoué là où les nobles et vaillants chevaliers n'échoueront pas. Certes, il m'a bien dit la vérité, l'ermite de la montagne, celui qui nous a expliqué, à Gauvain et à moi, le sens de nos rêves[2].

312. Sur ce, Hector sort de la cour et traverse le château de toute la vitesse dont son cheval est capable. Et quand les habitants le voient fuir ainsi, ils le poursuivent de leurs cris et de leurs insultes, maudissant l'heure où il est né, et le traitant de mauvais chevalier et de lâche. Il en est si affligé qu'il voudrait mourir. Il continue à fuir jusqu'à ce qu'il soit sorti du château, et se jette au plus épais de la forêt. Le roi Pellés retourne auprès de Lancelot et lui apprend ce qui est arrivé à son frère. Lancelot en ressent une telle douleur qu'il ne sait que faire ou que dire. Il parvient si mal à cacher son chagrin que les gens du château s'en aperçoivent en voyant les larmes couler le long de son visage. Aussi le roi Pellés se repent-il de lui avoir parlé ; il ne l'aurait pas fait s'il avait pensé que Lancelot en aurait éprouvé tant de peine en son cœur.

Le repas fini, Lancelot pria le roi de lui faire apporter ses armes, car il désirait retourner au royaume de Logres dont il avait été absent depuis plus d'un an.

– Beau seigneur, dit le roi, je vous prie, au nom de Dieu, de me pardonner de vous avoir donné ces nouvelles de votre frère.

Lancelot répondit qu'il le lui pardonnait bien volontiers. Le roi ordonna alors qu'on lui apporte ses armes, ce qui fut fait. Lancelot les prit et les revêtit, et quand il fut équipé et qu'il ne lui restait plus qu'à monter en selle, le roi fit amener dans la cour un cheval puissant et rapide et lui dit d'y monter. Lancelot obéit, puis, ayant pris congé de tous ceux du château, il s'en alla et chevaucha à grandes journées à travers des terres étrangères.

313. Un jour, il demanda l'hospitalité dans une abbaye de moines blancs où les frères le reçurent avec beaucoup

ranz estoit. Au matin, com il ot oï messe et il oissi del mostier, si regarda sor destre devant .i. grant autel, si vit une
5 tonbe trop riche et trop bele, [qui estoit fete novelement,
ce li sembloit]. Il torna cele part [por vooir que ce est]. Et
com il [fu pres, si] la vit de si riche façon qu'il set bien
que desoz gist aucun riche prince. Il regarde vers le chief,
si voit letres d'or qui disoient : *Ci gist li rois Baudemagu*
10 *de Gorre, que Gauvain li niés lo roi Artur ocist.* Et quant
il ot ce, si est trop dolenz que mainte henor li ot fet li rois
Baudemaguz [*B^a*, f. 75d] en sa vie. Et se ce fust autres qui
ce eust fet que messires Gauvain, il n'en passast ja se par
la mort non. Il en plore trop durement et fet grant duel et
15 dit que trop est ciz domajes dolerox a cels de la meson lo
roi Artur [et a mains autres prodomes].

Cel jor remest [Lancelot] leenz molt dolenz [et molt
corrociez] por amor del prodome qui mainte henor li avoit
fete en sa vie. L'endemain, com il fu armez et montez sor
20 son cheval, si comanda les freres a Deu, si se mist en son
chemin. Et erra tant par ses jornees [si come aventure le
menoit] qu'il vint au cimetiere la ou les tombes et les espees estoient drecies. [Et si tost come il vit cele aventure],
si entra enz lui et son cheval et les regarda molt. Puis s'en
25 parti d'iluec, si erra tant qu'il vint a la cort lo roi Artur ou
li .i. et li autre li firent molt grant joie, [si tost come il le
virent], que molt desirroient sa venue et cele des autres
conpaignons, dom il i avoit encore molt pou de revenuz.
Et cil qui revenu estoient, si n'avoient riens fet en la Ques-
30 te, dom il avoient grant honte. Si lesse ore li contes d'els
toz et s'en retorne a Galaaz.

d'honneur parce qu'il était chevalier errant. Au matin, comme il sortait de la chapelle après avoir entendu la messe, il aperçut sur sa droite, devant un grand autel, une magnifique tombe qui lui parut toute récente. Il s'en approcha pour voir ce que c'était, et quand il vit la beauté du travail, il comprit que c'était la tombe de quelque puissant prince. Puis, regardant le haut de la pierre tombale, il lut l'inscription suivante gravée en lettres d'or : *Ci-gît le roi Baudemagu de Gorre, que tua Gauvain, neveu du roi Arthur*. Ces mots lui causèrent une vive douleur, car le roi Baudemagu lui avait, de son vivant, dispensé maint honneur. Si un autre que monseigneur Gauvain avait fait cela, il n'aurait pas échappé à la mort. Lancelot pleure amèrement et mène grand deuil, disant que c'est une perte très douloureuse pour ceux de la maison du roi Arthur et pour beaucoup d'autres hommes de valeur.

Il demeura à l'abbaye toute la journée, plongé dans la douleur et le chagrin que lui causait la mort de cet homme de bien qui lui avait, de son vivant, accordé maint honneur. Le lendemain, une fois armé, il monta à cheval, recommanda les frères à Dieu, et reprit sa route. Chevauchant par grandes étapes selon que le menait le hasard, il finit par arriver au cimetière où les épées étaient dressées[1]. Il y pénétra à cheval dès qu'il vit cette aventure et regarda longuement les tombes. Puis il repartit et chevaucha jusqu'à la cour du roi Arthur où tous l'accueillirent avec joie dès qu'ils l'aperçurent, car ils désiraient fort son retour et celui des autres compagnons dont un petit nombre seulement était revenu. Et ceux-ci, à leur grande honte, n'avaient rien accompli dans la Quête. Mais le conte ne s'occupe plus d'eux maintenant et retourne à Galaad.

314. Or dit li contes que quant Galaaz se fu partiz de
Lancelot, si chevaucha mainte jornee [ainsi come aventure le portoit] une hore avant et autre arriere, tant qu'il
vint a l'abeie ou li rois Mordrains estoit ; et quant il oï
5 parler del roi qui atendoit la venue del [Bon] Chevalier, si
s'apensa que il l'iroit vooir. L'endemain, si tost com il ot
oï messe, si vint la tot droit ou li rois estoit. Et quant il fu
dedenz, li rois, [*B^a*, f. 76a] qui de lonc tens avoit perdu la
veue et le pooir del cors, vit par la volenté Nostre Seignor
10 si tost com il aprocha de lui. Si se dreça en son seant de
maintenant et dit :
– Ha ! Galaaz, serjant Deu, verai chevalier de qui je ai
tant longuement atendu la venue, embrace moi et si me lai
reposer sor ton piz, si que ge puisse devier entre tes braz,
15 car tu ies autressi virges et autressi nez sor toz autres chevaliers come la flor de lis, en cui virginitez est senefiee,
qui est plus blanche que totes les autres [flors]. Tu es lis
en virginité, tu es droite rose, droite flor de bone vertu et
en color de feu, car la chalor del feu [del Saint Esperit]
20 est si en toi esprise et alumee que ma charz, qui tote estoit
morte de viellece, est ja tote rajovenie et en bone vertu.
   Et quant Galaaz entent ceste parole, si s'assiet tot droit
au chevez lo roi Mordrain, si l'enbrace et le met en son
devant por ce que li preudons i avoit talent de reposer.
25 Et il s'acline vers lui, si l'enbrace parmi les flans, si le
comence a estraindre et dit :
– Biau, tres douz peres Jesucrist, or ai je tote ma volenté
outreement ! Or te requier je que tu en cest point ou je
sui me viegnes quierre, car en ausi aaisié leu n'en ausi
30 avenant com cestui est ne porroie je mie trespasser. Car
en ceste grant joie que j'ai tant desirree n'a mes fors roses
et lis et violetes.

CHAPITRE XV

Scène finale à Corbenic et mort de Galaad

314. Le conte dit que lorsque Galaad eut quitté Lancelot, il chevaucha à l'aventure pendant bien des jours, tantôt dans une direction, tantôt dans une autre, et finit par arriver à l'abbaye où se trouvait le roi Mordrain. Apprenant que le roi attendait la venue du Bon Chevalier, il décida d'aller le voir, et le lendemain, après la messe, il se rendit auprès de lui. Dès que Galaad s'approcha, le roi, qui depuis longtemps n'y voyait plus et avait perdu l'usage de ses membres[1], recouvra aussitôt la vue par la volonté de Notre-Seigneur. Il se dressa sur son séant et dit à Galaad :

– Ah ! Galaad, soldat de Dieu, vrai chevalier dont j'ai si longtemps attendu la venue, serre-moi contre toi et laisse-moi reposer sur ta poitrine afin que je puisse mourir entre tes bras, car tu es vierge et plus pur que tout autre chevalier de même que la fleur de lis, symbole de la virginité, est plus blanche que toutes les autres fleurs. Tu es le lis par ta virginité, tu es la vraie rose, la fleur de haute vertu et couleur de feu, car le feu du Saint-Esprit brûle si vif en toi que ma chair, qui était morte de vieillesse, est déjà toute rajeunie et raffermie.

À ces mots, Galaad s'assied au chevet du roi Mordrain, juste à sa hauteur, et le serre contre sa poitrine comme il en avait exprimé le désir. Le roi se penche vers lui, l'entoure de ses bras, puis l'étreint et dit :

– Beau doux père Jésus-Christ, mon désir est maintenant pleinement exaucé. Je te supplie de venir me chercher dans l'état où je suis, car je ne pourrais mourir en un lieu plus agréable et plus délicieux que celui-ci ; dans cette grande joie que j'ai tant désirée, il n'y a que roses, lis et violettes.

315. Et tantost come il ot fet ceste requeste a Nostre Seigneur, si fu bien esprovee chose que Nostre Sires [avoit] oï sa priere, que tot de maintenant rendi il l'ame a Celui [*B^a*, f. 76b] qui il avoit longuement servi, si trespassa entre les braz Galaaz. Et cil de leenz, qui sorent ceste chose, vindrent au cors et troverent que ses plaies que il avoit tant portees estoient sanees et totes garies : si le tindrent li frere a molt grant merveille. Si firent au cors sa droiture tele com a roi covenoit, si l'enfoïrent leenz. Si demora leenz Galaaz trois jorz et au quart s'en parti, puis chevaucha tant par ses jornees que il vint a la Forest Perilleuse la ou il trova la fontaine qui boloit a granz ondes, einsi come li contes l'a devisé ça en arrieres. Mes si tost com il i ot mise la main, si s'en parti la chalor et l'ardor, por ce que en lui n'avoit onques eu eschaufement de luxure. Si tindrent cil del païs ceste chose a molt grant merveille, tantost com il le sorent que l'eve estoit rasserisie et refroidie. Et des lores perdi ele le non que ele avoit eu devant et fu apelee [maintenant] la Fontaine Galaaz de totes les jenz del païs.

Quant Galaaz ot ceste aventure menee a chief, si s'en vient a l'entree de Gorre, tot einsi come fortune le menoit, tant que il se herberja en l'abeie ou Lanceloz avoit devant esté, la ou il trova la tombe Galaaz lo roi de [H]oselice, le filz Joseph d'Arimacie, et la tombe Symeu ou il ot failli. Et quant il vint leenz, si regarda en la cave qui estoit soz le mostier, [*B^a*, f. 76c] si voit la tombe qui ardoit trop merveilleusement. Et il demanda as freres de leenz que ce pooit estre.

— Sire, firent il, c'est une aventure molt merveilleuse qui ne puet estre menee a chief, fors par celui qui passera de bonté et de chevalerie toz les compaignons de la Table Roonde.

— Ge vodroie, fet il, s'il vos plesoit, que vos me menissiez par la ou l'en i entre.

316. Et il dien[t] que si feront il volentiers. Maintenant l'en moinent li frere de leenz a [l'uis de] la cave qui estoit

315. Que Notre-Seigneur ait entendu sa prière ne fit aucun doute, car dès qu'il la Lui eut adressée, il rendit l'âme à Celui qu'il avait longuement servi, et mourut entre les bras de Galaad. Lorsque les gens de l'abbaye apprirent la nouvelle, ils vinrent auprès du corps et constatèrent que les plaies dont il avait été si longtemps affligé étaient toutes guéries, et ils tinrent cela pour un grand miracle. Ils lui firent des funérailles dignes d'un roi et l'enterrèrent dans l'abbaye. Galaad resta là trois jours. Le jour suivant, il se remit en chemin et chevaucha tant par ses journées qu'il arriva à la Forêt Périlleuse où il trouva la fontaine qui bouillait à gros bouillons dont le conte a parlé plus haut[1]. Dès qu'il y eut mis la main, la chaleur et l'agitation disparurent parce que lui-même n'avait jamais été échauffé par la luxure. Les habitants du pays furent saisis d'étonnement lorsqu'ils apprirent que l'eau s'était calmée et refroidie. Et dès lors la source perdit son nom et fut appelée la Fontaine Galaad par tous les gens du pays.

Après avoir mené à bien cette aventure, Galaad arriva au hasard de sa chevauchée jusqu'au pays de Gorre. Là, il trouva l'hospitalité dans une abbaye où Lancelot avait séjourné et où il avait trouvé la tombe de Galaad, roi de Hoselice, fils de Joseph d'Arimathie, et celle de Symeu, mais sans pouvoir achever l'aventure[2]. Une fois dans l'abbaye, Galaad regarda dans le caveau qui se trouvait sous la chapelle et, voyant la tombe qui brûlait d'une façon merveilleuse, il demanda aux moines ce que c'était.

– Seigneur, répondirent-ils, c'est une aventure bien extraordinaire qui ne peut être accomplie que par celui qui surpassera par son mérite et sa prouesse tous les compagnons de la Table Ronde.

– Si vous le voulez bien, dit Galaad, j'aimerais que vous me meniez à l'endroit par où on y accède.

316. Ils y consentent très volontiers et le conduisent aussitôt à la porte du caveau qui était sous la chapelle.

soz le mostier. Galaaz descent, si ala aval par les degrez
et si tost com il fu pres de la tombe, si fu li feus failliz et
5   la flambe remeist, qui maint jor i avoit esté grant et merveilleuse, por la venue de celui ou il n'avoit onques eu
tache de volenté nule de mauvestié de chalor. Et Galaaz
vint tot de maintenant a la tombe, si la leva en contremont,
si trova desoz le cors de Symeu qui i avoit esté devié. Si
10   tost com la chalor fu remese, maintenant vint une voiz
qui dist :

— Galaaz, serjant Jesucrist, molt devez rendre granz graces a Nostre Seignor de ce que si bone grace vos a donee,
que par la buene vie de vos poez vos retraire les ames
15   de la poine terriene, et metre en la joie de paradis. Je sui
Symeu vostre parent, qui en ceste grant chalor et en ceste
grant ardure que vos veistes ore ai demoré .iii. cenz anz
et .liiii. por espenier .i. grant pechié que je fis jadis envers
Joseph d'Arimachie. Et auvec tote la poine que ge ai sof-
20   ferte si lonc tens fusse je perduz et dannez. Mes la grace
del Saint Esperit, qui plus ovre en vos que la terriene [B^a,
f. 76d] chevalerie nc fet, m'a regardé en pitié par la grant
humilité qui est en vos. Si m'a osté, soe merci, de la vie
terriene et mis en cele des ciels par [solement] la grace de
25   vostre venue.

Cil de leenz, qui estoient aval venu si tost com il [vi]rent
la flambe estainte, oïrent bien ceste parole ; si le tindrent a
grant merveille et a miracle merveilleus. Et Galaaz prist
le cors, si l'osta de la tombe ou il avoit tant longuement
30   geu, si le porta en mi le mostier. Et quant il ot ce fet, cil de
leenz le pristrent et si l'ensevelirent si come l'en doit fere
cors de chevalier, car chevalier avoit il esté Symeu, puis li
firent tel servise com l'en doit fere, si l'enfoïrent devant
le mestre autel de leenz. Et com il orent ce fet, si vindrent
35   a Galaaz, si li firent si grant henor come l'en li pot fere
greignor en nule maniere, et li demandent dom il estoit et
de quel jent. Et il lor en dit tote la verité.

317. A l'endemain, quant il a oï messe, si s'en parti de
leenz et comanda les freres a Deu, si se mist en sa voie

Galaad descend les marches et dès qu'il est près de la tombe, la flamme qui avait si longtemps brûlé avec une telle intensité s'apaise, et le feu s'éteint à l'approche de celui qu'aucune ardeur mauvaise n'avait jamais souillé. Il souleva alors la pierre tombale et vit dessous le cadavre de Symeu. Et dès que la chaleur fut tombée, une voix lui parvint qui lui dit :

– Galaad, soldat de Jésus-Christ, vous devez être profondément reconnaissant à Notre-Seigneur de vous avoir accordé une telle grâce : par la sainte vie que vous avez menée, il vous est permis d'arracher les âmes aux souffrances de ce monde et de leur ouvrir la joie du paradis. Je suis Symeu, votre ancêtre, et je suis resté trois cent cinquante-quatre ans dans cette fournaise que vous avez vue pour expier un grave péché que j'ai commis jadis envers Joseph d'Arimathie[1]. En dépit de toutes les souffrances que j'ai endurées si longtemps, j'aurais été perdu et damné. Mais la grâce du Saint-Esprit, qui agit en vous plus que la chevalerie terrestre, a eu pitié de moi en raison de votre grande humilité. Elle m'a retiré – qu'elle en soit louée – de la vie terrestre pour me mettre dans celle des cieux par le seul effet de votre venue.

Les moines, qui étaient descendus dans le caveau dès qu'ils avaient vu la flamme s'éteindre, entendirent bien ces paroles et tinrent cet événement pour un grand miracle. Galaad retira alors le cadavre de la tombe où il était resté si longtemps et le porta au milieu de la chapelle. Les moines le prirent et l'ensevelirent comme on doit le faire du corps d'un chevalier – car Symeu l'avait été –, puis ils célébrèrent l'office des morts et l'enterrèrent devant le maître-autel. Ils revinrent ensuite auprès de Galaad, lui témoignèrent les plus grandes marques d'honneur et lui demandèrent d'où il était et de quel lignage. Il leur dit toute la vérité.

317. Le lendemain, après avoir entendu la messe, Galaad quitta l'abbaye en recommandant les moines à Dieu.

et chevaucha en tel maniere .v. anz toz entiers ainz que il
venist en la meson lo Roi Mehaignié. Et en toz les .v. anz
5 li tint Percevax compaignie en quel leu que il onques alast.
Et dedenz celui terme orent il si achevees les aventures
del roiaume de Logres, que pou en i avenoit mes, se ce
n'estoient demostrances de Nostre Seigneur ou senefiances merveilleuses. Ne onques en place ou il venissent, tant
10 i eust grant plenté de gent, ne porent estre desconfit ne
mené a esmai [*B*ª, f. 77a] ne a poor.

Un jor lor avint que il oissirent d'une forest grant et merveilleuse. Lors encontrerent Boorz au travers d'un chemin
qui chevauchoit toz seus. Et quant il le virent et il le co-
15 nurent, ne demandez mie s'il fu[rent] liez et joianz, que
longuement avoient esté sanz lui et por ce le desirroient il
molt a vooir. Si le conjoissent molt et li orent buene enur
et buene aventure, et il ausi a els. Puis li demandent de son
estre ; et il lor en dit la verité et coment il a puis esploitié.
20 Et il lor dit qu'il a bien an et demi qu'il ne jut plus de .x.
foiz en ostel ou gent mainssissent, mes en forez sauvages
et en montaignes estranges ou il fust morz de faim plus de
.c. foiz, se ne fust la grace del Saint Esperit qui l'a reconforté et peu en totes ses meseses.

25 – Et trovastes vos puis ce que nos alons querant ? fet
Percevax.

– Certes, fet il, nenil, mes je croi que nos ne departirons
mes devant que nos aions achevé ce que nos avons comencié por quoi ceste Queste fu enprise.

30 – Dex le nos otroit ! fet Galaaz. Car se Dex me consaut,
ge ne sai chose dont je fusse einsi liez come de vostre
compaignie que trop aim et desir.

318. Einsi s'assemblerent li troi conpagnon que
aventure avoit departiz. Si chevauchierent ensenble lonc
tens, et tant que il lor avint .i. jor qu'il vindrent au chastel
de Corbenyc. Et quant [il furent dedens entré et] li rois
5 Pellés les conut, donc i fu la joie grant et merveilleuse
qu'il lor fist, car il savoit bien que a ceste venue faudroient
les aventures del chastel, qui si longuement i avoient de-

S'étant remis en route, il chevaucha cinq années entières avant d'arriver à la demeure du roi Mehaignié. Au cours de ces cinq années, Perceval lui tint compagnie où qu'il allât[1], et durant ce temps ils achevèrent si bien les aventures du royaume de Logres qu'il n'en survenait plus guère, à moins que ce ne fût quelque manifestation ou signe miraculeux de Notre-Seigneur. Et jamais, en quelque lieu que ce fût et quel qu'ait été le nombre de leurs adversaires, ils ne purent être vaincus, ni intimidés, ni effrayés.

Un jour, au sortir d'une forêt vaste et sauvage, ils rencontrèrent au milieu de leur chemin Bohort qui chevauchait tout seul. Ne demandez pas s'ils furent heureux lorsqu'ils le reconnurent, car ils avaient été longtemps séparés de lui et ils désiraient fort le revoir. Ils l'accueillent chaleureusement, lui souhaitent honneur et succès, et lui en fait autant. Puis ils demandent à Bohort ce qui lui est arrivé. Il leur raconte tout ce qu'il a fait après qu'il les a quittés, ajoutant que, depuis au moins un an et demi, il n'a pas couché plus de dix fois dans une maison habitée mais dans des forêts sauvages et des montagnes lointaines où il serait mort de faim plus de cent fois, si la grâce du Saint-Esprit ne l'avait réconforté et nourri dans toutes ses épreuves.

— Et avez-vous trouvé ce que nous cherchons? demande Perceval.

— Non certes, répond Bohort, mais je pense que nous ne nous séparerons plus avant d'avoir mené à bien ce pour quoi cette quête fut entreprise.

— Que Dieu nous l'accorde! dit Galaad, car je ne sais rien qui pourrait me rendre aussi heureux que votre compagnie qui m'est très chère et que je désire.

318. Ainsi furent réunis les trois compagnons que l'aventure avait séparés. Ils chevauchèrent longtemps ensemble jusqu'au jour où ils arrivèrent au château de Corbenic. Quand le roi Pellés les reconnut, il les accueillit avec des transports de joie, car il savait bien que leur venue mettrait fin aux aventures qui depuis si longtemps avaient lieu au

moré. La novele vient [*B^a*, f. 77b] amont et aval, et tant
que tuit cil de leenz le[s] vienent vooir. Et li rois Pellés
10 plore sor Galaaz son neveu, et autressi font tuit li autre qui
ja l'avoient veu petit enfant et juene.

Et quant il [se] furent desarmé, Elyezer, li filz lo roi Pellés, lor aporta devant els l'Espee Brisie dont li contes a
ja parlé autre foiz, cele dont Joseph avoit esté feru parmi
15 la cuisse. Quant il l'ot ostee del fuerre et il lor ot conté la
maniere coment ele ot esté brisie, Boorz i mist la main
por essaier s'ele porroit resouder ; mes ce ne pot estre. Et
quant il voit ce qu'il i avoit failli, si la baille a Perceval et
dit :

20 — Sire, essaiez se ceste aventure sera par vos menee a
fin.

— Volentiers, fet il. Il prent l'espee einsi com ele estoit et
ajoste les [.ii.] pieces ensemble ; mes joindre ne les puet
en nule maniere. Et quant il voit ce, si dit a Galaaz :

25 — Sire, a ceste aventure ai je failli. Or vos i covient essaier, et se vos i failliez, je ne sai coment ele poisse ja mes
estre achevee par home mortel.

Il prent [les .ii. pieces de] l'espee, si ajoste l'un acier a
l'autre. Et maintenant se reprenent les pieces ensemble si
30 merveilleusement qu'il n'a pas home el monde qui la briseure qui devant i estoit poïst pas conoistre, ne senblance
nule qu'ele eust [onques] esté brisie. Quant il voient ce,
si dient que bel comencement lor a Dex demostré, et qu'il
voient bien qu'il acheveront legierement les autres aven-
35 tures, puis que ceste est menee a fin. Et quant cil de la
place voient l'aventure [de l'espee] menee a chief, si en
comencierent a fere trop merveilleuse joie. Si la donerent
maintenant a Boorz et distrent que melz ne porroit ele [*B^a*,
f. 77c] estre emploiee, que molt estoit buens chevaliers et
40 preudons.

319. Quant vint a hore de vespres, si comença li tans a
oscurcir et a changier, et .i. venz leva grant et merveilleus,
qui [se] feri parmi le palés ; si fu plains de si tres grant
chalor que li pluseur [d'eus] quidierent bien estre ars et

château. La nouvelle se répandit et tout le monde accourut pour voir les chevaliers. Le roi Pelles pleura en voyant son petit-fils Galaad et tous ceux qui l'avaient connu dans sa petite enfance firent de même.

Quand les chevaliers se furent désarmés, Elyezer, le fils du roi Pellés, apporta devant eux l'Épée brisée dont le conte a déjà parlé, celle par laquelle Joseph avait été blessé à la cuisse[1]. Lorsque Elyezer l'eut tirée du fourreau et leur eut raconté comment elle avait été brisée, Bohort la prit pour voir s'il pourrait en rejoindre les morceaux, mais en vain. Voyant qu'il n'y parvenait pas, il la tendit à Perceval et lui dit :

– Seigneur, voyez si vous pourrez accomplir cette aventure.

– Volontiers, dit Perceval.

Il prit l'épée brisée, mit les deux morceaux bout à bout, mais ne put les ressouder.

– Seigneur, dit-il à Galaad, j'ai échoué. C'est donc à vous d'essayer, et si vous n'y parvenez pas, je ne pense pas que l'aventure puisse être achevée par un homme mortel[2].

Galaad rapprocha les deux morceaux qui aussitôt se rejoignirent si parfaitement que personne au monde n'aurait pu voir où l'épée avait été brisée, ni même soupçonner qu'elle l'avait été. En voyant cela, les compagnons dirent que Dieu leur accordait un beau commencement et qu'ils ne doutaient point qu'ils achèveraient aisément les autres aventures puisque celle-ci avait été menée à bien. Les gens du château manifestèrent une très grande joie à la vue de ce prodige et remirent l'épée à Bohort, disant qu'elle ne pourrait être mieux employée, car il était un noble et vaillant chevalier.

319. À l'heure de vêpres, le temps changea et s'assombrit. Un vent d'une extrême violence s'engouffra dans la grande salle, si chaud que beaucoup de gens qui se trouvaient là crurent être brûlés et que d'autres s'évanouirent

5 brullez, et li auquant chaïrent pasmé de la grant dolor
qu'il orent. Maintenant descendi une voiz entr'els qui lor
dist :

– Cil qui ne doivent sooir a la table Jesucrist, si s'en
aillent hors de ceenz, que ja seront repeu li preudome et li
10 verai chevalier de la viande del ciel.

Et quant il oïrent ceste parole, si s'en alerent de leenz
hors sanz plus atendre, ne mes li rois Pellés, qui molt estoit preudons et de sainte vie, et Elyezer son fil et une pucele, [niece le roi, qui estoit] la plus sainte feme et la plus
15 religiose que l'en seust alors en nule terre. Et auvec cez
trois remeistrent li troi compaignon, por vooir quel demostrance Nostre Sires lor vodroit fere. Et quant il orent
iluec .i. pou esté, si virent parmi .i. huis entrer jusqu'a .ix.
chevaliers toz armez. Il ostent lor armes et leur hiaumes et
20 vienent a Galaaz ; si li enclinent et distrent :

– Sire, nos avons molt hasté por estre [auvec vos] a la
table ou li hauz mangiers sera departiz.

Et il dit qu'il sont bien venu a tens, car ausi n'a il gaires
qu'il vindrent leenz. Il s'assient tuit en mi le palés. Lors
25 demande Galaaz dom il sont. Et li troi dient qu'il sont de
Gaule, et li [autre] troi dient qu'il sont d'Illande, et li autre
troi dient qu'il sont de la marche d'Escoce.

320. Et en ce qu'il disoient ce, si virent oissir d'une
chambre .i. lit de fust que .iiii. damoiseles portoient. Et en
cel lit jesoit .i. preudome [B^a, f. 77d] malade et dehaitié
par senblant, et si avoit une corone d'or en sa teste. Et
5 quant il est venuz en mi le palés, si le metent jus et s'en
revont. Et il [drece la teste et] dit a Galaaz :

– Sire, [bien soiez vos venuz] ! Mol[t] vos ai desirré a
vooir et molt ai atendu vostre venue, en tel poine et en tel
angoisse que nus autres hom ne le poïst soffrir longue-
10 ment. Mes, se Dieu plest, or est venuz li termes que ma
dolor iert alegie et que ge trespasserai de cest siecle si
com il m'est promis lonc tens a ja passé.

Endementres qu'il disoient ceste parole, si oïrent entr'els une voiz qui dist :

sous l'effet de la douleur. Et aussitôt une voix se fit entendre qui leur dit :

— Que ceux qui ne doivent pas s'asseoir à la table de Jésus-Christ s'en aillent, car le moment approche où les hommes vertueux et les vrais chevaliers vont recevoir la nourriture céleste.

À ces mots, tous quittèrent la salle sans plus attendre, sauf le roi Pellés, homme de bien et de sainte vie, Elyzer, son fils, et une demoiselle, nièce du roi, qui était la plus sainte et la plus pieuse personne que l'on connut alors en ce monde. Auprès d'eux demeurèrent les trois compagnons pour voir ce que Notre-Seigneur voudrait bien leur révéler. Au bout d'un moment, ils virent entrer par une porte neuf chevaliers tout armés qui, après avoir quitté leur armure et leur heaume, allèrent s'incliner devant Galaad et lui dirent :

— Seigneur, nous sommes venus en grande hâte pour être avec vous à la table où sera distribuée la nourriture céleste.

Galaad leur répondit qu'ils étaient arrivés à temps, eux-mêmes n'étant là que depuis peu. Tous s'assirent dans la salle, et Galaad leur demanda d'où ils venaient. Trois d'entre eux dirent qu'ils étaient de Gaule, trois autres d'Irlande, et les trois derniers du royaume d'Écosse.

320. Tandis qu'ils parlaient, ils virent sortir d'une chambre un lit de bois porté par quatre demoiselles. Sur ce lit gisait un homme qui semblait très malade et qui avait une couronne d'or sur la tête. Arrivées au milieu de la salle, les demoiselles posèrent le lit et se retirèrent. L'homme leva la tête et dit à Galaad :

— Seigneur, soyez le bienvenu ! Il y a longtemps que je désire vous voir, et je vous ai attendu dans de telles souffrances et de tels tourments que personne d'autre n'aurait pu les supporter longtemps. Mais, s'il plaît à Dieu, l'heure est maintenant venue où mes souffrances seront allégées et où je quitterai ce monde comme il me fut promis jadis.

Ils entendirent alors une voix qui disait :

15   – Cil qui n'a esté conpainz de la Queste de cest Saint
Vessel, si se departe de ceenz, car il n'est pas droiz qu'il
i remaigne plus.

Si tost com ceste parole fu dite, si s'en oissi fors li rois
Pellés et Elyezer, ses filz, et la pucele. Et quant li palés fu
20   toz delivre ne mes que de cels qui se sentoient a conpaignon de la Queste, maintenant fu avis a cels qui leenz estoient remés que de vers le ciel vint .i. hom toz revestuz en
senblance d'evesque, si ot croce en sa main et mitre sor sa
teste ; si lo portoient .iiii. ange entre lor braz en une trop ri-
25   che chaiere, si l'assistrent devant la table d'argent sor quoi
li Sainz Graal estoit. Li hons qui en senblance d'evesque
avoit esté aportez, si avoit let[r]es en mi son front escrites
qui disoient : « Vez ci Josephés, li premiers evesques de[s]
crestiens, celui meismes que Nostre Sires sacra en la cité
30   de Sarraz el palés esperitel. » Li chevalier qui ce voient
conoissent [bien] les letres, mes il se merveillent molt que
ce puet estre, que cil Josephés dont cez letres parloient
estoit trespassez [del siecle] plus avoit [*B*^{a}, f. 78a] de
.iii.^{C}. anz. Si parole maintenant a els [et lor dit] :

35   – Hé ! chevalier Damedeu, serjant Jesucrist, ne vos
merveilliez pas se vos me veez devant vos einsi come je
sui a cest saint vessel, car je [i] estoie terrien et autressi [i]
ser[f] je ore quant je sui esperitel.

321. Quant il ot ce dit, si se tret vers la table [d'argent]
et se met a coutes et a jenouz devant l'autel ; et quant il ot
iluec grant piece esté, il escoute et li huis de la chambre
flati molt durement. Il regarde cele part et ausi firent tuit li
5   autre, si en voient oissir les anges qui Joseph[és] avoient
aporté ; dont li dui portoient .ii. cierges, et li autres une toaille de samit vermeil, et li [quars] une lance qui seignoit
si merveilleusement que gotes en chooient tot contreval
en une boiste qu'il tenoit en s'autre main. Li .ii. mistrent
10   les cierges sor la table et li autres la toaille lez le [saint]
Vessel ; et li quarz [tenoit] la lance tote droite sor le [saint]
Vessel, si que li sans qui contreval la hanste coroit coloit

– Que toute personne qui n'a pas pris part à la Quête du Saint-Vase sorte d'ici, car il ne lui est pas permis d'y rester.

Aussitôt le roi Pellés, son fils Elyezer et la demoiselle se retirèrent et seuls demeurèrent dans la salle ceux qui se considéraient comme des compagnons de la Quête. Ceux-ci virent alors descendre du ciel, à ce qui leur sembla, un homme vêtu comme un évêque, la crosse à la main et la mitre sur la tête. Quatre anges le portaient sur un trône splendide qu'ils déposèrent devant la table d'argent où était le Saint-Graal. Cet homme qui ressemblait à un évêque avait sur le front une inscription qui disait : «Voici Josephé, le premier évêque des chrétiens, celui-là même que Notre-Seigneur sacra dans la cité de Sarras au Palais Spirituel[1].» Les chevaliers n'eurent aucune difficulté à lire l'inscription, mais se demandèrent ce qu'elle pouvait bien signifier puisque ce Josephé dont elle parlait était mort depuis plus de trois cents ans. S'adressant alors à eux, l'homme leur dit :

– Ah ! chevaliers de Dieu, soldats de Jésus-Christ, ne vous étonnez pas de me voir ainsi devant vous auprès de ce Saint-Vase, car j'étais ici à le servir quand j'étais une créature terrestre et de même je le sers maintenant que je suis un être spirituel.

321. Ayant dit cela, il s'approcha de la table d'argent et se prosterna devant l'autel. Au bout d'un long moment, prêtant l'oreille, il entendit pousser violemment la porte de la salle. Il regarde de ce côté et les autres firent de même, et ils virent entrer les anges qui avaient apporté Josephé. Deux d'entre eux portaient deux cierges, le troisième un linge de samit rouge, et le quatrième une lance qui saignait si abondamment que les gouttes tombaient dans une boîte qu'il tenait dans l'autre main[1]. Les deux premiers mirent les cierges sur la table, le troisième déposa le linge près du Saint-Vase, et le quatrième tint la lance toute droite au-dessus, de telle sorte que le sang qui coulait le long de la hampe y tombait. Lorsque ce fut fait,

enz. Et si tost com il o[n]t ce fet, Joseph[és] se leva et trest
.i. pou la lance en sus del saint Vessel, si le covri de la
15　toaille. Lors comença a fere par senblant ausi com s'il fust
el sacrement de la messe. Et quant il [i] ot .i. pou demoré,
si prist dedenz le seint Vessel une oublee qui iert fete en
semblance de pain. Et au lever qu'il fist descendi de vers
le ciel une figure en senblance d'enfant qui avoit le viaire
20　[ausi rouge et] ausi embrasé come feu ; si se feri el pain,
si que cil qui estoient el palés virent tot apertement que li
pains avoit forme d'ome charnel. Et quant Joseph[és] l'ot
grant piece tenu, si le remist el [B^a, f. 78b] saint Graal. Et
quant il ot ce fet qui a pro[voire] apartient come del ser-
25　vise de la messe, si vint a Galaaz et le besa et li dist qu'il
besast au[tre]si toz ses freres. Et cil si fist. Et com il ot ce
fet, si lor dist :

– Serjant Jesucrist, qui vos estes traveillié [et pené por
vooir partie des merveilles del saint Vaissel], asseez vos
30　devant ceste table, si serez repeu de la plus haute viande et
de la plus douce dont onques chevalier gostassent, [et de
la main meismc a vostre Sauveor]. Si poez bien dire que
buer vos estes traveillié, car vos en recevrez hui le plus
haut loier que chevalier receussent onques.

322. Quant il a ce dit, si s'esvanoï [d'entre els], si qu'il
ne sorent onques qu'il estoit devenu. Et cil s'assieent
maintenant a la table a molt grant poor et plorerent si tendrement que lor faces en sont totes moillies [des lermes
5　qui des iex lor chieent]. Et lors es[gard]ent, si voient .i.
home oissir del saint Vessel [ausi come tout nu, et avoit les
mains saignanz et les piez et le cors], et lor dist :

– Mi chevalier, mi loial serjant, mi [loial] fil, [qui de
mortel vie estes devenu esperitel, qui m'avez tant quis que
10　ge ne me vueil mes vers vos celer, ains covient que vos
voiez partie de mes repostailles et de mes secrés], vos estes tel et vos avez tant fet que vos estes assis a la table ou
onques chevalier ne manja puis le tens Joseph d'Arimacie.

Josephé se leva, écarta un peu la lance du Saint-Graal et le recouvrit du linge. Puis il fit comme s'il allait commencer la consécration de la messe. Au bout d'un moment, il prit dans le Saint-Vase une hostie qui avait l'apparence du pain. Lorsqu'il l'éleva, un être qui ressemblait à un enfant et dont le visage était rouge comme du feu descendit du ciel. Il entra dans le pain et tous ceux qui étaient dans la salle virent très distinctement que le pain avait pris la forme d'un homme charnel. Puis, quand Josephé l'eut tenu un long moment levé, il le remit dans le Saint-Vase. Enfin, lorsqu'il eut fait tout ce que doit faire un prêtre pour l'office de la messe, il vint à Galaad, l'embrassa, et lui dit d'embrasser à son tour tous ses compagnons. Ce que fit Galaad.

Josephé leur dit alors :

– Soldats de Jésus-Christ qui avez enduré tant de fatigue et de peine pour voir une partie des merveilles du Saint-Vase, asseyez-vous à cette table où vous serez nourris, de la main même de votre Sauveur, de la nourriture la plus sainte et la plus douce que chevaliers aient jamais goûtée. Vous pouvez bien dire que vos efforts n'ont pas été vains, car vous recevrez aujourd'hui la plus haute récompense jamais accordée à des chevaliers.

322. À ces mots, Josephé disparut sans qu'ils puissent savoir ce qu'il était devenu. Ils s'assirent alors à la table pleins de frayeur et pleurant avec tant d'émotion que leurs visages étaient tout baignés de larmes. Levant les yeux, ils voient sortir du Saint-Vase un homme tout nu dont les mains, les pieds et le corps étaient tout sanglants.

– Mes chevaliers, leur dit-il, mes soldats et mes fils pleins de loyauté qui, dans cette vie mortelle êtes devenus des êtres spirituels, qui m'avez tant cherché que je ne veux plus vous demeurer caché. Il convient que vous voyiez une partie de mes mystères et de mes secrets. Votre mérite est tel, et vous avez accompli tant d'exploits, que vous voilà assis à la table où nul chevalier ne mangea depuis le temps de Joseph d'Arimathie. Quant aux autres, ils

Del remanant ont il eu ausi come serjant [ont], c'est a dire
15 que cil de cest ostel et maint autre chevalier ont esté repeu
de la grace del Saint Esperit et de cest saint Vessel, mais
il n'ont mie esté ausi a meismes come vos estes orendroit.
Or [tenez et] recevez la haute viande que vos avez tant
desirree [et por quoi vos estes tant travailliez].
20   Lors prist il meismes le saint Vessel et vint a Galaaz. [Et
cil s'agenoille, et il li donne son Sauveor et cil le reçoit
joieux et a jointes mains. Et ausint fist chascun des autres
compaignons. Si n'i a nul d'eus a qui il ne fust avis que
l'en li meist la piece en semblance de pain en la boche.
25 Quant il orent tuit receu la haute] viande qui tant lor est
douce [et merveilleuse] qu'il lor estoit avis que totes les
soatumes que l'en porroit dire lor fussent dedenz le cors
[*B^a*, f. 78c], Cil qui les ot einsi repeuz, si dist a Galaaz :

– Filz si nez [et si espurgiez] de totes mauvestiez come
30 huens terriens puet estre, [sez tu que je tieng entre mes
mains ?

– Sire, nenil, se vos nel me dites.

– Ce est, fait il, l'escuele ou Jesucriz menja l'aignel le
jor de Pasques auvec ses deciples. Ce est l'escuele qui a
35 servi a gré toz cels que j'ai trovez en mon servise ; ce est
l'escuele que onques hons mescreanz ne vit a qui ele ne
grevast molt. Et por ce que ele a si servi a gré toutes genz
doit ele estre apelee le Saint Graal]. Or as tu veu ce que tu
as tant desirré a vooir, [et ce que tu as covoitié]. Mes en-
40 cores ne l'as tu pas veu si apertement come tu le verras. Et
sez tu ou ce sera ? En la cité de Sarraz, el palés esperitel.
Por ce t'en covient il de ci aler et fere compaignie a cest
saint Vessel, qui anuit se partira del roiaume de Logres en
tel maniere que ja mes n'i sera veuz, ne des or en avant
45 n'i avendra aventure. Et sez tu por quoi il s'en part ? Por
ce qu'il n'i est mie serviz ne enorez a son droit par cels
de ceste terre, ainz sont si torné a vilanies seculers, tot
soient il repeu de la grace del saint Vessel. Por ce qu'il li
ont si mauvesement gueredoné les desvest je de la grant
50 enor que je lor avoie fete. Por ce vueil je que tu ailles le

ont eu ce qui revient aux bons serviteurs, c'est-à-dire que les chevaliers d'ici et bien d'autres encore ont été rassasiés de la grâce du Saint-Esprit et de ce Saint-Vase, mais jamais ils n'en ont été aussi près que vous l'êtes maintenant. Recevez donc la sainte nourriture que vous avez si longtemps désirée et pour laquelle vous avez enduré tant de souffrances.

Il prit lui-même le Saint-Graal et s'approcha de Galaad. Galaad s'agenouilla et, mains jointes, reçut son Sauveur avec joie. Les autres compagnons firent de même et chacun d'eux eut la certitude qu'on lui avait mis dans la bouche l'hostie semblable au pain. Lorsqu'ils eurent reçu la sainte nourriture, si douce, si merveilleuse qu'il leur semblait avoir en leur corps toutes les suavités imaginables, Celui qui les avait ainsi rassasiés dit à Galaad :

— Mon fils, toi qui es aussi pur, aussi dépourvu de vices que peut l'être un homme mortel, sais-tu ce que je tiens entre mes mains ?

— Non, Seigneur, à moins que vous ne me le disiez.

— C'est, dit-il, l'écuelle dans laquelle Jésus-Christ mangea l'agneau le jour de Pâques avec ses disciples[1]. C'est l'écuelle qui a servi à leur gré tous ceux que j'ai trouvés à mon service. C'est l'écuelle dont la vue a fait bien du mal aux mécréants. Et parce qu'elle a servi à leur gré toutes gens, elle est à juste titre appelée le Saint-Graal[2]. Ainsi tu as vu ce que tu as tant désiré voir et tant convoité. Mais tu ne l'as pas vu encore aussi distinctement que tu le verras. Et sais-tu où ce sera ? Dans la cité de Sarras, au Palais Spirituel. Il te faut donc partir d'ici et accompagner ce Saint-Vase qui cette nuit même quittera le royaume de Logres où on ne le reverra jamais et où, désormais, il n'adviendra plus aucune aventure. Sais-tu pourquoi il s'en va d'ici ? Parce qu'il n'est pas servi et honoré comme il convient par les gens de cette terre. Ils sont retombés dans les bassesses de ce monde bien qu'ils aient été nourris de la grâce du Saint-Vase. Et puisqu'ils lui en ont été si peu reconnaissants, je les dépouille du grand honneur que je leur avais accordé. Je veux donc que tu ailles demain

matin a la mer, et iluec troveras la nef ou tu preis l'Espee
as estranges renges. Et por ce que tu n'ailles seus, vueil je
que tu moines auvec toi Perceval et Boorz. Et neporquant,
por ce que je ne vueil mie que tu t'en ailles de cest païs
55 sanz la garison au Roi Mehaignié, vueil je que tu preignes
del sanc de ceste lance, si [li] en oig les jambes ; et c'est
la chose par quoi il puet garir, ne autrement ne puet avoir
garison.

323. – Ha ! Sire, fet Galaaz, por quoi ne soffrez vos que
tuit mi compaignon viegnent auvec moi ?

– Por ce, fet il, que je ne vueil, car ge le faz en la senblance de mes apostres. Car tot autressi com il mangierent
5   auvec moi le jor de la Ceine, tot ausi mangiez vos ore
auvec moi a la table de cest Saint Graal. Et estes .xii. ausi
com il furent .xii. apostre, et je sui li treziesmes par desus
vos, qui doi estre [*B^a*, f. 78d] [vostre mestres et] vostre
pastor. Et tot ausi come ge les departi et fis aler par tot le
10 monde por preechier la veraie loi, tot ausi vos depart je
les uns çà, les autres la. Et morroiz toz en cestui servise,
fors l'un de vos.

A tant lor done sa beneïçon et si s'en va en tel maniere
si que il ne sorent onques qu'il fu devenuz, ne mes que
15 vers le ciel l'en virent aler. Et Galaaz vient maintenant a
la lance qui estoit couchie sor la table et toucha au sanc,
puis vient au Roi [Mehaignié], si li oint les janbes par la
ou il avoit esté feruz. Et cil se vesti maintenant et sailli del
lit sain et hetié, et rent graces a Nostre seignor de ce que
20 si doucement l'a regardé. Si vesqui puis grant tens, mes
ce ne fu pas au siecle, que maintenant se rendi en une religion de blans moines. Si fist puis Nostre Sires maint bel
miracle por amor de lui, dont li contes ne parole mie ci
por ce qu'il n'en est nul mestier. Entor la mie nuit, quant
25 il orent grant piece prié Nostre Seignor que il par sa pitié
les conduisist a sauveté de lor ames [en quel leu qu'il alas-
sent], une voiz descendi entr'els qui lor dist :

– Mi fil et non pas mi fillastre, mi ami et non pas mi

matin jusqu'à la mer, et là tu trouveras la nef où tu as pris l'Épée à l'étrange baudrier. Afin que tu ne sois pas seul, je veux que tu emmènes avec toi Perceval et Bohort. Toutefois, comme je ne veux pas que tu quittes ce pays sans avoir guéri le Roi Mehaignié, je t'ordonne de prendre du sang de cette lance et de lui en oindre les jambes : il n'est pas d'autre remède qui puisse le guérir[3].

323. – Ah ! Seigneur, dit Galaad, pourquoi ne permettez-vous pas que tous mes compagnons viennent avec moi ?

– Parce que telle n'est pas ma volonté et parce que je veux qu'il en soit de vous comme de mes apôtres. De même qu'ils mangèrent avec moi le jour de la Cène, de même vous avez mangé aujourd'hui avec moi à la table du Saint-Graal. Vous êtes douze, comme ils le furent. Et je suis le treizième, moi qui dois être votre maître et votre pasteur. De même encore que je les ai dispersés pour qu'ils aillent prêcher la vraie loi à travers le monde, de même je vous envoie les uns dans une direction, les autres dans une autre. Et vous mourrez tous en ce service sauf l'un d'entre vous.

Puis Il leur donna sa bénédiction et disparut sans qu'ils puissent savoir ce qu'Il était devenu sinon qu'ils Le virent monter vers le ciel. Galaad s'approcha alors de la lance qui était posée sur la table, toucha au sang avec ses doigts et alla en oindre les jambes du Roi Mehaignié à l'endroit où il avait été blessé. Aussitôt le roi, complètement guéri, s'habilla et se leva de son lit, rendant grâce à Notre-Seigneur de s'être montré si bienveillant envers lui. Il vécut encore très longtemps, mais loin du monde, car il se retira tout de suite dans un monastère de moines blancs. Notre-Seigneur, par amour pour lui, fit maint beau miracle que le conte ne relate pas ici parce que ce n'est pas vraiment nécessaire. Vers minuit, après que les compagnons eurent longuement prié Notre-Seigneur de bien vouloir préserver leurs âmes de tout danger en quelque lieu qu'Il les conduise, une voix descendit parmi eux qui leur dit :

– Mes bons et non mes mauvais fils[1], mes amis et non

guerrier, issiez de ceenz et si alez la ou vos quidiez melz
30 fere, et si com aventure vos conduira.

324. Et quant il oent ce, si dient tuit a une voiz :
– Pere des cels, benooiz soies tu qui nos deignes tenir a
tes filz [et a tes amis] ! Or voions nos bien que nos n'avons
pas nos poines perdues.

5 Lors issent del palés, si vienent en la cort aval et trovent armes et chevax ; si s'atornent et montent [B^a, f. 79a]
maintenant. Et quant il sont monté, si vont hors del chastel
et s'entredemandent lor nons por conoistre li .i. l'autre,
et tant qu'il troverent trois chevaliers qui de Gaules es-
10 toient, dont Claudins, li filz lo roi Claudas, estoit li .i., et li
autre, de quel que terre qu'il fussent, estoient assez jentil
home et de haut lignaje et de grant renomee. Quant vint au
departir, si s'entrebesierent come frere, si plorerent molt
tendrement et distrent [tuit] a Galaaz :
15 – Sire, [sachiez vraiement que] nos n'eusmes onques si
grant joie come de ce que nos vos tendrions compaignie
quant nos le seumes, ne onques n'eusmes si grant duel
come de ce que nos partons ja si tost de vos. Mes nos
veons bien que cist departemenz plest a Nostre Seignor ;
20 [et por ce nos en covient a sofrir sanz duel fere].
– [Bel seignor], fet Galaaz, se vos amissiez ma compaignie, autant amasse je la vostre. Mes vos veez bien que ce
ne puet estre que li .i. tiegne compaignie a l'autre. Por ce
vos [comant je a Deu, et vos] pri ge que, se vos venez ja
25 mes a la cort lo roi Artur, que vos me saluez mon pere,
monseignor Lancelot del Lac et cels de la Table Roonde.

325. Et il dient, s'il vienent cele part, qu'il ne l'oblieront
mie. A tant se partent li .i. de l'autre. Si s'achemine Galaaz
droit vers la mer entre lui et ses compaignons et chevauchent tant tuit troi que a la mer vindrent en moins de quart
5 jor. Et plus tost i fussent [venu], mes il n'aloient pas droit,
come cil qui ne savoient mie [tres bien] les chemins.
Quant il vindrent a la mer, si troverent a la rive la nef ou

mes adversaires, partez d'ici et allez là où vous penserez pouvoir agir pour le mieux et où l'aventure vous conduira.

324. Tous répondirent alors d'une même voix :

– Père des cieux, sois béni, Toi qui veux bien nous considérer comme tes fils et tes amis. Nous voyons bien maintenant que nous n'avons pas perdu nos peines.

Ils sortent alors de la salle et descendent dans la cour où ils trouvent armes et chevaux. Ils s'équipent et montent en selle. En quittant le château, ils se demandèrent mutuellement leurs noms afin de se connaître, et découvrirent ainsi que des trois chevaliers qui venaient de Gaule l'un était Claudin, le fils du roi Claudas, et que les autres, d'où qu'ils fussent, étaient de noble famille, de haut lignage et de grande renommée. Au moment de se séparer, ils s'embrassèrent comme des frères et dirent à Galaad en pleurant tendrement :

– Seigneur, sachez-le, nous n'avons jamais connu plus grande joie que lorsque nous avons appris que nous vous ferions compagnie, ni plus grande douleur que celle que nous éprouvons à devoir vous quitter si vite. Mais nous voyons bien que cette séparation plaît à Notre-Seigneur et qu'il nous faut l'accepter sans montrer notre chagrin.

– Beaux seigneurs, répondit Galaad, vous auriez aimé rester en ma compagnie et j'aurais aimé rester en la vôtre. Mais vous voyez bien que cela ne peut être. Je vous recommande donc à Dieu et vous prie, si vous allez à la cour du roi Arthur, de saluer de ma part monseigneur Lancelot du Lac, mon père, et tous ceux de la Table Ronde.

325. Ils répondent que, s'ils vont de ce côté, ils n'y manqueront pas. Là-dessus ils se séparent. Galaad et ses deux compagnons partent en direction de la mer et chevauchent tant qu'ils y parviennent en moins de quatre jours. Ils auraient pu y arriver plus tôt mais, ne connaissant pas bien la route, ils n'avaient pas pris le chemin le plus direct.

Une fois là, ils virent sur le rivage la nef où ils avaient

l'Espee as estranges renges avoit esté trovee, et virent les
letres el bort de la nef, qui disoient : [B^a, f. 79b] [« Que
10 nus] n'entre dedenz moi s'il n'est fermement creant en
Jesucrist. » Quant il sont venu au bort, il regardent dedenz
et voient que dedenz le lit qui en mi la nef estoit fez, si
estoit assise la table d'argent qu'il avoient lessie chi[é]s
lo Roi Mehaignié. Et li Graax estoit par desus covert d'un
15 drap de soie vermeil, si estoit fet en senblance de toaille.
Et quant il voient ceste aventure, si la mostre li .i. a l'autre
et dient que bien lor est avenu que ce qu'il tant desirroient
lor fera compaignie jusque la ou il iront. Lors se seignent,
si se commandent a Deu et entrent dedenz la nef. Et si
20 tost com il se furent leenz mis, li venz, qui devant estoit
quoiz et seriz, se feri en la voile si angoissosement qu'il
fist la nef partir de la rive, si l'enpeint en haute mer. Lors
comença a aler grant oirre, einsi com li venz l[a] comença
a angoissier plus et plus.

326. En tel maniere errerent lonc tens [parmi] la mer
qu'il ne savoient ou Nostre Sires les menoit. Et totes les
hores que Galaaz se couchoit et qu'il se levoit, fesoit sa
priere a Nostre Seignor que de quele hore qu'il [Li] re-
5 querroit le trespassement de cest siecle, qu'Il li envoiast.
Tant fist cele priere et main et soir que la voiz devine li
dist :
– [Galaad], ne t'esmaier, Nostre Sires fera ta volenté de
ce que tu li demandes : de quel hore que tu vodras la mort
10 de [cors], tu l'avras et troveras la vie de l'ame et la joie
pardurable.
Ceste request[e], qu'il avoit fet[e] tant sovent, oï Percevax maintes foiz ; si s'en merveilla molt por quoi il la
fesoit, et il li pria sor la compaignie qui entr'els estoit [et
15 sor la foi qui i devoit estre] qu'il li deist por quoi il requeroit tel chose.
[B^a, f. 79c] – Ce vos dirai je bien, fet Galaaz. Avantier,
quant nos veismes partie des merveilles del Saint Graal
que Nostre Sires nos demonstra par sa douce pitié, en ce
20 que ge vooie les repostes choses qui ne sont pas desco-

trouvé l'Épée à l'étrange baudrier et, sur son bord, l'inscription qui disait : « Que nul n'entre en moi s'il ne croit
fermement en Jésus-Christ. » S'étant approchés, ils regardèrent à l'intérieur et aperçurent, sur le lit placé au milieu
de la nef, la table d'argent qu'ils avaient laissée chez le
Roi Mehaignié. Dessus était posé le Saint-Graal recouvert d'une étoffe de soie vermeille comme d'un voile.
Les compagnons se montrèrent les uns aux autres cette
aventure, se jugeant très heureux que ce Saint-Vase qu'ils
désiraient par-dessus tout serait avec eux jusqu'à la fin de
leur voyage. Ils se signèrent, se recommandèrent à Dieu
et montèrent à bord. Dès qu'ils y furent, le vent qui jusqu'alors était calme et léger, frappa la voile avec une telle
force que la nef quitta le rivage et gagna la haute mer. Elle
se mit alors à filer à vive allure, poussée par un vent de
plus en plus fort.

326. Ils voguèrent longtemps ainsi sans savoir où Dieu
les menait. À son coucher et à son réveil, Galaad priait
Notre-Seigneur de lui permettre de quitter ce monde au
moment où il le Lui demanderait. Il fit cette prière matin
et soir avec tant d'insistance que la voix divine lui dit :

– Galaad, sois sans crainte. Notre-Seigneur entendra ta
prière : dès que tu voudras quitter ce monde, cela te sera
accordé et tu trouveras la vie de l'âme et la joie éternelle.

Cette requête que Galaad avait faite si souvent, Perceval
l'entendit et en fut très surpris. Il lui demanda, au nom de
leur amitié et de la fidélité qui devait exister entre eux, de
lui dire pourquoi il faisait une telle requête.

– Je vous le dirai volontiers, répondit Galaad. L'autre
jour, quand nous avons vu une partie des merveilles du
Saint-Graal que Notre-Seigneur dans sa douce miséricorde
nous montra, quand j'ai vu les choses secrètes qui ne sont

vertes a chascun, fors solement as menistres Jesucrist, en
cel point que ge vi cez aferes que cuer d'ome terrien ne
porroit penser ne langue ne le porroit descovrir, fu mes
cuers en si grant joie et en si grant soatume que se ge fus-
25 se maintenant trespassez de cest siecle, je sai veraiement
que onques hom ne morut en ausi grant beneurté come je
feisse lores. Car il avoit devant moi si grant compaignie
d'anges et si grant plenté de choses esperitex que ge fusse
tantost translatez de la terrienne [vie] en la pardurable
30 gloire auvec les glorieus martirs et auvec les verais amis
Nostre Seignor. Et por ce que ge quit bien que ge seré [en-
core] en ausi buen point ou en meilleur que je ne fui lors
de vooir cele grant joie, si faz je ceste requeste chascun
jor a Nostre Segnor cele come vos oez, que ja si tost ne
35 m'i metra mes Nostre Sires come ge li feré ma requeste.
Et tot einsi quit ge bien trespasser de cestui siecle terrien
en voiant les merveilles del Saint Graal et les repostailles
et les secrez que Nostre Sires demostre a ses amis qui de
cuer le servent.

327. Einsi devisa [Galaaz a Perceval] la venue de sa
mort, tot einsi [*B^a*, f. 79d] com li devin respons li [avoit]
enseignié. En tel maniere com je vos ai devisé, si perdirent
cil del roiaume de Logres le Saint Graal par lor pechié,
5 qui tantes foiz les avoit repeuz et resaziez. Et tot einsi
com Nostre Sires l'avoit envoié a Joseph et a Galaaz et as
autres oirs qui devant els avoient esté, par la bonté et par
la proece qu'il vooit en els, tot einsi en devesti il les mauvés oirs par mauvestié d'els. Et por ce puet l'en vooir [tot
10 apertement que] li mauvés oir perdirent par lor mauvestié
ce que li prodome avoient maintenu par lor proece.

Grant tens demorerent li compaignon en la mer, tant
qu'il distrent .i. jor a Galaaz :

– Sire, [en] ciz lit qui por vos fu apareilliez, si come
15 cez letres dient, ne vos couchastes vos onques. Et vos le
devez fere, [ce savés vos bien, car li briés dit que vos vos
reposerez dedenz].

Et il dit que si fera. Si s'i couche et dormi grant piece.

pas dévoilées à chacun mais aux seuls ministres de Jésus-Christ, au moment où j'ai vu ce que cœur d'homme mortel ne saurait concevoir ni langue humaine décrire, mon cœur fut pénétré d'une joie et d'une suavité telles que si j'avais quitté ce monde à ce moment-là, aucun homme, je le sais, n'aurait pu mourir dans une telle félicité. Il y avait devant moi une si grande compagnie d'anges et tant de choses spirituelles que je me crus aussitôt comme transporté de cette vie terrestre à la gloire éternelle avec les glorieux martyrs et les vrais amis de Notre-Seigneur. Et parce que je pense que je pourrai encore, et peut-être même mieux, goûter cette grande joie, j'adresse chaque jour à Notre-Seigneur la prière que vous avez entendue : que dès l'instant où je connaîtrai une nouvelle fois ce bonheur suprême, Il m'accordera cette requête. Je pense ainsi quitter ce monde en contemplant les merveilles du Saint-Graal, les mystères et les secrets que Notre-Seigneur dévoile à ses amis qui le servent de tout leur cœur.

327. C'est ainsi que Galaad informa Perceval de la venue de sa mort comme la voix divine le lui avait appris. Et comme je vous l'ai expliqué, les habitants du royaume de Logres perdirent par leur péché le Saint-Graal qui tant de fois les avait nourris et rassasiés. De même que Notre-Seigneur l'avait envoyé à Joseph, à Galaad[1] et à leurs descendants en raison de la bonté et de la vertu qu'Il trouvait en eux, de même Il en dépouilla leurs mauvais héritiers à cause de leur méchanceté[2]. On peut voir ainsi manifestement que les mauvais héritiers perdirent par leur péché ce que les bons avaient conservé par leur vertu.

Les compagnons étaient depuis longtemps en mer lorsqu'un jour ils dirent à Galaad :

— Seigneur, vous ne vous êtes jamais couché sur ce lit qui, d'après la lettre[3], fut préparé pour vous. Il faut le faire, vous le savez bien, puisque la lettre dit que vous y reposerez.

Il y consentit, se coucha et dormit longtemps. Quand il

Et quant il se fu esveilliez, si regarda devant lui et vit la
20 cité de Sarraz. Lors [vint une voiz a aus qui lor] dist :

– Issiez hors de la nef, [chevalier Jesucrist], et prenez
[entre vos trois] cele table d'argent, si la portez en la cité
[tot einsi come ele est]. Ne ja ne la movez devant que vos
i soiez, ne [ne la] metez jus tant que vos soiez el palés
25 esperitel, [la ou Nostre Sires sacra premierement Josephés
a evesque].

En ce qu'il voloient oster la table de la nef, il regardent
contremont l'eve et voient venir la nef ou [il avoient mise,
lonc tens avoit passé], la suer Perceval. Et com il voient
30 ce, si dit li .i. a l'autre :

– [En non Deu], bien nos a ceste pucele tenu covent, qui
[jusque] ça nos a sui.

328. Lors prennent la table d'arjent, si l'ostent de la
nef ; si la prist Boorz et Perceval par devant, et Galaaz par
derriere, si alerent vers la cité. Et com il vindrent la, si fu
Galaaz toz lassez del fes [*B^a*, f. 80a] [de la table qui as-
5 sez pesoit. Il] regarde .i. home a potences qui estoit desoz
la porte, si atendoit iluec l'aumosne des trespassanz, [qui
maintes fois li fesoient bien por amor de Jhesucrist]. Et
Galaaz [vint pres de lui, si l'apela et li] dist :

– Preudom, aide moi tant que nos aions ceste table por-
10 tee lassus en cel palés.

– [Ha] ! Sire, fet li preudons, que ce est que vos dites ? Il
a [bien] passé .x. anz que je ne poi aler sanz aide d'autrui.

– Ne te chaut, fet [il], mes lieve sus et n'aies dote, car
tu es gariz.

15 En ce qu'il ot dite la parole, cil essaie s'il se porroit
lever ; et en ce qu'il i essaioit, il se trova si sain et hetié
com s'il n'eust onques eu mal en sa vie. Lors prent la table
d'une part encontre Galaaz. Et quant il entre en la cité, si
dit a toz cels qu'il encontre le miracle que Dex li a fet. Et
20 quant il vindrent el palés en haut, si mistrent la table encosté la chaiere que Nostre Sires i avoit jadis aparaillie por
ce que Joseph[és] s'i asseist. Et maintenant i acorent tuit
cil de la cité a grant merveille, por vooir l'home mehai-

s'éveilla, il regarda devant lui et vit la cité de Sarras. Une voix leur parvint alors qui leur dit :

– Sortez de cette nef, chevaliers de Jésus-Christ, prenez à vous trois la table d'argent et portez-la telle qu'elle est dans la cité. Ne la posez pas avant de vous y être rendus, et ne la mettez pas à terre avant d'être arrivés au Palais Spirituel où Notre-Seigneur sacra Josephé premier évêque.

Comme ils s'apprêtaient à sortir la table, ils regardèrent vers le large et virent approcher la nef où, il y avait longtemps, ils avaient mis la sœur de Perceval. À cette vue, ils se dirent l'un à l'autre :

– Par Dieu, cette demoiselle a bien tenu sa promesse de nous suivre jusqu'ici[4].

328. Ils prennent alors la table d'argent et la sortent de la nef, Bohort et Perceval la tenant par-devant, Galaad par-derrière, et ils partent en direction de la ville. Mais une fois arrivés là, Galaad se sentit très fatigué de porter la table qui était bien lourde. Il aperçut sous la grande porte un homme avec des béquilles qui attendait que les passants lui fassent l'aumône, ce qu'ils faisaient souvent pour l'amour de Jésus-Christ. Galaad se dirigea vers lui, l'appela et lui dit :

– Brave homme, aide-moi pour que nous puissions monter cette table jusqu'au château.

– Ah ! seigneur, que dites-vous là ? Il y a bien dix ans que je ne puis marcher sans aide.

– Ne t'inquiète pas, répondit Galaad, mais lève-toi et ne doute pas, car tu es guéri.

À ces mots, l'homme essaya de se lever et, ce faisant, il se trouva aussi fort et bien portant que s'il n'avait jamais été malade de sa vie. Il prit la table du côté que tenait Galaad et, une fois entré dans la cité, il raconta à tous ceux qu'il rencontrait le miracle que Dieu avait fait pour lui. Arrivés dans la grande salle du château, les compagnons placèrent la table à côté du trône que Notre-Seigneur avait jadis préparé pour Josephé. Aussitôt les gens de la cité accoururent, pleins d'étonnement, pour voir l'infirme qui

gnié qui fu redreciez novellement. Quant li compaignon
25 orent fet ce que comandé lor estoit, si retornerent a l'eve
et entrerent en la nef ou la suer Perceval estoit. Si la pristrent a tot le lit, [et l'emporterent el palés], si l'enfoïrent si
richement com l'en devoit fere fille de roi.

329. Quant li rois de la cité, que l'en apeloit Escorant,
voit les trois compaignons, si lor demanda dont il estoient
et quel chose c'estoit qu'il avoient aportee sor cele table
d'argent. Et il l[i] en distrent la verité [de quant qu'il
5 lor demanda et la merveille] del Saint Graal et lo pooir
qu[e Dex] i ot mis. Cil fu desloiax et [*B^a*, f. 80b] cruex,
[come cil qui touz ert estrez de la maleoite lignie des
païens]. Si ne crut rien qu'il deïssent, ainz dist qu'il estoient aucun desloial tricheor. Si atendi tant qu'il les vit
10 desarmez. Lors les fist prendre a ses homes et metre en
sa prison, [si les tint un an en sa prison en telle maniere
que onques n'en issirent]. Mes de tant lor avint bien, que
si tost com il furent enprisoné, Nostre Sires, qui nes avoit
pas oubliez, lor aporta devant els le Saint Graal por fere
15 lor compaignie, de qui grace il furent toz dis repeu tandis
com il estoient en la prison.
Au chief de l'an avint .i. jor que Galaaz se complainst a
Nostre Seignor et dist :
– Sire, il me semble que assez ai demoré en cest siecle :
20 s'il vos plest, ostez m'en prochienement.
Celui jor avint que li rois Escoranz jesoit malades [au
lit de] la mort. Si les manda devant lui et lor cria merci de
ce qu'il les avoit si mal mené et a tort. Et il li pardonerent
molt volentiers. Il morut maintenant, et com il fu enterrez,
25 cil de la cité furent molt esgaré de ce qu'il n'avoient nul
oir de cui il feïssent roi. Si se conseillierent entr'els grant
piece, et en ce qu'il estoient a conseil descendi une voiz
entr'els qui lor dist :
– Prenez le plus juene des trois compaignons. Cil vos
30 governera bien tant com il sera auvec vos.

330. Lors [firent le comandement a la vois, car il] pris-

venait d'être guéri. Lorsque les compagnons eurent fait tout ce qui leur avait été ordonné, ils retournèrent au rivage et entrèrent dans la nef où était la sœur de Perceval. Ils l'emportèrent sur son lit jusqu'au château et l'enterrèrent avec les honneurs dus à une fille de roi.

329. Quand le roi de la cité, qui se nommait Escorant, vit les trois compagnons, il leur demanda d'où ils venaient et quelle était la chose qu'ils avaient apportée sur la table d'argent. Ils répondirent à toutes ses questions sans rien lui cacher, ni la nature merveilleuse du Saint-Graal, ni le pouvoir que Dieu y avait mis. Mais cet homme, issu en ligne directe de la race maudite des païens, était perfide et cruel. Il ne crut rien de ce qu'ils disaient et les traita de fourbes et d'imposteurs. Il attendit qu'ils soient désarmés et les fit alors saisir par ses hommes et jeter en prison. Il les y garda un an sans les laisser sortir. Mais alors tout tourna bien pour eux, car dès qu'ils furent emprisonnés, Notre-Seigneur, qui ne les avait pas oubliés, leur apporta le Saint-Graal qui demeura avec eux et les nourrit de sa grâce tant qu'ils restèrent enfermés.

Quand l'année fut écoulée, Galaad un jour se plaignit à Notre-Seigneur, disant :

– Seigneur, il me semble que je suis resté assez longtemps en ce monde ; si vous y consentez, ôtez-m'en prochainement.

Or, ce jour-là, le roi Escorant gisait, malade, sur son lit de mort. Il fit venir les compagnons devant lui et leur demanda pardon de les avoir ainsi maltraités à tort. Ils lui pardonnèrent très volontiers, et il mourut aussitôt après. Quand il fut enterré, les gens de la cité se trouvèrent fort embarrassés car il n'y avait pas d'héritier qu'ils puissent faire roi. Ils se consultèrent longuement et tandis qu'ils délibéraient, une voix descendit parmi eux et leur dit :

– Prenez le plus jeune des trois compagnons. Il vous gouvernera très bien tant qu'il sera avec vous.

330. Ils obéirent à l'ordre de la voix, allèrent chercher

trent Galaaz, si le firent seignor d'els [ou il volsist ou
non], et li mistrent la corone el chief, dont il li pesa molt ;
mes por ce qu'il vooit que fere le covenoit, si l'otroia, [car
5   autrement l'eussent il ocis]. Et com il fu venuz a terre tenir,
il fist par desuz la table d'argent une arche d'or et de pierres precieuses qui covroit le saint Vessel. Et toz les matins,
si tost com il estoit levez, venoit devant lo saint Vessel entre lui et ses compaignons, si s'ajenoilloient et fesoient lor
10 proieres [et lor oroisons]. Et quant vint au chief de l'an, a
celui meismes jor qu'il avoit porté corone, il [*B^a*, f. 80^c]
se leva [bien] matin entre lui et ses compaignons. Et quant
il vindrent el palés esperitel, si regarderent devant le saint
Vessel et virent .i. home revestu en senblance d'evesque,
15 qui estoit a jenouz devant la table [et batoit sa coupe] ; si
avoit entor lui [si] grant plenté d'anges [come se ce fust
Jhesucrist meisme]. Et com il ot grant piece esté a genouz,
si se leva et comença la messe [de la glorieuse Dame]. Et
com il fu el secré [de la messe] et li preudons ot ostee la
20 plateine [de] desus le saint Vessel, si apela Galaaz et li
dist :
— Vien avant, serjant Deu, si verras ce que tu as tant desirré [a veoir].

331. [Et] il se tret tantost avant et regarde dedenz le saint
Vessel. Et [si tost come il i ot regardé, si] comença a trenbler molt durement, si tost come la mortel char comença
a regarder les esperitex choses. Et lors tent ses meins vers
5   lo ciel et dit :
— Sire, toi aor ge et merci a ce que tu m'as acompli mon
desirrier, car or voi je tot apertement ce que langue ne
porroit descovrir ne cuer penser. Ici voi je la començaille
des granz hardemenz et l'acheson des granz proeces ; ci
10 voi je la merveille de totes les autres merveilles ! Et puis
qu'il est einsi, biau douz Sire, que vos m'avez acomplie
ma volenté [de lessier moi veoir ce que j'ai toz jors de-
sirré], or vos pri je que [vos en cest point et] en ceste grant
joie ou je sui sofrez que je trespasse de cest [terrien] siecle
15 [en la vie celestiel].

Galaad, le nommèrent leur seigneur – qu'il le voulût ou non –, et lui mirent la couronne sur la tête. Il en fut très contrarié, mais voyant qu'il fallait s'y plier, sinon ils l'auraient tué, il accepta. Une fois maître du pays, Galaad fit mettre sur la table d'argent une arche d'or et de pierres précieuses pour recouvrir le Saint-Vase. Et tous les matins, dès son réveil, lui et ses compagnons venaient devant le Saint-Graal, s'agenouillaient et faisaient leurs prières et leurs oraisons. Au bout d'un an, le jour anniversaire de son couronnement, Galaad se leva de bonne heure ainsi que ses compagnons. Arrivés au Palais Spirituel, ils regardèrent en direction du Saint-Vase et virent un homme vêtu comme un évêque qui, agenouillé devant la table, battait sa coulpe. Il y avait autour de lui autant d'anges que s'il était Jésus-Christ lui-même. Après être resté longtemps à genoux, il se leva et commença la messe de la glorieuse Dame. Au moment de la secrète[1], après avoir ôté la patène de dessus le Saint-Vase, il appela Galaad et lui dit :

– Approche-toi, soldat de Dieu, et tu verras ce que tu as tant désiré voir.

331. Galaad s'avança aussitôt et regarda à l'intérieur du Saint-Vase. Dès qu'il y eut porté son regard, il se mit à trembler très fort, car son corps mortel contemplait les mystères célestes. Il tendit les mains vers le ciel et dit :

– Seigneur, je T'adore et je Te remercie d'avoir exaucé mon désir, car je vois maintenant à découvert ce que langue ne pourrait exprimer ni cœur concevoir. Je vois ici l'origine des hauts faits et la raison des grandes prouesses. Je vois ici la merveille de toutes les merveilles ! Et puisqu'il en est ainsi, beau doux Seigneur, que Vous avez exaucé mon désir, me laissant voir ce que j'ai toujours désiré voir, souffrez, je Vous en supplie, qu'en cet instant et dans cette grande joie où je suis, je passe de cette vie terrestre à la vie céleste.

Et si tost com il ot fet ceste requeste [a Nostre Seignor],
li preudons qui devant l'autel estoit en senblance d'evesque revestuz prist *Corpus Domini* [sor la table], si l'ofri a
Galaaz. Et cil le reçut [molt humblement et] a grant devo-
20 cion. Et [quant il l'ot usé], lors li demande li preudons :

– Sez tu, qui je sui ?

– Sire, nenil, [dist Galaad, se vos nel me dites].

– [Or] saches, [fet il], que je sui Josephés, li filz Joseph
d'Arimachie, que Nostre Sires t'a envoié por toi fere com-
25 paignie. Et sez tu por quoi il m'i a plus [tost] envoié que
.i. autres ? Por ce que tu [m'as resemblé en deus choses :
en ce que tu] as veues les merveilles del Saint Graal ausi
come ge fis, et por ce que tu as esté virges ausi com je
fui ; si est [bien] droiz que li .i. virges face compaignie a
30 l'autre.

332. Quant il ot dit ceste parole [*B^a*, f. 80d], Galaaz
vient a Perceval, si le bese et puis a Boorz et li dit :

– Boorz, saluez moi monseignor [Lancelot] mon pere si
tost com vos le verroiz.

5 Lors revint devant la table, si se met a genoillons, si n'i
ot gueres demoré com il chaï adenz sor le pavement del
palés, que l'ame li estoit ja hors del cors. Si l'en portoient
li ange fesant grant joie [et beneissant Nostre Seignor].
Et si tost com il fu deviez, si avint iluec une grant mer-
10 veille. Car li dui compaignon virent [tot apertement] que
une main vint devers le ciel ; [mes il ne veoient pas le cors
dont la main estoit. Et elle vint droit] au seint Vessel, si le
prist, et la Lance ausi, si enporta tot vers lo ciel, a tel eur
qu'il ne fu puis home [tant hardiz qu'il] osast dire qu'il
15 eust veu le Saint Graal.

Quant Percevax et Boorz virent que Galaaz fu morz, si
en furent [tant] dolent [que nus plus ; et s'il ne fussent
si prodom et de si bone vie, tost en poïssent estre cheuz
en desesperance por le grant duel qu'il en avoient]. Et li
20 pueples del païs en fist grant duel, [et molt en furent tuit
corocié. La ou il avoit esté morz fu fete la fosse] ; et si tost

Dès que Galaad eut fait cette prière à Notre-Seigneur, le saint homme habillé comme un évêque, qui se tenait devant l'autel, prit *Corpus Domini* sur la table et l'offrit à Galaad qui le reçut avec une grande humilité et une grande dévotion. Puis, lorsqu'il eut communié, le saint homme lui dit :

— Sais-tu qui je suis ?

— Non, seigneur, à moins que vous ne me le disiez.

— Apprends donc que je suis Josephé, le fils de Joseph d'Arimathie, et que Notre-Seigneur m'a envoyé pour être ton compagnon. Et sais-tu pourquoi Il m'a envoyé plutôt qu'un autre ? Parce que tu m'as ressemblé en deux points : tu as vu comme moi les mystères du Saint-Graal, et tu es resté vierge comme moi. Il est donc juste que deux hommes vierges soient réunis.

332. Quand Josephé eut fini de parler, Galaad alla embrasser Perceval, puis Bohort à qui il dit :

— Bohort, saluez de ma part monseigneur Lancelot, mon père, dès que vous le verrez.

Puis il revint vers la table et s'agenouilla ; mais il ne resta pas longtemps ainsi et tomba face contre terre sur le sol dallé de la salle, car son âme avait déjà quitté son corps. Les anges l'emportèrent en manifestant une grande joie et en bénissant Notre-Seigneur. Dès que Galaad fut mort, il se produisit une grande merveille : les deux compagnons virent très distinctement une main descendre du ciel, mais ils ne virent pas le corps auquel elle appartenait. Elle alla droit vers le Saint-Vase et le prit, ainsi que la lance, et les emporta dans le ciel, si bien que depuis lors personne n'eut assez d'audace pour prétendre avoir vu le Saint-Graal.

Quand Perceval et Bohort virent que Galaad était mort, ils éprouvèrent une douleur sans bornes et s'ils n'avaient pas été de si haute vertu et de si sainte vie, ils auraient pu s'abandonner au désespoir vu l'intensité de leur chagrin. Les gens du pays menèrent grand deuil et furent tous profondément affligés. On fit une fosse à l'endroit même

com il fu enfoïz, se rendi Percevax en .i. hermitage dehors
la cité, [si prist dras de religion]. Et Boorz fu auvec lui ;
mes onques ne chanja les dras del siecle, [por ce qu'il
25 baoit encor a revenir a la cort le roi Artus]. Un an et trois
jorz vesqui Percevax en l'ermitage, [et] lors trespassa de
cest siecle ; si le fist Boorz enfoïr auvec sa suer [et auvec
Galaad el palés esperitel].

333. Quant Boorz vit qu'il estoit tot seul remés [en si
loingtaingnes terres come es parties de Babiloine], si se
parti de Sarraz toz armez et vint a la mer, si entra en une
nef. Et [li avint si bien qu'en assez pou de tens] vint el
5 roiaume de Logres. Et com il fu venuz el païs, si chevaucha tant qu'il vint a Kamaalot, ou li rois Artus estoit. Si en
firent grant joie cil de leenz, [car bien le cuidoient avoir
perdu a touz jorz mes, por ce que si longuement avoit esté
fors del païs].

10 Quant il orent mangié, li rois fist avant venir les clers
qui les aventures as chevaliers de leenz metoient en escrit. Et quant Boorz ot contees les aventures del [Saint]
Graal teles come il les ot veues, si furent mises en escrit et
gardees en l'armaire de Salebieres, dont MESTRE GAUTIER
15 MAP le[s] trest a fere son livre do Seint Graal por amor do
roi Henri son seignor, qui fist l'estoire translater [de latin]
en françois. Si se test a tant [li contes], que plus n'en dit a
ceste foiz des *Aventures del Seint Graal*.

où Galaad était mort ; et dès qu'il fut enterré, Perceval se rendit dans un ermitage en dehors de la cité et prit l'habit de religion. Bohort l'accompagna, mais ne quitta pas son habit laïc parce qu'il désirait encore retourner à la cour du roi Arthur. Perceval vécut un an et trois jours dans l'ermitage, puis il mourut. Bohort le fit enterrer au Palais Spirituel auprès de sa sœur et de Galaad.

333. Lorsque Bohort se vit tout seul en des terres aussi lointaines que les régions de Babylone, il quitta Sarras tout armé, se dirigea vers la mer et monta dans une nef. Le sort lui fut favorable, et en peu de temps il atteignit le royaume de Logres. Puis il chevaucha jusqu'à Camaalot où se trouvait le roi Arthur. Tous à la cour l'accueillirent avec beaucoup de joie, car il était resté si longtemps loin du royaume qu'ils le croyaient perdu à tout jamais.

Quant ils eurent mangé, le roi fit venir les clercs qui mettaient par écrit les aventures des chevaliers de sa maison. Et lorsque Bohort eut raconté les aventures du Saint-Graal telles qu'il les avait vues, elles furent mises par écrit et conservées dans la bibliothèque de Salisbury d'où Maître Gautier Map[1] les tira afin d'écrire son livre du Saint-Graal pour l'amour du roi Henri son seigneur qui fit traduire l'histoire du latin en français. Ici se tait le conte qui pour l'heure n'en dit pas davantage sur les *Aventures du Saint-Graal*.

655   Leçons rejetées avec variantes

LEÇONS REJETÉES AVEC VARIANTES
DES MANUSCRITS DE CONTRÔLE

CHAPITRE I

§ 1 : 6. en om. **B^a** ; *en* estoit VV^aV^6 ; en fu **KZ** – **10.** voir om. **B^a** ; oïl *voir* VV^aV^6-**KZ** – **20.** tout om. **B^a** ; fist *tout* m. VV^aV^6-**KZ** – **22.** voieient **B^a** : *le copiste a rayé les lettres* **ei** – **27.** dame, fait la damoiselle VV^aV^6-**KZ** – **29.** i om. **B^a**VV^a ; or *i* voist V^6-**KZ**.

§ 2 : 7. du chemin VV^6-**K** (*mq.* **B^a**) ; d'un chemin **Z** – **8-9.** si tost comme il sont pres. Et **V**-**KZ** (*mq.* **B^aV^6**) – **11.** tuit om. **B^a** ; vindrent touz **V** ; vont *tuit* **KZ** (Quant… joie om. V^6) – **12.** molt **V**-**KZ** (*mq.* **B^a**) – **14-15.** liz. Si est **B^a** ; lis. Et *lors* est moult durement liés, si les **V** ; lis […]. *Lors* est a merveille liés, si les V^6V^3 ; liz. Et *lors* est a merveilles, si les liez **KZ** – **15.** et om. **B^a** ; *et* quant VV^6-**KZ** – **18.** a Lancelot om. **B^aV^6** ; fait Boorz a l'autre, quelle **V** ; fait Boorz *a* Lancelot, quele **KZ** – **21.** onques V^6V-**KZ** (*mq.* **B^a**).

§ 3 : 1. si VV^6-**KZ** (*mq.* **B^a**) – **2-3.** devant eles om. **B^a** ; si bel e. et om. **B^a** ; amenoient *devant eles* Galaad, *si bel enfant et* V^6V-**KZ** – **3-4.** que l'en ne trovast son **B^a** ; de tous menbres ch'*a painnes* trouvast on son pareil $V^6VV^aV^5$-**KZ** ; de toz membres que *a paine peust* (*ON aj.* l'en) *trover* son pareil V^{11} – **8.** nostre… prion om. **B^a** ; nostre confort et nostre espoir, si vous prions (**KZ** om. si vous p.) VV^aV^6 – **9-10.** nul om. **B^a** ; de vos om. **B^a** ; de *nul* plus preudome de lui (**KZ** vos) a nostre cuider VV^a-**KZ** ; car *nus* plus preudom de vos V^6 – **14-16.** et pour… chevalier om. **B^a** ; forme d'omme *et pour la simplece et la biauté* (**KZ** om. et la b.) *que il* (**KZ** aj. i) *voit y espoire il tant de bien qu'il li plaist moult qu'il le face chevaillier* VV^6-**KZ**.

§ 4 : 12. vostre **B^a** ; nostre VV^6-**KZ**.

§ 5 : 4. por oïr la (V^6 *aj.* grant) messe VV^6-**KZ** (*mq.* **B^a**) – **6.** en VV^6-**KZ** (*mq.* **B^a**) – **11.** la fille le roi Pescheor V^6V ; la (**KZ** *aj.* bele) fille au Riche (ON-KZ aj. Roi) Pescheor V^3-KZ ($V^1 = B^a$) – **14.** bien VV^6-KZ (*mq. B^a*).

§ 6 : 4. lessi B^a ; laissié a (V^6 le) parler (KZ aj. de ce) VV^6 – **6.** escrit VV^1V^6-KZ (*mq. B^aV^3*) – **14.** Par foi fet B^a ; En nom Deu, fet Lancelos V^3V^6V-KZ – **14.** vodroit *om. B^a* ; ki vauroit a droit conter V^6 ; qui a droit vouldroit VV^3-KZ – **22.** le V-KZ (*mq. B^aV^6*).

§ 7 : 2. Lancelos (V l'autre) fu venus et avoec lui Boorz et Lyoniaus, si lor fist V^6V ; … venuz et il ot amené Boorz et Lyonel, si lor fet KZ – **2.** molt *om. B^a* ; fist molt V^6V-KZ – **5.** venue VV^3V^6-KZ – **12.** mes *om. B^a* ; pieç'a mes que V^3-KZ ; pieç'a que mais V^6 – **15.** au disner V^6V^1V-KZ ($V^3 = B^a$).

§ 8 : 1. si V^6-KZ (*mq. B^aV*) – **3.** molt V^6V-KZ (*mq. B^a*) – **4.** Di les moi tost V^6V-KZ (*mq. B^a*) – **5.** la u soz B^a ; la aval desous V^6V-KZ – **5.** paleles B^a – **9.** et V^6V-KZ (*mq. B^a*) – **11-12.** qui m. estoit *om. B^a* ; par s. *om. B^a* ; ki moult estoit biele et rique par samblant et si (V-KZ et en) estoit V^6 – **13.** molt r. *om. B^6* ; molt richement V^6V ; molt soltilment V^3-KZ – **17-18.** jo sai bien V^6V-KZ (*mq. B^a*) – **19.** il dist certes B^a ; il respont tos (V om. tos) corouciés V^6V-KZ – **21.** ne le h. *om. B^a* ; jou n'aroie pas le corage que jou i mesisse (V-KZ c. de mectre y la main) *ne le hardement* V^6 – **23.** car çou seroit folie se jou tendoie a avoir (V l'avoir) V^6-KZ (*mq. B^a*) – **26.** *non* ferai VV^6-KZ – **28.** et *om. B^a* ; et que V-KZ (et coment le savés V^6) – **29-30.** autre… sachiez *om. B^a* ; et encor vos di jou (V encore say je bien) autre chose que jou voeil que vos faciés (VKZ sachiés) que en cest jour V^6V-KZ.

§ 9 : 4. save : *graphie de* sauve – **4.** non VV^6-KZ – **9.** ne… avoir *om. B^a* ; ne mie por l'espee avoir, mais por savoir que çou sera (VKZ om. mais… sera) V^6 – **10.** par le h. *om. B^a* ; prant l'espee (V^6 le prent) par le heult et sache V-KZ – **11.** dist maintenant V^6V-KZ (*mq. B^a*) – **16.** vodiez B^a ; vouldriés V – **17.** fait mesire Gauvain V^6V-KZ (*mq. B^a*) – **18.** orendroit V^6-KZ (*mq. B^aV*) – **23.** fere lui compaignie B^a ; faire a mon seignor Gauvain compaignie V^6VKZ – **23.** met *la* main VV^6-KZ – **23-24.** a espee B^a ; a *l'*espee VV^6-KZ – **24.** et VV^6-KZ (*mq. B^a*) – **27.** m. *mq. B^a* ; mesires Keux VV^6-KZ.

§ 10 : 3. si si sistrent B^a – **9.** haute *om.* VV^6-KZ – **14.** et VV^6-KZ (om. B^a) – **16.** ki premiers parla V^6V-KZ (om. B^a) – **17.** *biaulx* seigneurs V-KZ ($V^6 = B^a$) – **17.** ve B^a ; et *om. B^a* ; *veu* merveilles *et* chi VV^6-KZ – **18.** encor hui B^a ; encor anuit V^6V^3V-KZ – **24-25.** dist *si tost* VV^6-KZ – **30.** del parenté V^6V-KZ (*mq. B^a*).

§ 11 : 5. Saint *om. $B^aVV^3V^{11}$* ; *Saint* Graal $V^6V^5V^1$-KZ – **13.**

maintenant VV^6-KZ (*mq.* B^a) – 15. f. d'ermine B^a ; forrés de (KZ d'un) *blanc* hermine V^6 ; f. de blanches hermines V – 18-19. tout d. *om.* B^a ; dalés... seoit *om.* B^a ; tout droit al S. P. dalés qui (V-KZ quoi) Lanselos seoit V^6V-KZ – 28. le Riche Roi Pescheor V^1V^6-KZ, le roy Peschour $VV^{11}ON$ ($V^3V^5 = B^a$) – 29. de VV^6-KZ (*mq.* B^a) – 29-30. et ke jou en arai loisir V^6V-KZ (*mq.* B^a).

§ 12 : 2. et VV^6-KZ (*mq.* B^a) – 3. qui il *estoit* VV^6-KZ – 7-8. escuiers qui estoient... lui et l'atendoient. Et il monte B^a ; escuiers jusques a .xv. qui tous (VV^6KZ *om.* tous) l'atendoient et estoient... lui. Et il monte VV^6-KZ – 10. R. *om.* B^a ; Table Ronde V (de la sale virent V^6-KZ) – 14. ceste V^6 (*mq.* B^aV) ; tel grace KZ – 14-15. s. non *om.* B^a ; fors par la v. V^5 ; fors *solement non* (V^1V^3 *om.* non) de la v. V^6 ; se *seulement* (ON *aj.* non) de la grace N. S. V (se ce n'est de la volenté N. S. KZ) – 20. meschooit B^a ; a cui il n'en fust *mescheu* K ; a que (V^5 qui) il ne fust *mescheu* V^6 – 20. en a. m. *om.* B^a ; *en aucune maniere* fors que (V comme ; KZ ne mes) a V^6 – 26. a B^a ; en V^6 (en son c. *om.* VV^3-KZ) – 26. ce si li B^a – 27. et... choses *om.* B^a ; et le met a[n] parole (V prent en parolles) de maintes choses V^6-KZ – 40. Rice Roi Pescheor V^6-KZ, le roi Peschour VV^{11} ; le roi Pellés V^1V^5 ($V^3ON = B^a$) – 41. et VV^6-KZ (*mq.* B^a) – 45. ja *om.* B^a ; a ja V^6-KZ.

§ 13 : 7. f. cil *om.* B^a ; fait *cil* (V-KZ il) V^6 – 8. acomplie VV^6-KZ – 9. hom V^6V-KZ (*mq.* B^a) – 11. ce VV^6-KZ (*mq.* B^a) – 17. soi *om.* VV^6-KZ – 19. qu'il li est B^a ; que il est VV^6-KZ – 33. Riche Roi Pescheor $V^5V^6V^{11}ON$-KZ, le roi Peschour V, le roi Pellés V^1 ($V^3 = B^a$) – 37-38. L. se la coupe en eust esté (KZ en fust) soie V^6V.

§ 14 : 12. deistes : *le copiste de B^a a rayé les lettres* es – 13. G. nos le d. B^a ; G. et nous et vous le devons VV^3V^6 – 17. li *om.* B^a ; si li dist VV^6-KZ – 19. la *om.* B^a ; la merci Dieu VV^6 ; la Dieu merci KZ – 19-20. i *om.* B^a ; qui (V *om.* qui) i dignastes V^3-KZ ; vostre quant vous i daignastes V^6 – 21. i *om.* B^aV ; jou i sui (V^3 fu) V^6-KZ – 22. cil *om.* B^a ; tuit cil qui V^3V-KZ (tout li compaignon ki V^6) – 26. por... et *om.* B^a ; mestier pour maintes (V^6 moult de ; KZ moltes) choses et pour VV^3 – 34. molt tres v. B^a (tres *om.* VV^3V^6 ; molt t. *om.* KZ) – 35. et *om.* B^a ; et je VV^6-KZ.

§ 15 : 3-4. autre si qu'il B^a ; autre en tel maniere que il V^6V-KZ – 23. avoir VV^6-KZ (*om.* B^a).

§ 16 : 1. regarde B^aV ; esgardent V^6 ; regardent V^3-KZ – 3. aprés els B^a ; vers eulz VV^6-KZ – 3. et VV^6-KZ (*mq.* B^a) – 4. toute *om.* B^a ; toute la compaignie V-KZ (salua tous ensemble V^6) – 8. conoist si li B^a ; congnut moult (V^6 *om.* moult) bien. Lors (V^3V^6 Et lors) li dist VV^6 ; conoist. Et lors KZ – **10.** han B^a – **28-29.** onques encor B^a – **38.** a ses barons B^a ; li rois as barons de son hostel V^6V-KZ – **39-40.** S. *om.* $B^aV^3V^{11}$; Saint Graal VV^5V^6ON-KZ – **42.** ja *om.* B^a ; reverrai ja mais V^6V-KZ.

§ **17 : 5.** en VV^6-KZ (*mq.* B^a) – **10-11.** veist ki ne le tenist a merveille et ki au meillors de tos ne le tenist et disent V^6 ($V = B^a$) – **16.** legierement V^6V-KZ (*mq.* B^a).

§ **18 : 1.** et V^6-KZ (*mq.* B^a) ; et adont V – **3.** au darrain VV^6 (*mq.* B^a) ; t. au derrain a corrouz KZ – **4.** a *om.* B^a ; bailla a p. VV^6-KZ.

§ **19 : 3-4.** haut et (V^3 *aj.* si) comanderent $B^aV^3V^{11}ON$; palés *et comanda* V^5 ; en hault, il (KZ si) commenda V ; en haut. *Lors comanda* li senescaus que V^6 – **6.** a B^a ; au matin VV^6-KZ – **9.** et VV^6-KZ (*mq.* B^a) – **28.** se B^a ; s'en parti VV^6-KZ – **29.** qu'il pot (V peust) estre devenu V^6V-KZ – **30.** et VV^6-KZ (*mq.* B^a) – **32.** B^a *déchiré* ; li plosor *d'els* de ce V^3V^6-KZ (trestouz de ce que V) – **32-33.** B^a *déchiré* ; avoit fait Nostre Sires qui les avoit raemplis de la grace V ; avoit *envoié* qu'il les avoit repeus V^6 – **35.** B^a *déchiré* ; liés VV^6-KZ – **36.** B^a *déchiré* ; li avoit… nul roi ki devant V^6V-KZ.

§ **20 : 2.** B^a *déchiré* ; bien *leur* sembloit (KZ sembla) V ; estrange et bien *lor* samble V^6 – **2.** B^a *déchiré* ; avoit VV^6-KZ – **3.** monstroit si grant debonnaireté VV^6-KZ – **7-9.** B^a *déchiré* ; joie de ce que… grant *signe* d'amour… que il de sa grace nos *vint* (V^6 nous est venus *; KZ* nos volt) repaistre V – **22.** cy VV^6-KZ (*mq.* B^a) – **24.** ce se ce ne B^a – **24.** autrement *om.* VV^6-Z – **24.** B^a *déchiré* ; retournerai V^6V-KZ – **28-30.** B^a *déchiré* ; ne fineroient… *seroient* (V seront)… si douce (V *om.* si d.)… *comme* cele V^6V-KZ – **30.** avoit B^a ; avoient hui (V cy) mangié V^6 ; avoient iluec eue KZ – **30.** et *om.* B^a ; et quant VV^6-KZ – **35.** B^a *déchiré* ; *car* VV^6-KZ – **35.** m'avés *om.* B^a ; vos m'avés tolue V^6 (car pour le veu… fait m'avés tollu V) – **35.** B^a *déchiré* ; *compaignie* VV^6-KZ – **39.** ains *demorront* V^6V-KZ ($V^1V^3 = B^a$) – **40.** queste VV^6-KZ (*mq.* B^a) – **45.** et a vooir B^a ; et a avoir VV^3V^6-KZ – **46.** graument *om.* VV^6-KZ.

§ **21 : 3.** euz *graphie de* eulz – **6.** Gauvain *om.* B^aV^3 ; G., G. VV^6V^{11}-KZ – **12-13.** avoir et avoir bone B^a – **15.** aillors *mq.* V^6V-KZ – **20.** ne de preudommes V^6V-KZ (*mq.* B^a) – **28.** dencie B^a ; denoncié V^6-KZ – **29.** Saint VV^3V^6-KZ (*mq.* B^a) – **32.** del B^a ; des VV^6-KZ – **47-48.** L. sont en il B^a ; L. del Lac en sont V^6V-KZ – **49.** la comença B^a ; la creanta VV^6-KZ.

§ **22 : 11.** et VV^6-KZ (*mq.* B^a) – **29.** servise ne doit entrer en si haut servise devant B^a – **31.** queste de teriennes *choses* V-KZ ;

queste des coses tierienes V^6 ($V^3 = B^a$) – **36.** morteus V^6V-KZ (*om.* B^a).

§ 23 : 11-12. la fille au *roi Pecheor* VV^6 ($V^3V^4V^5V^{11}ON$-KZ $= B^a$) – **17.** que (= car) *om.* $VV^3V^4V^5V^6$-KZ.

§ 24 : 16. bien *pour* quoy $VV^3V^6V^{11}$; bien a qe fere V^5-KZ – **19.** et VV^6-KZ (*mq.* B^a) – **20.** chanbre si B^a ; chambre et VV^3V^6-KZ – **23.** baron de laiens VV^3V^6-KZ (*om.* B^a) – **35-36.** chose si (V^3 *om.* si) se leverent B^a ; chose touz ensemble si se leverent et s'atournerent (V^6 apresterent) VV^{11} ; chose si se *vestirent* et atornerent KZ – **42.** salua et B^a (et *mq.* VV^6-KZ) – **43.** contre B^a ; encontre VV^6-KZ – **44.** et *om.* B^a ; assooir B^a ; venus et il les fist rasseoir (V^3 s'asseoir) $VV^4V^6V^{11}ON$-KZ – **44.** et VV^6-KZ (*om.* B^a).

§ 25 : 2. molt pensis molt durement B^a ; *le deuxième* molt mq. V^6-KZ (m. d. *mq.* V) – **5.** et *om.* B^a ; et il VV^3V^6-KZ – **8.** me *om.* B^a ; ne me cuidai V^3V^6-KZ – **23-24.** seant mes trop B^a ; ne seant, si le vausise jou bien car trop V^6 ; ne bien (V^{11}-KZ *om.* bien) seans et (V^{11}-KZ *om.* et) je le voulsisse bien, car trop V.

§ 26 : 4. li VV^6-KZ (*om.* B^a) – **7.** et leve ses euz B^a ; et essuie (V aj. ses mains et) ses iex V^6V^3-KZ – **20.** font V^6V-KZ (*mq.* B^a) – **26.** mestre dels B^a ; le m. *dois* VV^6 (les mestres *doiz* KZ) – **28.** ore *om.* $VV^5V^6V^{11}ON$-KZ ($V^3V^4 = B^a$) – **29.** cil feront B^a ; *doivent faire* $VV^3V^4V^6V^{11}$-KZ.

§ 27 : 4. vendroit B^a ; revendroit $V^3V^4V^6$-KZ (ne vendra V) – **8.** et puis (KZ *om.* p.) Boorz VV^6 (*mq.* B^a) – **10-11.** cil… s'i e. *om.* B^aV^4 ; quant il (V^3 tuit) orent fet le serement, *cil qui mis s'i estoient*, et (V^3 *om.* et) cil (KZ s'i e., si troverent cil) qui mis les avoient en escrit (V^3 fut escrit et) troverent qu'il (V aj. y) estoient $V^{11}V^3VON$; fait lor sairement tout *cil ki mis s'i estoient*, lors trouverent que il estoient V^6 (serement si troverent… V^5) – **15.** et VV^6-KZ (*mq.* B^a) – **16-17.** a (V^6 o) plours et u (V^6 o) lermes VV^4V^{11}-KZ (*mq.* B^a) – **22.** en .i. lit B^aV ; en son lit $V^3V^4V^6$-KZ – **22.** et VV^6-KZ (*mq.* B^a) – **26-27.** ou il l'avoit veue entrer VV^6-KZ (*mq.* B^a) – **38-39.** congié et quant B^a (et *mq.* VV^6-KZ) – **45.** Diex le (V^3 l'cn) face par V^4V^6V-KZ.

§ 28 : 2-3. qui n'atendoient fors B^a (et n'atendoient fors seulement lui V^1) ; ne n'atendoient a movoir ($VV^3V^4V^{11}$ monter) fors V^6-KZ – **3.** et VV^6-KZ (*mq.* B^a) – **8.** me VV^6-KZ (*mq.* B^a) – **23.** par… ch. *om.* B^a (venut a l'entree d'une foriest, si s'a. V^6) ; par devers le chastel VV^3V^{11}-KZ – **24.** tuit au a B^a – **28.** fet fet B^a.

§ 29 : 2. c. *om.* B^a ; autre *compaignon* V^3VV^{11}-KZ (les autres apriés .i. et .i. Et quant V^6) – **3.** et… après *om.* B^a ; rois besier *et* *li autre baron aprés*. Et quant V^3V^{11}-*KZ* (le roy acoler et les uns et les autres. Et quant V ; si le bese et tous les autres apriés .i. et .i. Et quant V^6) – **7.** chevauchet B^a ; *chevauchent* $V^{11}V^3V^6$-*KZ* ; chevaucherent V – **9.** .i. hom preudons B^a ; uns preudom V^6V-*KZ* un hom de grant aage preudom V^3 – **12.** clore V^6V-*KZ* (*om. B^a*) – **20.** a ce VV^6-*KZ* (*om. B^a*) – **27.** de l'enor B^a ; avoit *om. B^a* ; de la grant honor qu'il lor avoit fete V^3VV^6-*KZ* – **31.** en tos les lius u il trovoient (V^3-*KZ aj.* ne) voie u (VV^3-*KZ* ne) sentier V^6V-*KZ* (*mq. B^a*) – **32-33.** cil… orgueilleus *om. B^a* ; assés a cel departement cil (V^3 *aj.* d'els) ki (*KZ aj.* plus) quidoient avoir les cuers plus (*KZ* cuers et) durs et plus (V^3-*KZ om.* plus) orgilleus. Mes V^6-*KZ*.

Chapitre II

§ 30 : 3. au .v. jor B^a ; au *quint* jor $VV^aV^5V^6V^{11}ON$; au cinquieme jor aprés V^3 ; au cinquieme, aprés *KZ* ; au cinquieme jor après *vespres le mena* aventure a une blanche abaie, si le reçurent li frere a molt grant honor comme cil V^1 – **7.** il estoient chevaliers B^a ; estoit chevaliers errans $V^1V^3V^6$-*KZ* ; *estoit* chevalier estrange V^aV – **13.** et *om. B^a* ; feste *et* joie $VV^aV^3V^6$-*KZ* (V^1 *abrège le texte* [13-18] : por lui faire *feste. Le soir* quant il orent mangié) – **16.** molt *om. B^a* ; si lor refist aussi (V^3-*KZ om.* ausi) *moult* grant joie V^6 ; fist *moult* grant (V *om.* g.) joie V^a ; il lor refist *molt* grant joie V^3 – **18.** et… esbatre *om. B^a* ; orent mengié *et il* (*KZ aj.* se) *furent alé esbatre* en $V^3VV^aV^1$ – **20.** lor *om. B^a* ; et lors (V^6 *om.* lors) *lor* demanda (V^1 demande) Galaad V^3-*KZ* ; si *leur* demanda VV^a – **22.** por *om. B^a* ; *pour* veoir (V^1 *om.* veoir) une aventure $V^aVV^3V^6$-*KZ* – **26-27.** ou el secont *om. B^a* ; ne meschiee *tant* que il ne soit ou premier jour *ou u second* que il ne soit ou mort ou mehaingniés ou vaincus. Si V^aV ; porter que il ne l'an meschiee *tant* que au premier jor *ou au secont* est mors ou mehaigniez. Si V^1 ; ne meskeece *tant* k'il ne soit el premier jor *u au secont* mors u vencus u mehaigniés. Si V^6 ; ne meschie *tant* que el premier jor *ou el secont* qu'il ne soit morç ou vainquuz ou mahagnieç V^3 ; ne meschiee *tant* ou premier jor *ou el secont* qu'il ne soit ou morz ou navrez ou mehaigniez *KZ* – **27.** por *om. B^a* ; *pour* savoir se VV^aV^1-*KZ* ; venut *por* veoir se V^6 (si somes venues *prover* se ce est voirs que l'en dit V^3) – **32.** ne *om. B^a* ; ne l'en poués $VV^aV^1V^3V^6$-*KZ*.

§ 31 : 3. Galaat B^a ; Galaad $VV^aV^3V^6$-*KZ* (V^1 *om.* et molt… compainz aussi [2-7]) – **4.** que cil de leenz li porterent $B^aVV^aV^6$; que cil li portoient V^5 ; que *li* (*KZ aj.* dui) *chevalier* li portoient

$V^3V^{11}ON$ – 4. p. qui le B^a ; porterent, *si* le V^5V^6-*KZ* ; porterent *et* le $VV^aV^3V^{11}$ – 12. por *om.* B^a ; *por* savoir $V^1VV^aV^3V^6$-*KZ* – 14-15. le portez B^a ; vos *l'enportés* hors V^6 ; fait *l'un d'eulx*, que vous l'emportés hors de ceans VV^a ; fet li freres, que vos *l'enportoiç* V^3 ; fet soi (*Z om.* soi) li preudons, que vos *ja l'emportez* fors *K* – 17. savoir *qu'il* B^a ; s. *qui* (V^6 que) *il* est VV^a ; s. *ou* il est $V^3V^5V^{11}$-*KZ* ; savoir et veoir *quex il* est V^1 – 22. il esgardent B^a ; il *le* regardent $VV^aV^3V^6$-*KZ* ; et li compaignon *le* resgardent.

§ 32 : 1 : le porte $B^aV^3V^6V^{11}ON$; *l'emporte* VV^aV^1-*KZ* – 4. seussie B^a ; *sceussiés* $VV^aV^3V^6$ (vos *veissiez* coment V^1 ; que je vos seusse dire coment *KZ*) – 10. arriere arriere B^a – 11. le *om.* B^a ; s'il *le* (V^3 li) couvenoit (V^{11}-*KZ* covient) faire VV^a ; *le* covient *raporter* V^1 (se besoing est V^6) – 12. entre lui et sa compaignie B^a ; ainsis remest Galaad entre lui et *Yvain qui li fera* compaignie V^1-*KZ* ; einsint remest Galaad entre lui *et Yvein qui* compeignie li fera tant V^5 ; ensi remest Galahas *et o lui Yvains ki li fait* compaignie V^6 ; ainsi remest Galaad *et Yvains qui lui feront* compaignie VV^a ; ainsi est (V^3 aj. laienç) remés Gualaad (V^3 Galaad ; *N* Galahaz ; *O* Galehaz) entre lui et *Yvain qui li* fet compaignie V^{11} – 13. la *om.* B^a ; sache *la* verité $V^5V^{11}ON$-*KZ* ; sachent la v. $VV^aV^1V^3V^6$ – 13-14. B. si s'est B^a ; Bandemagus (VV^a Baudemagus) *qui* se fu mis en son (VV^a au) ch. V^3V^1-*KZ* ; Bademagus *qui* se fu remis en son chemin chevauche V^{11} ; Bandemagus *qui* fu en son chemin entrés cevauce V^6 (Et li rois Bademaguz se fu mis en son chemin et chevaucha *ON*) – 21-22. et (V^6 se) *le* fait voler en pieces *V-KZ* (*mq.* B^a) – 22. qui l'avoit (V^3-*KZ* ot) pris a descouvert VV^3 (*mq.* B^aV^6) – 33. pour VV^6-*KZ* (*mq.* B^a).

§ 33 : 2-3. Tien cest escu, si le porte au buen ch. B^a ; Tien cest escu et le porte au serjant Jhesucrist que l'en apele V^3 ; Tien, va t'en et enporte (V^5 porte) cest escu au serjant Jhesucrist, au bon chevalier (*V om.* au bon ch.) c'on $V^6V^4V^{11}$-*KZ* – 11. de VV^3V^6-*KZ* (*mq.* B^a) – 13. et VV^3V^6-*KZ* (*mq.* B^a) – 16. et conjur VV^6-*KZ* (*mq.* B^a) – 23. a VV^6-*KZ* (*mq.* B^a).

§ 34 : 5. bien chooir B^a ; qu'il caïst $V^3V^4V^5V^6V^{11}$*V-KZ* – 13-14. car il me semble VV^6-*KZ* (*mq.* B^a) – 14. trop (*V om.* t. ; V^3 molt) grans V^6-*KZ* (*mq.* B^a) – 16. en $V^3V^5V^6V^{11}$-*KZ* (*mq.* B^aVV^4) – 17. je vous di qu'*VV^6$-*KZ* (*mq.* B^a).

§ 35 : 13. et VV^6-*KZ* (*mq.* B^a) – 14. pent *l'*escu $V^3V^4V^6V^{11}$-*KZ* ($V = B^a$) – 14. col si B^a ; col *et* se VV^6-*KZ* – 19. si tint B^aV^6 ; et tint VV^aV^3-*KZ* – 27. avenues avenues B^a – 28. et par franchise V^6-*KZ* (*mq.* B^a ; [*V om.* si vos vodroie… et coment]) – 29. et V^6-*KZ* (*mq.*

B^a) – **31.** certes sire *om.* B^a ; volentiers *om.* B^a ; *Certes,* (V^6V^{11}-*KZ aj. sire*) fait le chevalier, (V^6 *aj.* car) je le vous diray *voulentiers*, car je en say V – **33.** se il vos plest *om.* B^a ; mais (V^6-*KZ om.* mais) or m'escoutés (V^6 or escoutés, jou le vous dirai), *se il vous plaist V* – **34.** .lxii. ans V^6-*KZ* ($V = B^a$) – **37.** entre lui et ses compaignons et tant B^a ; entre (V avec) lui et *grant partie de son parenté* et tant $V^6V^3V^4V^{11}ON$-*KZ* – **42.** et VV^6-*KZ* (*mq.* B^a) – **43-44.** Tholomer (-s) $VV^5V^{11}ON$-*KZ* [V^3 Tholomer ; Tolomer] ($V^4V^6 = B^a$) – **45.** *V*-*KZ* ; Yoseph.

§ 36 : 2. et les poinz B^a ; et la verité $VV^3V^4V^6V^{11}$-*KZ* – **2-3.** et le B^aV^3 ; et du crucifiement Nostre Seigneur $VV^4V^6V^{11}$-*KZ* – **3.** et le B^a ; li dist la v. *om.* B^a ; et du (V^6 de son) resuscitement li dist la verité et li VV^6V^{11}-*KZ* – **4.** li VV^6-*KZ* (*mq.* B^a) – **5.** apertement V^6V^3V (*om.* B^a) – **7.** Tolomé V^6 ; Tholomer(-s) $VV^3V^5V^{11}$-*KZ* – **8.** metra $B^aV^1V^4V^6V^{11}ON$; menra VV^3V^5-*KZ* – **9.** que... p. *om.* B^a ; tu ne cuideras mie (V^3 pas) que tu en puisses eschapper VV^3-*KZ* ; tu quideras que tu ne puisses escaper V^6 – **24.** pog B^a ; et le portoit en $VV^1V^6V^{11}ON$; et portoit le (V^5-*KZ* son) *poing* V^3V^4 – **24.** Joseph $B^aV^1V^5$; Josephés V^{11}-*KZ* ; Josephez V^4 ; Josepés V^3 ; Yosephs V^6 ; Joseprons V – **25.** a lui $V^3V^6V^{11}$ (*mq.* B^aV) ; l'apela a soi *KZ* – **31.** en grant honnour et VV^3 (*om.* B^a) ; en honor grant et V^6 ; en grant amor et *KZ*.

§ 37 : 4. Joseph B^aV ; Yosephs V^6 ; Josephés *KZ* – **6.** et *om.* B^a ; de greigneur *renommee et* tant que VV^6-*KZ* – **9.** Joseph B^a ; Yosep V^6 ; Josepron V ; Josephé *KZ* – **11.** Joseph B^aV ; Yoseph V^6 ; Josepron V ; Josephé *KZ* – **14.** Joseph B^aV ; Yoseph V^6 ; Josephé *KZ* – **18-19.** païs hors de ma nacion B^a ; seus en cest païs, *qui pour vostre amour avoie ma tiere* (*V femme*) *laissié et la douçor de mon païs et* (*KZ om.* de mon p. et) de ma nacion V^6 – **20-21.** de vos $V^3V^5V^6V^{11}$ (*om.* B^aV) – **24.** li VV^6-*KZ* (*om.* B^a).

§ 38 : 4-5. seinot d. B^a ; sainoit *mout* d. VV^6-*KZ* – **13-14.** com ele est orendroit B^a ; comme vous la veés (*KZ* poez veoir) o. VV^6 – **19.** i VV^6-*KZ* (*om.* B^a) – **22.** et VV^6-*KZ* (*om.* B^a) – **26.** mis *KZ* (*om.* B^aV^6) – **30-31.** au .v. jor B^a ; au cinquiesme jour VV^6-*KZ*.

§ 39 : 1-2. au .v. jor B^a ; au quint (V^3-*KZ* cinquiesme ; V^6 quart) j. V – **4.** grans... as *om.* B^aVV^6 ; les grans aventures (V^1 coment les a.) sont avenues as $V^{11}ON$-*KZ* ; les aventures et les grans merveilles sunt avenues aus V^3 ; les merveilles et les granz av. qui en sont avenues as V^5 – **5-6.** sor cestui deffens (V^6 deveement ; V hardement) $V^5V^{11}ON$-*KZ* (*om.* B^a) – **20.** qui si plore B^a ; qui si *durement* pleure, si V ; ki ploroit (*KZ* plore) mout *tenrement*, si V^6 – 29. au vaslet $V^3V^1V^5$-*KZ* ; a l'escuier V^6 (om. B^aVV^{11} *ON*).

§ 40 : 1. il ent B^a ; il en ont V^3V^6-*KZ* (il en ot V) – 7. tonbes B^a : *graphie de* tombes – 10. fet il B^aVV^3 ; fait Galahas V^6-*KZ* – 11. fet il B^aV ; font il (*KZ* cil) V^6 – 15. li om. $B^aVV^6V^{11}$; si li dist $V^1V^3V^5$- *KZ* – 17. f. il om. B^aVV^3 ; sire (*KZ* om. s.), fait il (*ON* Galehaz), oïl V^6 ; oïl, fet Galaad V^{11} – 22. haut om. $B^aVV^5V^{11}ON$ (et dist… oïr om. V^6) ; dist si haut que V^1-*KZ*.

§ 41 : 8-9. Ge… leu om. B^a ; encontre ta force (V^6 contre le tien). Je te les le (V cestui) leu. (*V-KZ aj.* et) Quant V^3 – 13. homme VV^6-*KZ* (om. B^a) – 17. vent B^a ; vont VV^6-*KZ* – 24. et saintefiee VV^6-*KZ* (om. B^a) – 25. et faux om. B^a ; d'un crestien mauvais (V^5V^{11} *aj. et*) *faulz* et desloiaux VV^3 ; d'uns crestien *faus* et mauvais et desloiaus n'i doit V^6 ; dou crestien mauvés *et faus* n'i doit *KZ*.

§ 42 : 4. ge dui B^a ; jou *en* doi (V devoie) V^6-*KZ* – 11. saien : *graphie de* ceenz (*mq.* VV^6-*KZ*).

§ 43 : 1. revient B^a ; reviennent VV^6-*KZ* – 5-6. de chevalerie *KZ* (om. B^aVV^6) – 6. preudons *apele* Galaaz $B^aV^1V^3V^5V^6V^{11}ON$; preudons *en moine* Galaad *KZ* (V om. et li preudom… armes) – 7-8. et desgarnir de toutes (*KZ* om. t.) ses armes $V^6V^3V^{11}$-*KZ* (om. B^a) – 19. navoit B^a ; n'amoit V^3V^6-*KZ* – 20. tot p. om. B^a ; emportoit *tout plainement* en enfer V^6V (e. en enfer tot pl. $V^3V^5V^{11}$-*KZ*) – 22. ne li uns ne creoit l'autre V^6V-*KZ* (om. B^a) – 23. deist et einsi establ. B^aV ; desist *ains* i ($V^5V^{11}ON$-*KZ* om. i) establissoient V^6V^{11}-*KZ* – 24. et om. B^aV^6 ; *et* pour V-*KZ* – 29. trespas B^a ; trespasserai VV^6-*KZ* – 34. aparanz et om. B^a ; fu adonc (*KZ* lors) *aparant et manifestee* $V^{11}ON$ (fu… manifestee om. V^6) – 37-39. por quoi l'en doit vostre venue comparer pres a la venue Jhesucrist de semblance et non pas (*KZ* s. non mie) de hautece $V^{11}V^1V^3$-*KZ* (om. B^a) – 40-41. venu devant Jesucrist B^a ; lez prophetes estoient venus (V^{11}-*KZ* qui [V^{11} om. qui] avoient esté) *grans temps* devant (V^6 avant) *la venue* Jhesucrist V – 41-42. et… tout om. B^a ; et disent (*ON-KZ* distrent) *que il delivverroit le pule des* painnes (*ONV*^{11}-*KZ liens*) d'infier, *tout* ausi V^6-*KZ* – 46. ore om. $B^aVV^3V^1V^5V^{11}ON$; c'or (*KZ* que ore) nous avons V^6 – 49. Je… dirai om. B^a ; et (V^1 om. et) *je le vous diray* (V^1 *aj.* volantiers) fait cil (V^1 fait li preudom) VV^6-*KZ* – 61. et par son amonnestement VV^6V^{11}-*KZ* (om. B^a).

§ 44 : 1-2. ceste senblance s'acorde B^a ; ceste semblance et celle doulour (V^6 celle dont ; V^{11}-*KZ* cele *de lors*) *s'entr'acordent* VV^3V^5 ; coment ceste dolour et ceste samblance s'acordent a ceste tombe V^1 – **8-9.** els et *om.* B^a ; *iaus et* quanque il V^6V^3-KZ (V *om.* et perdirent… avoient) – **9-10.** en ceste aventure VV^6-KZ (*om.* B^a) – **11.** avenu B^a ; avenue VV^6-KZ – **13.** savoit B^a ; cognoissoit $VV^1V^6V^{11}$-KZ – **14.** vilz et ors *om.* B^a ; pecheors *vilx* (V vielz ; V^6 vieus) *et ors* et veoit (V^6 *om.* et veoit) $V^{11}V^5$-KZ – **15.** grans VV^6-KZ (*om.* B^a) – **15-16.** tel poor qu'il B^a ; faisoit *si grant* paour de la (V^1-KZ sa) *vois orrible et espoventable* $VV^1V^5V^6V^{11}$ – **19.** *pour* (KZ *aj.* la) *mener a chief* VV^6 (*om.* B^a) – **20-22.** qui… ainz *om.* B^a ; *ki vos savoit* (V^{11} sentoit) *a virgene* (V^1V^{11}-KZ vierge ; V savoit vierge) *et a* (V *om.* a) *net de tous pechiés ensi comme hom tieriiens puet estre, n'osa atendre vostre* (V *om.* vostre) *compaignie, ains* V^6 – **22-23.** par vostre venue. Et VV^6-KZ (*om.* B^a) – **24-25.** dite l'aventure. Et Galaaz B^a ; dite toute (KZ *om.* t.) *la verité de ceste chose* V-KZ ; *dite la verité de* (V^3V^{11} *om.* la v. de) *l'aventure de ceste cose.* Et Galahas V^6.

§ 45 : 4-5. li *om.* B^aV ; il (ON-KZ si) *li* demande (KZ demanda) V^6 – **8.** et de reines (KZ roine) V^3 (*om.* $B^aVV^1V^5V^6V^{11}$ON) – **13.** que *om.* B^a ; r. *que* VV^6-KZ – **14.** bien *om.* B^a ; sera (V *aj.* moult) *bien* en lui V^3 (sera en lui *bien* sauve KZ) sauvee – **18.** et la v. *om.* B^a (Deu merci et la v. *om.* V^6) ; merci *et la vostre,* vos $V^1V^3V^5$-KZ – **18-20.** chevalier et il est costume qui B^a ; chevalier, *dont j'ay si grant joye que a painnes le* vous diroye je (V^6-KZ paines le *poroie jou dire*) ; *et vous savés bien qu'il* (V^3 qui si) est acoustumé (ONV³ costume ; V^6 dire et il est tout par tot coustume) V – **20.** que *om.* B^aV^{11}ON ; *que qui* $VV^3V^5V^6$-KZ ; que cil qui V^1 – **22.** chose VV^6-KZ (*om.* B^a) – **26-27.** ce… dont *om.* B^a ; car *çou est une chose dont* ja maus ne (V ja mais ne) $V^6V^3V^{11}$-KZ – **28.** doig $B^aV^1V^5V^{11}$; doing V^3 (doins V^6 ; donne V ; otroi KZ) – **28-29.** neïs… grevez *om.* B^a ; Galaad *mais que* (V^5 G. se) *je en deusse* (V^{11} doie) *estre grevés* VV^6ON-KZ ; Galaad *nés se ce estoit chose* qui bien me deust deplaire V^1 ; G. *neis se s'estoit chose,* et ge le vos di, donc je bien deusse estre grevez V^3 – **33.** pour autrui donner (V^6 *om.* d.) VV^1-KZ (*om.* B^a).

§ 46 : 1-2. cheval por aler B^a ; son (V^6KZ un) cheval *car il veult aler* V – **6.** et viennent… croiz *om.* B^aON$V^1V^5V^{11}$; une crois qui departoit (V^6 partoit) .ii. chemins, *et viennent a la crois* (V^6 et regardent la crois) et treuvent letres VV^aV^6-KZ – **8.** une… autre B^a ; *l'*une a destre et *l'*autre VV^6-KZ – **11.** celui B^aV ; cele a (V^5 de) destre V^3-KZ – **11.** tost VV^6-KZ (*om.* B^a) – **13.** moi aler ceste senestre B^a ; *entrer en* chest (V^6 celui) chemin *a* s. V-KZ.

CHAPITRE III

§ 47 : 3. bien VV^6-KZ (*om. B^a*) – 3. et VV^6-KZ (*om. B^aV^{11}*) – 7.
raemplies de VV^6-KZ ; *covertes et replenies de V^3 ($V^{11} = B^a$)* – 9.
et dist V^6-KZ (*om. B^aVV^3*) – 9. buen B^aV ; buer $V^1V^3V^5V^6$-KZ ;
bien V^{11} – 11. l'aportera $B^aV^1V^{11}ON$; l'emportera VV^6V^3-KZ
– 12. atout *om. B^aV^6* (s'en vait si (V^6 et) se remet B^a) ; s'en va
atout et se met V ; braz senestre et s'an va *atout* et s'en revient
en son chemin V^1 (par mi et se remet KZ) – 13. grant V^6V^1-KZ
(*om. $B^aVV^3ONV^{11}$*) – 16. Et ($V^3V^6V^{11}$ om. et) sachiez que (V^{11}
om. que) V-KZ (*om. B^a*) – 20. li… si *om. B^a* ; et *cil vient* (V^6V^{11}
vint) *quanqu'il peut* (V^6V^{11} pot) *si* VV^6 ; cil li vient et le fiert KZ
– 20. d. *om. B^a* ; si (KZ molt) durement VV^6 – 21-22. parmi le costé
B^aVV^6 ; *el costé senestre* (KZ om. s.) V^3V^1 – 22. l'e…. il *om. B^a* ;
et il l'enpaint si qu'il V ; il l'e. bien que il V^6 ; et l'e. si bien que il
KZ – 23. li VV^6-KZ (*om. $B^aV^3V^{11}$*).

§ 48 : 8. bien *om. B^aV^{11}* ; d. car il (V d. et) quidoit bien V^6-KZ
– 10. Ha V^6V-KZ (*om. B^a*) – 10-11. (KZ en) cuidiés vous en (V^6KZ
om. en) garir V (*om. B^a*) – 12-13. le c. et li *om. B^a* ; Ha *om. B^a* ; si
(V^3 et) *le recounoist* (V^3V conoist) *bien et li* (V om. li) dist : – Ha,
sire, (*V*-KZ aj. pour Dieu) ne V^6-KZ – 16. fet il $B^aVV^3V^{11}$; fait
mesire Galahas V^6-KZ ; fet Galaad a Meliant dites estes V^5.

§ 49 : 5. Ha VV^3V^6-KZ (*om. B^a*) – 5-6. mais pour Dieu
$VV^3V^6V^{11}$-KZ (*om. B^a*) – 8-9. et por çou que il venoit si grant oirre
(VV^6V^{11} si durement) failli il (V om. il) a lui encontrer V^3V^5-KZ
(*om. B^a*) – 9. durement VV^6-KZ (*om. B^a*) – 11-12. brise puis se
regarde B^a ; brise. *Et Galaad fait outre son* (V aj. cheval) *poindre*
(V^6 fait son poindre tout outre), *et* (KZ om. et) *en ce qu'il revenoit*
(KZ retornoit), *si* se (V^5V^6 om. se) *regarde* $V^{11}V$-KZ – 13. (V^3 aj.
tot) armé VV^6-KZ (*om. B^a*) – 18-19. car… eu *om. B^a* ; *fuiant car
molt a grant poor de morir ou* (VV^6V^{11} om. de morir ou) *qu'il
n'ait* (V aj. encores) *pis qu'il n'a eu*. Et Galaad V^5 (si torne en fuie,
car poor a de morir. Et KZ) 19-20. come… il a eu *om. B^a* ; plus,
comme cil qui (V^6 om. qui) *n'a talent de fere li* (V^6 de lui faire)
plus (V^6 aj. de) *mal qu'il a eu*, ainz V^5V^6-KZ (*V*… talent de lui mal
faire, ains) – 20-23. retorne a Meliant si li demande : « Meliant,
que feré je de vos ? – Sire… » B^a ; retorne a Melian *ne oncques
ne regarde* (V^5 regarda ; V^6 retourna vers) le chevalier qu'il [V^5
aj. ot ; V^6-KZ avoit] *abatu. Et Galaad* (V^6 abatu. Il ; KZ a.. Et lors)
demande a Melian qu'il veult qu'il (V^6V^{11}-KZ aj. li) *face, car il li
fera ce qu'il pourra* (V^6 aj. moult volentiers) VV^6-KZ – 24-26. sire,
fet il, je vodroie estre a une abeie B^a ; sire, *se je pooie soffrir le* (V^6

om. s. le) *chevauchier* (*V* s. la chevaillierie), *je voldroie que vos me meissiés* (*V⁶-KZ* aj. *par*) *devant vos, et me portissiés jusqu'a une V¹¹* – **26-27.** je sai bien *om. Bᵃ* ; car *je say bien, se je estoie ilec,* (*V⁶* aj. *que*) on metroit *VV⁶V¹¹-KZ* – **27-28.** metroit grant poine en *Bᵃ* ; metroit *toutes les painnes que on pourroit* en moy garir *VV⁶-KZ* – **31.** Ha *VV⁶-KZ* (*om. Bᵃ*) – **31-32.** fet il, no ferez devant *Bᵃ* ; fait il, *jou ne me mettroie mie en aventure en cest point* (*V¹ om.* en cest p.) devant çou quejou soie (*KZ* fusse ; *V* jusques atant que je seray) *V⁶V¹V³V⁵-KZ*.

§ **50 : 5.** qui… pr. *om. Bᵃ* ; frere *qui mout* (*KZ om.* m.) *estoient preudoume V⁶V* – **5-6.** ouvrirent qui *Bᵃ* ; ouvrirent *et* reçurent le chevaillier mout *VV³V¹¹* (ouvrirent et les reçurent mout *V⁶-KZ*) – **9-10.** *si reçut son Sauveur* (*KZ Corpus Domini*), *et quant il l'ot receu VV⁶* (*om. Bᵃ*) – **11-12.** *or viegne la mors* (*VV³V⁵* aj. quant [*V⁵* se] *elle veult* [*V³* voldra] ; *V¹* quant li plaira), *car jou me sui* (*V* aj. mout) *bien garnis encontre li V⁶V³V-KZ* – **14.** met la main au fer et (*V* si) *V⁶V-KZ* (*om. Bᵃ*) – **14.** hors *V⁶V-KZ* (*om. Bᵃ*) – **17.** font il *om. BᵃV³* ; sire, font il, oïl *VV¹¹* ; sire, oïl, font il *V⁶-KZ* – **18.** demandent *BᵃV⁵V⁶* ; mandent *VV³ON-KZ*.

§ **51 : 1.** moult *VV⁶-KZ* (*om. Bᵃ*) – **2-3.** cel jor savoir *Bᵃ* ; *tout le jour et l'endemain pour savoir comment il tornera a garison* (*KZ* savoir se Melyanz porra garir) *V⁶-KZ* ; *tout le jour et l'e.* tant qu'il verra se Melian pourra garir *VV³* – **8.** touz doulans *VV⁶-KZ* (*om. Bᵃ*) – **9.** sire me *Bᵃ* ; *mesire Galaad* me *VV⁶-KZ* – **17.** et… c. *om. Bᵃ* ; *et en soumes andoï* (*V* touz deulz) *compaignon V⁶V³-KZ* – **25.** deffendoit *Bᵃ* ; deffendoient *VV⁶-KZ* – **26.** quil li *BᵃV* ; que il li *V⁵* ; qui li *V³V⁶ON-KZ* – **28-29.** et quant li prodons ot oï *Bᵃ* ; et (*V⁶ om.* et) li preudoms *estoit de haulte vie et de sainte, et* (*V⁶ om.* et) *quant il* oÿ ce que Melian (*V⁶* aj. li) dit *VV⁶* ; li preudons qui estoit de sainte vie et de haute clergie, li dist *KZ*.

§ **52 : 1.** chevalier *VV⁶-KZ* (*om. Bᵃ*) – **2.** saint *VV⁶-KZ* (*om. BᵃV³*) – **2.** ne *VV⁶-KZ* (*om. Bᵃ*) – **3.** grant *VV⁶-KZ* (*om. Bᵃ*) – **3.** et *om. Bᵃ* ; et si *VV⁶-KZ* – **6.** totes… par *om. Bᵃ* ; espurgié de *toutes les choses dont vous vous* savés (*V³V⁵* saviés ; *ON* sentiez ; *V* dont vous cuidiés estre) *entechié par* (*ON* de) *V⁶V* ; de toutes ordures et de toz pechiez dont vos vos sentiez entechiez ; et einsi *KZ* – **7-8.** Graal et quant *Bᵃ* ; *tel comme vous deviés estre. Mais quant VV⁶-KZ* – **11-12.** fait *om. BᵃVV⁵V¹¹ON* ; fustes chevaliers nouviaus *V¹V³* ; fustes *fait* chevalier *V⁶-KZ* – **12.** ch. vostre premier encontre ce fu *Bᵃ* ; chevalier *li* premiers encontres *que vos trovast[es]* (*VV⁶V¹¹ON* encontrastes ; *V¹¹ON-KZ* aj. ce) fu li signes *V³V⁵-KZ* – **13.** vraie *om.* B^a ; vraye (V^{11} saint) crois VV^6-*KZ* – **14.** celui B^aV ; celi V^6 ; cele $V^5V^{11}ON$- *KZ* – **17.** la voie de pitié V^6V^3-*KZ* (*om.* B^aV) – **21.** mie seure d. B^a ; mie *si* seure *comme l'autre* VV^3V^6-*KZ* – **24.** qu'il ne peust B^a ; *que pour aventure* ne peust VV^3V^6-*KZ* – **26.** et VV^6-*KZ* (*om.* B^a) – **33.** po : *graphie de* poi – **38.** tu qui avoies B^a ; vit que tu avoies $VV^3V^5V^6$-*K* – **39.** et et tu B^a ; et tu VV^{11} ; et que tu $V^3V^5V^6$-*KZ* – **44.** ce B^a ; te VV^6-*KZ*.

§ 53 : 4. a VV^6-*KZ* (*om.* B^a) – **5.** que *om.* B^aV^{11} ; o. *que* il V^6V^3ON-*KZ* (dist que) – **11.** i V^6V^{11}-*KZ* (*om.* $B^aVV^3V^5ON$; ou il trova V^1).

§ 54 : 9-10. ce… m. *om.* B^a ; *ce est le chastiau maleois* et touz VV^3-*KZ* – **18.** m. a *om.* B^aV^5 ; mout (m. *om.* V^1) a (a *om.* V) V^6V^3.

§ 55 : 5. bonne(s) : *graphie de* bosne(s) – **15.** et *om.* B^a ; et si VV^3V^6-*KZ* (et V^{11}).

§ 58 : 7. cette terre *om.* B^aV^{11} ; tenront (*KZ aj.* de vos) *ceste terre*, si sounés V^6 ; **10.** prent qui le B^a ; *prant si* le VV^6 ; p. et le V^{11}-*KZ* – **14.** que $V^3V^5V^6V^{11}$ (*om.* B^aV) – **17.** .vii. anz B^a ; .x. ans VV^6-*KZ* – **21.** com = quant (VV^6-*KZ*) – **24.** li .vii. frere B^a ; li frere V^3V^6-*KZ* ; les freres V^{11} (quant *il* orent V ; li frere virent qu'il avoient ce fait V^1) – **45.** i *om.* B^aVV^3V ; sire, (*KZ aj.* fet il) eles *i* avoient V^6ONV^{11} – **45.** de VV^5V^6-*KZ* (*om.* B^a) – **46.** en $VV^3V^5V^6$-*KZ* (*om.* B^a).

§ 59 : 1. de VV^6-*KZ* (*om.* B^a) – **5.** i *om.* B^a ; *y* apendoit (V^6 apent) VV^5V^{11}-*KZ* (V^3 qu'il aferoit) – **9.** m. *om.* B^a ; *molt* grant (grant *om.* *KZ*) $V^3V^5V^6V^{11}$ (fist on grant chaire V).

Chapitre IV

§ 60 : 4. blanc *om.* $B^aVV^1V^3V^5V^6V^{11}ON$; l'escu *blanc* *KZ*.

§ 61 : 5. qui le r. *om.* B^aVV^3 ; Gauvain *ki le regarde* (*ON aj.* et) conoist V^6V^5 – **6-7.** il… t. *om.* B^a ; freres. Il li (le) court (V^6 *aj.* acoler ; *KZ aj.* a l'encontre) *les braç tenduç* et li $V^3V^5V^6ON$-*KZ* ; frere et aqueurt maintenant *en l'encontre* de lui *lez bras tendus* et li V – **7.** li VV^6-*KZ* (*om.* B^a) – **12-13.** monté si se partent si partent de leenz si errerent B^a ; quant il furent montés *et apareilliés si se partirent de laiens et esrerent* VV^5-*KZ* ; f. tout *apareillié, il se partirent…* V^6 – **15-16.** bien… p. *om.* B^a ; conoissent *bien as armes que il portoit*, si (V^6 il) li crient (*V* crierent) $V^3V^5V^6V$-*KZ* – **16-17.** se regarde… s'a. et *om.* B^aV^3 ; s'arest et il *se regarde quant il s'ot nommer, si s'areste et* V^3V-*KZ* ; s'ariest et il s'arieste quant il s'ot

noumer et les recounoist a la parole V^6 – 19. qu'il… fet *om. B^a* ;
et il (*V aj.* leur) respont (*V aj.* moult tost) *que il n'a rien fait*, car
onques ne trouva puis (*VV^3V^5-KZ* oncques puis ne trouva aventure)
V^6.

§ 62 : 1-2. Et… ensemble *om. B^a* ; et il l'otroient (VV^6-*KZ* il
li o.) *et acueillent lor chemin* (*V* et ainsi errent leur chemin) *tuit*
(VV^3-*KZ* touz *trois*) *ensemble* et (V^3 *om.* et) tant ont (*KZ* si ont tant)
chevauchié qu'il vindrent V^5 – 3. et ce fu *om. B^a* ; v. vers le Chastel
aux Pucelles *et ce fu* entour nonne $VV^3V^5V^6$-*KZ* – 10. testes des
$VV^3V^5V^6$-*KZ* (*om. B^a*) – 13. traient… et *om. B^a* ; tierc (*V aj.* et) il
(V^5 t. puis) *traient les espees* et V^6V^3 – 14-15. cil… come cil *om.
B^a* ; aux autres (V^3 *om.* aux a.). Et *cil* (V^5 il) *se deffendent le mieulx*
(V^3V^5 au miex) *qu'il peuent* (V^6 deffendirent ensi com il porent ;
KZ deffendent si come il pueent), *mes ce n'est mie moult* (V^3 n'est
gueres) *bien, comme cil* qui moult (V^6 bien car moult) estoient las
VV^3V^5 – 16-17. et… meslee *om. B^a* ; celui jour *om. B^a* ; estour
et grant mellee leur avoit rendu Galaad (V^6 avoit Galahas rendue)
celui (V^3 lor ot celui) *jour* (V^5 lor avoit Galaad celui jor rendue)
VV^6 – 17-20. Galaaz si les ocient puis *B^a* ; rendu Galaad celui jour.
*Et cil, qui moult estoient preudomme et bon chevaillier, les mainent
si mal* que touz (*KZ om.* t.) *lez* (V^6 si male aleure k'il les) occient
en moult (V^6KZ *om.* m.) *pou d'eure, si qu'il* (*KZ om.* qu'il) *les
laissent en my* (*KZ om.* my) *la place touz mors* et s'en vont la ou
fortune VV^6.

§ 63 : 1-3. en *om. $B^aV^1V^3V^6V^{11}ON$* ; non mie… Galaad *om. B^a* ;
si tornent (*V* trouverent) .i. cemin a destre, *non mie celui ki aloit au*
(V^3 vers le) *Castiel as Puceles, mais .i. autre, et por çou perdirent* (*V
aj.* il) *a trover Galahat $VV^1V^3V^6V^{11}ON$* ; si ne tornent mie vers le
Chastel as Puceles, ainz s'en vont tout lor chemin a destre ; et par ce
perdirent il Galaad *KZ* – 4. et VV^6-*KZ* (*om. B^a*) – 7. et $VV^3V^5V^6$-*KZ*
(*om. B^a*) – 8. molt v. *om B^a* ; octroie *moult* (V^6 *om.* m.) *voulentiers
VV^1ON* ; o. moult deboennerement V^5 ; o. molt bonement *KZ* – 9.
en VV^6-*KZ* (*om. B^a*) – 10. et… mis *om. B^aV^5* ; *et il* (V^6V^{11} *om.*
il) *li* conta (V^6 conte ; *KZ* et il *dist*) *en quelle queste il s'estoient*
($V^1V^3V^4$-*KZ* s'estoit) *mis V* – 14-15. li… trop *om. B^a* ; *et a traire*
(V^5 retrere) *li* (*V* lui a traire) *avant trop beaux* (V^1V^3 *om.* t. b. ; V^6
lui par biaus) *essamples V^{11}* – 15. des Euvangilles (V^3 d'Evangiles ;
KZ de l'Evangile) trop merveillieusement (*KZ om.* trop m.) VV^5V^6
– 15. et dit *B^a* ; *le semont $VV^3V^4V^5V^6V^{11}$* ; l'amoneste *KZ* – 19. tot
$V^3V^5V^6$-*KZ* (*om. B^a*) – 19-20. car… prestres *om. B^a* ; *car vos me*

samblez molt (V^6 aj. bien) *prodome et si sai* (V^6 croi) bien (V^6 om. bien) *que vos estes prestres* $V^5V^3V^6$-KZ.

§ 64 : 1. li *om.* B^a ; li dit V^6 ; li creante $V^1V^3V^5$-KZ – 2-4. regarde… Lors *om.* B^a ; Gauvain regarde l'ermite (*V-KZ* le preudome), k'il (*KZ* si le) voit viel et anchien et tant li samble preudom k'il a talent k'il se face a lui confiés (V^3ON-KZ qu'il li prent t. de fere soi confés ; *V* que talens li est pris de soy faire confesser a lui). Lors V^6 – 5-6. et n'oblie… dite *om.* B^a ; coupables vers Nostre Signor, et n'oblie (V^3-KZ ne li o.) pas a dire la parole ke li autre preudom li avoit dit V^6 – 11-12. d.… vos *om.* B^a ; redissiez B^a ; et *deffendissiés Sainte Eglyse et que vos* (*KZ* om. que vos) *rendissiez* a Nostre Signor (*KZ* a Dieu) le tresor V^6V – 14-15. del… et *om.* B^a ; vous en avés *du tout esté sergant* (V^6 vos avés esté del tot serjans) *a l'ennemi, et* avés laissié (V^6-KZ et laissiés) Nostre Signor (*KZ* vostre creator) *V* – 15-17. mené orde vie. Si poez vooir B^a ; *la plus* orde vie *et la plus mulvese que onques chevaliers menast. Et* (V^3V^4 om. et) *por* ce poés vos savoir (V^3V^4-KZ veoir) que V^6 – 18. certes VV^6-KZ (*om.* B^a) – 20. ne par vostre aide V^3V^6-KZ (*om.* B^a) – 21. encore VV^3V^6-KZ (*om.* B^a) – 23-24. Galaaz ainz les B^a ; Galahas *li Bons Chevaliers, cil* por qui (V^3-KZ cil *que*) *vos* (*V* ch. que vous) *alés querant,* car il les conquist V^6 – 25. grant VV^6-KZ (*om.* B^a) – 28. moi VV^6-KZ (*om.* B^a).

§ 65 : 6. quele… ou *om.* B^a ; *quele k'ele fust u* V^6V^3V-KZ – 11-12. qu'il… tot *om.* B^a ; son fil *qu'il avoit fait* (*KZ* om. fait) *devant le comencement deu monde, tout* ainsi *V-KZ* ; son fil ki avoit dés le comencement dou monde esté, tot ausi V^6 – 13. son esleu… serjant *om.* B^a ; Galaad (V^1 aj. ça ; *KZ* aj. come) *son esleu chevalier* (V^6-KZ aj. et) *son esleu serjant,* por $V^3V^6V^1$-KZ – 14-16. qui… tens *om.* B^a ; *pucelles, qui sont aussi pures et aussi* (*KZ* om. a.) *nectes comme la flour de lis, qui oncques ne senti* (*KZ* sent) *la chalour du temps* VV^6-KZ – 19. G. *om.* B^aV ; Gauvain *Gauvain se* $V^6V^3V^5$-KZ – 20. que tu as (*KZ* aj. ja) si longuement maintenue VV^6 (*om.* B^a) – 23-24. en droit c. *om.* B^a ; de ce… fet *om.* B^a ; loeroie je *en droit conseil* a prandre penitance (*KZ* conseil que tu preisses penitance) *de ce que tu as fait* (*KZ* meffet ; V^5 om. de ce… fait) VV^6ON – 25. de p. fere *om.* B^a ; dist qu'il *de penitance faire* VV^6 (que de p. fere *KZ*) – 26. et VV^6-KZ (*om.* B^a) – 26-27. atant qui voit B^a ; atant *que plus* ne li dist (*KZ* dit) car, il VV^6-KZ – 27. a. seroit *om.* B^a ; voit bien que cil (V^3-KZ ses) *amonestemens seroit* paine p. V^6 (voit bien que de lui amonnester seroit painne p. V^a) – 29-30. le fil Do *om.* B^aV^3 ; Girflet *le fil Do* V^6V^5V-KZ – 31. au matin se departirent B^a ;

au quint jour avint qu'*il se departirent* VV^6-*KZ* ; au cinquiesme jor
si se d. V^3.

CHAPITRE V

§ 66 : 1. se parti $B^a V^3 V^5 V^6 V^{11}$; se fu parti/z $VV^a V^1 V^4 ON$-
KRZ – **3.** F. G. si li avint B^a ; Forest Gaste. (*VV*^{a} aj. Et) *Un jor*
li (*ON* om. li) avint $V^1 V^3 V^4 V^5 V^6 V^{11}$-*KRZ* – **9.** quant… brisié
om. $B^a V^6$; *quant il ot son* (*KRZ* le) *glaive brisié* (V^3 pecié)
$VV^a V^4 V^5 V^{11} ON$ (quant li glaives fu brisiez V^1) – **10.** d. om. B^a ;
si *durement* $VV^a V^1 V^3 V^4 V^5 V^6 V^{11}$-*RZ* (si fierement *K*) – **11.** et om.
B^a ; *et* nonpourquant $V^a VV^1 V^3 V^4 V^5 V^6 V^{11}$-*KRZ* – **13-14.** vole jus
si estordiz qu'il B^a ; vole jus (V^4 om. jus) touç estordiç (V^4 aj. et) *si
vains et si* malvés (V^4 maz ; V^{11} estordi si *mat* et si vain) *del grant
cop qu'il ot* (V^{11} a) *receu* qu'il ne set V^3 ; vole tous estordis a la
tiere, et si vains et si mas que il ne set se il est nuis u jours pour le
grant cop que il a receu V^6 ; vole tot estenduz a terre, *si veins et si
maz* (*VV*^{a} las) *deu grant cop que il a receu* qu'il ne set V^5 ; vole
tot jus toz estenduz, si maz et si vainz de grant cops qu'il a receuz
qu'il ne sa[i]t *ON* ; vole jus si vainz et si maz del grant cop qu'il ot
receu qu'il *KRZ* – **17.** or $VV^a V^1 V^3 V^4 V^5 V^6 V^{11}$- *KRZ* (om. B^a) – **17.**
certes om. B^a ; *conduie* (V^3 aj. quar) *certes* s'il $VV^a V^4 V^5 V^6 V^{11}$-
KRZ.

§ 67 : 1-5. conoissance si s'en vait. Et quant cil voient ce, si B^a ;
au… porent om. B^a ; counissance. (*VV*^{a} aj. Et) *Puis* ($V^1 V^3$ Et por
ce) *broche* (*KZ* si fiert ; V^5-*KZ* aj. le cheval) *des esperons* et s'en
va *si grant oire com il* onques pot (*VV*$^a V^3 V^4 V^5 ON$-*KZ* il peut) *del
cheval traire.* Et quant (V^1 om. q.) cil ($V^4 ON$ cil se ; *VV*$^a V^1 V^3 V^5$-
KZ il se) *sunt aperceu que il s'en vait*, il (*ON* si) montent en (*VV*^{a}
sur) lor chevaus et vont apriés (*VV*$^a V^4 V^5 ON$-*KZ* om. et vont a.)
au plus tost que il ($V^{11} ON$-*KZ* aj. onques) *porent* (*KZ* pueent). Et
quant V^6 – **6-8.** sont trop corrocié. Lors s'a. B^a ; ne le pourront
mie aconsuivre, (V^5 acoure) si remainent (*KZ* retornent) *tant dolans
et tant* courouciés *qu'il vouldroient bien mourir sans demourance*
(V^6 m. a lor voeil), *car or heent il* tant ($V^4 V^5 V^6 V^{11} ON$-*KZ* trop)
leurs vies ($V^5 V^4 V^6 V^{11} ON$ lor vie) *qui tant* ($V^4 V^{11} ON$ trop) *leur
durent* ($V^4 V^5 V^6$ dure ; $V^{11} ON$ a duré ; $V^4 V^5 V^{11} ON$ aj. longuement ;
KZ om. qui… longuement) ; si ($V^4 V^5 V^{11} ON$ lors) s'adrescent (V^6
et toutes voies s'adrecent ; *KZ* si se metent en) VV^a – **11-12.** nul…
chose om. B^a ; ne ($V^a V^6$ n'i) scet *nul conseil mettre* (V^{11} prendre)
fors (*KRZ* en ; $V^3 V^4 V^5$ sor) *ceste chose* ($V^1 V^6 V^{11} ON$ om. fors
c. ch.) V – **13.** ch. s'en va $VV^a V^3 V^4 V^5 V^6 V^{11}$-*KRZ* – **14.** vos… que

om. B^a ; *vous veés* (*KZ aj.* fet il) *que* $VV^aV^3V^4V^5V^6V^{11}$ – **16-17.**
jete. Si nos vendroit B^a ; *giete hors. Et pour çou m'est il avis* (VV^a
me semble) *que* mieus nous venroit hui mais torner (V^5 vendroit
il retorner) viers le (VV^a retourner ou) grant chemin (*KZ* vendroit
retorner au chemin) V^6 ; gitoit. Et por ce nos vaudroit miax retorner
V^1 ; ... m'est il avis que il vaudroit meuz que nos retornisiens vers
ON – **18.** desvoier nos ne revendrons B^a ; *desvoiier, jou ne quit
mie* (*V om.* mie) *que nous* veignons (VV^a *revengnons*) *mais a piece
en* (VV^a a) *nostre chemin* (*KZ* reveignons au droit chemin mes en
piece). Or V^6 ; grant chemin que se nos nos metions en ceste voie,
ge ne quit mie que nos reveigno[n]s a nostre grant voie mes a piece.
Or V^5.

§ **68 : 6.** e. moi et vos *om.* B^a ; lors (V^1V^6 *aj.* en) yrons *entre*
(V^1-*KZ om.* e. ; V^{11} iron et) *moy et vous* après VV^aV^6 – **12.** tout
$VV^aV^1V^6V^{11}$-*KZ* (*om.* B^a) – **13-14.** forest si en va B^a ; *forest* (VV^a
bois) *en tel maniere qu'il ne tient* (V^{11} tint) *ne voie ne santier, ainz
s'an va* $V^1VV^aV^6$-*KZ* – **14-16.** moine n'il ne set ou prendre B^a ;
*maine et ce li fait moult mal qu'il ne voit ne loings ne pres ou il
puist* prandre $VV^aV^1V^6V^{11}$-*KZ* – **18.** gaste $VV^aV^4V^5V^6V^{11}$-*KZ*
(*om.* B^a) – **20.** e. *om.* $B^aV^1V^3V^4V^{11}ON$; letres *escrites* V^5V^6-*KZ* ;
lettres celestiaux VV^a – **23.** m. *om.* B^a ; *moult* ancienne $VV^aV^3V^4V^5$
$V^{11}ON$-*KZ* ; chapele vielle et anciene V^1 – **24.** auques *om.* B^a ; *et
quant il est* (V^{11} vint) *auques* pres $VV^aV^1V^6$-*KZ* ; et quant il est
iluec pres, si V^4 ; et quant il i est venuz, si descent V^5 – **29.** mi *om.*
B^a ; par mi $VV^aV^5V^6$-*KZ* – **30.** mout V^6VV^a-*KZ* (*om.* B^a) – **31.**
soie et devant B^aV^1 ; *soie et d'autres choses* et d. $VV^aV^{11}ON$-*KZ* ;
... *d'autre chose* et d. $V^3V^5V^6$ – **32.** .v. B^a ; .vi. $VV^aV^1V^4V^6$-*KZ* ;
.vii. $V^{11}ON$ – **40.** le *om.* B^a ; *le* met VV^aV^6-*KZ* – **41-42.** et s'endort
VV^aV^1-*KZ* ; assés *om.* B^a ; et s'endormi ($VV^aV^1V^6$-*KZ* s'endort)
assez $V^3V^4V^6$.

§ **69 : 2.** que... p. *om.* B^a ; en (V^5 *om.* en) lictiere *que* (V^1 ou)
.ii. pallefrois portoient (V^{11} *aj.* et ; V^6V^3 *aj.* si/V^3 et/avoit dedens ;
V^4 et dedenz avoit) *un chevalier* V^aV ; que portoient dui palefroi
KZ – **3.** m. *om.* B^aV^4 ; *qui molt* se plaignoit *angoisseusement. Et*
$V^1VV^aV^3V^4V^5V^6$-*KZ* ; qui mout durement se plaignoit $V^{11}ON$ – **5.**
car... dorme *om.* B^a ; *car il cuide* (V^6 *aj.* bien) *qu'il se dorme, ne*
(VV^a et) Lancelot $V^3V^4V^5V^6V^{11}$-*KZ* – **6.** estoit... il *om.* B^a ; *qui
estoit en tel point qu'il ne* $VV^aV^5V^6$-*KZ* – **11.** de *om.* B^a ; *tant* (V^1
autant) *de* doulours (V^1 doulor) *comme je fais pour* VV^aV^5 ; autant
de mal com je souffre por $V^3V^4V^6$-*KZ* ; onques hom autretant *de*
mal por petite achoison com je sufre V^{11}.

§ 70 : 1-2. se *complainst ensi li chevaliers et se* dementoit ($V^4V^3V^{11}$-*KZ* demente) *a Dieu de ses maus et* de ses dolors V^6 ($V^a V$ se complaint le chevalier einsi *et se dementa a Dieu de ses doulours et de ses maulx*) – 6. voit voit B^a – 11. le *Roy* Pescheour VV^a-*KZ* ; le riche *Roi* Pecheor $V^6V^1V^4V^5V^{11}$ ($V^3ON = B^a$) – 11-12. celui… Graal *om.* B^a ; celui vaissel (*KZ om.* v.) meismes que on appele (*KZ* apeloit) le Saint (V^{11} *om.* le S.) Graal $VV^aV^1V^3V^4V^6$ – 13. malades $V^1VV^aV^4V^5V^6$-*KZ* (*om.* B^a) – 19. je me travail *KZ* ($VV^aV^1V^3V^4V^5V^6V^{11}ON = B^a$) – 19-20. assoagiez ol po B^a ; asouhagiés (*ON* soagiez) desch'a (V^3V^4 jusqu'a ; V^5 jusque) poi de terme V^6ON ; alegiés jusques a petit de (V^{11} jusqu'a poi) terme VV^a ; alegiez an brief terme V^1 ; assouagemenz en brief terme *KZ*.

§ 71 : 1. a… bras *om.* B^a ; lors s'en (V^1V^5 se) va trainant (V^6 *aj.* tant com il puet) *a la force de ses* (V^4V^{11} f. des) *bras* $VV^aV^3V^6$-*KZ* – 3. et… c. *om.* B^a ; *se* prent a .ii. mains *et se* (V^1 *om.* se) tire (V^3V^5 tret) contremont $V^6VV^aV^4V^{11}$-*KZ* – 5. comme tout $VV^aV^3V^5V^6V^{11}$-*KZ* (*om.* B^a) [V^1 se sent *auques*/V^4 sent tout/alegiez] – 13. de B^a ; del $V^6V^3VV^a$-*KZ* – 23. sui B^aV^4 ; jou *fui* (V^3 fu) tantost V^6V^{11}-*KZ* ; ge *fui* toz gariz (V^1 sains) tantost com V^5 (VV^a car je sui touz garis, car le Saint Graal) – 29. par a. *om.* B^a ; *par aventure* si coupable vers Nostre Segnour $V^{11}VV^aV^3V^4V^5 V^6$-*KZ*.

§ 72 : 12. et $VV^aV^1V^3V^4V^5V^6V^{11}$-*KZ* (*om.* B^a) – 14-15. Et… c. *om.* B^a ; en li. *Et il l'avoit ja traite del* (V^{11} de son) *fuerre et l'avoit veue si clere* (V^3V^4 fuerre, si l'a trové/V^{11} trovee ; V^5 f. si la trova] si bele ; V^1 fuerre, si la vit si bele et si clere) *que il l'avoit trop* (VV^a moult) *couvoitie.* Quant V^6 – 19. Sains $V^6V^aV^1V^3V^5V^{11}$-*KZ* (*om.* B^aV^4) – 20-23. aportez. Or vos doinst Dex, fet li vallez, partir a henor B^a ; aportés, *et par qui il i vint et par quel besoing; se aucuns autres n'en set avant* (V *om.* a. ; V^3 ançois de lui) *veraies noveles.* – *Si m'aït Dex, fet li vallés, assés en avés dit.* Or vous doint Dieu a honour partir V^6 (*KZ* par qui il fu aportez en Engleterre et por quel besoign…) – 25-26. ne le poez vos longuement sivre. Se B^aV^6 ; ne *le* poez seure longuement. Se V^5 ; n*e la* poez vos (V^{11} *aj.* longuement) sivre. Se V^4 ; ne *la* poeç pas sivre longuement V^3 ; ne *la* porrez vos seurre trop longuement. Se V^1 ; ne *la* poués vous mie legierement faire. Se VV^a ; ne *la* poez vos mie longuement maintenir. Se *KZ* – 29. ne *om.* B^a ; *ne* pour $VV^aV^3V^4V^5V^6V^{11}$-*KZ*.

§ 73 : 1-3. escuier et chevauche tant qu'il B^a ; escuier *et* (*KZ* si) *enporte les armes Lancelot et chevauche si com aventure le maine.* Et quant il (V^3V^4-*KZ aj.* se) pot (VV^a peut ; V^4 poent) $V^6V^1V^{11}$; escuier *et en meine le cheval Lancelot et enporte ses armes et*

chevauche si com aventure le meine (V^4 les amoine). Et quant il pot
V^5 – 4-6. et... tout *om.* B^a ; Lanselos s'esveilla *et* ($V^3V^4V^5V^{11}$ *om.*
s'esv. et) *se leva* (VV^a s'assist) *en son seant comme cil ki adonques*
(VV^a qui au ; $V^3V^4V^5V^{11}$-KZ qui lors a) *primes* s'esveilloit
($V^3V^5V^{11}$-KZ s'estoit/VV^aV^4 estoit/*esveillieç del tout*). Il se V^6
– 7. car... songié *om.* B^a ; verités (V^5 se ce est voirs ou songes), *car
il ne set se il a veu le Saint Graal u se il a* ($VV^aV^4V^5$-KZ l'a) *songié.*
Lors V^6V^3 – 8-11. mais... estre *om.* B^a ; mais de çou que il plus
vaurroit (V^1 qu'il vossist/V^3 voldroit/VV^a desiroit/V^5 ameroit/plus/
V^5 aj. a) *veoir ne voit* (VV^a veoit) *il mie, çou sont les ensaingnes
del Saint Graal* ($V^3V^1V^4V^5$ veoir ne voit il mie les enseignes, que/
V^5 *om.* que/V^1 ens. et/ce est de[l] Saint/V^4 *om.* S./ Graal ; KZ voit
il riens, ce est dou Saint Graal), *dont il vaurroit* (V^1 vosist bien)
savoir vraies nouvieles (VV^a enseignes) *se il quidoit ke* (VV^a-KZ
om. il q. ke) *il peust* (VV^aV^4-KZ s'il pouoit ; V^3 se il puet) *estre
en nule maniere* ($VV^aV^3V^4V^5$-KZ *om.* en n. m.). Quant Lanselos
($VV^aV^3V^4V^5$ il) a ($V^3V^4V^5$ ot) V^6 – 12-13. pour... desiroit *om.*
B^a ; prones *pour savoir se il verroit riens de çou* que il desiroit
tant ($VV^aV^3V^4V^5V^{11}$ qu'il plus desiroit ; KZ riens de la chose que
il plus desirroit) V^6 – 15. et plus d. *om.* B^a ; plus amers que fus,
plus nus (V^3 *om.* plus nus) *et plus despris* (V^5V^6 despoilliez) que
fueille de *figuier* VV^a-Z ; plus durs que pierre, plus amers que *fiez*
(K fiel), *plus nuz et plus despris que fueille de* (K *om.* f. de) *figuier*
V^1 ; pierre et plus *despris* que figuiers et plus nus, plus amers que
fus, coment R ; pierre et (V^4 *om.* et) plus amer que fuille de *fier*,
coment $V^{11}ON$.

§ 74 : 1. est... qu'il *om.* B^a ; (VV^aV^{11} aj. et) Quant Lanselos
($V^1V^3V^4$ il) ot (V^4 ot oïe) ceste parole (V^{11} ot la vois ainsi parler), si
est tant (V^5 si) *dolans qu'il* ne set qu'il doive faire (V^{11} que f.) faire
ne (V^{11} aj. que) dire (KZ *om.* ne dire ; $V^1V^3V^4$ doie dire ne fere)
V^6 – 2-4. maintenant... larmoiant *om.* B^a ; laiens maintenant mout
formant de cuer souspirant et de ses iex larmoiant et V^6 ; 5. que...
point *om.* B^a ; bien *que il est venus au* (V^1 a) *point u il n'avra ja
mais honour* (V^1 ou ja mais ne vaura) *puis que il a* $V^6VV^aV^3V^4V^{11}$-
KZ – 7. dont... a. *om.* $B^aVV^aV^1$; paroles *dont il ot* (KZ a) *esté*
(V^5V^6 il estoit) *apelés* (V^4 apareillés) n'a $V^{11}V^3$ – 7-8. ne... vive
om. B^a ; oblieez *ne* ($VV^aV^1V^4V^6$ *om.* ne) *n'obliera* (V^5 nes obliera ;
V^3 l'obliera mie) *ja mais tant com il vive*, ne ne sera pas (V^5-KZ *om.*
pas ; VV^a ja mais) granment a ese (V^4 aesiez ; V^6 sera ja mais a aise
granment ; V^1 vive ne ja mais aise ne sera) *devant* (V^1 tant) *que* V^{11}
– 11. si... verité *om.* B^a ; ne trueve (V^3 aj. ne) son hiaume (V^1 *om.*
son h.) ne son cheval, ne s'espee (V^3V^{11} heaume ne son espee ne

son cheval ; V^4 trueve ne son cheval ne s'espee ne son hiaume) *si s'aperçoit maintenant que il avoit* (*KZ* a) *veu verité* (V^4 avoit verité veue). Lors V^6 ; ... cheval. Lors aperçoit il bien qu'il a veue verité. Lors V^5 ; ... cheval, si s'apperçoit que ce avoit esté voir. Et lors VV^a – 12. et trop m. *om.* B^a ; commence a demener un duel trop grant *et trop merveilleux* et si se claime chaitif malleureux et dist V^6 ; 15-16. Or… chose *om.* B^a ; vie. *Or voy je bien que ma chetiveté m'a confondu plus que* (V^3V^6-*KZ aj.* nule) *autre chose*, car (V^{11} *om.* car) quant VV^aV^1 – 21. tenebres et de B^a ; t. de $VV^aV^1V^3V^5V^6V^{11}$-*KZ* – 22. plus… hom *om.* B^a ; monde *plus ke nus* (VV^a *om.* nus) *autres hom* (*KZ om.* hom). Einsi $V^6V^1V^3V^5$ – 27. et il… des o. *om.* B^a ; et quant (*KZ om.* q.) il voit le biau tans ($V^3V^4V^{11}$ *aj.* venir) *et il ot* ($VV^aV^3V^4V^{11}$ *om.* il ot) *le cant des oisiaus* V^6 – 29. et de… cheval *om.* B^a ; choses, ($V^3V^4V^{11}$-*KZ aj.* et) *de ses* (V^3 de totes) *armes qu'il a perdues* (V^1-*KZ om.* qu'il a p.) *et de* (V^{11} *om.* de) *son cheval*, et bien (V^3 *om.* et bien) scet (V^1 ch. si seit) vraiement (*KZ* de voir) que Nostre Sires (V^1 Diex) s'est courouciés VV^a – 31-32. et… terriane *om.* B^a ; … cuidoit joie trover *et toute honor terriene* la (*KZ om.* la) a il (V^{11} *om.* la a il) V^1-*KZ*.

§ 75 : 2. tot *om.* B^a ; *tout a pié* $V^1V^3V^4V^5V^6$-*R* (tot a pié *om.* VV^aV^{11}*ON*-*KZ*) 4. m. *om.* B^aV^5 ; les .iii. *merveilleuses* $V^6VV^aV^1V^3V^4\ V^{11}$-*KZ* – 5. a… prime *om.* B^a ; sentier *et* (V^1 *aj.* erre) tant que (V^5 s. et quant) il vint (V^3 vient) *a eure de prime* a (*KZ* en) .i. (V^1 *aj.* haut) tertre et trueve un hiermitage et *un hiermite* (*KZ* l'ermite) ki $V^6VV^aV^4V^{11}$ – 7. et estoit… Eglise *om.* B^a ; *et estoit ja* (VV^a ja estoit) *garnis* (V^1V^6 armés) *des armes* (VV^a *aj.* Jhesucrist et) *de Sainte Eglise.* (VV^a-*KZ aj.* et). Il entre (VV^a *aj.* maintenant ; V^5 Lancelot entra) en $V^{11}V^3V^4$ – 10. en cest siecle $V^6VV^aV^1V^3V^5V^{11}$-*KZ* (*om.* B^a) – 11-13. que… clerc *om.* B^a ; des a. N. S. *om.* B^aV^5 ; la messe *que li preudom* (VV^a le prestre) *chanta* (V^1 chantoit) *entre lui et son clerc.* Et quant il ot (V^1V^5 l'ot) oïe (*KZ* quant ele fu chantee) et li preudom se (V^1V^5 *om.* se) fu desviestus (*KZ* desgarniz) *des armes Nostre Seignour* (V^5 *om.* des a. N. S.) V^6VV^a) – 13. m. *om.* B^a ; l'apele (V^6-*KZ* l'apiela) *maintenant* $V^{11}VV^aV^1V^4V^6$; apele le prodom *maintenant* V^5 – 15. cui B^a ; *dont* il $VV^aV^1V^4V^5V^{11}$-*KZ* – 20. fait L. *om.* $B^aV^3V^4V^{11}$; sire, oïl, *fait Lanselos* (*KZ* il) V^6 ; sire, *fait Lancelot*, oïl VV^a ; sire, *dist il*, oïl V^5.

§ 76 : 1-2. e. *om.* B^a ; lors le mande B^a ; s'assieent (V^{11} soient) *ensemble.* Et lors *li demande* $VV^aV^1V^3V^4V^5$-*KZ* ; ensamble. Com il furent assis en tel maniere li preudom *li demande* V^6 – 8. molt

om. B^{a}VV^a ; a Dieu (*V^{11}* Nostre Segnor ; *V^5* Deu rendre) *molt* grant
V^{6}V^{3}V^4-KZ – **12-13.** que… maniere *om. B^a* ; heneur (*KZ* bonté)
que s'amor soit sauvee (*N-KZ sauve en vos*), *en tel meiniere que*
ON ; h. que sa mort soit en tel maniere et s'amour sauvee que *VV^a* ;
h. *que* l'amors (*V^{3}V^{4}V^{11} s'amors/V^{11} aj.* i) soit en tel maniere
fremee (*V^{3}V^{4}V^{11} om.* f. ; *V^4* m. en vos) que *V^6* ; honor de vostre
cors en tel maniere que li deables *V^5* – **16.** son… est *om. B^a* ; don
que il vous a douné (*V^3* fet ; *V^{4}V^{11}* fait a) *son anemi mortel, çou
est* li deables *V^{6}VV^a-KZ* ; ne servez a son anemi mortel deu grant
don que il vos a fet. Car *V^5* – **17.** a nul *om. B^a* ; car se li Sires qui
vos a esté larges plus que *a nul* autre, vos perdoit *V^3* ; car Nostre
Sires plus a esté plus larges que *a nul des* autres et il vos perdoit
V^6 ; car se il vos a esté plus larges que *a autre et il ore* i perdoit
KZ ; car se Nostre Sires vous a esté plus larges que *nuls des aultres*,
se il vous perdoit *VV^a* ; car se li Sires vos a esté larges plus que *a
nul des autres*, se vos ne l'en servez, vos *en* devriez avoir le blasme
V^5 ; car se li Sire vos a esté si larges plus que a .i. autre (*V^4* as uns
des hautre) *V^{11}* – **18.** en *om. B^a* ; si *om. B^a* ; vos *en* devroit l'en
blasmer. Si ne *V^{3}VV^{a}V^{6}V^{11}-KZ* – **23.** les *om. B^a* ; *les* monteplia
VV^{a}V^{3}V^{4}V^{5}V^{6}V^{11}-KZ – **24.** et faire r. *om. B^a* ; seignour et il l'en
dut rendre conte *et faire raisons* de son gaaing, il li dist *V^6* ; il vint
compter devant son seignour et li dut *faire raison* de son gaing et
il li dist *V^{a}V* ; dut fere conte *et raison* (*K aj.* rendre) de son gaaign
V^{11}V^4-Z ; quant il li (*V^5* le) covint conter devant son seignor et fere
(*V^5* rendre) conte *et reson* de son gaaign, il (*V^5 aj.* li) dist *V^3* ; son
seignor et il dist : «Frere (*sic*) cont *et* ran (*sic*) raison del gaig, il dist
V^1 – **33-34.** la f. *om. B^a* ; ne… a. *om. B^a* ; et estoit fuïs loing de *la
face* son (*VV^a* nostre) seignour et (*VV^a* ne) *n'osa venir avant*. Cil
V^6 ; et se fu esloigniez de *la face* son seignor *et n'osa venir avant*.
Cil *KZ* – **35.** de cuer *om. B^{a}O* (li ypocrites en cui le feuz *O* ; *N*
ypoporites en cuer li feuz) ; et ypocrites *del cuer* dedens en qui li
fus del Saint Esperit *V^6* ; et l'ipocrite *de cuer* dedens li filz du Saint
Esprit n'entra *VV^a* ; li ypocrites *del* (*K* de) *cuer* ou li fex (*K* filz) del
Seint Esperit *Z* – **40-42.** celui qui *escoute* la parole *B^a* ; n'en a. nc
om. B^a ; çou est a dire, li fus del Saint Esperit n'escauffe mie le
cuer de celui ki *n'escoute* la parole de l'Evangile ne li hom ki l'oie
n'en a[r]dera. Sire, fait li preudom, ceste parole *V^6* ; n'eschauffe
le cuer de celui qui *escoute* la parole de l'Euvangille, ja li homs qui
l'oie *n'ardera* ne n'eschauffera *VV^a* ; se li feu[s] dou Saint Esperit
n'eschaufe le cuer de celui qui *raconte* (*V^3* qui ja conte) la parole de
l'Evangile, ja li om qui l'o[i]e *n'en ardra* ne (*V^5* ne ni ; *V^3-KZ* ne
n'en) eschaufera *V^4* ; n'eschaufe le cor de celui *a cui l'en raconte* la

parole de l'Evangile *n'eschaufera ne n'ardra* V^{11} ; del Saint Esperit ne chaufe le cuer de celui et il non *ranciva* (*sic*) la parole de Nostre Seingneur dedanz suen cuer n'en eschaufera n'en ardra ON (V^1 om. ne enbraser… n'en eschaufera).

§ 77 : 4. en *om.* $B^a V^1 V^5$; dehors *en* a. $VV^a V^3 V^4 V^6 V^{11}$-KZ – 8. je… que *om.* $B^a V^5$ (vie se vos en tel maniere ne li criez merci V^5) ; en amendement de vie. (*KZ aj.* Et) *jou vos di pour* (VV^a om. p.) *voir* (VV^a aj. et ; *KZ* di veraiement *que* ; V^{11} aj. en tel maniere) se vous *en tel maniere* (V^4 aj. ne ; V^{11} om. en tel m.) li criés V^6 – 15. assés *om.* $B^a V^1 V^3$; nule *om.* $B^a VV^a$; me desconforte *assés* ($V^1 V^3$ om. a.) plus que *nule* (VV^a om. nule) autre $V^{11} V^4 V^6$-KZ – 16. en enfance B^a ; que *mon creatour* (*KZ* Jhesucrist) me garni en *mon* (V^4 ma) enfance ($V^3 V^6$-KZ en *m*'e.) VV^a ; Nostre Sire m'a doné *an m'anfance* toutes V^1 ; Nostre Sires *des enfance* me dona et garni de totes bones V^{11} – 17. onques *om.* $B^a V^1 V^3$ (que nus hom peust V^3 ; que hons puet V^1) ; que *onques* ($V^4 V^{11}$-KZ aj. nul/nus) homs peust (V^6 pot) VV^a-KZ ; – 20. les besanz $B^a V^4$; le besant $VV^a V^1 V^3 V^5 V^6 V^{11}$-$KZ$ – 21. et lui lessié B^a ; l'ai l. $VV^a V^4 V^6$; et li ai l. V^{11} ; l'ai deguerpi V^1 – 23-25. pechié. J'ai au deable mostré ($VV^a V^4 V^6$ aj. la ; V^3 aj. au comencement la) doçor ($VV^a V^3 V^4 V^6$ aj. et le miel), mes il ($VV^a V^3 V^4 V^6$ aj. ne) me (V^3 om. me) mostre ($VV^a V^3 V^4 V^6$ aj. la) pardurable… voie demore (V^4 entre) B^a ; pechié. Et (*ON* om. et) *li deable* mostre (*KZ* m'a mostree) la doçor *et le miel*, mez il ne mostre pas la pardurable paine (*KZ* ne me *mostra* mie la peine pardurable) ou cil sera mis qui en cele voie entre (*KZ* demore) $V^{11} ON$ (si me sui pris a la voie que l'en trueve au commencement la douceur et le miel, mes il ne mostre mie la pardurable… entre V^5 ; large et an mi leu lee et el comancement de pechié. J'ai au comencemant servi et en mi leu, mais il ne monstre mie la pardurable poine ou cil sera mis qui en cele male voie entre V^1) – 33. mortel qui torne B^a ; qui s'endort (V^4 dort) en (V^5 aj. son) pechié mortel *et* tourne $VV^a V^3 V^6 V^{11}$-KZ.

§ 78 : 5. or *om.* $B^a V^1$; *or* sachiés $VV^a V^3 V^4 V^5 V^6 V^{11}$-$KZ$ – 6. t. *om.* B^a ; *tout* en $VV^a V^4 V^6 V^{11}$-KZ (chascun. Ausi estent Nostre Sire les bras V^3 ; por chascun recevoir. Ausint tent Nostre Sire ses braz V^5) – 8. et… s'a. *om.* B^a ; et *vos et les autres qui a lui s'adrecent*, et $V^{11} VV^a V^3 V^4 V^5 V^6$-$KZ$ – 9. v. *om.* $B^a V^5$; touz jours ($V^3 V^4$ dis) : «Venés *venés*» $VV^a V^6 V^{11}$-KZ – 11. s. que *om.* B^a ; reviennent (V^4 aj. et ; $V^1 V^3 V^{11}$ vienent ; V^5 v., si), *sachiés* (V^6 aj. vraiment) *qu*'il $VV^a V^6$-KZ – 14. vostre estre et *om.* B^a ; vie. Et (V^6 si) dites tout maintenant tout (V^4 m. orendroit ; V^{11} dites m. de ; $V^3 V^5$ dites orendroit ; *KZ* dites o. ici ; V^6 dites maintenant ci endroit) *vostre estre* (V^6 *aj.* et vostre vie) *et* vostre afaire a *Nostre seignor et* (V^6-*KZ om.* et ; V^3V^5-*KZ* affere a lui ; $V^{11}V^4$ affaire a lui de tot vostre pooir) *en audience de* (*KZ* devant) moy VV^a ; vie, Si me dites orandroit *vostre estre et* vostre afaire et je vous conseillerai de mon pooir et secorrai au miax que je porrai V^1 – 15-16. qui… pooir *om. B^a* ; aideray *qui* (V^3 que) *vous doy* (V^6 aiderai de vos ; *KZ* aiderai a) *secourre a* (V^5 de ; V^6 s. a tout) *mon pouoir*, et (*KZ aj.* vos) conseilleray au mieulx (*KZ* conseillerai de quan) que je (V^6 *aj.* onques) pourray (V^4V^6 *aj.* et saurai ; V^{11} a meuz que je sauroi) VV^a (V^1, voir 14).

§ 79 : 2-4. ne… ce *om. B^a* ; l'afaire de lui et (V^6 ne) de la roine (V^3 *om.* et… roine) *ne nel* (*KZ* ne ; V^5 ne il n'en) *dira ja* (*KZ om.* ja ; V^6 roine et pense que ja ne le dira) *tant com il vive se trop* (V^5 *om.* t.) *grant* (VV^a *aj.* force et trop grant) *amonestement ne le maine a ceu* (V^5 amonestement ne li fet fere et force ; *KZ* amonestemenz a ce ne le meine). Lors li (VV^aV^6 ce. Il ; *KZ* ce. Si) gete $V^{11}V^6$ – 6-7. comme… h. *om. B^a* ; n'ose *comme cil qui plus est* (V^5 en estoit ; V^6 ki est plus) *couart que hardis*. Et $VV^aV^3V^{11}$-*KZ* – 7. t. *om. B^a* ; le semont (*KZ* l'amoneste) *toutevoies de* $VV^aV^5V^6V^{11}$ – 8-9. s'il… amoneste *om. B^aV^3* ; la *om. B^a* (autrement est il venuç honniç et il li promet *la* vie V^3) ; honnis *s'il ne fait ce qu'il li amoneste* (V^6 a amonestié), et s'il le fait (V^6 *om.* et s'il le fait ; V^{11}-*KZ om.* s'il le f.), il li promet *la* vie VV^a – 10. gehur B^a ; gehir V^{11}-*KZ* (regehir $VV^aV^3V^5V^6$) – 17. j'ai doné a B^a ; et lez riches dons que *j'ai aucune fois donés as* povres $V^{11}VV^aV^3V^5$-*KZ* (c'est cele… ou je sui *om.* V^6) – 18. grant *om. B^a* (mis en boban V^{11}) ; ou *grant* (V^{11} *om.* g.) beubant et en la *grant* hautesse (V^5 richesce) ou VV^aV^3-*KZ* – 22-23. de lui *om. B^a* ; si d. *om. B^aV^3* ; pechié *de lui* (V^5 *om.* de lui) s'est Nostre Sires *si durement* (V^5 *om.* si d.) c. VV^aV^6-*KZ* (pechié *de li* fet Nostre Sire demostrement du corrou qu'il a envers moi et bien m'en a fet semblant puis ier matin V^{11}).

§ 80 : 2-3. ne *om. B^a* ; ne pour… Et *om. B^a* ; *ne* pour l'ounour de lui *ne pour l'amor* (VV^a haultesse) *de Nostre Seignour*. Et ($V^1V^3V^4V^5V^{11}$ *om.* Et) quant V^6-*KZ* – 15. ce… fait *om. B^a* ; quant il l'a toute maçonnee (V^6 il a tout maçonné ; $V^3V^4V^5V^{11}ON$-*KZ* il a grant piece m.), que tout *ce que il a fait* (V^6 *aj.* li) chiet VV^a ; ainsi maçonné que quanqu'il a fait chiet V^1 – 17. et… oevre *om. B^a* ; recevés de bon cuer *et* (V^4 *aj.* le) *mettés en* (V^1V^3 à) *oeuvre* $VV^aV^6V^{11}$; receviez… et metiez a oevre *KZ* – 21. preste B^a ; *prester* $VV^aV^3V^4V^5V^6V^{11}$ (me done vie V^1-*KZ*) – 24-25. ne… corrocier *om. B^aV^{11}* ; dame *ne de* (*KZ* d'autre) *chose dont vos doiés*

courroucier Nostre Seigneur (KZ le doiez corrocier) $VV^aV^1V^4V^6$
(la roine ou d'autre dame ne forferoiz. Lors li V^5) – 26. come… ch.
om. B^a ; creante come loiaus chevaliers $V^6VV^aV^1V^3V^4V^5V^{11}$-$KZ$.

§ 81 : 2. la om. B^aV^3 ; la ou $VV^aV^1V^4V^5V^6V^{11}$-KZ – 2. et om.
B^aV^6 ; pierre et fust $VV^aV^3V^5$-KZ – 6-7. car… verité om. B^a ;
certain, car je sai bien que voz en savez la verité $V^4VV^aV^3V^6$-KZ –
10. me om. B^aV^3 ; ne me $VV^aV^4V^5V^6V^{11}$-KZ – 12. m. et li plus om.
B^a ; le plus merveillieux homs (V^3 om. h.) du monde et (V^4 aj. li plus
desirez et) le plus aventureulx. Si n'est $VV^aV^1V^3V^5V^6V^{11}ON$ (KZ
om. et… av.) – 19-20. et… l'autre om. B^a ; nature et meesmement
l'une plus de (VV^aV^6-KZ que) l'autre $V^3V^1V^4V^{11}$ – 22. et d. om.
B^a ; entendre le pecheur qui trop ($V^1V^3V^4V^5$ tant) s'est endormis et
(V^1 om. s'est e. et) demourés (KZ endurciz) en VV^aV^6 – 24. feu ne
pu ne puet B^a – 26-27. de jor en jor (V^6 aj. et receus). Et ($V^3V^4V^6V^{11}$
om. et) por ce ne puet (V^{11} pot) il (V^4 om. il) estre B^a-KZR ; jour
en jour, et si est crueulx. Pour ce ne puet VV^a (V^1 om. Et por ce…
en son cuer ; V^5 jor en jor. Car la parole deu Seint Esperit) ; leu ou
vessel qui est et ors et lez et est creuz de jor en jor. Par eve ne puet
il ON – 28. doce… la om. B^a ; la douce eve et la $V^4VV^aV^3$-KZ ; la
goute d'aigue et la V^6 – 31-32. et e. om. B^a ; et… o. om. B^a ; soit
netoiiés ($VV^aV^1V^5$ nets) et espurgiez de tous visces et de toutes
ordures $V^6V^3V^4V^{11}$ ON-KZ – 33. grant V^6V^3-KZ (om. B^a) – 36.
pechierres om. B^aVV^a ; plus pechieres (V^1 durs) que autres (V^3 de
touç a.) autres pechieres V^6V^{11}-KZ ; que autre pecheor V^4 ; pierre,
quar tu es li plus pechierre des autres pecheors V^5.

§ 82 : 3-4. p. om. B^aV^6 (comment vous iestes plus pechieres
que autres V^6) ; tu est li ($V^{11}V^5$-KZ om. li) plus pechierres de touz
($V^4V^5V^{11}$-KZ om. t.) autres pecheours (V^4 d'autre pecheor) VV^aV^3
– 4-5. a cui Nostre Sires B^a ; a cui li riches hons $V^{16}VV^aV^4V^5V^6V^{11}$-
KZ – 5. a a. et om. $B^aVV^aV^1V^6V^{11}$; les besanz a acroistre (V^5
croistre) et a monteploier (V^4 multeplier) KZ-V^3 – 7. et p. om.
B^aV^1 ; et pourveant $VV^aV^3V^4V^5V^6$ V^{11}-KZ – 7. receu V^1V^5-KZ
(om. $B^aVV^aV^3V^4V^6V^{11}$) – 9. Le copiste de B^a qui a rayé « trois »
a mis .v. au-dessus de la ligne – 19. mais escreues et amendees
V^6VV^a-KZ ; peries, mais por ce qu'eles i fussent creues et amendees
V^1 (om. B^a) – 20. si d. om. B^a ; si mauvais (VV^a vilain) sierjans et si
($V^1V^3V^5$ om. si) desloiaus $V^6V^4V^{11}ON$-KZ – 21-24. que… enemi
om. B^a ; servi son ennemy (V^4 servi com e. ; V^5 servi l'anemi ;
V^{11} servi a l'e.) mortel ($V^4V^5V^6V^{11}$ om. m.), que touz jours as
grevé ($V^3V^5V^6$-K guerroié ; V^4 l'as guerroié et esté) encontre
(V^4V^5 contre) lui. (V^4 aj. Or sacchiez por voir que) Tu as esté le

*mauvais soudoier qui se part de son seignour si tost comme il a eu
ses soudees* (V^4V^{11}-*K* a ses s. receues), *si va aider* (V^5 soudoier qui
s'en part quant l'en li a donné ses soudees et puis vet aider a) *son
ennemi* VV^a ; servi l'annemi, et a toz dis esté li sodiers mavais qui
se part de son seignor, si tost com il a ses sodees receues et vuet
aidier a son anemi V^1 – 29. pechierres *om. B^aV^6* ; que nus (V^{11}-*K
om.* nus) autre pecheors (VV^a hons) V^3V^5 ; pierre et plus pechierres
d'autre *pecheor* V^1 ; piere et por ce es tu peccheor *plus de nul autre
pecchiere* V^4 – 30. bien *om. B^a* ; *bien* entendre $VV^aV^4V^6$-*K* – 33.
tot a. *om. B^a* ; vit on (V^1 qu'il virent) *tout* (*K* bien) *apertement*
$VV^aV^3V^4V^6$.

§ 83 : 1. Ge… m'e. *om. B^a* ; *Ge le te* (V^3 *om.* te) *dira[i]* (V^1
aj. bien ; V^{11} Ce te diroi je bien), *fet li prodom* (VV^a *om.* f. li p.).
Or m'escoute $V^5V^4V^6$-*K* – 10. fier dont il fet mencion B^a ; *et plus
despoilliés que figiers* (V^4 fier). *De cel* (V^3V^4 cest ; V^{11} ce) *figier*
(V^4 fier) *dont il parole chi* parole (V^3V^{11} don il te parole einsint
fet mention) li Evangiles (V^3 evangelistes) V^6 ; *plus nuls et plus
despris que fueille de* (*KR om.* f. de) figuier, de *ce* (*KR om.* de ce)
dont *on* (*KR* il) *parle cy, il* (*KR om.* il) *fait mention en* (*KR om.* en)
l'Euvangille V^aV ; tu es plus despoilliez que figuier *dont il parole
et mencion* en fet en l'Evangile V^5 ; plus nuz et plus desprins que
figuiers dont il parole en l'Evangile le jor de Pasques flories V^1
– 11. la… jor *om. B^a* ; *la u il parole del* (V^3V^{11} le) *jor* (VV^a *om.*
del j.) de la ($VV^aV^3V^5$ *om.* la) Pasque florie V^6V^4-*KR* – 17. *le
copiste de B^a a rayé* cu *devant* cui – 23-24. vint… dont il *om. B^a* ;
Nostre Sires vint a l'arbre, et quant il le vit tot (VV^a-*K* si) *desgarnit
de fruit, il en fu* (*K* fruit, si dist) *ausi comme courouciés, dont il
maudist* V^6V^{11} – 26-27. ou… fu *om. B^aV^{11}* ; *u* ($VV^aV^4V^5ON$-*K* et)
plus nus et plus despoilliés que il ne fu, car (V^aV et ; V^4V^5ON-*K
om.* car/et) V^6 – 27. i *om. $B^aVV^aV^1$* ; *il i trouva* V^6V^{11}-*K* – 31. ne
om. B^a ; *toi ne bone* $V^4VV^aV^1V^6V^{11}$-*K* – 32-33. et tot… branches
om. $B^aVV^aV^6$ (te trouva il, çou est a dire, *nus*/B^aV^{11} *om.* nus/de
toutes V^6) ; conchié de luxure, tot ce (V^4 *om.* ce) trova il en toi
(V^4 *om.* en toi), *et si desgarni de foillez et de fruit et de* (V^4 des)
branches, ce est a dire de totes $V^{11}ONV^4$; volanté, ainz te trova vil
et ort, *et desgarni de feuilles et de flors et de branches,* c'est V^1 ;
Quant li Seint Graal fu aportez la ou tu estoies, il te trouva desgarni
si que il n'avoit en toi boenne pensee ne boene volenté, ainz te trova
si desgarni des foilles et de flors, ce est a dire V^5 (V^3 lacune) ; te
trova il, *et tout desgarni de fueilles et de flors,* ce est *K* – 34. que…
d. *om. B^a* ; la parole *que tu m'as dite* (V^4 me dis) $V^6VV^aV^5ON^1$-*K* ;
la parolez *que tu m'as contees* V^{11}.

§ 84 : 2. a. *om. B^a* ; moustré (V^5 *aj.* tot) *apertement* (VV^a *aj.* si) *que jou perçoi* (VV^a croy ; V^4 conui ; $V^5V^{11}ON$ conois) *bien a droit* $V^6V^1V^4V^{11}$; *apertement que je par* (*K* a) *droit* V^1 – **8.** si m. *om. B^aV^1* ; *menee si mortelment ne* $V^6VV^aV^3V^4V^{11}$; *menee si longuement ne K –* **8-9.** t. ch. *et om. B^a* ; *ains tenrai chastee et me garderai au* V^6 ; *ains me tenray chaste et me maintenray au plus nettement* VV^a ; *ainç tendrai chastee et garderai mon cors* (V^4ON-*K aj.* au) *plus netement* (V^{11} chastement) *que je porrai* $V^3V^4V^1ON$-*K –* **10.** porrai que de B^a ; et… d'a. *om. B^a* ; *je porrai. Mais* (VV^a *car* ; V^{11} et) *de suirre* (V^6 *om.* s.) *chevalerie et* (VV^a *ne*) *de faire* (V^{11} et le fet) *d'armes* (VV^a f. armes) V^1 ; *porai. Mais de chevalerie et de porter armes ne me poroie jou tenir* V^6 ; *que je porrai de suire chevalerie et de fere d'armes ne me porroie mie encore soffrir ne tenir KZ –* **11-12.** tant… soi *om. B^a* ; *ne me porroie je* (VV^a je ne m'en pourroie) *tenir tant come je fusse* (VV^a soie ; V^5 je me sentiroie) *si sainz et si* (*ON om.* si) *haitiez comme je suis.* (VVa-*KR aj.* Et) *Quant li preudons* V^1 ; … *tant com je fusse si* (*ON om.* si) *sain et si* (*ON om.* si) *haitié com je sui* encore (V^4V^3 *om.* e.). *Por ce ne* (V^3 nel) *lesseroie mie* (V^4V^3 l. je pas) *chevalerie en tel aage comme je sui* (V^4 *aj.* encore ; *ON aj.* ores). *Quant* $V^{11}V^3V^4ON$; … *fuisse si sains et si haitiés comme jou sui* encores chevalerie (*sic*), *car chevalerie aime jou sour toutes riens. Quant* V^6 – **16-17.** vos… et *om. $B^aVV^aV^1V^3V^4V^5V^6V^{11}$* ; *Nostre Sires vos ameroit encore et vos envoieroit secors KZ –* **36.** mauvese *om.* $VV^aV^1V^3V^4V^5V^6V^{11}ON$-*KZ –* **36-37.** si l. tans *om. $B^aVV^aV^3V^4V^5V^{11}ON$* ; *que il a si lonc tans menee* V^6 ; *qu'il a si longuement menee KR –* **40.** si B^a ; *se repent* $VV^aV^1V^3V^4V^5V^6V^{11}$-*KR –* **44.** bien *om. B^a* ; *creante* (V^1 afferme) *bien en* $VV^aV^3V^6V^{11}$-*KR* ; *et hunist et cuide bien en* V^4 (*car il i a sin tens perdu, si que il s'en blasme et honist en son cuer et dist que paine n'i* V^5).

Chapitre VI

§ 85 : 1-2. Lanceloz… Perceval $B^aVV^aV^3V^4V^6$; *Lancelot… de Perceval, Percevax retorna tant qu'il vint a la recluse* V^1 ; *Perceval se fu partiz de Lancelot, il* (*K* qu'il) $V^5V^{11}ON$ – **4.** li… il *om. B^a* ; *si li avint qu'il ne pot* (VV^a pooit) $V^3V^5V^6$-*K –* **5-6.** s'i adreça au melz B^a ; *s'adresca* (V^5V^6 s'adrece) *la ou il cuidoit* (VV^a cuida) *que ce fust* (V^6 çou est) *au miex* $V^3V^5V^6$-*K –* **7.** petite *om. B^a* ; a *om. B^a* ; *petite fenestre a* (V^6 *om.* a) *la recluse* $V^3VV^aV^5V^6$-*K –* **7-10.** maintenant… pot *om. B^a* ; *ovre* (V^6K ouvri) *maintenant* (V^5 *om.* m. ; V^6 o. si) *comme cele qui ne dormoit mie. Si mist la* (V^5K

sa) *teste au plus avant qu'ele pot* (V peust ; V^a peut) et $V^3V^5V^6$-K
– 12. et... faire om. B^a ; *et ele le* (K si) *devoit bien* (K om. bien)
faire V^6-K ; 13-14. ele dit a sa mesnié qu'il ovrent B^a ; estoit et
ele *apele* (V^6 et apiela) la (K sa) mesniee *de leienç et* (K aj. lor)
commande que l'en ovre (K que il oevrent) V^3VV^a ; ele *apele la*
(V^4 om. la) *chamberiere et* (V^4 aj. li) *commanda que ele ovre* (V^4
elle li *ovrist*) l'uis V^5 – 14. la om. B^a ; la fors (K hors) estoit (V^6
est ; $V^3V^4V^5$ atent) V^1V^{11} – 15. maagier B^a – 15-16. et... pueent
om. B^a ; *mestier et le servent au mieus que il pueent*, car VV^6 ; et le
servent de quant qu'il porront, car V^3-K – 17-19. leenz deferment
l'uis, si le reçoivent a grant joie, si li donent B^a ; laiens *font son
commandement et vienent a l'huis et* (V^4 si) *le* (V^3 les) desferment
(VV^a aj. moult tost) *et reçoivent le chevalier* et le (V^3 om. le ; V^5
si le) *desarment* et puis ($VV^aV^3V^4V^5V^{11}$-K om. puis) li (V^3 om. li)
V^6 – 22. vos i poissiez (ON porroiz) p. $B^aVV^aV^1V^6$; vos i parleriez
V^5 ; vos (KR aj. i) puissieç p. V^3 ; vos *li* porisiez p. V^4.

§ 86 : 3. et t. om. B^a ; et travailliés $VV^aV^1V^3V^6$-K – 3-
4. L'endemain se leva si oï B^a ; L'endemain, *quant li jours fu clers*,
se leva (K aj. *Perceval*) et oï messe V^6VV^3-K – 5. li om. B^a ; et
(V^4 aj. si) *li* dist $VV^aV^1V^3V^6$-K – 8-9. Car... Et om. B^a ; *car il
m'est moult* (K om. moult) *tart que je* (V^5 aj. le) *sache qui il est.
Et* $VV^aV^1V^3V^4$ V^6-K – 11. que $VV^aV^1V^3V^4V^5V^6$-K (om. B^a)
– 14. sans honte avoir $VV^aV^1V^3V^4V^5$-K (om. B^a) – 15-16. Volez...
lui om. B^a ; dites. (V^{11} aj. Vos) *voulés vos* (V^3 aj. vos ; V^1 aj. donc)
combatre a lui ? VV^aV^6-K – 17. m. d'armes et om. B^a ; frere qui
furent tuit tué par V^1) ; qui *morurent* (V^4V^5 furent morz) *d'armes*
(V^3 a a. ; $V^{11}ON$ par a.) *et* furent occis $VV^aV^4V^6$; frere qui sont
mort et ocis K – 18. et [VV^aV^6 om. et] certes $V^1V^3V^4V^5V^{11}$-K (om.
B^a) – 19. et... molt om. B^a ; damages grans (V^3 grant d.) *et vostre
parenté* (V^4 pris) *en abaissera* (V^1 abaisseroit) *mout* (V^5 en sera
molt abessiez). Et V^6V^{11}-K – 21-22. la Queste del Graal B^a ; la
grant ($VV^aV^1V^5$ om. g.) Queste del Saint ($V^{11}ON$ om. S.) Graal (V^1
om. del S. G.) V^3V^6-K – 23. ce m'est avis $VV^aV^1V^3V^4V^5V^6V^{11}$-$K$
(om. B^a) – 23-24. se Dieu plaist $VV^aV^1V^3V^6$-K (om. B^aV^4) – 24.
s. vos om. B^aV^1 ; se vous *seulement vous* tenés ($V^{11}V^3V^4ON$
soffrés) de combatre V^6-K ; se vous vous soufrés de combatre a ce
chevalier seulement VV^a – 27. et en meint (V^3 om. m.) *autre leu* V^5-
K ; et en mains autres lius V^6V^4 (om. B^a) – 28-29. sor toz les autres
V^5-K (om. $B^aVV^aV^1V^3V^4V^6V^{11}$) – 29. en $VV^aV^1V^5V^6V^{11}$-K (om.
B^aV^4) – 30. (K aj. Et) de ces .ii. vierges (V^6 virgines ; V^5 aj. en ;
VV^a aj. et) est (V^5-K sera) $V^1V^3V^4V^6V^{11}$ – 33. granz om. B^a ; mout
seroit *grans* damages $V^6VV^aV^1V^3V^4V^{11}$-K – 37-38. *a ce que vos*

me dictes (V^3V^4 contés) *de mes freres* $VV^aV^1V^5V^6V^{11}$-K (om. B^a)
– **39-42**. fet ele, que vos estes mes niés et je sui B^a ; fait ele, *et bien
le doi savoir* : car *je sui vostre ante et* vous estes mon nepveu. Ne ne
(V^3-K nel ; V^1 *Et ne* V^5 ; Et n'en ; V^6 niés n'en) *doubtés mie pour
ce se je sui* ($V^3V^5V^6$-K aj. ci) *en pouvre habit* (V^3V^5K leu ; V^1 om.
pour… habit), *ains sachiés vraiement* (V^5-K por voir ; V^6 bien) *que
je sui* $VV^aV^3V^6$-K – **45**. mi plot tant come ceste B^a ; nonpourquant
cele richece ne *me* plot *onques* tant comme *fait* cele povretés V^6 ;
nonpourquant oncques (V^5 om. o.) celle richesse ne *me* pleut (V^5 aj.
onques) tant *ne n'embeli* (V^3V^5-K ne embeli ; *ON* om. ne e.) tant
($V^1V^3V^5$-K om. t.) comme *fait* (V^5 om. f.) ceste pouvreté VV^a ; **46**.
o. *om.* B^a ; ore V^5-K ; orendroit $VV^aV^1V^3V^4V^6V^{11}ON$.

§ 87 : 2. si… s'antain *om.* B^a ; qu'il a (V^1V^6 en a ; VV^a qu'il ot de
lui) ; *si li* (V^6 si l'en ; V si en) *souvient tant qu'il la connoist* (V^1-K
quonut) *a s'antain* (V^1 *om.* a s'a.) V^3-K (VV^a congnoist bien qu'elle
dist voir et qu'elle est son ante) – **4**. et de ses parens $VV^aV^1V^3V^6$-K
(om. B^a) – **7-8**. Je ne say se elle est morte ou vive $VV^aV^1V^3V^6$-
K (om. B^a) – **11-12**. morne (VV^a basset) et pensive $V^3V^1V^6$-KZ
(om. B^a) – **14**. car… morte *om.* B^aV^6 ; se ce n'est en songe avez
vos bien failli, *car elle est morte* desque (V^1V^3 des lors que ; KZ
des ce que) vos V^5 – **21**. moult V^3-K ; molt durement $V^4V^{11}ON$
(om. $B^aVV^aV^1V^5V^6$) – **23**. mes $VV^aV^3V^6$-KZ (om. B^a) – **25**. aporta
(VV^aV^6 porta) les armes $B^aV^1V^3V^4V^{11}ON$; *vint as* (KZ en) armes
vermeilles V^5 – **26**. voir, fet il, par mon chief, fet ele, donc B^a ;
Oïl voir (KZ *om.* voir), fet *ele* ; par mon chief (V^6 aj. fait il) donc
vint il (KZ chief, il y vint) a droit, quar autrement (K *om.* quar…
venir) V^3 – **27-28**. diré porqoi. Vos B^a ; dirai *par quele senefiance
ce fu* $VV^aV^3V^5V^6V^{11}$-KZ – **31**. fu *om.* B^aVV^a ; qui *om.* B^a ; *fu* la
table *qui* $V^1V^3V^6$-KZ – **33**. *en cuer* ($VV^aV^1V^4V^6$ corps) *et en ame*
$V^3V^5V^{11}ON$– KZ (om. B^a) – **34**. li prophetes $V^1VV^aV^3V^5V^6$-KZ
(om. B^a) – **34-35**. en… parole *om.* B^a ; *en son livre* (V^1 *om.* en son
l.) *une mult* (VV^aV^1 *om.* m.) *merveilleuse parole* (V^6 merveilleuse
et boine chose) V^3V^5-KZ) – **37**. bien *om.* B^aVV^a (puet on entendre
a veoir VV^a) ; *sisent* puet on *bien* veoir V^6 ; *cf.* sistrent fu pes et
acorde et patience, et totes boenes oevres i (K *om.* i) pot l'en *bien*
(KZ aj. en aux) veoir V^1.

§ 88 : 1-2. en s. et *om.* $B^aVV^aV^6$; table *en semblance* (V^5
senefiance) *et* en remenbrance $V^1V^3V^4V^{11}$-KZ – **3**. funt B^a ;
furent jadis veu VV^aV^1-KZ ; fu veu V^3V^6 – **6**. et… p. *om.* B^a ;
et tuit preudome $V^1VV^aV^3V^6$; *cf.* terre que tuit preudome et tuit
mescreant devroient V^5-KZ – **9**. par conte $V^3V^4V^5V^{11}$-KZ (om.

$B^aVV^aV^1V^6$) – **13.** funt B^a ; furent $VV^aV^1V^5V^6$-KZ – **13-14.** car…
apris *om.* B^a ; esmaié, *car il n'avoient pas* (VV^3 mie) *ce* (VV^aV^1
ainssi) *apris.* Si V^5V^6-KZ – **18.** faire $VV^aV^1V^6$-KZ (*om.* B^a) – **23.**
Lors lor comanda qu'il B^a ; (*KZ aj.* Et) lors commanda *a tout le*
peuple qu'il $V^aVV^3V^5V^6$. – **24.** ausi com il $B^aV^3V^{11}$; aussi comme
s'il $VV^aV^4V^6$-KZ – **25.** les KZ (*om.* $B^aVV^aV^1V^3V^4V^5V^6V^{11}$) – **28.**
en $VV^aV^3V^6$-KZ (*om.* B^a) – **28.** et… Et *om.* B^a ; et resasieç trop
(VV^aV^6 *om.* t.) merveillosement (V^5 *om.* t. m.). Et V^3V^6-KZ – **29.**
et mercis VV^aV^6-KZ (*om.* B^a).

§ 89 : 1. Josep V^4 – **2.** d'Arymacie K (*om.* $B^aVV^aV^1V^3V^4V^5V^6$-
Z) – **4.** nul VV^aV^6-K (*om.* B^a) – **4.** n'estoit establiz $B^aVV^aV^3V^6$;
n'estoit *otroiez* V^1V^5-K – **17.** Joseph $B^aVV^aV^1V^5V^{11}$-Z ; Josep V^4 ;
Yosep V^6 ; Josephé V^3-K – **17.** or B^a ; orent $V^6VV^aV^4V^5V^{11}$-KZ.

§ 90 : 3. el siege $B^aVV^aV^6$; eu (K ou ; RZ el) *plus haut* siege V^5-
K ; ou haut siege V^1 ; en son haute siege V^3 – **4.** li troi frere B^a ; li
dui frere V^5V^6-KZ – **4-5.** m. *om.* B^a ; mais (V^1-KZ et) *maintenant* en
vint .i. miracles teus ($VV^aV^1V^3V^{11}$-K avint [KZ *aj.* uns] tel miracle)
ke la tiere essorbis (V^3 terre aouvri et transgluti) celui qui el siege
estoit assis. Et cis miracles V^6 – **12-16.** monde ausi B^a ; car en ce
qu'el[e] *est* apelee la Table Reonde, *est* entendue la reondece del
monde *et la circumstance des planetes et des elemenç el firmemant*
qui est substans des elemenç, voit l'en les estailes et maint autres
choses *dont li philosophe parlerent*, dont l'en puet ben dire qu'en la
Table Reonde est V^3 – **17.** a droit *om.* B^a ; en la Table Ronde est li
mons signifiez (V^3 *aj.* et) *a* (V^{11} par) *droit* VV^aON-KZ – **18.** soit…
p. *om.* $B^aV^1V^4V^{11}ON$; repaire *soit* (KZ *aj.* de) *crestientés ou* (KZ
aj. de) *paiennie* viennent $VV^aV^3V^6$ – **19-20.** lor done qu'il B^a ; lor
en ($VV^aV^4V^6V^{11}$ *om.* en) donne (V^1ON a doné) *tel grace* (V^5 eur)
qu'il en sont *esleu et* ($V^5V^6V^{11}ON$-KZ *om.* esleu et) compaignon
V^3 – **21-23.** gaaignié *om.* B^a ; voit l'en bien *om.* B^a ; et lor femes
et *om.* B^a ; se il avoient (*ON* avient) une royauté ($V^3V^4V^5V^{11}ON$-
KZ tot le monde) *gaaignié et voit on bien* avenir ($VV^aV^4V^{11}ON$
om. avenir ; V^3 et l'en voit bien ; V^5-KZ et bien voit l'en) *que il* en
laiscent (V^4 *aj.* leur terrez et) lor peres et lor meres *et* (V^5 *om.* et) *lor*
femmes et lor enfans (*ON aj.* por estre de vos ; K *aj.* por estre en).
De vous meismes V^6 – **23.** avez B^a.

§ 91 : 3. Saint *om.* B^a ; *Saint* Graal VV^aV^6-KZ – **9.** com mestre
pastor B^a ; tenus a maistre *et a* pasteeur (V^5 *om.* et a p.) sur (V^4
desuz) $VV^aV^1V^3V^6V^{11}$-KZ – **11.** S. *om.* $B^aVV^aV^3V^{11}$; querre
le *Saint* Graal $V^1V^5V^6$-KZ (Table Reonde *aprés* le Graal) – **15.**
fors lui s. *om.* B^a ; ou nul autre ne s'aseist (V^{11} n'aseist) *fors lui*

soulement, et fust V^3V^{11} – **21-22.** en a. il *om.* B^a (V^4 om. encor…
il : « fait il, grant merveillez, que » V^4) ; fait il (V^5 dist), *il* (V^{11} om.
il) *en avenra* (V^5 vendra) anquor maintes mervoiles (V^3-KZ mainte
merveille), quar V^1 ; fait il, encores *en avenra il* grant merveille,
car VV^a.

§ 92 : 10. et veoir *om.* B^a ; vendroit reconforter (K visiter) *et
veoir.* (K aj. et) Il (VV^a veoir si) s'atendirent V^3V^6 – **12.** la V^5V^6-K
(om. $B^aVV^aV^3$) – **14.** descen descendi B^a – **17.** la V^5V^6-K (om.
$B^aVV^aV^3$) – **18.** il… que *om.* B^a ; *il* (K si) *m'est avis que* en ceste
(VV^a aj. maniere et ceste) *samblance vous* $V^6V^3VV^a$ – **22-23.** qui…
s. *om.* B^a ; *ki a couleur de fu sunt samblables* V^6 ; qui sont a (V^3V^5-
K de) couleur de (V^3 au ; V^5-K a) feu semblables V^aV – **23.** de
la meson V^3-K (om. $VV^aV^1V^5V^6B^a$) – **25-27.** devant… venist *om.*
B^a ; *devant ce* qu'il (V^5-K que li Chevaliers) *venist. Dom il avint
qu'il si soudainnement vint* (V^5-K qu'il vint si soudainement) *entre
vos qu'il n'i ot si sage qui seust dom il venist* (K vint) V^3 – **32-34.**
bien… vos *om.* B^a ; car *bien* (V^5 om. bien) *sachiés que* (V^6 om.
bien s. que) *vous ne le devés mie* (V^{11} pas) *faire, et* (V^5-KZ om. et)
pour ce que vos estes son frere (V^6 estes freres a lui ; $V^4V^{11}ON$
om. et pour ce que… frere) *par* ($V^4V^{11}ON$-KZ por) *la compaignie
de la Table Ronde, et pour ce* (V^5 aj. mesmement) *que vous* n'arés
$VV^aV^1V^3$.

§ 93 : 2. que… et *om.* B^a ; moi *que je* (VV^a aj. en) *porrai fere
et* V^3V^6-K – **3-4.** car… sivre *om.* B^a ; *quar, se je a compaignon*
(VV^aV^1 compaignie) *l'avoie,* (V^6 aj. ja mais) *je* (V^6 om. je)
ne me (V^1-Z om. me ; VV^a m'en) departiroie (V^1-KZ partiroie) *ja
mes de lui* (VV^aV^6 om. ja… lui) *tant com je le peusse sivre* V^3 – **5-9.**
car… porrez *om.* B^a ; *que ge porré, car orendroit ne vos porroie ge
mie dire ou il est ; mes les enseignes par quoi vos le porroiz* (VV^aV^6
pourrés) *plus tost* (V^6 om. plus t.) *trover vos diré ge* (V^3V^6-K aj.
bien) ; et (V^3V^6-KZ aj. lors), *quant vos* (Z aj. loe savroiz et vos)
l'avroiz trové (VV^a om. vos diré… trové), *si tenez sa compaignie au
meuz* ($VV^aV^3V^6$-KZ au plus) *que vos porroiz* (VV^a pourrés). Vos
V^5 – **9.** en *om.* B^aV^5 ; vos vos ($V^3V^4V^6V^{11}$ om. vos) *en yrez* (V^4V^{11}
irois) VV^aV^1-KZ – **11.** bien $V^1V^3V^4V^5V^6V^{11}$-KZ (om. B^aVV^a)
– **12-13.** au… porroiz *om.* B^a ; si le (V lez) sivés (V^4 sivrez) *au
plus tost* (V^5 om. tost) *que vous porés* ($V^{11}V^3ON$-KZ porrois) V^6V^a
– **14-15.** ou… maint *om.* B^a ; Corbenic ($VV^aV^1V^4V^{11}ON$ aj. la) *ou
li Rois Mahaignié meint* (VV^a va ; V^4ON aj. que voz veistez ja/ON
jadis) et ($V^1V^4V^{11}$ om. et) illec se (V^1 croi ; ON cuit ; VV^a et la say)
ge V^5V^3-K – **15.** en $VV^aV^1V^3$ $V^4V^5V^6V^{11}ON$-KZ (om. B^a) – **23.**

por Dieu *om.* B^aV^3 ; vous pri *por Dieu* que V^1V^5-*KZ* ; demorer, mais *pour Dieu* vous pri V^6 ; demourer (V^4ON remanoir). Et *pour Dieu* vous pri VV^a.

§ 94 : 1-2. si… d. *om.* B^a ; remaindra il (VV^a *aj.* volentiers), *si* (VV^a il) *se fet* (V^5-*K* fist) *tant tost desarmer.* $V^3V^4V^6V^{11}ON$-*K* – 4-5. ensemble… s'antain *om.* $B^aVV^aV^1$; assez *ensemble entre lui et s'antein* dou chevalier $V^5V^3V^4V^{11}ON$ (V^6 *om.* entre… s'a.) – 6. vos $V^3VV^aV^4V^5V^6V^{11}ON$-*KZ* (*om.* B^a) – 8. veraiement *om.* B^aV^5 (que onques ne seustes que chose est charnel assemblement V^5) ; ne onques ne seustes *veraiment* (*KZ* de voir) quele chose est char ne assemblement (V^1 *om.* ne ass.) V^3V^6 – 9. en *KZ* (*om.* $B^aVV^aV^1V^3V^4V^5V^6V^{11}ON$) – 10-12. tant… que *om.* B^a ; par c. de virginité *om.* B^a ; car se *tant vos fust avenu que* vostre char fust violee (V^3 *om.* que… v.) *par corrupcion* (V^4 corrosion) *de virginité* (*KZ* pechié), a estre principal (V^6 *om.* pr.) compaignon (V^4 *om.* c.) de la Queste (V^6 trouveure) du Saint (V^3 *om.* S.) Graal eussiez vos failli V^{11} ; car se *tant vous fust avenu que vostre char fust violee par corrupcion de virginité,* vos eussiez ausint (V^1 *om.* ausint) failli a vostre (V^1 a estre) principal compeignon de la Queste (V^1 *aj.* et aus aventures) deu Seint Graal V^5 – 13-14. et… luxure *om.* B^a ; par eschauffement de char *et par sa mauvaise luxure* a $VV^aV^3V^6$-*KZ* – 16. vos *om.* B^a ; que vous *vous* gardés $VV^aV^3V^5V^6$ (que vos gardez vostre cors si net *K*) – 18-19. Saint Graal. Et ce sera une des beles B^a ; et… luxure *om.* B^a ; certes *om.* B^a ; le Seint Graal *et sanz tache* (VV^a taches) *de luxure.* Et (*K om.* et) *certes* ce sera une des *plus* beles $V^5V^3V^6$ – 19-20. ch. feist *om.* B^a ; que onques *chevalier feist* (V^3 fist), car V^5V^6-*K* ; que *chevalier feist onques, car* VV^a – 21. se *om.* $B^aV^1V^3V^4V^6$ (qui ne soit meffais fors que vous et Galaad V^aV) ; ne *se* soit mesfet en virginité fors vos et Galaad V^{11}-*K* – 22. vos $V^1VV^aV^3V^6$-*K* (*om.* B^a).

§ 95 : 1-2. si *om.* B^a ; com… c. *om.* B^a ; si bien (V^1 *om.* bien) com (VV^a que) a fere le (*K* li) covient (VV^a couvendra) $V^3V^4V^6V^{11}$; si bien com il le doit fere V^5 – 3-4. molt l'amonesta s'ante de bien fere. Et B^a ; mout *le castia* (V^1 hasta) *s'ante* (V^3 *om.* s'a.) *et* amonesta de bien faire. *Mais* sour $V^6VV^aV^4V^5V^{11}$-*K* – 4-5. si… fere *om.* B^a ; sa char *nettement si comme il le devoit faire,* et VV^a – 7. li *om.* B^a ; Artus si (V^3V^6 il) *li* (*K aj.* Perceval) VV^a – 9-10. je m'en afui ça car $V^3V^6VV^a$-*K* (*om.* B^a) – 10. que $VV^aV^3V^6$-*K* (*om.* B^a) – 11. Pallas *om.* V^1-*KZ* (mes sires li rois avoit) ; Paullas VV^a ; Pellez V^4 ; Pelles V^5 ; Pellas V^6 ($V^3V^{11} = B^a$) – 11. Herlant VV^a ; Herlan V^1V^{11} ; Herlein V^4 ; Herlen V^5 ; Hatlan V^3 ; Libran *KZR* ($V^6 = B^a$) – 12-

13. qui… p. *om.* $B^a VV^a$ (mors, je ench [*sic*] moult grant paour qu'il ne m'oceist VV^a) ; je *qui estoie femme et* ($V^1 V^5$ *om.* et) *poorose* V^3-*KZ* – **13-14.** se… pr. *om.* B^a ; m'ocesist *se il me peust prendre.* Si $V^6 V^3 VV^a V^4 V^5 V^{11}$-*KZ* – **14.** m. *om.* B^a ; si pris *maintenant* (VV^a tantost) $V^3 V^1 V^4 V^5 V^6 V^{11}$-*KZ* – **15.** en… leu *om.* B^a ; afouÿ *en cest* ($V^3 V^5$-*K* si) *sauvage* (V^1 estrange) *lieu* (V^5 aj. com cest est) $VV^a V^6$ – **21.** mes $VV^a V^1 V^3 V^4 V^5 V^6 V^{11}$-*KZ* (*om.* B^a).

§ 96 : 3-4. qui… maniere *om.* B^a ; *ki grans estoit* et merveilleuse (V qui grant estoit *a merveille* ; *K* qui ert grant a merveille) *en tel maniere* V^6 – **6-7.** car… Et *om.* B^a ; *car* bien set ($V^6 V$ *il* set bien) *que ce est meson de religion ou hermitage. Et* $V^3 V^6$-*K* – **13.** done B^a ; donnent VV^6-*K* – **14.** le moine B^a ; *l'en* mainne VV^6-*K* – **14.** por desarmer $B^a VV^4 V^5 V^{11}$; por *aaisier* V^1 ; por reposer *K* (*mq.* *ON*) – **16.** hore de *om.* B^a ; devant (jusques a $VV^4 V^5$) *heure de prime* $V^1 V^3$-*K* – **17.** m. *om.* $B^a V^5$; en l'abaie *meismes* $VV^3 V^6$-*K* ; leenz meismez $V^4 V^{11} ON$.

§ 97 : 3. des a. N. S. *om.* B^a ; *fer, ou il avoit dedenç* (*K* *om.* d.) un frere qui estoit (VV^1-*K om.* qui estoit) revestu (V armé) *des armes Nostre Seignor* et voloit commencier la messe $V^3 V^5 V^6$-*K* – **5.** et *om.* B^a ; *et* vient (V^6 vint) VV^3-*K* – **7.** d' *om.* $B^a V^{11}$ (car il ne pot trover entree V^{11}) ; n'i (V^3 ne) puet trouver point (VV^a tr. neant ; V^4 n'i pot [V^5 ne puet] point trouver) *d'*entree V^6 ; car il ne trueve point *d'*antree V^1 (*KZ om.* qu'il… d'e.) – **7.** se $B^a V^1 V^4 V^5$; s'*en* seuffre $VV^a V^6 V^{11}$-*KZ* – **8.** derriere *om.* $B^a VV^a V^4 V^{11}$; regarde *derriere* le prestre $V^5 V^3 V^6$ – **9-11.** si com *om.* B^a-*KZ* ; et… non *om.* B^a ; *si comme* de draps de soie *et d'autres choses, car il* (V^1 choses ne) *n'y avoit* ($V^3 V^4$ aj. nule) *riens se blanc non.* Et ($V^1 V^3 V^5 V^6$ *om.* Et) Parceval VV^a (.i. lit mout richement atorné de dras de soie *et d'autres choses… se blanc non.* Perceval *KZ*) – **14.** et $VV^a V^1 V^3 V^5$-*K* (*om.* $B^a V^4 V^6 V^{11}$) – **16-17.** ce… que *om.* B^a ; *quant çou* ($VV^a V^3$-*KZ om.* çou) *vint a cel point que* li prestres V^6 (et quant li prestres vint a cel point que il dut lever V^5) – **23.** et… vis *om.* B^a ; navré *et les* espaulles ($V^3 V^{11} ON$-*K paumes*) *et les bras et le* pis ($V^1 V^3 V^4 V^{11} ON$-*K vis*) V^6 – **23.** ce a. que *om.* $B^a V^1$; *quant ce avint* ($VV^a V^3 V^6$ vint) que $V^4 V^5 V^{11}$-*KZ* – **25.** e. *om.* B^a ; *mains encontre et* $VV^a V^1 V^3 V^4 V^5 V^6$-*KZ* – **27.** et en oroisons $VV^a V^3 V^5 V^6 V^{11}$-*KZ* (*om.* B^a) – **30-31.** des… a *om.* B^a ; li semble (V^3 sembla) mesaisiez (V^3 *om.* m.) *des* (V *om.* des ; *KZ* por les) *plaies que il a* (V^{11} avoit) $V^1 V^a V^6$ – **31.** par s. *om.* $B^a V^1$; le *voit* (VV^a vis) si viel *par samblant* (V^6 sanblance) qu'il $V^3 V^1$-*KZ* – **34-35.** li prestres comenia celui B^a ; li prestres *prist entre ses mains* (VV^a aj. le) *Corpus Domini et* *le porta* a celui V^3V^6-KZ – 35-36. et… a u. *om. B^a* ; qui ou lit (V^5 *om.* ou lit) gisoit (V^3-*K* qui [V^6 *aj.* se] gisoit el lit) *et li donna a user VV^a – 39.* et $VV^aV^3V^6$-KZ (*om. B^a*).

§ 98 : 4. por Deu $V^3V^6VV^a$-KZ (*om. B^a*) – 5. car… verité *om. B^a* ; demanderai, *car je cuit bien que vos en sachiez* (VV^aV^5 savés) *la verité* $V^1V^3V^6$-KZ – 6. que… se *om. B^a* ; dictes moy (V^1V^3 *om.* moy) *que ce est, et se* VV^a-KZ – 9. et la $VV^1V^3V^6$-KZ (*om. B^a*) – 11-12. seant il ge B^a – 12. toz *om. $B^aVV^aV^5$* ; estoit *toç* plaiés (V^1 deplaiez) $V^3V^4V^{11}$ON-KZ ; estoit *mout* plaiés V^6 – 13-14. li… usé *om. B^a* ; fu chanté *li donna li prestres* (V^6 li prestres li donna) *a user Corpus Domini* (V^5 li prestres Corpus Domini a user). *Et maintenant qu'il ot* (KZ l'ot) *usé* (VV^a usé, si ; V^6 usé il ; V^5 ot receu, si) se recoucha (V^5-*K* cocha) et V^3 – 15. Biau sire *om. $B^aV^1V^6$-KRZ* ; teste. *Biau sire,* il (V^5V^{11}ON ce) me semble que ce est ($V^3V^4V^5$ soit) VV^a – 16-17. savoir et vos pri B^a ; *savoir s'il pooit estre, et* (V^4 *om.* et) *por ce vos pri je* $V^3VV^aV^6V^{11}$ON-KZ.

§ 99 : 4-5. por planter et edifier B^a ; *por ce que il i* (VV^4V^{11} *om.* i) *plantast et edifiast* (V^4ON defiast) V^3V^6-*K* – 8. se (V *aj.* moult de) Sarrasins non V^6V^3ON-*K* – 9-10. fel et li plus *om. B^a* ; estoit le *plus fel et le plus* crueulx (V^5 fors hom) du monde VV^a-*K* ; estoit li plus crueus (V^1 *aj.* hons dou monde) et li plus fel (V^3V^4 felons) del monde (V^1 *om.* del m.) $V^6V^3V^{11}$ON – 10. sanz… h. *om. B^a* ; monde (V^6 *aj.* et) *sans pitié et sans humilité.* Et $VV^aV^3V^5$-*K* – 15. dist l'en que ce estoit veritez $V^5V^1V^3V^6$-*K* (*om. B^a*) – 18. et $V^3V^4V^5V^6V^{11}$-KZ (*om. B^aVV^a*) – 19. pris et *om. $B^aVV^aV^1V^5$* ; les ot *pris et mis* $V^3V^4V^6V^{11}$-KZ – 21. de chose *om. B^a* ; ne doubtoient rien *de chose* qui $V^aVV^3V^6V^{11}$-KZ – 23-24. que boivre ne *om. $B^aV^1V^3$* (ne lor envoia que mengier KZ) ; envoia ne (VV^a *om.* ne) *que boivre ne* que mengier V^5 ; ne lor envoia (V^4V^{11}ON dona) ke mangier ne que boire V^6.

§ 100 : 4-7. Jerusalem *en oï parler, qui* avoit esté convertiz par les paroles Joseph et par le prechement des serjanz Jesucrist. Si en fu B^a (V^6-VV^a *se rapprochent de B^a* : et tant que li rois Mordrains qui ert vers les parties de Jerusalem *en la cité de Sarraz et* avoit esté convertiz par les paroles Joseph et par ses preschemenz *en oï parler.* Si en fu) KZR – 8. li avoit tolue B^aVV^a (li avoit tolue et tout destruist l'eust V^6 ; Tholomers li toloit KZR) ; li *voloit tolir* $V^1V^3V^4V^5V^{11}$ON – 9. de *om. B^a* ; l'aide de $VV^aV^1V^3V^4V^5V^6V^{11}$-KZ – 17. sa *om. B^a* ; et le d. *om. B^a* ; (V^6 *aj.* toute) *sa terre et le desheriteroit* (V^{11} *aj.* tot ; V^4 *aj.* du tout) $VV^aV^3V^5V^6$-KZ ; Joseph, il *le deseriteroit* et li torroit sa terre V^1 – 18. contre B^a ; encontre

$VV^a V^1 V^3 V^5 V^4 V^6 V^{11}$-*KZ* – 20. i *om.* $B^a V^1 V^3 V^4 V^5 V^{11}$; Crudel (*Z* Crudex) *i* fu ocis $V^6 VV^a$-*K* (li roi Cruel fu ocis V^{11}) – 25. li *om.* $B^a V^3$; et ($V^4 V^{11}$ *om.* et) il (V^5 *om.* il) *li* (V^1-*KZ* si li) demanderent (VV^a demandent) V^6 – 27. qu'il eust *om.* $B^a V^1$ (qu'il ne sent *ne* mal ne doulor. Lors fist V^1) ; qu'il ne sentoit mal ne douleure ne bleceure *qu'il eust*. Si fist VV^a.

§ 101 : 10. terrien V^3-*KZR* (*om.* $B^a VV^a V^4 V^6 V^{11}$; cuer terrien *om.* V^5) – 12. et *om.* B^a ; *et* maintenant $V^1 V^5 V^6 V^{11}$-*KZ* ; *et* tantost VV^a – 17. *tout* le pueple $V^1 V^4 V^6 V^{11}$-*KZ* (tout *om.* $B^a VV^a V^3 V^5$) – 23. li… cil *om.* B^a ; li novismes de mon lignage cil $V^1 V^3 V^4 V^5 V^{11}$-*KZR* ; li uituimes (VV^a neufviesmes) del lignage Nacien (VV^a Grascien) V^6 – 26. Rois *KZR* (*om.* $B^a VV^a V^1 V^3 V^4 V^5 V^{11}$) – 28. ne verras jusqu'a B^a (chose, mais tu ne *verras* goute devant que V^1 ; chose, car tu ne *verras goute* jusqu'a cele hore que *KZR*) ; chose, car tu ne *morras* jusques a cele eure que V^6 ; chose, car tu ne *mourras* jusques atant que VV^a.

§ 102 : 13. .c. anz $B^a V^3 V^4 V^6 V^{11}$; .iiii.^{c}. anz V^5-*K* – 13. et si religieusement VV^6-*K* (*om.* Ba) – 15-16. de la messe, (*K aj.* et) ce est le cors Jhesucrist (*V* Nostre Seigneur) $V^3 V^6$ (*om.* Ba) – 18. *C. D. et li fist* user VV^6-*K* – 19. Joseph $B^a VV^5$; Yosep V^6 ; Josep V^1 ; Josephés V^{11}/Josephé *K* – 22. la *om.* $B^a VV^1 V^5 V^6$; et *la* le reçut $V^3 V^{11}$-*K* – 22. et le prist *om.* $B^a VV^1 V^3 V^4 V^5 V^6 V^{11}$; le reçut li vielz hom *et* (V^3 *aj.* li proudom) *le prist* (V^3 *om.* le prist ; V^5 *om.* et le prist) entre ses braz, liez *K* ($VV^1 V^4 V^6 V^{11}$ = B^a) – 25. le tint B^a ; tin (*sic*) entre ses mains V^6 ; le *vit* $VV^3 V^5 V^{11}$-*K* ; les vit V^4 (*mq.* V^1) – 27-29. a grant d. *om.* $B^a VV^1 V^6$; le haut Prophete, le souverain Pastre *om.* B^a ; comme il l'atendoit a veoir et a tenir (V^6 com Symeons atendoit a tenir et a veoir) le fil Dieu, *le vrai Prophete,* (V^6 *aj.* et) *le souverain Pastre*, aussi atent *V* ; atendoit *a grant desirier* Jhesucrist, le filç Deu, *le haute prophete, le souverain pastre* (V^5 mestre), ausi atent $V^3 V^5$; con cil atendoit (V^4 atendent) le grant desirier (V^4 *aj.* de veoir) le fil Deu, Jhesucrist, le haut Prophete, le souverain Pastor V^{11} ; atendoit *o grant desirrier* Jhesucrist le filz Dieu, *le haut Prophete, le souverain Pastre*, ausi atent *K* – 29-30. le virge… parfet *om.* B^a ; Galaaz *li virge* (*V om.* li v.), *li verais chevalier et le* (V^3 *om.* et le) *parfet* $V^4 V^5 V^{11}$ – 30-31. de *om.* B^a ; m' *om.* B^a ; la v.… avint *om.* B^a ; ay dit *de* ce que vous *m'*avés demandé *la verité, ainsi comme il* (*K* ele) *avint* VV^6.

§ 103 : 3. moult $VV^3 V^6$-*K* (*om.* B^a) – 6. bien $VV^5 V^6$-*K* (*om.* $B^a V^3$) – 6. que il a tant a faire $VV^3 V^6$-*K* (*om.* B^a) – 7. demorroit pas B^a ; demourroit *en nule maniere, et por ce* le (VV^6-*K l'en*) *covient partir.* Si… V^3 – **11.** jusques a VV^6-K (*om.* B^a) – **12.** *home* ocis VV^3V^6-K – **13.** li VV^3V^6-K (*om.* B^a) – **15.** e. *om.* B^aVV^6 ; maintenant (V^{11}-K *om.* m.) tuit ensemble $V^1V^3V^{11}$.

§ 104 : 3. d. *om.* B^a ; si *durement* VV^3-K ; tres d. V^6 – **7.** come… *proesce om.* B^a ; terre. Il (V^{11}-K et ; V^6 et lors) se cuide relever, (V^6 *aj.* si) *comme cil qui estoit de* tres (V^1V^{11} *om.* tres) *grant proesce* (V^6 *aj.* plains), et tret V^3 – **9.** (V^6 *aj.* tres) angoisseusement VV^1V^6-K (*om.* B^a) – **10.** et… hiaume *om.* B^a ; mestier et il (K *om.* il) le fierent sur l'escu et sur le hiaume VV^6 – **11-12.** vole jus et VV^6-K (*om.* B^a) – **13.** le meinent a ce qu'il VV^6-K (*om.* B^a) – **13-15.** m…. navré *om.* B^a ; occis tuit (V^6-K *om.* tuit) maintenant, qu'il (V^6 a çou que ; K car) il li avoient ja esrachié le heaume de la teste (V^6 *aj.* a fine force) et l'avoient navré V^3-K – **16.** vermeilles *que aventure amena* cele part VV^3V^6-K – **18.** q…. aler *om.* B^a ; *quanques li chevaus li* ($V^1V^3V^5$ le ; V^{11}-K *om.* li) *puet* (V^1V^{11} pot) *aler* ($V^1V^3V^5$ porter) V^6V^{11}V-K.

§ 105 : 4-5. m. *om.* B^a ; droit *om.* B^a ; reffiert si (V^6 fiert si tres) *merveillieusement* qu'il n'en ateint nul a caup qu'il n'en (V^6 ne le) porte V ; fiert les uns et les autres si (V^{11} fiert a destre et a senestre si) *merveillosement* qu'il n'en ataint nulle *a droit cop* qu'il ne face voler a terre V^3V^{11}-K – **6-7.** as granz… hardi *om.* B^a ; as granz coulx qu'il leur done (V^3 *aj.* en pou d'ore ; V^6 *aj.* et depart) et a la (V^6 *aj.* tres grant) vistece dont il est plains qu'il n'y a nul (V^3V^{11}-K *om.* nul) si hardi $VV^3V^6V^{11}$-K – **9.** qui grans e. VV^3V^6-KZ (*om.* B^a) – **10.** nul *om.* B^a ; n'en (V^3 ne) peut (V^3-KZ *aj.* mes) *nul* veoir fors .iiii. (V^3-KZ troiç) V ; n'en pot mais .i. seul veoir fors que trois V^6 – **12.** et VV^6-KZ (*om.* B^a) – **13-14.** la ou il la voit plus espesse VV^3-KZ (*om.* B^a) – **14-15.** ne vodroit pas que B^a ; ne voldroit (V vouloit) *en nule maniere* que V^3V^6-KZ – **17.** Ha *om.* B^a ; por Deu *om.* B^a ; *Ha !* sire (V^1-KZ *aj.* chevaliers ; V^6 A ! biaus tres douz sire), *por Deu* ($VV^aV^1V^4$ *om.* por Deu) aresteç vos (V^6 arrestés .i. poi) tant $V^3V^5V^{11}$.

§ 106 : 3-4. qui… ocis *om.* B^a ; ki n'a ($VV^aV^1V^3V^{11}$ avoit) point de ceval, car cil (VV^a il ; V^3 qu'il) li avoient (V^1V^{11} car l'en li avoit) le sien/suen (V^{11} *om.* le s.) ocis V^6-KZ – **4.** au VV^aV^6-KZ (*om.* B^a) – **5.** ronci (B^a) : *forme de* roncin (VV^aV^1-KZ) – **5.** et bien courant $VV^aV^3V^{11}$-KZ (*om.* B^aV^6) – **8.** cheval avol avoir B^a – **8.** siurre B^a – **8-12.** Et… vilain *om.* B^a ; *Et mult en voldroit grant meschief avoir fet* (K m. fere ; V vouldroit avoir fait grant m. ; V^6 vaurroit avoir grant meschief fait), *par* couvenant (V^aV-KZ couvent ; V^6 tel couvent) *qu'il l'eust* (V^6 que l'an en eust) *par la volenté au vaslet,*

car a force ne l'en menroit ($VV^a V^6$ force ne li tauroit/V^6 tolroit) il
mie se trop grant besoing (VV^a force) *ne li fesoit fere,* (VV^a-K aj.
et) por ce que l'en nel tenist a vilain V^3 – **12-13.** si… l'a. *om.* $B^a V^1$;
si tost com il l'aproche (VV^a s'aproche) $V^3 V^5 V^6$-KZ ; si tost com
il aproche de lui V^4) – **13.** que $VV^a V^6$-KZ (*om.* B^a) [et cil… beneie
om. V^4] – **14-15.** servises et en toz $V^1 VV^a V^3 V^4$-KZ (*om.* B^a) – **15-
16.** et por… requerras *om.* B^a ; *et por ce que je* en (KZ *om.* en) *soie
ton* ($V^3 V^5$-KZ tes ; $VV^a V^6$ vostres) *chevaliers ou premier leu ou
tu m'en requerras* ($V^6 VV^a$ que vous m'en/VV^a me requerrés ; V^5
que tu me troveras) V^3 – **20.** del cors $V^6 V^3 V$-KZ (*om.* B^a) – **22.** me
sera *om.* B^a ; comme cist *me sera* $V^3 V^5$-KZ (comme sil me fera V ;
comme jou arai se V^6) – **23.** faute B^a ; defaute $V^5 V^6 V$-K – **24.** ge
n'en feroie (VV^6-KZ ferai) autre chose V^5 (*om.* B^a) – **25.** tant com
il soit en ma garde $V^5 V^6 V$-KZ (*om.* B^a).

§ 107 : 7. tot $V^3 V^6 V$-KZ (*om.* B^a) – **8.** Et… l'espee *om.* B^a ; (V-
KZ aj. Et) lors oste (KZ aj. il) *son heaume et prent l'espee* (V^{11}-
KZ s'espee ; V^5 *om.* et prent l'e.) et dist $V^3 V$; voel. Et lors prent
s'espee et oste son hiaume et dist V^6 – **11.** preignes… et *om.* B^a ;
que tu *preignes m'espee, et* (KZ aj. que tu) m'en occi ($V^5 V^6$-KZ
m'oci) V – **11-15.** si… m'ame *om.* B^a ; *si sera ma dolor* affineç
(V afinee). *Et lors se li Bons Chevaliers, que je aloie querant, ot
dirc que je soie morz de duel de lui, il ne sera ja mes* (VV^6-KZ om.
mes) *si vilains qu'il ne prit* por moi (VV^6-KZ om. por moi) *Nostre
Seignor que il ait merci de m'ame* (K de m'ame merci) – **16.** e B^a ;
en $V^3 V^6$-KZ (V et).

§ 108 : 2. de c. *om.* B^a ; de corrouz $V^1 VV^3$-KZ ; de duel et de
corox $V^5 V^6$ – **3-4.** commence a fere trop grant (V faire moult) duel
et se claime las et chetif (V^5 *om.* et ; V^6 *om.* et ch.) et V^3-KZ (*om.* B^a)
– **5.** Ha ! las m. K ($VV^1 V^3 V^5 V^6 = B^a$) – **6.** il est B^a ; il t'est $VV^3 V^6$-
KZ – **7.** ores $VV^1 V^5 V^6$ (*om.* $B^a V^3$) ; maintenant KZ – **12.** tenoit B^a ;
menoit $VV^1 V^3$-KZ ; en menoit $V^5 V^6$ – **16.** trop *om.* B^a ; et faisoit (K
et fesant ; $V^3 V^5$ et venoit fesant ; V^1 et menoit trop (V^6 mout) grant
V – **17.** Ha $V^3 VV^a V^6$-KZ (*om.* B^a) – **19.** voir $VV^a V^1 V^3 V^5$-KZ (*om.*
$B^a V^6$) – **21-22.** m'ocirra ou qu'il me tenist B^a ; m'*en* occira en quel
que ($VV^a V^6$ quelconques leu qu'il me *truist*. Et de ce $V^3 V^5$-KZ)
– **23.** te *om.* $B^a V^1 V^3$; que je t'en face VV^a ; que ge *te* face V^5-KZ ;
que jou en face V^6 – **24.** pui : *graphie de* puis – **30.** sivrerai B^a ;
sivrei V^3 – **30.** tot $V^3 V^6$-KZ (*om.* B^a).

§ 109 : 2-3. si… traire *om.* B^a ; et s'en va si (V^5 om. si) *grant
aleure* (V^3-KZ oirre) *come il puet del roncin* (KZ dou cheval) *traire*
(V^{11} pot traire du roncin) *après le chevalier* (V^3 om. après le ch.)

V^1 – 4-5. dont il avoit mainte (V^3 asseç) en la forest. Et VV^6-KZ (*om*. B^a) – 6-7. li *om*. B^a ; de… voit *om*. B^a ; et (V^6 *om*. et) il *li escrie* (*V* crie) *de si loing com il le voit* $V^{11}V^1V^3V^6$-KZ – 10. li *om*. B^a ; li escrie (*V* crie) V^3V^6-KZ – 10. si retorne le glaive $B^aVV^1V^3V^5V^6V^{11}$; si *li cort le glaive* KZ – 11. et VV^3V^6 (*om*. B^a) – 11-12. come… venuz *om*. B^a ; *come cil qui bien voit qu'il est a la meslee venuz*. Mais li chevaliers qui (V^3V mais/V^1 et/li autres qui) tost V^1V^6-KZ – 12. se voloit $B^aVV^1V^3V^{11}$; le v. V^5 ; *s'en* v. V^6-KZ – 15. bot B^a ; boute V^3V^6-KZ – 15-16. Et… feruz *om*. B^a ; *Et cil* (V^6 li roncis) *chiet* (*K aj.* jus), *qui a mort estoit ferus*, si que VV^3 – 16. par… col *om*. B^a ; vole outre (*K om*. outre) *par desus le col* (*V om*. le col) $V^1V^3V^6$ – 17-18. son poindre en la forest la ou il la voit plus espesse, *si va contreval la praerie*. Quant B^a ; son poindre (*V aj.* oultre) et *s'en vait* (*V* s'en reva ; V^3-K *se met*) *contreval la praerie et se* met (*V* se refiert ; *K* se fiert) en la forest la u il le vit (V^3-K la voit) plus espesse. Quant (*V*-*K* Et quant) V^6 – 19. voit *ceste aventure* $VV^1V^3V^5V^{11}$-KZ ($V^6 = B^a$) – 20. ne dire *om*. $B^aV^1V^3$; fere ne dire $V^{11}V^6$-KZ (fere ne *om*. V^5) – 22. de cors… cuer *om*. B^a ; s'en vait. Mauvais chevaliers (*V aj*. et ; V^1 *aj*. coars ; V^3 *aj*. *coart de cuer et) faillis de cors* (V^1 *om*. de cors), retornés, si vos combatés (V^3 r. et c.) V^6 ; mauvés chevaliers, viuz et coarz et failli de cuer et de cors, retornez si vos c. V^5 ; mauvés chevalier, coart et failli *de cuer et de cors*, retornés, si vos c. V^{11} ; s'en vet. Failliz *de cors, coarz de cuer,* retornez, si vos combatez KZ – 23. vos iestes a cheval V^1V^6-KZ ; vous soiés touz a cheval. VV^3.

§ 110 : 1. a… die *om*. B^a ; respont (VV^1V^5 *aj*. mot) *a chose qu'il li die* $V^3V^6V^{11}$-KZ – 2. si tost com il i (V^3 *om*. i) est venuz $V^1V^5V^{11}$-KZ (*om*. B^aVV^6) – 3. si a *si* (*V om*. si ; $V^3V^5V^{11}$ *aj*. tres) *grant* duel V^1V^6-KZ – 5. et VV^3V^6-K (*om*. B^a) – 7. autres V^3V^6V-KZ (*om*. B^a) – 7-8. et dist *om*. $B^aV^3V^6V^{11}$; a haute voiz *et dist* : « Ha ! las, chaitif… » V^1 ; maleureus et dist V^5 ; chevaliers *et dist* K ; or ay je, fait il, failli… V – 12. li prent (*V aj*. maintenant) talent de dormir ; si V^3V^6-KZ (*om*. B^a) – 17. ne VV^1V^3 (*om*. B^a) – 19. me $VV^1V^3V^6$ (*om*. B^a).

§ 111 : 3. bien VV^3V^6-KZ (*om*. B^a) – 4. qui le *bee* (VV^3V^5 baioit) *a* decevoir V^1V^6-KZ – 5. a toz jors mes (V^6 *om*. mes) V^1V^3V-KZ (*om*. B^a) – 6-7. de… desirans *om*. B^a ; *de la chose dont il estoit* (V^1 est) *adonc* (V^1V^5-KZ *om*. a.) *plus desirans que de chose qui fust en tout le monde* ($V^1V^3V^5$–KZ *om*. que de… monde), si respont VV^6 – 7-9. si *om*. B^a ; com… requerra *om*. B^a ; face si seure com ele voldra, que s'ele (VV^6 *om*. ele) cheval li donne bon et bel, il fera a

son pooir ce qu'ele li requerra V^3-*KZ* – 10. ele VV^6-*KZ* (*om. B^a*)
– 12. qu'ele revendra B^a ; car *je revendrai* $V^1V^3V^6$-*KZ* – 14. grant
et merveilleux $VV^1V^3V^5V^6$-*KZ* (*om. B^a*) – 15. le r. et *om. B^a* ; si
(VV^3 et il) *le regarde et* (*V* r. si) l'en prent mout (VV^3 *om.* m.) grans
(*K om.* m. g.) hideurs V^6 – 18. et sa lance *KZ* (*om. $B^a VV^1V^3 V^5V^6$*)
– 20. vous vous en alés VV^3V^6-*KZ* (*om. B^a*) – 20. que VV^6-*KZ*
(*om. B^a*).

§ 112 : 3. le porte B^a ; *l'emporte* $VV^1V^5V^6$-*KZ* (cil porte V^3) – 4-
5. et… loing *om. B^a*) ; *et le porta* (V^1 l'amporte ; V^3 l'esloigne ; V^4
l'esloigna) *plus de .iii.* (V^1 .iiii.) *journees loing* (V^4 *om.* l.) V^6V ; et
esloignié plus de trois jornees loign *K* – 5. en une valee $V^3V^1V^4V^5$-
KZ (*om. $B^a VV^6$*) – 8. moult VV^5V^6-*KZ* (*om. $B^a V^1V^3V^4$*) – 8-9.
estoit nuis ne il *om. B^a* ; ne *om. B^a* ; passer por çou que il *estoit
nuis, ne il* n'i vit (VV^3-*KZ* voit) *ne* pont V^6 – 12. et griés V^6V^3V-*KZ*
(*om. B^a*) – 12. *si s'esqueut* V^1/se escuet V^4/s'escheut V^6/s'escout
K/s'esquist V^3 (*om. B^a*) – 13. ullant (V^5 siflant) et (V^1 *om.* u. et)
criant et V^6V^3-*KZ* ; criant et ullant *V* (*om. B^a*) – 15. et de flambe
clere VV^3V^6-*KZ* (*om. B^a*).

§ 113 : 2. tantost VV^3V^6-*KZ* (*om. B^a*) – 3. decevoir et *om. B^a* ;
de cors et d'a. *om. B^a* ; ki (*V* aj. ça ; V^3 ci ; V^5 ilec) l'avoit porté (*V*
amené ; V^3V^5-*KZ* aporté) pour lui *decevoir et* mener (*K* metre) a
perdicion *de cors et d'ame* (VV^3V^5 d'ame et de corps) V^6.

§ 114 : 3. et qu'il aparut au monde V^3V^6V-*KZ* (*om. B^a*) – 4. et…
rosee *om. B^a* ; clers, et (V^6 clers que) le soleil (*K* qu'il) eut auques
abatue la rousee VV^3 – 5. tot $V^3V^5V^1V$-*KZ* (*om. B^aV^6*) – 5-6. et
m. et *om. B^a* ; montaigne grant *et mervilleuse et* sauvage durement
et (*K* qui) estoit close V^1V^5 ; m. et merveilleuse et moult durement
sauvaige et close V^6 ; m. moult durement *merveillieusse et* sauvage
et estoit enclose *V* ; m. grant et salvage moult durement et estoit
clos V^3 – 6. mur entor B^a ; *mer tot entor* V^3V^6-*KZ* (*V* tout entour
de mer) – 7. largement VV^3V^6-*KZ* (*om. B^a*) – 7-8. se… non *om.
B^a* ; *se trop* (V^3 si) *loig* (V^6 malement) *non* V^1V-*KZ* – 11. ne VV^3-
KZ (*om. B^a*) – 11. ne forteresce ne meson V^5V^3V (*om. B^a*)/ne f. ne
recet ne meson – 11-12. *ou gent puissent habiter, ce li est avis. Et*
VV^3V^6-*KZ* (*om. B^a*) – 12-13. neporquant il voit B^a ; neporquant il
n'est mie si seus qu'il ne voie (V^3V^6 aj. pres/*KZ* entor/de lui) *bestes
sauvages*, ours V^1 – 16-17. qu'il… Et *om. B^a* ; *qu'il ne* (VV^6-*KZ*
qui ne le) *leront pas* (*V*-*KZ* mie) *en peis, ce seit* (VV^6 cuide) *il bien,
ainç l'ocirront* (V^6 ainz a grant paor qu'eles nel ocient) *s'il ne se*
(V^6 s'en) *puet deffendre. Et* V^3 – 18. se VV^1V^6-*KZ* (*om. B^a*) – 18-
20. baleine le puet bien defendre de totes cez bestes. Si se fie B^a ; *et*

(*VV⁶-KZ aj. qui*) *gari* (*V¹* garda) *Daniel en la fosse* au lion (*V⁵-KZ as lions*) *li velt isci* (*V* cy) *estre escuç et deffendement* (*VV⁶* om. et d.), il n'a garde de tot ce (*KZ* de quan ; *V¹* de toutes les choses ; *V⁶* de toutes les bestes) *qu'il voit V³V⁵* (*V* n'ara ja garde de mort de toutes ces bestes sauvages). Si se fie *V³V⁵* – 23. en mi *V³V-KZ* (mi om. *Bᵃ*) – 24. *et molt* (*V³* om. m.) *merveilleuse V⁶V-KZ* (om. *Bᵃ*) – 25. nule *V³VV⁶-KZ* (om. *BᵃV¹*) – 26-27. et... part om. *Bᵃ* ; *et en ce qu'il aloit cele part*, il regarde *V³V⁶V-KZ* (om. *Bᵃ*) – 27. desous... voit om. *Bᵃ* ; regarde *dessoubz lui* (*V¹* desus lui ; *V⁴* sor lui ; *V⁵* desor lui ; *K* om. d. lui) *et voit VV⁶*.

§ 115 : 2. qui... legiers *V³V⁶-K* (om. *Bᵃ*) – 4-5. serpenz et Percevax qui voit *Bᵃ* ; serpent, *ancois qu'il i poïst estre venuç. Et neporquant, si tost come il fu venuç amont la roche* (*V⁶* montaigne ; *KZ* amont venuz en la roche) *et il vit* (*V⁶* voit ; *V* et il ot veue) *V³* – 6. si *VV³V⁶-KZ* (om. *Bᵃ*) – 8-11. Lors cort sus au serpent, si li done granz coz de l'espee, et cil li art *Bᵃ* ; Lors *trait l'espee et met l'escu devant son* pis (*V¹V³V⁵-KZ* vis ; *V⁴* devant soi), *pour le feu que mal ne li face, et* (*V⁶* aj. tantost) *va querre* (*V⁶-KZ* requerre) le serpent (*V⁵* om. et... serpent) et li donne si grant coulp qu'il li fait plaie grans (*V³V⁵* mortel) *entre* (*V⁶* aj. les) *deux oreilles. Et cil* (*V⁶V⁵* li serpens) *gette feu et flambe* (*V⁵* aj. par mi la gueule) *si qu'il* li art *V* – 11-12. et... fet om. *Bᵃ* ; *et li eust encores* (*V³-K* et encor li eust) *plus mal fait.* Et cil (*V⁶* mais il ; *V³-KZ* mes cil) *V* – 16-17. la... a. om. *Bᵃ* ; serpent et si li donne de l'espee si (*K* donc de) grans cop (*VV³V⁶* om. si g. cop) *la ou il le puet ateindre, si li avint V⁵* – 17-18. l'assena ou (*V³* en cel) *lieu ou il l'avoit avant* assené (*V³* l'avoit feru devant) *V* ; si li avint einsi a celui point que il l'asena en cel leu meismes ou il l'avoit asené au comencement *K* – 20. n'estoit *BᵃV⁴* ; n'en estoit *V* ; n'estoient *V³V⁵V⁶-KZ* – 20-21. chaï en mort *Bᵃ* ; chaï (*V³* aj. tout mort ; *V⁶* aj. tantost) mors *en* (*V* en my) *la place V¹-KZ*.

§ 116 : 1. del serpent *V³V⁴V⁵-KZ* (om. *BᵃVV¹V⁶*) – 3. a Perceval. Il vient *Bᵃ* ; a lui (*VV³V⁴V⁵* Perceval), *ainz vient V¹V⁶-KZ* – 7. de sa t. om. *Bᵃ* ; heaume *de sa teste VV¹V⁶-KZ* – 10. *et la teste et les espaules V³V⁶VVᵃV¹-KZ* (om. *Bᵃ*) – 12-13. *si tient çou* (*KZ* si le tient ; *VVᵃ* aj. a moult grant merveille et) *a mout biele aventure. Et li lyons* (*VVᵃ* homs) *li fait si grant feste* (*KZ* joie) *come beste mue* (*VVᵃ* om. mue) *puet* (*VVᵃ-KZ* aj. faire) *a* homme, si (*KZ* et) ; *VVᵃ* om. et/si) *V⁶* – 16. enport *Bᵃ* ; enporte *V⁴V⁶* (*VVᵃ* apporte ; *K* emporta) – 17-19. et haute... m. om. *Bᵃ* ; en la roiche soutaine (*KZ* soutive) *et haute a merveilles,* car il voit trop loing (*K* om. car...

loing ; *V* en la r. *om*.... loing) *si* (*V* ce) *ne fet pas* (*V-KZ* mie) *a demander s'il est a malaise*, mes (*K* et) plus *ON-KZ* ; roce ki tant est haute et soutive a grant merveille, se il est a mesaise, çou ne fait pas a demander et assés plus V^6 – 21. crooit : *graphie de* creoit – 21. en *om*. $B^a V^3$; *en* Diu V^6 ; en Nostre Seingneur *ON-KZ* – 24. gisant $V^3 ON$-*KZ* (*om*. $B^a V V^6$) – 25. le B^a ; *les* $V^3 V^6$-*KZ* – 26-27. v. et a *om*. B^a ; car a *viltance et a* r. (*V-KZ om*. et a r.) $V^3 V^6$.

§ 117 : 2. por $V^3 V^6$*V-KZ* (*om*. B^a) – 2. *par* ($V^5 V^6$ aj. aucune) *aventure* $V V^3 V^4 ON$ (*om*. B^a-*KZ*) – 3-4. que il n'en vit nule B^a ; qu'il *ne sot* (*V* savoit) *tant baer* (V^6 regarder ; V^1 baer celui jor) *ne amont ne aval qu'il en veist ON-KZ* – 5-6. se... et *om*. B^a ; et *se reconforte en Nostre Seignor et* prie Dieu (V^3 le Haut Mestre ; *V-KZ* et il li prie) que V^6 – 7-9. ne... norisse *om*. B^a ; en temptacion (*V aj*. de nul pechié) *ne par engin de deable ne par malvese pensee, mes einsint comme pere doit garder* son (*V om*. son ; $V^5 V^6$-*KZ* le) fil, *le gart et norisse* (*V* gart il et conduie a sauveté). Il (V^5 Puis ; V^6 Lors ; *K* Si) tent $V^3 V^5$-*KZ* – 11. Biaus *KZ*-$V V^3 V^6$- (*om*. B^a) – 14. soie *KZ* (*om*. $B^a V V^3 V^4 V^5 V^6 ON$) – 15. et li seurs $V^3 V^4 V^6 ON$-*KZ* (*om*. $B^a V V^1 V^5$) – 18. querele... droit *om*. B^a ; qui est *vostre querele et vostre droit* heritage $V^3 V^6$*V-KZ* – 23. estrangle et *om*. B^a ; les *estrangle et* devore $V V^4 V^6$-*KZ* – 24-25. et conduiserres $V^1 V^4 V^6$*V-KZ* (*om*. $B^a V^3 V^5$) – 27. se *om*. B^a ; se d. $V V^3 V^5$-*KZ* ; se parti $V^1 V^6$ – 27-28. es desers $V V^1 V^4 V^6 ON$-*KZ* ($V^3 V^5 = B^a$) – 28-29. *ne me laissiés pas el desert, mais* $V^6 V^3$*V-KZ* (*om*. B^a) – 31. et... home *om*. B^a ; ouailles sont et repairent si que *V* ; sunt et u li boin crestien *et li vrai home* repairent, si que V^6 ; sont, la ou le boens crestiens repairent *et li verai homme*, si que V^3 ; et *la ou li verai home*, li bon crestien sont, si que *K* – 32. fors la substance, ce est $V V^3 V^6$-*KZ* (*om*. B^a).

§ 118 : 2. au au B^a – 2-3. mes... fere *om*. B^a ; serpent *mais il ne fait nul semblant qu'il li* doie ($V^3 V^6$ *voille*) *mal faire*, ains li fet ($V^3 V^6$ li vient fesant) joie *V* ; mes il ne fet mie semblant qu'il li voille maufere, ainz vient vers lui fesant joie *KZ* – 7. teste lez si B^a ; teste *sor* les (*ON* ses) espaules V^6 ; t. desus (*V-KZ* sur) *s'espaule* $V^3 V^5$ – 8. noire et oscure $V^1 V^6 V$; oscure et noire $V^5 V^3 ON$-*KZ* (*om*. B^a) – 11-12. *une av. mierveilleuse, car il li fu avis* $V^6 V^3$*V-KZ* (*om*. B^a) – 13. vielle et $V^1 V^3 V^5 V^6$-*KZ* (*om*. $B^a V$) – 14. m. *om*. $B^a V^4 ON$; de molt (*V^1* si ; $V V^6$ trop) grant $V^3 V^5$-*KZ* – 16. molt $V^3 V^6$*V-KZ* (*om*. B^a) – 18. .ii. *om*. $B^a V^3$; ces ($V^5 V^6$-*KZ* les) .ii. *V* – 23. des m. B^a ; de tes m. $V V^3 V^6$-*KZ* – 24. te menra l'en si mal que tu en $V^3 V^6$*V-KZ* (*om*. B^a) – 25. mes $V^3 V^6$-*KZ* (*om*. B^a).

§ 119 : 3. Dame $V^3 V^5$-*KZ* (*om*. $B^a V V^1$) – 5. *que tu soies si preus*

(*V aj.* et si hardis) *et si seurs* V^3V^6-*KZ* (*om. B^a*) – **5-6.** que *tu de la bataille fere* (*V om.* f.) aies honor V^3V^6-*KZ* – **7-8.** *si soudainement que Perceval ne set qu'ele est devenue* V^3V^6V-*KZ* (*om. B^a*) – **8.** lor : *graphie de* lors – **8.** a. *om. B^a* ; vient (*V* vint) *avant* $V^1V^3V^6$ (dame *avant KZ*) – **8-9.** qui *sor le serpent estoit montee* (*V* serpent se seoit) V^3V^6-*KZ* – **9.** a Perceval $V^3V^5V^6$-*KZ* (*om. B^aV*) – **10.** plaig : *graphie de* plaing – **10.** m. *om. B^aV^1V^3V^5* ; plaing (*V aj.* de) *mout* V^4V^6ON-*KZ* – **13.** certes *om. B^a* ; *Certes*, dame ne a vous VV^1V^3 ; He ! *ciertes*, a vous dame ne a dame V^6 ; *Dame, certes* ne a vos *KZ* – **14-15.** de qoi : *le scribe de B^a qui a d'abord écrit* **de qi**, *a mis un* **o** *au-dessus de* **q** – **15.** mefet ; *et se jo ai* (V^3 avoi le) *pooir de l'amender, jou le vous* (VV^5 *om.* vous) amenderai V^6-*KZ* – **17-18.** en… m. *om. B^a* ; *en quoy vos m'avez meffait* VV^1V^3-*KZ* (V^6 en coi li meffait est) – **18.** une grant piece V^3V^4ON (*om. B^a*) [hostel ung grant temps une beste nourrie *V* ; ostel une bieste norrie mout longuement V^6 ; je avoie une piece norrie en un mien chastel une moie beste *K*] – **19-20.** qui… ne c. *om. B^a* ; *qui me servoit* (V^1V^3 *aj.* assez ; V^4V^6 *aj.* molt ; *K aj.* de mout) *plus que vous ne cuidiés* V^3V^5 – **20.** par aventure VV^1V^3-*KZ* (*om. B^a*) – **22.** corant V^3V^6-*KZ*/acorant *V* (*om. B^a*) – **22-23.** de… rien *om. B^a* ; *l'oceistes* (*K om.* l'o.) a (VV^3 atout ; V^6 de) *vostre espee* (VV^3 *aj.* et *l'occeistes* ; *K aj.* l'o.) *sanz ce qu'ele* (V^6 espee et si) *ne vous demandoit riens* (*V* sanz ce qu'il vous avoit riens meffait) V^1 – **24-25.** *Vos avoie je riens mesfet por quoi vos la deussieç mener a mort* V^3V^6-*KZ* (*om. B^a*) – **26.** *ne en vostre subjection* V^3V^6V-*KZ* (*om. B^a*) – **27.** *por lui* V^3V^6V-*KZ* (*om. B^a*) – **28.** le B^aV^3 ; *les* poés V^6V ; les devez (*K* doiez) V^5.

§ 120 : 1-2. Com il l'oï, si dit B^a ; Quant il (VV^6-*KZ Percheval*) *ot ces* (*V-KZ* lez) *paroles que la dame li* (*V om.* li) *dit, si respont* V^3 – **4-5.** *ne les bestes de l'air ne me sont abandonnees* (V^6 ne sunt abandounees a moi) V^1V^3-*KZ* (*om. B^a*) – **5-6.** li $V^1V^3V^6$-*KZ* (*om. B^a*) – **6-8.** por ce l'ocis B^a ; *affere et* (V^6 *aj.* si ; *K aj.* por ce *que je*) *vi que li lyons estoit moins mesfesanç* (V^6 mal faisans) *que li serpenç,* (V^6V *aj.* et [*V om.* et] pour çou) *li* (*K om.* li) *corui* (VV^6-*K aj.* je) *sus* (*K aj.* au serpent) et (VV^6 si) V^3V – **11.** n'en B^a ; ne *m'en* VV^3V^6-*KZ* – **12.** g'en B^a ; je *vos* en VV^3V^6-*KZ* – **13.** de mon s. *om. B^a* ; por (*K* en) amende *de mon serpenç* V^3 ; *pour l'amende del* meffait V^6 ; de l'amende que vous avés meffait *V* – **16.** ja VV^3V^6-*KZ* (*om. B^a*) – **17.** estiés vos a moi VV^3V^6-*KZ* (*om. B^a*).

§ 121 : 1-2. dormi B^a ; *remest* (V^1 remaint) *dormant* (*V om.* d.) V^3-*KZ* ; remaint dolans V^6 – **2.** tot B^a ; tote V^3-*KZ* – **3.** *si bien que onques ne s'esveilla* V^3V^6V-*KZ* (*om. B^a*) – **3.** A *om. B^a* ; *A* l'e. V^3V^6-*KZ* – **4.** *le jour fu cler et* VV^3-*KZ* (*om. B^aV^1*) – **5.** chaut (*V* *om.* c.) *et ardant* V^3V^6-*KZ* (*om.* B^a) – 6. lieve B^a ; *dreça* V^3V^6-*KZ* (*V* si s'asiet) – 7. *et lieve* (*KZ* leva) *sa main* VV^3V^6 (*om.* B^a) – 7. De B^a ; Nostre Seignour VV^3V^6-*KZ* – 10. *ou il est* VV^3V^6-*KZ* (*om.* B^a).

§ 122 : 2. molt V^6V^3V-*KZ* (*om.* B^a) – 3-4. si venoit la ou P. estoit. La nef venoit B^a ; et venoit droitemant (*ON* droit) vers le leu ou Perceval estoit. La nef venoit V^4ON ; et venoit tout (VV^1V^3 *om.* tout) droit viers le liu u (*V* lion que) Percevaus *atendoit pour* (V^3 *om.* pour ; V^1 Percevaus estoit et va ancontre por) *savoir se Dieus li envoiast* (V^3 amenast ; V^1-*KZ* donast) *aventure ki li pleust. Et* (V^3 *om.* et) la nef (V^1 *aj.* li) venoit V^6V^5 – 5-7. qui… roche. Et *om.* B^a ; *derriere qui* le ($V^1V^4V^5$ *la* ; *ON* qui duremant la) *hastoit, et elle* vint (V^4 *vient* ; *ON* venoit) *le droit cours* (V^5 vient droit) *vers* (V^3 a) *lui et arriva au pié* dessoubz (V^4V^5ON au pié *de la*) *la roche* (V^3 *om.* la roche ; V^4ON *aj.* desoz). *Et* (V^5 *om.* et) quant *V* ; deriere *ki* mout la *hastoit ; et si venoit le droit cours viers* Perceval. *Et quant* V^6 ; derriere *qui la hastoit ; et ele vient* vers lui le droit cors *et arriva au pié de la roche. Et* quant *KZ* – 7. qui… roche *om.* B^aV ; *ki ert* (V^1 fu) *amont* (V^1 *om.* a.) *en* (*ON* estoit desor ; V^4 desouz) *la roche* (V^5 *om.* en la r.) V^6V^3 ; *qui ert en la roche amont KZ* – 8. molt V^3V^6V-*KZ* (*om.* B^a) – 8. bien V^3V^6V-*KZ* (*om.* B^a) – 12. par *om.* B^a ; (*KZ* *aj.* et) *par dedens et par* defors VV^6-*KZ* (*om.* B^a) – 13. si… non *om.* B^a ; *si qu'il n'i* (*V* ne) *pert se blanche chose* (V^6 blan cors ; V^3 blanc [ch. *om.* V^3] ; *KZ* blanches choses) *non*. Quant $V^5V^4V^1VON$ – 16. ausi… dois *om.* B^a ; *ausi lee com* vos (*V* om. vos ; V^6 comme de) *.ii. doiç* V^3V^4ON-*KZ* – 22. fait li preudons VV^6-*KZ* (*om.* B^a) – 25-26. en… ne *om.* B^a ; je ne sai *en* (*ON* par) *quel meniere ne* en quele guise (*KZ* maniere ne coment) je i vi[n]g V^1 – 26. vig B^a ; ving VV^5 – 29. de la T. R. *om.* B^aVV^6 ; *aler o* avec (V^1 o) *mes freres de la Table Raonde* (V^5 *aj.* qui sunt) en la Queste dou Saint Graal car $V^3V^4V^5$-*KZ* ; aler aprés mes freres (V^6 compaignons) qui sont (V^6 *om.* qui sont) en la Queste del Saint Graal car *V* – 32-33. en istroiz (V^1V istrez) bien (V^3V^4 *om.* bien) hors/fors V^5ON-*KZ* (*om.* B^a) – 33-35. plera s'il veist que B^a ; a son preu *om.* B^a ; sachiez que *om.* B^a ; plaira. Se (V^3 voldra et se ; V^5 plera et se) il *vos tenoit a son sierjant et il* veoit (V^5 veist) que vos fuissiés (V^5-*KZ* feissiez) mieus (V^3 molt ; *V om.* m.) *a* (V^5-*KZ om.* a) *son preu* aillors que chi, *saciez* vraiement (VV^3V^5-*KZ om.* v.) que il vos en osteroit V^6V – 36. ore VV^3V^6-*KZ* (*om.* B^a) – 36. et en essai *om.* B^a ; mis en espreuve *et en* (VV^3 *om.* en) *essai* V^5-*KZ* ; mis en essai et en espreuve V^6 – 37. c. et por *om.* B^aV^1 ; *por conoistre et por* savoir se $V^5V^3V^6V$; por savoir et por conoistre se *KZ* – 40. car

V^6V^1-KZ (om. $B^aVV^3V^4V^5ON$) – 41. et si s. om. B^a ; estre si (V^5 mult) durs (V appensés) *et si* (V^5 om. si) *serrez* encontre V^4V^6ON-KZ ; estre si serré encontre V^3 – 43-44. *ne des veraiz* (V^1 bons) *champions* (V^6 sierjans) $V^5V^3V^4$-KZ (om. B^aV) – 45. son seignor B^aVV^a ; *lor* seignor $V^1V^3V^6$-K.

§ 123 : 3-4. ça en si savaje leu. Par B^a ; amena (V^6 a amenet) *en si estrange leu* (ON païs) *et en si salvage* (ON aj. leu) *comme cist me* (V^6 comme cis nous et moi) *semble* (ON aj. estre ; V cilz est) V^3V^4-KZ – 5. vig B^a ; ving V^3 – 7. se… dites om. B^a ; ne il n'est… dites om. V (deissiés vostre estre, je vous conseillieray bien mieulx que nulx ne pourra faire V) ; a consoillier et (KZ c. *se*) *vos le me dites* que je ne vos an consoille V^1 ; a c., *se vos me dites* (V^3 deissieç) *vostre estre* (ON afere), que ge ne vos (V^3ON-KZ aj. an) conseil (V^3 conseillasse) V^5 – 10. ça VV^3V^6-KZ (om. B^a) – 11. ou je sui ($VV^3V^4V^6ON$ estoie) V^1-KZ (om. B^aV^5) – 13-14. onques *mes* V^1VV^6-KZ (mes om. $B^aV^3V^5$) – 18. assez $V^1V^3V^4V^5ON$-KZ (om. B^aVV^6) – 19-20. si en (V om. en) devient toz esbahiz $V^1V^3V^6$-KZ – 20. esbahis et lors V-KZ ($V^3V^4V^6ON = B^a$) – 22-24. que je vos dis (VV^1V^4ON ay dit) que vos ne… car ce (VV^6ON or ; V^1 om. ce/or) voi (V^5 car ge se ore) je bien que (V^4 om. que vos ne… bien) B^aV^6 ; je vos *ai dit. Car je cuidoie* que vos ne me conneussiez pas, *mes ore* voi KZ – 25. tieg B^a ; tieng V.

§ 124 : 1. s'acoute Perceval KZ ($VV^3V^6 = B^a$) – 10. divers B^aV ; diverse $V^1V^3V^5V^6$ – 11. aese si en savrai la v. B^aVON ; ese se ne sai la v. V^4 ; aise *devant que je en sache la v.* $V^1V^3V^5V^6$-KZ.

§ 125 : 4-5. N. L. cele qui B^a ; N. L. et celle qui V ; N. L. qui $V^3V^4V^6$-KZ – 5-6. ce est om. B^a (ce om. V^6) ; pié et om. B^a ; et om. B^a ; Novele Loi, qui sor le grant lyon, *ce est* Jhesucrist, prist *pié et fondement, et* qui par lui fu… V^3 – 7. fu B^aVV^4-KZ ; fust V^3V^5ON – 10. creance om. B^a ; foy et esperance, *creance*, bautesme V ; foi et esperance et creance et baptesme V^3V^5-KZ ; Fois et creanche et esperance et baptesmes $V^6V^1V^4ON$ – 12. edefieroit B^aVV^6 ; *fermeroit* $V^1V^3V^4V^5ON$-KZ – 14. estre entendue Saynte Yglise B^a ; estre e. *la Nouvelle Loy* $VV^1V^3V^5V^6ON$-KZ – 15. en force et VV^3V^6-KZ (om. B^a) – 17-18. *car de tel eage ne de tel samblant* (V semblance) n'est (V^4ON n'estoit) ele pas (V mie) V^6-KZ (om. B^a) – 20. t. om. B^a ; *trop* longuement VV^3V^6-KZ – 23. *avant* (V^6 devant) *le cop* V^1V^3V-KZ (om. B^a) – 24. a om. B^aV ; a avenir $V^3V^4V^6ON$-KZ – 25-26. combatre, que s'ele B^a ; combatre. *Par la foi que ge te doi* s'ele V^3V^6V-KZ – 26-27. dire et le te vint B^a ;… dire (V elle ne le t'eust mie dit), *car il ne l'en causist* (KZ ne li chausist de toi) *se tu fuisse[s]* (V^4 se vos fuissiez) *vencus*, si le te vint V^6 – 29. et a cui *om.* B^a ; bataille et contre V ; bataille. Et encontre (*KZ a*) *qui* ? Encontre V^6 – 30-33. et Helyes fu ravi de terre. Cil champions B^a ; Enoch et Elyes, *ki tant furent preudoumme*, (*ON aj.* que il) *furent* ravi de tiere *et porté es cieus* (*KZ* ou ciel), *et ne revenront* (*V* revenroit) *devant le jour del* (*ON* de) *Juise* (*V-K* du jugement), *pour combatre encontre* (*V* contre) *celui qui tant est redoutés*. Cil V^6 – 34-35. et travaille *om.* B^a ; tos jorz et travaille que il puisse homme mener V^5 ; toç dis (*KZ* adés) *et travaille* qu'il moine home V^3 ; tous jors si se travaille que il maigne homme V^6 – 37. si *om.* B^a ; *si* (V^6 einsi) comme VV^3-*KZ* – 38. .i. des B^a ; perdre *om.* B^a ; por .i. des menbres perdre $V^1V^3V^4ON$; un de *tes* membres *perdre* V^6V^5V-*KZ* – 38. en *om.* $B^aVV^1V^4V^6ON$; ainç *en* sera V^3V^5-*KZ* – 39. mes V^3VV^6-*KZ* (*om.* B^a) – 39-40. *se* ($V^1V^3V^5$ que) *ce est voirs* V^4V^6VON-*KZ* (*om.* B^a) – 42-43. conduira en enfer B^a, conduira *en la maison tenebreuse* (V^3V^5 meson de tenebres), *c'est* en enfer VV^4V^6ON-*KR* (conduira en la meson d'enfer tenebrose Z) – 43. et dolor *om.* B^aVV^6 ; onte *et doleur* et martire V^4ON-*KZ* ; honte et desenor et martire $V^1V^3V^5$ – 44. la p. *om.* B^a ; atant (V^6 ausi ; V^4ON autretrant ; *KZ* autant ; *V* autresi) longuement comme *la poesté* (*V* comme li apoustres) Jhesucrist (V^6 Dieu) durra V^3V^5.

§ 126 : 10. qui *om.* B^a ; la Signagogue, (V^1V^5 *aj.* de) la Vielle Lois *qui* fu ariere mise V^3V^6ON (*KZR om.* qui fu… la N. L.) – 14. ce est li anemis meismes $V^5VV^1V^3V^6ON$-*KZ* (*om.* B^a) – 16-17. de cest fruit VV^3V^6-*KZ* (*om.* B^a) – 18. covomse B^a ; couvomse V^6 ; couvoitise VV^3-*KZ* – 18-19. qu'il n'estoient, si crurent $V^1V^3V^4V^5ON$ ($VV^6 = B^a$) – 20. pechierent et pechierent B^a – 20. hors. VV^1V^5-Z (*om.* $B^aV^3V^6$) – 20-21. et mis en essil $VV^1V^3V^6$-*KZ* (*om.* B^a) – 21. tout li hoir partent (V^5-*K* partirent) et VV^3 (*om.* B^a) – 26. tu VV^6-*KZ* (*om.* B^a) – 28. roche a celle eure V^3V^6V-*KZ* (*om.* B^a) – 29-32. sor toi qu'il ot tel poor qu'il s'en foi com cil B^a ; sour toi *la crois* (V^3 la croiç sor toi). (*KZ aj.* car) *Par le signe de* (V^3-*KZ om.* le s. de) *la crois* (*V om.* par… crois) *que tu feis* (*KZ aj.* que tu feis sor toi), *que il ne pooit* (*V* peut) *sostenir en nule maniere, il ot* (V^3-*KZ* ot il) *si grant paor que il quida bien estre mors, si s'en fui si grant oirre comme il pot* (*V* peut), comme cil V^6 – 35. que il a B^a ; qu'ele a. Quant V^3V^6V ; que ele a a toi. Et quant *KZ* – 36-37. de… demandoit *om.* B^a ; respondu au mieus ke tu seus (*K* pois) a (V^1-*KZ* de) *çou que ele te demandoit*, si te requist V^6 ; respondu de (*V* a) *ce qu'ele te demandoit* au melç que tu pois (*V* seuz) V^3 – 37. que *om.* B^a ; requist (V^1-*KZ aj.* ele) *que por amende… mesfet devenisses* V^3V^4ON (requist pour l'amende… meffait *que*

tu devenisses VV^6) – 39. *aucune fois* VV^3V^6-KZ (*om. B^a*) – 40.
ainz que tu receusses l'omage de $B^aV^1V^6$-K ; ains que tu eusses
(V^4 eussiez) receu l'omage de VV^3V^5ON-RZ ; ainz que *feisses*
homaige *a* ton signour *B.N. f. fr. 1423-1424*, V^5 (V^{11} *lacune*) – 42.
sans faille *om. B^a* ; et crestiené *om. B^a* ; car *sans faille* devant çou
que tu *receusses baptesme et crestienté* $V^6V^3V^4$V-KZ – 43. tu en
(*KZR* de) *la subjection* V^6VON ; en *la jurisdiction* V^3V^5 – 43-45.
tu fus crestien eus tu B^a ; comme *on t'eult mis* ($V^5V^1V^3$ on te mist ;
KZR com tu eus receu [*ZR om.* r.]) *le seel Jhesucrist* ($V^5V^1V^3$ *aj.*
en mi le front), *c'est le saint cresme* de (V^6-KZR *et*) *la sainte unçon*
(*O* oncion) eus tu *V* – 46. car… Creator *om. B^a* ; *car tu eus ja* (*KZ
om.* ja) *fait hommage a ton Creatour*. Einsi (*KZ* si) t'ai V^6V^3V – 48.
car molt (*KZ* trop) *ai a fere* V^3V^6 (*om. B^a*).

§ 127 : 2. tost que vos B^a ; tost *certes* vos VV^3V^6-KZ – 3. et
vostre compaignie VV^3V^6-KZ (*om. B^a*) – 3. me VV^3V^6-KZ (*om.
B^a*) – 7-8. car moult de (V^3 *om.* de) gent m'atendent VV^6-KZ
(*om. B^a*) – 10. en V^6-KZ (*om. B^aVV^3*) – 18-19. qu'il voit *om.
B^a* ; pour ce qu'il voit (V^3 veoit) qu'il VV^6-KZ (*om. B^aVV^3*) – 19.
merveilleuse V^3V^6V-KZ (*om. B^a*) – 20. regarde (*KZ* esgarde ;
V^3 esgarda) *loings en la mer et* VV^3V^6-KZ (*om. B^a*) – 24. moult
VV^3V^6-KZ (*om. B^a*) – 26. il aproche (V^1 aprocha) B^aVV^6 ; et il
l'aproche Z ; ele aproche $V^3V^4V^5$ON-KR – 27. covert $B^aV^3V^4$;
couverte $VV^1V^5V^6$ON – 27. de soie et de B^a ; (*KZ aj.* ne sai) de
soie (V^6 *aj.* tous noire) *ou* de $VV^1V^3V^5$; de soi noir et de V^4 – 29.
vodroit savoir que B^a ; que çou fust, com cil ki vauroit bien que
V^6 ; que ce est, et cil (*KZ* et il) qui bien voldroit (*K* voloit) que V^3 ;
que ce est, si vodroit bien que V^1 ; que ce est, car il vouldroit que
V ; que ce est, et bien voudroit que V^4ON ; que ce est, mes molt
voudroit que V^5 – 31. *ou par la vertu de Dieu ou par autre chose*
VV^3V^6-KZ (*om. B^a*) – 32. *en* (V^3 *aj.* tote) *la montaigne* VV^6-KZ
(*om. B^a*) – 32. ne asaillir *om. B^a* ; qui l'ost adescr (V^6 habiter) *ne
assaillir* et il V^5V^4ON-KZ ; qui l'osast adont (V^3 *om.* adont) asaillir
et il *V*.

§ 128 : 4. estr. et si *om. B^a* ; qui est si (*KZ* qui si est) *estrange et
si* sauvage (KRΣ *om.* et si s.) $VV^3V^4V^5V^6$ – 5. *se par aventure n'est*
(VV^6 non) V^3V^5-ZR (*om. B^a*) – 11. qué V^4V^6-ZR (*om $B^aVV^3V^6$*)
– 12. que VV^3V^6-ZR (*om. B^a*) – 13. i *om. B^a* ; i bote V^3V^6V-ZR
(*om. B^a*) – 13. i *om. B^aV* ; i entre V^3V^6-ZR – 14-15. *ains* (*V* et) *se
laisse legierement trouver* V^6V^3-KZ (*om. B^a*) – 19. vieg B^a ; vieng
V – 32. fet ele pas ce B^a – 32-33. en nule… m. B^a ; sai *en nulle
maniere* (V^6 *aj.* del monde) V^4V^3-KZ (fait elle en nulle m. ce que

j'en sai *V*) – **33-34.** sor l'ordre que vos tenez de chevalerie *VV³V-KZ* (om. *Bᵃ*) – **35.** en *VV³V-KZ* (om. *Bᵃ*).

§ **129 : 1-2.** A. … verité om. *Bᵃ* ; *Assés, fait ele, en avés dit. Or* (*VV¹* et je) *vos en dirai* l'aventure *V⁶V⁵V³ON* (*V¹V⁴-KZ la verité*) – **3-4.** Forest a la grant eve que *Bᵃ* ; (*V⁶* aj. tout) *droit* en (*V⁶-KZ ou/* el) *mileu celle part* (*V³* la) *ou* la grant eive *cort* (*V⁶* est) que *V⁴ON* – **4.** la vi *Bᵃ* ; *iluec* vi *V⁴V³V⁶V-KZ* – **6.** que il voloit ocirre *V⁶V³V-KZ* (om. *Bᵃ*) – **7.** l'eve et passerent *Bᵃ* ; l'eve por paor de mort ; si lor avint si bien qu'il passerent *V¹V³V⁶-KZ* – **8.** lui *Bᵃ* ; celui *VV³V⁶ON* (mes a lui en mesavint *KZ*) – **11-12.** or me di *Bᵃ* ; or (*KZ* aj. si) *voil* (*VV⁶* aj. je) *que tu me dies V³V⁵ON* – **13.** venis ci *Bᵃ* ; venis (*V* vins) *en ceste isle estrange V³V⁴V⁶-KZ* – **13.** ausi come *VV³V⁶-KZ* (om. *Bᵃ*) – **14-15.** *Car tu vois bien que chi ne vient hom* (*V³* nul hom ; *KZ* nus) *dont tu aies* (*V* puisse avoir) *secours V⁶V⁴* (om. *Bᵃ*) – **15-16.** ou (*KZ* aj. a) *mourir dont il couvient VV³V⁶* (om. *Bᵃ*) – **16-17.** *que tu faches* (*KZ* aj. tel) *plait a aucun* (*V* aj. hui) *que* (*KZ* par quoi) *tu en sois gietés V⁶V³* (om. *Bᵃ*) – **18-19.** tant om. *Bᵃ* ; que… oste om. *Bᵃ* ; *dont il couvient que tu faces tant* (*V³V⁵ON-KZ* por quoi tu doies tant fere ; *V¹* si covendra que vos faciez tant) *pour moy que je t'en oste, se tu VV⁶* – **19.** nule *V⁶V-KZ* (om. *Bᵃ*) – **23.** nel *BᵃV⁶* ; estre hors om. *BᵃV⁶* ; *ne* (*VON-KZ* n'en) *voudroie je mie estre* (*V* issir) *hors* (*V⁵* om. hors ; *V⁴* om. mie… hors) *V³* – **25-26.** *car donc avroie ge chevalerie receue de male eure, se ge l'en* (*V* se nen [*sic*]) *devoie* (*V⁶* aj. ne voloie) *gueroier* (*Z* se je l'en fesoie guerre) *ONV¹V³V⁴V⁵* (om. *Bᵃ*).

§ **130 : 3.** de om. *Bᵃ* ; *de* bonnes *VV³V⁶-KZ* – **4.** de boivre ne om. *BᵃVV¹V³V⁴V⁶ON* ; talent *de boivre ne* de mengier *V⁵* ; talent de mengier ne de boivre *KZ* – **15-16.** et grant malaventure *VV³V⁶-KZ* (om. *Bᵃ*) – **26-27.** fet il et qui *Bᵃ* ; *fait il, or vous pri je* (*V⁶* aj. orendroit) *que vous me dictes* qui *VV¹V³V⁴ON* ; fet il, or me dites (*V⁵* aj. par amors) qui *KZ* – **27-28.** *car assés me prent ore greigneur pitié de vous que il ne fist huy mais* (*V⁶* de vos ke devant) *VV³V⁴* (om. *Bᵃ*).

§ **131 : 1.** le *VV³V⁶-KZ* (om. *Bᵃ*) – **1.** r. om. *BᵃV³* ; uns *riches* homs *VV⁶-KZ* – **5-6.** monde qui de ma beauté fust. Et *Bᵃ* ; el monde ki de ma biauté (*V⁵* de moi) *ne se peust esmervillier. Je fui si* (*V⁵* tant) *biele sor tote rien. Et* (*V⁵* om. et) en *V⁶V³-KZ* – **9-10.** ne… ains om. *Bᵃ* ; *ne me pot* (*V* peut ; *V¹-KZ vost*) *plus* (*KZ* puis) *soffrir* (*V* tenir) *en sa compaignie, ainç V³V⁵V⁶* – **12.** en d. et om. *Bᵃ* ; *en desert et en essil V¹V³V⁶-KZ* ; es desers en essil *VV⁴ON* – **14.** sens si le *Bᵃ* ; sens par quoy je *VV³V⁶-K* – **14.** m. om. *Bᵃ* ; commençay

maintenant VV^3V^6 ; la guerre maintenant KZ − (*om. B^a*) − **17-19.**
por la... c. et *om. B^a ;* doig B^a ; a moi *por la grant conpaignie que*
il voient (V^1V^6 *om.* que il v.) que je leur fas (*KZ* port) *et* por le
solaz ($VV^1V^3V^5V^6$-KZ *om.* et... solaz ; V^6 *aj.* et l'ont laissié), car
(V^6 *aj.* je ne lor demande riens et) il ne me demandent rien que je
ne leur *doing* et encore V^4ON − **21.** de *om. B^a* ; *de* maintes (V^3-K
totes) manieres V^6V − **21-22.** si vous di que je VV^3V^6-KZ (*om. B^a*)
− **22.** a VV^3V^6-KZ (*om. B^a*) − **23.** ofrir le mien $B^aV^3V^4V^5ON$-KZ ;
offrir *del* mien V^1V^6V ; offrir l'ennor por R − **29-30.** vos... assis
que *om. B^a* ; car quant *vos i* (V^5 *om.* i) *fustes assis que* (V^3 *om.* que)
li rois Artus vos i mist (V^5 vos assist), si jurastes V^6-KZ − **31.** que
vos feistes $V^3V^4V^5V^6$-KZ (*om. B^aV*) − **35.** molt (*V aj.* durement)
V^6-KZ (*om. B^aV^3V^4V^5ON*).

§ 132 : **1-2.** *et l'eure de nonne* auques (V^3V^4ON-KZ *om.* a.)
aprouchiee. Et VV^6 (*om. B^a*) − **3.** a Perceval VV^3V^6-KZ (*om. B^a*)
− **8.** maintenant VV^3V^6-KZ (*om. B^a*) − **9.** comandent B^a ; leur
commande V^aV^3 − **11.** au meuz qu'il (V^6 *aj.* onques) porent (V^6V^4
puent) V^5V-KZ (*om. B^a*) − **13.** vos V^5 (*om. B^a*) ; et seoir (*om. B^a*) ;
vos reposer *et seoir* (V^3 aseoir) V^5V^6V-K − **14.** et issiés hors del
soleil VV^3V^6-KZ (*om. B^a*) − **24.** li... et *om. B^a* ; vins, *li plus fors
et li* m. $V^5V^3V^1$; vins li miudres del monde (*KZ* li plus bons) et li
plus fors V^6 − **25.** molt V^5V^6 (*om. B^aVV^3*) − **27-28.** communement
$V^5V^6V^3V$-KZ (*om. B^a*) − **29.** en V V^5V^6-KZ (*om. B^a*) − **32.** et
embelist $VV^3V^5V^6$-KZ (*om. B^a*) − **33.** li V^3V^5 V^6-KZ (*om. B^a*) − **36.**
quant... r. *om. B^a* ; *quant que il li* (V^5 *om.* li) *requiert* por ce qu'il
V^1 ; quanques il li requiert (*V* requist) et li (*V om.* li) vee (V^4 nie ;
V^3 delie) tout (V^4ON *om.* t.) quanques il veult (V^3 requiert) pour
ce qu'il V^6 ; quant que ele puet KZ − **37.** plus a. et *om. B^aV^1* ; *plus
ardant et* plus ($V^3V^4V^6ON$ *om.* p.) desirant (V^5 *om.* et plus d.) V-KZ
− **38.** la K (*om. B^aVV^1V^4V^5V^6ON-ZR*) − **40.** tant ; vos *om. B^a* ; *tant*
(*V-KZ* itant *V-KZ*) sachiez *vos* $V^3V^4V^5V^6ON$ − **43.** vos V^3V^6V-KZ
(*om. B^a*).

§ 133 : 4. Et je feré, fet clc, ce que B^a ; Et je m'en *soferai atant*
(*KZ* om. a.), *fet ele,* (*KZ aj.* atant) *et* ferai quant que $V^3V^5V^6V$ − **6-
7.** v. *om. B^a* ; sachiez *veraiement* V^6 (v. *om. VV^1V^3* ; V^6 de voir)
que vos ne m'avés tant desiree a avoir (V^1 *om.* a a. ; VV^5 a veoir)
con je vos V^4ON − **10.** et (V^6 *aj.* si) *soit fet* V^3V^4V (*om. B^a*) − **10-
11.** paveillon. Cil font B^a ; paveillon. Et il (V^1-KZ cil) *dient k'il*
(V^3 *aj.* en) *feront* (*V aj.* moult voulentiers) *son comandement* molt
volentiers ($VV^1V^3V^5$-KZ *om.* m. v.). Cil (VV^3V^5 *Si*) V^6 − **11-12.**
t. *om. B^a* ; *tantost* le (V^6-KZ .i.) lit VV^3V^4 − **14.** si vit B^a ; covrir,

si (*KZR aj.* li) *avint ainsi par aventure* (*V³ om.* par a.) *que il* (*V⁶* Pierchevaus) *vit VV¹V⁴V⁵* – **15.** que cil li avoient desçainte *V¹V³V⁶-KZ* (*om. Bᵃ*) – **17.** vermeille lors *Bᵃ* ; vermeille (*V aj.* au poing) *qui* taillié (*V⁵V⁶V⁴V* entailliee) *i estoit. Et si tost come il la vit si li souvint* (*V⁴* sovient) *de soi* (*VV¹* de son seigneur ; de son seignor Jhesucrist *V⁴*). Lors (*VV⁶-KZ aj.* et) Lors (*V⁶ om.* lors) *V³* – **18-19.** Lors se seigne et tantost *Bᵃ* ; Lors (*V⁶* et) drece (*V⁵* dreça) *sa main* (*V⁵ aj.* en mi son front), si *fist* (*V³V⁶ et* fet) la (*V⁶ om.* la) *croiz* sur (*V³V⁵V⁶* en mien) *son front* (*V⁵* vis) et tantost (*V³V⁵V⁶* maintenant) *V* – **20.** et… fu *om. Bᵃ* ; lui *om. Bᵃ* ; une fume *et une nublesce* (*V⁴ON* brume) *fu* tantost (*KZ om.* t.) entor (*V⁴V⁵ON* environ) *lui V³* – **21.** de totes parz *om. Bᵃ* ; et il senti (*VV3* sent) si grant puor de totes parz qu'il *V⁵-KZ* – **22.** et dist *om. BᵃVV¹V³V⁴V⁵V⁶ON* ; Et lors s'escrie a haute voiz (*KZ aj.* et dist) *V¹V³* – **23.** mi *Bᵃ* ; me *VV3V⁶-KZ* – **23-24.** mes secorez (*V³* socor) moi *V⁴V⁵V⁶V-KZ* (*om. Bᵃ*) – **24.** ou autrement je sui perduç *V³V⁴V⁶-KZ* (*om. Bᵃ*).

§ 134 : 1. euz si ne *Bᵃ* ; euz, mes il ne *V⁵V⁶V* – **2-3.** ne… couchiez et *om. Bᵃ* ; vit (*V⁴V⁶ON-KZ* voit) riens (*V⁶* noient ; *KZ* mie) *ne* (*V¹V⁶ON-KZ om.* ne) *del paveillon ne del lit* (*KZ om.* ne del lit) *ou il se cuidoit estre* (*V⁵* ou il estoit ; *KZ* ou il s'ert ore) *cochieç. Et il* (*V⁵V⁶* Lors ; *V* Et lors) *regarde V³* – **4.** qui *V³V⁴V⁵ON-KZ* (*om. BᵃVV¹V⁶*) – **6.** et *om. BᵃV⁵V⁶* ; *et maintenant VV¹V³V⁴ON-KZ* – **6.** et il et il voit *Bᵃ* ; *et il* (*V⁶ om.* il) *voit VV³ON* ; et Perceval voit *KZ* – **8.** m. *om. BᵃV⁶* ; fu *maintenant V* ; fu tantost *V³V⁴ON-KZ* – **9.** si merveilleusement *VV³V⁶-KZ* (*om. Bᵃ*) – **11.** par s. *om. BᵃV³* ; vent *par semblant* n'alast *V⁴V⁵V⁶-KZ* – **12.** voit ce *Bᵃ* ; voit *ceste aventure VV³V⁶-KZ* – **13.** ne dire *om. BᵃV¹* ; doie fere *ne dire.* (*VV⁵ aj.* et) Il (*V⁵ om.* il) regarde *V⁴V⁶ON* ; doie morir. Il resgarde *KZ* – **14.** et pestilence *V³V⁶V-KZ* (*om. Bᵃ*) – **18.** durement *VV³V⁶* (*om. Bᵃ*) – **21.** en *om. Bᵃ* ; en amende *VVᵃV³V⁶-KZ* – **22.** si voit *qu'il est* touz *VVᵃV³V⁶-KZ* – **24.** braies *et voit VVᵃV³V⁶-KZ* (*VVᵃ* si voit ses autres draps) – **27.** m. *om. Bᵃ* ; menés au (*V⁶* a) point *VV³V⁴.*

§ 135 : 2. corrociz *Bᵃ* – **6-8.** car… m. *om. Bᵃ* ; *quar il se sent* (*KZR aj.* tant) *vers lui tant* (*V³-KZR om.* t.) *mesfet et copables que il ne cuide pas que* (*V⁶VVᵃ* set coment ; *V³V⁴* voit pas [*V⁴ om.* pas] coment) *il* (*V aj.* se ; *V⁶ aj.* i) *soit ja mes envers lui* (*V³ om.* il… lui) *apesiez* (*V⁶* apaiés ; *VVᵃ* repaissiez envers lui ; *KZR* cuide ja mes estre apesiez [*Z* apensez] a lui), *se ce n'est par* (*V⁶-ZR aj.* sa ; *V⁴-K aj.* sa grant ; *VVᵃ aj.* grant) *misericorde V⁵* – **10-11.** sa plaie. Il *Bᵃ* ; *por la plaie qu'il avoit.* (*VVᵃ aj.* Et) il (*V¹* Si) *V³V⁶ON-ZR*

– 12. qu'il $VV^aV^3V^6ON$ (om. B^a) – 15. ne… vie om. B^a ; partir (V^6
departir ; V^4V^5-KZ movoir ; ON removoir) *ne pour mort ne pour vie,*
se vostre voulenté n'y est (ON n'est) VV^a – 20. v. om. B^a-KZR ; la
veraie (V^6V^4ON sainte ; VV^a saintisme) croiz $V^1V^3V^5$ – 21. douce
om. B^a ; par sa (V^4 la ; V^3 la soe) *douce* (V^1 sainte) pitié (VV^a
sa doulçor) le gart V^6ON-KZR – 22. tant de om. B^aVV^a ; qu'il…
t. om. B^a ; en tel maniere que (V^3 aj. li) deable *ne* (VV^aV^4ON om.
li d. ne) *anemis* ($V^3V^4VV^aON$ li anemis) n'ait *tant de* pooir (V om.
t. de p.) sor (V en ; V^4 de) lui *qu'il se meint a temptacion* V^5V^3
– 23-24. de sa chemise .i. grant pan de sa chemise B^a – 24-25. *pour*
ce que elle (V^3V^5 qu'il) *ne saignast trop* VV^4V^6-KZ (om. B^a) – 26.
don il savoit plusors (V assés) $V^6V^1V^4V^5$- KZ (om. B^a) – 26-27.
en tel m. om. B^a ; *en tel maniere* jusquez atant (V^1V^3 m. tant) que
le jour vint VV^6ON-KZ – 27-28. a N. S…. terres et om. B^a ; *quant*
(V^3V^6 aj. a) *Nostre Seignor vint a plaisir* (V quant il vint a plaisir a
Nostre Seignour) *que il espandi la clarté* (VV^3-KZ aj. de son jor ;
V^6 aj. e. de son jor la clarté) *par les terres* (VV^a la terre), *et* V^1
– 28-29. la… couchiez om. B^a ; *que* (VV^3V^6-KZ om. que) li rai
dou (VV^3 de son) soloil gitierent lor clarté (V gettoit moult grant
clarté et ; V^6 jetoient grant clarté ; KZ et li solaux gitoit ses rais)
par tout (VV^3V^6-KZ om. par t.) *la ou Perceval estoit couchiez* (V^3 la
ou il avoient coché le cors Perceval ; VV^6 om. la ou… couchiez). Il
(V^3V^6 Perceval) regarde V^1 – 32-33. *car ennemi pense il bien que*
ce fust (V^1 c'estoit ; V^5-KZ ce *soit*) V^3VON ; et que henemis panse
il bien que il fust V^4 ; car il pense bien que che soit anemis V^6 (om.
B^a) – 33. et mervelleus $ONVV^3V^4V^5V^6$-KZ (om. B^a) – 34. qu'il
est morz B^a ; *que voirement est il* morz se la grace du saint Esprit
ne le reconforte $VV^1V^3V^4V^5V^6ON$-KZ.

§ 136 : 4. qui estoit $VV^1V^3V^5V^6$-KZ (om. B^a) – 5. il le conoist
$B^aVV^aV^1V^6$; il *la* conoist ($V^3V^4V^5$ conut) ON-KZR – 6. de la venue
B^a ; de *sa* venue $VV^aV^1V^3V^4V^5V^6ON$ (de sa v. om. KZR) – 23. en
son front B^a ; om. KZ ; en (V^a aj. mi) mon front $V^1V^3V^4V^5V^6$; V^{11}
lacune – 33. por Deu V^3V^1-KZ (om. $B^aVV^aV^4V^5V^6O$) – 34. et de
quel païs $V^1V^4V^5V^6$-KZ (om. B^aV).

§ 137 : 2. verra B^a ; verras $VV^aV^1V^3V^5V^6O$ (savras V^4-KZ) – 2.
Or e. om. B^aV^6 ; *Or escoute* (V^4 aj. s'il te plest) $V^1V^3V^6$-KZ ; Or
m'escoute VV^a ; Or escoute que ge te diré V^5 – 13-15. se vit si
abessié si se porpensa B^a (se vit si despoillez *et nu*, si se porpensa
V^4) ; si abessié *dou haut siege* (V^1 om. s.) *et de* (V^3 om. de) *la*
grant clarté (KZ hautesce) *ou il seut* (V^6 sot ; VV^aV^1-KZ souloit)
estre et il ($VV^aV^1V^6$ om. il ; V^3 om. et il) *fu mis en pardurables*

tenebres, si ($V^1V^3V^6$-*KZ* il) se porpensa (*VV^a* pourpense) V^5 – 18.
la p.... lignage *om. B^a* ; *la premiere fame* (*O* dame) *de* (V^5 deu)
l'umain (V^5 om. l'u.) *lignage* (V^6 de l'umaine lignie) $V^1V^3V^4V$-*KZ*
– 20. et jeté *om. B^a* ; de cels *B^a* ; ce... covoitise *om. B^a* ; avoit esté
trebuchiez *et gettez* de la gloire *des* cieulz, ce fut de *couvoitisse*
VV^{a}V^6 – 21. Si li fist cueillir del *B^a* ; il li fist *son desloial talent
mener a ce que ele* cueilli *KZ* – 22. de l'arbre *VV^{a}V^{3}V^6*-*KZ* (*om.
B^a*) – 22-23. par la bouche *VV^{a}V^{3}V^6*-*KZ* (*om. B^a*) – 24. eur *B^a* ;
eure *VV^{a}V^6*-*KZ* – 26. ce *VV^{a}V^6*-*KZ* (*om. B^a*) – 29. m. *om. B^a* ; tu
meismes V^6*VV^a*-*KZ*.

§ 138 : 1. quant il ot fet quant il ot fet *B^a* ; quant elle *VV^{a}V^{3}V^6*-
KZ – 1-2. et... d. *om. B^a* ; *et par ses* (*K* son) *fauz* (V^3V^4O-*KZ* om.
fauz) *decevemens,* si fist V^1V^6*VV^a* ; *et par ses decevances* V^5 (par
ses fauses paroles et ele l'ot fet tendre *por toi herbergier* V^{11}) – 2-
3. por... h. *om. B^{a}VV^{a}V^{1}V^6* ; son pavillon (*KZ* tref) *por toi* (V^3
om. toi) *herbergier* V^5V^4O – 3. dit a *B^a* ; a *om. VV^{a}V^{1}V^{3}V^{5}V^6*-*KZ*
– 4-5. m'est... il *om. B^{a}V^5* ; car il *m'est avis* (V^3 me semble) qu'il
t'eschaufe $V^1V^4V^6O$-*KZ* (car il m'est advis que la nuit aproche et
il t'eschaufe trop *VV^a*) – 11. se... non *om. B^a* ; en autre leu se *el
paveillon non* $V^1V^4V^5V^6O$ – 12. te *VV^{a}V^{3}V^6*-*KZ* (*om. B^a*) – 14.
et a. *om. B^a* ; reposer *et aaisier* tant V^1*VV^{a}V^{3}V^{4}V^{6}V^{11}O* ; repose
ci jusqu'atant V^5 (reposer et seoir tant *KZ*) – 15. te *om. B^a* ; te
s. et *om. B^a* ; s. et *om. V^{4}V^{11}O* ; te dist que *tu te seisses* (V^6 tu
sesisses ; *VV^{a}V^3* t'asseisses) *et* r. V^1V^5-*KZ* – 17. et des gloutonnies
VV^{a}V^{1}V^{3}V^{5}V^6-*KZ* (*om. B^a*) – 17. el *B^a* – 18. te *VV^{a}V^{1}V^{3}V^6*-*KZ*
(*om. B^a*) – 19-20. a celui jor *om. B^a* ; ce sera *om. B^a* ; *tel semence
a celui jor* que li preudome doivent collir (*KZ* recoillir), *ce sera* le
jor V^3-*KZ* – 35. me *om. B^a* ; me devoie *VV^{a}V^{1}V^6*-*KZ* ; me deusse
V^3 – 43. une *VV^{1}V^3 V^{5}V^6*-*KZ* (*om. B^a*) – 44. te *B^{a}VV^{1}V^{6}V^{11}O* ;
t'en V^5-*KZ*.

§ 139 : 7. ge *om. B^a* ; ne plus que ce *ge* onques n'eusse V^3-*KZ* ;
nient plus come (V^6 ke) se *je* n'eusse oncques eu *VV^6* – 9. m *B^a* ; me
V – 14. gie : *forme tonique* – 16. menjajue *B^a* ; manjue V^3-*KZ* – 20.
es garniz *B^{a}VV^{1}V^{3}V^{11}*-*KZ* ; *gariz* V^5V^4O – 25. tes compaignons
VV^{3}V^6-*KZ* (*om. B^a*) – 31-32. et... mer *om. B^{a}VV^{1}V^6* (*V* nef et
s'eslonge ; V^1 armez, si s'esloigne ; V^6 entre ens et s'eslonge) ; la
nef *et s'empeint en mer* et esloigne la roche *KZ* ; la nef et meintenant
s'empeint de la rive et s'esloigne la roche V^5 ; la nef et s'en (V^{11}
se) part (*O* s'enpaint) de l'isle et s'esloigne $V^4V^3V^{11}$ – 33-34. a
Lancelot a Lancelot *B^a* – 34. remés *om. B^{a}V^{1}V^{5}V^{6}V^{11}O* (estoit sur

le preudomme V ; estoit remés *om.* V^4) ; qui estoit *remés* chiés *KZ* – 35. devisees B^a.

CHAPITRE VII

§ 140 : 2-3. en sa compag en sa compaignie B^a – 5. en *om.* B^a ; *en* ceste $VV^aV^1V^6$-*KZ* – 8. que $VV^aV^3V^6$-*KZ* (*om.* B^a) – 12. des merveilles *om.* B^a $VV^aV^1V^6$; des granç (*KZ om.* g.) *merveilles* V^3 ; de granz merveilles et des granz ($V^4V^{11}O$ *om.* g.) repostailles deu Seint Vessel V^5 – 13-14. de bonté et $VV^aV^3V^6$-*KZ* (*om.* B^a) – 26-27. tot… que *om.* B^a ; et ch. *om.* B^a ; neporquant *tot* (VV^a n. ja ; V^6 n. encor) *soit il* ore (VV^aV^6 soit ce) *veritez* (*KZ om.* v.) *que* cil (VV^a ce) chevaliers ait en soi (V^6 *om.* lui ; V *om.* en soi) plus de (VV^aV^3-*KZ om.* de) proesse (VV^a *aj.* en lui) *et* plus de ($VV^aV^3V^6$-*KZ om.* plus de) *chevalerie* (*KZ* hardement) que ($V^3VV^aV^6$ *aj.* nus) autres ait (V^3 n'ait) V^1 – 28. metoit B^aV^6 ; se *menoit* $V^1V^4V^{11}O$-*KZ* ; se mouvoit VV^a ; s'esmovoit V^5 – 28-29. *don Nostre Sires le gart* (*KZ aj.* par sa pitié) $V^3V^5V^6VV^a$ (*om.* B^a) – 29-30. queste ne (*R* ncs) que B^aV^6-*K* ; queste ne (VV^a nient) *plus* que $V^1V^3V^4V^5V^{11}O$ – 30. s. *om.* B^a ; autres *simples* chevaliers $V^1V^4V^{11}O$-*KZ* ; autres ch. simples $V^3V^5V^6$ – 31-32. *mais as celestiaux* $V^1VV^aV^3V^6$-*KZ* (*om.* B^a) – 32-33. *entrer et* $VV^aV^3V^6$-*KZ* (*om.* B^a) – 34. et e. *om.* B^a ; nectoier *et espurgier* $VV^aV^1V^6$ (espurgier et netoier $V^3V^5V^{11}$-*KZ* ; et e. *om.* V^4O) – 35. en tel (VV^a *om.* tel) *maniere* V^3V^6-*KZ* (*om.* B^a) – 36. del tot $V^6V^5VV^a$-*KZ* (*om.* B^aV^3) – 36-37. n. et *om.* B^a ; sera (VV^a *aj.* du tout) *netoié* (V^6 nes) *et espurgié* (V^6-*KZ* mondés) des (VV^a de touz lez) horribles pechiés V^{11} ; et il sera (V^3 *om.* il s.) mondez et netoiez des (V^3 de toç) orribles pechiez V^5V^1 – 38. haute *om.* B^aVV^a ; et… servise *om.* B^aVV^a ; en ceste (V^3 la) *haute* ($VV^aV^3V^6$-*K om.* h.) queste et *en cest haut servise* (VV^a *om.* et… s.) $V^1V^3V^4$-*ZR* – 39. tex… soit *om.* B^a ; est *tex que il soit* V^3V^1V-*KZ* – 39. et… povre *om.* B^a ; et *de si* (VV^6 *om.* si) *povre* V^1V^3-*KZ* – 41. s. qu'*om.* B^a ; *sachiez* qu'il VV^aV^3-*KZ*.

§ 141 : 9-10. el ch. *om.* B^a ; monté *ou cheval* VV^6-*KZ* ; montez sor (V^3 en) son cheval V^1V^5 – 10. du preudome V^1V^5V-*KZ* (*om.* B^a) – 10. molt V^1V^5V-*KZ* (*om.* B^a) – 11. por Deu V^5V^1V-*KZ* (*om.* B^a) – 11-12. *que Nostre Sires ne l'obliast tant qu'il revenist a sa premiere maleurté* ($V^4V^{11}O$ volenté) $V^1V^3V^5V^6$-*KZ* (*om.* B^a).

§ 142 : 2. par mi (V^3 *om.* mi) la forest $V^4V^5V^{11}ON$-*KZ* (*om.* $B^aVV^aV^1V^6$) – 3. et *om.* B^a ; et lors $VV^aV^1V^6$-*KZ* – 6. dites le moi $V^1V^6VV^a$-*KZ* (*om.* B^a) – 8. Lancelot *om.* B^a ; Lancelot du Lac. *Lancelot*, fait il, ou nom de Dieu, vous n'aloie $VV^aV^1V^6$-*KZ* – 12.

venir *om. B^aV^6* ; qui vit (*V^11* veistes) le Saint (*V^11 om.* S.) Graal *venir* devant *V^1V^3V^4* ; qui vit venir le Saint Graal devant *VV^aV^5* ; qui le Saint Graal voit (*KZ* vit) venir *O* – 14. ne plus… mescreans *om. B^a* ; ne se remua (*VV^a* ne vous remuastes) de son siege nient (*V^1V^5-KZ* ne) *plus que se ce* (*V^5* s'il) *fust uns mescreans* (*VV^a* ung meschant) *V^6* – 16-17. plus que bel ne m'en est. Ce *VV^aV^1V^5V^6- KZ* (*om. B^a*) – 18. certes *VV^aV^1V^6-KZ* (*om. B^a*) – 19. *et mescreans* (*V^1* mescheanz) *VV^aV^5V^6-KZ* (*om. B^a*) – 20. de vos meismes *V^1V^6V-KZ* (*om. B^a*) – 22. ou… prodomes *om. B^a* ; *ou vos estes entrez avec les autres* (*V^6 om.* autres) *preudomes* (*V^5* chevaliers) *KZ-VV^aV^1V^3V^6* – 23. mauvés… failliz *om. B^a* ; certes *mauvés chevaliers* et (*V^1 om.* et ; *KZ om.* ch. et) *failliz* (*VV^a om.* et f.) molt *V^5V^3* ; certes vilx chevalier mauvés et failliz molt *V^4V^11* – 25-26. au *om. B^a* ; au plus desloial *VV^aV^1V^6-KZ*.

§ 143 : 4. me *om. B^a* ; ore *om. B^a* ; tu *me* diras *ore* (*V^3V^6 om.* o.) ce *VV^aV^1V^4V^5V^11-KZ* – 5. nus *om. B^aV^3* ; *nus* (*VV^a* ung) chevaliers *V^1V^5V^6-KZ* – 6. li *om. B^aVV^aV^1* ; *li* die *V^5V^6-KZ* – 7. vos ore *om. B^aV^4-K* ; estes *vos ore* (*V^5-Z om.* ore) venus *V^6V^11V^3V^1VV^a* – 8. nul *om. B^aV^3* ; ja mais *nul* (*V* ung) autre preux *V^1V^5V^6-KZ* – 8-9. la *om. B^a* ; et la m. *om. B^a* ; t. *om. B^a* ; *la* flor *et la merveille* de tote (*V^1V^5 om.* tote ; *V^6 aj.* terriene) chevalerie *terrienne* (*V^5V^6 om.* t. ; *VV^a* ch. du monde). Chatif (*sic*) *V^3* ; la flor de terriane chevalerie *KZ* – 10-11. ne *om. B^aV^6* ; se p. non *om. B^a* ; vos aime (*V^5 aj.* mie) ne *ne* (*V^6 om.* ne ; *V^3V^5 aj.* vos) prise (*V om.* ne ne p.) *se petit non V^1-KZ* – 12. la… tote *om. B^a* ; *la compaignie des anges et toute honneur* (*V^1-KZ* [*V^3* de] toutes honors ; *V^6* totes les henors) *VV^aV^5* – 15-16. le… h. et *om. B^a* ; varlet *le va ledangant et honissant* (*V^1V^5* varlez le va honissant et laidanjant ; *V^6* honissant et ramprosnant) et disant la greigneur (*V^3V^5V^11* d. tote la) villenie qu'il oncques (*V^1V^3V^5-KZ om.* o.) scet (*V^11* sot ; *V^1* pot ; *KZ* puet) *VV^a* – 17. neis *om. B^a* ; totes voies (*V^5 aj.* est si ; *KZ* toute voies come cil qui est) si entrepris k'il ne l'ose (*VV^3* n'ose) *neis* regarder *V^6V^1V^a* – 18. li *om. B^a* ; de dire *li V^3V^5-KZ* (de lui dire *VV^aV^1V^6*) – 19. tot (*V^3 om.* tot) son chemin *V^1VV^aV^5V^6-KZ* (*om. B^a*) – 24-25. et sa m. *om. B^a* ; Nostre Seignor *et sa* (*VV^1V^3V^4O* la) *misericorde n'est V^5V^6V^11* ; se la misericorde Nostre Seignor n'est *KZ*.

§ 144 : 16. l. *om. B^a* ; puist (*V^4O* poura ; *V^6 aj.* assés) *legierement sorprandre V^1VV^aV^3V^5V^11-KZ* – 23. et voit *om. B^a* ; avant et regarde (*V^3* esgarde) que *B^aVV^aV^1V^6* ; *vet avant et voit* que (*V^4 om.* que) devant *V^5V^4V^11O-KZ* – 26. et *om. B^a* ; *et* poignant *VV^aV^1V^6-KZ*.

§ 145 : 10. et espoentable $V^1VV^aV^3V^6$-KZ (*om. B^a*) – 14. me $VV^aV^1V^3V^6$-KZ (*om. B^a*).

§ 146 : 1. a. et *om. B^a* ; fu *apaisiee et* faillie (*V om.* et f.) $V^1V^5V^6$-KZ fu faillie et apesié V^3 – 2-3. qu'il… jor *om. B^a* ; *que il avoit maintenu maint jor* $V^1VV^3V^5V^{11}$-KZ ; k'il avoit maint jor maintenue V^6 – 9. pas *om. B^aV^{11}* ; l'o. *pas* (K mie) $V^1V^3V^4V^5V^6O$; l'o. asaillir mie Z – 11. chose $V^1V^3V^6V^{11}$-KZ (*om. B^a* ; fu chose que *om.* VV^5) – 12. i. *om. B^a* ; fu *issuz* fors ($V^3V^4V^{11}$-KZ om. fors) V^5V^6V – 15-17. ne li porent mal fere, ainz *B^a* ; ne porent ($V^1V^3V^4V^{11}O$ pooient) *sor lui ferir cop* (V^6 lui cop ferir) *dont il li peussent* (V^4O aj. nul) mal fere *et si n'avoit il vestu fors* ($V^1V^4V^6O$ v. que) *sa robe* V^5-KZ – 18. i *om. B^aV^1V^3V^5*-Z ; si y ferirent V-K ; si le (O sel) ferirent V^4V^{11} – 19. toutes *om. B^a* ; toutes despeciees $V^1VV^3V^4V^6V^{11}O$-KZ (que totes les espees furent depecees V^5) – 19-20. et tr. *om. B^aVV^1V^6O* ; et il furent (V^3 om. furent ; V^5 aj. tuit) las (V^3V^5-KZ lassé) et *travaillez des couz* V^4V^{11} – 20. li *om. B^aV^5V^6V^{11}* ; *li* avoient $VV^1V^3V^4O$-KZ.

§ 147 : 1-2. si distrent tuit desvé si *B^a* ; si *furent* (Z fut) tuit (V^6 om. tuit) dervé (V^{11} tresseuz) *d'ire et de mautalent*. (O aj. et) Il portoient (V^6 porterent ; V apporterent ; V^4 si pristrent ; V^5 lors pristrent) V^1V^3VO (si furent tuit desvé et distrent par ire et par mautalent qu'il porteroient esche et fusil et alumeroient le feu K) – 3-4. *car encontre* (V^4 aj. le) *feu ne dureroit il pas* (V mie) $V^5V^1V^4V^6V^{11}O$-KZ (*om. B^a*) – 5. einsi *om. B^a* ; se vit *ainsi* touz (V^3V^4O-KZ om. t.) nuz (V om. touz nuz) si $V^1V^5V^6V^{11}$ – 6. ot vergoigne si *B^a* ; ot (V^4 aj. si grant ; $V^{11}O$ aj. grant) *honte et* ($V^{11}O$ aj. grant) vergoigne *de soi meismes*, si $V^1V^3V^5V^6$ V-KZ – 7. qu'il lor *B^aV^3* ; qu'il *li* prestassent $VV^1V^4V^5V^6V^{11}O$; li (V^3 lor) baillassent *KZ* – 8. *furent felon* (V fel) *et cruel*, si $V^1V^3V^4V^6V^{11}O$-KZ (*om. B^a*) – 9. mes… lange *om. B^a* ; ja *mais de linge* (V^4 lingne ; V^6 ligne ; VV^3 lin ; O ja mes ne lin) *ne de* (O om. de) *lange* (V^6 laigne), ainz V^1V^{11}-KZ – 20. puis *om. B^a* ; et (O om. et ; V^5 que) *puis* entrasse $VV^1V^3V^4V^6V^{11}$-KZ – 20. maumise ne $V^5V^1V^3V^6$-KZ (*om. B^a*) – 23. ce qu'il *B^a* ; *et om. B^a* ; *fable quan* qu'il disoit *et* n. $VV^1V^3V^4V^6V^{11}O$-KZ (quanqu'il d. *om.* V^5) – 23. d'els *om. B^aV* ; li uns *d'els* dist $V^3V^4V^5V^6V^{11}O$-KZ – 25. de son dos $VV^1V^3V^4V^5V^6V^{11}$-KZ (*om. B^a*) – 25-27. feu qui dura *B^a* ; tout *om. B^a* ; feu *qu'il avoient fait si grant que il* dura des ier matin jusqu'a arsoir *tout* (V bien ; V^5 molt) tart (V^{11} om. tout tart) $V^1V^3V^4V^6O$-KZ – 26-28. et… estainz *om. B^a* ; sans f. *om. B^a* ; *Et quant il fu estainz*, il trouverent (V^3 estainç il fu trouvé) *sanz faille* le preudome devié (K mort), mais il avoit la char $V^1V^5V^6V$-Z – **28-29.** et si nete V^1V-KZ (*om.* B^a) [la char ausi nete V^6 (seine et si *om.* V^6) ; la char (V^3 si) nete et (V^3 *aj.* si) seine V^5] – **31.** l'o…. et *om.* B^a ; il (V^5 qu'il) *l'osterent de la et* VV^1V^6 – **32.** ou vou le pouez ores veoir V ; *ou vos le veez ore* $V^1V^5V^6$ (*om.* B^a) – **33.** a tant $VV^1V^5V^6$ (*om.* B^a) – **35.** a. *om.* B^aV^1 ; poes tu (V^4O puet en) veoir *apertement* $V^3V^4V^5V^{11}$-KZ [tu (V^6 *om.* tu) pues tu (V^6 *aj.* tu) bien veoir V].

§ 148 : 5. est molt liez, si B^a ; est *assés* (V^3V^5 *om.* a.) *plus* liés *que devant* $VV^1V^4V^6V^{11}$-KZ – **10-11.** *ainz est sauvez, si come vos meismes* (V^5V^6 *om.* m.) *poez avoir oï* V^1V^3V-KZ (*om.* B^a) – **13.** me B^a ; *mais* VV^1V^6-KZ – **14.** laide et VV^1V^3-KZ (*om.* B^a) – **14-15.** qu'il… a. *om.* B^a ; si espoantable (V hideuse) *qu'il n'est* (V n'estoit) *nus homs* ($V^3V^4V^{11}$-KZR *om.* h.) *qui toute* (V^5-K grant ; ZR *om.* toute/grant) *paour* (V grant hideur) *n'an deust avoir* V^1V^6 – **16.** peor en doit l'en bien avoir car $V^4V^5V^{11}O$-KZ (*om.* $B^aVV^1V^6$) – **19.** qui il est. Et B^aV^6 ; L. qui *cil* est (V^1 *om.* qui cil est ; V que ce est cil) *a cui il a* (V ot) *parlé* (KRZ a qui il parole) – **23-24.** cors de V^3V^5-KZ (*om.* $B^aVV^1V^4V^{11}O$) ; faire compaignie hui mais a cel saint cors garder V^6.

§ 149 : 3. si revient B^a ; *puis revient* $VV^1V^3V^5V^6$-KZ – **9.** autres V^3V^5-KZ (*om.* $B^aV^1V^3V^6V^{11}O$) ; je vois, fait il, en la Queste du Saint Graal V – **16.** et en (V^3 *aj.* l') oscurté $V^1V^4V^6V^{11}VO$-KZ (*om.* B^a) – **18.** tendoient B^aV^1 (li cuer i tendoit V^3) ; lez cuers *y* (O *om.* y) *entendoient* VV^{11}-KZ ; li cuer i entendoit V^4) ; li cuers i entendroit V^5 ; que on i entendoit de vrai cuer V^6 – **19-20.** puet… qu'il *om.* B^a ; com il (V^5OV^{11} *aj.* se ; V^4 s'en) puet (V^{11} pot) appercevoir (V^6 veoir) qu'il se torne (V^6V^{11} retorne) vers (V trait devers) lui ou en V^3 ; come il voit (ZR aperçoit ; K voit et aperçoit) qu'il se torne vers lui ou en V^1 – **21-22.** se cil a netoié son ostel de totes B^a ; se cil ($V^3V^{11}O$ il) a *garni* son ostel *et* netoié de $V^1V^3V^5V$; et se on a garni son ostel par confiession et nettoié de V^6 ; se cil a garni son chastel (Z ostel) et netoié einsi com pechierres K – **24.** garde qu'il l'enchace s'il nel jete hors B^a ; garde qu'il (O garde se il) *s'en parte* (V^1 *aj.* de son hostel), *se il ne* l'enchasse (V^6V^4 ne le cace ; V^5 n'en chace ; O ne chace ; V^{11} se il ne le met) hors de son hostel (O *om.* de son h.) VV^3-KZ – **25.** i *om.* B^aV^6 ; se il (V^3 mes qu'il) *i* apele V^1V^4V-K (V^{11} si li a. ; V^5 se il l'apele ; O mes si l'apelle ; Z s'il l'apelle) – **27.** acoillis *om.* B^a ; cil i (V^5 *om.* i) est *acoillis* $V^1V^3V^4V^{11}VO$.

§ 150 : 2. mostree B^a – **7-8.** en toi *om.* $B^aV^4V^{11}O$; herbergié *en toy* si vraiement (KZ naturelment) V ; virginité en toi herbergiee si veraiement V^5 ; avoies en toi virginité herbergiee si naturaument (V^3 om. si n.) – 20-21. d. ne ausi om. $B^a V^1$; sont om. $B^a V^1$; ge ne sui mie/pas ausi *desloiaus ne ausi mauvez* (V^4 om. ne ausi m.) come *sunt OVV^3 V^5 V^{11}* ; je ne sui pas ausi mauvés ne ausi desloiax come sont KZ – 22. nes om. $B^a VV^1 V^4 V^{11} O$; *nes* regarder $V^3 V^5$-KZ – 23. a lui om. $B^a VV^1 V^3 V^5 V^{11} O$; corrochast *a lui* V^4-KZ – 26-27. d. om. $B^a V^5$-KR ; velt (V^{11} volt) *droitement* $V^3 V^4 O$; qui droitement velt Z (se doit doulcement contenir qui veult a. V) – 28. d. et om. B^a ; car tu *doutoies et* amoies (*O* om. et a.) $V^1 V^3 V^4 V^5 V^{11} V$; car tu amoies et cremoies KZR – 31. et... enfer om. $B^a V^5$; *et geter* (V^1 conduire ; V^{11} metre) *en enfer* $V^3 V^4 O$ (corps et peut conduire V).

§ 151 : 8. foiz om. B^a ; aucune *foiz* VV^3 (a. foiz om. $V^4 V^{11} O$; feisses a aucun par dehors V^1) – 8. ce om. B^a ; ce sces $VV^1 V^3 V^4$-KZ – 13. si om. B^a ; si est $V^1 V^3 V^{11}$-KZ (qui est V) – 14. ne om. B^a ; ne ja $VV^1 V^3$-KZ – 16-17. par amor om. $B^a VV^1$; ne done a nuli *por amor* fors ce V^3 – 17. tout : *graphie de* tolt – 19-21. et de droit om. B^a ; hors om. B^a ; por... a. om. B^a ; selonc la droiture ($V^1 V^5 V^{11} O$ la droite ; V om. la d.) lingne de verité *et de droit* (KZ ligne de droiture) en tel maniere que ja ne guenchira (VV^1-KZ changera ; V^5 n'ira ; $V^{11} O$ ne (V^4 aj. se) tornera) *hors de* (V^1 om. hors ; V om. hors de) droite voie *por aventure qui aviegne* V^3.

§ 152 : 2. terriennes $VV^1 V^3 V^5$-KZ (om. B^a) – 3-4. et (V^3 om. et) le mena a dampnation $V^1 V^3 V$-KZ (om. B^a) – 5-6. soprendre B^a ; en nule m. om. B^a ; a. om. B^a ; trop om. B^a ; *sorprendre en nule maniere* si veoit *apertement que trop* esploitast $V^3 V$-KZ – 10. j. om. $B^a VV^1 V^4 O$; dusqu'au V^3-KZ – 16. *li plus sages de touz les* (V de touz hommes ; V^5 des h.) *terriens* $V^1 V^3 V^{11}$-KZ (om. B^a) – 16-17. *li plus fors de toz* (V^{11} aj. lez) *homes* (V aj. du monde) $V^1 V^3$-KZ (om. B^a) – 18. cil om. $B^a VV^1 V^3 V^{11}$; tuit cil (*O* cist) V^5-KZ – 19-20. resemble B^a ; ne me samble $V^1 V^3 V^{11}$-KZ (V om. et honi... durer) ; ne me semble que cist enfés i deust avoir duree KZ.

§ 153 : 1. li a. om. $B^a VV^1 V^3$-ZR ; lors entra *li anemis* en la $V^5 V^4 V^{11} O$-K – 2. veeraement B^a ; veraiement V^1 – 3. p. om. $B^a V^4$; ele estoit *prime* venue $V^5 V^3 V^1$; primer V^{11} ; premierement VO ; ele entra *primes* KZ – 8. ch. om. $B^a VV^1$; chanceler. *Chanceler* te fist $V^3 V^5 V^{11} O$; que il te fist si (V^1 tout) chanceler, si (V^1 aj. fort) qu'il te fist issir hors V.

§ 154 – 3. t'a. mis om. B^a ; en son servise *t'avoit mis* $V^1 VV^3 V^4 V^5 V^{11}$-KZ – 9. l'un $B^a VV^3$; l'une $V^1 V^4 V^5 V^{11} O$-KZ – 10. car contre B^a ; et contre ($V^3 V^4 V^5 V^{11}$ encontre) $VV^1 O$-KZ – 19. t. om. $B^a VV^3 V^4 V^{11} O$; *toutes* ces vertuz V^1-KZ (V^3 eusses

tex vertuç) – 20. a *B^a* ; y *avoit* mises $VV^1V^3V^5$-KZ – 27. et h. *omis*
B^a ; et honniz $V^1VV^3V^4V^5V^{11}$ – 28. la v. *om.* *$B^aVV^1V^3V^4V^{11}O$* ;
qui *la verité* KRZ.

§ 155 : 2. si : *graphie de* se – 6. bien saches que bien saches
que *B^a* – 9-10. *et qui el ciel vuet antrer ors et vilains, il en est
trebuchiez* (V^5 il le covient trebuchier) *si felennessement que il s'an
sent* (VV^3-KZ aj. a) *touz les jors de sa vie* V^1V^3V-KZ (om. *B^a*)
– 12. ort om. *B^a* ; entrés *ort* et entachié (*KZ* conchié) VV^1V^3 (orz et
en tel pechié terriennes que il V^5) – 18. ses m. om. *B^a* ; anvoia *ses
messages* (V sergans) $V^1V^3V^4V^5V^6V^{11}O$-KZ – 23. chemins et par
mi si *B^a* – 30. estes vos ceenz quis *B^a* ; Biaux amis, que quesistes
(V^5 querez) vous ceans ? Sire $VV^1V^3V^6V^{11}O$-KZ ; Biauz amis, que
venistes voz çaienz *quere* que ne avés vesteure de noces ? V^4 – 31.
vig *B^a* – 33. doit om. *B^a* ; *doit* venir $V^1V^3V^5V^6V^{11}O$-KZ ; comme
on doit faire aux noces V – 38. apelez lez *B^a* – 40. parole le *B^a* – 43.
m. om. *B^a* ; li preudome *mangeron* $V^1V^3V^6$-KZ ; mengierent VV^4 ;
mengeroit O – 47-48. et de b. o. om. *B^a* ; et de veraie repentance
(*KZ om.* et... r.) *et de* (V^3V^6 ne vodra) $V^1VV^4V^5V^{11}O$ – 50. et de
v. om. *B^a* ; honte *et de vergoigne* come li autre avront (V^{11} feront ;
KZ recevront) d'anor $V^1VV^3V^4V^5V^6O$.

§ 156 : 2. d. lui om. *$B^aVV^1V^3V^4V^6V^{11}O$* ; veist *devant lui* V^5-KZ
– 8. des .iii. paroles *$B^aVV^1V^3V^6$* ; la senefiance des autres (V^4O-KZ
om. autres) .iii. *choses* V^5 ; la sanblance de .iii. *choses* V^{11} – 11. tu
om. *B^a* ; *tu* receuz $VV^1V^3V^6$-KZ – 23. burent om. *$B^aVV^3V^6V^{11}$-
KRZ* ; mangerent pain et *burent* cervoise V^4V^5O (si souperent pain
et cervoise V) – 24. l'ermitaqe si s'en a. *B^a* ; l'e. et (V^3 om. et) *puis*
s'en alerent (V^1V^3 s'a.) VV^6 ; l'e. puis alerent $V^4V^{11}O$-KZ.

§ 157 : 13. robe autre par *B^a* ; autre om. $VV^1V^3V^4V^5V^6V^{11}O$-KZ
– 21. chevauchaue *B^a* ; chevauche $VV^1V^3V^6$-KZ.

§ 158 : 7. je om. *B^a* ; ce que *je* vois (V quier) $V^1V^3V^5V^6$-KZ
– 8. vos querant *B^a* ; vous *alés* querant VV^6V^{11} ; vos querez
$V^1V^3V^4V^5O$-KZ – 10. mes om. *$B^aV^1V^3V^4V^5V^{11}O$* ; onques *mais*
VV^6-KZ.

§ 159 : 2. Lanceloz tant tot *B^a* ; et Lancelot chevaucha ($V^4V^{11}O$
chevauche) tout V ; et (V^3V^6 aj. il) chevauche tout V^1 ; et Lancelot
chevauche tant qu'il est anuitié V^5 ; et chevauche tout KZ – 8. le om.
B^a ; et le laisse $VV^1V^3V^5$-KZ ; puis le laisse V^6 – 12-13. por... ci
om. *B^a* ; fu mis, *por qui honor et* (V^6 aj. por qui) *remanbrance ceste*
(*VZ* aj. crois) *fu* (V^6 aj. la) *mise* ici/ci (V^6 om. ici), que il V^1V^3V
– 26. devant om. *$B^aV^4V^6V^{11}O$* ; faisoient *devant* leurs $VV^1V^3V^5$;

fesoient ilec lor *KZ* – 28. tuit *om. Bᵃ* ; s'aseoient tuit *V¹V³V⁵V-KZ*.

§ 160 : 10. toi car tu *Bᵃ* ; car *om. VV¹V³V⁴V⁵V⁶V¹¹O-KZ* – 19-20. l'autre chevalier jeune si *BᵃVV¹V⁶* ; venoit au chevalier *qui estoit li* (*V³V⁵V¹¹ om.* li) *plus* jeunez de (*V³V⁵ d'els*) *touz,* si *V⁴O*.

§ 161 : 5. main *Bᵃ* ; et (*V⁶ aj.* tot) *maintenant VV¹V³V⁵-KZ* – 10. il *om. Bᵃ* ; il vit *VV¹V³V⁵V⁶-KZ* – 23-24. si *om. Bᵃ* ; de *si* pres *VV⁴V⁵V⁶-KZ* ; si de pres *V¹V³V¹¹*.

§ 162 : 1. si *om. Bᵃ* ; si se dresse *VV³V⁵V⁶-KZ* (si se trueve *V¹*) – 6. v. *om. BᵃVV³* ; molt *volantiers V¹V⁴V⁵V⁶V¹¹* ; si le savroit volentiers *KZ* – 9. aportees *Bᵃ* ; emportees *V-KZ* – 17. qu'il n'a *BᵃV¹V⁴V⁵V⁶V¹¹O* ; qu'il *ne li* a le col *KRZ* – 18. ja *om. Bᵃ* ; qui *ja* se relevoit (*V* estoit relevés) *V¹V³V⁵V⁶-KZ* – 19-20. frein si (*V* et) l'atache a .i. arbre por ce que *BᵃVV¹V⁶* ; frein si *le meine* a .i. arbre et *l'i* (*V¹¹O-KZ om.* i ; *V⁴* les) *atache V⁵V*.

§ 163 : 19. a. *om. Bᵃ* ; v. *abatue VV¹V³V⁴V⁵V⁶-KZ* – 29-32. Quant… Graal *om. Bᵃ* ; *Quant li preudons* oït (*V³V⁵V⁶V¹¹-KZ* oi) *ceste aventure, si li prant molt* (*KZ om.* m.) *grant pitié de Lancelot, car* (*V⁵* quant) il vit (*V³V⁶O-KZ* voit) *qu'il* (*V⁴O aj.* en) *comença* (*V⁶* comence) *a plorer* (*V⁴ aj.* molt tendrement) *des lors* (*V⁵ om.* lors ; *V⁶* tantost) *qu'il li* dist (*V⁴O* dit ; *KZ* qu'il *conta*) *l'aventure* (*V³* la verité) *dou Saint Graal V¹V³V⁶V¹¹*.

§ 164 : 3. que li preudons en *Bᵃ* ; que *Lancelot* en *V¹V³V⁴V⁵V⁶* – 17. m. *om. BᵃV¹V⁴V⁶O* ; *molt* greignor *V⁵VV³V¹¹-KZ* – 30. chap *Bᵃ* ; champ *VV¹-KZ* – 33-35. Il… Nasciens *om. BᵃVV¹V⁶* ; Joseph. Il (*V⁵* Cil Evalac) *avoit .i. suen serorge que l'en apeloit Seraphés tant com il ot esté* (*V⁴* Seraphés qui estoit) *païens, mes quant il ot sa* laie (*V⁵V¹¹V⁴* loi) *changié* (*V¹¹-KZ* guerpie), *si ot non Nasciens.* Quant *V³V⁴V⁵V¹¹* – 41-42. se… veïst *om. Bᵃ* ; n'avoit gaires veu (*V⁶* n'avoit veu gaires ; n'eut oncques veu gaires *V* ; n'avoit a celui tens gueres veu *V³*), *se Joseph non* (*V³V⁵* n'estoit). Et (*VV³V⁴V⁵V⁶V¹¹O* ne) *puis ne* (*V⁴* n'en) *fu chevaliers qui riens* (*V⁶* gaires) *en veist* (*V⁴* en puist veoir) *V¹* – 42. ce *om. Bᵃ* ; se *ce* ne *VV¹* – 48. li *om. BᵃV⁶-K* ; *li* (*V* le) darriens *V¹V³V⁵-RZ* (*V⁴O* li noesme) – 59-62. dedenz… mains *om. Bᵃ* ; et sez mains *dedens et en chascun dez .xii.* (*V⁴O .viii.*) *fluns fesoit autresi. Et quant il venoit* (*V⁴* revenoit) *avant* (*V⁴ om.* a.) *au novisme, si entroit trestot dedens et lavoit ses piés et ses mains* et *V¹¹V⁴O* ; lavoit ses mains et ses piez *et en chascun fesoit ausi. Et quant il estoit venuz au nuevieme, si i lavoit ses mains et ses piez* et tout son cors *KRZ*.

§ 165 : 7-8. sot del (V^4 des ; KZ le) cors des $V^6V^5V^{11}O$
($B^aVV^1V^3 = B^a$: del cours et des) – 8-9. autant autant B^a – 12. le
r. d' om. B^a ; le roiaume d'Escoce $VV^1V^3V^4V^5V^6V^{11}O$-KZ – 20.
en fu B^a ; et (V^4V^5 om. et) si (VV^3 om. si) fu $V^1V^4V^6$-KZ – 43.
i… qui om. B^a ; car *il i* (V^5 om. i ; *V* aj. en) *ot* (*V* eust) *aucuns ki*
cuidierent (V^3 quideroit) $V^1VV^4V^6V^{11}O$ (maintes genz ne cuiderent
qui cuiderent [RZ om. qui c.] que le duel K) – 46-47. mostra… car
om. B^a ; requerroit, si *mostra bien* (K om. bien) *Nostre Sires qu'Il*
avoit oïe sa priere, car si $V^1VV^3V^4V^6V^1O$-RZ – 48. et… ame
om. B^a ; cors, il l'ot (*V* il eut) *et trova* (*V* tourna) *la vie de l'ame*
$V^1VV^3V^4V^6V^{11}O$-K.

§ 166 : 4. qui i. om. B^a ; *qui issoient* (KR issirent) del lac
$V^6VV^1V^3V^5$.

§ 167 : 14-15. devenoit si grant et si merveilleus $B^aV^1V^6V^{11}O$;
devenoient ses eles (V^4 om. ses eles) si *granz et si merveilleuses*
V^5V^3-KZ.

§ 168 : 2. cest B^a ; ceste *V* – 14. besoig : *graphie de* besoing.

§ 169 : 2. hore de coucher B^a ; heure de *souper* $VV^1V^4V^5V^6O$;
hore de *mengier* KZ – 4. b. om. $B^aVV^1V^6$-KRZ ; et *burent* cervoise
V^5V^4O – 9-10. il n'y dormist *ja maiz* pour $VV^1V^4V^6O$-KZ ; il *ne*
dormist *mie* V^5 – 23. se part B^a ; se parti $VV^1V^4V^5V^6O$-KZ.

§ 170 : 10. armesures : *le copiste de B^a a rayé le premier* s – 10.
armeures *qui se tenoient devers le chastel li .i. estoient covert de*
blanches armeures et li autre estoient B^a (*répétition accidentelle*)
– 13-14. par devers le chastel la forest. Si B^a – 35. recule B^a ;
reculent $V^1V^5V^6$-KZ ; recueillent VV^a.

§ 171 : 7-8. que .i. autres pechierres B^a ; que *nus* autres pechierres
(VV^a homs ; V^5-KZ om. p./h.) V^1 ; plus pechieres c'autres. Car V^6 ;
bien que trop est pechierez plus que nus autrez et que V^4O – 8-9.
li a si toloit B^a ; li a *del tot* tolut le (VV^a son) *poir* $V^6V^5V^4V^1$;
li a mes du tot tolu V^{11} ; li a tolue la veue des eulz et le pooir
dou cors KZ – 10-11. ne pot avoir pooir. De la force B^a ; *que il*
ne pot (VV^a peut ; KZ porroit) *veoir* $V^1V^4V^5V^6V^{11}$ – 11. cors et
a il B^a – 16-17. chevaucha tant Lanceloz que il est venuz en une
valee B^a ; chevauche (V^6 cevaucha) tant (*V^6 aj.* Lanselot) *que la*
nuit le sorprist (V^{11} l'ot sorpris) *en une valee grant et parfonde*
(*V^6 valee parfonde et grant*) $V^4VV^aV^{11}O$-KZ – 22-23. le jor om.
B^aVV^a (legierement car il estoit traveilliez plus qu'il n'avoit VV^a) ;
legieremant, car il avoit *le jor* esté (*ON* avoit esté *le jors*) travaillez
(V^5 om. t.) plus V^4 ; legierement, car il estoit *le jor* traveillié plus

qu'il n'avoit V^{11} ; car il ot *le jor* plus traveillié qu'il n'avoit pieça mais V^1 ; car il ot *le jor* esté las (*Z* lassez) et travaillié plus qu'il n'avoit esté pieça mes (plus... mes *om. Z*) *K*.

§ 172 : 3. li *om. $B^a V^4 V^6$* ; li disoit $V^1 V V^a V^5 V^{11} O$-*KZ*.

§ 173 : 13. de S. E. *om. $B^a V V^1 V^4 V^6 V^{11} ON$* ; li garnement *de Seinte Yglise V^5-KZ* – 22. et de quel leu *om. $B^a V$* ; demande maintenant (V^6 *om.* m.) qui (V^1 demande dont) il estoit *et de quel leu* (*KZ* païs) et qu'il aloit querant (*KZ* que il quiert) $V^{11} V^4 V^5 V^6 ON$ – 29. qu'el le B^a ; que *elle* le $V V^1 V^6$ – 29. li *om. B^a* ; elle *li* dist $V V^1 V^6$.

§ 174 : 1. L. *om. $B^a V V^4 V^5$* ; Lancelot Lancelot $V^1 V^6 V^{11} ON$-*KZ* – 4. devenu chevalier B^a ; quant vos estes *.i. des chevaliers* celestieux V^5 – 9-10. nule... de d. *om. B^a* ; sanz faille (V^{11}-*K* faillance) *nule* (V^6 sans nule faille) *et sanz point de* (*V om.* point de) *decevement* estoit cil tornoiemenz V^1 – 11. mais il i avoit B^a ; mais (*KZ* car) *assez* i avoit (*V aj.* assés) grignor $V^1 V^5 V^6 V^{11}$ – 12. quidoient or vos B^a ; cuidoient (*V* cuideroient). *Tout avant* vos dirai $V^1 V^6 V^{11}$ (n'i entendoient. *Tout avant* vos dirai *KZ*) – 17. le suens B^a ; *les suens* (*V* siens) $V^1 V^6 V^{11}$-*KZ* – 17-18. de noires covertures $B^a V V^1 V^4$ V^{11} ; covrir de *blances* covertures V^6 ; covrir de covertures *blanches* $V^3 V^5$-*KZ* – 19. v. *om. B^a* ; li noir *vaincu* $V^1 V^5 V^6$-*KZ*.

§ 175 : 12. de *om. B^a* ; et de *om. B^a* ; *de* virginité *et de* chastee (*V* chasteté) $V^1 V^3 V^6$-*KZ* – 20. abati toi et Perceval B^a ; abati *ton cheval* et *le* Perceval ensemble $V V^1 V^3 V^5 V^6$-*KZ* – 25. te trovas il (V^{11} *om.* il) si $B^a V V^1 V^6$; te trovas *tu* si $V^3 V^4 V^5 ON$-*KZ* – 27-28. quant... orz *om. $B^a V^1 V^6$* ; de pechié (*KZ* pechiez) que tu ne cuidoies pas que tu (*KZ* cuidoies que) ja mes peusses porter armes, ce est a dire *quant tu te veoies* (*KZ* veis) *ci vil et si hort com tu estoies*, tu ne cuidas pas (*KZ* et [*Z aj.* si] orz que tu ne cuidoies mie) que Nostre Sire feist V^3.

§ 176 : 3-4. ne... d'orgoil *om. B^a* ; vaine gloire *ne par aucune* ($V V^1 V^6$ par mauvaise) racine (V^4 *ne par aucune racine d'orgueil* ; V^5 par autre racine de pechié). Car V^3-*KZ* ; vaine gloire ne por autre rancune d'orguil. Car V^{11} ; vaine glorie ne par aucune meniere d'orguel. Car *ON* – 10. je *om. $B^a V V^1 V^{11} ON$*, se ge ja mes rechee V^5 ; se je caoie ja mais V^6 ; se je mes cheoie V^4 ; se je chaoie *KZ* – 11. nul *om. $B^a V V^1 V^4 V^6 V^{11} ON$* ; que *nul* autre $V^3 V^5$-*KZ* – 14-15. redit Lancelot dame ceste B^a ; li redist Lancelot ceste $V V^3 V^5 V^6 V^{11}$-*KZ* ; et lors li redit la dame : Lancelot (V^4 *om.* L.) ceste *ON*.

§ 177 : 9-10. monta et quant B^a ; monta (V^6 *aj. sus* ; V^4 monte) *quant il ot mis* (*ON* li ot mise) *la sele et le frain* (et le f. *om.* V^6 ; [V^4 li] ot mis le frein et la sele $VV^aV^3V^4$) V^1 ; cheval *et li mist la sele et le frein, si* (*KZ* et) *monta. Puis* racoilli V^5-*KZ* – **11.** foie B^a : *forme de* foiee (*ou peut-être erreur de copie de* fois/foiz (avoit fait autre foie *O*/foiz/fois $VV^aV^1V^{11}$) ; com il avoit fait le jor devant, si cevaucha V^6 – **12-13.** a veoir… d. *om.* B^a ; trop bele *a veoir* (V^4 *om.* a veoir) *et trop* (V^3 *om.* trop) *delitable* (*ON-KZ* *om.* et trop d.) et estoit $V^1V^5V^6V^{11}$; et a veoir belle et delitable entre VV^a – **20-21.** s'esperance et *om.* B^a ; *del tot s'esperance et* sa fiance (V^1 sa creance ; VV^a *om.* et sa f./c.) en Nostre Signor, si k'il se (VV^a N. S. car il s'en ; V^1 Jhesucriç que il s'an) giete V^6 ; il met si *s'esperance* en Dieu et sa fiance que il s'en oste tout del penser *KZ*.

§ 178 : 1-2. li… m. *om.* B^a ; ($V^1V^4V^{11}ON$ *aj.* si) *li avint une aventure mout* (*KZ om.* mout) *merveilleusse,* car il vit VV^6 ; li avint une merveillose aventure car V^3 – **3.** chevalier plus noir B^a ; chevalier *armé d'unes armes plus noires* $VV^1V^3V^4V^6$ – **5.** lui *om.* B^aV^4ON ; *sanz lui* mot V^1V^3-*KZ* ; sans nul mot dire V ; sans riens dire V^6 – **7.** s'en va cele oirre B^a ; si ($V^3V^4V^5ON$ puis ; V^6 et puis) s'an va *si grant* oirre V^1VV^6-*KZ* – **9-10.** ocis si est trop dolenz mes B^a ; occis, il (*KZ* si) *se relieve et si* (V^3 *om.* et si) *n'en est* (V^4V^6 n'est) *mie* ($V^3V^4V^5ON$-*KZ* pas) *moult dolans puis qu'il plaist a Nostre Seigneur* (V^3 Damledeu). Si (V^4ON il) ne le VV^3-*KZ* – **11.** si… estoit *om.* B^a ; s'en vet outre tot (V^6 outre si ; *K* o. ausi ; *Z* o. issi) armé com il estoit. Et quant V^3V^4-*KZ* ; s'en va a pié *si armés comme il estoit.* Et quant V ; puis qu'il plest a Nostre Seigneur, si s'en vet outre que onques ne le regarde, *si armez com il estoit* V^5 – **13-14.** il ne… passer *om.* B^a ; a l'iaue, si (V^3V^6 il ; V^5 et ; *KZ* et il) *ne voit* mie ($V^3V^4V^6$-*KZ* pas) *comment il puist outre passer* (V^3 aler). Si (V^3-*KZ* il) s'arreste VV^5V^6 – **18.** part est B^a ; part de (V^6 *om.* de) la $VV^1V^3V^4V^5$-*KZ* – **22-23.** n'i *om.* B^a ; *se* Nostre Sires (V *aj.* par sa misericorde et par sa pitié) *n'i* (V^3 *om.* n') met (V^6 *aj.* son) conseil $V^1V^3V^4V^5$-*KZ* – **23-24.** a ce… trovast *om.* B^a ; i *om.* B^a ; forest *a ce qu'ele est la plus desvoiable qu'il onques* ($V^3V^4V^6$ *aj.* mes) *trovast* il i $V^1V^5V^6$-*KZ* ; forest a ce que elle est desvoiable le plus que il trouvast onques, il y V – **25-26.** et demorer… conseut *om.* B^a ; porra (V^6 *aj.* bien) esgarer (V^4V^5ON esgarder) *et demorer* (V^5 *aj.* i) *lonc tens* (V d. moult longuement) *qu'il n'i* ($VV^1V^4V^5V^6ON$ ne) *trovera home ne fame* (*KZ om.* home ne f.) *qui le conselt* (V conforte ; *KZ* li ait) V^3 – **26.** mie *om.* $B^aV^1V^3V^4ON$; ne voit *mie* VV^6-*KZ* ; ne voit pas V^5.

Chapitre VIII

§ **179 : 3.** loig : *graphie de* loing – **8.** des la P. *om.* B^a ; chevaucha *des* (VV^aV^4 de) *la* (VV^1 *om.* la) *Pentecoste* $V^3V^5V^6N$-KZ – **16-17.** s'entreconurent et m. B^a ; si (KZ il) s'entreconurent. Si tost comme il s'entrevirent (V^6 se virent) V^5V^1 – **19.** et mi li B^a ; Et *il* li ($VV^aV^1V^5$-KZ *om.* li) dist (V^3 dit) V^6 – **30.** puis *om.* B^a ; ai je puis (V^4, *Yale* ms. **229** *om.* puis) ocis $V^1VV^aV^3V^6$-KZ – **30-32.** *chevax* et Hestor B^a ; plus de (VV^aV^4 *om.* plus de) diz (V^5.xxx.) *chevaux* dont li pires valoit asseç (VV^a valoit ung grant avoir) *ne aventure ne trovai* (V^4O trove ; *VN* trouva il) *nule* (*KRZ aj.* qui me pleust). Et Hestor (V^5 nule. Mesire Gaugain) se comence $V^3V^1V^6V^{11}$-KRZ ; *Yale*, ms. **229**, f. 234a, Londres, British Museum, *Royal* 14.E. iii (*S*), f. 114d : ai je ocis .x. (*Royal* plus de .x.) *chevaliers* dont li pires valoit assés… – **37-38.** se… moi *om.* B^a ; dont il n'y ot (KZ *aj.* onques) nul (V^3 celui) qu'il (KZ qui) *ne se plainsist* (V^3V^4N ne [$V^1V^4V^6N$ *aj.* se] plainsist *a moi* ; V^5 qui se pleinsist mains de vos) de ce qu'il ne pouoient (V^6 puent ; V^3V^4O-K pooit) trouver aventure. Par foy VV^aV^6-Z – **50.** ne *om.* B^a ; *ne* vent $VV^aV^1V^6$-KZ.

§ **180 : 10.** vicg : *graphie de* vieng – **25.** .ii. *om.* $B^aVV^aV^3V^4V^6V^{11}ON$; .ii. roches V^1-$KZRS$ – **30-31.** Lors… place *om.* $B^aVV^aV^1V^4V^6V^{11}ON$; montaigne. *Lors desceignent* (*S* ostent) lor (V^3 *om.* lor) *espees et* (V^3 *aj.* et deslacent lor heaumes et) *metent en la place* (V^3 metent devant l'autel ; V^5 metent dedenz la chapele). Puis vont devant l'autel (V^3 *om.* d. l'a.) fere *KZRS*.

§ **181 : 13.** ne *om.* B^a ; *ne* pouoient $VV^aV^1V^6$-RZ – **20.** demorent B^a ; et *demouroient* $VV^1V^4V^5V^6V^{11}$-KZ (demorerent V^3) – **26.** la *om.* $B^aV^1V^6$; la viande $VV^aV^3V^4V^{11}ON$-KZ.

§ **182 : 18.** s'en *om.* B^a ; si *s'en* $VV^aV^1V^3V^6$-KZ – **21.** et feste grant *om.* B^a ; qui faisoit ($V^1V^3V^5V^{11}$-KZ tenoit) noces *et feste grant* V^aVV^6 – **22-23.** v.… et *om.* B^aVV^a ; et li riches hons *venoit* (V^4 aloit) *avant et* (KZ si) li (V^3 *om.* li) disoit $V^1V^6V^{11}$ – **24.** que cestui *om.* B^aV^{11} ; querez *que cestui* $VV^aV^1V^3V^4V^5V^6$-KZ.

§ **183 : 2.** a detorner come B^a ; se comença a torner *et a retorner* come cil qui (V^3 *aj.* mout) pensoit a ceste avision $V^1VV^aV^6V^{11}$; a torner *et a retorner* com cil qui ne pooit dormir. Et *KZ* – **3-4.** qui refu B^a ; Gauvain qui (V^6 *om.* qui) *ne dormoit pas* (VV^a mie), *ainç* (V^1 pas, si) *se fu* (V^6 s'estoit ; V^1 pas, si) fu esveillieç (V^5 resveillez) $V^3V^4V^{11}$-KZ – **8.** molt m. *om.* B^a ; une avision *molt* (V^6

trop ; V^5-*KZ om.* molt/trop) *merveilleuse* que $V^1 V^3 V^4 V^{11} V V^a$ – 9-11. Je ai… vos di *om.* B^a ; *tout autretel* (V^{11} autel) *vos di. Je ai veue une* (V^6 *om.* une) *trop grant* (V^3 *om.* trop g.) *merveille en mon dormant par* (V^{11} por) *quoi je sui* (V^6 dormant et por ce sui je) *esveilliez. Si vos di* $V^1 V^4 V^{11}$ – 13-15. Tot… frere *om.* $B^a V V^a$ (de mon songe ausi. Et ainsi comme il parloient $V V^a$) ; *la* senefiance. *Tot* ce (V^1-*KZ* tot ausis ; V^6 autresi ; V^{11} tot autel ; $V^4 ON$ et [*ON om.* et] tout ce meismes ; V^5 Par foi) *vos di ge* (V^5 *om.* vos di ge), *fet Estor.* Je ($V^4 ON$-*KZ que je*) *ne serai ja mes* ($V^1 V^6$ *aj.* grantment) *aese* (V^5 liez) *devant* (V^6 *aj.* çou) *que* j'en (*KZ* je) *sache* ($V^4 V^5 V^{11}$ savrai) *la verité* (V^1 la verité de mon songe et ; $V^4 V^{11}$ la verité de mon songe qui est de moi et ; *ON* la veraie demonstrance del mien songe qui est de moi et) *de monseignor* (V^5-*KZ aj.* Lancelot) *mon frere* (V^6 *om.* de… frere). En ce (V^6 Et endementiers) qu'il parloient V^3 – 17. de la ch. *om.* B^a ; *une fenestre* ($V^3 V^4 V^{11} ON$-*KZ* l'uis ; V^5 par .i. huis) *de* (V^6 en) *la chapele* une main V^1 (la fenestre de la chambre une main $V V^a$) – 18-19. main pendoient B^a ; main ($V^1 V^5$-*KZ aj.* si) *pendoit* $V V^a V^3 V^4 V^6 V^{11}$ – 19. molt *om.* $B^a V^3$; *molt riche* $V^1 V V^a V^4 V^5 V^6 V^{11}$; *trop riche KZ* – 19. la mains B^a – 20. passoit $B^a V V^a$; *passa* $V^1 V^3 V^5 V^6 V^{11} ON$- *KZ* ; passe V^4 – 24. foi… povre *om.* B^a ; plains de povre (*ON* male) *foi et de povre* (*KZ* male) *creance* $V^1 V V^3 V^4 V^5 V^6 V^{11}$ – 25. veues $V V^1 V^3 V^5 V^6$-*KZ* (*om.* B^a).

§ 184 : 1-2. Et quant il oent ceste parole, si sont tuit esbahi. Et quant il oent ceste parole, si en sont tuit esbahi B^a (*répétition*) – 4. avez oï ceste parole – *le copiste de* B^a *a rayé* oï – 5. c. *om.* B^a ; *certes* sire $V V^1 V^3 V^6$-*KZ* – 6. *En non Dieu,* fait $V^1 V V^3 V^6$-*KZ* – 8. de… point *om.* B^a ; *que je* (V^3 g'i)) *voie* a (V^1 de) *nostre afaire mener a aucun bon point,* si est $V V^1 V^6$ – 10. la s. *om.* $B^a V$; et *la senefiance* de ce $V^1 V^3 V^6$ – 12-13. car… ci *om.* B^a ; ferons, *car autrement m'est il avis que nos irons* (V^3-*K* irion ; *KZ aj.* por noiant) *noz pas gastant* (V^5 gaster), *ausis com nos avons fait jusque ci* (V^6 fait de chi a chi). Et Hestor $V^1 V V^4 V^{11}$ (V^5 *om.* ausis… se bien non) – 16. se *om.* B^a ; *se* furent $V^3 V^6$-*KZ* (*V* s'esveillierent) – 17. molt f. *om.* B^a ; pensoit chascuns molt (*KZ om.* m.) *forment* (V^3-*KZ* durement) a $V^1 V^4 V^6 V^{11} ON$ – 27-28. nos e. *om.* $B^a V^5 V^6$; ne nule r. *om.* B^a ; Biaux amis, fait messires Gauvains nous savez ($V^3 V^{11}$ seussieç ; V^4 savrés *nos* ; *KZ* savriez nos) vous ($V^4 V^{11}$-*KZ aj.* ci pres) *einseigner* cy pres ($V^4 V^{11}$-*KZ om.* cy pres ; V^3 e. pres de ci) nul (V^4 un ; *KZ* ne) hermitage *ne nulle* (V^3 *om.* nulle) *religion* *V* ; savez vos ci pres nul hermitage ne nule (*KZ om.* nule ; V^6 h. u maison de) religion V^5.

§ 185 : 1. s. a d. *om.* B^a ; petit *sentier* ($V^3V^4V^5V^{11}ON$ chemin)
a destre VV^1V^6-KZ – **4-5.** chevaus *om.* B^a ; nulz *chevaulx* n'y peut
monter et V ; que chevaus n'i puet (V^{11} pot) aler (V^5V^6 monter), et
$V^1V^3V^4ON$; que cheval n'i porroient aler KZ – **8.** et… vie *om.* B^a ;
li plus preudom *et de la* (KZ *om.* la) *meillior vie* que l'en sache (V^1-
KZ vie qui soit) orendroit en cest païs $V^3V^4V^{11}ON$ (li plus prodom
c'on face [*sic*] orendroit vivant V^6 ; le plus preudomme du monde
V) – **11.** biax amis *om.* B^a ; misire G., *beax amis*, car mout nos
$V^3V^{11}ON$-KZ – **11-12.** de… dites *om.* B^a ; a gré des *parollez* (V^1 de
ceste parole ; KZ de ces paroles ; V^3 de ceste novele ; $V^4V^6V^{11}ON$
de ces novelles) *que tu nous a dictes* (V^1V^3 dite) V ; gré des noveles
que vos nos avez dites V^5 – **18-19.** demandast et ciz n'i faudra B^a ;
mais ($V^3V^4V^5V^6V^{11}$-KZ et) *puis que* cil (V^3V^{11} cist ; V^4ON il) *la*
(V^6 *aj.* me) *demande* (V^5 la m'a demandee) *il* n'y faudra mie V –
20. se il vos plaist $V^1V^3V^5V^6V^{11}$-KZ (*om.* B^a) – **22.** aprés moi *om.*
B^aV^6 ; se vos i alez *aprés moi* $V^1V^3V^4V^5V^{11}$-KZ – **23.** et e. l'escu
om. B^a ; chevalier et cil a lui. Si se fierent B^a ; sur le (V^1V^3 *om.* le)
fautre *et embrace l'escu* et muet moult radement (V^1V^3 *om.* moult
r.) pour aler jouster au *chevaillier* (ON *aj.* qui l'avoit aati), *et cil li*
(ON *om.* li) *vient* (V^6 vint) *si grant aleure comme il puet* (V^6 pot) *du
cheval traire*. Si s'entrefierent $VV^1V^3V^4V^{11}$ – **25-27.** font les haubers
percier et desmaillier B^a ; coups qu'il font lez *escuz* percier et *lez
haubers rompre* et desmaillier (V^6 *om.* et d.), si s'entreblecierent
(V^1 s'entreblecent ; V^5V^6 se blecent ; $V^{11}ON$ se blece) moult (V^4
om. si se blecent… autres) VV^1 – **27.** li uns… autres *om.* B^aVV^a
(durement. Mais messire VV^a) ; durement *li uns plus*, (V^5 *aj.* et)
li autres mains. Et (V^3V^5ON *om.* Et) messires V^1V^3 ; duremant, li
uns plus que li autres. Mais ($V^{11}ON$-KZ *om.* mais) mesire V^6 – **32.**
a. *om.* B^a ; et se (V^3 *om.* se) sent si *angoisseusement* ferus (V^1 *om.*
f. ; V^6 a. navré) qu'il n'a (ON *om.* nul) pouoir (ON *aj.* ne force) de
(V^4 *om.* de) *soy* (V^1V^6ON *om.* soy) relever $VV^3V^4V^{11}$.

§ 186 : 1. chaüz : *graphie de* cheuz – **2.** et i. *om.* $B^aV^1V^4V^{11}$; se
relieve tost *et* (V^3 *om.* tost et) *isnelment* et met VV^5V^6-KZ – **3-5.** et
fet… soi *om.* B^a ; devant son vis (VV^5 pis) *et fet* (V^6 fist) *semblant
de mostrer* (V^6 faire) *la gregnor proece que il* (V *om.* il) *onques
pot* (V^6V onques eust faite ; V^1-KR o. ot ; V^4 o. mostrast ; ON
o. encor eust mostree V^5 proesce qu'il porra), *con cil qui* (V *om.*
qui) *assez en avoit* (V^6 ot) *en soi* (V^6 lui ; VV^5 *om.* en soi ; ON en
soi herbergiee), mes quant V^{11}-Z – **9-10.** v.… vos *om.* B^aV^3 (ja sui
je occis. Por Deu et por franchise, fetes moi ce que V^3) ; je sui ocis
(V^6 mors), (V^4V^{11}*aj.* tout) *veraiement le sachiez vos* (V^4V^{11}-KZ
om. vos). Et por ce vos pri (VV^6V^{11} *aj.* je) por Dieu ($V^4V^5V^{11}$ *om.*

por D.) que vos faciez de (V^6 faites a) moi ce que V^1V – **12-13.** se il… m. *om.* B^a ; volantiers, *se il le puet* (V^{11} pot) *faire en nule meniere* (V^3 om. en n. m.) $V^1VV^4V^5$-KZ – **19.** Ha *om.* B^a ; *Ha* ! (V^3 om. Ha) sire, fait il, ($V^4V^{11}ON$ *aj.* por Dieu) metez (V^3-KZ montez) moi $V^1VV^5V^6$ – **21.** loig : *graphie de* loign.

§ **187 : 3.** por ce *om.* B^a ; *por ce* qu'il $V^1V\,V^6V^{11}$-KZ – **4.** droit $VV^4V^5V^6V^{11}ON$-KZ (om. B^aV^1) – **6.** si h. *om.* B^a ; *si huchierent* (V^5 huchent) et appellerent (V^5 apelent ; KZ om. et a.) tant $VV^1V^6V^{11}ON$ – **7.** leenz lor vindrent ovrir B^a ; cil de laiens lor vindrent *la porte* ouvrir V – **11.** et quant… venir *om.* B^a ; aporte. *Et quant il le voit* (V veoit) *venir*, si commence (VV^a il commença) a V^3V^6ON-K – **13-14.** dont… N. S. *om.* B^a ; en *om.* $B^aVV^aV^6$; *de tos les pechiés dont il se sent coupable et meffait* viers *Nostre Signor. Et quant* V^6 ; de touz lez pechiez *dont il se sent meffaiz* envers *Nostre Seigneur* et crie mercy. Et quant VV^a ; de touz les pechiez et de touz les mesfaiz dont il se sent *corpables* vers *Nostre Seigneur* et *en* crie merci. Et quant V^1 – **14-15.** tendrement plorant *om.* $B^aVV^aV^1V^6$ (mercy. Et quant VV^aV^1 ; Nostre Signor. Et quant V^6) ; de toz ses (Z les) pechiez dom il se sent *corpables* vers son Criator et comence a plorer *trop tendrement* et a crier (ZR Criator et *en* crie) merci (ZR *aj.* tendrement [R *aj.* et] *plorant*). Et quant K ; de totes les choses dom il se sentoit *coupable et mesfet* a son Criator (V^5V^{11} envers Nostre Seignor) et *en* (V^5 om. en) crie merci mout tendrement (V^5 merci en) plorant (V^{11} en crie tendrement em plorant merci). Et quant V^3 – **15-18.** tot ce… il ot *om.* B^a (*saut du même au même*) ; quant il a (V^6 ot) *tout ce dit dont il estoit* (KZ il se sent) *remenbranz, li prestres li done son Sauveour et il* (V^5 cil) *le reçoit o grant devocion. Et quant il ot* usé *Corpus Domini* (V^{11} il l'ot usé ; V^5 il a receu son Sauveor), il dist a monseignor Gauvain V^1V^6 (quant il a tout ce dit, le prestre l'escomunge et quant il est escomungez, si dist a monseigneur Gauvain V) – **26.** pardoig : *graphie de* pardoing – **27.** ausi *om.* B^aV^6 (et Dex li face V^6) ; et Diex *ausis* (V^3V^5 ausint) le vous pardoint (V^4 *aj.* sa lui plest) V^1-KZ ; et Dieux le vous pardoint aussi (V^{11} *aj.* s'il lui plest) V.

§ **188 : 13.** qu'il $VV^aV^1V^6$-KZ (om. B^a) – **15.** entre *om.* $B^aVV^aV^1V^4$; lors comencierent (KZ commencent) a plorer *entre* monsegnor G. et Estor V^{11}-KZ – **19.** et *om.* B^a ; *et* m. li (V^6 se ; VV^a s'en) part V^3-KZ ; et m. s'en ist (V^5 s'en vet) l'ame V^1 – **21-22.** car… foiz *om.* B^a-RZ ; ausint fist Hestor, *car meinte bele proesce li avoient* (V^1 li avoit l'en) *veu fere aucune* (V^4V^{11} autre ; V^6 maintes) *foiz, si* (VV^a et il ; $V^1V^4V^{11}$ il) le firent V^5 ; ausi est

Hestor, quar meinte belle proece li avoit veu fere Hestor Z – 26. le
mestre autel *de leenz* ON-KZ (de l. *om.* $B^a V V^a V^1 V^5 V^6 V^{11}$) – 26. et
li mistrent $B^a V V^a V^1 V^4 V^5 V^6$; et mistrent $V^{11} ON$-KZ – 26. bele KZ
(*om.* $B^a V V^a V^1 V^4 V^5 V^6 V^{11}$).

§ 189 : 8. entent B^a ; lors s'an *antrent* $V^1 V^5$; ($V V^a$ *aj.* et) lors
s'en entrerent V^6 ; lors se metent en $V^4 V^{11} ON$-KZ – 11. sont ($V V^a$
furent) amont el t., si $B^a V^6$; viennent amont, si V^1 ; sont *venu* amont
(V^4 *om.* a.) eu tertre (KZ *om.* ou t.), si $V^5 V^4 V^{11} ON$ – 20. dont…
avoit *om.* B^a ; S. Graal, *dont il savoit ja* ($V V^a$ *om.* ja) *noveles grant
piece avoit*. Et il laisse $V^1 V^4$; … savoit novieles ja avoit molt grant
piece. Et il V^6 ; dom il savoit noveles pieça. Il lesse KZ – 23. besoig :
graphie de besoign – 24. la gr. fain et *om.* $B^a V V^a$; *la grant fain et* li
desirrier $V^1 V^4 V^5 V^6$-KZ ; lez grans fains et lez grans desierres V^{11}
– 29. a. *om.* B^a ; *assés* sages $V V^a V^1 V^4 V^5 V^6 V^{11}$; mout sages KZ.

§ 190 : 1. a. *om.* B^a ; maine *andeus* ($V V^a$ eulz deulz) en
$V^1 V^4 V^5 V^6 V^{11}$-KZ – 2-3. *et* (V^5 *aj.* il) *se font conoistre a lui*
$V^1 V V^a V^4 V^6 V^{11}$-KZ (*om.* B^a) – 4-5. et il… maniere *om.* B^a ; *et il les
conseillera s'il onques puet en nule meniere* ($V V^a$ *om.* en nule m.).
Et messire $V^1 V^5 V^4 V^6 V^{11} ON$ – 6. maintenant $V V^a V^1 V^4 V^5 V^6 V^{11}$-
KZ (*om.* B^a) – 12-13. et… armes *om.* B^a ; *et quant nos fumes auques*
(V^{11}-KZ *om.* a.) *alegié de nos armes*, nos entrasmes $V^5 V^1 V^4 V^6$ (et
quant nous fusmez dedens entrés et desarmés, si nous $V V^a$) – 13-
14. li… l'autre *om.* B^a ; endormismes ($V V^a$ couchasmez) *li uns
delez l'autre* $V^5 V^6 V^{11}$ – 16. quele… conté *om.* B^a ; merveilleuse.
Et (KZ *om.* et) lors (V^6 m., se ; V^{11} m. et il) li conte *quele* ($V V^a$
om. quele), *et quant il li a* ($V^5 V^4$ *aj.* tot) *conté*, si li raconte ($V V^a V^5$
conte) Hestor ($V V^a$ Ector ; V^{11} Estor) la seue V^1.

§ 191 : 1. tot ce *om.* B^a ; a *tout ce* oï por quoi V^4-KZ – 8. et
om. B^a ; humilité *et* pascience $V V^a V^1 V^6 V^{11}$-KZ – 9. son B^a ; *sont*
$V V^a V^6$ – 15. il… et si *om.* B^a ; torel qui n'estoient B^a ; menjoient li
torel, si n'estoient V^{11} ; torel. *Il i* ($V V^a V^4 V^6$ *om.* i) *menjoient et si*
n'estoient V^1-KZ – 16. si la B^a ; car se *il* i fussent $V^6 V V^a V^1 V^4 V^{11}$-
KZ – 22. v. et *om.* B^a ; sont *vairié et* $V V^a V^1 V^4 V^5 V^6 V^{11}$-$KZ$.

§ 192 : 5. nul *om.* B^a ; que *nul* autre $V^1 V^5 V^{11}$-KZ ; que nus dcs
($V V^a$ *om.* des) autres $V^4 V^6$; sont *les* plus biaux et *les* plus blans que
nulz autres $V^a V$ – 5-6. voirement *om.* B^a ; *voiremant*, car (V^5 que ;
KZR *quant*) il sont $V^4 V^6 V^{11}$; si biaux sont il *voirement*, car il $V V^a$
– 6-8. et sont… aucune *om.* B^a ; parfait de (V^6 en) toutes vertuz *et
sont net sanz ordure et sans tache, que l'an troveroit ore a* ($V^5 V^{11}$
aj. molt grant ; V^4 ore se a grant) *painne* (V^4 *aj.* non) *chevalier*
($V^4 V^5$ home ; V^{11} poine autre) *au mien escient* ($V^4 V^5 V^{11}$ *om.* au

mien e.) *qui n'eust tache aucune* (V^5 om. a.) – **19.** sont $B^aVV^aV^1$;
sieent $V^3V^6V^{11}ON$-KZ ; s'asieent V^5 (a cels qui sont/sieent *om.*
V^4) – **23.** entent B^a ; *entrent* $VV^aV^1V^4V^{11}ON$; entrerent V^5 ; entre
V^3 ; vont V^6 ; se metent KZ – **25.** la B^a ; *le* pré $VV^aV^1V^3V^4V^6$-KZ
– **29-30.** ne revenoient mie B^a ; ce est a dire qu'il ne *revendront*
mie tuit V^1V^5-KZ ; le plusors, ce est a dire qu'i[l] ne *revendroient*
(V^{11} aj. pas) tout V^4 ; k'il ne revenoient mie tot, *et sans faille si
ne feront il*, ains en faurra *grant* partie V^6 (qu'il ne revenoient mie
touz, ains en faura la *greigneur* partie VV^a) – **36.** en els qui home
tiegne *en vertu en els qui home tiegne* en estant B^a (*répétition*) – **37.**
ains… pechiés *om.* B^a ; enfer, *ains* (KZ et) *seront garni de toutes
ordures et de tos peciés* (KZ aj. mortielx ; $V^1VV^aV^5$ ordures et de
toutes vilenies ; $V^4V^{11}ON$ de toutes villenies de pechié). Des .iii.
V^6 (V^3 leçon tronquée) – **39-42.** ce est… remaindront *om.* B^a (*saut
du même au même*) ; revendra li uns et li autre dui remendront, *ce
est a dire que des* (V^6 de ces) *.iii. bons chevaliers* (ON aj. qui sunt
verai serjanz Jhesucrist) *revendra li uns a la court, et non mie por
la viande dou rastelier, mais por anoncier* (V^5 honorer) *la bone
pasture que cil ont perdue qui gisoient* (V^6ON gisent ; KZ sont) *en
pechié mortel. Li autre dui remendront,* car V^1V^{11}

§ **193 : 8-9.** la chaiere… T. R. *om.* B^a ; d'une caiere. La caiere
senefie maistrie u (VV^a-KZ et) signorie. *La* segnorie (KZ chaiere)
dont vos descendiés, si est ($VV^aV^1V^3$ estoit ; V^{11} si senefie ;
KZ c'est) *la grans honors* (KZ amor) *et la grans reverence c'on
vos portoit a la Table Reonde*, ce est a dire que V^6 – **14-16.** les
secrees… vooir *om.* B^a ; Saint Graal, *les secrees choses* de (KZ *om.*
de) *Nostre Seignor, les repostailles* (V^4V^{11}-KZ *om.* les r.) *qui ja
ne vos seront decovertes* (KZ mostrees), *car vos n'iestes pas* (VV^a
mie) *digne dou veoir* V^1V^6 – **19-20.** Cil… ciel *om.* B^a ; d'orgueil.
Cil qui abati orgueil dou ciel ; ce fu $V^1VV^aV^5V^6$-KZ – **20-21.** le
mena… despoilla. Il *om.* B^a ; *Lancelot et le mena a ce que il le
despoilla. Il* le despoilla de (VV^aV^6 du) *pechié* (KZ des pechiez)
V^1 – **25.** de soffrance *om.* $B^aVV^aV^4$; *de pacience et* (V^6ON *om.* et)
d'umilité, de chastee (V^5 aj. et) *de soffrance*, ce fu la robe V^1V^6ON
(et d'umilité… sof. *om.* V^{11} ; de chastee, de sof. *om.* KZ) – **27.**
qui li est *om.* B^a ; comme li f. *om.* B^a ; *ce fu la haire qui lui est
poingnant et aspre. Et le monta* VV^a ; ce est la haire qui li estoit (V^6
est) poignanz *come li frangons* (V^6 comme frenges). Après le monta
V^1 – **30-31.** Jerusalem. Il ne volt B^a ; Jherusalem, *qui estoit rois
des rois, et avoit toutes richeces* (V^aV choses) *en sa* (V la) *baillie*,
ne (V^5 *om.* ne ; V^6 baillie. Il) *n'i volt pas* (VV^a mie) venir V^1-KZ
– **31-32.** palefroi, mes sor la plus despite beste ce est B^a ; ne sor

palefroi, ainz i vint sor la plus *rude beste* ($V^{11}ON$ aj. du monde) *et*
sour *la plus* despite (*KZ* vilaine), ce est (*KZ* aj. sus l') asne V^1 – 46.
large et plus om. B^a ; plus *large et* plus plantureuse (V^4 planteuse)
$VV^aV^1V^3V^6V^{11}$-*KZ*.

§ 194 : 5. boivre et por om. B^a ; por *boivre* (V^5V^6 aj. en ; V^{11} aj.
dedens) *et por* estre V^1VV^a – 6. et r. om. B^aV^{11} ; grace *et repeuz*,
lors $VV^aV^1V^5V^6$ – 8-9. por… ordures om. B^a ; Saint Vaissel,
por ce qu'il les (VV^a le ; V^5 se) *conchia* (V^5 aj. a regarder ; *KZ*
c. resgarder) des (V^5V^{11}-*KZ les*) *terriennes* (V^5V^6 aj. choses et
les/V^6 des) *ordures, et perdra* V^1VV^a ;… lez concha a regarder lez
ordures terrienes et perdra V^{11} – 10. por… deable om. B^a ; cors,
por ce qu'il en (V^5V^{11} om. en) *servi* (VV^a sivra) *si* (V^{11} tant)
longuement le deable (V^6 l'anemi ; *KZ* a l'a.). Et durra V^1V^3 – 11-
12. por… jorz om. B^aV^5-*KRZ* (saut du même au même) ; durra cele
venjance .xxiiii. jorz *en tel point* qu'il ne parlera ne ne mengera
V^5 (*KZ* point qu'il ne mengera) ; durera celle vengence .xiiii.
jours *pour ce qu'il a esté .xiiii. ans sergans a l'ennemy. Et quant
il ara* (V^1 aj. esté) *.xiiii. jours esté* (V^1 om. esté) en tel point, il
(V^1 qu'il) ne mengera VV^a ; durra cele vengance .xxiiii. jors *por
ce k'il a esté .xxiiii. ans sergans a l'anemi. Et quant il ara esté
en tel point, k'il ne mangera ne ne bevera* V^6 – 13-14. ne membre
qu'il ait $VV^aV^1V^5V^6$-*KZ* (om. B^a) – 14-15. toz jors om. B^a ; li sera
avis qu'il sera *toz jorz* (*Z* dis) en tel *K* ; li sera *toz jors* avis que
il sera en tel bone eurté come V^1 – 15. com = quant – 17-18. gr.
om. B^a ; le *grant* destrier (VV^a cheval) $V^1V^3V^4V^5V^6ON$-*KZ* ; lez
grans destriers V^{11} – 19-20. et en orgoil… vice om. B^a ; ça et la om.
B^a ; pechié mortel *et en orgueil et en anvie* (*ON* aj. et en vanité)
et en maint autre vice, (V^6 aj. et ; V^5 aj. et vos) *iroiz* (V^5 aj. tant)
forvoiant ($V^3V^5V^6ON$ aj. et) *ça et la,* (VV^a aj. et) tant (V^5 om. tant)
que $V^1V^4V^{11}$-*KZ* – 21-22. la… trovee om. B^a ; *la ou li preudome*
(VV^aV^1 om. pr.) *et* (V^3-*KZ* om. et) *li verai chevalier feront* (*ON*
feroit) la (*KZ* tendront *lor*) *feste* (V^3 aj. et les joies) *des hautes
treves* ($VV^aV^4V^{11}$ trouveures ; *KZ* de la haute troveure) *que il* (V^4
aj. i) *avront trovees* (*KZ* trovee). Et V^5 ; la u li haut chevalier feront
lor feste des hautes troveures. Et quant V^6 – 23. v. la et vos om. B^a ;
enz om. B^a ; quant vos vanrez et cuiderez dedanz antrer, li rois V^1 ;
quant vous venrez la ou vous cuiderés entrer ens, le roy V – 25. com
vos estes *KZ* (om. $B^aVV^aV^1V^4V^5V^6V^{11}ON$) ; qui soit si haut…
dire om. V^3 – 25-26. et en o. et en b. om. B^a ; pechié mortel (V^5
om. m.) et ($V^1V^3V^6V^{11}ON$ ne) *en orgueil* ne (V^5 et) *en boubant.
Et* (V^5 om. et) quant VV^aV^1 (pechié mortel et en orgueil. Et *KZ*)
– 27-28. sanz… Queste om. B^a ; Kamaalot *sans ce que vous* n'arés

($V^5V^4V^{11}$-*KZ* n'avroiz) gaires fait ($V^4V^5V^{11}ON$ *om.* fait) *de vostre preu* ($V^4V^5V^{11}ON$ *aj.* fet) *en la* (*KZ* ceste) *Queste* VV^aV^6 – **28.** *et d. om.* B^aV^{11} (Si… avendra *om.* V^5) ; *or vos ai* (V^3V^4ON si vos ai ore) *dit et* (V^3V^4 *om.* dit et) *devisé de ce qui vous avendra grant partie* V^1.

§ 195 : 2. apertement… vos *om.* B^a ; *de ce que vous veistes une main appertement qui passa par devant vous* qui portoit VV^a – **3-4.** .iii. *om.* B^a ; ces .iii. choses $VV^aV^1V^3V^4V^5V^6V^{11}$-*KZ* – **4-8.** que tu veis *om.* B^a ; dont… Et *om.* B^a ; est chauz et *om.* B^a ; au… ce est *om.* B^a ; *Par* (V^3 en) la main *que tu veis* (V^1 que vos veistes ; VV^a *om.* que tu veis/vos veistes ; V^6 *aj.* fait li prodom) *dois tu* (V^1 devez vos) entendre charité, *et par le* (V^3 charité, el) vermeil samit (V^3 *aj.* dom ele estoit coverte) *dois tu* (V^1 devez vos) entendre (VV^aV^5 *om.* charité et par… entendre ; *KZR om.* dois tu entendre) le feu du Saint Esperit (V^6 entendre le S. E.) *dont charité est toz jors* (V^3-*KZ* toç dis) *embrasee. Et qui charité a en soi* (V^1 lui) il *est* (V^4 *om.* qui charité a en soi il est ; *ON aj.* toz jors) *chaut et* (V^3 *aj.* vermeil et ; V^4 *aj.* et buillant et) *ardant* (V^1 *aj.* et) *de l'amor au* (V^3 de son) *segnor celestiel, ce est* Jhesucrist. Par le frain V^{11} – **9-10.** maine et *om.* B^a ; *come li chevaliers* (*KZ* hons) *mainne et* conduit $V^1VV^aV^5V^6V^{11}$ – **11.** com = quant ; *cf.* abstinence (V^5 *aj.* et) *quant* elle est fermee ou cuer… $VV^aV^1V^6V^{11}$ (abstinence, car ele est fermee ou cuer… *KZ* ; abstinence, car quant ele est bien fermee el cuer del cristien, ele le tient ci cort qu'il ne poit chaooir… V^3 – **11.** si *om.* $B^aVV^aV^1V^4V^5V^{11}$-*KZR* ; del crestien *si* k'il ne puet caoir V^6 ; crestien qui *Z* ; crestien qu'il *KR*) ; *tot aussi fet astinence la ou ele fermé el cuer del crestien que il ne puet cheor en pechié*… *ON* – **14.** qu'ele p. *om.* B^a ; *par le cierge qu'ele portoit* (V^3 *aj.* qui rendoit clarté) *devons* (*KZ* portoit en sa main doiz tu) nos entendre $V^1VV^aV^4V^5V^6V^{11}$ – **14-15.** la verité… rend *om.* B^a ; entendre *la verité de l'Evangile, ce est li filç Deu* (*KZ* est Jhesucrist) qui rent veu et clarté (*KZ* clarté et veue) a V^3 ; – **15-16.** cels qui *se retraient* (VV^aV^5 se tornent) *de la voie* de pechié V^3 ; ki *se retorneront de la voie* de pechiet V^6 ; qui *se retraient de* pechier *KZR* ; qui *se* retornent de pechié $V^1V^4V^{11}$ – **16.** a la voie de *om.* B^a ; et reviennent (V^6 revenront) *a la voie* de (VV^aV^4 *om.* de ; V^3 a la droite voie qui est) Jhesucrist $V^5V^1V^{11}$-*KZ* – **17-18.** clarté B^a ; *charitez et veritez* (V^5 *om.* et v.) *et abstinence* (V^6 *aj.* si com Diu plot) vindrent en $V^1V^4V^{11}ON$; charité et abstinence et verité vindrent V^3 ; charitez et abstinence et veritez vindrent devant toi en la chapele *KZ* ; chose que verité, chastee et abstinence vindrent en la chappelle VV^a – **18-19.** ce est… chapele *om.* B^a (*saut du même*

au même) ; chapele, *ce est a dire quant Nostre Sires vint a* (*V11-KZ*
en) *son ostel a* (*V5-KZ en* ; *V4V6V11ON* ce est en) *sa chapele V1*
– 20. li vil… et *om. Ba* ; a (*V3* por) ce que *li vil* (*V* le vieil) *pecheor*
(*V3* aj. *li ort*) *et* (*V11* ne ; *V3V6* om. et) li (*VV11* om. li ; *V4* om. et
li) *luxurieus i entrassent V1V5* – 21. quant *om. Ba* ; et (*V3* om. et ;
mais *V6*) *quant VVaV1V3V4-KZ* – 21-22. i *om. BaVVaV1V11ON* ;
vos *i* trova *V3V4V6* ; vos *i* vit *KZ* – 25-26. Saint *om. Ba* ; por ce
ne poez (*K* porrez) vos ataindre (*VVa-KZ* avenir ; *V3* venir) aus
hautes (*VVa* om. h.) aventures (*V6* oevres ; *V4V11ON* au chastel
aventureus) dou *Saint* (*V3* om. S.) Graal *V1V5* – 26-27. les s….
et *om. Ba* ; Or vos ai devisees *les senefiances* (*V3* la senefiance ;
V4V11 aj. du Saint Graal et) *de voz songes et* la senefiance de la main
V1V5V6-KZ ; … la senefiance dou Saint Vessel et de vos songes et
la senefiance… *ON* – 29. si *om. Ba* ; que… a. *om. Ba* ; l'aveç vos
si (*V1V6* om. si) bien divisee *que* (*V1V6* car) je le (*KZ* la) *voi tot*
(*KZ om.* tot) *apertement. Or V3* ; les (*ON* aj. nos) avez vos (*ON* aj.
mult) bien devisees, quar ge le voi tot apartement *V5VVaV4V11*
– 31. d' *om. Ba* ; tant *d'aventures VVaV6-KZ* ; autant av. *V4V5ON* ;
autretant av. *V11* – 31-32. solions. Volentiers, fet il. Les aventures
Ba ; *Je* le (*VVaV4V3V5V6-KZ* om. le) *vos dirai* (*VVa* dy), *fait li
preudons,* (*V11* aj. mout bien) *por quoi ce* (*KZ* coment il) *est.* Les
aventures *V1V6* – 33-34. les d. et les signes *om. Ba* ; aviennent (*V6*
aj. si) sont *les demostrances et les aventures* (*V4V11ON* om. et les
av.) dou Saint Graal *V1* ; aviennent sont *les granç demostrances et
les granç signes* del Saint Graal, mes les signes ne le demostrances
del Saint Vessel *V3* ; aviennent et *lez demoustrances* du Saint Graal,
ne lez signes n'appartenront ja *VVa* ; por quoi ce est. Les aventures
deu Seint Graal ne les signez deu Seint Vessel *V5* ; avient sont
les senefiances et les demostrances dou Saint Graal *KRZ* – 36-
37. Dont… pecheor *om. Ba* ; envolepés des terriens visces (*KZ*
envelopé de pechiez), *dont* (*V5* por quoi) *il ne vos aparront* (*VVa*
appartenront ; *V4* aparra ; *O* arrunt ; *N* aront) *ja, car vos estes trop*
(*V11* plus) *desloial pecheour.* Si *V6V3* – 39-40. et… assés *om. Ba* ;
graindres *et meuz valent assez* (*V1V6* om. assez) *V5V4V11ON*.

§ 196 : 3-4. en ceste Queste *om. Ba* ; dites, puis que je suis en
pechié mortel, puis je veoir (*VVa* savoir) apertement que je me
traveilleroie (*V5* mortel puis que ge voi que ge me travaille) por
noiant plus (*VVaV4V5V1ON* om. plus) *en ceste Queste* que (*VVa*
puis que) je n'i feroie rien (*V11* nient) *V1*.

Chapitre IX

§ 197 : 5-6. auvec lui point de c. B^a ; o lui ($V^3V^5V^6$ aj. ne) vallet ne sergant ne compaignie nule $V^1V^4V^{11}ON$; avecquez lui ne (KZ om. ne) sergant ne valet ne compaignie nulle VV^a – 6-9. salue et cil respont B^a ; salue et li dist ($V^3V^4V^{11}$ dit) : – « Sire, Dex vos conduie ». Et cil le regarde et voit ($V^3VV^aV^1V^4V^{11}$ conoist) tantost (KZ om. t.) k'il est ($V^3V^4V^{11}$ c'est ; V^4 aj. un) chevaliers errans, si li respont (V^3 dit ; V^1 aj. tantost) que Dex le consaut (VV^a beneye). Lors (V Et maintenant) V^6 – 11. vieg : *graphie de* vieng – 11. qui ça gist om. B^a ; sergent qui ci ($V^3V^4V^6V^{11}ON$ ça ; V^5 ja ; VV^a om. ci/ça) gist (V^3 gisoit) malades V^1 ; s. qui est malades KZ – 21. grant ne om. B^a ; avra il grant ne ce $VV^aV^1V^5V^6$-KZ – 22. et... verais om. B^aV^5 ; li plus loiaus sergenz et li plus verais (V^5 om. et li plus v. ; V^6 aj. ki soit) de toute $V^1VV^aV^3V^{11}$; li plus verais chevalier et li plus loiax serjanz de KZ – 23-24. conchié come li B^a ; ors ne (V^3V^5 et) conchiez (VV^a om. ne c.) ne (V^3V^5 et) let ($V^4V^{11}ON$ om. ne let) si (V^5 om. si) come sont li V^1V^6 ; vil ne conchié ne ort come sont li KZ – 24. i om. B^a ; i sont entré $V^1VV^aV^3V^5V^6$-KZ – 25-26. car... N. S. om. B^a ; car ce est li servises meismes de Nostre Seigneur $V^1VV^aV^5V^6V^{11}$-KZ – 29. ne e. om. B^a ; ne puet estre nez (VV^a nectoiez) ne espurgiez (V aj. aultrement) se veraie confession ne le visite (V om. se... v.) $V^1V^3V^5V^6V^{11}$; ne puet estre mondez ne netoiez se... ZR – 31. quel qu'il soit $VV^aV^1V^3V^6$- KZ (om. B^a) – 33. puet il quant B^a ; transglotir (V^3V^{11} gaster ; V^5-KZ garder) ne le (KZ ne s'en) puet (V^{11} pot) que il ne soit tous jors o lui (V^3V^{11} toç jorç entiers ; V^5 toz jorz entré en lui). Et (V^1 om. Et) quant V^6 – 37-38. t. om. B^a ; ch. terrienne $VV^aV^1V^3V^5V^6$-KZ – 38-39. adouciz et alegiez et om. B^a ; or s'est (V or est) adouciz et alegiez et eslargiz plus qu'il ne seut (VV^a souloit) aparamment ; VV^a appertement ; V^5 apparissant) $V^1V^{11}ON$ – 41-44. Iceste... plons om. B^a ; cors. Iceste (V^5 cele) viande est la douce viande (VV^a peuture) dont il reput et (V^6 om. il reput et ; $V^{11}ON$ dont il est repeu et dont il ; KZ dom il les a repeuz et dom il) sostint si longuement (VV^aV^{11} om. si l.) le pueple Israel (V^{11} aj. si longuement) el desert ($V^{11}V^3$-KZ es deserz). Or s'est plus (V^6 om. plus) ; $V^{11}V^3O$-KZ Ainsi s'est il (KZ s'est ore) eslargiz anvers eus (VV^a eslargis qu'il ne souloit), car il lor promet (V aj. a doner) or la ou il soloient avoir ($V^3V^6VV^{11}O$-KZ prendre) terre et (KZ om. terre et) plons (V^5 om. Or s'est... plons). Car ($V^3V^5V^{11}O$-KZ Mes) tout V^1 – 46. j. a cest t. om. B^a ; qui jusques a cest (V^{11} celui) terme ont esté $V^1VV^aV^3V^6ON$-KZ – 49. les pechiez et v. B^a ; lor pechiés et lor ordures et (VV^a om. et) viegnent $V^6V^3V^4V^5V^1V^{11}$.

§ 198 : 1-2. sanz... N. S. *om.* B^a ; confession, *sanz* qui ($V^3V^4V^{11}ON$-*KZ* quoi ; V^5 laquelle) l'an (V^4ON home ; V^6 nul hom ; *KZ* nus) *ne puet venir a Nostre Seignor* (*KZ* Jhesucrist ; VV^aV^{11} venir a confession), covient V^1 – 3-4. et muer... est *om.* B^a ; Queste *et* (*V om.* et) *muer l'estre de chascun* (V^3 aj. viande) *et changier, ancontre* (*KZ* contre) *la viande qui changiee* (*V* v. de qui mestier) *lor est.* Et qui $V^1V^4V^5V^6V^{11}$ – 5-6. g. *om.* B^aV^6 (ki s'i grevera et traveillera sans V^6) ; qui se traveillera granment $V^1V^3V^4V^5V^{11}ON$-*KZ* ; qui grantment se traveillera VV^a – 7-8. sans t. et *om.* B^a ; s'en revendra *sans taster et sans gouster* $VV^aV^1V^3V^5V^6V^{11}ON$-*KZ* – 10. et... mie *om.* B^a ; celestiaux *et si* (V^5V^6 il) *ne le seront* ($V^1V^5V^{11}$ sont) *mie* ($V^1V^3V^{11}$ pas ; V^5 *om.* mie/pas) VV^a-*KZ* – 11-13. et si... et en *om.* B^a ; Queste *et si ne le seront* (V^{11} sont) *pas* (VV^a mie ; V^6 aj. a droit), *ainz seront ort pecheor* (*KZ om.* p.) *et malvés* (V^{11} aj. et) *plus que vos ne porriez* (*KZ* que jel ne porroie) *penser, et en* charra li uns (V^aV penser, li uns en charra) en V^1V^6 – 14. et *om.* B^a ; *et li autre* $V^3VV^aV^1V^6$-*KZ* – 15-16. par... sens et *om.* B^a ; et ainsis seront ($V^3V^6V^{11}$ *om.* seront) *gabé* (V^3 aj. li un) et escharni (V^{11} aj. seront) *par leur mal* (*V* mauvaiz) *sens* et (V^6 *om.* sens et) *par* l'angin dou (V^3 au) *deable* (V^3 aj. si ; V^{11} aj. et) *s'an revanront* V^1 – 21. en droit c. *om.* B^a ; ne vous loeroie mie (V^3V^{11} pas) *en droit conseil* VV^5V^6 (l. en nule maniere *KZ*) – 21-22. plus *om.* $B^aVV^aV^1V^4V^5V^6V^{11}$; que (V^aV^{11} aj. vous) ja vos i traveillisieç (VV^a traveilliez) *plus* se V^3.

§ 199 : 1-2. par la r. *om.* B^a ; me *om.* B^aVV^6 ; samble *par* (*KZ* a) *la raison* ($V^{11}ONV^4$ selonc les raisons) que vos ($VV^aV^4V^{11}ON$ *om.* me) dictes $V^1V^3V^5V^6$-*KZ* – 4-5. qui... J. *om.* B^a ; cist est, *qui est* (*KZ* aj. meesme) *servises Jhesucrist* $V^1VV^aV^6V^{11}$ – 7-8. qu'il... est *om.* B^a ; bien cheoir (VV^a venir), *qu'il soit trovierres de si haute troveure come ceste est* ($V^4V^{11}ON$ haute aventure con est cele dou [*ON* aj. Saint] Graal) V^1V^6-*KZ* – 12-13. ou... ch. *om.* B^a ; fait Boorz, *ou nom de sainte charité* VV^aV^1-*KZ* – 14-17. ce est... chevalerie *om.* B^a ; conseillier son (V^6-*KZ* le) fil, *ce est le bon crestien* (*KZ* li pechierres) *qui vient a confession* ; car (*KZ* aj. li) *prestres* (V^6 aj. si) *est el leu* (*KZ* aj. de) *Jhesucrit, qui est peres a* celui (VV^a a ceulz ; *KZ* a toz çax) *qui en lui croit* (VV^aV^6-*KZ* croient). (*KZ* aj. Si Vos prie) *que vos me conseilliez au profit de m'ame et a l'onor de chevalerie* (*V* de mon corps) V^1 – 20. ou en error $V^1VV^aV^6$-*KZ* (*om.* B^a) – 21. grant *om.* B^a ; au *grant* jor dou Joïse V^1.

§ 200 : 2. c. *om.* B^a ; *certes* Boorz $VV^aV^1V^6$-*KZ* – 3. seriez des *verais chevaliers car* B^a ; seriez des (*KZ om.* des) *bons* chevaliers

et des (V^6 om. et des ; *KZ* om. des) *verais* V^1VV^a – **5.** li om. B^a ;
tres om. B^a ; *li* fruis de (V^6 del) *tres* bon arbre VV^aV^1-*KZ* – **7.** plus
om. B^aV ; que... v. om. B^a ; uns des *plus* prodomes *que je onques*
veisse (V^1 n'eusse), rois V^6 – **8-9.** fu om. B^a ; *fu* une des bones
(*KZ* meillors) dames *que je veisse pieça* (VV^a dames qui oncquez
fust). Cil V^1V^6 – **9-10.** seul om. B^a ; m. om. B^a ; .i. *seul* arbre et
une *meisme* char $V^1VV^aV^6$-*KZ* – **16.** il VV^aV^1-*KZ* (om. B^a) –
17. quex... mauveś om. B^a ; la mere *quex* (*KZ* om. quex) *que il soit*
(*V* aj. ou) *bons ou mauveś* V^1V^6 – **21-22.** et qui le maistroie V^1V^6-
KZ (om. B^a) – **23.** fet om. B^a ; que il *fait* $V^1VV^aV^6$-*KZ* – **24.** et
del c. om. $B^aVV^aV^5V^6$; vient de la grace *et dou* (V^3 de) *consoil*
au ($V^3V^4V^{11}ON$-*KZ* del) Saint Esperit V^1 – **25.** l'a. a om. B^a ; de
l'*atisement a* (VV^a de) l'anemi $V^1V^5V^6V^{11}$-*KZ* – **26.** entr'elx .ii.
$V^{11}VV^aV^1V^3V^5V^6$-*KZ* (om. B^a) – **31-32.** de... c. om. B^a ; m. v. om.
B^a ; *de ce dont il li a demandé* ($VV^aV^6V^{11}$ li demande) *consoil* ; et
Boorz li otroie *molt* (V^6-*KZ* om. m.) *volantiers* $V^1VV^aV^3V^5$ – **33.**
et la sele... garde om. B^a ; Boorz le frain et (V^3V^{11} om. le f. *et*) *la*
siele ($VV^aV^1V^5$ om. et la s.) *et s'en prent garde*, et V^6-*KZ*.

§ 201 : 2. Et aprés comande B^a ; et *quant il les a* (V^{11} ot ; V^5
quant eles furent) *chantees* (VV^a dictes), *il* (VV^aV^6 si) comande
($V^3V^5V^{11}$-*KZ* ch. si fet) V^1 – **5-6.** lor... mortel om. B^a ; se... c. B^a ;
viande *doivent* paistre (V^3-*KZ* om. p. ; V^{11} doivent user ; V^5 doivent
estre) li chevalier celestiel (*KZ*-V^3 pestre ; V^{11} et pestre ; V^5 repeu)
lor cors (V^5 om. lor cors), *non pas* (VV^a mie) *des grosses viandes*
qui meinent home (*KZ* qui l'ome meinent) *a luxure et a pechié*
mortel. Et (V^3V^{11} om. et) *se Diex me conseut* (V^4 m'aït, fet il), se
V^1V^6 – **12-13.** fera savez B^a ; fera. *Grans merciz*, fait li preudons.
Et (V^4 preudoms. – Sire, fet il,) savés vos que $V^1V^3V^5V^6V^{11}$-*KZ* ;
fera. Vous dictes bien, fait le preudoms. *Et* savez vous que vous VV^a
– **21-22.** g'i serrai. Et li preudons B^a ; je serrai ($V^3VV^aV^5V^6V^{11}$-*KZ*
serai ; V^4 dusque a celui jor que je me siee) *a cele table que vos me*
(*KZ* om. me) *dites* V^1 – **23-24.** molt... C. om. B^a ; l'en ($VV^aV^4V^6$-
KZ le) mercie (VV^a loe) *molt de ceste abstinance* (VV^a emprise)
qu'il fera por l'amor au ($V^6V^4V^5$ del) *verai Crucefié* (VV^a fera pour
Nostre Seigneur ; V^3 fera por sa priere) V^1V^{11}-*KZ*.

§ 202 : 1. crers B^a ; *clers* V^1V^6-*KZ* ; clerc V^4 (preudoms VV^aV^5)
– **10.** se ceint $B^aVV^aV^1V^3V^4V^5V^6V^{11}ON$ (*erreur commune*) ; puis
se *seigne KZR* – **11-12.** de... Creator om. B^a ; au preudome *de tot*
(V^6 om. tot) *ce dont il se sentoit corpables vers son Creator*. Si le
V^1VV^a – **13.** et de si religieuse $VV^aV^1V^3V^5V^6V^{11}$ (om. B^a) – **18-**
20. si... eschapera om. B^a ; son Sauveor : *si en sera toute voie* (*V*

om. t.) *plus aseur en quel que leu que il vaigne, quar il ne set se* (V^6
om. il ne set se) *il morra* (V^3 *aj.* ou non) *en ceste Queste ou se il en*
(V^{11} *om.* en) *eschapera* (VV^a Queste ou non). *Et li* V^1-*KZ* – 22. *que*
$VV^aV^1V^6$-*KZ* (*om.* B^a).

§ 203 : 3. prent (*V aj.* le) *corpus Domini et* $V^1V^3V^4V^5V^6V^{11}$-
KZ (*om.* B^a) – 4. si fet et *om.* B^a ; et il (V^3 cil) si fet si (V^3-*KZ*
et) s'agenoille $V^5VV^aV^4V^6V^{11}$ – 5. si… venuz *om.* B^a (si…
comandement *om.* VV^a) ; devant lui *si tost come il i* ($V^3V^4V^6$ *om.*
i) *est venuz. Et* V^1V^{11} – 6. tieg : *graphie de* tiegn – 7-20. bien…
comandement *om.* B^aV^1 (*cf.* 5) ; bien *om.* V^3 ; oïl bien *om.* V^5 ;
oïl (V^4V^{11} *aj.* mout) bien V^1V^6-*KZ* « …oïl bien. *Je voi* (V^3 voil)
que vos tenez ma redempcion et mon Sauveor et ma redemption en
samblance de pain ; et (V^5 *om.* et) *en tel samblance* (*KZ* maniere)
nel veisse je pas, mais mi oil, qui (V^{11} *om.* qui) *sont si terrien qu'il*
ne me laissent veoir (V^3 qu'il nel pooient apertement ; V^5-*KZ* V^6V^{11}
k'il ne pueent) *veoir les esperituex choses, et nel me* (V^5 choses ne
ne mel ; V^6 c. ne ne le me ; V^{11} c. si ne me ; *KZ* c. nel me) *laissent*
autremen[t] veoir, ainz m'an tolent la veraie samblance. Car (V^6
mais) *de ce ne dout je mie que ce ne soit veraie char et* (V^5 *om.*
v. char et) *vraiz hom et anterine deité »*. *Et* (V^5 *om.* et) *lors comance*
a plorer trop (V^3 mout) *durement* (V^{11} fort ; *KZ aj.* et li preudons
li dit) : – *Or seroies tu donc* (V^3 *aj.* mout fox), *fait li prodons, molt*
(*KZ om.* donc… molt) *fox* (V^3 *om.* molt fox) *se tu si haute chose*
com tu devises (V^3 dis) *recevoies, se tu ne li portoies loial foi et*
(*KZ om.* loial foi et) *loial compaignie touz* (V^{11}-*KZ aj.* les) *jorz*
mes (V^3 *om.* mes ; V^3V^{11}-*KZ aj.* que tu vivroies). – *Sire, fait Boorz,*
ja (V^6 *om.* ja) *tant come* (V^5 ja jor que) *je vive mais* (*KZ om.* m.) *ne*
serai se ses (V^3V^5 *om.* ses) *sergenz non, ne n'istrai a mon cuidier*
(V^{11} escient ; V^5 n'istrai si comme ge croi ; *KZ* n'istrai fors) *de*
son comendement V^1 – 21-23. tant… voie *om.* B^a ; reçoit (*KZ aj.*
o grant devotion, et) *tant liez et tant* (*KZ om.* tant) *joianz qu'il ne*
cuide ja mes estre corrociez de (*KZ* por) *chose qu'il voie* (VV^a oye ;
KZ chose qui li aviegne) $V^1V^3V^4V^5V^6V^{11}$.

§ 204 : 1-2. et… plot *om.* B^a ; *l'ot usé* (V^4 Boorz ot usé son
Sauveor) *et esté* (VV^a et il ot grant piece esté) *devant l'autel tant*
come lui plot, il $V^1V^3V^5V^6V^{11}$ – 4-6. car… estre *om.* B^a ; plaira,
car ore est il (*KZ* car il est) *armez en tel meniere* ($V^3V^4V^{11}$ *om.* en tel
m.) *come chevaliers celestiex doit estre, et* (V^5 estre si est ; V^6 estre
car il ; V^{11} estre et est ; V^3 estre et est ore ; V^4ON estre et il respont
qu'il est) *si* (VV^a *om.* si) *bien garniz contre* l'anemi come il doit (V^6
aj. estre ; V^3 l'ennemi qu'il ne porroit estre mielz ; $V^5V^4V^{11}ON$-*KZ*

l'anemi que meuz ne porroit estre). Lors V^1 – **10-12.** N. S.... deable *om.* B^a ; *qu'il prit Nostre Seignor por lui qu'il nel lest chaoir en pechié mortel par temptacion de deable* (KZ d'anemi ; V^3 *d'ennemi ne par agait de deable*). Et li preudom $V^5VV^aV^{11}$ – **12-13.** en... porra *om.* B^a ; *li* (V^6 *om.* li) *dist/dit qu'il* (V^1V^6 *aj.* en) *pensera de lui* (V^1V^6 *om.* de lui ; V^6 *aj.* molt volentiers) *en totes les manieres* (V^3 choses) *que il onques* ($V^1V^6VV^a$-KZ *om.* o.) *porra* (VV^a *aj.* a touz jours mais ; V^6 *aj.* et). Maintenant (VV^a A tant) V^5 – **14.** t. j. *om.* B^a ; *chevauche tote* (V^4 tot) *jor* $V^5V^6V^{11}ON$-KZ – **15-16.** none. Et puis regarde B^a ; *jusqu'a none. Et* (KZ *om.* et) *quant vint .i. poi* (V^3-K *om.* .i. poi) *aprés cele heure, il* ($V^3V^4V^{11}ON$ si) *regarde* ($VV^aV^3V^6V^{11}$-KZ regarda) *amont* V^1V^5 – **17.** et sec et deserté *om.* B^a (et deserté *om.* $VV^aV^4V^{11}$; et sec *om.* V^3) ; *aubre viel* (V^6 .i. viel arbre) *et sec* (V^3 *om.* et sec) *et deserté* (KZ d. et ; $V^4V^{11}ON$ *om.* et d.) *sanz fueille* V^1 – **19.** p. ne sai q. *om.* B^a ; *avoit oiselez suens* (VV^a *om.* s.) *propres* (V^4 suens oiselez prez), *ne sai quanz, qui* $V^1V^3V^{11}$-KZ – **26.** trop *om.* B^a ; *mervoille molt* (V^6 *aj.* duremnent ; $V^{11}ON$-KZ trop ; V^5 trop durement) *que* $V^1VV^aV^3V^4$ – **27-28.** car... s. *om.* B^a ; *puet* (V^{11} pot) *estre, car il ne set* (V^{11} soit) *quex chose* (V^5 *om.* en ; V^6 quele aventure) *puet* (VV^a puist ; V^4ON-KZ puisse ; V^{11} pot) *avenir de ceste samblance. Mais* V^1 – **29.** por *om.* B^a (por savoir *om.* $V^1V^3V^6$) ; *por savoir* $V^4VV^aV^5V^{11}ON$-KZ.

§ 205 : 4. en une ch. *om.* B^aV^5 ; *desarmé en une chambre, si* $V^1V^6V^{11}ON$-KZ – **8.** il... ele *om.* B^a ; *Et il la salue* (V^3 salua) *come dame ; et ele le reçoit* (V^3 reçut) $V^1V^6V^{11}$-KZ – **9.** et... m. *om.* B^aVV^a (seoir d'encosté lui. Et quant VV^a) ; *asseoir delez* (V^6 par dalés) *li et li fet* (V^3 fist) *feste* (V^6 *aj.* molt) *mervilleuse. Quant* V^1V^{11} – **10.** a. devant li $B^aVV^aV^3$; a. delez li $V^1V^4V^6V^{11}ON$-KZ (*le copiste de* V^5 *qui a d'abord mis* devant *l'a corrigé en* delez) – **11-12.** Et Boorz pense B^a ; *Et quant* (V^{11} *om.* q.) *il voit* (V^3V^5 vit) *cec, si pense* (V^3 pensa ; V^5 vit bien) *que de cele viande ne mangera* (VV^a mengeroit ; V^3V^{11} gostera) *il ja* (VV^a point) V^1V^6 – **14.** il *om.* B^a ; *et il la* (VV^aV^6 le) *met* $V^1V^3V^5V^{11}$; et Boorz le met KZ – **19.** bien *om.* B^a ; *oïl bien* $V^1V^3V^5$-KZ ; molt bien V^6 – **19.** h. mes *om.* B^a ; *mangerai hui mes* (V^{11} *om.* mes) $V^1VV^aV^3V^5$-KZ (m. mais hui V^6).

§ 206 : 1. en $VV^aV^1V^3V^5V^6V^{11}$-KZ (*om.* B^a) – **1-2.** come... d. *om.* B^a ; *la parole, come cele qui ne vodroit* (V voult ; V^a vouloit ; KZ ne li oseroit) *pas* ($VV^aV^3V^5$ mie) *fere chose qui li despleust. Quant* $V^1V^3V^5V^6$ – **3-4.** il se d. *om.* B^a ; del p. *om.* B^a ; *napes levees* (VV^aV^5 ostees), *il se drecierent et alerent as fenestres dou*

palais $V^1V^3V^5$-KZ – 5-6. en… e. *om.* B^a ; Et *en ce qu'il parloient*
ensemble .i. vaslet entra laienç (ensemble, si entra laiens ung varlet
VV^a) qui (V^4V^{11} et) dist $V^3V^5V^6$ – 6. a la dame $VV^aV^1V^3V^5$-KZ
(*om.* B^a) – 10. trové *om.* B^a ; n'avez *trové* $V^5VV^aV^3$-KZ ; ne trovez
V^1V^6 – 11. Piadan B^a ; Pridan V^3 ; Priadan V^6-K ; Priadam RZ
– 11. *qui ses sires* (VV^a son freres) *est* V^1V^3-KZ ; ki est ses sires (V^5
son seigneur) V^6 (*om.* B^a) – 12-13. comence… et *om.* B^a ; ot (KZ
entent) ceste parole (VV^aV^1 aventure), si *comence a fere trop grant*
duel et dist V^5 – 15. et ($VV^aV^1V^3V^4$ *om.* et) sans raison V^6V^{11}-KZ
(*om.* B^a) – 16. Boorz *ot ceste nouvelle,* si (V^3 *aj.* li) demande (KZ *aj.*
a la dame) que $VV^aV^1V^3V^5V^6$ – 17-18. Sire… plest *om.* B^a ; Sire,
fait ele, ce est la graignor aventure ($VV^aV^3V^5V^6$-KZ *merveille*) *dou*
monde. – Dites (VV^a *aj.* le) *moi, fait il, quele* (VV^a *om.* quele ; V^6
aj. ele est), *se il vos plest* V^1.

§ 207 : 1. ($V^6VV^aV^5V^{11}$ *aj.* molt) volantiers V^1-KZ (*om.* B^a) – 2-
4 : baillie ama une dame qui B^a ; assez *om.* B^a ; *en sa baillie, et*
assez plus (V^5 et plus assez ; KZ et plus encor) *que ce ne monte* et
(KZ *om.* et ; V^3 *aj.* tant qu'il) ama *jadis* une dame, (V^5 damoiselle ;
V^5-KZ *aj.* moie sereur), qui estoit (V^3 est) *assez plus vielle* (V^6
monte, si avoit une soie fille ainsnee que je ne sui) $V^1VV^aV^{11}$ – 6-
8. et… tort *om.* B^a ; antor (V^4 avec) lui mena (V^{11}-KRZ amena ;
V^4 amene ; VV^a esleva) ele ceste (V^6V^{11}-KRZ *om.* ele c. ; V^6 *aj.* et
aleva) costume ($V^4V^6V^{11}$-KRZ costumes) mauveses *et anuieuses*
(V^6 *aj.* el païs ; V^{11} *aj.* et) *ou il n'avoit point de droiture, mais tout*
(KRZ tant) aparamment *apertemant*) *tort* (V^{11} droiture, mes tort
tot apertement) *par coi ele mist a la* (V^6 *om.* la) *mort* (KRZ quoi
ele enchaçoit) *grant partie* V^1 – 9. vit ce si B^a ; vit *qu'ele ovroit si*
mal, si l'anchaça $V^1VV^aV^3V^{11}$-KZ – 10. si t. *om.* B^a ; mes *si tost*
come $V^1VV^aV^3V^6V^{11}$-KZ – 12-13. homes. Et B^a ; homes torneç
a sa partie V^3-KZ – 15-16. Et… mie *om.* B^a ; *Et ele en a si bel*
comencement qu'ele ne m'a laissté seulement (V^5 que ; V^3-KRZ
fors ; V^6 fors que) *ceste tor, qui* (VV^a *aj.* moult longuement) *ne*
me demorra ($V^3VV^aV^5$-KZ remaindra) *mie* (V^3-KZ pas) se V^1V^6
– 17. Piadan $B^aVV^aV^1V^3V^5V^{11}$; Priadan V^6-K – 17-18. *qui por*
sa querele deraisnier en vuet (K voldra) *antrer en champ* V^1V^6-
RZ (*om.* B^a) – 19. Piadans $B^aVV^aV^1V^3$-Z ; Piadan V^3V^5 ; Priadans
V^6-KR – 21. et… est *om.* B^a ; terre, *et qui* (V^3 *aj.* est) *de greignor*
pooir (KRZ proesce) *est* (V^3 *om.* est) $V^1V^6V^{11}$ – 24. Piadan
$B^aVV^aV^5V^{11}$-Z ; Piadam V^1 ; Priadan V^6-KR.

§ 208 : 1-2. por… en a *om.* B^a ; la dame antant ceste parole (VV^a
entant Boorz ; V^3 ele ot cele novele), si n'est mie petit liee, ainz dist

por la joie que ele (V^6 l'il) *en a* $V^1V^5V^{11}$-*KZ* – 9. et... est *om. B^a* ;
soit si sains *et si* (V^5 *om.* si) *haitiez come il est* (V^6 *aj.* orendroit ;
V^{11} *aj.* encore). Et ele mande maintenant a $V^1VV^aV^3V^6V^{11}$ – 11-
12. qu'ele doie *B^aV^5* ; qu'*il en doie faire* VV^aV^6-*R* – 18-19. et
departir... velt *om. B^a* ; touz aler (V^3 *aj.* hors) *et departir* (V^3 *aj.*
d'ileques), *et il s'en vont touz puis qu'il le* voult (V^3 velt). Et il
estaint VV^a – 20. tot (*KZ om.* t.) errannment $V^1VV^aV^3V^5V^6$ (*om.*
B^a) – 21. teste *et fait* (V^{11} dist) *ses proieres et ses oroisons envers*
(VV^a a) *Nostre Seignor* que il (*KZ* oroisons que Diex) par $V^1V^3V^5$
– 22-23. et en force... combatre *om. B^a ;* en aide *et en* (VV^a et li
doint) *force* (*KZ om.* et en f.) *contre cel chevalier a qui il se doit*
combatre $V^1V^3V^5V^{11}$.

§ 209 : 2-3. que... end. *om. B^a* ; maintenant li *B^aV^3* ; et
maintenant *que* (*KZ* et si tost com) *il fu endormis,* (VV^a *aj.* si) li
$V^{11}V^4V^6$ – 6. *et il le regardoit* (V^3 regarde) $V^5V^6V^1$-*KZ* (*om. B^a*)
– 8. venoit a lui et $VV^aV^1V^3V^5V^6$-*KZ* (*om. B^a*) – 10. et ausi blans
om. B^aV^3 ; feroie ausi biel *et ausi blanc* come $V^6V^4V^5$-*KZ* – 12.
li *om. B^a* ; *li* demandoit (demande $V^1V^5V^{11}$) V^3V^6-*KZ* – 13-14. il
est. Ge sui, fet il, plus biax que tu *B^a* ; il est. *Dont ne voiz tu,* fait
cil (*KZ* fet il), qui je sui ? *Je sui si* (V^3 *om.* si) biax *et si* (V^3 *om.* si)
blans (V^6 si blans *et si* biaus) *et assez plus* (*KZ* et plus assez) que V^1
– 20. ne fait $V^1V^3V^5V^6$-*KZ* (*om. B^aVV^a*) – 21. ne $VV^aV^3V^5V^6$-*KZ*
(*om. B^a*).

§ 210 :1-2. assez m. *om. B^a* ; *assez* (VV^a *aj.* plus ; V^3V^6 molt ; V^1
om. a./molt) *merveilleuse* V^5V^{11}-*KZ* – 3. une ch. *om. B^a* ; qui (*KZ*
et) resambloit *une* (V^3 *om.* une) *chapele* $V^1VV^aV^5V^6$ – 4. en une
chapele si *B^a* ; en une *chaiere et* $VV^aV^1V^3V^6V^{11}$-*KZ* – 6. en estant
$VV^aV^1V^3V^5V^6$-*KZ* (*om. B^a*) – 15-17. *Car il m'est avis que cist fus*
ne porroit riens valoir, et ces flors sont assez plus merveilleuses que
je ne cuidoie $V^1VV^aV^6V^{11}$-*KZ* (*om. B^a*) – 19. a. *om. B^a* ; *avenir*
devant (VV^a de) *toi* (*KZ om.* d. toi) $V^1V^3V^6V^{11}$ – 19-20. tu nes
lesses mie por *B^a* ; *tu ne* laisses mie (V^3V^{11}-*KZ* pas) *les* (V^6 *om.*
les ; *KZ* ces) *flors perir* (V^6 *om.* p.) *por* V^1VV^a – 20-21. Car...
perir *om. B^a* ; *Car se trop grant ardours* (V^6 caurre) *les sorprenoit*
($V^{11}V^5$-*KZ* sorprent), *eles porroient* ($V^{11}V^5$-*KZ* porront) *tost* (VV^a
bien ; V^5 *om.* t./bien) *perir* (V^3 puet suprendre, ele periroit). Et
V^1 – 24. qin (*sic*) ne *B^a* ; *car il ne savoit* (*KZ* pooit) onques (VV^a
onques nulle foiz) penser (V^3V^5 *om.* p.) que ce pooit $V^1V^4V^{11}$; *car*
il ne savoit que penser que ce pooit V^6 – 27-28. et... jors *om. B^a* ;
an mi son vis (V^3-*KZ* front) *et* (*KZ aj.* mout) *se* comande (V^3V^6-*KZ*
comanda ; VV^a commanda moult escordement) *a Nostre Seignor*

(V^5 om. et se c. a N. S.) ; *et* (V^6 *aj.* einsi) *atendi jusqu'a tant qu'il fu jors* (VV^a adjourné) $V^1V^3V^{11}$ – **28.** g. et bel *om.* B^a ; Quant il vit le jor *grant et bel* (V^5 jor bel et cler), il se chauça et vesti et entra en son lit V^1 – **29.** maniere que l'an ne (*KZ aj.* se) *poïst* (V^5 puet) *mie* (V^5-*KZ om.* mie) *aparcevoir que a[n]* (V^5-*KZ* que il) n'i eust geu V^1.

§ 211 : 5. po : *graphie de* poi/pou – **6-7.** pas ore. Donc B^a ; ne mangeroit pas *devant* (V^5 jusqu'atant) *qu'il eust* (V^3 avoit) *sa* (V^4V^{11} la) *bataille menee a fin* ($V^3V^4V^{11}$ chief). Dont V^1ON-KZ ; ne mengeroit mie devant qu'il eust fait la bataille. Dont VV^a ; ne mangeroit point devant ce que la bataille seroit menee a cief. Dont V^6 – **9.** et d'a. vos *om.* B^aV^6 ; *armes et d'apareiller vos* $V^4VV^aV^3V^5V^{11}$-*KZ* (et vos appareillier V^1) – **10.** Piadans $B^aVV^aV^1V^{11}$; Priadans V^4V^6-*KZ* – **12-13.** m. *om.* $B^aV^3V^6$; aporte *maintenant* $V^1V^4V^5V^{11}$ON-KZ – **13-14.** tot *om.* B^a ; si qu'il… il *om.* B^a ; *tot* (V^5 *om.* tot) apareillié *si qu'il n'i faut rien,* il monte $V^{11}VV^aV^1V^3V^4V^6$-*KZ* – **16.** c. *om.* B^a ; *erranment* antre $V^1VV^aV^3V^6$ – **18-19.** molt grant gent V^1VV^a $V^3V^5V^6$-*KZ* (*om.* B^a) – **22-23.** *cele por cui Boorz* ($V^3V^5V^{11}$-*KR* il) *se devoit combatre* V^1-Z (*om.* B^a) – **24.** pleig : *graphie de* pleign – **25.** et m. h. *om.* B^a ; *ma terre et mon heritage* $V^1VV^aV^3V^6$ – **29.** se… d. *om.* B^a ; *se ele* l'ose (VV^aV^6 *s'en* ose) deffendre $V^1V^5V^{11}$-*KZ* – **30.** a. *om.* B^a ; e. *autrement* V^aV-*KZ* – **31.** de… dame *om.* B^a ; *de la querele a ceste dame* $V^5V^3V^{11}$-*K* ; de ceste querelle VV^a – **35.** qu'el B^a ; qu'elle V.

§ 212 : 1-2. dit qu'il est prez B^a ; *dist que ces menaces ne prise il pas* (V^{11} *om.* pas ; *KZ* mie) *.i. boton, ainz est prest qu'il deffande* $V^1V^3V^6$ – **7.** Lors depart B^a ; *se departent* $VV^aV^1V^3$-*KZ* ; se partent V^6 – **8.** vindrent la ou B^a ; *vindrent ou lieu ou la bataille* VV^a ; et *vuident* (V^5 vuiderent ; V^4V^{11} descombrent) le leu (Z la *place*) ou $V^1V^3V^6$ – **9-10.** si lesse B^a ; *s'entresloignent* (V^3 s'esloignent) *puis laissent* $V^1V^4V^6V^{11}$-*KZ* – **11.** es granz aleures des chevaux $V^3V^4V^5V^6V^{11}$-*KZ* (*om.* B^aV^1) – **16.** *come cil qui estoient de tres* (VV^a-*KZ om.* tres) *grant proesce* (V^{11} force) $V^1V^3V^4V^5V^6$ (*om.* B^a) – **17-18.** et s'e…. testes *om.* B^a ;… as espees *et* (V^3 si) s'entrecorurent (V^3 *s'entrecourent*) *sus les escus getez sor* lors ($V^3V^4V^6$ les) *testes* V^{11} – **18-19.** *la ou il se cuident* (VV s'entrecuident) *plus empirier* (VV^a dommagier ; V^6 grever) $V^{11}V^3V^4$-*KZ* (*om.* B^a) – **19-20.** et… ch. *om.* B^a ; *et en font voler a la terre* de (V^5V^{11}-*KRZ om.* de) *granz* (V^5 grandismes) *chantiax* (V^5-Z corspiaus) V^1-*R* (et font voler grandimes chanteax a la terre

V^3) – 21. *sor les bras* et sor les espaules (*KZ om.* et sor les e.) *et sor les hanches* $V^{11}V^1V^3V^4V^5$ (*om. B^a*) – 22. et g. *om. B^a* ; p. *et granz* $V^1V^5V^6V^{11}$-*KZ* (grans et parfondes VV^aV^3) – 24. a. *om. B^a* ; *assez greignor* $V^1V^3V^5V^6$-*KZ* (assés plus de deffense VV^a) – 25. et en loial $VV^aV^1V^3V^5$ V^6-*KZ* (*om. B^a*) – 30. et… alaine *om. B^a* ; est lassés *et* (V^1-*KZ om.* est l. et) *est* ($VV^aV^5V^{11}$ *om.* est) *venus* (V^3 est v.) *en* (V^1 a) la grant ($VV^aV^1V^5$-*KZ* grosse) alaine V^6 – 31. si vistes *et om. B^a* ; *aussi vistes et* aussi $VV^aV^1V^3V^6V^{11}$-*KZ* – 33-34. tant ont *B^a* ; *et… p. om. B^a* ; *tant a* des (V^5 de) cox receus *et del sanc perdu* $V^3V^4V^{11}$.

§ 213 : 8-9. voit… si *om. B^a* ; *et* ($V^aV^3V^6$ *aj.* quant) cil *voit l'espee* (V^1-*KZ* le branc) *drecee desus* (*KZ* sor son) *chief* (VV^a le branc d'acier sur lui), *si* a poor V^5 – 10-11. mais… v. *om. B^a* ; ne m'oci mie, *mais laisse moi vivre*, et $V^6VV^aV^1V^3V^{11}$ – 12. la la juene *B^a* – 12-13. tant… quoiz *om. B^aVV^a* ; *dame tant comme ge vive, einz* (V^1 ainçois) *me tendrai toz quoiz* V^5V^1-*KZ* – 15-16. si… puet *om. B^a* ; *si s'en fui tantost* ($VV^aV^1V^4$ maintenant ; *KZ om.* tantost m.) *de la place si grant oirre* (*KZ* place *si tost*) *com ele* ($V^1V^6VV^a$ ses chevaux) *puet* (V^1V^{11} pot ; V^6 pooit) *aler* (V^{11} *om.* a.) *comme cele* V^3 – 17. a cels qui *B^a* ; a *toz* ceus *de la place qui tenoient terre ne* (V^3 et) *heritage* (VV^uV^1-*KZ om.* ne h.) *de lui* V^5V^{11} – 20-21. furent *ocis* et (V^3V^4 ou) *deserité ou* ($V^3V^4V^{11}$ et) *chacié* V^1-*KZ* ; *furent ocis et detrenchié et desherité et chacié* V^5 – 24-25. puis… qui *om. B^a* ; avoit… li *om. B^a* ; *pot la guerroia* (V^5 greva) ele (V^1-*KZ om.* ele) *puis* ($VV^aV^1V^5V^6V^{11}$ *om.* puis) *tos les* (V^1 *aj.* les) *jors de sa vie* (V^1V^6 *om.* de sa vie), *come cele* qui tos jors *avoit envie sor li* (V^3V^1 avoit sor lui envie ; VV^a celle qui sur lui avoit touz jours envie ; V^6 ki sor li avoit envie) V^4.

§ 214 : 6-7. soir vint *ele* chiés… *la* herberja *B^a* ; soir vint (V^3V^6 jut) chiés… *le* herberja $V^{11}V^4V^5ON$ – 10. mist *en* la forest *B^a* ; se mist (V^3 remist) ($VV^aV^6V^{11}$-*KZ* mist) *el grant chemin ferré* (V^3-*KZ om.* ferré) *de* la forest $VV^aV^4V^5V^6V^{11}$ – 11-12. jusque midi si encontra *B^a* ; jusque ($VV^aV^4V^6$ *aj.* a) *heure de* midy (jusqu'au midi *KZ*), *si li avint une aventure molt* (*KZ om.* m.) merveilleuse. *Car il* $V^1V^3V^5V^{11}$ – 17-18. si… derrieres *om. B^a* ; *si que il en estoit* (V^6VV^a *aj.* tos) *sanglanz et* (*KZ om.* et) *devant et darrieres* $V^1V^3V^{11}$ – 18. onques $V^1V^3V^4V^5V^{11}$-*KZ* (*om. B^aV^6*) ; *onquez nul mot* VV^a – 19-20. ainz… riens *om. B^a* ; *cuer, ainz soffroit tout ce qu'il li fesoient ausis come s'il n'an sentist* (*K* seust) *point* (*KZ* s. *riens* ; V^6 ne li grevast *riens* ; VV^a ne sentist point de mal ; V^5V^{11} ne sentist nulle angoisse ; V^4 ne s. nulle chouse) V^1 – 23-25. forest et ele crioit *B^a* ; forest, *por estre plus desvoiee* (*KZ* desconeue) *a ceus qui la querroient, se nus venoit aprés lui* (*V^6* om. aprés lui ; *V^1* a li) *por la damoisele* (*V^1V^3* por la pucele ; *VV^aV^6V^11-KZ por lui VV^aV^6*) rescorre. Et *cele, qui n'estoit mie asseur* (*KZ* seure), crioit *V^5V* – 29. *erranz V^1VV^aV^6V^11-KZ* (om. *B^aV^3*) – 29-31. Lors li crie franc *B^a* ; Lors *se torne vers lui* (*KZ* cele part) *et* (*V^5* si ; *V^6* om. se t. vers lui et) li crie *quan qu'ele puet* (*V^11* pot ; *V^5* crie a haute voiz) : – Ha ! frans (*KZ* om. f.) chevaliers *V^1VV^aV^3V^11* – 32-34. entrez… estre om. *B^a* ; m'aides et om. *B^a* ; a cest… m'emp. om. *B^a* ; Celui (*KZ aj.* qui hom lige tu es et) en cui servise tu es *antrez et qui* (*VV^a* quels) *chevaliers tu dois estre* (*KZ* servise tu es mis) que tu *m'aides et* ne me laisses mie honnir *a ce chevalier qui ci* (*V^4V^5V^11* om. ci ; *KZ* qui a force) *m'anporte* (*V^5 aj.* a force) *V^1VV^aV^3*.

§ 215 : 1. cel *B^a* ; cele *V^1VV^aV^3V^4V^6V^11-KZ* (entent que cele le conjure *V^5*) – 1-2. conjure si ne set *B^a* ; conjure *de* (*V^3 aj.* par) *Celui qui liges hom* (*V^1V^11* qui hons liges) *il est* (*V^3V^5 aj.* et lige chevalier), *si est si angoisseus qu'il* ne scet *VV^aV^4V^6-KZ* – 3-4. a… tienent om. *B^a* ; mener *a ceulz qui le tiennent,* il ne le cuide ja maiz *veoir sain VV^aV^4V^11ON-KZ* – 4-5. s'i n'aide *B^a* (s'i ne rescore *V^5*) ; *se il ne resqueust celle* (*ON*) pucele *VV^uV^1V^4V^11* – 5-6. m. om. *B^a* ; et… honte om. *B^aV^6* ; sera *maintenant* (*VV^a* sera ja) honnie *et despucelee, et* (*V^3* om. et) *ainsint* (*V^4* om. ainsint) *recevra honte par la defaute de li* (*V^5* par sa defaute ; *V^4* par defaute d'aïe ; *V^11ON* par defaute de s'aide) *V^1V^3-KZ* – 8. Dex garde mon *B^a* ; Ha ! biau pere Jhesucrist, *cui homs liges ge sui* (*V^1* om. cui… sui), gardez (*V^4* garde) *moi* (*VV^aV^5* om. moi) mon frere *V^11V^3V^6ON-KZ* – 9-10. pitié… et om. *B^a* ; por *pitié de vos* (*V^6* om. de vos) *et por misericorde* (*V^5* om. et por m.) irai (*V^1 aj.* je) rescore (*V^4ON* m. rescorré ; *KZ* m. secorrai) *V^1VV^aV^3V^6V^11* – 10-11. d'estre… despuceler om. *B^a* ; ceste pucele *d'estre honie, car il me samble que li* (*V^3V^6-KZ* cist ; *V^4ON* cil ; *VV^a* ce) *chevaliers la vueille despuceler* (*ON aj.* et isi seroit elle maubaillie et afolee). Lors *V^1V^5V^1—* 14. et… l'a. om. *B^a* ; les costez. Et quant il l'aproche, si *V^1VV^aV^3V^4V^5V^11ON-KZ*.

§ 216 : 1-3. et… l'espee om. *B^a* ; mèt jus la damoisele, *et* (*V^6* om. et) *il estoit armez de toutes armes fors de* (*V^3 aj.* son) *glaive* (*V^4* armés de glaive). *Il* (*VV^a* et il ; *KZ* si) *embrace l'escu et trait* (*V^3* tient) *l'espee V^1V^11ON* (fors deu glaive. Et cil le fiert *V^5*) – 3. durement om. *B^a* ; et cil (*V^4ON* Boorz) le fiert si *durement que* (*V^6* om. que) *VV^aV^1V^3V^5V^11-KZ* – 5-7. mais… force om. *B^a* ; par my l'escu et par my le haubert (*V^6 aj.* k'il) li met le (*V^6* son) glaive

(V^4 aj. atot li fer ; V^{11} aj. atot le fer et li passe) par my l'espaule
(V^6 aj. senestre ; V^3 l'aubert et par mi l'espaule li met le fer de son
glaive), *mais il ne l'a mie* ($V^{11}ON$ pas) *si fort navré* ($V^3V^4V^5V^6$
mes il n'a/ON ne l'a/pas/V^5V^6 mie/navré si fort) *qu'il n'en puist
bien* (V^1V^3 om. bien) *garir legierement* (V^3 om. l. ; V^5V^6 qu'il ne
puisse legierement garir*) ; *et* ($V^1V^3V^4V^5V^6V^{11}$ om. et) *il l'empaint
bien* (V^4 om. bien) *comme cil qui estoit de* (V^1 aj. molt) *grant force,
si l'abat* (V^6 aj. legierement a terre) *du cheval a terre* (V^6 om. a
terre) VV^a – **8.** de… sent *om. B^a* ; et au retraire du (V^3 de son)
glaive qu'il fist et cil se pasme *de l'engoisse* (V^1V^6 retraire qu'il
fait de son glaive/V^3 retrere de son glaive/V^5 retrere qu'il fist de
son glaive a lui se pasme cil de l'angoisse/V^4 au traire qu'il fait
de son glaive cil se pasme/V^{11} retraire qu'il face du glaive si/se
pasme cil de la grant [V^6 om. grant] angoisse) *qu'il sent* VV^a – **10-
11.** Damoisele… chevalier *om. B^a* ; Et Boorz vient (V^6 vint) a la
damoiselle et (V^6 d. se ; KZR si) li dist (V^3V^4 damoisele si li dit) :
– *Damoiselle, il me semble que vous estes* (V^6 soiés) *delivre de
cest chevaillier* $VV^aV^1V^3V^4V^5\ V^6V^{11}$-$KZR$ – **12-13.** puis… honie
om. B^a ; *fet ele, puis que vos m'avez garantie de perdre honor et
d'estre honie, je vos pri* $V^{11}VV^aV^1V^6$-KZ – **15.** que… il *om. B^a* ; dit
que si ($V^1V^3V^6$ ce ; VV^a cy) *fera il molt* ($V^1V^3V^{11}$-KRZ om. molt)
volentiers V^5 – **16.** i *om. $B^aV^3V^5V^6V^{11}$-K* ; si *i monte* $V^1V V^a$-ZR
(et monte V^3) – **16-17.** tote… devise *om. B^a* ; et la meine (V^{11} si
enmoine la pucele ; VV^a si maine celle ; V^1 si ramaine cele) *tote
la voie que ele li* (VV^a om. li) *devise* V^5 ; et l'enmaine einsi come
ele devise KZR – **20.** de… r. *om. B^a* ; cuidiez *de ce que vos m'avez
rescousse,* car s'il $V^1VV^aV^5V^6\ V^{11}$-KZR – **21-22.** qui… sauvé *om.
B^a* ; encore *qui ore* (VV^aV^3-KZ om. ore) *en seront* (V^1V^6 sont)
sauvé V^5V^{11} – **26.** chis B^a ; chiés V^1 – **28.** del del B^a.

§ 217 : 1-2. si… armés *om. B^a* ; ainsi, *si voient* (V^5 estes vos)
venir (V^1 aj. par mi la forest) *jusqu'a* (V^{11} om. j. ; V^6 de ci a)
.xii. chevaliers armés VV^aV^3-KZ – **3-4.** si *om. B^a* ; que… r. *om.
B^a* ; *si* grant joie *que ce est merveille a regarder* (V^5-KZ om. a r.)
$V^aVV^1V^6V^{11}$ – **7.** li $VV^aV^1V^6$-KZ (om. B^a) – **8.** en $VV^aV^1V^3V^{11}$-
KZ (om. $B^aV^5V^6$) – **8-10.** car… g. *om. B^a* ; car ainsi le (VV^aV^5 aj.
vous) *coivent a* (V^5 om. a ; VV^a c. il) *fere. Et nos vos em* ($V^1V^5V^6$-Z
om. em) *prion que vos i* (V^5 om. i) *viengniés* (V^1 venez ; K om. et
nos… v.), *car tant* (VV^a viegnés en tant que vous) *nos avés servis*
(VV^a aj. si ; V^6 car tant avés por nous fait) *que a poine le vos* (V^1
om. vos) *porrion guerredoner* (V^6 deservir) V^{11} – **12-16.** si…
restorer *om. B^a* ; *Si vos pri* (V^{11} aj. por Deu) *qu'il ne vos en poist ;
car bien sachiez* (V^5 aj. par verité) *que* (V^{11} aj. mout) *volantiers i*

alasse, mais li besoins i (V^{11} en) *est si granz androit* (V^{11} envers)
moi, et la perte si douloureuse se je remanoie (V^6 om. se je r.), *que*
nus fors Dieu ne la (V^6-KZ nel) *me* (KZ om. me) *porroit restorer*
V^1 – 17. oent ce si ne B^a ; oient *que li essoignes i est si granz*
si $V^1VV^aV^{11}$-KZ – 18. en om. $B^aV^1V^5V^6$; plus om. B^aV^3 ; ne
l'osent *plus* e. $V^1V^5V^6$; ne l'*en* osent plus (V^3 om. plus) esforcier
VV^aV^{11}-KZ – 19. molt doucement $V^1VV^aV^6V^{11}$-KZ (om. B^aV^5)
– 21. il dit s'aventure B^a ; dist *que s'il* (VV^aV^3 si) *l'en sovenoit et*
aventure le menoit (VV^a l'apportoit ; V^5 li amenoit) V^1V^{11} – 22-23.
s'en parti Boorz B^a ; si s'en part en tel maniere (VV^a a tant se part
d'eulx ; V^3-KZ si se part *a tant d'ax*) *et cil* amainent (VV^aV^3-KZ
enmainent ; V^6 mainent) *la pucele* (V^6 damoisiele) *a sauveté. Et*
Boorz (V^3 il) chevauche (V^6 atant cevauce Boorz) cele V^1 – 25-
26. vint la se regarde B^a ; vint *a cel chemin meismes ou il cuidoit*
avoir veu (VV^a om. il... veu) *les chevaliers torner* (VV^a aj. ce li est
avis), si regarde $V^5V^1V^6V^{11}$ – 26-27. se regarde et escoute savoir
B^a ; regarde *amont et aval si loig come la forest li sueffre* (VV^a aj.
loings) *a* V^1 om. a) *veoir, si escoute et oreille* (V^{11} om. et o. ; V^6 aj.
amont et aval) *por savoir* $V^5V^1V^6V^{11}$-KZ – 28-30. ne... frere om.
B^a ; Et quant il ne voit ($V^{11}V^1$ n'oit) chose que *il veuille ne il n'ot*
($V^1V^3V^6$ ne voit) *riens* (V^1 chose ; V^{11} om. ne... riens) *par quoy il*
puisse (V^1 cuit) *avoir nulle* (V^3 aucune) *esperance* (V^6 avoir point
d'e.) *de son frere* avoir ($V^1V^3V^6V^{11}$ om. avoir) VV^a – 30. qu'il lor
vit torner $V^3VV^aV^1V^{11}$-KZ (om. B^a) – 38-41. vos corrocissiez, je
B^a ; tele... els om. B^a ; vos *vos en* corrochissiez ($VV^aV^1V^5$-KZ
desconfortissiez) *trop, et que vos en* (V^1V^5 ne ; KZ n'en) *chaïssiez*
en desesperance, je vos en diroie la verité, tele com je la (VV^a l'en)
soi (graphie de sai) *et le vos mosterroie as els* $V^{11}V^1V^5$.

§ 218 : 2. dui om. B^a ; li *dui* (VV^a deux) chevalier $V^1V^5V^6$-KZ
– 4. Hn $V^1V^5V^6V^{11}$-KZ (om. $B^aVV^aV^3$) – 5-6. car... preudedame
om. B^a ; car *certes il fu filz de* (V^{11} a ; V^6 a molt) *preudome et de*
preudedame (V^5V^{11} bone dame ; VV^a om. et de p. ; KZ preudefame)
V^1V^3 – 8. il garde B^a ; il *se regarde* $VV^aV^1V^6$-KZ – 8-9. *tout estendu*
et sanglant $VV^aV^1V^5V^6$-KZ (om. B^a) – 9. et il l'a. om. B^a ; *et il*
l'avise et li est bien avis V^6 ; et il l'avise tant qu'il li est avis V^5V^{11}
(V^1 tant que il voit que ; VV^aV^3 tant qu'il li semble que) – 10. son
frere. Et (om. B^a) ; ce soit Lyonniaus (VV^5V^{11} Lionel ; V^a Lyonnel ;
V^1V^3 Lyonel ; Leonaus *ON* (KZR om. L.) *ses freres. Et* V^6 – 10-11.
lors ne set B^a ; jus... touz om. B^a ; *lors a si grant duel qu'il ne set*
(V^6 sevent) *que faire, ainz chiet jus* de la sele (V^6 jus *a tiere*) *touz*
pasmez V^1 ; lors a si grant duel qu'il ne se puet tenir en sele (KZ
estant), einz chiet (V^3 vole) jus a la terre toz pasmez (V^3 a terre et

se pasme) $V^5V^{11}VV^a$ – **12.** et (V^{11} si) *gist grant piece en pasmison* $V^1VV^aV^3V^6$-KZ (*om. B^a*) – **14.** certes $V^1VV^aV^3V^6$-KZ (*om. B^a*) – **15-17.** joie puis que B^a ; joie *se Cil qui es granz* (VV^a-KZ om. g.) *tribulacions et es angoisses vient les pecheors visiter* (VV^a-KZ vient visiter les pecheours) *ne me conforte. Et* puis *qu'il est ainsis, biau dous freres* (VV^a) que V^1 – **18-21.** cil… dit *om. B^a* ; *Cil que j'ai pris* (V^5 empris) a conduiseor ($VV^aV^3V^5$-KZ a compaignon) *et a mestre* (V^5 om. et a m.) *me soit* (V^3 aj. a) conduiseors (VV^aV^5 aj. et maistres ; V^3 aj. et garde ; KZ aj. et sauverres) *en toz perilz. Car des or mes n'ai ge a penser* que (V^3-KZ fors) *de m'ame* (V^5 de ma vie), *puis que vos estes trespassez de vie. Quant il a ce dit* (V^3 om. Q…. dit), il (VV^a si) prent V^1 – **21-23.** lors met le cors en la sele si dit B^a ; si *prent le cors et le lieve molt legierement* (KZ om. m. l.) *en la siele si* (KZ om. si) come cil ki riens ne li couste (V^5 ne poise ; $VV^aV^3V^{11}$-KZ ne li poise), *ce li est avis, et puis* (V^6 aj. si) dist (VV^a dit) V^1 – **25.** ou… e. *om. B^a* ; *ou je* poisse/*puisse cest* (VV^aV^1 ce) *chevalier* (V^5 cors) *enterrer* (V^3 enfoïr) $V^{11}V^6$-KZ – **26.** ça… tour *om. B^a* ; chapele (V^1 aj. et) *ça* (V^5-KZ om. ça) devant (V^3 aj. deleç ; V^{11} aj. a) *une tour* VV^aV^6 – **28.** sire $VV^aV^3V^5V^{11}$-KZ (*om. $B^aV^1V^6$*) – **29.** je vos i menrai $V^1VV^aV^3V^5V^6V^{11}$-KZ (*om. B^a*).

§ 219 : 2. avis son le cors B^a – **4.** viez et haute aussi B^a ; vieille et *gaste* en semblance de chappelle $VV^aV^1V^3V^5V^6V^{11}O$-KZ – **5.** ambedui *om. B^a* ; descendent *ambedui* (VV^a touz deulz) a l'antree $V^1V^5V^6V^{11}$; descendent a l'entré ambedui V^3 – **6.** grant $VV^aV^1V^3V^6$-KZ (om. B^a) – **6-7.** qui estoit en mi (VV^a ou mi lieu de) *la* (*V* om. la) *meson* $V^5V^1V^6V^{11}$-KZ (*om. B^a*) – **8.** *ne nule veraie enseigne* (V^1 signe) *de Jhesucrist* $V^5VV^aV^3V^6V^{11}$-KZ (*om. B^a*) – **9.** herbergier $VV^aV^1V^6$-KZ (*om. B^a*) – **10-11.** que… frere *om. B^a* ; que (K et) je revanrai (VV^a vendray) ci (V^{11}-KZ om. ci) *por faire le servise de* (V^6 om. de) *vostre frere* V^1V^3 – **12.** sire $VV^aV^1V^3V^{11}$-KZ (*om. B^aV^6*) – **15-16.** qui… dote *om. B^a* ; qui avant ier (V^1V^6 avant arsoir ; V^3 qui anuit) ($V^{11}VV^a$ avant ier) m'avint (VV^a me print ; KZ qui m'avint anuit) *en mon dormant, et d'autre chose dont ge sui en dote* V^5V^{11} – **18.** m. *om. B^a* ; conte *maintenant* $V^1VV^aV^5V^{11}$-KZ (conte de l'oisiel tot maintenant V^6) – **19.** après li dist *om. B^a* ; forest *après li dist* des $VV^aV^1V^5V^{11}$-KZ – **23-24.** bele… gent *om. B^a* ; amors et te priera que B^a ; senefie une damoisele (ON aj. molt) *bele et* (ON aj. molt) *riche* (V^{11} nete ; $VV^aV^1V^3V^6V^{11}ON$ aj. et de vaillant gent) qui t'amera (V^3 t'aime) *par amors et t'a amé longuement et* V^5 ; li oisiax *qui venoit a toi en guise de cisne si t'amera par amors et t'a amé longuement et* RZK – **24.** procheinement *om. B^a* ; et (V^3 l. qui) te vendra (V^6 et volra) proier

(V^6 *aj.* et proiera) *procheinement* que $V^5VV^aV^1V^3V^6V^{11}ON$-KZR
– 25. et ses acointes $V^3VV^aV^5V^6V^{11}ON$-KZR (*om.* B^a) – 25-26.
ce que… senefie que *om.* B^a ; Et *ce que tu ne* (VV^a *om.* ne) li (V^5
le) *voloies otroier senefie que* tu l'en escondiras $V^1V^3V^6V^{11}ON$-
KZR – 26-27. ira m. et *om.* B^a ; s'il… pitié *om.* B^a ; acointes. Et
ce que tu ne (VV^a *om.* ne) li (V^5 le) *voloies otroier senefie* (VV^a *aj.*
ce) *que* tu l'en *escondiras, et ele* s'an *ira* (ON morra) *maintenaint
et* morra de duel *s'il ne t'an prant pitié* $V^1V^3V^5V^6V^{11}$-KZR – 28.
gr. *om.* B^a ; *ton grant pechié* $VV^aV^1V^3V^5V^6V^{11}$-KZR ; *ton noir
pechié* ON – 29-32. car… monde *om.* B^a ; escondire. *Car por bonté*
(V^3ON honte) *que tu aies en toi* (V^3 *om.* en toi) *ne por crieme
de Dieu* (V^6 *om.* ne… Dieu ; KZR car por crieme de Dieu ne por
bonté que tu aies en toi) *ne l'escondiras tu pas, ainz le feras* (V^6
ne l'e. tu mie, mais) *por ce que l'an te tiegne a chaste,* (V^5 ne
l'e. tu pas, mes) *por conquerre la loange et la vaine gloire dou
monde* (V^5 *om.* dou m.). Si en $V^1VV^aV^{11}$ – 32. de ceste ch. *om.*
B^a ; vendra *si grant mal de ceste chastee que* $V^1VV^aV^3$ V^6V^{11}-
ZKR – 33-35. car… l'escondit *om.* B^a ; morra, *car li parent a* (V^3
om. a) *la damoisele l'ocirront, et ele* en ($VV^aV^3V^6V^{11}$-KZR *om.*
en) *morra de* (V^5V^{11}-KZR deu) *duel qu'ele* en ($V^3V^5V^{11}$-KZR
om. en) *avra* (V^6 *om.* qu'ele en avra) *de l'escondit.* Et por ce porra
(V^3 puet) V^1 – 35. bien $VV^aV^1V^6V^{11}ON$-KZ (*om.* B^aV^3) – 36.
hui $VV^aV^1V^3V^5V^6V^{11}ON$ (*om.* B^a-KZR) – 36-38. *frere que tu lessas*
B^a ; *frere qui le* (V^5 que tu) *poïsses avoir resqueus* (VV^aV^3 *aj.* tout)
aiseement (V^{11} legierement) *se tu vosisses* (V^3 *om.* se tu v.), *quant
tu le* (ON quant les) *laissas et alas aidier a une* (RKZ alas secorre
la) *pucele* V^1 – 39. ou $VV^aV^1V^3V^5V^6V^{11}ON$-KZR (*om.* B^a) – 40-
41. *qui estoit* (KZ est) .i. *des bons* (VV^a meilleurs) *chevaliers dou
monde* $V^1V^3V^5V^6V^{11}ON$ (*om.* B^a) – 41-43. ($V^{11}ON$ *aj.* et) *Certes
miax* (N *om.* m.) *fust* (ON vausist) *que totes les puceles* (VV^aV^3
damoisellez) *dou monde fussent despucelees qu'il fust ocis* (V^5 *om.*
qu'il… o.) V^1V^6-KZR (*om.* B^a).

§ 220 : 1-2. en… vie *om.* B^a ; *en cui il cuidoit* (V^6 *aj.* tant de bien
et tant de) *si* (V^6 *om.* si) *grant bonté de vie* $V^1VV^aV^3V^5V^{11}ON$-KZR
– 5. sire $VV^aV^6V^{11}$-KZ (*om.* $B^aV^1V^5$) – 8. li queus… avenra *om.*
B^a ; et se tu vieus, tu le *poras faire* morir (V^3-KZ porras occirre ;
VV^aV^{11} *om.* et… morir ; KZ *aj.* Or est en toi). *Li queus que tu
mieus* (V^1-V^2R *om.* mieus) *volras* (V^3 le quel que tu vels miels) *en
avenra* V^6V^{11} ; *ton cosin,* quar se tu veuz tu le porras occire ou se
tu veuz tu le porras guarantir, *lequel que tu voudras l'en avendra*
V^5 – 11. *Ce verra l'en par tens, fet cil* $V^{11}VV^aV^1V^6ON$-KZR (*om.*
B^a) – 12-13. trovent (V^5 trueve) *damoisals* (*sic*) *et puceles* (V^3

damoiseles) *et* chevaliers *qui a l'encontre lor* (V^5V^6ON li) *vienent et dient toz a* Boorz $V^{11}VV^aV^1V^6$; *troeve chevaliers et dames et puceles* qui tuit li dient KZR – **15-16.** Et… cors *om.* B^a ; *Et quant il est* (V^6 fu ; $VV^aV^3V^5$ aj. remés) *en pur* (VV^aV^6 aj. le) *cors* V^1-KZ – **16.** riche *om.* $B^aVV^aV^3$; .i. *riche* mantel forrés V^{11}-KZ ; *un mantel riche forré* V^1 ; *un mantel molt rice et molt bon forré* V^6 – **17.** *et li metent au col* $V^1VV^aV^5V^6$-KZ (*om.* B^a) – **17.** blanc *om.* B^aV^6 ; *en* .i. *blanc* (VV^aV^3 banc) lit $V^1V^5V^{11}$-KZ – **17-18.** et… tuit *om.* B^a ; *et le confortent* ($V^1V^3V^{11}$ reconfortent) *tuit* et s'esmuevent ($V^1V^3V^6V^{11}$ esmuevent ; KZ l'esmoevent) a fere joie tant V^5VV^a – **21-23.** avenant… fu si *om.* B^a ; com s'ele… monde *om.* B^a ; ez vos d'une chambre eissir (V^5 este/*ON* e/vos issir d'une chanbre ; KZR *om.* d'une chambre eissir) une damoisele (V^6 es vos une damoisiele fors d'une cambre issir), si bele et si *avenanz que il paroit* (VV^a apparoit) *a avoir* (ON veoir) *en li* (V^3 que ele porroit en li avoir ; V^5 paroit que en lui fust ; V^6 sambloit que ele eust en li ; KZR qu'il paroit en li avoir) *toute* (V^6ON aj. la) *biauté terrienne. Ele fu* (VV^aV^3ON-KZR t. et fu ; V^6 et si fu) *si* (V^5 tant) *richement vestue come s'ele eust esté a chois de totes les riches* (KZR beles ; $VV^aV^3V^6$ om. r./b.) *robes dou monde* V^1 – **25.** c. *om.* B^a ; *et cele qui* $V^1VV^aV^6$-KZ – **26-27.** *come cele qui ne voloit avoir a ami nul chevalier, se vos non* $V^1VV^uV^5V^6$-KZ (*om.* B^a).

§ 221 : 1-8. Quant… malaise *om.* B^a ; com il B^a (8) ; (VV^aV^5 aj. et) *Quant il la* (VV^aV^6 le) *voit venir, si la* (VV^aV^6 le) *salue ; et ele li rant son salu,* puis (KZ et ; VV^a et puis) *s'asiet de joste* (VV^a delés) *lui, et* (VV^a si) *parolent ansamble* (KZ entr'aux) *de maintes* (V^6 molt de) *choses, et tant que ele le* (VV^aV^6-KZ li) *requiert* (V^6 aj. s'il li plaist) *qu'il soit ses amis, car ele l'aime sor toz homes terriens ; et se il li vuet* (V^6 violt) *otroier s'amor, ele le fera plus riche* (KZ aj. home) *que onques hom de son parenté* (KZ lignage) *ne fu.* (V^6 aj. et) *Quant Boorz entent* (KZ ot) *ceste novele* (V^5V^6 parole ; VV^a celle chose), *si* (V^5 aj. oit et si voit qu'il) *est molt a malaise,* com cil V^1 – **9.** li *om.* B^a ; *li* dist (V^5-KZ dit) $VV^aV^1V^6$ – **11-12.** il… feisse *om.* B^a ; *dame,* fait Boorz (VV^aV^3-KZ il). *Il n'a* (V^3 n'est) *si rice feme* ($V^1V^5V^{11}$ dame ; KRZ home) *el monde* (V^3 aj. ne si bele) *qui volenté je fesisse* de (V^5 en) *ceste cose* (V^5 aj. ne ; V^1V^3 om. de ceste chose) *en cest point u je sui ore. Ne* V^6 – **14-15.** qui… achoison. Ha ! *om.* B^a ; *qui* (VV^a aj. ores endroit) *a esté orendroit* ($VV^aV^1V^6$ om. o.) *occis,* ge (V^1 om. ge ; VV^a occis et si) *ne se par quele achoison* (V^1 aventure ; V^6 male aventure). *Ha !* $V^5V^3V^{11}$ – **15.** a… pas *om.* B^a ; *a ce ne regardez* (V^1 gardez) *pas* ($VV^aV^1V^6$ mie) V^5V^{11}-KZ – **16-17.** plus… home *om.* B^a ; *se je ne* vos amasse melx (*VV¹ plus*) *que autre* (*V⁵ om.* autre) *fame ne* (*VVᵃ om.* ne) *fet* (*V¹ om.* fame ne fet) *home*, je *V¹¹ – 18.* costume a feme *Bᵃ* ; coustume *ne maniere de femme VVᵃV¹V³V⁵V⁶V¹¹ – 19-20.* beance... grant *om. Bᵃ* ; grant *beance que j'ai toz jors en vos eue et la grant amor dont je vos ai toz jors amé* (*VVᵃ* ay amé) mainne mon cuer *V¹V³V⁵V⁶V¹¹ – 21-22.* et... covient *om. Bᵃ* ; maine mon cuer a çou *et efforce* (*V⁵* cuer et efforce a ce) *si durement qu'il me covient* que je die (*VVᵃ* couvient descouvrir) ce que je ai tos jors celé *V⁶V¹¹-KZ – 23-24.* biax... est *om. Bᵃ* ; Por ce vos pri, *biax dous amis, que vos m'otroiez* (*KZ* façoiz) *ce don* (*V³V⁶-KZ* que) *je vos requier, ce est que vos gesoiez en ceste nuit* (*V⁶* couciés anuit) *V¹V⁵ – 25.* il dit non fera. Et *Bᵃ* ; il dit (*VVᵃV⁶* dist) *que ce ne* (*V¹* que il nel) *feroit il* (*V³* aj. pas) *en nule maniere* (*VVᵃ* aj. du monde) *V⁵V³V⁴V¹¹-KZ – 26-27.* semblant de *duel* qu'il quide *Bᵃ* ; et face... duel *om. Bᵃ-V⁴V⁶* (ele fet si grant semblant di *doleur* qu'il cuide veraiement *qu'ele en doie morir*, mes *V⁴* ; si fait *samblant de trop grant dolour*, si ke Boorz quide bien q*u'ele pleure*, mais *V⁶*) ; si fait si grant semblant (*V³* signe) de *douleur* qu'il cuide *vraiement que elle pleure et qu'elle face trop grant dueil*, mais *VVᵃV⁵* ; si fait *semblant de si grant dolor* qu'il cuide *veraiement qu'ele plore* (*V¹¹* plaine *[sic]*) *et face trop grant duel*, mais *V¹ – 27.* riens *om. Bᵃ* ; mais tout ce ne li vaut *riens VVᵃV¹V³V⁴V¹¹ON.*

§ 222 : 1-2. qu'il ne porra veincre si *Bᵃ* ; que *elle* ne *le* pourra (*V⁶* puet) vaincre *en nulle maniere* (*ON om.* en nulle m.), si li (*V¹V⁵V⁶ om.* li) dist *VVᵃV¹¹-KZ – 3.* a... que *om. Bᵃ* ; Boorz, *a ce m'avés menee que* (*VVᵃ* menee ou onques maiz je ne fu et) par (*O* por) cest escondit *V¹¹-KZ – 5.* par la main *VVᵃV¹V⁵V⁶V¹¹ON-KZ* (*om. Bᵃ*) – 9. verra *Bᵃ* ; *verrai ja V¹VVᵃV⁶V¹¹ON-KZ – 11-12.* m. *om. Bᵃ* ; desus les c. *om. BᵃV⁶* ; monte *maintenant en* (*V⁶* sor) la haute tor *desus les* (*V⁵VVᵃ* tor as) *creneaus* (*V¹* quarriax ; *V⁶ om.* desus les c.) et (*V¹* si) maine *ONV³V¹¹ – 12-14.* .xii. puceles, dont l'une dit *Bᵃ* ; .xii. damoiseles. *Et quant eles i* (*V⁴ om.* i) *sont montees* (*ON aj.* en haut)*, si dist l'une, non pas la dame V¹V³V⁶V¹¹-KZ* ; .xii. damoiselles. *Et quant elle fut montee et lez autrez avec lui, si dist l'une, non pas la dame VVᵃ – 16.* certes *om. Bᵃ* ; et (*V¹V³V⁴V⁶V¹¹-KZR om.* et) *certes VVᵃV⁵ – 18-19.* en nule m. *om. Bᵃ* ; ne voudrion nos pas (*VVᵃV¹V³V¹¹ om.* pas) veoir *en nule maniere V⁵ – 19.* de ch. *om. Bᵃ* ; pou *de chose VVᵃV¹V⁶-KZR – 21-23.* desloiauté. Mes Boorz velt *Bᵃ* ; (*V⁵-KZR aj.* Et) il (*VVᵃ* si) *les regarde et cuide bien* (*VVᵃ aj.* vraiement ; *KZ* c. v.) *que ce* (*V⁵* eles) *soient* (*VVᵃV⁵ aj.* toutes) *gentis fames et hautes damoiseles* (*KZR* dames ; *V⁵ om.* et... d. ; *VVᵃ* gentils damoisellez et hautez femmes) ; *si* *l'an prant assez* (*V⁵-KZR* om. assez) *grant pitié* (*V⁶* p. pitié assés grans). *Et neporquant il n'est mie* (*VVᵃ-KZR* pas) *conseilliez qu'il ne vueille* mielz *V¹* – **24-25.** seus p. om. *Bᵃ* ; lor om. *Bᵃ* ; que il *seus perde* (*VVᵃV³V⁵-KZR* perdist) la soue, si *lor dist V¹* – **25-26.** *ne por lor* (*V⁵* la) *mort ne por lor* (*V⁵* la) *vie V¹V⁶-KZR* (om. *Bᵃ*) – **26.** maintenant om. *Bᵃ* ; de... tor om. *Bᵃ* ; *maintenant* cheoir *de la haute tor* a terre *V¹VVᵃV⁶-KZR* – **27-28.** hauce sa m. om. *Bᵃ* ; si en (*VVᵃV⁵-KZR* om. en) est toz esbahiz, et en (*VVᵃV⁵* om. en) a si grant merveille (*KZR* om. et... merveille) qu'il *hauce sa* (*V⁶* la) *main et se saigne erraument* (*VVᵃV⁵* om. e.) *V¹* – **29-30.** lui. Il garde entor *Bᵃ* ; *et sanz faille il en i avoit plusors.* Si (*VVᵃ* et il ; *V⁵V⁶* il) *regarde V¹-KZR* – **30-33.** ne voit rien fors ses armes et la chapele *Bᵃ* ; mais il ne (*V⁶* n'i) voit ne la tor ne la dame (*V⁵* damoiselle) *qui* devant *le requeroit* (*V³VVᵃ* dame qui *d'amor* le requeroit (*KZR* dame qui le requeroit d'amors ; *V⁵* om. qui... r.), *ne riens qu'il* (*VVᵃ* aj. y) *eust devant veue, fors* (*V⁶* aj. tot) *seulement ses armes qu'il avoit laiens* (*V¹¹* om. laiens ; *KZ* la) *aportees et la chapele V¹*.

§ 223 : 1. maintenant om. *Bᵃ* ; s'apperçoit *maintenant* (*V⁵V⁶* bien) *VVᵃV¹V³V¹¹-KZ* – **2-4.** qui... eschapez om. *Bᵃ* ; anemi (*VVᵃV¹V⁶* aj. Nostre Seigneur) *qui cest agait* (*V¹V⁶* cel plait) li *avoient* (*KZR* avoit) *basti et* (*VVᵃ-KZR* om. et ; *VVᵃV¹V⁶* aj. qui) *le voloient* (*KZ* voloit) *mener a perdicion* du (*V¹V⁶* de) *cors et* (*V⁶* aj. a) *destruction* (*VVᵃV¹* om. du cors et destruction ; *KZ* mener a destruction de cors et a perdicion) *de l'ame* (*V⁶* d'ame), *mes par la vertu de Jhesucrist s'en estoit eschapé* (*V¹* om. s'en estoit e. ; *V⁶* mais la vertu Jhesucrist li fu garans) *V¹¹* ; (*KZR* mes par la vertu Nostre Seignor s'en estoit eschapez) *V¹¹* – **6-7.** doné pooir de combatre *Bᵃ* ; doné *force et* pooir de moi (*V⁶V¹¹* om. moi) combatre *V⁵VVᵃV³-KZR* ; d. pooir et force de c. *V¹* – **11-12.** et... veu om. *Bᵃ* ; mors *et que ce ait esté tot* (*KZ* om. tot) *fantosme* (*VVᵃV³* esté menconge) *que* (*V⁶V¹* quanques) il a (*V¹* avoit ; *KZR* ait) veu *V⁵V¹¹* – **12.** Lors s'arme *Bᵃ* ; Lors (*V³* puis ; *KZR* si) *vient* (*V⁶V¹* est venus) *a ses armes et les prent* (*V⁶* om. et les p.), *si* s'arme (*V³* om. si s'a.) *V¹¹VVᵃ* – **14-15.** por... r. om. *Bᵃ* ; *por l'amor de* (*V¹¹-KZ* om. l'a. de) *l'anemi qui i repaire* (*V⁶* aj. ce li est vis) *V¹VVᵃV⁵* – **19-20.** close... moine om. *Bᵃ* ; *close de boens murs, et estoient* (*V¹¹* estoit) *li frere moine* (*V¹V⁶* om. m.) *blanc* (*VVᵃV¹¹* les freres blans moines ; *V³* estoient li blanc moine ; *KZ* estoit de blans moines) *V⁵* – **21.** armé *VVᵃV⁵V⁶V¹¹-KZ* (om. *BᵃV¹V³*) – **23.** por *V³VVᵃV⁵V¹¹-KZR* (om. *Bᵃ*) – **26.** hui om. *BᵃV⁵* ; car *huy* m'est avenu *VVᵃ-KZR* – **32.** que m. om. *Bᵃ* ; cil li dit (V^1 il dist) *que molt* volentiers $V^5VV^aV^{11}$; cil dist (V^3 dit) que si (V^3 ce) fera il molt (V^3-KZR om. m.) volentiers V^6 – **36.** li… puis om. B^a ; Boorz *li* (KZ om. li) *dit que il est* (KZR uns) *chevaliers errans et puis* (KZR erranz. Lors) li conte $V^5VV^aV^3V^{11}$ – **37.** s'aventure. Quant B^a ; l'aventure. Et quant li prodom oï ce, si dit V^6 ; l'aventure si come ele li estoit avenue. Et quant li preudom a tout oï et escouté, si dist V^1 ; *l'aventure qui hui* (V^5 om. hui) *li estoit* (VV^a est) *avenue* – **39.** mais $VV^aV^1V^3V^6V^{11}$-KZR (om. B^aV^5) – **42.** vos… dont om. B^a ; esté. *Vos m'avés* (V^6 aj. tant) *dit de* ($V^1V^5V^{11}$ om. de) *vostre afere, dont* (V^6 a. que) V^3VV^a-KZR – **43.** a ma volenté $V^3VV^aV^1V^5V^6V^{11}$-KZ (om. B^a).

§ 224 : 2. remaint… et om. B^a ; Deu, et cil *remaint, qui assés pense a ce qu'il li ot dit, et* comande $V^{11}VV^aV^1V^3$-KZR ; il remaint assés pensis de ce k'il li a dit et commande V^6 – **3-4.** car… cuide om. B^a ; richement, *car assés est plus preudoms* (V^1 est preudons plus) *que l'en* (V^{11} vos) *ne cuide.* Cele V^3VV^a-KZR (car il est preudom plus que on ne quide V^6) – **6.** aporterent pain et poisson mes B^a ; appareillierent pain et (V^6 aj. vin et) char mais V^1 ; li appareillierent *char et poisson* $VV^aV^3V^5V^{11}ON$ – **9-10.** ne… fait om. B^a ; comme cil qui en nulle maniere ne voulsist trespasser (KZ avoir enfrainte) la penitance qui li avoit esté enchargiee, *ne en lit ne en viande* (V^3 vitaille) *ne en autre* (ON om. autre) commandement *que on li eust* (ON ait) *fait* (KZR lit ne en autre chose) VV^aV^{11} – **11.** matines et $VV^aV^1V^3V^6$ (om. B^a) – **13.** tret B^a ; se retreit V^1 ; se traient $VV^aV^4V^6ON$; se trestrent V^5V^{11} – **18.** *de toutes* (V^6 trestoutes) *ces choses* $VV^aV^1V^3V^5V^{11}$-KZR (om. B^a) – **20-22.** le H. M. om. B^a ; ce est… *Domini* om. B^a ; eustes receu *le Haut Mestre, le Haut Seignor a compaignon, ce est a dire quant vos eustes pris corpus Domini,* vos vos $V^1VV^aV^3V^6$ (…le Haut Mestre, le Haut Compaignon, ce est a dire… KZR) – **24-25.** (V^1V^6 aj. ct) *as vrais preudomes de ceste Queste* (V^1 om. Q.) V^3VV^a-KZR (om. B^a) – **33.** ilec om. B^aV^6 ; morra *ilec* $V^1VV^aV^3V^6$-KZR.

§ 225 : 2. hors om. B^a ; boté *hors* (V^6 fors) de $V^{11}VV^aV^3V^5$ (boutés de paradis fors par KZR) – **8-9.** et estoient tuit egal en merite $V^1VV^aV^3V^6$-KZR (om. B^a) – **18.** chis B^a ; chiés V^1 – **23.** cel B^a ; cele V^1 – **24.** terre estoit jetee B^a ; *avoit esté* getee $V^{11}VV^aV^1V^3V^4V^6$; avoit esté chaciee KZ.

§ 226 : 15. et corociee et $VV^aV^1V^3V^6$-KZR (om. B^a) – **16.** el B^a ; ele V^1 – **16.** joie ainz B^a ; joie *ne de* fieste V^6V^{11}-KZR (joie ne en robe de feste $V^1VV^aV^5$) – **17.** ce est en robe noire $VV^aV^1V^3V^6V^{11}$-KZR (om. B^a) – **17.** el B^a ; ele KZR ; noire. *Et vous* $V^1V^3V^5V^6V^{11}$

(ce est en robe noire [...] et tristre pour le courroulz VV^a) – **18.** noire et *om.* B^a ; aparut *noire et tristre* $V^{11}V^3V^5$; aparut triste et noire KZR – **18.** m. *om.* B^a ; courrouz *meismes* $V^1VV^aV^6V^{11}$-KZ (corroz que si fil meismes li V^5V^3) – **21.** no B^a ; non VV^a-KZ – **22-23.** et c. *om.* B^a ; tristre *et corociee* $V^5V^1V^6V^{11}$-KZ.

§ 227 : 3-4. Sachiez... fet *om.* $B^aVV^aV^1V^3V^4V^5V^6V^{11}$; bele. *Sachiez que mielz valt ma nerté que autrui blancheur ne fet.* Par KZ – **8.** bien VV^a $V^1V^3V^6$-KZ (*om.* B^a) – **8.** en $VV^aV^1V^3V^5$-KZ (*om.* B^a) – **14-16.** freres est toz vis. Mes il te voloit B^a ; freres *n'est mie* (KZ pas) *ocis, ains* est *ancore* (V^6 *om.* ancore) touz vis, mais il (VV^a l'ennemy) *le te disoit* (KZ dist) *por ce que il te* $V^1VV^aV^3$ – **16-18.** voloit mener a folie et a desperance par B^a ; voloit *fere entendre* (V^5V^1 entendant) *folie et* mener a desperance *et a luxure, et ainsi t'eust il mis en pechié mortel* par coi $V^{11}VV^aV^4V^6$-KZ – **20-21.** et encontre (KZ contre) qui (KZ aj. ce fu) $VV^aV^4V^6V^{11}$ (*om.* B^a).

§ 228 : 1. Or te dirai la B^a ; Or *covient que je te devise* (VV^aV^5 die) la $V^1V^4V^6V^{11}$-KZ – **2-6.** Li fus... vermeneus *om.* B^a ; *Li fus sanz force et sanz vertu senefie Lionel* (K Lyoniax), *ton* (VV^a vostre) *frere, qui n'a en soi nules vertuz* ($V^{11}VV^a$-KZ nule vertu) *de Nostre Seignor qui en estant le tiegne. La porreture* (VV^a pourrisseure) *senefie la grant planté de* (VV^aV^{11} des) *pechiez mortex qu'il a dedanz* (KZ en) *soi amoncelez* (KZ aj. et acreuz de jor en jor), par (VV^aV^{11}-KZ por) *quoi l'en le doit apeler fust porri et vermeneus* (VV^a vermoulu ; V^{11} vermellor) V^1 – **7.** qui estoient a destre $VV^aV^3V^4V^5V^{11}$-KZ (*om.* $B^aV^1V^6$) – **8.** .ii. chevalier, li .i. que B^a ; doi chevalier, si en est li uns li chevaliers (V^1 li uns ci) que V^6 ; dui *virge, si en est* l'un *li chevalier* que $V^3VV^aV^4V^{11}$-KZ – **11.** et... bl. *om.* B^a ; *et tolir* (Z-V^5 aj. li) sa (V^5 la) *blanchor* $V^1VV^aV^4V^6V^{11}$-K – **13.** ainz *om.* B^a ; ainsi perdue *ains* $VV^aV^1V^6$-KZ – **14-15.** et... bl. *om.* B^a ; departistes *et sauvastes a chascun sa blanchor.* Il vos $V^1VV^aV^6$-KZ – **18.** por les flors rescorre B^a ; por *le* (V^4V^5 cest) *fust porri* ($VV^aV^3V^5V^{11}$ om. porri) *rescorre* V^1V^6-KZ – **19.** sot B^a ; *set* molt bon $V^1VV^aV^6$ (set merveilleux gré KZ) – **20.** dui *om.* B^aV^1 ; li *dui* chevalier $V^3V^4V^5VV^aV^6$ V^{11}-KZ – **21.** pria et vos B^aV^1 ; vos pria *si doucement* que vos fustes $V^5VV^aV^3V^4V^{11}$-KZ – **22.** dos *om.* $B^aV^4V^5V^6$; arriere *dos* toute naturel $V^1VV^aV^3V^{11}$-KZ – **22-25.** en... entrez *om.* B^a ; Mais Cil *en cui servise vos estiez* (V^6 tu estoies ; VV^aV^3 aj. entrez ; KZ aj. mis) i fu en leu de vos (V^6 toi) V^1 – **26.** frere menoient B^a-K ; frere *en* menoient $VV^aV^1V^5V^{11}$-Z – **28-29.** Queste. De ce B^a ; remist en la Queste *aprés* ($V^1VV^aV^5$ avec) *les autres*. Et (*V¹* om. et) de *ceste aventure* savreç vos (*VVªV¹V⁴V⁵* savras tu) *V³-KZ*.

§ 229 : 1. issoit fruit *Bª* ; issoit *fueilles* (*V¹V³* fueille) *et fruit VVªV⁶-KZ* (issoient fleurs et fueilles *V⁵* ; issoit flor et fuille *V¹¹*) – **4.** que… fruit om. *Bª* ; chevaliers, *que l'en doit bien apeler* (*KZ* tenir a) *fruit* ; et ausi en (*VVªV³V⁶-KZ* om. en) istra il (*VVªV³-KZ* om. il) de la damoisele. Et s'il fust ainsi avenu qu'ele (*VVª* aj. eust) en si ort pechié eust (*VVª* om. eust) perdu son pucelage et ele (*VVª* aj. en) fust desfloree (*KZ* om. et… desfl.), Nostre Sire *V¹¹V⁴* ;…Et se il fust einsint avenu que ele einsint eust pechié et que ele eust perdu son pucelage et que ele fust desfloree, Nostre Sires *V⁵* ;…avenu que la damoisele eust perdu son pucelage en si ort pechié et desfloree (*V⁶* om. et desf.), Nostre Sires *V¹* ;…avenu qu'il eust en si or pechié son pucelage et la dame desfloree, Nostre Sires *V³* – **5-7.** corrociez si fussent *Bª* ; corociez *a ce qu'il fussent ilec* (*KZ* om. ilec) *amedui* (*VVª* tous deux) *dampné par mort sobite ; et einsint fussent V⁵V³V⁴V¹¹* ; crouuciés a ce qu'il fussent iluec d'ambes .ii. pars soubite et einsi fuscent pierdu *V⁶V¹* – **7-9.** ame. Et se fussiez *Bª* ; *Et ceus* (*V³-KZ* ce ; *V⁵* et einsint les) *rescousistes vos, por quoi l'an vos doit apeler* (*KZ* tenir a) *verai* (*V⁵* apeler loial) *chevalier celestial* (*KZ* om. v. ch. c. ; *VVªV⁵* aj. et) *sergent Jhesucrist bon et loial. Et si m'aït Diex* (*V³* loial. Certes), se vos fussiez *V¹VVªV¹¹* – **11-12.** que vos… enfer om. *Bª* ; avenue *que vos delivrissiez* (*V⁶* delivrastes) *les crestiens* (*V³* criators) *Nostre Seignor, le* (*VVªV³V⁵V⁶* les ; *V¹¹* lor) *cors de honte* (*V⁴* haute ; *KZ* peine) *terriene et l'ame* (*V³V⁶V¹¹* les ames) *de la* (*V¹¹* om. la) *paine* (*V⁶* des paines ; *KZ* des dolors) *d'enfer. Or vos V¹* – **14.** puis que… Sauveor om. *Bª* ; avenues *puis que vos receustes* (*V⁶* seustes recheu) *vostre Sauveor* (*V³* r. Nostre Seignor ; *VVª* r. le corps Nostre Seigneur). Sire *V¹V⁴V⁵V¹¹* (avenues en la Queste dou Saint Graal. Sire *KZ*) **15-17.** Vos… sovenra om. *Bª* ; voir. *Vos les m'avez* (*VVª* les avés) *si bien devisees que toz jors mes* (*KZ* om. toz j. mes) *j'en serai* (*VVªV⁵* bien demoustrees que je en seray tous jours mais) *plus* (*V⁶* om. plus) *a aise tant come* (*V⁵* aj. ge vivré et) *il m'en sovenra* (*KZ* serai meillor toz les jor de ma vie). Or *V¹* – **19-22.** car… p. om. *Bª* ; por moi, *car, si m'aïst* (*V⁴V⁵V⁶V¹¹-KZ* m'aït) *Diex* (*V³* car certes), je cuit que Nostre Sires (*KZ* qu'il) *vos orroit plus* (*V¹¹* aj. tost ; *V⁵* aj. tost et plus) *legierement qu'il ne feroit* (*V⁶* l. que moi) *moi. Et il se test* (*VVªV³V¹¹* aj. atant), *come cil qui toz est* (*V¹¹-KZ* qui est [*V⁶* estoit] tot) *honteus de ce que li abés le tient a* (*V⁵V⁶V¹¹* aj. si) *preudome V¹VVª*.

§ 230 : 2-3. Et quant… chemin *om.* B^a ; *Et* (*KZ om.* et) *quant il* (*KZR aj.* se) *fu armez, il* (*ZR* et) se met *en son chemin* et chevauche (*KZR* chevaucha) toute jor a journee jusqu'au soir V^1V^6 – **4-5.** soir qu'il se herberja chis (V^1V^6 chiés) B^a ; soir qu'il *vint chiés* (VV^a sur) une veve dame qui mout bien le herberja (V^5 *aj.* cele nuit) $V^{11}V^4ON$ – **5.** matin se leva et chevaucha B^aV^1 ; matin se leva Boorz molt main et cevalcha V^6 ; matin se *mist a* (*ON* en) la voie et chevaucha (V^4V^5ON chevauche) tant $VV^aV^5V^{11}$ – **6-7.** et… valee *om.* B^a ; Cubele (V^5 Cuebele ; *O* Cubelle ; V^1V^3-*K* Tubele) *et* (V^1V^6 qui) *seoit en une valee* $VV^aV^4V^6V^{11}$-Z – **8-9.** gr.… vers *om.* B^aV^1 ; vient… li *om.* B^a ; qui aloit (V^4 *aj.* mult) *grant erre* (V^1V^6 *om.* g. e.) *vers* (V^1 en) une (V^{11} la) *forest. Et* (V^3V^{11} *om.* et) il li vint ($V^3V^4V^{11}$-*KZ vient* ; V^1V^6 va) *a l'encontre si* (V^{11}-*KZ* et) li demande (V^4 dit) se VV^a – **10.** que *om.* B^a ; et il dist *que* oïl VV^aV^6 – **16.** demain *om.* B^aV^6 ; qu'il ne (*KZ* n'i) voie *demain* (V^6-*KZ om.* d.) aucuns (VV^a *om.* a.) des compaignons (V^5 aucun chevalier) V^1V^4ON – **18-19.** freres i vendra. Il torne B^a ; frere *meismes* y venra (*KZ* sera ; V^3 freres i vendra meesmes), *s'il est pres d'illuec et il a* (*KZ* ait) *santé* (V^6 d'iluec et il en ot parler ; V^5 d'ileques et il le sache). Lors (V^1 d'ilec. Et il) s'en (V^{11} se ; *KZ om.* s'en) *tourne* $VV^aV^4V^{11}$ – **23-24.** qui… feruz *om.* B^a ; tornoiement *qui en cele praerie devoit estre feruz* (V^3 *om.* f.). Et (V^3V^{11}-*KZ* et) quant il le voit (*KZ* il voit son frere) V^1VV^a – **24-25.** si a trop grant joie B^a ; si a *si* (V^3 *om.* si) grant joye *que nulx ne vous* (V^{11} nul ne ; V^6-*KZ* nus ne le) *pourroit* (V^6 saroit) *deviser greigneur* (V^6V^{11}-*KZ om.* g. ; V^1 joie que nus plus ; V^3 nus ne la porroit vos graignor deviser) VV^a – **25-26.** Lors descent et dit B^a ; Lors (V^3 il) sault *de son* (*KZ* saut dou) *cheval a terre* (V^3 *om.* a t.), si (V^1V^6-*KZ* et ; V^{11} et si) li (V^1V^6 *om.* li) dist VV^a – **28-29.** le… ainz li *om.* B^a ; Lyonnel (V^4V^{11} Lionel) l'entent (*KZ* Lyon entent ceste parole), si *le congnoist a la parolle* (*KZ om.* a la p.) et (V^4 *om.* et) *si* (V^{11} *om.* si) *ne* s'en (V^4V^{11}-Z se) *remue* (V^4V^{11} remua ; *K* relieve) *onques, ains* li dist VV^a – **30.** B. *om.* B^a ; Boorz *Boorz* $VV^aV^1V^6$-*KZ* – **32.** c'o. ne m'aidastes *om.* $B^aV^1V^6$ [doi chevalier m'aloient (V^1 m'en menoient) batant et (V^1 *aj.* vos) m'en laissastes mener et alastes rescoure la damoisele V^6V^1] ; m'en menoient batant et vous me laissastes aler, *c'onquez* (V^5 aler onques) *ne m'aidastes,* ains alastes rescourre (V^{11} secorre ; *KZ* aidier a) la damoiselle VV^a – **35-36.** car… deservie *om.* B^a ; fors de la mort, *car bien l'avez* (V^5 quar vos l'avez bien ; *KZ* bien avez mort) *deservie* $V^aVV^1V^4V^6V^{11}$ – **36-37.** des or mes *om.* B^a ; bien s. que *om.* B^a ; Ore vos gardés *des or mais de moi, car bien sachiez que* vos ne poez atendre de moi se la mort non V^1.

§ 231 : 2. *après* lors *le copiste de* B^a *a rayé* a **– 2-4.** s'ajenoille devant lui et li prie qu'il B^a ; Si (*VV^a* Lors) s'agenoille a terre maintenant (*VV^a* s'a. *maintenant a terre*) devant lui *et* (*VV^a* si) *li crie merci* (*VV^a* aj. a) *jointes mains et* li prie *por Deu* qu'il li pardoint, mes cil dit (*VV^a* jointes mains et il dist) que ce ne puet (*V^a* peust) estre *V^3* **– 5-8.** l'ocirra il s'arme B^a ; l'ocirra, ce dit (*VV^{a}V^{3}V^5-KZ om.* ce dit), *se Diex li aït, s'il en puet venir au desus* (*V^6-KZ* deseure) *en nule meniere* (*VV^{a}V^3-KZ om.* en nule m.). *Et por ce qu'il ne le* (*V^3* l'en) *veut* (*V^6* puet) *plus escouter, si antre* (*V^5* s'en entra ; *VV^a* s'entre il ; *V^3-KZ* il [*KZ om.* il] s'en entre) *maintenant* (*VV^{a}V^{3}V^5-KZ om.* m.) *en la* (*V^6 aj.* capiele et de la capiele en la) *maison a l'ermite ou il avoit ses armes mises* (*V^6* u ses armes estoient). Il (*V^6-KZ* si) *les prant et* s'arme molt (*KZ om.* m.) vistement (*VV^{a}V^3* l'ermite et prent ses armes) *V^1* **– 10.** se Dex me c. *om.* B^a ; de moi, (*V^1 aj.* se vos volez) (*VV^{a}V^{3}V^{11} om.* se vos v.). Car *se Diex me conselt* (*KZ* aït), se *V^{3}VV^{a}V^{5}V^{6}V^{11}* **– 14.** fu *om.* B^aV^{11} ; come li rois Boorz de Gaunes (*KZ om.* de G.) *fu* (*V^{11} om.* fu), ki engenra et (*KZ om.* et) moi et vos *V^6* **– 16.** en *om.* B^a ; si *en* sera *VV^{a}V^{1}V^{5}V^6-KZ* **– 17-18.** melz vueil je estre B^a ; chaut, car ençois voil ge estre blasmez *V^5* ; melx *en* voil je (*V^3 aj.* avoir) .*i. poi avoir* (*V^3 om.* avoir) *et estre blasmé V^{11}VV^a-KZ* **– 19.** einsi… d. *om.* B^a ; honiz *ainsi com vos devez* (*V^{5}V^6 aj.* estre) *V^{1}VV^{a}V^{3}V^{11}-KZ*.

§ 232 : 1. qu'il… m. *om.* B^aV^1 ; voit *qu'il est a ce menés* que *VV^{a}V^{3}V^{4}V^{5}V^{11}-KZ* **– 2-3.** fere… frere B^a ; *cf.* faire, car de combatre (*V^5 aj.* soi) a lui (*V^{3}V^{4}V^{11}* a son frere) ne seroit il conseilliez en nulle maniere *VV^a-KZ* (faire, car il ne se vuet mie combatre a son frere *V^1*) **– 4-6.** et subjection *om.* B^aV^6 ; en nule m. *om.* B^a (Et por ce que Lyoneax… maniere *om. KZ*) ; … de lui, dont il li doit (*V^{5}V^{11}* devoit) porter reverance *et subjection* (*V^6 om.* et s.). Et por ce qu'il nel vorroit (*V^{11} aj.* en nule maniere) blecier *en nule meniere* (*V^{11} om.* en nule m.). Mais (*V^4* Et) toutevoies por ce qu'il soit (*V^6* en sera) plus asseur *V^{1}V^{4}V^6* **– 6.** toutevoies *om.* B^a ; monta B^a ; Mais (*V^4-KZ* Et) *toutevoies* por ce qu'il soit (*V^6* en sera) plus asseur *montera* il sor son cheval *V^{1}V^{4}V^{5}V^6-KZ* **– 7-8.** por *om.* B^aV^6 ; ja *om.* B^aV^6 ; une fois *por* (*V^6 om.* por) savoir se il porroit (*V^1* porra ; *VV^a aj.* ja ; *V^3 aj.* ja en nule maniere) en lui trover merci *V^4* **– 8.** a terre *om.* B^a ; s'agenoile *a terre V^{1}VV^{a}V^{3}V^{5}V^{6}V^{11}-KZ* **– 9-10.** et plore t. *om.* $B^aV^3V^6$; frere *et ploure molt* (*KZ om.* m.) *tendrement* et dit (*VV^a* dist) *V^{5}V^{4}V^{11}-KZ* **– 14-16.** come… frere *om.* B^a ; *comme cil* (*V^{1}V^6* por ce) *que li anemis avoit* (*V^{1}V^6* l'avoit anchanté et) *eschaufez jusqu'a la* (*V^{11}-KZ om.* la) *volenté de ocirre son frere*

(V^6 de son frere ocire). Et Boorz V^5 – **16-17.** et… mains *om.* B^a ;
devant lui *et li crie merci* (V^5 *aj.* a) *jointes mains* $V^3VV^aV^4V^{11}$-*KZ*
– **18.** prendra plus il hurte B^a ; qu'il n'i prendra plus *et qu'il ne se*
relevera (*KZ* levera) *mie, si point outre et* hurte (*KZ* fiert) Boorz
deu piz V^5 – **20-21.** del… et cil *om.* B^a ; et del (V^1 au) *caoir k'il*
fist est molt blechiés. Et cil li vait tout a ceval par mi (V^1 par desus)
le cors et tant V^6 ; durement qu'il l'abat encontre (*KZ* a) terre tot
envers, et *au chaoir qu'il fist si est* (*KZ* fist fu) *molt bleciez ; et cil*
li vet tot a cheval par desus le cors si (*KZ* vet par desus le cors tout
a cheval tant) que V^5 – **22-23.** de l'angoisse… confession *om.* B^a ;
se pasme *de l'angoisse* ($VV^aV^1V^{11}$ de la grant angoisse) *qu'il sent,*
si que il (VV^a *om.* que il ; V^{11} angoisse si) *quide bien morir sanz*
confession V^5 – **24.** mes *om.* B^a ; qu'il n'a *mes* pooir $V^5VV^aV^1V^6$-
KZ – **25.** a terre *om.* B^a ; si descent *a terre,* quar il li cuide bien (V^1
vuet) coper le chief (V^1 la teste) V^5 – **25-26.** Et… d. *om.* B^a ; de la
teste *om.* B^a ; *Et quant il est descenduz, si li arrache le hyaume de*
la teste. Lors vient acourant li hermites de laienz V^1V^6 – **27-28.**
et… aage *om.* B^a ; ki molt estoit vieus hom *et de grant eage* et bien
avoit V^6V^5 ; qui moult yert preudoms et de grant aage et bien ot
VV^a (qui mout ert vielz hons et anciens, et bien ot *KZ*) – **35.** certes
sire B^a ; Si me conseut Dex, sire prestres V^6V^1 ; *Se Dex me conselt,*
sire prestre $V^3VV^aV^1V^3V^{11}$ (Se Diex m'aït, sire, fait *KZ*) – **40.** et…
muire *om.* B^a ; *et por ce* (V^3 *aj.* i) *voil je mieus morir que il* (V^3 *aj.*
i) *muire* $V^4VV^aV^{11}$-*KZ* – **41.** de lonc en l. *om.* B^a ; *Lors se couche*
sus Boorz deu lonc de lonc et l'embrace par mi V^5 ; *Si se couche*
de lonc en lonc de lui, et l'embrace par mi (*KZ om.* mi) les espaules
$V^1VV^aV^3V^{11}$ – **44.** a. *om.* B^a ; qui *angoisse* (VV^a l'angoise) *de* (V^6
aj. la) mort destraint ($V^1V^4V^6V^{11}$ argue) V^3V^5.

§ 233 : **1-3.** Puis aert son frere B^a ; en assez… tens *om.* B^a ;
(VV^a *aj.* et) *quant il a ce fet, si ne se refraint* (V^5-*KZ aj.* point ;
ON ne se retret mie) *de son maltalent,* anchois ($V^aVV^3V^5$-*KZ* ains)
prent son frere au (V^aV par le) hiaume et li deslace por lui coper
(V^3V^5 por couper lui) la teste (V^aVV^3-*KZ* le chief), si l'eust ocis
sans faille *en assés* (*KZ om.* sans f. en a.) petit d'ore (V^aVV^3 *pou*
de temps ; V^5ON petit de tens) *quant* V^{11} – **4-5.** par… N. S. *om.*
B^a ; quant cele part acorut, *par la volenté Nostre Seignour* (V^6 la
v. Jhesucrist), Calogrenaus (V^3 Calogrenant ; V^6 Calogrenans), .i.
des (V^6 *om.* des) chevaliers (V^3V^6 *aj.* de la meson) le roi Artus V^5
– **7.** que ce estoit *om.* B^a ; si se merveilla (V^1 s'an merveilla ; V^5-
KZ se merveille) moult que ce pouoit estre ($V^1V^4V^5V^6V^{11}$-*KZ que*
ce estoit). V – **8-9.** et… deslacié *om.* B^a ; ocire et (V^6 se ; V^5 et ja)
li avoit ja ($VV^aV^3V^5$-*KZ om.* ja) le (VV^a son) hiaume deslacié (V^6

l'elme osté), si (V^3 et il) conoist (V^5 connut) maintenant (V^4-KZ om.
m. ; V^5 err[an]ment ; *ON aj.* bien ; $VV^a V^3 V^6$ aj. que ce est) Boorz
V^{11} – 10. saut a terre et om. B^a ; amoit mont. Si *saut a terre et* prent
Lionel V^{11} – 11. tire… le om. B^a ; si le *tire si fort* (V^1 durement ;
V^6 roidement) *qu'il le* tret ariere et li oste (V^5 aj. l'espee ; V^6 aj.
Boorz) des mains (KZ om. et li oste des m.) et ($VV^a V^1 V^6$-KZ aj.
li) dit ($VV^a V^1 V^3 V^5 V^6$ dist) V^{11} – 12-13. Lyon volez vos ocirre B^a ;
L. *estes vos fors del* (V^1 hors de vostre) *sens ki volés ocire* vostre
frere (KZ vostre frere ocirre) $V^6 VV^a V^5 V^{11}$ – 14. En non Deu.om.
B^a ; frere, *le millor chevalier del monde. En non Deu* ce ne vos
souferoit nus prodom $V^6 V^1$ – 16. vos en om. $B^a K$; se vos *vos en*
entremetés plus $V^6 V^5 V^a$ – 18. le… et om. B^a ; Et cil *le regarde qui*
toz est (VV^a estoit ; V^6 si est tous) *esbahiz de ceste chose, et* li dist
$V^1 V^{11}$-KZ – 20. Lyon B^a-KZ ; Lion $V^3 V^{11}$; Lionnel V^a ; Lyonnel
V ; Lyonel V^1 ; Lioniaus V^4 ; Lyoniaus V^6 – 22-23. et l'o. om. B^a ;
ne por autre om. B^a ; le veul je *et l'occirray* (KZ et ocirrai) que
ja ne le lairay (V^3 aj. ne) pour vous *ne pour autre,* car VV^a – 25.
li… et om. B^a ; *lors* li recourt sus et le vuet (V^6 volt) ferir V^1 – 26.
entre .ii. $B^a V^5$; entre deulx VV^a ; entre deus $V^3 ON V^1 V^6$; entre *elx*
.ii. V^{11}-KZ – 27. mes hui om. B^a ; est *mes hui* si (KZ tant) hardiz
$V^1 VV^a V^6 V^{11}$ – 28. venuz om. $B^a V^1$; est *venus a* $VV^a V^6 V^3$-KZ.

§ 234 : 3-4. l'espee trete $V^5 VV^a V^1 V^6$-KZ (om. B^a) – 4-5. au…
brant om. B^a ; le heaume *au plus durement qu'il puet amener del*
brant (VV^a a. d'en hault ; V^1 ramener dou braz ; V^3 amener des braç ;
V^6 ferir des bras). Quant V^5 – 6. v. om. B^a ; est *venuz a la mellee*
$V^1 V^5 V^6 V^{11}$-KZ – 7. tret om. B^a (et tret l'espee om. V^{11}) ; escu et
tret l'espee KZ ; est a la mellee venuz (V^5 venuz a la meslee), si
trait l'espee et prent (V^5 cort a) son escu VV^a – 7-8. et… force om.
B^a ; boens chevaliers *et de* (V^6 om. de) *grant force* $V^5 VV^a V^1 V^3 V^6$-
KZ – 11. Q. om. B^a ; *Quant* il voit $V^1 V^6 V^{11}$-KZ – 13. qu'il aime
tant om. B^a ; car s'il ocit son frere *qu'il aime tant* il n'avera jua mes
joie, et se Lyoniaus ocit Calogrenant $V^6 V^1$; – 14. hont B^a ; il en ara
honte $V^6 V^1$ – 16-17. se… qu'il om. B^a ; mes il *se deut tant qu'il* n'a
pooir $V^5 VV^a V^1 V^3 V^6$-KZ – 18. Si… que om. B^a ; assaillir. *Si a tant*
regardé que il voit (KZ vit) $V^1 V^5 V^6$ – 20-21. l'avoit L. om. B^a ;
si li avoit despecié son hyaume et son haubert et tel atorné *l'avoit*
Lyoniax qu'il V^1 ; si li ot depecié son haubierc et son elme et tel *l'ot*
atorné Lyonaus k'il n'atendoit V^6 – 21-23. car… estant om. B^a ; la
mort non (V^5 om. non), *car tant avoit perdu del sanc que merveilles*
estoit (KZ que ce ert merveille) *coment il se pooit tenir* (V^5 peust
sostenir) en *estant.* ($V^1 V^5$ aj. Et) quant il (V^5 Calogrenant) V^6 – 23-
24. si… m. om. B^a ; se om. B^a ; et voit om. B^a ; au desoz, *si a* (V^5

avoit) grant (*KZ om.* g.) *paour de mourir* ; si (*V⁵-KZ aj. se*) regarde
et voit Boorz qui *VVᵃ-KZ* – 25. li *om. BᵃV¹V⁴* ; si *li* dist (*Vᵃ-KZ*
dit) *VV⁵V⁶* – 26. Ha *VVᵃV¹V³V⁴V⁵V⁵-KZ* (*om. Bᵃ*) – 26-29. Ja...
vie *om. Bᵃ* ; « ...aidier. *Ja me sui je mis en peril de mort por vos
secourre. Car me venés gieter de peril tandis comme vos me veés en
vie* (*V¹* tandis come vos poez), *que* (*V¹ om.* que) *ciertes se je i muir,
tous li mons vos en blasmera* (*V¹ aj. et vos en tenra por mauvés*) ».
Ciertes V⁶ – 30-31. *mestier que nus Bᵃ* ; mestier. *Vous en mourrés
de ceste emprise, se Dieux me conseult.* Nuls ne vous en sera ja
garans *VᵃV* – 32. a.... espee *om. Bᵃ* ; vos ocie *ambedeus* (*VVᵃ* tous
deulx) *de ceste espee V¹V⁴V⁵V⁶-KZ*.

§ 235 : 2-3. fet... il *om. Bᵃ* ; si *fait tant qu'il se lieve* (*Z se drece*)
en estant (*V¹ om.* en e.) *V⁵VVᵃV⁶* – 5-6. car... preudons *om. Bᵃ* ;
et prie (*VVᵃ aj.* a) Nostre Seignor qu'il ait merci de s'ame (*VVᵃ-Z
de l'ame*), *car por si po de chose ne morut onques mes nus si* (*Z
om.* si) *preudons* (*VVᵃ* ainsi comme sil est ; *V⁵* nus hom si cum
cist est morz) – 7. i *om. BᵃVVᵃ* ; je *i muire V¹V⁵* – 8-9. sauver
om. Bᵃ ; car pour plus preudomme *sauver* ne puis (*V⁵* sauver la
vie fors solement vos ne porroie) je la mort recevoir *VVᵃV³* – 11-
12. sent... d. et *om. Bᵃ* ; voler en (*V¹ aj.* mi ; *V⁶* voler de) la place
(*KZ* voler de la teste). Et quant cil (*V¹* il) *sent* (*VVᵃ* senti) *sa teste
nue et* (*V⁵ om.* nue et) *descoverte* (*V¹V⁶ om.* et d.) *et voit V³-KZ*
– 17. et penitance *om. Bᵃ* ; que la dolors que mes cors soustenra hui
por bien me soit assouagemens a l'ame (*V¹ aj.* de moi) *et me soit
penitance, si voirement come je por bien et por aumosne le fis* (*V¹*
fais) *V⁶* – 20-21. a terre... sent *om. Bᵃ* ; si durement (*V⁶ om.* si d. ;
V³ aj. par mi le chief) qu'il le rue (*V⁵* le giete ; *V⁶* l'abat) *mort a
terre* (*V⁵ om.* a t.), *et li cors* (*V⁵ aj.* chiet a terre, si) *se comance a
estandre* (*V⁶* estendillier ; *KZ* cors s'estent) *de* (*V⁴V⁵ON* por) *la
grant* (*V³V⁵-KZ om.* grant) *angoisse qu'il sent* (*V³* a. que la mort li
fet). Quant *V¹* – 21-22. ne... ainz *om. Bᵃ* ; *si ne se veult* (*V⁵V⁶* s'en
vout ; *KZ* se volt) *pas a tant* (*V¹ om.* a t.) souffrir (*V¹V⁵-KZ* tenir ;
V⁶ s'en volt mie tenir a tant), *ains* (*V⁵* si) queurt *VVᵃ* – 23-24. en
qui... enracinee *om. Bᵃ* ; Et cil, toutevoies (*KZ om.* toutevoies), *en
qui humilités estoit aussi* (*V⁵* ausint) *comme* (*V¹V⁶ om.* aussi c. ;
KZ estoit si) *naturelment* (*V¹ om.* n.) *enracinee*, li prie *VᵃV* – 26.
il... que *om. Bᵃ* ; occi *Bᵃ* ; *Car s'il avient* (*V¹V⁵ aj.* fait il), *biau
frere*, fait il (*V¹V⁵V⁶-KZ om.* fait il), *que je vos occie VVᵃ* – 28-29.
que... occie *om. BᵃV¹V⁶* ; *Ja Dieux ne m'aïst* (*V¹-KZ* Ja ne m'aït
Diex), fait Lionnel, *se je ja ay* (*V¹* se je ai ja) *mercy de vous* (*V⁶* se
je ja en ai merci), *que je ne vous occie* (*V¹V⁶ om.* que... occie) se
je ja (*V¹V⁵V⁶-KZR om.* ja) en puis venir au desus (*V⁶* al deseure)

VV^a – **31.** tot en pl. $V^1V^3V^4V^5$-KZR (*om.* B^aV^6) – **33.** *contre* (V^6 encontre) *mon frere* VV^aV^1-KZ (*om.* B^a) – **34.** contremont *om.* B^a ; l'espee *contremont* (V^5V^6 encontrement) VV^aV^1-KZ – **34.** le *om.* $B^aVV^aV^1V^6$; *il le* voloit (Z volt) ferir K – **36.** Fui *om.* $B^aV^1V^6$; *fui* Boorz (V^5 *om.* B.), ne le touche VV^a-KZ.

§ **236** : **2-3.** en *om.* B^a ; oissi une fumee $B^aV^1V^6$ (en issi une fumee si (V^1 *om.* si) ardans V^6) ; si (KZ et) *en* issi une *flamble* si (V^4ON *om.* si) merveilleusse et si (*ON om.* si) ardant (V^3 *om.* et si a.) $VV^aV^4V^5$-KZ – **3.** andui *om.* B^a ; que *andui* leur escu en furent ars (KZ brui) $V^1V^5V^6$ – **4.** andui *om.* $B^aV^1V^4V^6$ (k'il en (V^4 *om.* en) caïrent a terre V^6V^1) ; qu'il en (V^5-KZ *om.* en) chaïrent *ambedui* a la (KZ *om.* la) terre V^3 (qu'il chaïrent tous deux a terre VV^a) – **4.** et furent $B^aV^1V^6$; et *jurent* grant $V^3VV^aV^4V^5$-KZ – **5.** lievent B^a ; se *relievent* $VV^aV^1V^5V^6$; se releverent V^4-KZ – **8.** en *om.* $B^aVV^aV^5$; si *en* tent $V^3V^1V^4V^6$-KZ – **8-9.** en *om.* B^aV^4 ; de bon cuer *om.* B^a ; si *en* (V^4 *om.* en) mercie Dieu *de bon cuer* $VV^aV^1V^3V^6$-KZ (V^5 et crie merci) – **10.** lieve sus et $VV^aV^3V^4V^5$-KZ (*om.* $B^aV^1V^6$) – **15.** tu *quant* tu $V^1V^3V^4V^5V^6$-KZ.

§ **237** : **1-2.** Lors dit a B^a ; qui… dist *om.* B^a ; Lors *vient* (V^6 vint) a Lyonel *qui encore estoit tot estordiz* (V^1 endormiz), *si* (V^1 et) *li dist* V^5 – **8.** mis *om.* B^a ; li cors soient *mis* en terre $V^3VV^aV^1$-KZ – **9.** comme *on leur doit faire* VV^a ; con li en doit fere V^4 ; come l'en doit fere KZ ; si comme l'en doit fere a .ii. si preudomes V^5 ($V^1V^3V^6 = B^a$) – **13.** si… entendant *om.* B^a ; aler vers la mer ou Piercevaus m'atent *si come la vois Deu* ($VV^aV^3V^4$-KZ vois devine ; V^5 la voiz) *le m'a* (V^1 m'ait ; V^3 me) *fait entendant* V^6 – **14-15.** par ses j. *om.* B^a ; qui seoit *om.* B^a ; Lors se part d'ilec et se mist (VV^a met) el chemin qui vers la mer tornoit et (VV^a-KZ si) chevauche tant *par ses jornees* qu'il vint a une abeie qui estoit ($VV^aV^3V^4V^5$ seoit) desus (V^6 desor) la mer V^1V^6 (Lors… t'i atent [*ligne* 19] mq. KRZ) – **18.** droit *om.* B^aV^3 (et va a la mer V^3) ; et t'en ($VV^aV^4V^6$ *om.* t'en) va (V^4V^6 tot) *droit* a la mer V^1 ; et va t'en *droit* vers la mer V^5 – **18-19.** mer car Perceval *i est ja qui* t'i atent V^1V^6 ; mer car Perlesvaux (V^4 Perceval) est ja a la rive qui t'atent VV^a ; mer ou Perceval t'atent a la rive V^3 ; mer ou Perceval est qui t'atent sor la rive V^5 – **20.** saut sus et *om.* $B^aV^1V^6$; parole si *saut sus* et fait $VV^aV^3V^4V^5$-KZ.

§ **238** : **39.** mais *om.* B^a ; mais atant $VV^aV^1V^4V^5V^6$-KZ.

Chapitre X

§ **239 : 6.** le le B^a – **8-9.** por… soi *om.* B^a ; mencion, *por ce que trop i eust a faire se tout* (V^6 a dire ki tot) *vossist retraire, chascune chose par soi.* Quant il (V^6 li Bons Chevaliers) voit qu'il a grant piece chevauchié V^1 – **11.** si… volenté *om.* B^a ; et chevaucha (V^3 s'achemina) droit vers la mer *si* (V^3 einsint) *comme il li venoit a voulenté* (V^5 mer que la volenté estoit en lui). Un jor VV^a – **12.** devant *om.* B^aV^1 ; par (V^3 *om.* par) *devant un chastel* VV^aV^5-KZ (V^6 par mi un castiel) – **13.** m. *om.* B^a ; un tournoiement trop (*KZ om.* trop) *merveilleux* $VV^aV^1V^3V^5V^6$ – **15-16.** car… assez *om.* B^a ; fuie, *car trop estoient plus que cil dedenz et meillor chevalier assez* V^1 – **17.** dedenz *om.* B^a ; cil *dedenz* estoient $V^1V^3V^4V^5$-KZ (V^6 vit ce k'il estoient ; VV^a vit que cil dehors) – **21.** d. *om.* B^a ; qu'il encontre si *durement* qu'il le fet $V^3VV^aV^4V^5$-KZ – **22-23.** come… aidier *om.* B^a ; se *om.* B^aV^5 ; a l'espee, *come cil qui bien s'an savoit* (KZ sot) *aidier, et se* (V^5 aidier, si ; VV^a si le) fiert $V^1V^3V^6$ – **28.** blanc *om.* B^aV^3 ; l'escu *blanc* $VV^aV^1V^4V^5V^6$-KZ.

§ **240 : 4.** si *om.* B^a ; le cuir *om.* B^a ; la coiffe de fer, *si* (V^3 et) li tranche *le cuir* (V^6 *aj.* la char) jusques au test (V^4 dusque teste) $VV^aV^1V^5$ – **5-6.** qui… et *om.* B^a ; Gauvain *qui* (V^6 *om.* qui) *bien cuide estre mort de celui* (V^5-KZ deu) *cop, vole jus des arçons et* ($V^1V^4V^5V^6$ *om.* vole jus des a.) *et* ($V^1V^4V^5$ *om.* et) chiet a terre (KZ *om.* a terre). Et cil $V^3VV^aV^1V^4$ – **21.** de .ii. $B^aV^1V^6N$; emporte *des* deux pars VV^a ; enporte d'ambedeus parç (V^4 *om.* p.) V^3V^5-KZ – **24.** qu'il… lui *om.* $B^aVV^aV^1V^4V^5V^6N$; Hestor *qu'il vit devant lui* V^3-KZ – **31.** o. *om.* B^a ; m'a *orendroit* feru $V^3VV^aV^1V^4N$-KZ ; m'a feru orendroit V^6 – **39.** donc *om.* $B^aV^1V^5V^6$; pourrons nous (*V om.* nous) *dont* faire $V^aV^3V^4N$.

§ **241 : 3.** en *om.* B^a ; virent (*KZ* sorent) qu'il estoit *einsint* (VV^a si *; V^1V^6 om. einsint/si*) bleciez, si *en* furent V^3 – **5-6.** et le couchent *om.* B^a ; gens, si le prennent, si (*KZ* et) le portent ou chastel et puis le desarment, *si* (*ZR* et) *le couchent* en une chambre V^aV – **8.** li *om.* B^a ; si *li* demandent s'il garra V^1 ; et demandent *au mire* s'il porra garir V^6 – **12-13.** en… qu'il *om.* B^a ; et il lor dit (*KZ* il dist) que il (VV^aV^3-KZ *aj.* en) *soient tot* (VV^aV^3 *om.* tot) *asseur, qu'il* lor randra tot (V^4N r. molt bien) ce qu'il lor promet (V^5 rendra si com il lor a pramis ; *KZ* car il le fera einsi com il l'a dit) V^1V^6 – **17.** ainsi… m. *om.* B^aV^6 ; t. chevauche ($V^1V^3V^6$ chevaucha) *ainsi comme aventure le maine* (V^6 *om.* ainsi… m.) tant que il $VV^aV^4V^5N$ – **18.** Benoyc B^a ; Corbenyc VV^a-KZ ; Corbenic $V^1V^4V^5N$; Corbanic V^3 ; Cambenic V^6 – **18-19.** et…

venue *om.* B^a ; hermitage. *Et* (V^1V^3 *om.* et) *quant il voit* (V^5-*KZ* vit) *que la nuis est* (*KZ* fu ; VV^a nuit il) *venue* (V^5 que il fu nuit), si descent V^6V^3 – 21. li *om.* B^a ; si *li* dist (V^3V^4 dit) VV^aV^6-*KZ* – 28-29. a tele h. *om.* B^a ; qui *a telle heure* veult laiens entrer (V^5-*KZ* entrer leienz) $VV^aV^1V^4V^6$ – 30. Ulfin *om.* $B^aV^1V^4V^6NO$: sire Ulfin VV^aV^3-*KZ* – 31. qui *om.* B^a ; est *om.* B^a ; chevalier *qui* laiens *est* $V^aVV^3V^5V^6$-*KZ* ; chevalier de laienz V^1 – 34-35. la dehors… de vos *om.* B^a ; Une damoisele vos demande (V^6 *aj.* a cel huis ; VV^a *aj.* la dehors ; V^3V^5 *aj.* la fors) qui molt a grant besoig de vos (V^6 *aj.* ce dist). Lors V^1 – 36. se *om.* B^a ; lors se lieve li chevaliers $V^1VV^aV^5$ (Lors se lieve Galaas V^6 ; Et Galaad se lieve lors et *KZ*) – 38. vos *om.* B^a ; vos *vos* armés $V^6VV^aV^1V^5$-*KZ* – 39-40. vos… que je *om.* B^a ; je *vos di vraiement* (*KZ* *om.* vr.) *que je* $V^1VV^aV^3V^5V^6$ – 40. mosterra B^a ; mosterrai V^1 (mousterray VV^a ; mosterai V^3-*Z* ; mostrerai V^6-*K*).

§ 242 : 2. au… puet *om.* B^a ; si court a ses armes, si (V^6 et) s'arme *au plus isnelement qu'il puet. Et quant il est armez et il a* mise la sele sor son cheval (V^6 *om.* et il a… cheval), si (V^6 il) monte sus et comande V^1 – 6-7. si *om.* B^a ; come… palefroi *om.* B^a ; totevoies *om.* B^a ; s'en vet *si* grant aleure (V^1-*KZ* oirre) *comme ele* pot ($VV^aV^1V^4$-*KZ* puet) *trere de son* (*KZ* dou) *palefroi* (V^1 come ses palefroiz puet randre), et il (*KZ* cil) la suit *totevoies* (*KZ* adés) V^5V^6 – 8. biax et *om.* B^a ; li jors fu *biax et clers* $V^1VV^aV^4V^5V^6$-*KZ* – 10-11. a j. en tel m. *om.* B^a ; ne *om.* B^aV^6 ; si chevauchierent (V^3 *aj.* tot le jor) *a jornee en tel meniere* (V^4V^6 *om.* en tel m.) qu'il ne burent *ne* ne mangierent $V^1VV^aV^5$; chevauchierent *le grant chemin tout le jor en tele maniere… KZ* – 13. qui estoit en B^aV^6 ; qui *seoit* en $VV^aV^1V^3V^4V^5$-*KZ* – 14-15. d'iaue… parfons *om.* B^a ; vallee, et estoit trop bien fermee de toutes (V^4ON trois) choses (V^6 *om.* de t. ch.), *d'iaue courant et* (V^3 *om.* et) *de bons murs fors et hauls* (V^6 murs haus et fors) *et de* (V^6 *aj.* grans) *fosses parfons. Et* (V^3 *om.* et) la damoiselle V^aVV^1 ; valee, qui estoit trop bien garniz de toutes choses, *et fermé d'eve corant et de bons murs granz et forz et de fossez hauz et parfonz KZ* – 16. virent venir (VV^aV^5-*KZ om.* venir) si li (V^1 *om.* si) *comencent* ($VV^aV^1V^5$-*KZ* commencierent) *tuit* (V^5 *om.* tuit) *a dire* V^3 ; si disent tot : – Bien V^6 – 19. et feste *om.* $B^aV^4V^5ON$; facent joie *et feste* au chevalier V^1V^6 ; facent grant (V^3-*KZ om.* grant) feste au VV^a – 20-21. Et ele… descent *om.* B^a ; li plus preudons qui onques portast armes. *Et ele le volt desarmer, et il descent. Et li dist* V^1.

§ 243 : 3. si… vint *om.* B^a ; couchier, et *si tost come* (V^5V^6 *aj.*

ce ; *KZ* com ele) *vint* au (*V⁶* aprés le) premier *V¹* – 4-6. si li…
sus. Et *om. Bᵃ* ; esvoille Galaad, *si li dist : – Sire, levez sus. Et*
il *V¹V⁶* – 6-7. Il se lieve. Si prent ses armes et com il est armez
Bᵃ ; et il se lieve. *Et cil de laiens aportent* (*V¹* aporterent) *cirges
et tortis por ce c'on* (*V³V⁴-KZ* qu'il ; *NO* qu'il en) *veist* (*VVᵃ* pour
ce que il voient) *a lui* (*V³-KZ* soi) *armer*. Et quant *V⁶V⁵* – 8-10. un
escrin… se part *om. Bᵃ* ; cheval et la pucele monte *Bᵃ* ; il est armés
et montés sor (*V³* en) sun cheval (*V¹* il est montez sor son cheval
et armez), la damoiselle prant *un escrin* (*VVᵃV¹V³* escu) *trop* (*V⁵*
molt) *bel et trop* (*V⁵* molt) *riche* (*V³* trop riche et trop bele). *Et*
(*VVᵃ om.* Et) *quant ele est monté sor sun palefroi, si* (*VVᵃ* elle) *le
met devant lui* (*V³* met en son devant) *et puis se part* dou chastel
V⁴ – 11-12. chevauchierent… Et *om. Bᵃ* ; Cele nuit *chevauchierent
molt grant oirre. Et* tant alierent qu'il vindrent a la mer (*V⁴* que a la
mer vindrent ; *V⁵* alerent que jusques a la mer vindrent). Et (*V⁵ om.*
Et) quant *V¹V⁶* – 15. de loign *om. Bᵃ* ; et ne demora puis gaire qu'il
comencierent a crier *de lonc V⁶* – 24-25. ostent… seles *om. Bᵃ* ; Il
(*V⁴* Lors) descendent maintenant, *si* (*V⁴V⁶* et) *ostent les frains a lor
chevax* (*V⁴ om.* a lor ch.) *et les seles*. *Puis* (*V⁶* aj. vient Galaas au
bort et) *fait Galaad* (*V⁶ om.* G.) *le signe de la* (*V⁴V⁶* aj. sainte) *croiz
an mi son vis, puis* (*V⁴V⁶* et) *se comande a Nostre Seignor V¹* – 26-
28. Si entra (*V¹V⁴V⁶* entre) en la nef (*ON om.* Si… nef) et a si grant
joie come il puet plus (*V⁴* aj. avoir) *BᵃV¹V⁶* ; *si entre en la nef et
la pucele* (*KZ* damoisele) *aprés. Et li dui compaignon les reçoivent
a si grant feste* (*KZ* joie) *et a si grant joie* (*KZ* feste) *come il puent*
plus. (*KZ* aj. Et) maintenant *V³VVᵃ* – 31. ne *om. Bᵃ* ; terre *ne* loig
ne *V¹V³V⁵V⁶-KZ* ; terre ne pres ne loings *VVᵃV⁴* – 32-33. troi *om.
BᵃV¹V⁶* ; avoient… qu'il *om. BᵃV¹V⁶* ; plorerent (*VVᵃV⁴V⁵ON-
KZ* pleurent) *tuit troi* (*V⁵* aj. de pitié) *de la* (*ON om.* la) *joie qu'il
avoient de ce* qu'il s'estoient entretroveç *V³VVᵃ*.

§ 244 : 3. et par dedens et *om. Bᵃ* ; si riche *et par dedens et* par
dehors, si *VVᵃV¹V³V⁵V⁶* ; si riche et par defors *et par dedenz*, si
KZ – 4 .ii. *om. BᵃV⁵ON* ; s'il sevent *om. BᵃV¹V⁶* ; si demande *as*
compaignons *s'il sevent* dont si bele nef *V⁵V⁴ON* ; si demande as
.ii. compaignons *s'il sevent* dont si bele nef *V³VVᵃ-KZ* (si demande
a *ses* compaignons don si bele nef *V¹V⁶*) – 5. Perlesvaulx *Vᵃ* – 12-
13. a mon escient *om. BᵃV¹V⁵V⁶* ; *Par foy, fait Galaad, ceste part
ne fusse je ja mais* (*KZ om.* mais) *venus a* (*V³-K* au) *mien escient,
se ele V³VVᵃ-Z* – 13-14. Dont… moi *om. Bᵃ* ; amené. *Dont l'an
puet bien* (*VVᵃV³-KZ om.* bien) *dire que je i* (*V³ om.* i) *sui plus
par li* (*V⁶-KZ om.* par li) *venuz* (*V⁶-KZ* aj. par li) *que par moi.*
Car *V¹* – 15-16. compaignons *om. BᵃV³* ; ne (*KZ* et) de vos .ii.

compaignons ne cuidasse je ja mes oïr novelles (*KZ* oïr parler) en si $V^1VV^aV^4$ – 20. se *om. B^a* ; *s*'or fust ci $V^1V^3V^4V^5V^6$-*KZ* ; *car* fust ore VV^a – 23. hore de *om. B^a* ; Einsi errerent parlant (*V^4ON* Ensi parlant ererent) par mi la mer jusqu'a *hore de* none et lors $V^1V^5V^6$ – 31. Biau *om. B^a* ; *Biau* seignor, fait la damoisele $V^1V^3V^5V^6$-*KZ* (Et la damoiselle leur dist : – *Biaux* seigneurs VV^a).

§ 245 : 1. que... il *om. B^a* ; dient *que si feront il* molt ($VV^aV^3V^4ON$-*KZ om.* molt) volantiers V^1V^6 – 5. la *om. B^aV^3* (si troevent asseç plus riche que cele n'estoit V^3 ; si troevent *la nef* asez plus riche que celle n'ert *ON*) ; si *la* truevent (*V^6* troverent) $V^1VV^aV^4$-*KZ* – 7-8. de ce *om. B^aV^1* ; trovent ame. Si *B^a* (*contamination avec* ame, *ligne* 9) ; se merveillent moult (*V^4 om.* moult) *de ce* (*V^1 om.* de ce) qu'il n'y (*KZ* ne) voient (*V^1* trovent ne ; *ON* troevent ni ; *V^6* troverent) *homme ne femme* (*KZ aj.* dedenz. Lors s'en ($V^1V^5V^6$-*KZ* Et il se) traient $VV^aV^5V^6$-*KZ* – 11. escrites *om. B^a* ; letres *escrites* en caldieu V^4-*KZ* lettres *qui estoient escriptez* en caldeu et VV^a ; letres *qui estoient* en caldeu *escrites* ($V^1V^3V^6$ *om.* esc.) et V^5 – 11-12. molt *om. B^a* ; et perilleuse *om. B^a* ; disoient une *molt* douteuse parole (*aj* V^6 *aj.* et merveilleuse) *et perilleuse* a touz V^1 ; disoient une *molt espoentable* parole et doteuse a toç V^3 ; et disoient une *molt espoentable* parole et doteuse *et perileuse* a toz $V^5VV^aV^4ON$; qui disoient une *mout esp[o]antable* parole et douteuse a toz *KZ* – 14-15. qui... bien te *om. B^aV^6* ; *entrer, qui que tu soies, bien te* (VV^a t'i ; *KZ om.* te ; *V^1 om.* bien te) *garde* (*K* bien resgarde) $V^5V^3V^4$-*Z* – 17. car... creance *om. B^a* ; *entechiés, [car je ne sui se foy non et* (V^3V^4ON *aj.* foiç est ; *V^1 aj.* foi et) *creance. Et si tost VV^a-*KZ* – 20-21. ja... ataïnz *om. B^a* ; *mescreance, ja si petit* (*KZ* poi) *n'i seras* (*VV^a* pourras estre) *ataïnz $V^1* ; aconseuç en mescreance ne ataïnç V^3 – 25-26. onques... mais *om. B^a* ; Certes, nenil, fait il (*V^3* Certes, fet Perceval, nenil), *onques a mon escient ne vous vy mais* (*KZ om.* mais). Or (*KZ om.* Or) sachiés V^aV – 27-28. et ... Pellehen *om. B^aVV^aV^1V^4V^5V^6* ; vostre suer, *fille au roi* Pellican. Saveç V^3 ; vostre suer *et fille au roi Pellehen. Et savez* *KZ* – 32-33. en nule... peririez *om. B^a* ; n'entrez *en nule meniere* (*V^6* n'entrés mie) ; *car bien sachiez que* (*V^6 aj.* tot) *maintenant* (*K* parfetement) i (*V^6 om.* i) *peririez,* que la nef $V^1VV^aV^5$-*Z* – 34. de m. vice *om. B^a* ; *entechiez de mauvais* (*KZ* mal) *vice* ($VV^aV^3V^4$ vices) ne puet $V^1V^5V^6ON$ – 36. et a. *om. B^a* ; regarde *et avise* (*V^6* l'avise) tant $VV^aV^1V^3V^4V^5ON$-*KZ* – 37. m. *om. B^a* ; *molt* grant $V^1VV^aV^3V^4V^5V^6$ *ON*-*KZ* – 38-39. Certes *om. B^a* ; et... por quoi *om. B^a* ; *Certes,* (*ON aj.* fet il) *bele suer* (*V^6* Biele suer, certes), *je i enterrai ; et savez vos por quoi ?* (*V^3 om.* et savez... si que)

$V^1VV^aV^4V^5$-KZ – 40. plains… et *om. B^aV^6* ; se je sui *plains de foi
et* tiex $V^1VV^aV^3V^4V^5$ON-KZ – 42-43. que… deffense *om. B^a* ; *que
Nostre Sires vos i (V^4ON om.* i) *soit garanz et deffanse (V^3 om.* et
d. ; V^5 garant et deffendrastes ; VV^a garans et aidans ; V^6ON garant
et deffensables ; V^4 g. et defendables) KZ (V^1 om.* Or i entrez…
grant lit [§ 246, *ligne* 11]).

§ 246 : 9. revenent B^a* ; si *reviennent VV^a* ; il s'en viennent
V^5 – 20. i *om. $B^aVV^aV^6$* ; et si *i* avoit autre diversité $V^3V^1V^4V^5$
(et si avoit encore (*Z avoit en soi*) autre diversité K) – 21. en soi
om. $B^aVV^aV^1V^4V^6$; avoit *en soi* une vertu KZ ; avoit *sa* vertu
V^3 – 30. De… et *om. B^a* ; (*V^5 aj.* et) *De (VV^a* en) *tel meniere et
de tel force (V^3 om.* et de tel f.) $V^1V^4V^6$ON-KZ – 30-31. estoit la
premiere enheudeure de la coste *$B^aV^1V^6$* ; estoit la premiere *coste
de l'enheudeure $V^3V^4V^5$ON* ; iert la premiere enheudeure *VV^a* ; est
la coste premiere KZ – 32-33. et… eve *om. B^a* ; d'Eufrate (*V^1ON*
d'Eufrates), *et non (KZ* ne) *mie ($VV^aV^4V^5$ON* pas) *en autre eve.
(KZ aj.* Et) Cil (*V^1V^6* li) poissons $V^3V^4V^5$ – 36-37. qu'il… prise
om. B^a ; de duel *qu'il ait eu fors seulement de cele chose por quoi
il l'avra prise. Et quant (VV^a* tantost comme) il l'avra V^1 – 38. et
tel vertu *om. B^aV^1* ; *comme il est costume de (V^1* a ; *KZ* estoit
acostumé en maniere de) *naturel home. Tel force et (KZ om.* tel
force et) *tel vertu (V^1 om.* et tel v.) avoient $V^5VV^aV^3V^4$ (com il a
acoutumé. Tel force *et tiel viertu* avoient V^6) – 40. trop riche *om.
B^aV^1* ; d'un drap vermeil *trop riche (V^5 aj.* et si estoit) tout plain
$V^aVV^3V^4$-KZ – 47. qui… letres *om. $B^aV^3V^6$* ; orent leues, *qui
assez savoient de (VV^a om.* de) *letres $V^1V^4V^5$-KZ – 50. Par foi fet
Percevax B^a* (*contamination de* Par foi, *ligne* 49) ; *En non Dieu,* fait
Perceval $V^1VV^aV^3V^4V^5V^6$-KZ.

§ 247 : 4-5. tant soit hardiz *om. B^a* ; et plus hardiement *om. Ba* ;
disoient : Ja nus ne me traie (*V^6* traira) hors de ce fuerre, *tant soit
hardiz, qui (*V^6 s'il) ne fiert mieus de l'espee que autres (*V^6 aj.* hom)
et plus hardiement, et qui autrement m'an (V^6* me) traira… V^1 – 8-9.
Par foi *om. B^a* ; Et (*$V^3V^5V^6$ om.* et) quant il voient ce (*VV^aV^5* les
lettres ; *V^3* les letres qui ce dient), si dist li uns a l'autre : « *Par foi,* je
voloie… » V^1 – 12. teste parole B^a* ; *ceste* parole $VV^aV^1V^3V^4V^5V^6$
(Autretel dist Perceval et Boorz *KZ*) – 13. Biau *om. B^a* ; *biau (*V^3
bel) seignor V^1V^6* ; biaux seigneurs VV^aV^5-KZ – 14. a toz *om.
$B^aV^1V^6$* ; est deveez (*KZ* veez) *a toz* fors $V^5V^3V^4$ – 30. l'espe B^a* ;
l'espee VV^a – 31. a. ou h. *om. B^aV^6* ; le feri *amont ou (*V^1* desus le)
heaume si durement (V^3 om.* d.) VV^aV^4ONV^5-KZ – 34. pest. et si
gr. *om. B^a* ; si grant *pestilance (*V^4ON* mervoille) *et (*V^3 om.* si grant

pest. et) *si grant persecucion* (KZ destruction) es $V^1VV^aV^5V^6$ – **36.** ne *om.* B^a ; *ne* blé $VV^aV^1V^3V^4V^5V^6$-KZ.

§ 248 : 6. dedanz (V^6 en) cest lit B^aV^5 ; *devant* cest lit $VV^aV^3V^4O$ N-KZ (*cf. ligne* 4 : mort *devant* cest lit) – **8.** tant h. *om.* B^aV^6 ; n'avoit homme ou (V^3 en cest) païs (V^4ON ou monde) *tant hardi* qui dedens *ceste* nef $VV^aV^3V^5$ (n'avoit ilec home *si hardi* qui i osast entrer KZ) – **14.** vos e. *om.* B^a ; sofreç *vos encor* tant V^3VV^a-KZ (soffrés vos [V^5V^6 *om.* vos] un petit [V^5ON poi] tant) – **17.** comence B^aV^4N ; maintenant. (KZ *aj.* et) Lors *comencent* $V^3VV^aV^6O$ (maintenant. Il commencerent V^5) – **23.** se B^a ; nul qui plus ne s'*en* merveille (ON merveillast de ce) que de chose V^5 – **26-27.** de si vil… come *om.* B^a ; par semblant *om.* B^a ; come cil estoit, car il (VV^aV^3ON-KZ elles) estoient *de si vil* (V^3 povre) *maniere* (ON matiere) *et de si povre* (V^3 *om.* et… povre) come d'estoupes (VV^aV^3ON *aj.* et) de savene (VV^a chanvre ; V^4 *om.* et de savene) et estoient si foibles *par samblant* k'il (V^3 *om.* et estoient si… rompre) V^6 – **28.** sans rompre *om.* B^a ; lor estoit bien avis k'il ne peust (V^5 peussent) mie (KZ *aj.* sostenir) unc (V^5 *aj.* sole) heure l'espee soustenir (KZ *om.* soust.) *sans rompre.* Et V^6 – **29.** qui estoient escrites disoient B^aV^6 ; qui estoient *el fuerre* (VV^a *aj.* si) disoient $V^3V^4V^5ON$-KZ – **31.** seurs *et* s'il le (V^6 me) porte si loiaument come l'en me doit (V^6 il doit) porter B^a ; seurs se il *me* porte si loiaument VV^a – **36.** de celui *om.* $B^aVV^aV^3V^4V^5V^6ON$; li cors *de celui* a qui costé KZ – **37.** en place *om.* $B^aV^4V^5V^6ON$-K ; ne puet (V peust) estre honnis *en place* tant V^a-Z ; ne puet estre honniç *en place*. Ne nus soit tant V^3 – **39.** qui ci sont *om.* $B^aV^5V^4V^6ON$ (*cf. V^3* hardiç n'ost ceç reignes, car) ; ces renges *qui ci sont* en oste VV^a-KZ – **40-41.** ne… soit *om.* $B^aV^3V^6$; il n'est pas otroié a nul home qui or (ON i) soit, *ne qui a venir soit* (V^4 doie), qu'il en soit osterres (VV^a osteur ; KZ *om.* qu'il en soit o.), einz (KZ car eles ne) doivent estre ostees par la (V^4 *om.* la ; KZ o. fors) main V^5 – **44.** plus a chiere B^a ; que a plus ciere V^6 ; que ele *avra* plus chiere $V^5VV^aV^3V^4ON$; que ele plus amera et si KZ – **46-47.** s'ele enfraigne B^a ; virginité ele B^a ; et s'*il* (VV^aV^3 *aj.* li) *avient* (V^3 *aj.* tant) qu'ele enfraigne sa virginité, *aseur en* (V^3-KZ *om.* en) *soit* (ON fust) ele qu'ele (V^4 *om.* qu'ele ; VV^a v. soit sceure que elle en) morra V^6-KZ.

§ 249 : 5. m. *om.* B^a ; torne *maintenant* sor (KZ sus) $V^6VV^aV^4V^5ON$ – **7.** i *om.* $B^aV^3V^4$; si *i* avoit V^5VV^aON-KZ – **9-10.** grant *om.* B^a ; que… cuidier *om.* B^a ; a *om.* B^a ; au *grant* besoing *k'il ne* (K besoign ne il nel ; Z besoig nul ne) *poroit* (V^5 porra) *quidier* ; et a (V^5 *om.* a) cele ($VV^aV^4V^5ON$-KZ cellui) a

(VV^a om. a) qui V^6 – 11-12. car… faille om. $B^aV^4V^5V^6ON$; une
foiz, *car ainsi li* (V^3-KZ le) *covient estre sans faille* (V^3 om. sans
faille) VV^a ; car einsi le covient estre a force KZ – 15. vos om. B^a ;
vos voloie (VV^a vouldroie ; V^5 voil) V^3V^6 – 24-25. por… dignes
om. B^a ; ceste espee *por tant k'il en soit dignes* V^6 ; … por quoi
il (VV^a pour ce que il ; V^4 por qu'il) en soit dignes $V^1V^3V^5$-KZ
(ON om. por quoi nus… dignes) – 26. jadis om. $B^aV^1V^4V^5V^6$; il
avint *jadis* VV^aV^3-KZ – 29-30. vers occident B^a ; vers *les parties
d'*occident $V^aVV^3V^4V^5V^6ON$; vers la partie d'o. V^1 ; vers le
païs d'o. KZ – 31-33. mis si trova *ceste nef* au rivage B^a ; quant
il fu illuec mis *par le commandement* (V^3 par le pleisir de) *Nostre
Seigneur*, si *li avint* (V^5ON aj. einsint) *que il* (V^4 om. si… que il)
ceste nef meismes (V^3 om. m.) *ou nous sommes* (V^3 aj. orendroit ;
V^6ON aj. ore ; V^1 om. ou nous s.) trouva au rivage de la roche V^aV
– 39. et en d. om. B^a ; cheï en vouloir *et en desirier* de traire la
(V^1 de li avoir ; V^6 d'avoir li ; V^4ON-KZ d'avoir la). Si VV^a – 40.
se p. non om. $B^aVV^aV^1V^3V^4V^5V^6ON$; sanz mengier *se petit non*
KZ – 44. en ille B^a ; vit en *l'*ille un jaiant V^3V^4ON (vit en .i. ille
.i. jaiant $VV^aV^1V^6$) – 48-49. come… semonoit om. B^a ; corru[t] a
l'espee, *come cil cui angoisse de morir* (ON de mort ; V^4 om. de
morir) *et doutance* (VV^a paour ; V^3 om. de… doutance) semonoit,
si la traist V^1 – 52-53. contremont om. B^a ; avint qu'il om. B^a ; et
a bransler et a paumoier, et el brancler (V^1 branle) k'il fist *avint ensi
qu'il* le (V^1 la) brisa parmi. Et lors V^6 ; a brannler *encontremont* et
(KZ contremont, mes), au premier branlle qu'il fist (KZ om. qu'il
fist) li (KZ om. li) *avint que* ceste espee brisa par mi. Et KZ om. et)
lors VV^a.

§ 250 : 2. si (V^1V^6 et) ala combatre au B^a (VV^a om. et ala…
nef) ; et *s'*ala combatre V^3V^4-KZ – 9. et… avenues om. B^aV^3 ; de
son estre *et des* (V^5V^4ON-KZ de ses) *aventures qui li* (V^1 lor ; V^6
om. li/lor) *estoient avenues*, tant que $V^aVV^4V^5$-KZ – 13-14. del
monde ne om. B^aV^1 ; une des plus merveilleuses aventures *du
monde, ne* qui oncques au mien cuidier (KZ escient) advenist a
homme. Lors VV^a ; une des plus mervilleuses aventures *del monde,
ne* que il avenist onques mais a home. Lors V^6 – 15-16. conte de
l'espee $B^aV^1V^6$; prisoit et li conte coment $B^aV^1V^6$; conte (V^5
conta tot) *ce qu'il li* (V^4 om. li) *estoit avenu* (V^3 aj. et) *de la riche
espee que il tant prisoit* (V^3 espee qu'il prisoit tant) et $V^aVV^4V^5ON$
– 21. çaienz om. B^aV^4 ; si la poez *çaienz* (V^4ON om. çaienz) venir
(O aj. a) vooir (ON aj. ceenz), se il vos plest, car ele i est ancore
V^1V^6 – 22. se om. B^a ; *se* parti $VV^aV^1V^5V^6$-KZ – 24-25. qui estoit
b. om. $B^aV^1V^5$; prisa molt et dist B^a ; l'espee *qui estoit* (V^3 om.

qui estoit) *brisie* (V^1V^5 om. qui estoit b.), si les (*KZ* la) prisa (*K aj.*
mout) *plus que riens que il eust onques mais veue* (V^5 prisa molt
plus que espee que il veist onques). Et dist (V^1 dit) V^aV (V^6 om. qui
estoit brisie... prist les .ii. pieces) – **26.** fete om. $B^aVV^aV^1V^3V^4$;
n'avoit pas esté *fete KZ* – **26.** ne par d. om. B^aV^3 ; d'espee (*KZ* de
l'espee) *ne par defaute* mais V^1V^4-*K* – **28-30.** remist ensemble, si
resouderent les pieces com B^a ; pieces, si les remist (V^3 peces et les
joinst) ensemble. *Et si tost come les deux* (V^4 om. deux) *aciers furent
ajoustés* (V^4ON mis) *l'un a* (V^4ON après de) *l'autre, si ressoulda
l'espee aussi legierement* comme elle avoit esté brisiee V^aV ; vit
les .ii. pieces de l'espee, et il les joinst ensemble, si resolderent les
pieces *ausi legierement* com ele avoit esté brisie V^6 – **32.** Par Deu
om. B^a ; *Par Deu*, merveilles $V^5VV^aV^1V^3V^6$-*KZ*.

§ 251 : 1-2. lors reprist (V^6 reprent) l'espee et la couche... prise
B^a (V^1V^6 aj. et) Maintenant B^aV^1 ; lors *remist l'espee eu fuerre* et
la coucha la ou il l'(V^a om. l') avoit prise (V^3 recoucha [*KZ* coucha]
la ou vos la veeç ore). ($VV^aV^3V^4ON$-*KZ* aj. et) Meintenant V^5 – **3-
4.** que om. B^a ; car a poi *que* vos $V^3V^4V^5V^6$; car pour ung pou
que VV^a ; car par poi *que KZ* (vint une voiz... issirent de la nef
om. V^1) – **5-6.** tant... ceans vos om. B^a ; et se vous en pechié estes
trouvé *tant com vous* demourrés (*KZ* seroiz) *ceanz, vous* ne (V^3-*KZ*
n'en) pourrez (*K* poez) eschapper que vous ne (V^3 n'i) perrissiés (*K*
sanz peril ; *Z* sanz perir) V^aV ; et se vos en pechié (V^4 om. pechié)
trové estes (*ONV⁴* estez trové) *tant com vos seroiz ceienz, vos* ne
poroiz eschaper que vos ne perissiez V^5 – **7.** de la nef om. B^a ;
il issirent maintenant (V^3 tantost) *de la nef* et entrerent en l'autre
V^4ON (il issirent *de la nef* maintenant et entrerent en une autre V^6)
– **19.** bosoig B^a – **19-20.** car il trovera *le por quoi plus* qu'il B^a ;
cil qui plus me prisera assez plus me blasmera au grant besoig, *car
il trovera por quoi plus* qu'il ne porroit cuidier V^1 ; cil ki plus me
prisera assés plus me blasmera au grant besoig, *car il le trovera
piour* k'il ne pora quidier V^6 ; cil qui plus me prisera plus y trouvera
a blasmer au grant besoing qu'il ne pourroit cuidier (*KRZ* om. qu'il
ne... cuidier ; V^5 om. qu'il ne... au grant besoig [*ligne* 21]). Car
V^aVV^4ON – **21.** au grant b. om. B^aV^6 ; ele li failli *au grant* (V^3
om. gr.) *besoig* si come $V^1VV^aV^4ON$-*KZ* – **31.** et om. B^a ; mer *et*
tant $VV^aV^1V^3$-*KZ* – **38.** Et... venus om. $B^aV^1V^3V^6$; Illande (V^3
Yrlande) et trova V^1V^6 ; Illande (V^4V^5-*Z* Irlande). *Et* (V^5 om. et)
quant il y (V^4ON-*Z* om. y) *fut venus*, si (*Z* aj. i) trouva VV^aV^5-*K*
– **57.** d. om. B^a ; *damoisele*, fet Galaaç (V^1V^6 om. fet G.), tant V^3 ;
damoiselle, font li compaingnon (V^5 li chevalier), tant *ONV⁴*.

§ 252 : 9. negiee *om. B^a V^3* ; nois *negiee V^1 VV^a V^4 V^5 V^6 ON-KZ*
– 16. deviser les trois *B^a V^1 V^4 V^6 ON* ; pour deviser *la* matere (*V^3*
verité ; *Z* la maniere) des trois *V^a V* ; por deviser *la verité* de ces .iii.
fuisseax *V^5*.

CHAPITRE XI

§ 253 : 5. ce fu *om. B^a* ; *ce fu* de covoitise *V^1 VV^a V^3 V^4 V^5 V^6-KZ*
– 8. de l'arbre *om. B^a VV^a V^1 V^4 V^6 V^11 ON* (*fin de la lacune en V^11*) ;
a ce qu'ele coilli le mortel fruit, si avint qu'ele en aracha un rainsel
V^3 ; ele cuelli le mortel fruit de l'arbre meismes et .i. rainsel *V^5* ;
fist cuillir dou fruit mortel *de l'arbre* et de l'arbre meismes *KZ* – 11.
ele *en* ot aporté *B^a V^1 V^6* ; elle *l'*ot *VV^a V^3 V^4 V^5 ON-KZ* – 11. a *om.*
B^a V^6 (aporté a son espous Adan, qui ele *V^6*) ; a son espoux Adan *a*
qui ele l'ot *KZ* ; a son espoux (*V^3 V^11 aj.* a) Adam (*ON* Adan ; *V^3 aj.*
a) *cui* elle l'ot conseillié *V^a VV^4 V^11 ON* – 13. qu'il erracha *B^a* ; qu'il
l'esracha *VV^a V^3 V^4 V^6 V^11-KZ* – 13-16. et le manja... del rainsel *om.*
KRZ (que il l'esracha dou rainsel, einsi com vos avez oï, si avint que
li rains remest *K*) – 14. et a son... nostre *om. B^a* ; la soue *et a* (*O om.*
a) *son grant destruiement et au nostre.* (*V^11 aj.* et) Quant *V^1* ; et a la
sienne *et a son grant destruisement* (*V^6 V^4* destruiement) *et au* (*V^6*
a la) *nostre.* Et quant *V^a V* – 19. a. *om. B^a V^5-KZ* ; orent *ambedui*
(*V^a V* eulx deux) mengié *V^1 V^3 V^4 V^6 V^11 ON* – 19-20. qui... mortiex
om. B^a V^1 V^4 V^5 V^11 (fruit car *B^a V^1 V^5 V^11 ON*) ; le mortel... mortiex
om. V^6 ; fruit *qui bien doit estre appellés mortel*, car *V^a VV^3-KZ*
– 21. ch. lor qalité *B^a* ; ch. lor qalitez *V^1 V^3 V^6* ; ch. toutes leurs
calités V^a VV^4 ON-KZ ; ch. totes les choses qu'il avoient devant
en eus *V^5* ; si chaïrent en lor qualité *V^11* – 23-29. que devant ce
n'estoient il pas nu ainz estoient formé *B^a* ; vivre s'il se tenissent
B^a ; que (*VV^a V^3 V^4 V^11 ON-KZ* qui ; *V^5* et) devant ce (*V^3 om.* ce)
n'estoient il (*VV^a V^3 om.* il) *se* (*V^3 V^11 aj.* choses) *esperitex non*
(*V^4 V^11* devant ce estoient chouse [*V^11 ON* choses] esperiteus ; *V^5*
devant n'estoient se chose esperitel non ; *KZ* devant ce n'estoient
se chose non esperitiex ; *VV^a* se chosez non espirituelles), *ja soit ce*
qu'il eussent cors. Et neporquant ce n'aferme mie (*VV^a V^11* pas) li
contes que il (*V^3 VV^a V^4 V^11 ON-KZ aj.* del tot) *fussent* (*V^5 aj.* deu
tot) *esperitex, que chose formee de si vilz nature* (*V^3* vil chose) *come*
est (*KZ om.* est) limons (*VV^a* le monde ; *V^4* limons de la terre) *ne*
puet (*V^11* pot) *estre de tres grant* (*V^3* estre d'espiritel) *netee, mais*
il estoient ausis (*VV^a V^3 V^4 V^5 V^11 ON-KZ aj.* comme) *esperitex* (*V^3*
aj. choses) *quant a ce qu'il* estoient formé a (*V^11 om.* a ; *VV^a ON-*
KZ V^4 formé pour) *toz jors vivre, se ce avenist qu'il* se tenissent (*V^6*

aj. a) *toz jors* (*V³V⁵* om. toz jors) de pechier *V¹* – 31. partis *Bᵃ* ; les plus laides (*V⁶* honteuses) *parties VVᵃV³V⁴ON* ; la plus laide partie *V¹V⁵* – 31-32. de… mains om. *Bᵃ* ; sor eus (*V⁴* lui) estoient (*V⁵* estoit) *de* (*V¹* a) *ses* (*V¹V³* lor) .*ii.* mains *V⁶VVᵃV¹¹ON* – 32-33. en sa main om. *BᵃV¹V³V⁶* ; del fruit om. *BᵃVVᵃV¹V⁶ON* (Evain [*V⁶* Eve] tint totesvoies le rainssel qui li estoit remés ne onques *V¹V⁶*) ; Eve tint totesvoies *en sa main* le rainsel qui li estoit remés (*VVᵃ* qui estoit demouré) ne onques *ON* ; Eve tint totesvoi[e]s le rainssel *en sa main* qui li estoit remés ne onques *V¹¹* ; Eve tient totevoies le rancin qui *del fruit* li estoit remés ne onques *V³* ; Ève tint *en sa main* totevoies le rainsel qui li estoit remés *dou fruit* ne onques *KZ*.

§ 254 : 1. toz les pensez voit *Bᵃ* ; touz les pensees *voit* et les corages conoist sot *V¹* ; toutes pensees *voit* et les corages conoist sot *V⁶* ; toz les pensers (*V⁴* pensés) *set* et les coraiges cono[i]st sot que *ONV⁴* ; qui tout pensé congnoist et les courages sot que *VVᵃ* ; cil qui tot set vit qu'il avoient einsint pechié *V³* ; qui toutes les pensees *set* et conoist sot que *K* ; qui touz les pensez *set* et conoist sot *Z* – 6-7. ne mie a li om. *BᵃVVᵃV¹V³V⁴V⁵V⁶ V¹¹ON* ; que ele fust obeissanz a *lui ne mie il a li*, et por ce *KZ* – 13. a. om. *Bᵃ* ; les gita *andeus* (*V⁴ON aj.* fors ; *VVᵃ* touz deulz) de *V¹V³V⁴V⁵V⁶*-*KZ* – 16-17. nule foiz om. *Bᵃ* ; qui mainte foiz avoit *Bᵃ* ; le laissa *nule foiz* (*VVᵃV⁴ON* a celle foiz. Et). Lors s'aparçut et (*VVᵃ* si) vit le rainssel (*VVᵃ* le rain ; *ON* voit que li rain estoit) bel et (*V⁶* om. bel et ; *V⁵* s'aperçut deu reinsil si le vit bel et *V⁵*) verdoiant (*V⁴* frese) come cil qui *maintenant* (*VVᵃ* tantost) avoit (*V⁶* eust) esté coilli (*V⁴* om. coilli… avoit esté) *V¹V⁶* – 23-24. huche ne autre chose en quoi *BᵃV¹V⁶* ; huche ne autre *estui* ou ele peust (*ON* pout) metre (*KZ* garder) *V⁵V⁴V¹¹* ; huche ne autre *estui* ou ele le mist *V³* ; s'apensa qu'ele n'avoit nul est[uel] (ms. estoit) ou elle le peust estuier *VᵃV* – 29. et enracina om. *BᵃVVᵃV¹V³V⁴V⁵V⁶V¹¹ON* ; et reprist en la terre *et enracina KZR* (*Estoire del Saint Graal* : crut et reprist en la terre *et enracina* Rennes ms. 255, f. 42c, éd. Sommer, I, 125.32 ; éd. Ponceau, I, 270, § 432.13) – 30. aporta en paradis *Bᵃ* ; aporta (*V⁵ aj.* hors) *de* paradis *V¹VVᵃV⁶*-*KZ* – 31. molt om. *Bᵃ* ; de *molt* grant *V¹VVᵃV⁵V⁶*-*KZ* – 44. que om. *Bᵃ* ; *que* par *VVᵃV¹V³V⁶*-*KZ*.

§ 255 : 3. quant… si om. *Bᵃ* ; k'il crut en la succession de petit tans k'il fu grans arbres, Et *quant il fu grans et ombrages, si* fu ausi blanc *V⁶V¹* ; que il crut tant qu'il fu grans arbres en (*V⁴ aj.* en l'aage de) petit de temps. Et *quant* (*V⁴* om. quant) *il fu grant et aombrables, si* fu tout (*V⁵* fu ausi) blanc *VᵃV* – 11. n'est *Bᵃ* ; ne sont *V¹V⁴V⁵V⁶V¹¹ON*-*KZ* (*VVᵃ* om. et virginitez ne sont… dirai

por quoi ; V^3 *om.* et virginitez… l'un et l'autre) – **12-13.** entre…
virginité *om.* $B^aV^1V^4V^5V^6ON$; ançois a grant difference *entre l'un
et l'autre, car pucelages ne se puet aparagier de trop a virginité.* Et
si vos dirai por quoi *KZ* ; et sachieç bien que *pucelage ne se puet
de trop apareillier a virginité,* et si vos dirai por quoi V^3 (*Estoire* :
et sachiez que entre pucelage et virginité a (éd. Sommer *aj.* grant)
difference, *car pucelage ne se puet de trop appareillier a virginité,*
et si vos dirai por coi ***Rennes*** ms. 255, f. 42e, éd. Sommer I, 126.14-
16 ; éd. Ponceau, I, 271, § 434.10-11) – **20-21.** paradis et qu'ele
planta $B^aV^1V^5V^6$; paradis et quant elle planta $VV^aV^4V^{11}ON$;
paradis a cele hore qu'ele planta V^3 ; gitee de paradis fors (*Z om.*
fors) et *des granz deliz qui i estoient ; et a cele hore* que ele planta
KZ (paradis et qu'ele planta – **24-25.** charnelment. Et lors B^a ;
charnelnent. Lors $VV^aV^1V^3V^4V^5V^6V^{11}ON$; charnelment *ausi*
(*R* ainsi) *com nature le requiert que li hons gise o s'espouse et la
fame* (*Z* l'espouse ; *R om.* et la fame/l'espouse) *o son seignor.* Lors
K (*Estoire* : ce est a dire que il geust a li charnelment *einsi come
droiz et nature le requiert que li hom gise a s'espose et l'espose a
son espous.* Lors ***Rennes*** ms. 255, f. 42f, éd. Sommer, I, 126.22-
23 ; éd. Ponceau, I, 271, § 435.2-3) – **26-27.** perdue. Tant qu'il
$B^aVV^aV^1V^6V^{11}ON$; ot elle virginité perdue. Grant piesce aprés
ce que Adam V^5 ; ot ele virginité perdue puisque ele s'asembla a
son baron. Tant qu'il avint V^4 ; ot ele virginité perdue *et conut des
lors en avant charnel asemblement.* Et tant qu'il V^3 ; lors ot Eve
virginité perdue *et des lors en avant charnel assemblement.* Et tant
qu'il *KRZ* (*Estoire* : Lors ot ele virginité perdue *et conut des lors
en avant charnel assemblement.* Et tant qu'il avint ***Rennes*** ms. 255,
f. 42f ; éd. Sommer, I, 126.23 ; éd. Ponceau, I, 271, 435.3-4).

§ 256 : **3.** desoz .i. arbre $B^aV^1V^6V^{11}$; desos *l*'aubre V^4 ;
dessoubz *cel* arbre VV^aV^3ON-*KZ* – **4-5.** comencierent (V^3
comença) a plorer li uns B^a ; si commencierent a plorer *molt
durement* li uns por l'autre V^6V^1 ; si comencierent *mult* (*KRZ om.*
mult) *durement* a plorer li uns V^4V^{11} ; si comença *molt durement*
a plorer V^5 ; si commencerent a pleurer molt tendrement li uns *ON*
– **6-7.** et lor p. *om.* B^a ; avoient ilec remenbree lor douleur *et* (*Z
om.* douleur et) *lor pesance,* car V^1V^{11} ; avoient remenbree sa
doleur *et de lor pesance,* car *ON* ; ramembree lor dolour ne lor
pensance, car V^6 ; avoient ilec *remenbrance* de lor dolour *ne de
lor pesance,* quar V^5 ; s'il avoient remembrance *lor pesance,* car
V^3 ; avoient illuec ramembré (*K* remenbrance *de*) *leur pesance,* car
VV^a-*RZ* (merveille… remenbré lor *om.* V^4 : dit Eve qu'il n'estoit
mie doleur et leur pesance, car) – **11-12.** parla une voiz et lor dist

a (*ON* om. a ; V^3 om. et… a) *ambedeus* : Chaitif $V^1V^4V^{11}$; parla une vois *a* *ambesdeus* et lor dist : Caitif V^6 ; parla une vois et leur dist *a tous deux* : Chetif V^aV ; parla une voiz qui dist : Chaitiz V^5 ; parla une voiz et dist *a ax* : Ha ! chaitif *KZ* – 12-13. pour quoy jugiés vous (*KRZ* aj. einsi) *la mort* et (V^6 ne ne) destinés (V^5 aj. dites) l'un a l'autre ? V^aVV^4ON ; por quoi jugiez vos (V^{11} aj. la mort) et *destruiez* la mort (V^{11} om. la mort) li uns a l'autre ? V^1 ; *cf.* *Estoire* : por coi juigez et destinez li uns la mort a l'autre **Rennes** ms. 255, f. 42f ; pour quoi jugiés vous et destinés ensi la mort li uns a l'autre éd. Ponceau, I, 272, § 436.9-10 – **13-14.** Ne… mes om. B^a (ne… confortez li uns l'autre om. V^6) ; l'autre ? *Et* ($V^1V^3V^4V^5V^{11}ON$-*KZ* om. et) *ne destinés* ($V^4V^{11}ON$ dites) *plus nulle chose* (V^1 om. nulle ch.) *par desperance* (V^5 *desperement*), *mais* (V^1 et ; V^5ON om. mais/et) *confortés l'un l'autre* (V^3 conforteç vos ; *KRZ* om. par desperance, mais c. l'un l'autre), car V^aV ; *cf.* *Estoire* : ne destinés plus mauvesement *par desesperance, mes* confortez vos, car plus i a de la vie que de la mort **Rennes** ms. 255, f. 42f ; éd. Sommer. I, 126.3133 ; éd. Ponceau, I, 272, § 436.10-12 – **18.** en om. B^a ; *en* planterent $VV^aV^3V^6$-*KZ* – **21.** tantost et enr. om. $B^aVV^aV^4V^5V^6V^{11}ON$; si repernoit *tantost et enracinoit* de son gré V^3-*KZ* – **27.** ensenblenbl : *le copiste de B^a a rayé les trois dernières lettres* – **28-29.** firent de B^a ; et il si fisent *ambedoi* de V^6 ; il *furent ambedeus* (V^3 aj. plein) de $V^{11}V^4V^5ON$; il furent tous deux de V^aV ; et il furent lors de *KRZ* – **32.** il osassent om. B^aV^6 ; ne savoient comment il *osassent* (V^3-*KRZ* peussent) trespasser $V^{11}VV^aV^4ON$; come la fame. Il *n'osoient* trespasser le commandement V^5 – **36-37.** ses… et om. $B^aVV^aV^4V^5V^6V^{11}$ (pitié. Mais puis que la [$VV^aV^4V^5V^{11}$ sa] volentés estoit tele que V^6V^{11}) ; pitié. Mes por que ces (*KRZ* ses) *comandemenç ne pooit estre destorneç* (*KRZ* trespassez) *et* sa volenteç (*KRZ* ses voloirs) estoit tele (*KRZ* tiex) que de ces .ii. voloit V^3 – **39.** grant om. $B^aV^6V^{11}$; leur envoia (*KRZ* aj. il) *grant* confort VV^a ; lor envoia confort $V^6V^4V^5V^{11}$; lor envoia il conseil et confort V^3 – **40-41.** m. om. B^a ; car il mist entre els (V^5 aj. ii) une (V^5 om. une) oscurté $V^{11}VV^a$; si k'il i mist entr'eus une oscurté V^6V^4 ; car il envoia (*KRZ* vint) *maintenant* entr'els due une obscureté V^3 – **45-46.** a l'un et a l'autre om. B^a ; sans veoir. Si couvint par la voulenté Nostre Seigneur que il assemblassent (V^5 s'asemblassent) charnelment, ainsi comme li Vrais Peres avoit conmandé *a l'un et a l'autre*. Et quant $V^aVV^4V^5ON$.

§ **257 : 2.** ce entendu om. B^a ; vendredi, *ce avez vous bien entendu* (*KZ* oï). Et lors $V^aVV^3V^4V^5V^6V^{11}$ – **3.** ausi com devant om.

$B^aVV^aV^5V^6V^{11}$; si s'entrevirent apertement et aparçurent V^4ON ; si failli l'oscurté et lors s'aperçurent bien V^3 ; et s'entrevirent *ausi come devant*. Si s'aperçurent *KRZ* – 6-7. come nois *om.* B^a ; ki devant ($VV^aV^4V^{11}$ *om.* devant) avoit esté (V^5 *aj.* plantez ausi) blans *come nois* ($VV^aV^4V^5ON$ noif V^{11} nef) devint V^6 – 11-12. ne changierent onques lor verdor ne onques B^a ; ne changierent onques leur *premiere* (V^3 *om.* pr.) *couleur* ($V^{11}ON$ lor [V^4 *om.* lor] color premier) ne onques VV^aV^5-KZ ; mais de celui erent autre descendu ki se tinrent a la premiere coulour, mais cil fu vers amont et aval V^6 – 18. ce *om.* B^a-*KRZ* ; fruit, *ce* fu senefiance $V^6VV^aV^4V^5V^{11}ON$; fruit senefia V^3 – 19-21. et… Creator *om.* B^a ; ki soz (ON desoz) lui avoit esté semee, k'ele seroit tote ($V^5VV^aV^3V^4V^{11}ON$ toz jorz) vers a (VV^aV^4ON en) Damedeu (V^{11} verte en Deu), ce est a dire en (V^3 de) bone pensee *et en* (VV^aV^3 *om.* en) *amoureuse vers* ($V^{11}V^4ON$ et en amor envers) *Nostre Signor* ($V^5VV^aV^3V^{11}$ envers son Createur). Et la flors V^6 – 22. cel Arbre *om.* $B^aV^4V^6V^{11}ON$; qui desor *cel* (*KZ* desoz cel) *Arbre* avoit esté V^3 ; qui dessoubz l'Arbre avoit esté VV^a ; qui desoz lui avoit esté V^5.

§ 258 : 2-3. molt *om.* B^aV^5 (fu granz et fu debonere V^5) ; fu grans. Et fu *molt* debonaires V^6 ; grant. Si fu *moult* debonnaires $VV^aV^{11}ON$; granz. Abel fu *mult* deboneres V^4 ; granç. Et fu si deboneres V^3 ; granz et qu'il fu si deboneres *KZ* – 4. ses promesses $B^aVV^aV^3$-*KR* ; pramesses V^5-*Z* ; sa promesse V^6 ; *premices* V^4 ; *primices* V^{11} ; promices ON ; lacune V^1 (promesses *est une erreur de graphie de* premices) – 6-7. ançois *li donoit* des plus vix choses B^aV^6 ; et des plus despites… Nostre Seigneur *om.* B^a ; ansçois *li donoit des plus vieus coses* k'il avoit *et des plus despites, si les offroit a Nostre Signor*. Et Dex rendoit si bien le gueredon V^6 ; ainçois (V^3 ainç) *prenoit* les plus vilz choses (V^{11} la plus vil chose) que il avoit *et les plus despites* (V^3 *om.* et… despites), *et si* (V^3 *om.* si) *les offroit a Nostre Seigneur*. Et Dieux rendoit (V^3 offroit a Deu. Et de ce que Dex rendoit) si bel guerredon $V^aVV^aV^{11}$; ançois *pernoit* les plus vix choses *et les despites, si les offroit a Nostre Seignor*. Et Dex li rendoit a Abel si bel guerredon que quant il estoit montez ou tertre V^5 ; ainz *prenoit* les plus vix choses *et les plus despites qu'il avoit et les offroit a son Creator*. Et de ce avenoit il que Nostre Sires donoit si beles choses a celui *KZ* – 12. par tous les champs *om.* B^a ; s'espandoit *par toz les champs*, et (V^6 *om.* et) si $V^{11}VV^aV^3V^5$: s'espandoit parmi les chans *KZ* – 14. *Après* estoit, *le copiste de* B^a *a rayé* noire – 15-16. en son sacrefice *om.* $B^aVV^aV^5V^6V^{11}ON$ (estoit plus bons eurés de lui V^6 ; estoit plus beneuré qu'il n'estoit $V^{11}VV^aV^5$) ; plus beneureç *en sun* *sacrefice* que il et que plus recevoit Dex que le suen en gré, si le pesa molt *V³* ; que Abel ses freres ert plus beneurés *en son sacrefice* qu'il n'estoit, si l'em pesoit mout *KZ* – 16-17. tant… mesure *om.* *BᵃVᵛᵃV⁴V⁵V⁶V¹¹ON* ; et molt en coilli grant ire envers son frere, *tant qu'il l'en aï outre mesure.* Lors comença a penser *V³* ; et mout en coilli en grant haine son frere, *et tant qu'il l'en haï outre mesure.* Et lors comença a penser *KZ.*

§ 259 : 2. ne semblant *om.* *Bᵃ* ; c'onques chiere *ne semblant* n'en (*V¹¹* ne) moustra *VᵃVV⁶* ; que onques *semblant ne* chiere n'en mostra *V⁵* ; que onques n'en nostra chiere *ne semblant KZ* (dedenç son cuer sanç fere semblant, et tant fu celee *V³*) – 5. auques *om.* *BᵃV¹¹* ; en champ *auques* loings *VᵃVV⁵V¹¹-KZ* ; es chans *auques loing V³V⁶* – 7. berbiz : *graphie de* brebiz – 8-9. et… ardanz *om.* *BᵃVVᵃV⁴V⁵V⁶V¹¹ON* ; gardoit. Et li jorz fu eschaufez *et li solaus fu ardanz,* si que Abel *KZ* ; gardoit. Celui jor fu *li soleux chauç et ardanç,* si qu'il covint aler Abel desoz l'Arbre *V³* – 12-13. l'ot espié… Lors *om.* *BᵃVVᵃV⁴V⁵V⁶V¹¹ON* ; avoit la traïson porpensee, *l'ot espiee, si le suï tant qu'il le vit devant soç l'Arbre acouter.* Si le cuida occirre si soudainement *V³* ; avoit la traïson porparlee, *l'ot espié et suï tant qu'il le vit desoz cel Arbre acouter, lors* vint aprés et le cuida ocirre *KZ* – 16-17. en son cuer *om.* *Bᵃ* ; qu'il l'amoit… cuer… cuer *V⁶* ; et le salua… cuer *om. V³* ; car il l'amoit moult *en son cuer VᵃV-KZ* ; quar il l'amoit de tot (*V¹¹ om.* tot) son cuer molt durement *V⁵* ; que il l'amoit *en son cuer molt duremant V⁴* – 19-20. premierement *om.* *Bᵃ* ; par desoz la mamele (*VVᵃ aj.* tout) *premierement V⁵V³V⁶-KZ* ; par desoz la destre mamele *V⁴V¹¹ON.*

§ 260 : 1. par la main *VVᵃV³V⁴V⁵V⁶V¹¹-KZ* (*om. Bᵃ-R*) – 2-6. par loial… fu il mort *om.* *BᵃVVᵃV⁴V⁵V⁶V¹¹ON-KZR* ; par cel t. m. *om.* *BᵃV⁴V⁵V⁶V¹¹ON* (de son desloial frere Caïn et en cel leu meismes ou il ot esté conceuz le jor del vendredi *par cel tesmoign meismes,* Et la mort *KZR*) ; de son desloial frere en ce licu (*V¹¹* celui jor) meismes ou il avoit esté conceus au jour du (*VV¹¹* de ; *V³ om.* au jour du) venredi *pour celui tesmoing meismes* (*V⁴V⁶V¹¹ON om.* pour… meismes). La mort que Abel (*V⁶* Abiel) reçut *Vᵃ* ; ou il avoit esté conceuz *et engendrez.* La mort que Abel *V⁵* ; *Estoire,* éd. Sommer, *Vulgate Version,* I, 129, 1-5 : ou il avoit esté concheus *par loial assemblement de peire et de meire. Et tout ausi com il fu concheus au jour de venredi, si com la vraie bouche le met avant, autresi fu il mort* au jour du venderdi. La mort que Abel rechut… ; cf. **Estoire,** éd. Hucher, II, 463 : ou il avoit est[é] conseus *par loial assemblement de peire et de meire. Et tout enci com il fut conceus* *a .i. jor de venredi, ci com li veraie bouche le met en nom : altresi resut il mort* a jor del venredi *par celui tesmoing meismes.* La mors que Abel... ; *par celui tesmoing meismes.* La mors que Abel... ; **Estoire, Rennes** ms. 255, f. 43d : en cel liu meesmes ou il avoit esté conceuz *par loial assemblement de pere et de mere. Et tot autresi fu il morz* au vendredi par celui tesmoig meesmes. La mort que Abel... *Il est très probable que l'auteur de l'***Estoire del Saint Graal*** avait à sa disposition un manuscrit de la* **Queste** *plus proche de l'original que tous les mss subsistants des deux familles de la* **Vulgate** *qui ont tous omis le passage* par loial... fu il mort. – 7. n'estoit que *B^{a}V^{4}V^{11}* ; n'estoient que *VV^{a}V^{5}V^{6}ON* ; n'estoit *encore* que *V^3* ; qu'il n'*estoient encore* que *KZR* – 10. Abel *om. B^{a}V^{5}V^6* ; salua *Abel* son frere *VV^{a}V^{3}V^{4}V^{11}ON-KZ* – 15. au v. *om. B^{a}V^{4}V^{5}V^{6}V^{11}ON* ; occist Judas Nostre Seigneur *au vendredi VV^{a}V^3* ; ocist Judas son Creator *au vendredi KZ* ; **Estoire** (*éd.* Sommer, I, 129.11-12) : car autresi comme Caÿm ochist Abel al vendredi autresi ochist Judas *au venredi* son signor – 19. *Les mots* car il le haoit *qui manquent dans tous les mss subsistants des deux familles de la* **Vulgate**, *sont attestés par l'***Estoire** (**Rennes** ms. 255, f. 43e ; *cf. éd.* Sommer, I, 129.14-15 ; *éd.* Hucher, II, 464) : car il ne pooit avoir nule raison por coi Judas qui ses deciples estoit le deust haïr, mes il avoit achaison sanz droiture en ce qu'il le haoit, *car il nel haoit por nule malvestié qe il onques eust en lui veue*... – 22. guerre et *envie* et haine (*V^3* guerre et haine *et envie* ; *V^5* guerre *et envie*) vers lez bons hommes *VV^{a}V^6* ; ont toz jors *envie* et guerre haine vers *V^{11}* ; homes qu'il ont guerre et *envie* contre la bone gent *KZ* (*cf.* **Estoire, Rennes** ms. 255, f. 43e : car il est costume de toz les mauvés homes qu'il ont toz jorz *guerre et haine* vers les boens) – 23. qui... traitres *om. B^a* ; hommes. Et (*V^{3}V^5 aj. se* ; *V^6* homes del monde. Et se ; *KZ* gent. Et se) Judas qui tant (*V^3* trop) *estoit desloiaux et traitres* (*V^6* estoit traitres et desloiaus) seust autretant *VV^{a}V^{4}V^{11}* – 25-27. ançois... sentoit *om. B^a* ; ne le haist mie, *ainçois fust la chose pour quoy il l'amast plus. Et de celle traïson VV^{a}V^{4}V^{5}V^{11}* ; nel haïst mie, ançois fust la chose por quoi il [l']amast mielç, des gu'il le veist autretel com il [se] sentoit. Et de cele traïson *V^3* ; nel haïst mie, *ainz fust la chose par quoi il l'amast plus, puis gu'il le veist autel come il se sentoit. Et de cele traïson KZ* – 28-29. par la bouche David le roy qui dist *VV^{a}V^{3}V^{4}V^{5}V^{6}V^{11}ON-KZ* (*cf.* **Estoire, Rennes** ms. 255, f. 43e [*éd.* Sommer, I, 129.22] parole Nostre Sires el sautier par la boche Davi le buen roi : – 29-30. et si... dite *om. B^a* ; une moult fellonnesse parole (*V^6* molt miervilleuse parole et felenesce) *et si ne savoit pour quoy elle estoit* (*V^3* fu) *dicte VV^{a}V^{5}V^{11}* ; une

felonnesse parole et si ne sot por quoi il l'avoit dite *KZ* – 32. tes *om.*
B^a ; bastissoies *tes* traïsons (*VV^a* raisons) et *tes* agues *V^{11}V^{3}V^{4}V^5*-
KZ (bastissoies tu traïson. Ce *V^6*) – 33. Et *om.* *B^{a}V^3* ; taisoie. *Et*
pour ce *VV^{a}V^{4}V^{5}V^{6}V^{11}*-*KZ* – 35. feré *B^a* (feray *VV^a*) ; mes non
serai V^{3}V^{4}V^{5}V^{6}V^{11} ; mes non sui *KZ*.

§ 261 : 2. l'eust devinee *B^{a}VV^{a}V^{4}V^{6}V^{11}ON* ; l'eust *devisee*
V^{5}V^3-*KZ* – 3. Caÿns *om.* *B^{a}V^{4}V^{5}V^{6}V^{11}ON* ; si li dist : *Caÿm*
(*V^3*-*Z* Kaÿn), ou est ton frere *VV^a* – 6. m. *om.* *B^a* ; de l'Arbre
meismes VV^{a}V^{3}V^{4}V^{5}V^{6}V^{11}-*KZ* – 20. qui… esp. *om.* *B^a* ; deu
(*VV^{a}V^{3}V^{4}V^{11}ON aj.* saint) sanc qui desoz fu espanduz. Ne onques
V^5 ; del sanc ki desous estoit espandus *V^6* ; dou sanc qui desoz avoit
esté espenduz *V^1* ; dou sanc qui i avoit esté espanduz. Ne de celui
KZ – 21-22. ne pot *onques* puis arbres *B^a* (ne onques de celui ne pot
onques puis nus arbres aangier, ainçois moroient toutes les plantes
que l'an en faisoit, ne ne pooient a bien venir *V^1*) ; ne onques ne
pot *puis nus* arbre aengier, ansçois morroient totes les plantes ke
on en faisoit, ne ne pooient a boen venir *V^6* ; ne onques de celui ne
pot *nuls* arbres aengier, ainçois mouroient toutes les plantes que on
en faisoit, ne ne poient a bien venir (*V^3 om.* ne ne… venir). Mais
V^{a}VV^5 ; ne onques de celui ne poient *autres estre aengiez,* ançois
moroient totes les plantes que l'en en faisoient, ni ne poient a bien
venir *V^4* ; ne onques de celui ne pot *estre autre* (*sic*), ains moroient
totes les plantes que l'en en fesoit, ne ne pooient a bien venir *V^{11}* ;
ne onques de celui ne pot *autres estre aengiez,* ençois moroient totes
les plantes que l'en en fesoit, ne ne pooient a bien venir *ON* ; ne de
celui ne pooit *nus* autres aengier, ainz moroient toutes les plantes
que l'en faisoit, ne a bien ne pooient venir. Mes *KZR*.

§ 262 : 2-3. ne *om.* *B^{a}V^5* ; de nule r. *om.* *B^{a}V^5* ; ne *ne* secha. Ne
de nulle riens n'enpira *VV^{a}V^{1}V^{3}V^{4}V^{6}V^{11}*-*KZ* – 4. ne *om.* *B^a* ; *ne*
flor *V^{1}VV^{a}V^{5}V^{6}V^{11}*-*KZ* – 4. fruit que *B^{a}V^{1}V^6* ; fruit *puis cele* (*V^5*
icele) *hore* que *V^{11}VV^{a}V^{4}ON-KZ* ; ne porta ne ne flori des icele
hore que *V^3* – 6-7. portoient et florissoient et frutefoient ausi com
B^{a}V^{1}V^6 ; estoient issu flourissoient et portoient fruit ainsi comme
VV^{a}V^{4}V^{11}ON ; issu portoient *fruit* et florissoient et tant demora
V^3 ; qui de lui estoient descendu florissoient et portoient fruit si
come naistre d'arbre le requeroit. Et tant *KZ* – 10-11. de ligne en
l. *om.* *B^{a}VV^{a}V^{1}V^{4}V^{5}V^{6}V^{11}ON* ; et contoient les uns les (*KZ* as)
autres *de lignie en lignie* coment *V^3* – 15-16. et e. *om.* *B^{a}ON* ; crut
mervilleusement *et embeli,* ausis faisoient *V^{1}VV^{a}V^{4}V^{5}V^{11}* ; crut
et enbeli molt merveilleusement, ausint fesoient *V^3* ; crut et abieli,
ausi fisent *V^6* ; crut *et embeli,* ausi firent *KZ* – 17-18. choses et

cil qui estoient *vermeil* ne nus $B^a VV^a V^1 V^5 V^6 V^{11}$; cil qui estoient blanc et cil qui estoient *vert* ne nule n'en osoit V^3 ; cil qui estoient blanc de toutes chose et cil qui estoient *vert*. *Mes del vermeil il n'estoit nus si hardiz* ON ; li autres qui de lui estoient descendu, cil qui estoient *vert*. *Mes dou vermoil n'estoit nus si ardis* V^4 ; qui de lui estoient descenduz, et cil qui estoient blanc de toutes choses et cil qui estoient *vert ; ne nus del siecle* n'ert tant hardiz KZR – 19. ne une le branche B^a (*erreur de copie de* ne nule branche ?) ; oster une branche ne une fueille. Et $VV^a V^4 V^5 V^6 V^{11} ON$; n'en osoit oster *nule* branche, et encore V^3 ; oster une branche. De cel Arbre KZR – 22. qui... mauvés *om.* B^a ; li mondes *qui tant estoit* (V^6 fu ; Z *om.* estoit/fu) *mauvés* (V^{11} *om.* mauvés ; $VV^a V^3$ *aj.* et vilain) fu $V^1 V^4 V^5 ON$-K – 25. adont *om.* B^a ; furent *adonc* toutes choses $V^1 VV^a V^3 V^4 V^3 V^6 V^{11}$ ON-KZ.

§ 263 : 1. en tel m. *om.* $B^a VV^a V^1 V^4 V^5 V^6 V^{11}$-$ON$; Tant durerent cil arbre *en tel maniere* que Salemons V^3-KZ – 3-4. si *om.* B^a ; Cil Salemons fu *si* sages qu'il savoit toutes les sciences que cuers d'ome mortel pooit savoir. Il conut $V^1 V^6$; Cil Salemon ($V^3 V^5$-Z Salemons) fu *si* sages qu'il fu garnis de toutes (KZ *aj.* bones) sciences (V^5 totes les esciences) que cuer d'omme pourroient ($V^3 V^{11}$-KZ porroit ; V^5 puet) avoir, si ($V^3 V^{11}$ avoir. Il ; KZ savoir et) congnut VV^a ; Ciaus Selomons (N Cil Salemons/O Salemonz) fu garnis de totes sciences que cuers d'ome morteus porroit (*NO* puet) savoir. Il V^4 – 4-6. totes *om.* B^a ; conut *toutes* les vertuz $V^1 VV^a V^3 V^4 V^6 V^{11} O$; conut *toutes les forces* des pierres precieuses KZ (4-5 il connut *totes* les vertuz des herbes et sot si bien tot le cors deu firmament et des estoiles V^5) – 8-9. toz *om.* B^a ; granz *om.* B^a ; toç ses *granç* sens ne pooit (V^4 pot ; N puet ; O puent) durer encontre l'engin ($V^4 ON$ les engins) de sa feme V^3 – 11. s. f. *om.* B^a car *sans faille* puis que $VV^a V^3 V^4 V^5 V^{11} ON$-$KZ$ (car puis *sanz faille* que fame $V^1 V^6$) – 13-14. si comença a nostre premiere mere. Quant B^a ; si *ne* commença *pas a nous, mais* a nostre premiere mere. Quant VV^a-KZ – 27. une nuit... pensoit *om.* B^a ; li respondi une vois *une nuit qu'il i pensoit*, si li dist (V^3 *om.* si li dist) $V^{11} VV^a V^4 ON$ (li respondi *une nuit k'il pensoit* une vois, se li dist V^6) – 29-30. Car *de feme* B^a ; a home *om.* B^a ; Car *de* feme venra encore grignor joie .c. tans ke ceste tristece n'est V^6 ; Car *de* fame vendra encore dont il nestra *a home* gregnor (V^4 grant) joie $V^{11} ON$) ; Car *une* femme vendra encores dont il naistra *a homme* greigneur joie (V^3 homme joie graignor) VV^a – 40-42. et cil... femme *om.* B^a ; en sera fin, *et cil sera autant* ($VV^a V^4$ autretant) meudres (KZ meillors) *chevaliers de Josué ton serorge come cele Virge* (*V⁶* Virgene) *sera* meudre (*KZ* meillor) *de ta fame* (*VVᵃV⁴ON* que ta femme n'est). Or *V⁵V³V⁶V¹¹*.

§ 264 : 10-11. Ele... seignors *om. Bᵃ* ; a chief venir (*VVᵃ-KZ* venir a chief. Et). *Ele l'amoit assez*, (*V⁴V¹¹* aj. et ; *VVᵃ* aj. mais) *non* mie (*VVᵃV¹¹-KZ* pas) *tant que* (*V¹* com) *maintes* autres (*KZ* om. autres) *fames* aiment (*V³-KZ* n'amassent plus ; *VVᵃ* n'a. assez plus ; *V⁶V⁴V¹¹* n'a. mieus ; *V⁵* n'a. assez meuz) *lor seignors.* (*VVᵃ* aj. mais ; *KZ* aj. et) Ele estoit (*V⁴* et estoit) *V¹* – 13. son point *om. Bᵃ* ; un soir *om. BᵃV⁵* (einz atendi *son point* que il fu liez *V⁵*) ; ainz atendi *son point* tant que vint (*V⁶* aj. a) *.i. soir* qu'il fu liez *V¹V⁶V¹¹* ; ainç attendi *son point* tant qu'ele le vit (*O* qu'ele voit) *un soir* qu'il (*VVᵃ* qui) *fu* lieç *V³* ; ainz atendi tant que ele vit *son point* et qu'ele vit *un soir* qu'il estoit liez *KZ* – 16. m. *om. Bᵃ* ; come cil qui ne baoit (*V⁶* pensoit) mie qu'ele pensast cele part. Et li dist *maintenant V¹* – 19-20. Et por ce... chief *om. Bᵃ* ; ne remaint mie (*KZ* onques). *Et por ce sai je bien que vos avez pensé a tel chose dont vos ne poez venir a chief* (*V⁶-KZ* poés a cief venir). Et por ce vodroie *V¹*.

§ 265 : 5. si... outreement *om. Bᵃ* ; Et por ce li dist il la verité de son penser (*V⁵* om. Et... penser), *si li dist tout outreement.* Et quant *V¹V⁶* – 7. donc *om. BᵃV¹¹* ; estes vous *donc* esgarés (*V³* gardeç) *VVᵃV¹V⁴V⁵V⁶-KZ* ; estes vos esgarez *donc ON* – 10-11. voir *om. Bᵃ* ; je... estre *om. Bᵃ* ; oïl, voir, fait (*VVᵃ* fist ; *V⁵* dist) il, (*V⁶* aj. car) *je ne voi mie* (*V⁴* pas) *coment ce poïst estre*, que (*V³V⁶* car) il i a si lonc (*VVᵃ* aj. temps et) *terme des ore* (*V³V⁵V¹¹* terme d'ore ; *V⁴* termine d'ore) jusqu'a celui (*V³V⁵V⁴V¹¹* aj. tens) *de lors* (*V⁴* om. de lors ; *VVᵃ* celui temps de adont ; *V⁶* si lonc tans jusques a celui jor) que je en sui toz esbahiz *V¹* – 13-14. tout avant *om. Bᵃ* ; dites moi *tout avant* (*V³* om. avant) combien il puet (*V³* peust) avoir de tens jusqu'a celui terme (*V⁶* tiermine) *V¹V⁵* ; dites moy *tout avant* (*V³* om. avant) combien *vous cuidiés qu'il puist avoir de temps* jusqu'a celui terme (*V⁴ON* termine) *VᵃVV¹¹* – 18. et de *om. Bᵃ* ; trover et (*VVᵃV¹V³V⁴V⁵V¹¹ON* om. et) *de tel V⁶-KZ* – 18-19. ne... chose *om. Bᵃ* ; ne puisse (*VVᵃV³V¹¹* puist ; *V⁶* pora) porrir (*V⁴O-KRZ* perir) ne (*V¹V⁶ON* om. ne) *por eve ne por autre chose V³V⁵*.

§ 266 : 1. l'e. *om. Bᵃ* ; feroit (*V⁴ON* fera) il. Lors manda *l'andemain* (*V⁴ON* a l'endemain) toz les *ovriers V¹¹* ; – 5-6. et le merrien... c. *om. Bᵃ* ; le fust *et le merrien et il l'orent commencie* (*V¹V⁶* om. et il... c.), la (*KZ* sa) *femme VVᵃ* – 15. la *Bᵃ* ; je le (*V⁵* les) *VVᵃV¹V⁶-KZ* – 16. en l'o. *om. BᵃV¹V⁶* ; fet *en l'onor* de Nostre Seignor $V^3VV^aV^4V^5V^{11}ON$ (fet de la tor [*sic*] Nostre Seignor KRZ) – **21.** i. *om.* B^a ; faites faire .*i*. pont V^1V^5 ; faites i .*i*. puing V^6 ; faites *un* pommel V^aVV^{11} ; si i feroiz .*i*. pont KZ (i fetes… precioses *om.* V^4ON ; et la force… pierres *om.* V^3).

§ 267 : 3. i *om.* $B^aV^1V^3V^{11}$; et y mist VV^aV^5ON-KRZ (et si mist V^6) – **7.** biax et granz $B^aVV^aV^1V^3V^4V^6V^{11}ON$-$RZ$ (granz et biaux K) ; tant que li liz fu beax et *genz* V^5 – **12.** la *om.* B^aV^1 (et… r. *om.* V^5V^{11}) ; et il *la* regarda (V^4ON-KZ regarde) VV^aV^3 ; et il le regarde V^6 – **15.** sire je n'ai nule *plus* (V^5 si) haute $B^aV^1V^6$; sire, *sachiez que* je n'ay nulle *si* haute $VV^aV^3V^4V^{11}ON$-KZ.

§ 268 : 2. covr B^a ; covrir V^1 – **3.** ne *om.* $B^aV^4V^{11}ON$; porrir *ne* por eve ne $V^3VV^aV^1V^5V^6$-KZ – **6.** et .i. charpentier B^a ; et .ii. charpentiers $VV^aV^1V^3V^4V^5V^{11}ON$-KZ (Ele prist .iii. carpentiers V^6) – **7.** Et quant *om.* B^a ; *et quant* ele fu la venue, si (KZ ele) dist (VV^aV^4ON-KZ dit) $V^3V^5V^{11}$; *et quant* ele i vint, si dist V^6 – **8.** au charpentier B^a ; *as* (V^{11} a) $V^1VV^aV^3V^4V^5V^6ON$-KZ – **9.** ge en *eue* merrien B^a ; *que je en aie* merrien $V^{11}VV^aV^3V^4ON$ – **11.** Ne s. que *om.* B^a ; dame, firent (V^6-KZ font ; V^1 fist) il (KZ cil), *nos n'oserions* (V^3 n'oserons ; V^5 dient il, nos serion honni). *Ne savez vous* (V^1 aj. bien) que ce est li Arbres que VV^a – **14.** ou autrement $B^aV^1V^6$; Il couvient, fist (V^5 dist ; $V^4V^{11}ON$-KZ fet) elle, que vous le faciez, *car* autrement V^aVV^3 – **17.** mielz le voloient il fere que $B^aV^1V^6$; car ($V^4V^{11}ON$ *aj.* assés) meuz voloient il *que il se meffeissent* (V^a se meissent) *avant* ($V^3V^4V^{11}ON$ ilec) que l'en (ON la dame) les oceist V^{11} ; car mielz *se vouloient meffere ilec* que ele les oceist KZ – **20-22.** quant… e. *om.* $B^aV^1V^6$; tot a. *om.* $B^aV^1V^6$; feru *quant il furent tuit* (V^3 furent si) *espouenté*, car il virent *tout* (V^3 *om.* tout) *appertement* que de l'Arbre issoient goutes de sang aussi vermeilles comme (V aj. sang) rose (KZ rose) $V^aV^4V^5V^{11}$ – **24.** ot B^a ; il *orent* ce fait $VV^aV^1V^3V^4V^5V^{11}$-KZ.

§ 269 : 14. fete fete B^a

§ 270 : 8-9. si escrivoit B^a ; a la nef au bort, si escrisoit V^6 ; nef et *y* (V^3 *om.* i) fesoit autresi (V^5 autresint ; KZ ausi) letres $VV^aV^4V^{11}ON$ – **13.** au… jor *om.* B^aV^6 ; l'endemain *au point del* (ON de) *jor* si tost $V^3VV^aV^4V^5V^{11}$- KZ – **14.** truent B^a ; et vint au bort de la nef et *trova letres* V^6 ; et vint a la nef et *trouva* au bort letres $VV^aV^3V^4V^5V^{11}ON$-KZ – **25.** chose si esveilla sa feme B^a (*contamination avec* si esveilla sa feme *des lignes* 28-29) – **27.** se herbergera B^a ; *se reposera* en ce ($V^4V^{11}ON$ cel ; KZ cest ; V^6 r. el) lit $VV^aV^3V^5$ (V^1 mq.).– **33.** li livres devisé par B^aV^1 ; Par ceste raison ke li contes vos a devisé et vos a li livres *dit* (V^1 devisé) par

quel V^6 ; ($V^4V^{11}ON$-KZ aj. et) Par (V^4 por) ceste raison que le
livre vous a devisé vous a *dit* (*V* a dist ; $V^{11}ON$ nos a dit ; *KZ* vos
dit) *li contes* par quelle raison V^aV4ON ; ceste raison que li *livres*
a ci amenteue vos a *li contes* devisé par quele reson V^3 ; Par ces .ii.
resons que li livres vos a devisees des .iii. fuiseux qui sunt blanc et
vert et vermeil V^5.

CHAPITRE XII

§ 271 : 3. qu'il estoient $B^aV^1V^6$; *que li fuissel* (V^4 que il fuisel)
estoient $V^3VV^aV^5V^{11}ON$-KZ – **4.** car il ne s. *om.* $B^aV^1V^3V^6$; molt
quar il ne sevent (*KZ* sorent) comment $V^5V^4V^{11}ON$ – **6-7.** d'or… la
corone *om.* B^a et voient (*KZ* virent) desoz une coronne *d'or et desoz
la coronne* une aumosniere V^5 – **9.** que *om.* $B^aVV^aV^4V^5V^{11}ON$;
dient *que* se Dex $V^3V^1V^6$-KZ – **12-13.** devise les fuisiax et la matere
et des fuisiax de la nef B^a ; brief, tant k'il lor devise *la matere* des
fuisiaus *et* de la nef V^6 – **15.** de haulte ligniee *estoient ceulx de* (*V*
om. de) *qui la nef leur faisoit* ramembrance V^a ; ligniee lors (*KZ*
lor) faisoit *cil* remanbrance V^1 ; lor fesoit *li brief* remembrance V^5
($V^4V^6V^{11}ON = B^a$) – **18.** aler *om.* B^aV^6 ; or nos (V^5 il vos) covient
aler querre la damoisele $V^1V^3V^4V^{11}$-KZ ; or vous couvient aler la
damoiselle querre *V* ; or vous c. *aler* querre la damoisele V^aON.

§ 272 : 1. si *om.* $B^aV^5V^6$; les oï *si* demanter (*ON* demander), si
lor $V^{11}VV^aV^4$-KZ ; les oï demanter si durement, si lor V^3 – **3.** ne
vos dementez que B^a ; ne vous *esmaiés* ($V^1V^3V^6$-KZ aj. mie), car
$VV^aV^4V^5V^{11}$ *ON* – **7.** estoit li fil d'or si bel B^a ; et de cheveux, si
estoient li chevel si bel et si reluisant (V^3 luisant) $V^aVV^4V^{11}ON$;
et de cheveus. *Li chevel estoient* si bel et si reluisant V^5 – **12.** bau
B^a ; biau V^1V^6 – **12-13.** les renges *qui y doivent estre.* (V^{11} aj. et)
Sachiés (V^1-KZ aj. fait ele) que je les fis V^aVON ; les renges *ki i
doivent estre. Et saciés bien vraiement* ke je les fis V^6 ; qui doivent
estre si riches que ge les fis V^5 – **16.** a G. *om.* B^a ; fait elle *a Galaad*
(V^3 Galaaç ; *O* Galehaz ; *N* Galahaz) *V* $V^aV^1V^{11}$-KZ – **20.** e. *om.*
$B^aVV^aV^3V^4V^5V^6V^{11}ON$; tondre *errantment* V^1-KZ – **20.** les *om.*
$B^aVV^aV^3V^5V^6V^{11}$; *com vos les* (V^{11} le) poez veoir V^1ON-KZ ;
con vos *le* poés veoir V^{11} – **22.** d. *om.* $B^aVV^aV^3V^4V^5V^6V^{11}ON$;
En non Dieu, *damoisele, fait Boorz* V^1-KZ – **24.** fussons fussom
entré B^a – **25.** m. *om.* B^aV^6 (ele s'en vait a l'espee V^6) ; ele vient
maintenant a l'espee $VV^aV^3V^4V^{11}ON$; ele vient *lors* a l'espee V^1 ;
ele vient *lues* a l'espee *KZ* – **26.** i *om.* B^a ; si *i* met V^6 ; et *i* (V^5 *om.*
i) met $VV^aV^1V^3V^4V^{11}ON$-KZ – **30.** fon B^a.

§ 273 : 5-6. que… veoir *om.* B^a ; que onques (V^1 *om.* onques) *li apostre ne desirrerent tant* (*VV^{a}V^{11}ON* plus) *Nostre Seignor a veoir* (*V^{11}* om. a ; *V^{1}ON-KZ* om. a veoir), car *V^3* – 12. porroiz vooir se *B^{a}V^6* (poés veoir se je i faurai *V^6*) ; dont vous pourrés (*V^1-KZ* aj. bien) veoir *que elle n'est mie moie*, se je y fail *V^{a}VV^{3}V^{4}V^{5}V^{11}ON* – 17. a l'entrer *B^a* ; ke a l'*entree* des dois passa li uns asés l'autre *V^6* ; que a *l'encontrer* (*V^{5}ON* a l'encontre) des dois passa l'un assés (*V^{4}V^{5}V^{11}* passa assez li uns ; *V^3* passa l'un des doiç asseç) l'autre *V^{a}V* ; a *l'encontrer* (*V^1* a l'ancontre) passa assez li uns des doiz l'autre *KZ* – 18. a G. om. *B^{a}VV^{a}V^{4}V^{5}V^{6}V^{11} ON* ; si *li* dient *V^3* ; si dient *a Galaad V^1-KZ* – 21. puet avoir mes avoir *B^a* – 31. qui (*V^{4}V^5* quant je) ai (*VV^a* om. ai) *fet le plus prodome du monde* (*V^5* siecle ; *V^3* om. du monde) *chevalier*. Et (*KZ* Car) bien *V^{11}ON* ; ki ai fait chevalier *del* plus preudomme del monde *V^6* – 32. a droit om. *B^{a}V^6* ; vous ne l'estiés pas (*V^{4}V^6* mie ; *V^{4}ON* aj. bien) encores (*K* orendroit ; *Z* om. encores/o.) *a droit* (*V^6-K* om. a droit) quant *VV^{a}V^{3}V^{11}* – 35. en om. *B^{a}V^{4}V^{6}O* ; je *en* seray vostre chevalier tant comme (*V^5* chevalier toz les jorz que) je vivray mais *V^{a}VV^{3}V^{11}*.

§ 274 : 13. ne om. *B^{a}V^{4}N* ; ne *ne* burent *V^{1}V^{a}VV^{3}V^{6}V^{5}V^{11}-KZ* (n'i mengerent n'i burent *O*) – 13. nule om. *B^{a}V^6* ; quar il n'estoient de *nule* viande garni *V^5* ; comme cil qui de *nulle* viande n'estoient (*KZ* n'erent) garnis. Si *VV^{a}V^{1}V^{3}V^{4}V^{11}ON* (si come cil ki de viande n'estoient mie garni. Si *V^6*).

§ 275 : 3. chevalier om. *B^{a}V^6* ; seignor *chevalier*, dont estes vos ? Et *V^{3}V^{4}V^{5}V^{11}ON* – 12. vos loeroie je om. *B^a* ; pour ce *vous loeroie je* que vous vous en (*V^5* om. en) retornissiez en droit (*V^{3}V^{4}V^{5}V^{11}* aj. conseil), ains que cil (*V^5* les genz) de ceans vous sourpreingent dedens les (*V^3* lor ; *V^{11}* lors) murs *V^{a}V* – 18. nos somes nos aidera *B^{a}VV^{a}V^{3}V^{4}V^{5}V^{6}V^{11}ON* ; en cui servise nos sommes *entré* (*Z* om. entré) nos conduira *V^1-KR* – 24-25. et moins que cil. *Percevax a tret l'espee et* feri si l'un *B^a* ; tot soient il a piet et assés mains ke cil. Et tantost Piercevaus traist l'espee, si fiert l'un d'iaus *V^6* ; et cil qui gueres nes (*VV^{a}V^3* ne) redotent, encor (*VV^{a}V^{3}V^{4}V^{11}ON* redoubtent tout) soient il a pié et meins que cil *ne sunt* (*VV^{a}V^{11}* aj. si) *traient lor* (*V^{a}VV^{3}V^{11}ON* les) *espees*. Et Perceval (*VV^a* Perlesvaulx) en fiert .i. (*V^3* espees. Si en fiert un Perceval), si (*V^{4}ON* fiert si uns) que il le porte *V^5* ; et cil qui gaires nes redoutierent (*KZR* redoutent), encore soient il plus que il et soient a pié et cil a cheval, *trairent* (*KZR* et treent) *les espees*. Et Perceval en fiert .i., si *V^1* – 28. cil se voient *B^a* ; quant cil *del castiel* se voient *V^{6}ON* ; et quant li autre se voient *V^{3}VV^{a}V^{1}V^{4}V^{5}V^{11}-KZ*.

§ 276 : 1. forterece. Et troverent *B^a* ; fortereche avoeques ciaus.

Et truevent V^6 ; forteresse. Et (V^1-*KZ om.* et) *quant il viennent* (*KZ* vindrent) *amont en la sale, si* troverent (V^3 V^5 *ON* trovent) V^a VV^4 V^{11} – **2.** et serjanz *om.* B^a ; chevaliers *et sergans* V^a VV^1 V^3 V^4 V^5 V^6-*KZ* ; troverent serjans et chevaliers V^{11} – **5.** les esp. tretes *om.* B^a V^6 (coururent sus et les vont V^6) ; si lor corent (V^1-*KZ* corurent) sus *les espees tretes* V^3 VV^a V^4 V^5 V^{11} *ON* – **8-10.** d'els qu'il ne quident… mortex *tant en ocit* (V^6 *aj.* il par ses mains), ainz quident B^a ; et (V^1 V^{11}-*KZ* car) Galaad (V^4 Galaaz ; *O* Galehaz ; *N* Galahaz) fet tex merveilles d'els (V^{11} de cex ; V^1 *om.* d'els) *et tant* (*N om.* tant) *en occit* (V^4 *ON* ocist), qu'il V^3 V^4 – **11.** au darrain *om.* B^a V^6 ; et *au darrain* quant il voient VV^a V^1 V^3 V^4 V^5 V^{11} *ON-KZ* – **18-19.** de riens *om.* B^a V^6 (ne qui mie ke Nostre Sire les amast, il V^6) ; que, se (*KZ om.* se) Nostre Sires les amast *de riens*, qu'il V^1 V^3 V^5 V^{11} ; ne cuide mie que son Maistre Sires les amast *de riens*, qu'il V^a V – **28.** que ge sache noveles de B^a VV^a V^3 V^5 V^{11} ; je je *en* sace novieles de V^6 ; que je savroie volontiers novelles de V^4 ; que ge savré novelles de *ON* ; que j'an sache *veraies* noveles de V^1-*Z* ; que je *en* sache noveles *veraies* de *K*.

§ 277 : **1.** d'une *om.* B^a ; parloient ainsi *issi* un preudoms *d'une* des (V^4 V^5 *om.* des) chambres V^a VV^3 V^{11} *ON-KZ* (oisi uns preudons d'unc chanbres [V^1 V^5 chambre] de leenz V^4 ; vint uns prodons de la cambre V^6) – **5.** come cil *om.* B^a V^6 (cil se traist ariere ki fu si esbahis V^6 ; maintenant se trest arrieres, si ne set que fere V^5) ; et il s'en trait arriere *comme cil* qui ne scet (V^1-*KZ* savoit) VV^a V^3 V^4 V^{11} *ON* – **6.** plenté de morz B^a ; telle planté d'*ommes* mors V^a VV^1 V^3 V^4 V^{11} *ON-KZ* ; tel plenté de *genz* morz V^5 (k'il ne sot k'il doie faire des mors k'il voit si grande plenté par laiens. Et Galahas V^6) – **15.** qu'il li conte *om.* B^a V^6 (et lors s'asiet delez eus. Et Galaad li conte comment V^5) ; et dit a Gualaad (V^4 Galaaz ; *O* Galeaz ; *N* Galahaz ; VV^a-V^1 dist a Galaad) *qu'il* (VV^a qui) *li conte* coment V^4 V^{11}-*KZ* – **17.** il *om.* B^a VV^a V^3 V^4 V^6 V^{11} *ON* ; comant *il* .iii. compaignon de la Queste estoient laienz ambatu V^1-*KZ* ; comment *il et si dui* compaignon de la Queste V^5 – **21.** sachiez que *om.* B^a V^6 ; sire, *sachiez que* vous V^a VV^1 V^3 V^4 V^5 V^{11} *ON-KZ* – **22.** feisseissent B^a ; que chevaliers *feissent* onques mais (V^3 *om.* mais), et se vous V^a VV^1 V^4 V^5 *ON-KZ* ; ke chevaliers fesist onques mais. Et se vos V^6 V^{11} – **25.** ovre : *graphie de* oevre – **26.** li *om.* B^a VV^a V^1 V^3 V^{11} *ON-KZR* ; comme *li* troi frere fesoient qui tenoient (V^4 *om.* qui t.) cest chastel V^5 ; con *li* trois frere fessoient de cest chastel V^4 (V^6 : *voir* 28) – **28.** cels de *om.* B^a (*cf.* avoient il cest chastel si atourné qu'il estoient V^a VV^4 V^5 *ON* ; avoient il cest chastel tel torné qu'il estoient V^{11}) ; avoient il *cels del* chastel si

atorneç qui estoient V^3 ; avoient *cels de* cest chastel tels atornez
V^1 ; avoient il *cil* dou chastel si atornez qu'il estoient K ; avoient
il *cels de* cest chastel si atorné qu'il ZR ; comme *cil troi frere*
faisoient, car *ciaus* de cest castiel avoient il si atornés k'il estoient
pire ke sarrasin V^6 – 30. de ce *om. B^a* ; moult *de ce* que j'avoie
$V^aVV^1V^3V^4V^5V^6V^{11}ON$-KZ.

§ 278 : 7. .ii. B^a ; .iii. $VV^aV^1V^3V^4V^5V^6V^{11}ON$ – 9. que l'en
seust *en cest païs* V^1-KZ ($VV^aV^4V^5V^6V^{11}$ ON = B^a) – 9. amoie
B^a ; amoient VV^aV^6-KZ – 10-11. despucelererent B^a – 11-12.
qu'ele fu si hardie *om. B^a* ; *qu'ele fu si hardie* qu'ele se (*ON-K*
s'en) clama a son pere $V^{11}V^4$; *que elle fut si hardie* de soy clamer
(V^5 de clamer soi) a V^aVV^6 ; *qu'ele fu si hardie* qu'ele s'an osa
clamer a V^1-ZR (V^3 lacune) – 22-23. si… cuit *om. B^aV^{11}* (ki chist
en chartre me manda V^6) ; en ceste (V^4ON cele) prison ot (V^4 au/
ON ou) mal de la mort, *si comme je cuide,* me manda (V^4 mande)
V^aV – 24. einsi… veés *om. B^a* ; ke je venisse a lui parler (V^aVV^4 je
le venisse veoir) *ensi garnis come vos veés.* Et (V^4 *om.* et) je i (V^4
om. i) vinc V – 25. vig : *graphie de* ving – 26. il *om. B^a* ; come *il*
me virent, si me fisent V^6 ; si tost comme je ving ceans, il me firent
VV^a-KZ – 31. m' *om. B^a* ; qu'il *m'*avoient $VV^aV^1V^4V^5V^6V^{11}$-KZ
– 33. m'a *om. B^a* ; ce *m'a* mandé le Hault Sires V^aV ; car ainsis le
m'a mandé li Haus Sires (Z Mestres) V^1-KR.

§ 279 : 3 : qu'il… occis *om. $B^aVV^aV^4V^6V^{11}$* ; les genz de leienz
qu'il avoient occis estoient V^5 – 8. d'eus *om. B^a* ; « *Ciertes,* sire, je
savoie bien ke Nostre Sires nos i avoit envoiés por prendre venjance
d'iaus » V^6 – 16. li quens *om. $B^aVV^aV^5V^{11}ON$* (N. S…. plorer *om.*
V^4) ; comencha *li quens* a plorer V^6 ; commance *li prodons* a plorer
V^1-KZR.

§ 280 : 5. ensi *om. B^a* ; demeure grant piece *ensi* tant V^6 ;
demeure (V^5V^{11}-KZ demora) *en telle maniere* tant $V^aVV^4V^5ON$
– 9-10. si *om. B^a* ; que… esjoïst *om. B^a* ; que tu as *($V^1V^4V^{11}ON$
l'as) hui *si* (V^4 *om.* si) bien (ON *om.* si bien) vengié (ON *aj.* en
tel maniere) de ses ennemis *que la compaignie des angles* (KZ-
V^1 cielx) *s'en esjoïst* (V^4ON *s'en esleece*). Or V^aV – 11. tu ailles
$B^aV^1V^5$; tu *t'en* ailles $VV^aV^4V^{11}ON$-KZ – 16. la vie B^a ; *l'ame
del cors $V^5VV^aV^1V^4V^5V^{11}ON$-KZ – 17. le conte *mort* $V^1V^4V^5$-KZ
($VV^aV^6V^{11}ON$ = B^a : le conte *mourir*) – 26-27. si virent le cerf
B^a ; vinrent en la forest. Si virent le cierf V^6 ; Quant il furent *entrés*
en la forest (V^5 il furent enz ; V^1-Z il i furent entré), si *regarderent
devant eulx et* voient (V^1-Z virent) *venir* le (V^5 i. ; V^1-K le blanc)
cerf $V^aVV^4V^{11}$ – 31. voi a apertement B^a – 35. lui *om. B^aV^6* ; après

lui et $V^a VV^1 V^4 V^{11}$-*KZ* ; après eus et V^5 (or alons dont après, si V^6 – **36-38.** car… l'otroient *om. B^a* ; son (V^5 lor) repaire. *Car je cuide que ceste aventure* (V^5 aj. ne) *soit* (V^1-*KZ* est) *de par Dieu. Et il l'otroient* (V^1-*KZ* aj. volantiers ; V^6 aj. molt v. ; V^5 aj. boennement ; V^{11} l'otroient entre els tos sans nule essoigne ; V^4 l'otroient entre aus senz nul ensoine ; *ON* l'otroient entr'aus) $V^a V$.

§ 281 : 2. Et… els *om. B^a* ; une valee. *Et lors regardent* (V^4-*ON* regarderent) *devant* (V^{11} om. d.) *eulx* et voient (V^1-*R* virent) $V^a VV^5 V^6$-*Z* – 3. v. et *om. B^a* ; preudons anciens et vielx demouroit $V^a V$; preudons *viex et* anciens manoit $V^1 V^4 V^5 V^6 V^{11} ON$-*KZ* – 4-6. Li chevalier descendent et vont a la chapele *B^a* ; *et* li chevalier *qui les sivoient* (V^5 aj. et il) descendent *quant il viennent* ($V^1 V^5$-*KZ* vindrent) *pres de l'ermitage* et tournent en (V^1 tornierent vers) la chappelle $V^a VV^{11}$; et li chevalier descendent *quant il vinrent pres del hermitage* et tornent (V^5 corent) a la capiele V^6 – 7. des… N. S. *om. B^a* ; (V^5 aj. qui iert) revestu (V^1-*KZ* vestu) *des armes Nostre Seigneur*, car il (V^1-*KZ* N. S. qui) vouloit $V^a VV^6 V^{11}$ – 8-9. Et… point *om. B^a* ; Saint Esperit. *Et quant les compaignons voient ce, si dient qu'il sont en* ($V^4 V^5 V^{11}$ a ; *ON* au) *bon point* (*ON* port) *venu* (V^1-*KZ* sont bien venu a point), si vont $V^a VV^{11}$; S. E. *Et atant dient li compaignon k'il sont bien venu a point*, la Diu merci, si vont V^6 – 10. que… ch. *om. B^a* ; si vont oïr la messe *que* ($V^{11} V^4 ON$ messe tele com) *li preudom chanta. Et quant* $V^5 V^6 V^1$-*KZ* (que li preudons… secré de la messe *om. VV^a*) – 10-13. secré, si virent que li Cers *B^a* ; el secré (V^5 eu sacrement ; V^4 a la secrete) *de la messe, si s'esmerveillent* ($V^5 V^{11}$ se merveillerent assez) *plus* (*ON* se m. plus asez) *k'il ne fisent onques mais de* (V^5 onques de nule) *rien k'il veissent. Car il* V^6 ; si se merveillent assés plus qu'il ne firent onques mais de riens qu'il veissent $V^a V$; el secré de la messe, li troi compaignon se mervillierent assez plus qu'il ne firent devant, car il V^1-*KZ* – 12-13. apertement… avis *om. B^a* ; virent tot (V^6 om. tot) *apertement* (V^1-*KZ* om. tot a.), *ce lor fu avis*, que $V^5 VV^a V^4 V^{11} ON$ – 13. propres *om. B^a* ; homs *propres* $VV^a V^1 V^4 V^5 V^6 V^{11} ON$-*KZ* – 14. molt *om. B^a* ; *moult bel et moult riche* $VV^a V^4 V^5 V^6 V^{11} ON$; trop bel et trop riche V^1-*KZ* – 17-19. et avoient… N. S. *om. B^a* ; en fourme de buef. *Et avoient tous .iiii.* (V^6 avoit cascuns) elles grans et (V^5 tuit .iiii. granz eles) merveilleuses par quoy il peussent voler (V^6 merveilleuses et volaissent bien), se il pleust a Nostre Seigneur. Si (V^5 Li .iiii. ; *ON* Et il) prindrent $V^a VV^{11} ON$ – 20-21. car… chaiere *om. B^a* ; seoit, les deux au chief et les autres .ii. aux piez ($V^6 V^1$ li doi as piés et li autre [*KZ* om. autre] doi au cief), *car* (*ON V^1*-*Z* et ; V^4 om. car/et) *ce estoit une chaiere* (*K* om. car…

chaiere), et s'en issirent V^aVV^5 – **21-22.** qui l. estoit *om. B^a* ; mal
mise ne *om. B^a* ; par une verriere *qui laiens estoit* (V^5 *aj.* derriere
l'autel) *en telle maniere que onques la verriere n'en fu malmise
ne* empiree. Et quant $V^aVV^1V^4V^{11}$ON-KZ (par une verriere *en
tel maniere que onques cil dedens ne le virent enpirer V^6*) – **23.**
ne $B^aV^5V^{11}$; n'en $VV^aV^1V^4$ON-KZ – **25.** la Virge que B^a ; en la
beneoite Vierge que V^aVV^{11}ON ; en la beneuree virge pucele que
V^5 ; en la Virgene Marie que V^6 – **26.** ne B^a ; ne malmise *om. B^a* ;
n'en (V^{11}ON ne) fut corrumpue *ne malmise* $VV^aV^1V^5V^6$-KZ ; ne
fu corrumpue ne maumise V^6.

§ 282 : 1-3. Car... cheue *om. B^a* ; estourdis (V^1-KZ estendu).
Car la voix y ($V^1V^5V^{11}$-KZ *lor*) ot donné (V^5 donna) *si grant clarté
et* (V^6 *aj.* un ; V^5 *aj.* fist) *si grant escrois que il leur fut bien* (V^{11}
om. bien) *avis que* leur ($V^1V^5V^6$-KZ la) *chapelle fut* (V^5 fust ; V^{11}
estoit) *cheue*. Et quant V^aVV^4ON – **4.** revenu il virent B^a ; revenu
en lor force et en lor pooir, il (VV^aV^1ON-KZ si) virent $V^5V^4V^6V^{11}$
– **5-6.** se devestoit. Lors li r. B^a ; se desvestoit *com cil qui* (desv. et)
avoit la messe chantee. Lors *vont parler a lui* (V^1-KZ vindrent a
lui) *et li requierent* $V^5VV^aV^4V^{11}$O – **7.** avoit eu B^a ; avoient veu
V^1-KZ ; ont veu $VV^aV^4V^5V^6V^{11}$ON (V^3 *lacune*) – **9-10.** changier
forme *om. B^a* ; suivons (V^5 *aj.* conduisoient ; *ON aj.* et li veuimes)
changier (V^6 *aj.* la) *forme et* devenir homme $V^aVV^4V^{11}$; muer en
forme d'ome et devenir home V^1-KZ – **12.** lor *om. B^aV^6* ; li preudom
ot ceste parole, si ($VV^aV^1V^4V^5V^{11}$ON-KZ *aj.* leur) dist (*ON* dit)
V^6 – **13.** Ha *om. B^a* ; *Ha* ! signor, $V^6V^1V^4V^5V^{11}$ON-KZ ; biaux
seigneurs VV^a – **14.** a ce... dites *om. B^a* ; bien *a ce que vos me dites*
$V^5VV^aV^1V^4V^6V^{11}$ON-KZ – **14-16.** des vrais ch. *om. B^a* ; *vos estes
des vrais chevalies* de la Queste ki les aventures del Saint Graal
akieveront V^6 ; *vous estes des preudommes*, (V^5 *aj.* et) *des vrais
chevaliers qui la Queste du Saint Graal acheveront* (*K* metront a fin)
VV^aV^{11}ON – **16-17.** et ses... fin *om. B^a* ; acheveront *et soufferront*
(V^5 sostendront) *les grans paines et les grans travaulx pour mener
les* (V^6 por le mener ; *ON* por mener les fors aveintures) *a fin*. Vous
$V^aVV^4V^{11}$; metront (*Z* menront) a fin et qui soffreroiz les granz
peines et les granz travauz. Car vos K-V^1 – **18-19.** et... partie *om.
B^a* ; Nostre Sires moustre ($V^4V^5V^{11}$ mostrera ; *O* demostrara)
ses grans secrés *et ses grans* (V^4 *om.* grans) *repostailles. Si vous
en a* (V^4ON *aj.* ja) moustré *grant partie* ; car V^aV ; Nostre Sires
moustra *ses grans* secres *et ses grans repostailles, et vos en dirai
grant partie* ; car V^6 ; Nostre Sires mosterra *ses granz segrez une
grant partie* ; quar V^5 ; Nostre Sires a mostré *ses secrez et ses
repostailles. Si vos en a mostré partie* ; car V^1-KZ – **19-20.** en om.

$B^aVV^aV^5V^6V^{11}N$; qui… mortex *om. B^a* ; la (VV^a *om.* la) venjance qu'il fist $B^aV^1V^{11}ON$-*KZR* ; car *en* ce qu'il mua le cerf en home celestiel, *qui n'est pas mortex*, vos mostra il la vanjance qu'il fist en la croiz V^1-*KZ* ; quar ce qu'il se mua de cerf en home celestiel, *qu'il n'est pas honz mortex*, vos mostra (*ON* mostrera) il la (VV^a *om.* la) muance ($VV^aV^{11}ON$ vengence) que il fist en la croiz V^5 – 21. la *om. B^aV^6* ; la ou $VV^aV^1V^5V^{11}ON$-*KZ* – 22-28. ce est de char… Virge. Et *om. B^a* ; coverture terrienne, *ce est de char mortel*, (V^6 *aj.* la) *venqui il en morant la mort et ramena nostre vie* (V^5 *aj.* qui estoit mortez ; *Z* ramena la vie pardurable). *Et bien doit estre senefié par le cerf. Car tot ausi come le cers, quant il est viel et ancien* ($VV^aV^5V^6ON$ *om.* et ancien ; V^1-*KZ om.* quant… ancien), *se rajovenist en lessant son cuir et son* (V^6 *aj.* et sa char et mue son) *pel em partie, tot ausi revint Jhesucrist* (V^1-*KZ* Nostre Sires) *de mort* (V^6 autresi mua Nostres Sires sa vie a mort et sa mort) *a vie*, (V^6 *aj.* et si mua) *quant il lessa le cuir terrien, ce fu la char mortel qu'il avoit prise eu ventre de la beneoite Virge* (V^5 prise en la virge pucele ; V^1 prise el ventre de la Vierge Marie ; V^6 quant il laissa la char terriene, ce fu la char mortel quant il avoit prise el beneoite ventre de la Virge Marie). Et V^{11} – 28-30. que… terrrien *om. B^a* ; blanc sans t. *om. B^a* ; *Et por ce que* ce (V^aV en ce ; V^6ON en cel) *beneoit Segnor* (*KZ-V^1* en la beneoite Virge) *n'ot onques tache de* (V^1-*KZ* onques point) *de pechié terrien* (V^6 *om.* terrien ; V^5ON de terrien pechié), aparoit il en semblance (V^1-*KZ* guise) de cerf *blanc sans tache.* Et par V^{11} – 32. b. pers. *om. $B^aVV^aV^5$* ; les .iiii. evangelistes, ($V^{11}V^4ON$ *aj.* lez .iiii.) *bones eurees piersones* (V^1 *om.* p.), ki V^6 – 32-33. escrit les ovres B^a ; qui en escrit mistrent (V^4 *om.* m.) *partie des* (V^5 de ses) *ovres Jhesucrist* (V^5 *om.* Jh.) $V^{11}VV^aV^1$ V^6ON-*KZ* – 33-34. fu en terre. Si B^a ; il fu en tiere *com hom terriens.* Si V^6 ; il fut *entre nous come homs terriens* ($V^{11}ON$ com terrien hom). Si V^aVV^1-*KZ* – 34-35. ne sout que B^a ; onques mais chevalier *n'en pot savoir la verité* (V^1-*KZ aj.* ne) que ce peust estre V^aVV^5 – 35-36. li bons curés B^a ; Si en a *li bons eurés Sires*, le Hault Maistre VV^aV^{11} – 37. et aux ch. *om. B^a* ; comme de cerf *om. B^a* ; aux preudommes *et aux chevaliers* en telle (V^6 *om.* telle) semblance *comme* (V^6 *om.* comme) *de* (V^{11} *om.* de) *cerf* et en $V^aVV^1V^5$-*KZ* ; – 38-39. por… essample *om. B^aV^6* ; lions *por ce que cil qui le verroient* ($V^aVV^1V^5$-*KZ* veissent) *i preissent essample.* Mais V^{11} – 39-41. que… avant *om. B^a* ; sachiés *que des ores mais* ($V^1V^4V^5V^6V^{11}ON$-*KZ om.* mais) *en avant* ne sera nuls qui en telle semblance (V^6 en tel point) les ($V^1V^4V^5V^6ON$-*KZ* le) voie (V^1-*KZ aj.* nule foiz) $V^aVV^5V^{11}$.

§ 283 : 2. ceste ch. *om. B^a* ; leur a moustree *ceste chose* VV^aV^{11} ; lor *a* (V^1-*KZ* avoit) *ceste cose* demoustree (V^1V^5-*KZ* mostree) V^6 – **5-6.** qu'il… avant *om. B^a* ; chiés le p. *om. B^a* ; l'espee Galaad *k'il avoit laissie et dist k'il porteroit l'espee d'ore en avant, si laisse la soie ciés le preudomme* V^6 – **8-9.** et *om. B^a* ; seant *et se* n'i entrent mie por V^6 ; seant *et si* n'entre (*ON* n'entrerent) pas dedens por V^{11} – **10.** m. *om. B^a* ; la *maistre* porte $VV^aV^1V^4V^6V^{11}ON$-*KZ* – **12.** avec vos *om. B^a* ; menés *aprés* (V^4ON avec ; V^1-*KZ* o) *vos* est ele $V^5VV^aV^6V^{11}$ – **14.** pucele… sachiez *om. B^a* ; Certes (V^1-*KZ* Par foi), fait Boorz, *pucele est ele, voirement le sachiez* (V^6 ce saciés vos vraiement) $V^aVV^5V^{11}$ – **15-17.** gete la m. *om. B^a* ; par s. crois *om. B^a* ; Et quant cil ($V^aV^5V^{11}$ le chevalier) ot ceste (V^1 la) parole, *si giete la main et l'ahiert* ($V^aVV^1V^5$ et aert la damoiselle ; V^{11} prent la damoisele) au (VV^a par le) au frain et li ($VV^aV^1V^5V^{11}$-*KZ om.* li) dist (V^5 dit) : « *Par sainte crois*, vos… » V^6 – **19-20.** Et Perceval dit B^a ; Et *quant* Perceval (*V* Perlesvaulx ; V^a Perlesvaux ; V^6 Piercevaus) *voit* (V^5 vit) *qu'il tient* (V^5 tint) *sa seur* (V^1-*KZ* voit le chevalier qui sa seror tient) *en tel maniere, si l'en poise mout et* (VV^aV^1-*KZ* aj. li) dit (V^5 dist) V^{11} – **21.** de ce dire *om. $B^aV^4V^6$* ; sages *de ce dire* (V^4V^6 *om.* de ce dire), car (V^6 aj. la) pucele, *en quelconques* (V^4V^5ON quelque) *lieu* (V^{11} en quel lieu) que elle viengne, est franche (V^6 quite) de toutes costumes V^aV – **23-24.** meismement… reine *om. B^a* ; et de reine *om. $B^aVV^aV^4V^5V^6V^{11}$* ; *meismement si gentil femme comme ceste* (V^5 ele) est, qui fut fille de roy (*ONV^1-KZ* aj. et de roine). Endementies qu'il parloient $V^aVV^6V^{11}$ – **25-26.** jusqu'a *om. B^a* ; *jusqu'a* .x. chevaliers $V^{11}VV^aV^1V^4V^5V^6$-*KZ* – **27.** en sa main *om. $B^aVV^aV^4V^5V^6V^{11}ON$* (tenoit [*ON* portoit]… d'argent) ; tenoit une escuele d'argent *en sa main* – **27-28.** cil *om. B^a* ; .iii. *om. B^a* ; Et il (V^1V^6-*KZ* cil) dient as .iii. ($VV^aV^4V^6V^{11}ON$ *om.* .iii.) compaignons V^5V^1-*KZ* – **29-30.** a fine force *om. B^a* ; que vos menez *om. B^a* ; il covient *a* (VV^a par) *fine force* que ceste (V^1-*KZ* cele) damoisele (V^1-*KZ* aj. *que vos menez*) rende la costume de cest ($V^6V^4V^{11}$ del) chastel (*ON* costume de leenz) V^5.

§ 284 : 2. fet cil il B^a ; fait *li uns des chevaliers*, il $V^aVV^4V^5V^6V^{11}ON$; fait uns chevaliers V^1-*KZ* – **6.** fauz ch. *om. B^aV^6ON* ; Dehais ait, fait Galaad, *sans* (V^4 sire) *chevalier*, qui $V^aVV^1V^5V^{11}$-*KZ* (*sans/sanz : erreur de* «fauz» ?) – **7-8.** car… estre que *om. B^a* ; qui ceste costume establi (V^6 coustume acoustuma se chevaliers ne fu), *car certes ele est mauvese et vilaine. Et se Deu me conselt, asseur* (V^5 asseurez) *poez estre que* (V^1V^6-*KZ*

om. asseur... que) a ceste pucele ($VV^aV^1V^5V^6$-*KZ* damoiselle)
avés $V^{11}V^4ON$ – **20.** se ce f. *om.* B^a ; si les vont abatant et (V^4ON
om. a. et) occiant (V^1-*KZ* vont ociant et abatant) aussi comme *se*
ce (V^6 *om.* ce) *fussent* bestes $V^aVV^5V^{11}$ – **21.** assez l. *om.* B^a ;
occis *assés legierement* quant $V^aVV^1V^4V^5V^6$ – **22.** ch. *om.* B^a ; .lx.
(ONV^4V^6 quarante) *chevaliers* tous (V^1-*KZ om.* t.) V^aVV^5 – **24.**
Ha b. *om.* B^a ; *Ha* ! (*Z om.* Ha) *biau signor* (V^1-*KR om.* Ha b. s.)
$V^6VV^aV^4V^5V^{11}ON$ – **24-25.** meismes... ocirre. *om.* B^a ; merci
de vous (V^1-*KZ aj. meismes*) et (V^4V^6 *om.* et) *ne vous faites* (V^{11}
lessiés) *pas* (V^1-*KZ* mie) *occirre*, car V^aVV^5ON – **26.** car... ch. *om.*
B^a ; car certes ce (V^{11} car ceste chose) seroit grant dommages (V^6
aj. de vos ne vos faites pas ocire), *car trop estes preudomme et bon*
chevalier (V^6 estes bon chevalier et trop preudom) VV^a – **30.** tant...
croie *om.* B^a ; rendu *tant come ele me* (V^6 m'en) *croie* $V^5VV^aV^1$-
KZ – **31.** donc *om.* B^a ; fait (V^6 font) cil (V^5-*K* il), voulés vous *dont*
(V^5 *om.* d.) mourir $VV^aV^1V^4V^{11}ON$-*Z*.

§ 285 : 1-3. grant... d'autre *om.* B^a ; la mellee *grans et*
merveilleuse, si ont (V^5 sunt) *les trois* ($VV^aV^4V^5V^{11}ON$ *om.* trois)
compaignons assalis et ($VV^aV^4V^5$ *om.* et) *d'une part et d'autre*. Mais
Galahas V^6 – **4-7.** fait... mais *om.* B^a ; et *fait itieux* ($V^1V^4V^5V^6$-*KZ*
tiex) *merveilles* (V^6O *aj.* d'armes) *qu'il n'est nuls* ($V^1V^5V^6$-*KZ om.*
nuls) *homs qui le veist qui cuidast* (V^4 *om.* qu'il... cuidast ; V^6 ki
peust mie croire) *qu'il n'* (V^5ON cuidast pas que ce) *fust homs terriens*
(V^6 morteus), *mes aucuns monstres* (V^6 *aj.* por gens ocire). *Si va*
tous jours (V^6-*KZ* toz dis) *avant* (V^4ON devant ; V^1 *om.* t. j. avant)
en telle maniere (V^5 *om.* en telle m.) *que onques ne retorne, mais*
(V^6 *aj.* tot dis ; *ON aj.* toz jors ; V^1-*KZ* ainz) *conquiert place* (V^1-
KZ terre) *sur* V^aVV^{11} – **11-13.** que... place *om.* B^a ; En tel maniere
dura (V^4 dure) la bataille jusques envers (VV^a vers ; V^{11} desque
vers ; *ON* desc'a vers) la (V^4 dusque a) nuit (V^1 jusques aprés
nonne) *que li troi compeignon n'en* (V^4 ne) *orent onques le peior*
ne onques ne (V^1-*KZ* n'an) *perdirent place*. Et tant V^5 – **14.** noire et
o. *om.* B^a ; a force *om.* B^a ; fu venue *noire et obscure* qui *a force* les
$VV^aV^1V^4V^5V^{11}ON$-*KZ* (venue *noire et oscure* par coi il les covint
a force departir V^6) – **15.** lor *om.* B^a ; si que cil dedanz distrent qu'il
lor covenoit la bataille laissier V^1-*KZ* – **17.** lor *om.* $B^aV^4V^{11}ON$;
et *lor* dist $V^1V^5V^6$-*KZ* – **18.** par a. et par c. *om.* B^a ; nos vos prion
(V^4ON je vos pri) *par amors et par cortoisie que vos* (V^1-*KZ* aj.
hui mes) vengniés *hui mes* (V^1-*KZ om.* hui mes) herbergier avec
nos $V^{11}VV^aV^5$-*KZ* – **19-21.** nos... que *om.* B^a ; et... estat *om.* B^a ;
Et *nos vos creanton* (V^4ON Et je [*ON om.* je] vos creant) *loialment*
sor quant que nos tenon (V^4ON je tieng) *de Dieu* (V^1-*KZ om.* sor...

Dieu) *que* nos vos metron (V^1-*KZ* remetrons ; *ONV*^{4} que [V^4 aj. je] vos metroie/V^4 metré) le matin (V^1V^4ON-*KZ* demain ; V^5 aj. s'il vos plest) en tel point *et en tel estat* com vos estes maintenant ($VV^aV^4V^5ON$ orendroit ; V^1-*KZ* ore) V^{11} – 23. v. om. B^a ;… pour quoy je le vous di ? *Je vous di vraiement* que si VV^a ; … di (V^6 om. vous) ? Je sai (V^6 aj. tot) *veraiement* que si $V^4V^5V^{11}ON$; … di ? Je (*K* aj. le) sai bien (*KZR* om. bien) que V^1 – 27. m. om. B^aV^6 ; s'i acordent *maintenant* $VV^aV^1V^4V^5V^{11}ON$-*KZ* – 27-28. lor B^a ; li… a. om. B^a ; *Lors* donerent (*KZ* donent) trives *li un as autres* et (*KZ* si) entrent (V^1 antrierent ; *KZ* aj. tous/tuit) ensemble V^6 – 28-30. si… comp. om. B^a ; chastel. *Si ne fu onques si grant joie* (*O* om. joie) *fete* ($VV^aV^4V^{11}ON$ om. fete) *comme cil de leienz* (V^{11} celx du chastel) *firent as* (V^1-*KZ* aj. .iii.) *compaignons* V^5.

§ 286 : 2. l. om. B^a ; avoit *laiens* esté establie $VV^aV^4V^5ON$ – 4. Ce… bien om. B^a ; tantost : *Ce vos dirons nos bien* $V^6VV^aV^4V^{11}$-*KZ* – 5-6. et… autre om. B^a ; nos somes, (V^4V^{11} aj. et) *tuit cil de cest* (V^{11} toz celx du chastel et du) *païs, et* (V^{11} aj. est) *cist chastiax est* (V^{11} om. est) *soens et meinz* (*ON* molt des) *autres. Si avint ore a .ii. ans qu'ele chaï* V^5V^1-*KZ* – 7-9. une maladie *par la volenté Nostre Seignor.* (V^1V^6-*KZ* aj. Et) *quant ele ot grant piece langui, nos regardames* (V^6 pierchames ; V^{11} langui et ele regarda) *quel maladie ele avoit. Si veismes que ele estoit pleine* de mal de (*ZK*-V^1 del mal que l'en apelle (V^6 plaine d'une maniere de ; V^{11} avoit. Nos veismes qu'ele avoit le mal que l'en apele) meselerie. Et (V^1-*KZ* om. et) lors mandames V^5 – 11. et pres et l. om. B^a ; tos les bons mires ke nos peumes avoir *et pres et long*, mais V^6 – 12. de sa m. om. B^a ; ($VV^aV^4V^6V^{11}ON$ aj. oncquez) nus (V^6V^{11} un) qui *de sa maladie* nos seust conseillier V^5-*Z* – 15-16. m. om. B^a ; dame (V^1 aj. et) elle gariroit *maintenant* $V^aVV^4V^5V^6V^{11}ON$ – 17. damoisele… fust om. B^aV^6 ; *que ja mais par cy ne passeroit damoiselle nulle que* $V^aVV^4V^5V^{11}ON$ ($V^6 = B^a$) ; *que ja mais ne passeroit damoisele par ci devant por qu'ele fust pucele* que nos V^1-*KZ* – 18-20. si… passeroient om. B^a ; sanc. *Si meismes bones* (V^1-*KZ* om. b.) *gardes as portes de cest chastel por arester totes celes qui i passeroient* (*ON* passeront). Or $V^{11}VV^aV^5$ – 21. de cest ch. om. B^a ; tele… veés om. B^a ; *la coustume de cest chastel* fu (V^5 est) establie *telle comme vous la veés.* Si V^aV ; *Or avez oï, fet cil, coment* (V^1 om. coment) la (*Z* ceste) *costume de cest chastel* fu establie *et* (*Z* establie tel com) *vos l'avez trovee.* Si *K*.

§ 287 : 1. .iii. om. $VV^aV^4V^5V^6V^{11}ON$; lors apela (V^1-*Z* apele) la damoisele les (V^1 ces) .iii. compaignons *K* – 4-5. et… me om. B^a ;

se je veul, *et se je ne veul, elle n'en* ($V^4V^{11}ON$ ne) puet (V^{11} porra)
garir. *Or me dites* V^aV – **6-7.** a… tendre *om.* B^a ; fetes, *a ce que
vous estes jone damoisele* (V^4V^6-Z om. d.) *et tendre* (*K* om. et t.),
vos $V^aVV^5V^{11}ON$ – **9-10.** a moi… parenté *om.* B^a ; partie *om.* B^a ;
ce seroit aumosne *a moi et a tot mon parenté. Et si en doi faire partie
por vos et partie por aus* V^6 – **11.** ne puet… n' *om.* B^a ; il *ne puet*
(V^{11} pot) *estre qu'il n'*i ait greigneur dommage qu'il $V^aVV^4V^5V^6$-
KZ – **13-14.** si… estris *om.* B^a ; ge en (*V^6* om. en) feré (*V^6* aj.
toute ; V^1-KZ aj. a ; V^aV je en feray faire) lor volenté, *si remeindra
cist estris* (V^aV escrips). *Et ge* $V^5V^4V^{11}ON$ – **14.** por Deu *om.* B^a ;
ge vos pri *por Deu* que vos le *m'*otroiez $V^5VV^aV^4V^6V^{11}ON$-
KZ – **17-18.** soiez… *om.* creant que B^a ; Lors apele (*KZ* apela) la
damoisele çaus de laienz, si lor dist : – Soiez, fait ele, *lié et joiant,
car vostre bataille de demain est remese ; si vos creant que* je
demain m'aquiterai en tel maniere come les damoiseles s'aquitent.
Quant V^1.

§ 288 : 1. d. *om.* B^aV^6 ; moult *durement.* Et lors
$VV^aV^1V^4V^5V^{11}ON$-KZ – **2-3.** et la feste *om.* B^a ; assés… esté *om.*
B^a ; Et lors comence la joie *et la feste* ($V^aVV^4V^{11}$ aj. par laiens)
assés graindre (V^4V^{11} greigneur ; *ON* asez plus [*N* om. plus]
grande) *k'ele n'avoit* (V^aV n'y avoit) *devant* ($VV^aV^4V^{11}ON$ om.
devant) *esté. Si siervent* V^6 – **4-5.** et… puent *om.* B^a ; pooir *et les
couchent au plus richement que il puent* (V^{11} porent ; V^4ON aj.
et au meus). *Cele nuit* $V^5VV^aV^1V^6$-KZ – **6-7.** recevoir… offroit
om. B^aVV^a ; furent bien (V^1 om. bien) siervi li troi (*ON* om. troi)
compeignon et meuz (V^1-KZ aj. le) fussent encore se il vousissent
recevoir tot ce que l'en lor offroit (V^4 ofrirent ; *ON* ofri ; VV^a om.
recevoir… offroit). *A l'endemain* V^5V^{11} – **11-12.** v. *om.* B^a ; m.…
estoit *om.* B^a ; si feroient (V^5 feront) il (V^6 aj. molt) *volentiers. Si*
(V^1-KZ Lors) l'alerent querre *maintenant en une chambre ou ele
estoit* $V^{11}VV^aV^4ON$ – **13.** m. *om.* B^a ; s'esmerveillerent *molt,* quar
$V^5VV^aV^1V^4V^{11}ON$-KZ – **14-15.** viaire si broconé que B^a ; et si…
meselerie *om.* B^a , avoit le viaire (V^5 visage) *si deffet* et si (*KZ* om.
si) broconné (V^5 bocelé) *et* (VV^aV^5 aj. si) *mesaesié de* (V^1V^5 aj.
la) *meselerie* (V^1 maladic) qu'il estoit (V^5 que c'estoit) $V^{11}V^4ON$
– **16.** contre lii : *le copiste de* B^a *a rayé le deuxième* i – **16-17.** et…
els *om.* B^a ; m. *om.* B^a ; encontre (V^1-KZ contre) lie (VV^aV^5 lui)
et la font (V^1-KZ firent) *seoir* avec (V^6ON dalés) *els* et ele dist
maintenant – **18.** el : *graphie de* ele – **21-22.** et trenchant *om.* B^a ;
si que… maintenant *om.* B^a ; l'aporte (V^1-KZ li a.), et elle desnue
(V^5 desvest ; V^1-KZ tret) son bras et se fait ferir en (V^1-KZ aj. une ;
V^4ON aj. la) *vaine* d'une petite alumelle ague *et trenchant* come

rasoir *si que le* (*V¹-KZ* rasoir et li) *sang en sault* (*V¹¹V⁴ON* sanc vermeil en cort) *maintenant. Et* *VᵃV* – **24.** v. *om. Bᵃ* ; a la mort (*V¹-KZ aj.* venue) pour *VᵃVV⁴V⁵V⁶V¹¹ON*.

§ 289 : 1-3. Lors li esvanoï *Bᵃ* ; por… plaine *om. Bᵃ* ; *En ce qu'ele disoit ceste parole,* si s'esvanuï son (*VᵃV* si li esvanuy le) cuer (*V⁵* li cuers li esvanoï) *por le sanc dont ele avoit tant* (*VᵃV* moult) *lessié que* (*VᵃV* car) *l'escuele estoit ja tote* (*V⁶ om.* tote) *plaine. Lez* *V¹¹ON* – **3-6.** estanchier et com ele pot parler, si dit Perceval je *Bᵃ* ; et le font tantost restanchier (*VVᵃV⁴V⁵V¹¹* si/*V¹V⁵-KZ* et/l'estanchent) *de sainier.* Et quant ele *ot grant piece esté en pasmisons et ele pot parler,* si dist (*V⁴ON* dit) *a* (*VVᵃV⁴V¹¹ON om.* a) Percheval : « *Biaus frere,* je *V⁶* – **10.** pres de ci *om. Bᵃ* ; troveroiz/ trouverez pres (*V⁶ om.* pres) *de ci,* si me *V⁵VVᵃV¹V⁴V¹¹ON-KZ* – **11-12.** aler et ja si tost *Bᵃ* ; aler *ensi* (*VVᵃ* aussi) *comme* (*V⁵* la ou) *fortune* (*V¹-KZ* aventure) *me volra mener, et je vos di vraiement* (*V¹ om.* v.) *que* ja si tost *V⁶V⁴V¹¹ON* – **13.** arrive *BᵃV⁴O* ; arrivee *V¹V⁵V⁶V¹¹N-KZ* (a. *om. VVᵃ*) – **14-15.** fetes mon cors enfoïr *Bᵃ* ; fetes *tant por moi* (*V⁶ aj.* et por Deu) *et por vostre* (*VVᵃV⁶-KZ om.* vostre) *honor* (*V¹¹* par amor ; *V⁴* por amor Deu ; *ON* por amor de Deu) *que vos mon cors fassiez* (*V⁶* faites) enfoïr (*V¹-KZ* enterrer) *V⁵* – **17.** vos ausi *om. Bᵃ* ; girra et *vos ausi V⁶VVᵃV⁴* ; i gerra et vos ausint, Perceval, i gerreiz *V⁵* ; gerra et *vos o lui V¹-KZ* – **18-19.** Quant… parole *om. Bᵃ* ; tot… volentiers *om. Bᵃ* (gierra et il li otroie. Et ele *Bᵃ*) ; *Quant Pierchevaus* (*V¹-KZ* Perceval ; *V⁴V¹¹ON* il) *ot* ce le (*V¹V¹¹* ot oïe) cele (*V¹V¹¹ON-KZ ceste*) *parole,* si li (*V¹ om.* li) *otroie tot en plorant,* et li (*V¹V⁴V¹¹ON-KZ om.* li) *dist* (*V¹V⁴V¹¹-KZ* dit) *ke ce* (*V¹¹* si) *fera* (*V¹-KZ* feroit) *il molt* (*V¹-KZ om.* molt) *volentiers.* Et ele lor redist (*V¹¹-K* dist ; *Z* dit) *V⁶* – **22-23.** Et einsi… einsi *om. Bᵃ* ; *Et* (*OV¹-KZ* car ; *VVᵃV⁴V¹¹N om.* et/car) *ensi le vieut* (*V¹¹* volt) *li Haus Maistres et por çou le vos mande il par moi* (*V¹¹ aj.* qui volt ; *ON aj.* qu'il veut) *que vos le faciés ensi.* Et il dient *V⁶* – **24.** lor *om. Bᵃ* ; *Et ele lor prie* k'il *V⁶* – **25-28.** prodome… grant *om. Bᵃ* ; devant la d. *om. Bᵃ* ; et il mandent (*O aj.* por) .i. hermite *prodome qui* (*V¹-KZ* iluec) *manoit* (*VVᵃ* demouroit) *hors de leens* (*V¹-KZ om.* hors de l.) *assés pres du chastel en .i. boschet* (*VVᵃ* bosquet ; *V⁴ON om.* en .i. b.). *Et il ne demora pas granment* (*V¹-KZ* demora mie granmant qu'il vint), *puis que* (*VVᵃ* puis qu'il ot oÿ que ; *O* puis qu'il oï que) *le besoig i estoit* (*VVᵃV¹-KZ* si) *grant. Si vint devant la dame* (*VVᵃV¹-KZ* damoiselle). Et quant ele le vit *V¹¹* – **29-30.** Ele… doçor *om. Bᵃ* ; Salveor. *Ele le rechut a grant pitié et a grant douchour.* Et quant *V⁶* – **32-33.** qu'il… r. *om. Bᵃ* ; furent si (*V¹-KZ* tant) dolent *qu'il ne* quidoient (V^6 quident) *pas* (V^1 mie) *qu'il s'en peussent legierement* ($V^4V^6V^{11}ON$ om. l.) reconforter (V^1V^4ON conforter ; $V^4V^{11}ON$ aj. de legier) V^5VV^a.

§ 290 : 1. m. *om.* B^a ; celui jour *meismes* $V^aVV^1V^4V^5V^6V^{11}ON$-KZ – 2. s. *om.* B^a ; *sainte* pucelle $VV^aV^4V^5V^6V^{11}ON$-KZ – 3. ele n. et *om.* B^a ; *pucele, ele fu netoie et mondee* (V^1-KZ garie) de sa meselerie $V^6VV^aV^5$ – 3. vint B^a ; revint $VV^aV^1V^5V^6V^{11}ON$-KZ – 4-5. sa... veoir *om.* B^a ; beauté *sa char, qui tant* (VV^a si) *estoit* (V^4V^{11} aj. devant) *lede et orrible* (ON aj. et noire) *a veoir* (ON om. a veoir ; V^6 aj. et regarder). De ceste V^5 – 5. troi *om.* $B^aVV^aV^4V^5V^{11}ON$; li *troi* c. V^1V^6-KZR – 7-8. et... oster *om.* B^a ; et li osterent la brueille (V^6 boiele) *et tot ce que l'en en* (VV^aV^6-ZR om. en) *devoit oster* (VV^a-R om. oster), puis l'embasmerent V^5 – 9. se ce fust *om.* B^aV^6 ; come *se ce fust* li $V^5VV^aV^1V^4V^{11}ON$-KZ – 9. firent une nef B^aZ ; firent *querre* une nef $VV^aV^4V^5V^6V^{11}ON$; firent *faire* un nef V^1-KR – 10-11. par d. *om.* B^aV^6 ; richement couvrir *par dessus* pour la pluie VV^aV.

§ 291 : 5. la g. a *om.* $B^aVV^aV^4V^5V^6V^{11}ON$ por *la garison* a une dame V^3V^1-KZ – 7. mais *om.* B^a ; ne porent *mais* la nef $V^aVV^3V^4V^5V^6V^{11}ON$ – 9. i *om.* $B^aV^3V^4$ $V^5V^{11}ON$; k'il *i* avoient $V^6VV^aV^1$-KZR – 24-25. lor... dehors *om.* B^a (tempeste com cil *estoit. Et quant* B^a ; peust estre li castiaus si confondus par tempeste com il *estoit*. Quant V^6) ; poïst estre un si (V^5 estre einsint) fort chastiau desconfit par tempeste comme cil *leur semble par ce qu'il en voient dehors*. Quant vint V^aV.

§ 292 : 6. naim : *graphie de* nain – 9. et il t. $B^aVV^aV^4N$; et *cil* tendoit $V^1V^5V^4V^6$-KZ – 11-13. J. *om.* B^aV^6 ; moi soit B^a (Biaus peres, secourés moi et ne me laissiés morir en si grant tribulation et en tel point ke l'ame de moi *ne* soit perie V^6) ; biaus pere *Jhesucrist*, secorrés moi et (V^{11} om. s. moi et) ne me laissiez morir en tel point, si (V^5 om. si) que l'ame de moi *ne* trespast mie de cest siecle en si grant tribulacion come ceste me semble V^4VV^aN – 22. revieg : *graphie de* revieng – 23. i/a la voie *mq.* en $B^aVV^aV^1$-KZR ; mes metez vos *i* le matin chascun por soi et V^5 ; mes metez vos le matin *a la voie* chascun par soi et V^{11} ; mes metés vos le matin chascuns par soi *a la voie* et V^4O – 32. en la queste B^aV^5 (qui en la *queste* estoient remés V^5) ; qui en la *chapele* estoient (V^1-KZ sont) remés (VV^a demourés ; V^4 om. r./d.) V^{11} ki sont remés en la *capiele* V^6 ; qui... remés *om.* ON.

Chapitre XIII

§ 293 : § 293-§ 304 *lacune* V^3 – **8.** troverent les murs toz ars et abatuz B^a ; troverent (*Z*) tot ars et *les murs* (V^1-*Z aj.* touz) abatuz $V^5V^6V^{11}ON$ – **12.** grant d. et *om.* B^aV^6 ; molt a ci (V^5 *aj.* eu) *grant domage et* grant perte $V^1V^4V^{11}ON$-*KZ*.

§ 294 : **6.** i *om.* B^a ; qui *i* avoit esté, si $V^5VV^aV^6$ – **14-15.** desor chascune *om.* B^aV^6 ; si truevent *desor* (V^{11} *desus* ; V^4 dedenz) *chascune* (V^6 *om.* desor ch.) le non de cele (V^6 les nons de cascune) qui *desoz* (V^1-*KZ* qui iluec) *gisoit* (V^6 gisoient). Si V^5VV^a – **22.** abessié et *om.* B^aV^6 ; esté *abessié et* anoienté $V^5VV^aV^1V^4V^{11}ON$-*KZ* – **31.** nos *om.* B^a ; Nostre Signor ki nos (V^{11} vos) otroit que nos *nos* puissons entretrover (V^4 trover) – **34.** le *om.* B^a ; il le covient a ($VV^aV^1V^5$-*KZ om.* a) estre V^6V^{11}-*KZ* – **40.** dui *om.* B^aV^1-*KZ* ; li *dui* compeingnon $V^5VV^aV^6V^{11}ON$.

Chapitre XIV

§ 295 : **5.** et *om.* B^a ; parfonde *et* d'autre les (VV^aV^4 des) roces V^6 ; *et* de la tierce part des roches V^5 – **12.** la *om.* B^aV^{11} ; il *la* savoit $VV^aV^1V^4V^6$-*KZ* – **14-15.** ses cors et ses esperiz pensoit $B^aVV^aV^5V^6$; que sez *cuerz* et ses esperis pance (V^{11} pensoit) plus V^4 ; que ses *cuers* pensoit plus KZV^1 – **25-26.** est… il *om.* B^aV^6 ; et quant il *est* (V^5V^{11} fu) *toz armé et* il ot (V^1-*KZ* a ; V^{11} *om.* ot/a) l'espee (VV^a son espee ; V^5 s'espee) çainte V^4 – **32.** doubles *mius* qu'il li est melz qu'il n'estoit B^a : *le mot* mius *est presque illisible* ; ki onques fussent gastees (*sic*) par homme terrien et li est a cent doubles mieus k'il n'estoit devant V^6 – **32.** o. *om.* B^aV^6 ; quar il a *orendroit*, ce li est advis $VV^aV^4V^5V^{11}$; car *or* a il, ce li est avis V^1-*KZ*.

§ 296 : **4.** mes ch. *om.* B^a ; souloit (V^4 *aj.* estre ; V^5 *aj.* devant), *mais changiez* $V^aVV^1V^6V^{11}$-*KZ* – **8.** se dr. et *om.* B^aV^6 ; quant il voit ce, si *se dresce et* se seigne $VV^aV^4V^5V^{11}$ – **12.** *après son, le copiste de* B^a *a rayé* chn – **13.** et troeve les letres B^aV^6 ; treuve (*R aj.* i) lettres VV^a-*KZV*$^1V^{11}$; et *treue* escrit dedenz letres V^5 – **25.** li… fil *om.* B^a ; Queste faille *li doinst* (V^1V^5-*KZ* doint) *trover* (V^{11} *aj.* Boorz et) Galaad son *fil* V^6VV^a.

§ 297 : **2.** et voit *om.* $B^aVV^aV^4V^{11}$ (si [V^{11} il] regarde que la nef VV^a) ; il regarde *et voit* que la nef $V^1V^5V^6$; si resgarde et voit la nef arrivee a une roche *KZ* – **11-12.** Et il… amené *om.* B^a (*saut du même au même*) ; amené. *Et il li* (V^6 l'en) *conte la verité de son estre* (V^6 *om.* de son e. ; V^{11} conte de son estre la verité ; V^4 conte la veriré de sa voie) *et coment fortune l'a* (V^6 l'avoit ; $V^a VV^1$-*KZ* l'a admené) *celle part amené* (VV^a om. a) ou il ne fu onques mais *ON* – 29. tu te $B^a V^6$; se tu (V^1 om. tu) *des ore en avant* te voloies $V^{11} VV^a V^4 V^5$-*KZ* – 31-32. en… habite om. $B^a V^6$; trouver pardon et misericorde vers ($V^5 V^4$ envers) celui *en qui toute pitié habite* $VV^a V^5 V^{11}$.

§ 298 : 11-12. que… demorer *om.* $B^a V^6$; donc, fet li prodom, *que tu n'as mes gueres que demorer*. Car, se Deu plest, par tens vendras a ($VV^a V^4 V^5$ en) la meson V^{11} – 14-15. sire om. $B^a VV^a$; et vos, *sire*, fet Lancelot, remandrois (V^1-*KZ* demorez) vos ci ? $V^4 V^5 V^6 V^{11}$ (et vous, fait Lancelot, demourés vous cy VV^a) – 21. partiz de la *rive* B^a ; ainçois qu'il se partist de la *rive* $VV^a V^4 V^5 V^{11}$; mais ançois k'il s'en fust partis de la *roce*, comencha V^6 ; mais ançois qu'il se partist de la *roche* V^1-*KZ* – 22. por Dieu om. $B^a VV^a V^4 V^5 V^6 V^{11}$; serjanz Jhesucrist, *por Dieu*, ne m'oublie pas *KZ*-V^1 – 34. trové *om.* $B^a V^6$; ne viande n'i avoit *trové*, le conte respont V^{11} ; pour ce que pain ne viande *terrienne n'avoit il trouvé en la nef*, le conte respont $VV^a V^4$ – 36. et om. B^a ; es desiers *et* ki fist V^6 ; repot es desers (V^{11} el desert) les gens ($V^5 V^1 V^4 V^{11}$ le pueple) Israel *et* qui fist $V^a V$ – 37. sostint cestui *en cestui point* que chascun B^a ; de la roche a eulx boire, si soustint cestui *en telle maniere* que chascun matin $V^a VV^{11}$ – 42. et g. om. B^a (se trovoit il si raempli de la grace V^6) ; si raplenis ($V^1 V^4$-*KZ* plains) et si rasaziés et (V^1-*KZ* aj. si) *garnis de la sainte grace* $V^a VV^5 V^{11}$.

§ 299 : 1. come come B^a – 4. e. si om. B^a ; lors *escouta, si* (V^1-*KZ* et) oÿ $VV^a V^5 V^6$; lors *si escouta, et* ot $V^4 V^{11}$ – 5. tot a ch. om. V^1 ; venir grant aleure *tot* (V^5 om. tot) a cheval et fesoit (V^5 ch. fesant) mont grant escrois et mont grant noise par mi la f. $V^{11} VV^a V^4$ – 10. venir om. $B^a V^4 V^6 V^{11}$; quant Lancelot le vit *venir*, si $V^5 VV^a$; quant Lancelot vit le chevalier *venir*, si V^1-*KZ* – 15. ch. om. $B^a V^6$; sire *chevalier* (V^6 om. ch.), vous soiés le bien venus $V^a V$; sire *chevalier*, bien soiés vos venus $V^1 V^1 V^5 V^{11}$-*KZ* – 23-26. sire om. $B^a V^4 V^6 V^{11}$; Voire, *sire* ($V^4 V^{11}$ om. sire), fait (V^5 aj. soi) le chevalier, que vous soiez li bien venus. En nom Dieu, vous desiroie je a veoir et a avoir en compaignie sur tous ceulx du monde. Et je le doy faire, car vous fustes $V^a VV^4 V^5 V^{11}$ – 23. e non *graphie de* en non – 27. de sa t. om. $B^a V^6$; oste (*KZ* aj. li chevaliers) son heaume *de sa teste* et le met $VV^a V^4 V^5 V^{11}$.

§ 300 : 8-9. quant li jorz fu biax et clers et il s'entreconurent B^a ; Si demourerent tant en ces paroles que li jour fut biau et cler a l'endemain. Quant le jour *apparut et le soleil* fut *levés* et il *s'entrevirent et* congnurent V^aV ; Si demorent (*Z* demorerent) tant en ces paroles que li jorz fu granz et biax a l'andemain. *Quant li jorz aparut et li solax fu levez* et il *s'entrevirent et conurent*, si comença *KZR* – **16.** por Deu *om. B^aV^6* (mais est ce voirs ke vos aiés mené a chief l'av. V^6) ; mais *pour Dieu*, est ce voir que vos avés menee (V^{11} vos amenee) a chief l'av. $VV^aV^4V^5$; mais *por Dieu*, dites moi se vos avez a chief menee l'av. V^1-*KZ* – **18.** fet fet B^a – **24.** j. *om. B^aV^6* ; fist *jadis* fere $V^4VV^aV^1V^5V^{11}$; fist fere *jadis KZR* – **28.** matere B^aV^{11} (il li ot tote contee la matiere de la nest [*sic*]) V^{11}) ; il li a toute (V^1-*KZ om.* t.) contee la *maniere* de la nef VV^aV^4 ; il li a dite la *maniere* de la nef *R* ; quant Galahas a toute contee la *maniere* de la nef V^6 ; il li a tote la *verité* contee de la nef V^5 – **35.** la *om. B^a* ; gens (gent $V^1V^4V^5V^6V^{11}$-*KZR*) *la* u VV^a – **41.** quan… a. *om. B^aV^6* ; raconter (V^5 *aj.* de) *quan qu'il lor avenoit* ($V^1V^4V^5$-*KZR* avint) V^aVV^{11}.

§ 301 : 1-2. ke *toutes ces coses traient* en amour et oisiel V^6 ; que toute riens se traient (V^5V^{11} tret) a douceur et (V^4 *aj.* que) ces (V^4V^{11} li ; V^5 cil) oysiaux V^aV ; que toutes choses traient *a verdor* et cil oisel V^1-*KZR* – **12.** ch. *om. B^aV^6* ; sire *chevaliers* $V^1VV^aV^4V^5V^{11}$-*KZR* – **19.** au douz cors B^aV^6 ; au *verai* cors Jhesucrist $V^5V^aVV^1V^4V^{11}$-*KRZ* – **24.** pent B^aV^1-*Z* ; penst $V^5V^6V^{11}$-*KR* ; pense VV^a ; prant V^4 – **24-25.** de bien fere endroit soi de bien fere que ja mes ne verra li .i. B^a ; cascuns de bien faire, car ja mais ne verra li uns l'autre V^6.

§ 302 : 4. a… mes *om. B^a* ; me depart de toy (V^{11} *om.* de toy) *a tous jours mais*, prie V^aVV^4-*KZR* ; que je me depart *a tous jors mais* de toi, prie V^6 ; me depart de vos *a toz jors*, priez V^5V^1 – **15-18.** par… mer *om. B^aV^6* ; peust veoir *om. B^a* ; erra bien .i. mois antier *par mi la mer* en tel meniere qu'il dormoit (*K aj.* trop) po et veilloit (*KZR* pou ainz veilla) molt et pria Nostre Seignor (*KZR aj.* em plorant) molt tendrement en plorant (*KZR om.* en pl.) que il en tel… dou saint Graal *poïst veoir* V^1 – **26.** i *om. $B^aV^4V^6V^{11}$* ; pour que (V^1 puis que) on *y* voulsist entrer par celle porte V^aV-*KZR* ; por ce que l'en *i* venist par cele porte V^5.

§ 303 : 1-2. et les p. *om. B^aV^6* (a ses armes, ne n'i laisse V^6) ; court (*KZR aj.* maintenant) a ses armes *et les prent*, ne (V^1-*KZR* et) n'y laisse (V^{11} lessa) nulle chose V^aVV^4 – **3.** issus *om. B^a* ; quant il est hors (V^4 *om.* hors) *issus* et venus a (V^5 venuz jusque) la porte V^aVV^{11} ; quant il en est *issus*, si vient viers la porte V^6 ; quant il est fors *issuz*, si vint a la porte V^1-*KZR* – **7.** il regarde il regarde B^a – **7.** voit une nue B^a ; voit ($VV^aV^1V^5$-*KZR aj.* venir) une *main* (V^4V^{11}

aj. venir) toute enflambee V^6 (*cf. ligne* 14 : de la *main* qu'il ot veue) – **16.** mes *om.* $B^a V^6$; s'il est nuit ou jor. *Mes* a chief $V^4 V^5$-*KR* ; s'il est (VV^a *aj.* ou) jor ou nuit. *Mez* a (VV^a au) chief V^{11}-*Z*.

§ 304 : 10. *le copiste de* B^a *qui a d'abord écrit* entrent, *a ensuite rayé les deux dernières lettres* – **29.** *après* voiz, *le copiste de* B^a *a rayé* li – **33-34.** fis *om.* B^a ; se je (V^4 *om.* je) onques *fis* chose en ceste voie qui te (V^5 qui ne vos) pleust $V^a VV^{11}$; se je onques *fis* en ceste voie cose ki te pleust V^6 ; se je *fis* onques chose qui te plaise V^1-*KR* ; se je onques *fis* chose qui te plesse *Z*.

§ 305 : 3. i *om.* B^a ; com se li solaus meesmes ferist laiens et *i* fesist son estage V^6 ; comme se le soleil meismes (V^1-*KZ om.* m.) feist laiens son estage $V^a VV^4 V^5 V^{11}$ – **28.** se $B^a V^3 V^4$ (ne *se* merveillot V^3) ; ne s'*en* merveille $VV^a V^1 V^5 V^{11}$-*KZR* ; ne s'*en* esmerveille V^6 – **33.** i *om.* $B^a V^1$; Et lors a si grant talent (*Z* feim) d'aler (*V* t. aler) *i* (V^1 *om.* i) qu'il ne li sovient ($VV^a V^5$ *aj.* point) du deffens ($VV^a V^a$ de la deffence) qui V^{11}.

§ 306 : 4. el vis *om.* B^a ; bien *om.* B^a ; si le feri *el vis* si durement k'il li samble *bien* k'il V^6 ; qui (*V* qu'il) le *fery ou viaire* (V^1-*KZR* vis) si durement si qu'il li fut (*V* fust) *bien* advis $V^a V^4 V^{11}$; qui le feri *eu visage* si durement que il li fu *bien* avis V^5 ; qui le feri en mi *le vis* si merveilleusement qu'il cuida *bien* avoir tot le viaire *ars et* brulé V^3 – **5.** ars et *om.* B^a ; le viaire *ars et* brouÿ (V^a bruÿ ; V^6 bruï ; V^4 bruisé ; $V^5 V^{11}$ bruslé ; V^1-*KZR om.* et b.). Lors *V* – **14-15.** fet... ne il *om.* B^a ; mes il ne (V^1-*K* n'an) *fait nul semblant qu'il les oye, ne il* ($V^1 V^5$-*KZR om.* il) ne se remue (V^5 ne s'en muet). Et (V^{11} *om.* et) quant $V^a V$; mes il ne *fet nul semblant ne* ne se remue V^{11} ; ne *fet nul* (V^3 pas) *senblant qu'il les oie,* si ne se remue ne poi ne grant. Quant (V^3 remue. Et quant) V^4 ; ne *fait nul samblant que nus voie.* Et quant V^6 – **23-24.** por *om.* B^a ; et l'aresnent (V^4 l'araisonent ; V^5 l'essaierent) maintenant ($V^1 V^4 V^5$-*KZ om.* m.) moult de fois ($V^1 V^4 V^5 V^{11}$-*KZ* meintes foiz) *pour* ($V^5 V^{11}$-*K* pour) savoir s'il peust (V^1 puet) parler (V^4 s'il parleroit) VV^a – **24-25.** ne ne... vie *om.* B^a ; *ne ne fait* (V^3 *aj.* pas) *semblant* (V^6 *aj.* nul) *qu'il eust onques parlé* (V^3 parlé onques ; V^6 *aj.* a nul) *jour de sa vie* (V^1-*KZ om.* jour... vie). Et il $V^a V$ – **30.** ou aucun d. *om.* B^a ; vengence *ou aucun demoustrement* de $VV^a V^1 V^6$- *KZR* ; venjance *ou aucune demostrance* de $V^3 V^{11}$; se ce n'est *aucune demostrance* de V^5 (V^4 *om.* venjance... dem.).

§ 307 : 2. a l'autre B^a ; et disoient li uns *as autres* k'il estoient mors et li autre disoient V^6 ; et (V^1-*KZ* si) disoient les uns (V^3 d. aucun) qu'il estoit mort et les autres disoient (V^1-*KZ om.* d.)

qu'il $V^a V V^4 V^{11}$; devant lui et l'endemain et au tierz et au quart ausint disoient que il estoit vis V^5 – **8-9.** en sa santé lors B^a ; le rait mis en sa santé *u il a esté autre fois. Et* lors V^6 ; le rait en sa ($V V^a V^{11}$-KZR la) santé (V^4 le remeist en la force) *ou il a autre* ($V^1 KR$ aucune) *foiz esté. Et* lors V^5-Z ; en la santé *ou il a aucune foiç esté. Et* lors V^3 – **10.** certes *om.* B^a ; et *certes,* se ge onques soi (KZR conui) riens (V^6 *om.* r.), ge cuit ($V^4 V V^a V^6$-KZR croi) que (V^1 *om.* ge cuit que) il ait ($V^1 V^4 V^6$ a) esté $V^5 V^3$ – **24.** molt d. *om.* B^a ; et totes *molt durement* ; et disoient $V^3 V V^a V^1 V^4 V^5 V^6 V^{11}$-KZR – **25-27.** qui… preudom *om.* B^a ; en tel p. et *om.* B^a ; chevalier *ki tant sambloit vaillans et preudom* et biaus hom de son eage, et or l'a Dex mis *en tel point et* en tel cartre V^6 ; chevalier *qui tant sembloit* (V^5 *aj.* estre ; V^{11} semble ; V^3 resembloit) *preudomme et vaillant* ($V^5 V^1 V^3 V^4 V^{11}$ vaillant et preudom) *et* (V^3 *om.* et) *tant yert biax de son aage* (V^1-KZR *om.* de son aage), et or l'a mis Dieux *en tel point* (V^4 paine) *et* en telle chartre (V^3 l'a mis Nostre Seignor en si grant charte et en si merveillose) $V^a V$.

§ 308 : 14-15. ordure et essorbee B^a ; de la tres grant ordure (V^5 *aj.* de mon pechié ; V^1-KZR *aj.* dou monde) *fu essorbee* $V^6 V V^a V^4 V^{11}$; de la terrienne ordure *fu esorbee* V^3.

§ 309 : 1. tot *om.* $B^a V^1$; dient *tot ce que il* $V^5 V V^a V^3 V^4 V^6 V^{11}$-KZR – **2-3.** en… m. *om.* B^a ; avoit *duré* entr'aus .xxiiii. jors *en tel maniere* k'il V^6 ; ot demouré *avec eulx.* xxiiii jours ($V^{11} V^4$ avoit demoré .xxiiii. jors avec els), *en telle maniere* qu'il $V^a V V^1$-KZ ; ot .xxiiii. jorç demoré *avec els en tel maniere* qu'il V^3 ; ot demoré .xxiiii. jorz *avec eus en tel maniere* que il V^5 – **5.** et… senefiance *om.* B^a ; commence a porpenser *coment il avoit demoré en estat et par quel senefiance,* tant k'il V^6 ; a porpenser *par* (V^{11} por) *quel senefiance* il a ($V V^a V^1 V^5$-KZR avoit) tant *demoré en tel estat et tant* qu'il $V^3 V^5$; porpenser *por quel mescheance* il avoit tant *demoré* en… V^4 – **8.** qu'il… menbres *om.* B^a ; en tel penitance par .xxiiii. jors *k'il ot pierdu le pooir del cors et des menbres.* Lors V^6 ; pour quoy Nostre Sires le mist en telle penitance ($V^3 V^5 V^{11}$ peneance) *qu'il ot perdu par* (V^{11} en) *.xxiiii. jours le* (V^3 *om.* le) *pooir du corps et des membres* (R *om.* et des m.). Lors $V^a V V^4$-KZ (… par .xxiiii. jors *le veoir del cors.* Lors V^1) – **10.** dont… dessaisi *om.* B^a ; pres d'un an *dont il se voit* (V^1 veoit) *ore* (V^5 *om.* ore) *dessaisi* (V^4 desvestus). Si $V^6 V V^a V^3 V^{11}$-KZR – **11.** en ceste ch. *om.* $B^a V^6$; qu'il ait *en ceste chose* son (V^{11} le) *veu enfraint* $V^a V V^1 V^3 V^5$-KZR ; qu'il ot *en ceste chose* mesfet et enfret le veu V^4 – **16-17.** et n. *om.* $B^a V^6$; lin fresche *et novele* $V^1 V^3 V^4 V^5 V^{11}$-KZ ; lin fresche

et neuve, et il V^aV – **17.** ne la *volt mie* ($VV^aV^5V^{11}$ om. mie) *vestir*
V^6 ($V^3 = B^a$) – **20-23.** *por… vooir* om. B^a ; *plus por* (V^3 a) *querre le*
Saint Vaissiel ($VV^aV^1V^3V^{11}$-KZ Graal) ; (KZ aj. que) *bien sachiés*
(V^1 om. que bien s.) *que* (V^3V^5 aj. ja) *mais* (V^1-KZ que vos) *n'en*
verés plus ke veu en avés. Or nos amaint Dex (VV^aV^1-KZ aj. ceulx)
qui le (V^1-KZ om. le) *plus* (V^3 le sorplus) *en doit* (VV^aV^3-KZ
doivent) *veoir* V^6 – **26-27.** *tele… aporterent* om. B^aV^{11} ; *et… lit*
om. B^a ; *aprés* (V^6 aj. la) *bonne* (V^1-KZ om. bonne) *robe d'escarlate*
telle comme il li apporterent (V^1-KZ tele que l'an li aporta). *Et* (V^3
om. et ; V^{11} om. telle… Et) *quant il est* ($V^3V^4V^5V^{11}$ s'est) *vestus*
et appareilliez et levé de son lit (V^1-KZ om. et levé… lit), si le
viennent (V^1 vont) *veoir* V^aV – **28-29.** *tienent… quant il* om. B^a ;
de leens et tienent a (V^6 aj. molt) *grant merveille ce que Dex a*
fet de lui. Si ne l'ont gueres regardé quant il ($VV^aV^3V^5$ qu'il) *le*
conoissent et dient $V^{11}V^4V^1$-KZ.

§ 310 : 1-2. g. et m. om. B^a ; la joie *par laiens* (V^6 om. par l.)
grant et merveilleuse $V^aVV^5V^{11}$-KZ – **2-3.** as… *autres* om. B^a ;
noveles (V^6 aj. tant) *as uns et as autres* (V^5 aj. tant) que li roi *Pelles*
(V^4 Pellez ; V^5 Pales) en $V^{11}VV^aV^1$-KZ – **3-10.** parler ; si se *drece*
et le va vooir B^a ; parler ; *si li dist* (V^{11} si dit) *.i. chevaliers : « Sire,*
merveilles vos puis dire. – De quoi ? fet li rois. – Par foi, sire, fet li
chevaliers, cil qui tant a ceenz (V^3 a tant geu caienç) *geu* (V^1-KZ
aj. come) *morz, si est* (V^1 Par foi, cil chevaliers qui tant a geu ceanz
come mors est ; V^aVV^{11} Par foy, le chevalier qui tant a geu ceans
[V^4 a cheenz geu come] mort est) *orendroit levez* (V^1 relevez) *de*
son lit (V^1-KZ om. de son lit) *seins et hetiez, et* (KZ si) *sachiez que*
ce est mon seigneur (V^{11} om. mon s.) *Lancelot deu Lac. » Quant*
li rois (V^aV Et quant il) *l'entent, si en* ($VV^aV^1V^4V^{11}$-KZ om. en)
est molt liez et V^5 – **12-13.** *venuz et li roi li dist* B^a ; *venuz, si li*
fet molt grant (V^3 om. g.) *joie et li rois* ($V^3V^4V^{11}$ aj. fet) *ausint*
($V^{11}V^4$ ausi) *a lui et* (V^1-KZ om. ausint… et) *li dist* V^5VV^a – **13-**
14. *dist noveles que sa fille la bele* ($V^{11}V^4$ sa bele fille) *estoit morte*
(V^1-KZ dist les noveles de sa bele fille qui est morte), *cele en*
qui misires ($V^1V^3V^4V^{11}$-KZ om. m.) *Galaad fu engendrez. Si en*
poise (V^4 poisa) V^5VV^a – **14-15.** *por… lignage* om. B^a ; *mont* (V^3
asseç) *a Lancelot por ce que si* (VV^a om. si) *gentil* (V^6 gente ; VV^a
gentieulx) *fame estoit et estrete de si haut lignage* $V^{11}V^1V^4$-KZ
– **16-17.** molt… *molt* om. B^a ; *demora leienz Lancelot* (V^4 demora
Lancelot leenz), *dont li rois fist molt* (V^3 om. molt) *grant joie et molt*
grant feste (V^1-KZ om. et… feste), *car* $V^5VV^aV^{11}$ – **19.** en… leens.
Et om. B^aV^5-KZ ; *assis au disner en la maistre sale de leens.* Et
(V^3 om. et) *lors* $V^6VV^aV^{11}$ – **20-22.** si… *hom* om. B^a ; que le Saint

Graal avoit ja (V^{11} *om.* ja) replenies (V^{11} raempliees ; V^1 raemplis)
les tables (V^3 ja les tables raemplies) du palais (V^1-KZ *om.* du p.) *si
merveilleusement que* (V^3 *aj.* de) *greigneur plenté ne peust penser
nuls homs.* Ainsi qu'il mengoient (V^1-KZ *aj.* par laienz), si lor V^aV
– 23. m. gr. *om.* B^a ; tindrent a *molt* (V^1V^3-KZ *om.* molt) *grant
merveille* $V^5VV^aV^4V^6V^{11}$ – 24-25. clostrent sanz main metre : si
B^a ; li huis del palais closent (VV^a clorrent ; V^1V^3-KZ clostrent ;
V^{11} se clostrent) *sans que nus i mesist le main* : si V^6.

§ 311 : 2. m. *om.* B^a ; li rois *meismes* $V^1VV^aV^3V^5V^6V^{11}$-KZ – 3.
une fenestre si le B^a ; une *des fenestres* (V^5 une fenestre) *del palés*
(V^6 *om.* du p.), *de cele part ou li chevaliers estoit.* Si le regarde
(V^1-KZ regarda) $V^3VV^aV^1V^4V^{11}$ – 4-5. et li dit B^a ; *et quant il
le voit atendant devant la porte, si* li dist (KZ dit) V^1 – 7-8. tant…
païs *om.* B^a ; certes *om.* B^a ; ceans *tant comme le Saint Graal* (V^4
Sainz Vaseaus) *y soit* (V^5 Seint Vesseax soit ceienz) qui y demeure
(V^4V^{11} qui encore i est ; V^6V^1-KZ *om.* qui y d.),. *Mais alés vous ent
en vostre païs,* car (V^6 *om.* car) *certes vous* n'estes pas V^aV – 10-
11. le s. *om.* $B^aV^5V^6$; et… l'anemi *om.* B^a ; ont lessié *le servise*
(VV^a *aj.* de ; V^5V^6 *om.* le s.) Jhesucrist *et se sont mis el servise a*
($VV^aV^6V^{11}$ de) *l'ennemi* $V^3V^4V^1$-KZ – 12-14. angoisseus et li rois
li dit B^a ; si est molt angousseus (V^{11} mont a mal ese) *et* (V^3 *om.*
et) *tant a* (V^5 et a tant) *grant duel k'il ne set k'il doie* (V^3V^1-KZ set
que) *faire, fors* (VV^a *aj.* tant) *k'il* (V^1-KZ faire. Et lors) *s'en retorne.
Et li rois le rapiele et* li dist (V^{11}-KZ dit) V^6 – 15-16. chevalier
dites moi qui vos B^a ; chevalier, *puis qu'il est ainsi que vous* (V^6
om. vous) *ceans estes* (V^{11} vos estes ceens) *venus, je vous pri que
vous me dictes* (V^3, dioieç ; V^{11}-KZ V^1 diez) qui vous estes V^aV
– 20-21. car… chaut il *om.* B^a ; que devant, *quar il ne m'en* (V^3 me)
chaloit (V^4 chaut) *gueres* (K *om.* gueres), *mes* (V^1 *om.* gueres mes)
or m'en chaut il (V^3-KZ *om.* il ; V^6 mais il m'en est ore plus) *por*
l'amor $V^5VV^aV^{11}$-Z – 23-25. l'ome… lui *om.* B^a ; leienç, *l'omme
del siecle qu'il plus cremoit por l'amor qu'il avoit a lui,* si dit (V^{11}
dist) V^3 ; laiens, *li homs ou* (V^{11} du) *siecle que il plus craingnoit
pour la grant amour qu'il avoit a lui,* si dist V^aV – 26. et… plus
om. B^a ; honte *et croist* (VV^aV^4 croit) ; K *aj.* et) *plus et plus.* Or
$V^5V^1V^3V^6V^{11}$-Z – 28. et… vaillant *om.* B^a ; or ne serai je ja mais
tant (V^1-KZ si) hardis que je devant mon frere viegne puis que je ai
(V^4 *om.* ai) fali a çou que ($VV^aV^3V^{11}$-KZ ce ou) li preudome *et li
vaillant* (V^1V^3-KZ verai ; $V^aVV^1V^3V^4V^5V^{11}$-KZ *aj.* chevalier) ne
falront pas (VV^a *om.* pas) V^6 – 30. a moi et $V^3VV^aV^1V^4V^5V^6V^{11}$-
KZ (*om.* B^a).

§ 312 : 25-27. li rois... montés *om.* B^a ; *li rois li fet amener en mi la* (V^3 sa) *cort* (V^4 place) *.i. cheval* (V^6 amener un ceval en mi la court) *fort et isnel et* (V^1-KZ si) *li* ($VV^a V^3$ *om.* li) *dit* ($V^1 V^6$-KZ dist) *que il mont sus* (V^6 desus ; V^3 seur) *et il si* (V^3 le) *fet. Et quant* (K *om.* quant) *il* (V^1 aj. i) *est montés* et il ($V^4 V^6$ si) ot ($VV^a V^1 V^3 V^4 V^6 V^{11}$-KZ a) pris congié V^5.

§ 313 : 5-7. qui... sembloit *om.* B^a ; *por...* est *om.* B^a ; *il la vit* $B^a V^4 V^{11}$; *bele, qui estoit fete novelement, ce li sembloit*. Il (VV^a si) torna ($V^3 V^4$ torne ; V^6 regarde) *cele part por veoir que ce est* (V^6 ce poet estre). *Et quant il* (VV^a aj. fut pres, si ; $V^3 V^1$-KZ aj. vint pres, si ; V^5 quant Lancelot *fu pres, si*) la vit (V^3 voit) *de si merveillose* (V^6 quant il *fu pres*, il vit qu'ele estoit de molt rice) façon V^{11} – 16. et... pr. *om.* B^a ; *le roi Artu et a* (V^4 *om.* a) *mains autres* (V^3 *om.* autres) *prodomes* $V^6 V^{11}$ – 17. Lancelot *om.* $B^a VV^a V^3 V^6$ (celui jour *demora* laiens molt V^6) ; celui jor remest *Lancelot* leenz $V^4 V^5 V^1$-KZ – 17-18. et m. c. *om.* B^a ; molt dolenz *et molt* (V^4-KZ *om.* molt) *corociez* $V^5 VV^a V^3 V^6$; leanz dolans *et correciez* V^1 – 19. A l'endemain $VV^a V^1 V^3 V^4 V^5 V^6 V^{11}$-KZ – 21-22. si... menoit *om.* B^a ; *jornees si comme aventure le maine* (V^5 menoit) k'il vint V^6 – 23-24. Et... aventure *om.* B^a ; drechies. (V^5 *om.* d. ; $VV^a V^1 V^3 V^5 V^{11}$ aj. et) *Si tost come il vit cele aventure*, si se mist ens et lui (V^3 *om.* et lui) le cheval (V^1-KZ mist anz tot a cheval) V^6 – 26-27. si... virent *om.* $B^a V^6$; *moult grant joie si tost comme il le virent*, car $V^a V$.

Chapitre XV

§ 314 : 2-3. ainsi... portoit *om.* B^a ; *journee ainsi* (V^1-KZ si) *comme aventure le portoit* ($V^1 V^6$ porta ; $V^5 V^{11}$ menoit) une heure $VV^a V^3$ – 5. Bon *om.* $B^a VV^a V^3 V^5 V^6$; atendoit la venue du *Bon* Chevalier V^{11} ; atendoit le *Bon* Chevalier V^1-KZ – 17. que totes les autres *vertuz. Tu es* B^a ; que *totes autres fleurs. Tu es* V^5 ; plus blanche que *nule autre flor*. Tu es V^{11} ; que totes les ($VV^a V^3$ *om.* les) autres. Tu ies $V^6 V^1$-KZ (V^4 lacune) – 18-19. la chalor del feu est B^a (vertu et en coulor de fu est si en toi espris V^6) ; couleur de feu, car le feu *du Saint Esperit* est $VV^a V^1 V^3 V^{11}$-KZ ; vertu et en colcur deu feu *deu Saint Esperit* qui est si en toi espris V^5.

§ 315 · 2. avoit *om.* B^a ; Nostre Sire *avoit* (V^6 ot) oy ($V^1 V^3 V^6 V^{11}$-KZ oïe) sa priere $VV^a V^3$ – 19. m. *om.* B^a ; fut appellee *maintenant* la Fontainne Galaad. Quant $VV^a V^5 V^6 V^{11}$; fu apelée *communement* la Fontaine Galaad V^3 ; lors perdi le non que ele avoit (K aj. devant) et fu *des lors en avant* apelee la Fontainne Galaad V^1-Z – 24-25.

Joselice B^a ; Galaad le roi de Joselice, fil Joseph d'Arimachie V^6 ;
Galaad le roy de Hozelice (V^3V^{11}-K Hoselice ; Z Housence), (KZ *aj.*
le) filz Joseph d'Arimachie (V^3V^{11}-Z d'Arimacie ; K d'Arymacie)
et VV^a – 34. fait Galahas V^6 (V^{11} = B^a) – 34-35. menissiez *a l'uis*
par ou on y entre $V^aVV^1V^3V^5V^{11}$-KZ ; menissiés *au liu, s'il vos*
plaisoit, par la u on i entre V^1.

§ 316 : 1. dien B^a – 2. l'uis de *om. B^a* ; voulentiers. Lors (V^3V^6
volentiers. Il) le (V^1-KZ v. si l'en) maint a *l'uis de* la cave et il
descent aval $VV^aV^5V^{11}$ – 24. s. *om. B^a* ; por *solement* la (V^{11} s.
vostre) grasse $V^6VV^aV^1V^3V^5$-KZ.

§ 317 : 15. fu B^a ; s'il (V^1-KZ *aj.* en) *furent* $VV^aV^3V^6V^{11}$
(connurent, si furent molt lié V^5).

§ 318 : 4. il… et *om. B^a* ; Corbenic. Quant *il* (V^5 *aj.* i) *furent*
dedens (V^5 *om.* d.) *entré* et li rois Pellés $V^6VV^aV^3V^{11}$ – 9. le B^a ;
tot cil de laiens *les* vienent V^6 – 12. se *om. $B^aV^5V^6$* : quant il furent
desarmé et (V^6 *om.* et) V^5 ; il *se* furent desarmés $VV^aV^1V^3$-KZ –
23. .ii. *om. $B^aVV^aV^3V^6V^{11}$* ; si ajoint les pieces, mes V^5 ; et ajoste
les *.ii.* pieces ansamble V^1-KZ – 28. les… de *om. B^a* ; Lors prant
Galaad *les .ii. pieces de* l'espee et ajoste l'un acier a l'autre V^1-
Z – 32. o. *om. B^a* ; nule qu'ele eust esté *onques* brisie V^6 ; nulle
qu'elle eust *onques* esté brisie $V^aVV^3V^{11}$ – 36. de l'e. *om. B^aV^5*
(et quant cil de leienz voient l'aventure menee a chief V^5) ; et quant
celx de la place voient l'aventure (V^6 ceste a.) *de l'espee* achevee
$V^{11}VV^aV^3$.

§ 319 : 3. se *om. B^a* (qui… chalor *om. V^6* ; qui… palés *om. V^5*) ;
qui *se* feri $VV^aV^1V^{11}$-KZ – 4. d'eus *om. B^aV^6* ; li plusors *d'eus*
cuiderent $V^5VV^aV^1$ V^{11}-KZ – 14. et une pucele qui estoit/V^5 fu/lor
niece, la plus $B^aV^{11}VV^aV^6$; une puciele, *niece le roi, qui ert* la plus
V^1-KZ (V^3V^4 *lacune*) – 15. alores B^a – 21. a. vos *om. $B^aV^5V^6$* ; pour
estre *avecques vous* a la table VV^aV^1-KZ ; por *vos tenir compagnie*
a la table V^{11} – 26. autre *om. B^a* ; li autre .iii. $V^1VV^aV^5V^{11}$-KZ.

§ 320 : 6. drece… et *om. B^a* ; s'en revont. Et il (V^1-KZ cil) *drece*
la teste (VV^a le chief) et dit (VV^a dist) V^{11} – 7. bien… v. *om. B^a* ;
mol B^a ; *Sire, bien soiez vos venus* (V^5 *aj.* que). Molt $V^1VV^aV^6V^{11}$-
KZ – 27. letes B^a – 28. de B^a ; *des* crestiens $VV^aV^1V^5V^6V^{11}$-KZ
– 31. bien *om. $B^aV^5V^6V^{11}$* ; conoissent (congnoissoient VV^a) *bien*
V^1-KZ – 33. del s. *om. $B^aV^5V^6$* ; trespassé *du siecle* $V^{11}VV^a$ – 34.
et lor dit *om. B^a* ; a cex *et lor dit* V^{11} – 37-38. i *om. B^a* ; autressi
seré B^a ; *car jou i* estoie terriens et ausi *i serai* je espiritueus V^6 ;
car j'ai esté terrien serjant et ausi *i serf* je ore quant je sui esperitel
V^{11} ; car je estoie terriens *quant je y servi premierement,* et aussi y
sers je ores quant je sui espirituel V^aV.

§ 321 : 1. d'a. *om.* $B^aVV^aV^5V^6V^{11}$; la table *d'argent* V^1-*KZ* – **5.**
Joseph B^aV^1 ; Josep V^6 ; Josephé VV^a-*Z* ; Josephés V^5V^{11}-*K* – **7.** et
li autres une lance B^a ; et li *autre* (V^aV les autres ; V^1V^6-*KZ* li tiers)
une toaille… et li *quarz* une lance V^5V^{11} – **10-11.** saint *om.* B^a ;
tint *om.* B^a ; la toaille lez (V^6 sor) le *saint* ($B^aVV^aV^6V^{11}$ *om.* saint)
Vaissel et li quars *tient* (VV^aV^6 tenoit ; *KZ* tint) la lance (VV^a-*K*
aj. toute ; *Z aj.* contreval tote) droite (V^6 *om.* droite) sor le *saint
Vaissel* (V^{11} *om.* et li quars… coloit enz) V^1 – **13.** ot $B^aVV^aV^1V^6$;
ont V^{11}-*KZ* ; orent V^5 – **13.** Joseph B^aV^1-*Z* ; Josep V^6 ; Josephés
$VV^aV^5V^{11}$ – **16.** i *om.* $B^aVV^aV^5V^6V^{11}$-*K* ; il *i* ot demoré un po
V^1-*Z* – **20.** ausi v. et *om.* $B^aV^5V^6$; le viaire *aussi* vermeil (V^1-*KZ*
rouge) *et* aussi embrasé VV^aV^{11} – **22.** Joseph B^aV^1-*Z* ; Josep V^6 ;
Josephés VV^aV^{11} (et comme *il* l'ot V^5) – **24.** prodome B^a ; *provoire*
apartenoit ($VV^aV^6V^{11}$ appartient) V^1-*KZ* – **26.** ausi $B^aVV^aV^6$ V^{11}-
K ; ausint V^5 ; einsi V^1 ; *autresi Z* – **28-29.** Jesucrist por qui B^a ;
et… S. V. *om.* B^a ; qui vous estes travaillié (*K aj.* en peine ; *Z aj.*
et pené et) *pour veoir partie* (V^6 *om.* partie) *des merveilles* de cest
(V^1V^{11}-*KZ del*) *Saint Vaissel* (V^6V^5 del Saint Graal), asseés vous
VV^a – **31-32.** et… Sauveor *om.* B^aV^5 ; ct de la plus doulce (V^1-
KZ de la meillor) dont onques chevaliers mengassent (V^1V^{11}-*KZ*
goustassent ; V^5 gostast) *et de la main meismes a vostre* (V^6 *aj.*
Signor, nostre) *Sauveour* (V^1 meismes de vostre Seignor ; V^5 *om.*
et… S.). Si poués V^aVV^6.

§ 322 : 1. s'esvanoï si B^a ; si s'esvanoÿ (V^6-*KZ* s'esvanuist)
d'entre eulx (V^5 d'eus) qu'il $VV^aV^1V^{11}$ – **4-5.** des… chiecnt *om.*
B^aV^5 ; que lor faces… chieent *om.* V^{11} ; Et lors *escoutent*, si voient
B^a et lors *escoutent*, si voient $B^aV^6V^{11}$ (plorerent si tendrement
que lor faces en sont totes moillies *des larmes ki de lor iex çaient.
Et lors escoutent, si* V^6) ; et *pleurent* si tendrement que lor faces
en sunt moilliees. Lors *regardent* V^5 ; … en sont toutes moulliees
des lermes qui des yeulx leur chieent. Et lors esgardent et voient
issir V^aV – **6-7.** ausi… cors *om.* B^a ; et voient issir du vaissel un
homme *aussi comme tout nu et avoit les mains saingnans et les piés
et le corps*, et lor dist V^aV – **8-11.** mi fil vos estes tel et vos avez
B^a ; dist : « Mi serjanz et mi chevalier (V^1-*KZ* dist : Mi chevalier
et mi loial sergent) et mi *loial* fil *qui de* (V^1-*KZ* en) *mortel vie estes
devenu esperitel, qui m'avez tant quis que ge ne me vueil mes* (V^1
je ne [*KZ aj.* me] puis plus) *vers vos celer*, il *covient que vous voiez
partie de mes* (V^1-*KZ aj.* repostailles et de mes) *secrez*, vos estes
tel et (V^1-*KZ* secrez, car) vos avez tant fet V^5 (V^3V^4 lacune) – **13.**
Joseph (V^6 Josep) *d'Arimachie* VV^a ; Joseph d'Abarimacie V^5 ;
Joseph d'Arimatie V^{11}-*KZ* ($V^1 = B^a$) – **14.** ont *om.* B^aV^{11} ; ausint
comme serjant *ont*, c'est $V^5VV^aV^1V^6$-*KZ* – **18.** t. et *om.* B^a ; or

tenez (V^{11} aj. vos) *et recevez* $V^1VV^aV^5V^6$-KZ – **19**. et… travailliez *om.* B^a ; que vous avés si long temps desiree (V^3 servie) *et pourquoi vous* ($V^1V^3V^{11}$ aj. vos) *estes tant travaillié.* Lors VV^aV^{11}-KZ – **20-25**. vint a Galaaz et as autres compaignons, si lor done la viande qui tant B^a ; vint a Galaad. *Et cil* (V^6 et si) *s'agenoille, et il* (V^6 om. il) *li donne son Sauveor* ($V^3V^6VV^aV^1V^{11}$-K et il/le reçoit joiousement/VV^aV^{11}-KZ joieux/V^1V^6 joianz/et) *a jointes mains. Et ausint fist chascun des autres compaignons* ($VV^aV^1V^3V^6V^{11}$-KZ om. c.). *Si n'i* (VV^aV^{11} Ne il n'en y ; V^3V^6 Ne il n') *a nul d'eus* (Z Ne n'i nus ; V^1-K Ne n'i ot nul) *a qui il ne fust avis que l'en li meist la piece en semblance de pein en la* (V^1-KZ sa) *boche* (V^{11} meist un home en sa boche en semblance de pain ; VV^a avis que on li meist la piece en semblance de pain et que on li meist en sa bouche ; V^3 avis quant l'en li metoit la piece en semblance de pain que l'en li meist en la boche un enfant tot formé). *Quant il orent tuit receu* (VV^a om. receu) *la haute viande* V^5 – **26**. et m. om. B^a ; *douce et merveilleuse* qu'il $VV^aV^1V^3V^6$-KZ – **29**. et si e. om. B^a ; *nes et si espurgiés* de toutes mauvaisties (V^1-KZ om. de t. m.) *comme* $VV^aV^3V^5V^6V^{11}$ – **30-38**. sez tu… Saint Graal om. B^a ; *puet* (V^{11} pot) *estre, sez tu que je tieng entre mes mains ?* – ($VV^aV^3V^5V^{11}$ aj. Sire), *nanil, fet il* ($VV^aV^3V^5V^{11}$ om. fet il ; V^6 Sire, fait il, nenil), *se vos nel me dites.* – *Ce est, fet* (V^5 dist) *il* (V^1 om. il), *l'escuele ou Jhesucriz* (V^6 u li cors Jhesucrist ; V^{11} ou li filx Dieu) *menja* (VV^aV ou je mengay) *l'aignel le jor de Pasques* (V^5 om. l'aignel… Pasques) *o* ($V^3V^6V^{11}$ avec) *ses* (V^aV avecques mes) *deciples. Ce est l'escuele qui* ($VV^aV^3V^{11}$ aj. si ; V^6 ki tous jors) *a servi tos çauz* (V^6 om. tos çauz) *a gré que j'ai trovez* ($V^aVV^3V^{11}$ servy a gré tous ceulx que je trouvay ; [V^{11} que je ai si trouvé]) *en mon servise* (V^5 deciples. Ceste escuele ele a si servi come a gré tous ceulx qu'il a trovez en son servise ; V^3 trovoie en mon servise, et avec els les pecheors por l'amor d'els). *Ce est l'escuele que onques hons* (V^aVV^6 creature ; V^3 l'escuele ou onques chose qui desagreast ne fu trovee ne onques criature) *mescreanz ne vit qui ele ne servist a gré* (V^aV vit qui il ne greast moult ; V^5 vit a qui ele ne grevast molt ; $V^{11}V^6$ vit a cui ele n'agreast molt [V^6 om. molt] ; V^3 mescreant ne le vit a cui ele n'agravast). *Et por ce que ele a servi a gré toutes genz doit ele estre apelee* ($V^aVV^3V^6$ toutes gens le doit on apeller ; V^5 genz la seut l'en apeler) *le Saint Graal. Or as veu* KZ-V^1 – **39**. et… covoitié om. B^aV^5 ; *veoir et ce que tu as* (V^3 om. tu as) *tant* (V^1 om. tant) *couvoitié* VV^aV^6-KZ – **56**. li om. B^a V^6 ; si li en (V^5 om. en) oing lez jambes VV^aV^1-KZ.

§ 323 : 8-9. estre vostre pastor. Et tot $B^aV^6V^{11}$; doy estre vostre pere. Et tout aussi VV^aV^5 ; doi estre *vostre mestres et*

vostres pastres. Et tout ausis V^1-KZ (V^3V^4 *lacune*) – **17.** M. *om.*
$B^aVV^aV^1V^6V^{11}$-KZ ; au Roi *Mahaignié*, si l'en oint V^5 – **26-27.**
ames mes une voiz B^a (*comme en* B^a, *les mots* en quel... alassent
mq. en V^5V^6 : de lor ames. Et une voiz descendi entr'eus qui V^5 ;
de lor ames une vois descendi V^6) ; de lor ames *en quel que leu*
qu'il alassent. Mes (*VV*^{a} aj. et) lors (V^1-KZ alassent, si) descendi
une voiç entr'els (V^1 *om.* entr'els) qui V^3 – **27.** *après* une, *le copiste*
de B^a *a rayé* une.

§ 324 : 3. et... amis *om.* $B^aV^5V^6$; a tes filz *et a tes amis.* Or
$VV^aV^1V^3$- KZ – **14.** tuit *om.* $B^aVV^aV^3V^5V^6$; distrent *tuit* a Galaad
V^1-Z ; dient (V^6 disent ; V^3 distrent) a (V^5 *om.* a) Galaad *VV*^{a} – **15.**
sachiez... que *om.* $B^aV^5V^6$; sire, *sachiez vraiement* (V^1-Z por voir)
que nous n'eusmes VV^aV^3 – **19-20.** plest a Nostre Seignor. Certes,
fet Galaaz B^a ; plest a Nostre Seignor ; *et* (V^5V^6 *om.* et) *por ce* (V^5
aj. si) *nos en covient a* (*VV*$^aV^5V^6$ *om.* a) *sofrir sanç duel fere.* – *Bel*
seignor, fet il (*VV*$^aV^5$ Galaad ; V^6 Galahas), se V^3 ; *Nostre Sires* ;
et por ce nos (Z *aj.* en) *covient il* (Z *aj.* a) departir *sans duel faire.*
– *Biau seignor*, fait Galaad V^1 – **23-24.** l'autre. (V^6 *aj.* et) Por ce
vos pri ge que B^aV^3 ; l'autre. (V^1-Z *aj.* et) Por ce vos *comant je a*
Deu et vos prie que se V^3VV^a.

§ 325 : 5. venu *om.* $B^aV^5V^6$ (i fussent il, mes V^5) ; tost (*VV*$^aV^1$-
Z *aj.* y) fussent *venu*, mes V^3 – **6.** tres bien *om.* B^aV^6 ; pas tres
bien *om.* V^5 ; ne savoient pas (V^1-Z mie) *tres bien* les chemins
VV^aV^3 – **9-10.** que nus *om.* B^a ; disoient *que nus* n'entre dedens
moi s'il n'est fermement V^6 ; disoient *que nus* n'entrast dedenz
s'il n'estoit veraiement creanz V^5 ; dient *que nuls* n'y entrast s'il
n'estoit fermement creant V^aVV^1-Z (V^3 *om.* Quant il vindrent...
Jesucrist) – **13-14.** chis B^a ; chiés le Roi Mehaignié V^1V^{11}-Z ; ches
le Roi Maignié V^5 ; ciés le *Rice Roi Pescheour* V^6 ; laissee *sur* le
Roy Mehaignié *VV*^{a} – **23.** les comença B^a ; ensi come li vens *le*
commencha a angoissier V^6 ; ainsi comme le vent *l'aloit angoissant*
plus et plus *VV*$^aV^1V^3V^{11}$-Z.

§ 326 : 1. lonc tens jusq'a la mer B^a ; errerent (V^5 alerent) lonc
tans *parmi* la mer V^6 ; errerent (V^{11} alerent) *parmi* la mer lonc tens
$V^3VV^aV^1$-Z – **4.** Li om. B^a ; que il *Li* requerroit V^5 ; qu'il *Li* (V^{11} le)
requeist (V^6 requesist) *VV*$^aV^1V^3$-Z – **8.** Galaad *om.* $B^aVV^aV^3V^5$;
dist : « *Galaad* (*VV*$^aV^3V^5$ *om.* G.), ne t'esmaie (*VV*^{a} t'esmaies ; V^5
t'esmaier) mie. Nostre Sires... » V^6V^{11} – **9-10.** la mort de *cestui*
siecle tu B^a (*contamination avec* de cest siecle *de la ligne* 5) ; de
quel que (V^6 *om.* que) heure *que tu li requerras* (V^3 requiers ; V^1-
Z tu demanderas ; V^6 tu volras avoir) *la mort du corps*, tu l'avras
VV$^aV^{11}$ – **12.** request B^a ; fet B^a ; ceste *requeste* k'il avoit *faite*

(V^3 fet) tant sovent $V^6VV^aV^{11}$ – **14-15.** et sor… estre *om.* B^a ; pria
sor la compagnie que (VV^aV^3 qui) entr'elx estoit *et sor la foi que*
(V^3 qui) *i* (VV^a qu'il y) *devoit estre* qu'il li deist V^{11} – **29-30.** vie
om. B^a ; de la (VV^a *om.* la) terrienne *vie* en la pardurable *joie des*
glorios martirs et *des* verais amis V^3V^{11}.

§ **327 : 1.** einsint devisa Percevax a Galaaz la venue B^a ; ensi
devisa *a* Piercheval Galahas la venue de sa mort V^6 ; einsint
denunça (V^5 devisa) *Galaad a Perceval* (VV^a Perlesvaux) la venue
de sa (Z la) mort $V^1V^3V^{11}$ – **2.** avoient B^a ; li devins respons li *avoit*
enseignié $V^3VV^aV^1V^6V^{11}$-Z ; si come la voiz li *ot* enseignié V^5 –
9-10. tot a. que *om.* B^a ; puet on veoir *tot* (V^{11} *om.* tot) *apertement*
ke li mauvais $V^6VV^aV^1V^3$-Z ; poez veoir *apertement* que li mauvés
V^5 – **14.** en *om.* B^a ; *en* cest lit $VV^aV^1V^3V^6V^{11}O$-Z – **16-17.** ce
savés… dedenz *om.* B^a (Et vos le devez… dedenz *om.* V^5 : Sire,
font il, alez *en* cel lit qui por vos est fez et apareilliez, si com ces
letres dient, ne vos n'i cochastes onques. Et il dit V^5) ; devez faire,
ce savez vous bien (V^1-Z *om.* ce… bien)*, que* ($V^1V^3V^{11}O$ car)
le brief dit que vous vous (V^1-Z *om.* vos) *reposerés dedens.* Et il
dist (V^3OV^{11} dit) V^aV – **20.** vint… lor *om.* B^a ; Et lors *vint une*
vois a aus (V^{11} *om.* a aus) *ki lor* dist $V^6VV^aV^3$ Lors *vint a eus*
une voiz qui lor dist OV^1-Z – **21-22.** ch. J. *om.* B^a ; *entre vos trois*
om. B^a ; issiés hors de la nef (V^5 issiez de la nef hors), *chevalier*
(V^{11} serjant) *Jhesucrist,* et preneç *entre vos trois* cele (V^{11} la) table
$V^3VV^aV^1V^6O$-Z – **23.** tot… est *om.* B^a ; en cele cité *tot einsint com*
ele est $V^3VV^aV^1V^5V^6V^{11}O$-Z – **23-24.** ne la *om.* B^a ; comme ele
est. Ne ne la movés tant que (V^6 devant ce ke) vos i soiez, ne *ne*
la metez jus tant que vos soiez (V^6 devant çou qu'il soit) eu paleis
esperituel V^5 ; come ele est. Ne ja ne *la* metés jus devant que vos
soiés eu palés esperitel $V^{11}VV^aV^1V^3O$-Z – **25-26.** la ou… evesque
om. B^a ; palés espiritel *la ou Nostre Sire sacra premierement*
Josephés ($VV^aV^1V^5V^6$-Z Joseph) *a evesques* $V^3V^{11}O$ – **28-29.** la
nef ou la suer Perceval estoit. Et com il voient B^a ; la nef a la suer
Perceval. Et quant il voient V^5 ; la nef *o u il avoient mise grant*
($V^6VV^aV^{11}O$ lonc) *tens avoit* (VV^a aj. ja) *passé* (V^6 *om.* avoit p.)
la suer Perceval (V^6 Pierceval ; V^a Perlesvaulx) V^3V^1O-Z – **31.** En
nom Deu *om.* B^a ; dit ($VV^aV^1V^6$ dist) li uns a l'autre : « *En* (VV^a et)
non Deu, bien nos a tenu ceste pucele ($V^1VV^aV^{11}O$-Z damoisele)
covenant (VV^aV^{11} couvent ; V^6 a ceste *damoisiele* tenu covent)… »
V^3 – **32.** j. *om.* B^a ; qui… sui *om.* V^5 ; qui *jusque* (V^3 desque) ça nos
a sivis (O suiz ; V^3 suiç ; VV^a mis) $V^1V^6V^{11}$-Z.

§ **328 : 4-5.** de la… pesoit. Il *om.* B^a ; del fes *de la table qui asseç*
pesoit. (V^1-Z aj. et) *Il* (VV^a-Z si) regarde (V^5 pesoit et voient) un

hom a potences (*V⁶* postiernes) qui *V³* – 6-7. qui… J. *om. BᵃV⁵* ;
l'aumosne des trespassans, *qui maintes fois* (*V¹-Z* sovant) *li
faisoient bien por l'amour* (*V¹V³-Z* por amor) *de Jhesucrist.*
Quant Galaad (*V⁶* Galahas) *VᵃVV³* – 8. vint… et li *om. Bᵃ* ; Quant
Galaad *vint pres de lui,* il l'apele (*VVᵃV¹¹O-Z si l'appella*) et li
(*V¹¹ om.* li) dit (*VVᵃV¹V¹¹-Z* dist) *V³* – 11. Ha *om. BᵃV⁵* ; *Ha* !
Sire, fait il (*V³* cil) *VVᵃV⁶V¹¹O* – 12. bien *om. BᵃV⁵* ; il a bien
passé *VVᵃV¹V⁶V¹¹O-Z* – 13. chaut, fet li preudons *Bᵃ* ; chaut, fait
il, (*V¹* cil ; *V¹V³-Z aj.* mais) lieve sus *VVᵃV⁵* – 22. Joseph *Bᵃ-Z* ;
Josep *V⁶* ; Josephés *VVᵃV³V⁵V¹¹* ; Josephé *V¹* ; Yosephés *O* – 25-
27. le lit, si l'enfoïrent el palés si richement *Bᵃ* ; si la prindrent (*Z*
prennent) a tout le lit *et l'emporterent* (*V¹-Z* l'amportent) *ou palais*
et l'enfoüirent si richement comme *VVᵃV³V¹¹O.*

§ 329 : 4. l'en *Bᵃ* ; il *li* en disent *V⁶* ; il *li* (*V¹ om.* li) dirent *VVᵃ-*
Z ; il *li* dient *V⁵* – 4. la verité la verité *Bᵃ* – 4-6. de… merveille *om.*
BᵃV⁵V⁶ ; pooir qu'il i ot *BᵃV⁶* (la verité de ce que il lor demanda
et la verité deu Seint Graal *V⁵* ; disent la verité de tot quan k'il
lor demanda et la verité dou Graal *V⁶*) ; *la verité de quanqu'il leur
demanda* (*V¹* demandoit) *et la merveille* du Graal (*OV¹¹* del Saint
Grahal) et le povoir que *Dieux* y ot mis *VᵃVV¹¹-Z* – 7-8. come…
païens *om. Bᵃ* ; crueux, *comme cil qui tout* (*V⁶V¹¹ om.* tout) *estoit
estrais* (*V* qui estoit tout estrais) *de la maleoite* (*O* de maleauree)
lignie des païens. Si ne crut *VᵃV* – 11-12. si les tint… issirent *om.*
Bᵃ ; mettre en sa prison, *si* (*V⁵V¹¹O* et) *les tint un an* (*Z aj.* en
sa prison) *en telle maniere que onques n'en issirent.* Mais *Vᵃ* ;
metre en sa prison *en tel maniere que onques puis n'en issirent
de grant piece.* Mais *V⁶* ; et metre en sa prison *en tel maniere que
onques n'an issirent.* Mais *V¹* – 21-22. malades a la mort *Bᵃ* ;
gesoit malades *au lit de* la mort *V⁵* ; gisoit malades *ou* (*O* del)
mal de la mort *VᵃVV¹-Z* ; si se gisoit malades *dou mal de* la mort
V⁶V¹¹.

§ 330 : 1-2. firent… car il *om. BᵃV⁵* (Lors pristrent Galaad et le
firent seigneur d'eus et li mistrent la corone en la teste *V⁵*) ; Lors
fisent le comandement de la vois, car il prisent Galaad et le fisent *V⁶*
– 2-3. ou… non *om. BᵃV⁴V⁵* ; segnor d'els *ou il vosist ou non* et li
mistrent *V¹¹VVᵃV¹O-Z* – 4-5. car… ocis *om. Bᵃ* ; voit (*VᵃV* veoit ;
V¹-Z vit) que (*V⁶ aj.* a) fere le (*V⁶* li) covenoit, si l'otroia (*VᵃV*
couvenoit leur octroia il ; *V¹-Z* le covint, l'otroia), *car autrement
l'eussent il occis* (*VᵃV aj.* tantost), et (*V¹-Z om.* et) quant *V⁵* – 10.
et lor o. *om. Bᵃ* ; et faisoient leurs prieres *et leurs oroisons.* Quant
VᵃVV¹V⁴V¹¹O-Z – 12. bien *om. Bᵃ* ; corone, il (*VVᵃV¹-Z* si) se
leva *bien* matin *V⁴V⁶V¹¹O* – 15. et… coupe *om. Bᵃ* ; et estoit a

genols devant la table (V^4 l'autel ; V^1-Z om. devant la t.) *et batoit sa coupe*, et avoit $V^aVV^6V^{11}O$ – 16-17. si om. B^a ; *come... meismes om. B^a* ; *si grant compaignie* (OV^1-Z planté) *d'angles comme se ce fust Jhesucrist* (V^5V^6 Dex ; V^4 om. Jh./Dex) *meismez* (*O* om. m.). Et quant VV^aV^{11} – 18-19. de... dame om. B^a ; de la messe om. B^a ; la messe *de la glorieuse Dame* (V^5 aj. de paradis). Et quant vint (V^6 quant il fu ; V^5 comme il fu) au secret (V^1 el sacrement) *de la messe* que le preudoms $V^aVV^4V^{11}O$ – 20. de om. B^aV^6 ; la plateine *de desus* (V^1-Z par desus) le Seint Vessel V^5 – 22-23. a veoir om. B^a ; tu as tant (V^5 tu tant as) desirré *a veoir* $VV^aV^1V^4V^{11}O$-Z.

§ 331 : 1. et om. B^a ; *et* il se traist $VV^aV^1V^3V^4V^5V^6V^{11}$-$Z$ – 2. Et lors comença B^a ; *le seint Vessel. Et si tost comme il i* (V^3 om. i) *ot regardé* (V^3 esgardé), *si* commença (*Z* comence) a trembler molt tres (VV^aV^1-Z om. tres ; $V^4V^{11}O$ trenbler trop) durement V^5 – 12-13. de... desirré om. B^a ; vos en... et om. B^a ; que vous m'avés acomplie (V^4O vos m'avez otroié aconplir ; V^{11} vos m'avez otroié et acomplie) ma voulenté *de laissier moy veoir ce que tous jours desirray* (V^3 ce que je avoie toç jorç desirré ; V^4 ce que je toz jorz ai desiré ; $V^{11}V^6O$ ce que je ai toz jors desiré), *or vous prie je que vous* (V^6 om. vous) *en cestui point et* (V^4 om. et) *en ceste grant* (V^4V^6 om. grant) *joye ou je sui souffrés* VV^a – 14-15. trespasse de cest siecle. Et si tost B^a ; *trespasse de cest terrien siecle en vie celestiel* V^{11} – 16. a N. S. om. B^a ; si tost com il (V^1-Z Galaad) ot fete ceste (V^6 sa) requeste (*O* proiere) *a Nostre Seignor* $V^3VV^aV^5V^{11}$ – 18. sor la t. om. B^a ; prist *D. C. sur* (V^3V^6O sor ; V^1-Z sus) *la table* et l'offri a Galaad VV^a – 19. m. h. et om. B^aV^5 (et il le reçut o grant devocion V^5) ; et cil le reçut *molt humblement* (V^6 humelement ; *Z* humilieusement) et $V^3VV^aV^1$ – 20. devocion. Et lors B^a ; *devocion. Et quant il l'ot* (V^3V^4 il ot) *usé*, *li prodom li demande* (V^1-Z dit) $V^{11}VV^aO$ – 22-23. Sire, nenil. Saches que B^a ; *Sire, nenil, dist Galaad, se vos ne le me dites.* Sachiez que V^5 ; Sire, *fet Galaad* (V^4 Galaaz), nenil, *se vos nel me dites. Or* saces, *donc* (V^4 om. donc), *fet il* (VV^a om. fet il), que $V^{11}O$ – 25. tost om. B^a ; m'i a (V^4O m'a ; *Z* m'en a) plus *tost* envoié $V^3VV^aV^1V^{11}$ – 26-27. m'as... tu om. B^aV^5 ; q'un autre (V^5 aj. Ge le te dirai) : por ce que tu *m'as resemblé en deus choses : en* (V^5 om. ce que... choses en) *ce que tu* as veu les merveilles del ($VV^aV^1V^4V^{11}O$-Z aj. Saint) Graal V^3 – 29. bien om. B^a ; si est *bien* droit (V^4 om. d.) que $VV^aV^1V^3V^5V^6V^{11}O$-Z.

§ 332 : 3. L. om. $B^aV^4V^5V^6O$; *Lancelot* mon pere $V^3VV^aV^1V^{11}$-Z – 8. et... N. S. om. B^a ; faisant grant (V^1V^3O om. grant) joie *et beneissant Nostre Seigneur. Et* (V^1-Z om. et) si tost $V^aVV^4V^{11}$ – 10.

tot a. *om.* B^a ; *tot* (V^1V^4-Z *om.* tot) *apertement que* $V^5VV^aV^3V^{11}O$
– 11-12. mes… droit *om.* B^a ; ciel ; *mais il ne veoient pas* (V^6 mie)
le corps dont la main estoit. Et elle vint droit au saint Vaissel VV^a
– 14. tant h. qu'il *om.* B^a ; qu'il ne fu ($V^4V^{11}O$ *aj.* onques) puis
homs *tant* (V^1-Z si) *hardis qu'il* ($V^1V^{11}O$ qui) osast (O *aj.* puis)
dire qu'il eust *puis* (V^1O *om.* puis) veu le saint Graal V^aV – 17-
19. tant *om.* B^a ; que… avoient *om.* B^a ; mort, si (V^1-Z *aj.* en ;
V^{11} mort, il ; V^3OV^4 morç, il en) furent *tant* dolant *que nul plus ;
et s'il ne fussent si preudomme et de si bone vie, tost en* (V^3 *om.*
en) *peussent estre cheus* (V^3V^4O cheoit) *en desesperance pour le
grant dueil* (V^1-Z la grant amor) *que il en avoient* (V^1 *aj.* an lui).
Et ($V^3V^{11}O$ *om.* Et) V^aV (*après* avoient, V^4 *ajoute* : si l'ont mis en
terre a grant honeur come roi) – 20-21. et molt… fosse *om.* B^a ;
dueil, *et moult en furent tous courouciez. La ou il avoit esté mort,
fu faicte la* feste *et fu enfouïs moult noblement comme roy.* Et si tost
comme il fu enterrés, (*V aj.* si) se rendi V^a – 23. si… religion *om.*
B^a ; hors de (V^1V^{11} dehors ; Z defors) la cité (V^4O *aj.* de Sarraz)
et prist les (V^1-Z *om.* les) *draps de religion.* Et V^aV – 24-25. por…
Artus *om.* B^a ; les draps de (V^1-Z dou ; V^3 la robe del) siecle *pour
ce qu'il veoit* (V^1V^3-Z baoit) *encores a venir a* (V^1V^3-Z revenir) en
(V^1 a) *la court le roy Artus* (Z Artur). Si vesqui un an et .ii. mois
Perlesvaux (*V* Perlesvaulx ; V^3-ZV^1 Artus. Un an et .ii. mois vesqui
Perceval) en V^a – 26. et *om.* B^aV^5 ; *et lors* V^4 ; l'ermitaige *et lors*
$VV^aV^1V^3V^6V^{11}O$-Z – 27-28. et… esp. *om.* B^a ; enfouïr (V^1O-Z
enterrer) avecques sa suer *et avecques* Galaad (V^4 Galaaz) *ou* (V^5
en mi le) *palais espirituel* ($V^{11}V^3$ esperitel) V^aV.

§ 333 : 1-2. en… Babiloine *om.* B^a ; estoit remés (VV^a *om.*
remés) tot sol *en si lointaignez terres* (V^4 si longes terres) *com es
partiez de Babiloine*, si (V^3 il) se parti (VV^a part) de $V^{11}V^1$-Z – 4-
5. nef. Et s'en vint el r. B^a ; nef. *Si li avint si bien que en assés
poi* (VV^aV^4 que assés en pou) *de tens* vint (ariva) eu roialme de
Logres. (VV^aV^1-Z *aj.* et) Quant il fu venu (V^6 *om.* venu) eu païs,
si (V^3V^6 il) chevaucha $V^{11}O$ – 7-9. car… païs *om.* B^a ; estoit, si ne
fu onques si grant joie fete com (*V^aV* onques greigneur joie que)
tuit cil de laienç li firent (V^1-Z faite com il firent de lui), *car bien
le cuidoient avoir perdu a toç jors mes, por ce que si lonc tens*
(V^1-Z longuement) *avoit esté hors del païs.* Quant V^3 – 12. S. *om.*
B^a ; *Saint* Graal $VV^aV^1V^3V^4V^5V^6V^{11}$-$Z$ – 15. le B^aV^1 ; *les* trest
$V^3VV^aV^4V^{11}O$-Z ; *les en* traist V^6 – 16. de l. *om.* B^a ; translater
de (V^3 del ; V^6 dou) *latin en françois* $V^aVV^1V^5V^{11}O$-Z – 17-18. li
c. *om.* B^a ; *si s'en taist ores a tant le conte que plus n'en dist a ceste
fois des aventures du Graal* V^aV.

NOTES

Chapitre I

§ 1 : 1. *l'heure de none* : trois heures de l'après-midi. La journée médiévale était divisée en périodes de trois heures qui correspondaient aux heures canoniales : *prime* (six heures du matin), *tierce* (neuf heures du matin), *sexte* (midi), *none* (trois heures de l'après-midi), *vêpres* (six heures du soir).

2. *palés* : grande salle de réception d'un château.

§ 2 : 1. «"Beau" et "belle" s'emploient, ou peuvent s'employer, par courtoisie devant les termes de parenté, d'affection ou de dignité» (*The Continuations of the Old French Perceval*, éd. W. Roach, t. 3, Part 2, L. Foulet, *Glossaire*, Philadelphia, 1955, p. 31).

§ 3 : 1. *enfant* : jeune homme de moins de vingt ans qui, le plus souvent, n'a pas encore été adoubé comme c'est le cas ici de Galaad.

§ 4 : 1. *prime* : cf. § 1, n. 1.

2. *colée* : coup du plat de l'épée que l'on donnait sur le cou ou l'épaule du chevalier lorsqu'on l'adoubait.

3. Le lien entre la beauté corporelle et les vertus chevaleresques est un des thèmes de la littérature médiévale. Dans le *Lancelot* propre, par exemple, la Dame du Lac dit à son *valet* (Lancelot) : *Gardez que vos seiez de cuer autresin biaus com vos iestes de cors et d'autres menbres, car de la biauté avez vos tant com Dex em porroit plus metre en un enfant, si sera mout granz domages se la proesce ne se prant a la biauté.* Et la reine en le voyant déclare : *que preudome lo face Dex, car grant planté li a donee de biauté* (*Lancelot du Lac,* «Lettres gothiques», 1991, t. I, p. 428 et 436).

§ 5 : 1. *tierce* : cf. § 1, n. 1.

2. L'engendrement de Galaad est rapporté dans le *Lancelot en prose*. Puisqu'il avait été prédit que celui qui terminerait les aventures de Logres serait le fils de Lancelot et de la fille du roi

Pellés, Brisane, la *maistresse* de cette dernière, réussit grâce à ses machinations à faire croire à Lancelot que la fille du roi Pellés était la reine Guenièvre : *Ensinc sont mis ensemble le millor chevalier et le plus bel qui or fust et la plus bele pucele et de haut lignage qui fust alors* (*Lancelot*, éd. Micha, IV, 209-210, § 57.1-12 ; éd. Sommer, *Vulgate Version*, IV, 110.25-31).

§ 6 : 1. *aventure* : un des mots-clés de la *Quête*. Il désigne tout événement ou phénomène qui sort de l'ordinaire. Les aventures rapportées dans le texte sont hautement significatives car ce sont des manifestations du Saint-Graal (voir ch. VIII, § 195.32-35). Le mot *merveille* a le même sens, mais il sert à souligner le caractère surnaturel de l'événement. *Aventure* enfin, peut aussi signifier la fortune, le hasard, hasard qui, dans la majorité des cas, paraît providentiel.

§ 8 : 1. *valet* : jeune homme de famille noble au service d'un roi ou d'un seigneur et qui n'est pas encore chevalier.

§ 10 : 1. *corner l'eau* : il était d'usage de sonner du cor pour faire apporter de l'eau aux convives afin qu'ils puissent se laver les mains. On annonçait ainsi que le repas était servi.

2. Plus loin dans le texte Galaad sera désigné sous les noms de *chevalier aux armes vermeilles* (ch. VI, § 104) et de *chevalier vermeil* (ch. VI, § 128).

§ 11 : 1. *cotte* : longue tunique à manches portée par-dessus la chemise ; le *cendal* est une étoffe de soie.

2. *mantel* : vêtement de dessus, taillé dans une riche étoffe de soie, et qui fait partie du costume de cérémonie ; *samit* : riche étoffe de soie, lamée d'or et d'argent.

§ 12 : 1. Selon le § 5 ci-dessus, notre chapitre XIV, § 310 et le *Lancelot* propre (*Vulgate Version*, éd. Sommer, V, 109.12-110.26 ; *Lancelot*, éd. Micha, IV. 209-210, § 56-57), Pellés est le père de la mère de Galaad, ce qui suggère que pour notre auteur, sauf au § 11.28, le roi Pellés est identique au Riche Roi Pescheor.

§ 13 : 1. Renvoi sans doute à l'épisode dans le *Lancelot* propre où Brumant, comme Merlin l'avait prophétisé, est brûlé vif lorsqu'il s'assied sur le Siège Périlleux *ou onques hom s'estoit assis qu'il ne s'en repentist* (*Lancelot*, éd. Micha, VI, 21, § 35 ; 23, § 37-38 ; *Vulgate Version*, éd. Sommer, V, 319.27-28, 320.2-40).

2. Cf. § 5, n. 2.

§ 16 : 1. *palefroi* : cheval dont on se sert pour le voyage ou la parade.

2. *chevalerie* : le mot désigne ici l'ensemble des qualités requises d'un chevalier et plus spécialement la vaillance aux combats.

§ 17 : 1. *sa chevalerie* : c'est-à-dire sa carrière de chevalier.

§ 19 : 1. L'idée que le Graal sert les mets désirés par chacun des convives remonte à la *Première Continuation* du *Conte du Graal* : *Ce fu del Graal qui servoit/Par lui seul aloit et venoit/Par les tables as cevaliers./Et de tot canque estoit mestiers/Les fornisoit a tel plenté/Con s'il n'eust noient costé* (ms. *L*, éd. Roach, t. III, part I, p. 480, v. 7491-7496 ; *Puis s'aseoient araument/Par dois, par tables hautement,/Et li Graax menois venoit,/Pain et vin par trestot metoit,/Et autres mes a grant planté,/Ce qu'a chascun venoit a gré* (ms. *A*, éd. Roach, t. III, part I, p. 489, v. 7613-7616.

2. Ce passage est à rapprocher du récit de la descente du Saint-Esprit sur les apôtres le jour de la Pentecôte (Actes des Apôtres, 2, 1-4). La parenté des deux événements est mise en lumière par la tante de Perceval (ch. VI, § 92). Ajoutons que d'après *L'Estoire del Saint Graal* de Robert de Boron seuls ceux qui en sont dignes sont remplis de la grâce qui émane du Graal (éd. Nitze, p. 88, v. 2563-2569).

§ 22 : 1. *cœur* : au Moyen Âge le cœur est considéré comme le siège de l'intelligence aussi bien que de la sensibilité.

§ 28 : 1. *baron* : un baron est un homme de haute naissance et un puissant seigneur que l'on oppose, comme ici, à chevalier. Mais la distinction n'est pas toujours maintenue, et dans bien des cas les deux mots sont employés indifféremment.

§ 29 : 1. *chastel* : désigne à la fois le château du seigneur et l'agglomération qui en dépend.

Chapitre II

§ 30 : 1. Les moines cisterciens portaient une robe blanche.

2. *salle basse* : salle située au rez-de-chaussée.

3. Yvain l'Avoutre (le bâtard), fils du roi Urien et compagnon de la Table Ronde. Il sera tué par Gauvain (§ 187.24-26).

§ 32 : 1. *à découvert* : sans que celui-ci soit protégé par le heaume ou l'écu.

§ 33 : 1. *serjant* : le mot désigne ou bien un serviteur, ou bien un homme d'armes attaché au service d'un seigneur.

§ 35 : 1. Josephé : personnage fictif. La *Queste* ne mentionne pas le nom de la mère de Josephé, mais d'après l'*Estoire del Saint*

Graal qui fut rédigée après la *Queste*, Josephé était le fils d'Elyap, femme de Joseph d'Arimathie (voir éd. Sommer, *Vulgate Version* I, 18.14 : *je sui Elyap vostre feme*; *L'Estoire*, éd. Jean-Paul Ponceau, I, § 50.9 ; § 104.3 : *sa feme Helyab*).

§ 36 : 1. Dans le *Tristan en prose* (t. VI, éd. E. Baumgartner, § 119, p. 284. 21), l'ennemi d'Evalach s'appelle Tholomer *li faintis* (le perfide). Il se peut que cette leçon remonte à un ms. de la *Queste Vulgate* plus proche de l'original que les mss subsistants.

§ 39 : 1. *roncin* : cheval de charge et de trait.

§ 43 : 1. Ces paroles du Christ rappellent celles que rapportent les évangélistes Matthieu (26, 38) et Marc (14, 34) : « J'ai l'âme triste jusqu'à la mort. »

2. L'auteur de la *Queste* paraît s'inspirer ici du *Joseph* de Robert de Boron. D'après ce roman, Vespasien, guéri de la lèpre dès qu'il eut regardé l'image du Christ sur la toile de sainte Véronique (éd. Nitze, « CFMA », 1927, v. 1663-1688), décida de venger la mort du Christ sur les Juifs : *Vaspasïens dist que morir/Les couvient touz et si fenir* (v. 1927-1928); *Ardoir en fist une partie* (v. 1935 ; cf. v. 1733-1767 ; 1871-1897 ; 1933-1936).

§ 44 : 1. Cf. Matthieu 27, 25.

2. *chevaliers errants* : chevaliers qui vont en quête d'aventures.

Chapitre III

§ 47 : 1. *destrier* : cheval de bataille.

§ 52 : 1. Sans raison apparente, le moine abandonne le *vous* utilisé jusque-là dans son discours pour passer au tutoiement. Ce procédé se rencontre plus d'une fois dans notre texte. Sur l'emploi et l'alternance de ces deux pronoms voir Ph. Ménard, *Syntaxe de l'Ancien Français*, 3ᵉ éd. revue et augmentée, Bordeaux, Éditions Bière, 1988, p. 76 § 59.

2. Lancelot sera lui aussi repris pour sa présomption : *Hé home de povre foi et de povre creance, por quoi te fies tu plus en t'espee que en ton Criator?* (ch. XIV, § 303.10-11). Perceval, en revanche, *se fie plus en l'aide Deu que en soi, car ce set il bien que par proece de chevalerie terriene ne puet il eschaper, se Dex n'i metoit conseil* (ch. VI, § 114.20-23).

§ 53 : 1. *vavasseur* : homme de petite noblesse vivant sur ses terres.

§ 54 : 1. Probablement Severn, fleuve d'Angleterre qui se jette dans le canal de Bristol.

§ 56 : 1. Dès Geoffrey de Monmouth, les écrivains médiévaux, soucieux de souligner l'authenticité de leurs ouvrages, renvoient fréquemment le lecteur à une *estoire* ou à un *livre* précédent (cf. F. Bogdanow, « Robert de Boron's vision of Arthurian History », 19-52 [45-48]). L'auteur de la *Queste* ne fait pas exception. Ce n'est pas seulement ici, mais aussi aux § 254.41, 256.26, 270.32, 300.39 et 333.16-17 qu'il fait de tels renvois.

§ 58 : 1. À la place des deux emplois du mot *pucele*, aux lignes 32-33 de notre paragraphe, d'autres leçons figurent dans bon nombre de manuscrits : de damoiselles VV^a, de damoisele $V^3V^5V^6V^{11}$; de fame KZ – par damoiselles et VV^a, par damoisele et $V^3V^5V^{11}$-KZ (le perdroiz… si *om*. V^5).

Chapitre IV

§ 62 : 1. Cf. § 6, n. 1.

Chapitre V

§ 66 : 1. *jornees* : surtout fréquent dans la locution « errer ou chevaucher par ses journées », c'est-à-dire voyager par étapes journalières (cf. Roach, *op. cit.* p. 156).

2. La Forêt Gaste au royaume de Logres où Galaad rencontra Lancelot et Perceval. Il s'agit sans doute de la même forêt que celle, près de la rivière appelée Marcoise, où Lancelot arriva un jour (ch. VI, § 129) et celle où Bohort, Perceval et Galaad virent le Cerf Blanc (ch. XII, § 280). D'autre part, il est probable qu'un rapport existe entre la Forêt Gaste et la Terre Gaste dont jadis la tante de Perceval était la reine (ch. VI, § 86). Cette terre, autrefois répartie en deux royaumes – celui du roi Varlan et celui du roi Lambar –, était devenue stérile, comme l'explique la sœur de Perceval (ch. X, § 247), à la suite du coup fatal que Varlan avait jadis infligé à Lambar.

§ 67 : 1. Pour d'autres exemples de *en aler* (ligne 13), voir *The Continuations of the Old French Perceval,* éd. Roach, t. III, 2, *Glossary by* L. Foulet, Philadelphia, 1955, p. 10.

§ 70 : 1. Allusion à l'épisode dans le *Lancelot* propre (*Vulgate Version*, éd. Sommer, V, 107.39-108.35 ; *Lancelot*, éd. Micha, IV, p. 205-206, § 50-52) où Lancelot est accueilli chez le Roi Pêcheur à Corbenic.

§ 73 : 1. Aux § 81.10, 81.17 et 83.3, le manuscrit donne les leçons *figuier/fier* et non *feuille de fier* comme ici. Les adjectifs *nu* et *despris*, « dépourvu », « dépouillé », « dénué » ne convenant guère à une feuille, nous avons pris le parti de ne pas traduire cette leçon particulière à notre manuscrit.

§ 75 : 1. *les armes de Sainte Église* : les ornements sacerdotaux.

§ 76 : 1. Cf. la parabole des talents (Matthieu 25, 14-30).
2. *besanz* : monnaie d'or byzantine.
3. Cf. Épître aux Hébreux 1, 7 : « ... Il fait de ses anges du vent, *et de ses serviteurs une flamme de feu* ».

§ 77 : 1. Cf. Jean 14, 6 : « Je suis le chemin, la vérité, et la vie. Nul ne vient au Père que par moi. »

§ 80 : 1. Cf. Luc 6, 49 : « ... celui qui entend et ne met pas en pratique, est semblable à un homme qui a bâti une maison sur la terre, sans fondement. Le torrent s'est jeté contre elle : aussitôt elle est tombée, et la ruine de cette maison a été grande. »
2. Cf. Matthieu 13, 4 : « Un semeur sortit pour semer. Comme il semait, une partie de la semence tomba le long du chemin : les oiseaux vinrent et la mangèrent. »

§ 82 : 1. Cf. Exode 17, 6 : « Voici, je me tiendrai devant toi sur le rocher d'Horeb ; tu frapperas le rocher, et il en sortira de l'eau, et le peuple boira. »

§ 83 : 1-2. *jor de Pasque florie* de même que *jor des Fleurs* quelques lignes plus bas : le dimanche des Rameaux.
3. Cf. Matthieu 21, 19 : « Voyant un figuier sur le chemin, il s'en approcha ; mais il n'y trouva que des feuilles, et il lui dit : "Que jamais fruit ne naisse de toi !" Et à l'instant le figuier sécha » ; Marc 11, 12-14 : « Le lendemain, après qu'ils furent sortis de Béthanie, Jésus eut faim./Apercevant de loin un figuier qui avait des feuilles, il alla voir s'il y trouverait quelque chose ; et s'en étant approché, il ne trouva que des feuilles, car ce n'était pas la saison des figues. »

Chapitre VI

§ 86 : 1. L'auteur du *Lancelot* en prose (section « Agravain »), qui, comme Chrétien de Troyes ne s'intéressait ni au père de Perceval ni aux frères de ce dernier sauf pour expliquer pourquoi la mère de Perceval avait élevé son fils loin de tout contact humain, n'explique pas les circonstances dans lesquelles ils sont morts. D'après quelques manuscrits du *Lancelot* en prose, la mère de Perceval avait six fils, dont Perceval et Agloval étaient les seuls survivants (voir, *Vulgate Version*, éd. Sommer, V, p. 383, n. 6).

2. La tante de Perceval, autrefois reine de la *Terre Gaste*, ne figure pas dans le *Conte du Graal* de Chrétien de Troyes. D'autre part, la *Terre Gaste* mentionnée ici est distincte de la *Terre Gaste* mentionnée plus tard dans la *Queste* (voir ch. X, § 247.38-39, n. 2).

§ 87 : 1. Cf. A. Micha, « La Table Ronde chez Robert de Boron et dans la *Queste del Saint Graal* ».

2. Cf. *Psaume* 133.1 : « Ah ! qu'il est bon, qu'il est doux à des frères de vivre dans une étroite union. »

§ 92 : 1. Il s'agit de la lance de Longin dont coule le sang qui, dans la scène finale à Corbenic (ch. XV, § 321 et 323), guérira le Roi Mehaignié. Longin lui-même n'est pas nommé dans la *Queste*. Cf. § 321, n. 1.

§ 95 : 1. Il s'agit du mari de la tante de Perceval (cf. les variantes du nom Pallas, p. 684).

2. Voir les variantes de ce nom, p. 684.

§ 100 : 1. Nascien, le beau-frère du roi Mordrain, portait avant sa conversion le nom de Seraphé.

§ 102 : 1. *sacrement* : partie de la messe qu'on appelle Élévation.

2. Cf. *Luc* 2, 25-32.

§ 114 : 1. Cf. *Jonas* 2, 1-11.

2. Cf. *Daniel* 6, 17-23.

§ 115 : 1. Le lion, animal noble par excellence, est le symbole de tout être supérieur. Lancelot voit en rêve un haut personnage changer un jeune chevalier (Galaad) en lion, ce qui revient à dire *que il le metoit outre tote maniere d'ome terrien, si que nus ne li resemblast ne en fierté ne en pooir* (ch. VII, § 167.8-9). Galaad est décrit ailleurs comme *li granz lions qui mosterra a son vivant tote chevalerie terriene* (ch. VII, § 140.20-21). L'identification est plus explicite encore lorsqu'il s'agit de Jésus-Christ : la dame montée sur le lion représente la Nouvelle Loi (*qui sor le lion, ce est Jesucrist, prist pié et fondement* (ch. VI, § 125.5-6). Un rapprochement est ainsi établi entre Galaad et le Christ.

§ 117 : 1. La citation est très proche du texte évangélique de Jean (10, 11-13) où le mot *mercenaire* est expliqué : « Je suis le bon berger. Le bon berger donne sa vie pour ses brebis. Mais le mercenaire, qui n'est pas le berger, et à qui n'appartiennent pas les brebis, voit venir le loup, abandonne les brebis, et prend la fuite ; et le loup les ravit et les disperse ».

§ 122 : 1. Le pronom *li* est ambigu : il pourrait renvoyer aussi bien à Dieu qu'à Perceval.

§ 125 : 1. Cf. § 115, n. 1.
2. Cf. Matthieu 16, 18.
3. Sur l'histoire d'Énoch et d'Élie enlevés vivants au ciel, voir Genèse 5, 24, le second Livre des Rois 2, 1-4, et l'Épître aux Hébreux 11, 5.

§ 126 : 1. Cf. Genèse 3, 5.

§ 128 : 1. Cf. Matthieu 7, 7 et Luc 11, 9 : « Demandez, et l'on vous donnera ; cherchez, et vous trouverez ; frappez, et l'on vous ouvrira ».

§ 132 : 1. *cervoise* : bière fabriquée avec de l'orge ou d'autres céréales, et consommée dans l'Antiquité et au Moyen Âge.

§ 134 : 1. *braies* : vêtement de dessous, sorte de caleçon.

§ 137 : 1. Cf. Isaïe 14, 13-14.

2. Il est impossible de savoir si le manuscrit original de la *Queste* donnait après *les prodomes* les mots *et les sers* comme le font *V1-KZ*.

§ 139 : 1. Cf. Jean 6, 41 : « Je suis le pain qui est descendu du ciel ».

Chapitre VII

§ 140 : 1. Dans la section « Agravain » du *Lancelot* propre, Brumant, neveu du roi Claudas, veut prendre place sur le Siège Périlleux, mais dès qu'il s'y assoit il est brûlé vif par une flamme venue du ciel (*Vulgate Version*, éd. Sommer, V, 320.16-29 ; *Lancelot*, éd. Micha, VI, 23-24, § 38.4-20. Déjà dans le *Merlin* en prose de Robert de Boron qui, dans le cycle *Vulgate*, précède la *Suite du Merlin*, un chevalier anonyme est englouti par la terre dès qu'il veut s'asseoir sur le siège laissé vide à la Table Ronde (éd. Sommer, II, 57.20-21 ; *Merlin*, éd. Micha, Droz, 1980, p. 194, § 50, lignes 79-82).

§ 150 : 1. L'auteur de la *Queste* considère l'humilité comme une des vertus les plus précieuses, à l'exemple de bon nombre d'auteurs religieux du Moyen Âge. Ainsi, pour saint Bernard : « C'est par l'humilité que nous recevons les autres vertus ; c'est par elle aussi que nous les conservons. » (*Œuvres complètes de saint Bernard*,

Lettre XLII, chapitre V, traduction par M. l'abbé Charpentier, Paris, 1866, II, 251).

2. L'auteur de la *Queste* semble oublier que le publicain se trouve dans un temple (une synagogue) où il n'y pas de représentation sensible de la divinité.

3. Pour la parabole du pharisien et du publicain, voir Luc 18, 9-14.

§ 153 : 1. Allusion à la première rencontre de Lancelot et Guenièvre dans le *Lancelot propre* (*Vulgate Version*, éd. Sommer, III, 125.20-126.12 ; *Lancelot*, éd. Micha, VII, t.1, 273-5, § 21-23 ; *Lancelot du Lac*, « Lettres gothiques », 1991, p. 437-441).

§ 155 : 1. Cf. Matthieu 22, 2-14 ; Luc 14, 16-24.
2. Cf. Matthieu 22, 14.

§ 156 : 1. Cf. ch. V, § 73.
2. Cf. Seconde épître aux Corinthiens 6, 16 : « Car nous sommes le temple du Dieu vivant, comme Dieu l'a dit : "J'habiterai et je marcherai au milieu d'eux…" »

§ 157 : 1. Comme L. Foulet l'indique, « robe est un terme très général qui exclut nommément la chemise, mais comprend probablement *cote, surcot* et *mantel* » (*The Continuations of the Old French Perceval*, éd. Roach, vol. III, part 2, p. 262).

§ 159 : 1. Cf. Matthieu 16, 27 : « Car le Fils de l'homme doit venir dans la gloire de son Père, avec ses anges ; et alors il rendra a chacun selon ses œuvres ».

§ 160 : 1. *fillastre* : beau-fils. À l'origine le mot n'avait pas, semble-t-il, de connotations péjoratives. Il en acquiert ici du fait qu'il est opposé à fils (légitime), comme sont opposés les mots *serjanz* et *guerriers*.

§ 162 : 1. Allusion à l'épisode où un écuyer donne au chevalier guéri par le Graal le cheval et les armes de Lancelot qui, accablé par ses péchés, était resté sans réaction à la venue du Graal (ch. V, § 68-73).

§ 163 : 1. *ventaille* : partie du capuchon de fer porté sous le heaume, et qui recouvre le menton et protège le bas du visage.

§ 164 : 1. Cf. ch. II, § 35-36

§ 165 : 1. Allusion à l'épisode où, dans le *Lancelot* propre, Lancelot trouva dans la Forêt Périlleuse la Fontaine Bouillante gardée par deux lions. Il tua les lions et retira de la fontaine la tête de son aïeul, Lancelot, roi de la Blanche Terre (*Lancelot*, éd. Micha, V, 114-115, ch. XCI § 30 ; 118-121 ch. XCIII, § 2-8 ; *Vulgate Version*, éd. Sommer, V, 243.5-8 ; 244.13-246.6). Mais Lancelot ne réussit pas à refroidir l'eau de la fontaine, car cette aventure était réservée à Galaad : *Ja ceste chalor n'esteindra devant que li mieldres chevaliers del monde i vendra, cil par cui virginité ne sera corrom- pue ne malmise* (*Lancelot*, éd. Micha, V, 120 ch. XCIII, § 5 et 130-131, § 22). Et en effet, plus tard dans la *Quête*, lorsque Galaad, après la guérison de Mordrain, trouve la Fontaine Bouillante (ch. XV, § 315), ses eaux refroidissent dès qu'il y plonge la main.

§ 168 : 1. Cf. Jérémie 31, 30 : « Mais chacun mourra pour sa propre iniquité ».

2. Cf. Matthieu 25, 41 : « Ensuite il dira à ceux qui seront à sa gauche ; "Retirez-vous de moi, maudits ; allez dans le feu éternel" ».

3. Cf. Matthieu 25, 34 : « Venez, vous qui êtes bénis de mon Père ».

§ 172 : 1. Cf. Matthieu 8, 26 et 14, 31.

§ 175 : 1. Cf. ch. V, § 66.

Chapitre VIII

§ 179 : 1. La fête de sainte Madeleine est célébrée le 22 juillet.

§ 179 : 2. À la place de *chevaliers,* les mss subsistants de la famille β, ainsi que nombre des mss de la famille α, y compris Yale 229 et Londres, Royal 14 E.iii, (*S*) donnent la leçon *chevax*. Est-ce qu'il s'agit d'une erreur de copie corrigée par certains copistes ou est-ce que *chevax* est en effet la leçon originale ?

§ 192 : 1. Allusion à la conception d'Helain le Blanc, fils de Bohort et de la fille du roi Brangorre (*Lancelot*, éd. Micha, II, 192-199 ; *Vulgate Version*, éd. Sommer, IV, 268-270).

2. *gastine* : terre marécageuse et stérile.

3. Il semble que l'auteur de la *Queste* annonce ici la guerre d'Artur et de Gauvain contre Lancelot racontée dans la section *Mort Artu*, dernière branche du cycle *Lancelot-Graal* (cf. Jean Frappier, *Étude sur la Mort le Roi Artu*, Paris, Droz, 1936, p. 141-142).

§ 193 : 1. Les quatre évangélistes rapportent l'entrée de Jésus-Christ dans Jérusalem, monté sur un âne (Matthieu 21, 5-11 ; Marc 11, 7-11 ; Luc 19, 33-38 ; Jean 12, 14-15).

2. Cf. Jean 4, 13-14.

Chapitre IX

§ 197 : 1. Aucune mention n'a été faite de cette séparation. Peut-être s'agit-il de l'épisode au début de la *Quête* (ch. I, § 29, 23-33), où les cent cinquante compagnons de la Table Ronde se séparent pour aller à la recherche du Graal.

§ 200 : 1. Cf. Matthieu 7, 17-18; «Tout bon arbre porte de bons fruits, mais le mauvais arbre porte de mauvais fruits»./ «Un bon arbre ne peut porter de mauvais fruits, ni un mauvais arbre porter de bons fruits.»

§ 201 : 1. Cf. ch. VI, § 86.26-31.

§ 202 : 1. *escarlate* : étoffe de laine fine qui n'était pas nécessairement rouge.

2. Sur la conception d'Helain le Blanc, voir ci-dessus ch. VIII, § 192, n. 1.

§ 204 : 1. Comme l'abbé l'expliquera à Bohort (§ 224-225) le grand oiseau représente Jésus-Christ qui se sacrifia pour racheter le genre humain. On sait que dans l'iconographie chrétienne le Christ est souvent représenté par le pélican qui, d'après la fable, s'ouvre la poitrine avec son bec pour nourrir ses petits de son sang.

§ 205 : 1. *hanap* : grand vase à boire utilisé au Moyen Âge.

§ 209 : 1. Cf. Le Cantique des Cantiques 1, 5 : «Je suis noire, mais je suis belle, filles de Jérusalem».

§ 214 : 1. *chemin ferré* : chemin dont le fond est ferme et fait de pierres et cailloux, par opposition à chemin pavé (*Littré*).

§ 215 : 1. *homme lige* : au Moyen Âge se disait du vassal lié au souverain par un serment d'étroite fidélité (*Grand Larousse de la langue française*).

§ 223 : 1. *dant :* titre de dignité.

§ 224 : 1. Cf. § 201.1-16.

§ 225 : 1. *mort el monde* signifie ici «privé de la grâce».

2. *doux, douceur* : ces mots, qui reviennent plus d'une fois dans la *Quête*, comportent diverses acceptions, celles de calme, de bienveillance, de charité, mais aussi d'humilité. C'est avec humilité, *a grant pitié et a grant douceur*, que la sœur de Perceval reçoit son Sauveur (ch. XII, § 289.30. La douceur est au nombre des vertus que saint Paul recommande à Timothée : «Recherche la justice, la piété, la foi, la charité, la patience, la douceur» (Première épître de Paul à Timothée 6, 11).

§ 227 : 1. Cf. § 209, n. 1.

§ 238 : 1. Cf. § 139.24-26.

Chapitre X

§ 240 : 1. Cf. ch. I, § 9.14-16.

§ 245 : 1. C'est uniquement d'après certains manuscrits de la *Queste Vulgate* que le père de la sœur de Perceval – et par suite le père de Perceval – est nommé Pellehen. Dans l'*Estoire del Saint Graal* qui fut rédigée après la *Queste*, Pellehan ne désigne pas le père de Perceval, mais le Roi Mehaignié, père de Pellés et grand-père du côté maternel de Galaad : *Aprés lo roi Lambor regna Pellehan, ses filz, qui fu mehaigniez des dous cuisses [...] et por ce l'apelerent lo Roi Mehaignié [...] Et de celui Pelleham descendi uns rois qui ot non Pellés [...] Cil ot une fille [...] En cele damoisele [...] engendra Lancelot Galaaz* (*L'Estoire del Saint Graal*, éd. Ponceau, II, 566, § 892.1-2; *Vulgate Version*, éd. Sommer, I, 290.28-37). D'après la *Queste Vulgate* le Roi Mehaignié s'appelle Parlan dans les manuscrits de la famille α et Pelinor dans les manuscrits de la famille β (voir § 251.25).

§ 246 : 1. La leçon *palustes* des manuscrits $B^a V^l V^6$ se retrouve dans les manuscrits de la section *Queste* de la deuxième version du *Tristan en prose* (voir t. VIII, éd. Bernard Guidot et Jean Subrenat, § 183.29 : *et est apelés cil serpens palustes.*

2. Les manuscrits de la *Queste* tristanienne (éd. cit., t. VIII, 265, § 183.25) suppriment les mots « li poissons est apelez *ordeiz* », mais l'*Estoire del Saint Graal*, éd. Sommer, I, 122.10 a la leçon « cis poissons est apelés *ortenax* », alors que le manuscrit à la base de l'éd. Ponceau (I, 263, § 422.10) donne « chist poissons a non *cortenaus* ».

§ 247 : 1. Ce détail rappelle un des dix fléaux qui frappèrent l'Égypte avant que le Pharaon ne permît à Moïse et aux Israélites de quitter le pays (Exode 7, 20-21 : « Les poissons qui étaient dans le fleuve périrent »).

2. L'*Estoire del Saint Graal* reprendra avec quelques modifications le thème de la terre dévastée par le Coup Douloureux frappé par Varlan (éd. Ponceau, II, 566, § 891.6-11; *Vulgate Version*, éd. Sommer, I, 290.15-20). Sur le thème du Coup Douloureux, voir F. Bogdanow, *The Romance of the Grail*, p. 166-168. – D'autre part, rappelons que la « Terre Gaste » mentionnée au § 86 : de la *Queste* n'a rien à voir avec la terre ravagée par le Coup Douloureux.

§ 248 : 1. Comme E. Baumgartner l'a noté, «*Azur* désigne en termes héraldiques le bleu, l'un des neuf émaux des armoiries» (*La Quête du Saint-Graal, traduite en français moderne*, p. 254, n. 77).

§ 250 : 1. La *roche del Port Perilleus* figure également dans l'*Estoire del Saint Graal* (éd. Ponceau, I, 187, § 304.13; 204, § 328.8 : *la roche del Port Peril*; éd. Sommer, I, 89.12 : *la roche del Port/Port Peri/Port Peril/Port de Peril*; I, 96.5 : *la roce del Port Perilleus*) et dans la *Queste* tristanienne (*Le Roman de Tristan en prose*, éd. Ménard, VIII, 270, § 187.19-20).

§ 251 : 1. *adenz* : littéralement «sur les dents».

§ 252 : 1. *couche* : «lit de repos ou de cérémonie» (*Lancelot du Lac*, t. I «Lettres gothiques», 1991, p. 105, n. 1).

CHAPITRE XI

§ 254 : 1. Cf. Psaume 7, 10 : «... Toi qui sondes les cœurs et les reins, Dieu juste!»; Apocalypse 2, 23 : «... et toutes les Églises connaîtront que je suis celui qui sonde les reins et les cœurs, et je vous rendrai à chacun selon vos œuvres».
2. Cf. Genèse 3, 19 : «C'est à la sueur de ton visage que tu mangeras du pain, jusqu'à ce que tu retournes dans la terre».
3. Cf. Genèse 3, 16; «Il dit à la femme : "J'augmenterai la souffrance de tes grossesses, tu enfanteras avec douleur"».
4. Cf. ch. III, § 56, n. 1.

§ 256 : 1. Cf. E. Baumgartner, *La Quête du Saint-Graal*, n. 80 : «La tradition selon laquelle la race humaine doit reformer la dixième légion des anges précipités aux enfers est ancienne et remonte au moins aux *Etymologiae* d'Isodore de Séville».

§ 258 : 1. Tout le passage qui suit sur l'histoire d'Abel et de Caïn est inspiré de la Genèse 4, 1-16.

§ 260 : 1. *la vraie Bouche* : sans doute faut-il entendre par là les Écritures. Pour l'auteur de la *Queste,* Abel préfigure Jésus-Christ. Leurs morts, dit-il, sont comparables : l'un fut tué par son frère, l'autre fut livré à ses juges par un de ses apôtres. Mais l'assertion selon laquelle la mort d'Abel eut lieu un vendredi, comme celle de Jésus-Christ, est sans fondement. L'auteur a dû l'introduire à seule fin de renforcer le parallèle entre Abel et le Christ. Il a choisi le vendredi qui est le jour où l'on commémore la mort de Jésus-Christ.
2. Cf. Marc 14, 43-45; Luc 22, 47-48.
3. Cf. Psaume 50, 19-21.

§ 263 : 1. Comme l'a signalé E. Baumgartner (*La Quête du Saint-Graal,* n. 84), le terme de Parabole désigne dans la Vulgate hiéronymienne le livre des Proverbes. La citation est peut-être un écho du Proverbe 31.10 : « Qui peut trouver une femme vertueuse ? » On trouve des remarques semblables dans l'Ecclésiaste attribué comme le livre des Proverbes à Salomon : « Je me suis appliqué dans mon cœur à connaître, à sonder, et à chercher la sagesse et la raison des choses, et à connaître la folie de la méchanceté et la stupidité de la sottise. » « Et j'ai trouvé plus amère que la mort la femme dont le cœur est un piège et un filet, et dont les mains sont des liens ; celui qui est agréable à Dieu lui échappe, mais le pécheur est pris par elle. » (7, 25-26).

2. Cf. A. Pauphilet, *La Queste del Saint Graal,* Index des noms propres : « Josué, beau-frère imaginaire de Salomon et vaillant guerrier (peut-être, par anachronisme, Josué, successeur de Moïse et grand conquérant »).

§ 266 : 1. *merrien* (*mairien*) : « bois à bâtir, bois de charpente propre à toutes sortes de constructions... » Godefroy (t. 5, p. 89).

§ 270 : 1. Cf. ch. X, § 245.14-21.
2. Cf. ch. III, § 56, n. 1.

Chapitre XII

§ 272 : 1. Cf. Ch. X, § 248.

§ 274 : 1. *marche* : pays de frontière.

§ 276 : 1. *serjanz* : cf. ch. II, § 33, n. 1.
2. Voir Romains 12, 19 : «... « À moi la vengeance, à moi la rétribution, dit le Seigneur » (cf. également Deutéronome 32, 35).

§ 278 : 1. Bien que la leçon de notre ms. *vos* à la ligne 24 ait un sens acceptable, nous avons préféré nous conformer dans la traduction aux variantes *lui / le* (voir p. 774).

§ 280 : 1. Cf. Luc 23, 46 et Psaume 31, 6 : « Jésus s'écria d'une voix forte : "Père, je remets mon esprit entre tes mains" ».
2. Le Cerf est un symbole de Jésus-Christ. Les quatre lions, eux, représentent les quatre évangélistes, voir § 281, n. 2.
3. Aucun des manuscrits subsistants de la *Queste* Vulgate n'explique où Perceval aurait déjà vu le Cerf Blanc. Seule la *Queste* Post-Vulgate ajoute au début du récit un épisode relatant la première rencontre de Perceval, de Galaad et du Cerf Blanc (cf. F. Bogdanow, *La Version Post-Vulgate de la Queste,* t. II, § 84 et t. IV, 1, p. 175, note au § 84.1).

§ 281 : 1. *secrète* : oraison qui termine l'offertoire de la messe et que le prêtre prononce à voix basse.

2. Ces animaux sont les symboles des quatre évangélistes : l'homme représente Matthieu ; le lion, Marc ; l'aigle, Jean et le bœuf, Luc.

§ 287 : 1. Cf. Jean 15, 13 : « Il n'y a pas de plus grand amour que de donner sa vie pour ses amis ».

§ 289 : 1. Comme la *Queste* l'expliquera plus tard (ch. XV, § 320.29-30), le *palés esperitel* est le palais *ou Nostres Sires sacra premierement Josephé a evesque*. D'après *l'Estoire del Saint Graal*, le Palais Spirituel *estoit li palais que Daniel li prophetes avoit apelé espiritel quant il repaira de la bataille Nabugodenozor* (*Vulgate Version*, éd. Sommer, I, 30.20-21 ; *L'Estoire*, éd. Ponceau, I, p. 69, § 105.8-9).

Chapitre XIII

§ 294 : 1. *chevet* : extrémité d'une nef d'église, derrière l'autel.

Chapitre XIV

§ 295 : 1. Cf. ch. VII, § 178.17-33.

§ 296 : 1. La lettre renvoie au chapitre XII, § 290. Le texte, ici, ne mentionne pas Perceval. H. O. Sommer (*Vulgate Version*, VI, 175.25-26) a corrigé le texte en ajoutant entre crochets avant *Bohort* les mots *Perceval et*, mais il est possible que la source commune des deux familles de la *Queste* (α et β) n'ait pas comporté son nom.

§ 298 : 1. Cf. Exode 16, 4 : « L'Éternel dit à Moïse : "Voici, je ferai pleuvoir pour vous du pain du haut des cieux." » (cf. ci-dessus ch. V, § 82, n. 1 et Exode 17, 1-6).

§ 300 : 1. Il s'agit ici bien entendu du texte que nous avons sous les yeux.

§ 308 : 1. Cf. § 306.1-10 et ch. V, § 71.11-17 et 24-30.

§ 310 : 1. La mort de la fille du roi Pellés n'est racontée nulle part. D'après la *Queste* Post-Vulgate qui supprime l'allusion à la mort de la fille du roi Pellés, c'est celle-ci qui la première avait reconnu Lancelot lorsqu'il gisait en pâmoison devant la porte de la chambre du Graal (voir *La Version Post-Vulgate de la Queste...*, éd. F. Bogdanow, t. III, p. 246, § 542 ; t. IV.2, p. 381, note au § 542 (4-5) et p. 383, note au § 543 (12).

§ 311 : 1. Cf. ch. VIII, § 193.11-16 où un ermite, expliquant à Hector le rêve qu'il avait fait, lui dit qu'en partant de la cour d'Arthur pour aller à la quête du Graal, Lancelot et lui étaient « montés sur deux grands chevaux, l'orgueil et l'arrogance, qui sont les deux chevaux de l'Ennemi ».

2. Cf. ch. VIII, § 193 et la note précédente.

§ 313 : 1. Allusion à l'épisode dans le *Lancelot* propre (éd. Micha, II, ch. LXV, 366-368, § 24-28 ; *Vulgate Version,* éd. Sommer, IV, 339.29-340.27 ; *Lancelot du Lac* t. V, *L'Enlèvement de Guenièvre*, « Lettres gothiques », p. 698-702, § 141e-142) où Gauvain et Hector tentent une aventure réservée au *chaitis chevaliers qui par sa maleurose luxure a perdu a achever les merveilloses aventures del Graal, celes ou il ne porra jamés recovrer,* en pénétrant dans un cimetière où des épées dressées sur des tombeaux leur défendent l'entrée en les accablant de coups. L'auteur de la *Quête* a mentionné cet incident à la fois pour souligner l'échec de Lancelot et pour rappeler l'orgueil de Gauvain et d'Hector. — Ni l'auteur du *Lancelot* propre ni celui de la *Queste* n'explique l'origine de la merveille des épées dressées sur les douze tombeaux. C'est le rédacteur de l'*Estoire del Saint Graal* qui en donne l'explication. Chanaan, un des compagnons de Joseph d'Arimathie, fâché qu'à l'encontre de ses douze frères il n'avait pas été repu de la grâce du Saint-Graal, les tua dans leur sommeil. Chanaan est enterré vif à côté de ses frères sur les tombes desquels sont posées leurs épées. Le jour suivant, les épées se tenaient debout, et des flammes s'élevaient de toutes parts du tombeau de Chanaan (éd. Ponceau, II, 514-523, § 813-828 ; *Vulgate Version*, éd. Sommer, I, 263-268).

Chapitre XV

§ 314 : 1. Cf. ch. VI, § 101 pour une explication de l'infirmité du roi Mordrain.

§ 315 : 1. Cf. ch. VII, § 165, n. 1.

2. Allusion à l'épisode dans le *Lancelot* propre où Lancelot trouve dans le Saint Cimetière les tombes de Galaad, roi de Hoselice (ou Sorelice), et de Symeu. Il réussit à soulever la dalle qui recouvrait la tombe du roi de Hoselice, *li premiers rois crestiens de Gales*, mais il lui est impossible de s'approcher de la tombe ardente de Symeu (*Lancelot*, éd. Micha, II, ch. XXXVII, 33-37, § 32-40 ; *Vulgate Version*, éd. Sommer, IV, 175.4-176.31 ; *Lancelot du Lac*

t. V, *L'Enlèvement de Guenièvre*, «Lettres gothiques», p. 130-139, § 6f-6h).

§ 316 : 1. Pas plus que la *Queste*, le *Lancelot* propre n'explique quel était le péché commis par Symeu. Seule l'*Estoire del Saint Graal* rapporte son forfait. Au lieu de se repentir de leurs péchés, Symeu et son compagnon Chanaan, fâchés qu'eux seuls entre leurs parents n'avaient pas été repus de la grâce du Saint-Graal, prirent la décision de se venger. Chanaan coupa la tête de ses douze frères, tandis que Symeu, armé d'un couteau, cherchait, sans succès, à transpercer le cœur de son cousin Pierre. Interrogé par Josephé, Chanaan fit retomber la faute sur Symeu qui avait tout machiné. On condamna Symeu à être enterré vif, mais deux hommes, tout en feu, venus du ciel, l'enlevèrent (*Vulgate Version.* éd. Sommer, I, 262.28-266.2 ; *L'Estoire*, éd. Ponceau, II, 513-519, § 810-820). Plus tard, le roi Galaad, son cousin, trouva la tombe ardente de Symeu lequel lui annonça que son supplice durerait jusqu'à la venue du bon chevalier Galaad (éd. Sommer, I, 283.7-284.5 ; éd. Ponceau, II, 552-554, § 870-872). Cf. § 315, n. 2. Voir aussi ch. XIV, § 313, n. 1.

§ 317 : 1. L'auteur de la *Queste* ne raconte nulle part où Perceval a rejoint Galaad.

§ 318 : 1. La *Queste* renvoie ici à l'épisode du *Lancelot* propre où Gauvain et ses compagnons essaient en vain de joindre les deux morceaux de l'épée dont un Sarrasin avait frappé Joseph d'Arimathie à la cuisse (*Vulgate Version*, éd. Sommer, IV, 323.37-328.26 ; *Lancelot*, éd. Micha, II, ch. LXI, 327-340, § 6-34 ; III, ch. LXI, 353-361, § 2-32 ; *Lancelot du Lac* t. V, *L'Enlèvement de Guenièvre*, «Lettres gothiques», p. 630-656, § 131-135). *L'Estoire del Saint Graal* reprend du *Lancelot* l'histoire de l'Épée Brisée (éd. Sommer, I, 252.18-256.29 ; éd. Ponceau, II, p. 494-501, § 781-791).

2. C'est l'auteur de la *Première Continuation* du *Conte du Graal* qui, à la suite de Chrétien de Troyes, a développé le motif de l'Épée Brisée dont les deux morceaux ne sauraient être joints que par le héros du Graal (voir éd. Roach, I, p. 37, v. 1379-1383 ; p. 39-40, v. 1434-1472). Cf. IV, p. 505-506, v. 32409-32411 ; p. 510-511, v. 32545-32575.

§ 320 : 1. Cf. ch. XII, § 289, n. 1.

§ 321 : 1. Le thème de la Lance qui saigne figure déjà dans le *Conte du Graal* de Chrétien de Troyes (éd. Charles Méla, «Lettres gothiques» v. 3134-3139 : «Et tuit cil de leianz veoient/*La lance blanche* et lo fer blanc/*S'an ist une goute de sanc*/*Do fer de la lance au somet*, Et jusqu'a la main au vallet/Corroit cele goute vermoille».

Cf. v. 3178, 3336-3337, 3486-3487, 4584-4590, 4667-4669, 6092-
6097, 6298-6304. Chrétien n'explique pas l'origine de cette lance,
mais annonce qu'elle détruira un jour tout le royaume de Logres
(v. 6094-6097). C'est l'auteur de la *Première Continuation* du
Conte du Graal qui le premier identifie la Lance qui saigne comme
celle dont Longin perça le flanc du Christ crucifié (voir *The
Continuations of the Old French Perceval*, éd. Roach, 1965, t. I,
v. 13321-13342, 13444-13447, 13467-13491). Le *Didot-Perceval*,
mais non le *Lancelot-Graal Vulgate*, reprendra cette explication de
l'origine de la Lance qui saigne (*The Didot Perceval*, éd. W. Roach,
p. 240, lignes 1849-1850 ; cf. p. 208, lignes 1221-1223).

§ 322 : 1. Chez Robert de Boron, *l'escuele* est le réceptacle dans
lequel Joseph recueillit le sang qui coulait des plaies du Christ. « Et
tous ceux qui verront ce réceptacle auront une joie perdurable... »
(« *Tout cil qui ten veissel verrunt,/En me compeignie serunt ;/De
cuer arunt emplissement/Et joie pardurablement.*» Le *Roman de
l'Estoire dou Graal*, éd. Nitze, CFMA, Paris, 1927, v. 917-920).

2. Chrétien de Troyes dans son *Conte du Graal* n'explique
pas l'origine du mot *Graal*. Mais l'auteur de la *Queste* reprend à
Robert de Boron l'explication que celui-ci en donne : le Saint-Vase
s'appelle « Graal » puisqu'il *agree* à ceux qui ont le droit de le voir
de près : *Qui a droit le vourra nummer/Par droit Graal l'apelera ;/
Car nus le Graal ne verra,/Ce croi je, qu'il ne li agree* (Le *Roman de
l'Estoire dou Graal*, éd. Nitze, « CFMA », 1927, v. 2658-2661).

3. Ce n'est que dans les versions de la *Queste* Vulgate et Post-
Vulgate (éd. Bogdanow, t. 3, § 590, p. 321-322) que le Roi
Mehaignié est guéri par les gouttes de sang qui coulent de la
Lance. D'après le premier texte qui mentionne le Roi Mehaignié,
Le Conte du Graal de Chrétien, le thème de la Lance qui saigne
n'a qu'un rapport indirect avec celui du Roi Mehaignié. Perceval,
afin d'assurer la guérison du Roi Mehaigné aurait dû poser deux
questions : « À qui faisait-on le service du Graal ? » *Del graal cui
l'en en servoit* (éd. Roach, v. 3244, v. 3293), et « Pourquoi la lance
saigne-t-elle ? » *De la lance por qu'ele saine* (éd. Roach, v. 3399 ;
cf. v. 3553 ; v. 3583-3590). Le thème des questions à poser est repris
dans les *Continuations* du *Conte du Graal* ainsi que dans le *Didot
Perceval* et le *Perlesvaus*. Dans le *Didot Perceval* le Roi Mehaignié
est guéri lors de la deuxième visite de Perceval au Château du Graal
lorsqu'il pose enfin les questions obligatoires (*Didot Perceval*, éd.
Roach, p. 239, lignes 1835-1840).

§ 323 : 1. Cf. ch. VII, § 160, n. 1.

§ 327 : 1. Il s'agit de Galaad, roi de Hoselice, fils de Joseph d'Arimathie, mentionné déjà au § 315 de notre texte, ainsi que dans le *Lancelot* (*Vulgate Version*, éd. Sommer, III, 117.7-8, IV, 175.15-18, 177.17, 177.24-25, 179.4, 181.12, 221.10; *Lancelot,* éd. Micha, VII, ch. XXIa, 256, § 9; III, ch. XXXVII, 291, § 32; 295, § 42-43, § 43 *bis*; ch. XXXVIII, 298, § 6-7; 302, § 18; *Lancelot du Lac*, «Lettres gothiques», t. I, 1991, p. 408-409; t. V, *L'Enlèvement de Guenièvre*, 1999, p. 128-129, 130-131, 244-245). (Cf. notre § 315, n. 2).

2. Annonce sans doute de la destinée qui attend le royaume d'Arthur dans la *Mort Artu*, dernière branche du cycle *Lancelot-Graal* : le royaume sera détruit à la suite des péchés des chevaliers d'Arthur. (Cf. F. Bogdanow, «La chute du royaume d'Arthur…».

3. Ce n'est pas dans la lettre trouvée dans la nef (ch. XII, § 271.8-16) qu'il est prédit que Galaad se reposera dans ce lit. C'est une voix qui l'a annoncé à Salomon (ch. XI, § 270.26-28).

4. Cf. ch. XII, § 289.11-14.

§ 330 : 1. Cf. ch. XII, § 281, n. 1.

§ 333 : 1. L'auteur de la *Queste*, comme ceux du *Lancelot* propre et de la *Mort Artu*, attribue son œuvre à Gautier Map (1133-1210?), auteur du *De Nugis Curialum* et familier du roi d'Angleterre, Henri II Plantagenêt. En attribuant leurs ouvrages à Gautier Map, nos rédacteurs anonymes suivent la tradition des écrivains du Moyen Âge qui, afin de souligner l'«authenticité» de leurs ouvrages, très fréquemment affirment que leurs livres reposent sur des œuvres antérieures (cf. ch. III, § 56, n. 1).

INDEX DES NOMS PROPRES
ET DES ANONYMES

Les renvois sont aux chapitres et aux paragraphes du texte.

Benoïc, mari de la reine Evaine, père de Bohort et de Lionel.

BOHORT, BOORZ (-T, -Z), B. DE GAUNES, I 2, 4, 5, 7, 12, 17-18, 27 ; VI 86, 139 ; VIII 179, 192, 196 ; IX 197, 199-208, 210-224, 228-238 ; X 243-244, 246-247 ; XII 272, 274-276, 279, 283-284, 290, 292 ; XIII 293 ; XIV 296 ; XV 317-318, 322, 328, 332-333, *fils du roi Bohort, père d'Helain le Blanc, cousin de Lancelot du Lac, un des trois chevaliers élus de la* Queste.

Bretaigne, *voir* Grant Bretaigne.

Calidoine, X 246, *la Calédonie* (*cf.* Escoce).

CALOGRENANT, IX 233-235, *chevalier de la Table Ronde tué par Lionel.*

CAÏN, CAŸN (-S), XI 258-261, *fils d'Adam et frère d'Abel.*

Camaalot, *voir* Kamaalot.

Carcelois, *voir* Qarceloi.

Ceine, VI 88-89 ; XV 323, *la Cène : dernier repas de Jésus-Christ avec ses apôtres, la veille de sa Passion.*

CELYDOINE (-S), VII 165, *le premier roi chrétien de l'Écosse, fils de Nascien et ancêtre de Galaad, neveu du roi Mordrain et père de Varpus.*

Chastel as Puceles, III 53-54, 58 ; IV 62-65 ; V 66, *château situé près de la rivière* Saverne (§ 54), *où étaient retenues toutes les demoiselles qui passaient par là. Elles furent délivrées à la venue de*

Galaad qui vainquit les sept frères, seigneurs de ce château depuis la mort de Linor (*cf.* LINOR). *Le Château des Pucelles représente l'enfer où, avant la Passion de Jésus-Christ, les âmes des justes étaient enfermées à tort.*

CHEVALIER ARMÉ D'UNES ARMES BLANCHES (LI BLANS CHEVALIERS), II 32, *chevalier envoyé par Notre-Seigneur pour réprimander Baudemagu d'avoir pris l'écu réservé à Galaad.*

CHEVALIER ARMÉ D'UNES ARMES BLANCHES, XIV 301, *le Chevalier Blanc (chevalier armé d'une armure blanche) qui prie Galaad de quitter la nef où il se trouve avec Lancelot. Ce chevalier est probablement distinct de celui* du ch. II, 32.

CHEVALIER A LA LITIERE, V 69-72, *chevalier qui, contrairement à Lancelot, s'humilie et se met à prier à l'approche du Saint-Graal.*

CHEVALIER, III 47, 49 *chevalier qui somme Meliant de ne pas emporter la couronne qu'il a trouvée au milieu du chemin qu'il suivait, et qui ensuite se bat avec Galaad.*

CHEVALIER, III 55-56, 58 ; IV 62, *les sept chevaliers, qui sont frères, cherchant à défendre à Galaad d'entrer au Château de Pucelles, se battent d'abord avec lui (55-56) et ensuite avec Gaheriet, Gauvain et Yvain (62).*

CHEVALIER, III 58, *chevalier qui*

ce château par un nom particulier. *Le* Perlesvaus, *en revanche, assigne trois noms à
ce château* : Edem, Chastel
des A(r)mes, Chastel de Joie.

CRUDEL, VI 99-100, *roi sarrasin, le plus cruel et félon du
monde qui fit emprisonner
Josephé, le fils de Joseph
d'Arimathie.*

Cubele, IX 230, *château devant
lequel doit se dérouler un
tournoi.*

DAME, IX 220-223, *diable déguisé en demoiselle qui essaie
de faire enfreindre à Bohort
sa chasteté.*

DAME, VEVE, IX 230, *dame
veuve qui héberge Bohort
avant son arrivée au château
de Cubele.*

DAMOISELE, I 1-2, *demoiselle
qui sur l'ordre du roi Pellés
vient chercher Lancelot.*

DAMOISELLE, I 16, *voir* NASCIENS
LI HERMITES.

DAMOISELLE, VI 127-134, *diable déguisé en demoiselle qui
cherche à séduire Perceval.*

DAMOISELLE, VII 158-159, *demoiselle qui adresse à Lancelot des paroles énigmatiques.*

DAMOISELLE, IX 214-217, *demoiselle enlevée par un chevalier et que Bohort délivre.*

DAMOISELLE, IX 220-223, *diable
déguisé en demoiselle qui
cherche à séduire Bohort.*

DAMOISELLE, XII 275, *demoiselle qui déconseille à Galaad
et à ses deux compagnons Bo-

hort et Perceval d'entrer dans
le château Carcelois.*

DAMOISELLE, XII 286-288, 290,
*demoiselle atteinte de la lèpre
qui recouvre la santé dès
qu'elle est lavée avec le sang
de la sœur de Perceval.*

DAMOISELLE, XIV 309, *demoiselle qui lors du séjour de
Lancelot à Corbenic lui apporte une robe de lin lorsqu'il
a repris connaissance.*

DAMOISELLE, XV 319-320, *nièce
du roi Pellés.*

DAMOISELLES, III 55, 57-58,
*demoiselles retenues au Châ-
teau des Pucelles délivrées
par Galaad (*cf.* Chastel as
Puceles).*

DAMOISELLES, IX 222, *douze diables déguisés en demoiselles
qui se jettent du haut d'une
tour après que Bohort a refusé
les avances de leur maîtresse
(*cf.* DAMOISELLE, 220-223).*

DAMOISELLES, XV 320, *quatre
demoiselles qui apportent dans
la chambre du Graal le lit sur
lequel gît le Roi Mehaignié.*

Danemarche, II 45, *Danemark.*

DANIEL, VI 114, *Daniel le
prophète qui fut jeté dans la
fosse aux lions.*

DAVID (-IZ), LE ROI, I 10 ; II 43 ;
VI 87, 102 ; VII 152 ; XI 261,
263, 266, *le roi David.*

DIABEL, VI 95, *fils de la tante de
Perceval.*

DO, IV 65, *père de Girflet.*

EBREX, V 83, *les Hébreux.*

dans lequel est fichée l'épée destinée au héros du Graal.

VALLET, I 13, 21, *jeune homme qui annonce à la reine Guenièvre l'arrivée de Galaad à la cour d'Arthur et à qui la reine demande ensuite s'il était présent là où la quête du Graal a été jurée.*

VALLET (-z), III 55, *écuyer qui fait savoir à Galaad que les habitants du château des Pucelles lui défendent d'entrer.*

VALLET (-z), VASLET, VI 106-108, *écuyer à qui Perceval à la poursuite de Galaad demande de lui prêter le cheval qu'il conduisait, mais que celui-ci refuse de lui donner (cf.* CHEVALIER 108-109).

VALLET, VII 142-143, *écuyer qui réprimande Lancelot lorsque celui-ci le rencontre après avoir quitté l'ermite qui lui avait conseillé d'abandonner sa vie pécheresse.*

VALLET, VIII 184-185, *écuyer qui indique à Hector et à Gauvain où trouver un ermite qui leur expliquera le sens de leurs visions.*

VALLET, IX 230, *écuyer qui,* lorsque Bohort s'approche du château de Cubele, lui fait savoir qu'un tournoi aura lieu entre les chevaliers de la veuve chez qui il a passé la nuit et ceux du comte des Plains.

VALLET, XII 275, *écuyer qui lorsque Galaad, Bohort et Perceval arrivent devant le château Carcelois les avertit du danger qui les y attend.*

VARLAN, LI ROIS, X 247-248, *autrefois sarrasin, mais devenu chrétien, trouva l'épée « as estranges renges » dans la nef de Salomon. Il tua Lambar d'un coup de cette épée, mais lui-même tomba mort lorsqu'il retourna à la nef pour prendre le fourreau (248).*

VARPUS, VII 165, *le premier des rois issus de* Celydoine.

VASPASIENS, II 43, *l'empereur Vespasien, fils de Titus.*

YSAIS, VII 165, *le quatrième roi issu de Celydoine.*

YVAIN (-s), YVAIN LI AVOUTRES, I 17 ; II 30-32, 35 ; III 59 ; IV 61-62 ; VIII 187-188 ; *Yvain le Bâtard, chevalier de la Table Ronde tué par Gauvain.*

Table

Composition réalisée par NORD COMPO

Imprimé en France par CPI
en janvier 2018
N° d'impression : 2033396
Dépôt légal 1re publication : septembre 2006
Édition 03 - janvier 2018
LIBRAIRIE GÉNÉRALE FRANÇAISE
21, rue du Montparnasse - 75298 Paris Cedex 06

30/4568/9